編集復刻版

朝鮮治安関係資料集成

第2巻

水野直樹 編

不二出版

〈復刻にあたって〉

一、本復刻版は、原本を適宜縮小し、復刻版一頁につき四面または一面を収録しました。

一、本復刻版は、できるかぎり副本を求めましたが、頁の欠落、破損などを補充できなかった部分があります。また、より鮮明な印刷となるよう努めましたが、原本自体の不良によって、印字が不鮮明あるいは判読不可能な箇所があります。

一、資料の中には、人権の視点から見て不適切な語句・表現・論もありますが、歴史的資料の復刻という性質上、そのまま収録しました。

（不二出版）

〔第2巻　収録内容〕

資料番号――資料名●編著者名〈発行所〉●発行年月日――復刻版頁

写、各道各派遣員

昭和二年六月十四日 朝保秘第一三〇九號
同年六月六日 北第二五四號

北京在留朝鮮人ノ概況

警務局
木藤通譯官

目次

以上

一、戸数並ニ人口

大正十一年十二月朝鮮人ノ旅行証明制度撤廢セラレ次テ十二年九月関東地方大震災ノ餘波ヲ受ケ北京方面ニ流入スル朝鮮人頗ル多ク一時ハ一千名内外ヲ算スルニ至リシカ大正十三年八、九月頃ヨリ日本ノ對外爲換ノ變動ニ依リ銀ニ對スル金ノ相場非常ニ下落シ從來相當ノ學資乃至生活費ヲ本國ヨリ仰キシモノモ多大ノ不足ヲ感スルニ至リ又同年度朝鮮各地ニ慘害ヲ逞フシタル水害旱魃凶作並ニ近年打續キタル支那動乱ノ影響等ニ依リ北京在留ノ

鮮人ハ著シク其数ヲ減シ現在ハ戸数約四十人口約五百ヲ算スルニ過キス

二、在住鮮人ノ職業

在留鮮人ノ大多数ハ無職業者ニシテ無爲徒食ノ輩ナルカ内僅カニ左記ノ有職者ヲ發見スル

一、支那官公吏及軍人タル者　四
二、下宿業　一
三、料理業（妓女約三〇）　二
四、農業（牧畜業ヲ含ム）　七
五、醫業（歯科医及非医者ヲ含ム）　五
六、精米業　一
七、日本人傭人　二

右各項ニ就テ大略ノ説明ヲ附スレハ左ノ如シ

一、軍人ハ一人ニシテ本人ハ元郭松齢軍ニ屬シ張作霖ニ反抗シタルモノナルカ遂ニ奉軍ノ捕虜トナリ張李良ノ盡力ニ依リ釋サレテ鎮威軍ニ屬シ現ニ同軍第三四方面執法處ニ陸軍少佐トシテ在職ス
官吏ハ交通部ニ二人公吏トシテ市傳染病院医員一人ナリ

二、上海仮政府元財務総長李始榮ノ兄李浩榮カ鮮人學生ノ爲ニ下宿業ヲ営ミ居レリ

三、料理業者中一人ハ十余年前ヨリ開業シ鮮支人妓女約三十人ヲ置キ重ニ外国軍人ヲ相手ニ営業シ相當根據ヲ作リタルモ他ノ一人ハ微々トシテ振ハサルカ如シ朝鮮人料理業者ニ對シテハ日本官憲ハ之ヲ公許セス默認ノ状態ニ置クモ支那官憲ハ之ヲ公

認シ居レリ
四、農業ハ多ク水田ナルカ之ヲ真面目ニ経營スルニ於テハ相當ノ利益アルハ一般ニ之ヲ認ムル所ナルカ北京及其附近ニ於テ朝鮮人ノ経營スル農業ハ皆資本ニ乏シク且ツ投機的経營振リニシテ真面目ナルモノ少シ随テ由来農業ニ依テ成功シタルモノアルヲ聞カス唯通州ニ在ル一鮮人カ山羊数十頭ヲ飼養シ羊乳ノ賣店ヲナシ居ルモノアリ相當有望視サレアルカ如シ
五、醫士ハ千葉醫學專門学校卒業者二名漢法医一、日本歯科医學校卒業ノ歯科医一名及非医者一名ナリ千葉医専卒業生ノ一名ハ北京ニ在住スルコト久シク市傳染病医院ノ医員トシテ在職スルコト数年相當ノ信用アリ傍ラ開業医ヲ営ミ居レルカ此者ハ排日思想ノ熾烈ナルモノニテ従来北京ニ生レタル不逞鮮人團体ニシテ本人ノ名ヲ列セサルモノ殆ト之レ無ク日本人トノ接觸ハ一切之ヲ避ケ居レリ
右ノ外「ロックフエラー」病院ニハ昨秋招聘セラレタル米国醫学博士ノ鮮人一名ト朝鮮ヨリノ研究生三、四名アリ而シテ之等鮮人医師等ハ在来鮮人トノ接觸ハ少キモノヽ如シ
六、精米業年来北京ニ在住シタル排日鮮人ノ領袖朴容萬カ昨年布哇ニ赴キ同志ヲ鳩合シテ得タル資金萬余円ヲ携ヘテ歸来シ永定河附近ニ於テ水田経営ヲ企圖スル傍ラ宣武門外ニ於テ小規模ノ精米所ヲ創設シ北京附近ノ水田ニ出來タル籾

三

ヲ買入レ数百石ノ精米ヲナシタルカ支那人米商トノ聯絡円満ナラスシテ其販路ニ窮シ持テ餘シ居ル状況ナリト云フ本業ハ一時的ニシテ永續ノ見込之レ無キカ如シ
七、日本人ノ雇傭人僅々二名ニ過キサルハ種々ノ理由アルモ第一ハ在北京日鮮人間ニ相互ノ理解ニ乏シキ事次ハ不逞鮮人ノ脅迫アルカ故ニ親日者ト雖日本人トノ接近ヲ避クルノ傾アルコト及労銀ノ関係上支那人トノ競争ニ堪ヘサルコト等ハ其重ナルモノヽ如シ

三、在留鮮人ノ生活状態

北京在留鮮人ノ生活状態ヲ表明スルニハ唯悲惨ノ一語ヲ以テ之ヲ盡スコトヲ得ヘシ前項ニ於テ陳ヘタルカ如ク在留者五百人内外ノ内有職者ハ僅々二十余名ニ過キス之ニ依テ衣食スルモノハ百名内外ニ過キス之等以外ニハ學生ニシテ毎月一定ノ学資ノ供給ヲ受クルモノ僅ニ之レアリト雖学資ノ供給ハ受ケサルモノヽ数遥カニ之ニ超ヘ彼等間ニハ互ニ貸借又ハ寄食ノ弊盛ニシテ所謂共倒レノ風アリ學生ニシテ食料乃至室料ノ仕拂ヲ数ケ月分停滞セサルモノハ殆ト之レ無シト言フモ過言ニアラサルカ如シ又一家ヲ構ヘ居ルモノヽ中ニハ若干ノ生活費ヲ有シ居ルモノ又ハ郷里ヨリ時々相當ノ生活費ヲ受クルモノナキニアラサルモ彼等ノ前身ハ多ク詐偽横領拐帯犯等刑余ノ輩ナレハ不逞ノ徒ハ常ニ彼等ノ弱點ニ附ケ込ミ脅迫又ハ強要シテ若干ノ生活費ヲ

四

搾取スルヲ以テ此輩モ自衛上常ニ若干ノ寄食者ヲ養ヒ脅迫者ノ豫防ヲナシ又ハ不逞者ニ對シテ時々若干ノ冥加金ヲ納メテ彼等ノ歓心ヲ買ヒ居ル有様ナレハ生活費ノ有無ニ係ラス五百ノ在留者中物質的又ハ精神的ニ不安ノ生活ヲナサヽルモノハ殆ト之レ無ク中ニハ定時ノ食事ヲ取ルコト能ハス知人ノ間ヲ遍歴シテ辛フシテ空腹ヲ充タスモノ等アリト云フ

四、在留朝鮮人中重ナルモノヽ氏名

在留鮮人中ノ重ナルモノヲ擧クレハ左ノ如シ

尹澤榮（侯爵、李大妃殿下ノ實父）
尹敦榮、　尹用德、○裵天澤、○裵仁守（女）
○朴容萬、○朴健秉、○朴崇秉、○朴観海、
朴齊潛、○朴泰烈、○趙南升（李奎ノ孫ニ当ル）○李浩榮、
○張健相、○李石榮、○李世榮、○李光、
○李圭駿、○李鐸、○李洋、○李秉春（逮捕）
○林有棟、○李洛九、○李相度、○韓震山、
○韓永福、○宋虎、○南亨祐、○曹成煥、
○元世勲、○姜九禹、權相洙、姜台永、
○權寧睦、○康基鳳、○金復、○金思集、
○金翼煥、○金雲、○金子元、○金秉萬、
○金弘善、○金根河、○金国賓、○金雲波、
徐相游、○申秉浩、○全秉薫、○崔泰允、
○崔天浩（逮捕）○崔グリゴリ（又ハ蔡）、○辛鉄、○高昌一、
○李賛、○趙東隠、○黄益秀、○黄梅春、
○尹東梅（女）

備考○ヲ附シタルハ共産黨員ナリ

五、學生及學生ト称スル者

北京在留朝鮮人中學生及學生ト称スルモノヽ数ハ約二百名ニ達スルモ實際学校ニ籍ヲ置クモノハ其半数ニ充タス（大正十四年ノ調査ニ依レハ総数百四十二名大、中、小学ニ籍ヲ置クモノ五十五名ナリキ之ハ姓名ノ明瞭セル分ノミ）

之等学生中學資ノ送付ヲ受クルモノハ総数ノ三分ノ一（同上調査ニ依レハ四十八名ナリキ）ニ過キス金額ハ二十円乃至三十円トス

北京鮮人学生ハ数年前ヨリ學生會ナルモノヲ組織シ居タリシカ大正十三年中朝鮮留學生會ト高麗留學生トニ分離シ前者ハ民族主義ヲ標榜シ後者ハ社會革命主義ノ傾向ヲ有シ常ニ軋轢ヲ續ケ其間有志家ニ依テ幾度モ合併運動ヲ企テラレタルモ一致ヲ見ルニ至ラサリシカ昨年春ニ至リ北京不逞鮮人間ニ大独立黨組織北京促成会ナルモノヽ創設セラルヽヤ其ノ機運ニ促カサレテ學生會モ遂ニ合同ノ議熟シ十五年十一月中平民大学ニ於テ学生総會ヲ開キ爰ニ統一ノ實ヲ擧クルニ至レリ爰ニ最モ注意ヲ要スルモノハ今回統一サレタル韓國留学生會ノ幹部カ多ク左傾派ニ属シ一般ニ共産黨ノ機関ナルカ如クニ認メラレアルコトナリトス（不穏團体ノ項ニ讓ル）

六、不穏團体

朝鮮人ノ離合集散ハ其ノ民族性トモ謂フヘキ功

名心疾妬心猜疑心ト相俟テ恰モ蜉蝣ノ一生ノ如ク朝ニ一黨ヲ組織スルモ夕ニハ既ニ其形骸ヲモ止メサルノ観アリ北京ノ如キ在留民僅々千人ニモ充タサル一小部落ニ於テスラモ其過去及現在ヲ通シテ殆ト團体生滅ノ一小「パノラマ」ニ似タルモノアリ今試ミニ過去数年間ニ於テ興亡シタル各種團体ノ数ヲ挙クレハ實ニ二十余ニ達スルモ此處ニハ其ノ現存ノモノヽミヲ列記スルコトヽセリ

一、大獨立黨組織速成會
二、興士團北京團所
三、北京韓人青年會
四、北京韓国留學生會
五、北京社會科學研究會
六、「タムル」團
七、支那入籍鮮人會
八、朝鮮人耶蘇教會
九、高麗基督教青年會

以上各項ニ就テ若干其ノ説明ヲ加フレハ左ノ如シ

一、大独立黨組織北京促成會ハ大正十五年十月興士團長安昌浩カ上海ヨリ北上シ北京ニ滞在中各方面ノ有志者ヲ訪問シ有力者ノミヲ團結シテ一ノ大同團結ヲ組織セント劃策中一部鮮人等ハ之ヲ見テ畢意安昌浩カ自己ヲ中心トスル一大勢力ヲ作ラントスル野心ニ外ナラストナシ別ニ仝志ヲ語ヒ先ツ各地方ニ民衆ヲ基本トスル小團結ノ細胞ヲ作リ後之ヲ連結シテ一大独立黨ヲ團

七

結セントシテ起リタルモノナルカ安昌浩ノ企畫ハ破レタルモ後者ハ忽チ成功シテ十月十二日其成立ヲ見ルニ至レリ成立當時集合シタル人物成立後ノ役員及ヒ本會ノ宣言綱領規約等ノ大略次ノ如シ

集合人物

元世勲、姜九禹、張健相、趙南升、裵天澤、朴建秉、
李鐸、金光泉、朴観海、黄一山、元恭熙、申翼熙(代)
宋虎、李天民、曺成煥、金思集、李光、韓震山、
安昌浩、申秉浩、金友成、金永萬、南亨祐、権寧睦、
権相洙、尹東梅、裵仁守、金雲波、金東州、外数名

宣言書起草委員

元世勲、張建相、李鐸、裵天澤、曺成煥、

規約ニ依ル執行委員七名次ノ如シ

張建相、元世勲、趙南升、曺成煥、裵天澤、金光泉、
朴建秉、

十月二十八日附ヲ以テ本會ノ宣言書ヲ印刷發布シタルカ一千七百余字ヨリ成ル長文ニシテ其ノ主張ハ

日本帝國主義ノ撲滅、韓国ノ絶對独立、
韓国革命同志ノ黨的結合
民族革命ノ唯一戰線ヲ作ル
全世界被壓迫民衆ノ團結

ニアリ宣言書ノ署名左記ノ二十三名ナルカ變名ヲ用ヒタルハ其用意ノ如何ヲ知ラス

姜扶弱(九禹)金宏善(弘善)金雲波、金有成、
金一濟、金一星、金贊、金海山(国賓)
権敬止、張建相、李光、李贊、
朴建秉、朴観海、裵雲英、裵天澤、等

八

宋　虎、申翼熙、尹悃憔(貟援)　九世勲
元　興、曹成煥、黄　郁
本會ノ簡章中重ナル條項次ノ如シ
一、本會ハ大独立黨完成ノ日マテ存在シ将来全黨ノ一份子タル細胞トナルモノトス
一、本會々員ハ北京ニ在留スル韓国人ニシテ年齢十八才以上ニ達シ独立革命ノ精神徹底的ナルモノニシテ京會員ノ保薦執行委員會ノ許可アルモノ
一、本會ノ職務執行ノ為執行委員七名ト左ノ各部ヲ置ク
秘書部、宣傳部、交渉部、通信部、會計部
十二月五日執行委員會ニ於テ機関紙「独立黨促成會報」ヲ發行スルコトヲ決定セリ
本會ノ通信所ハ北京郵務総局信箱方四十六号培達民トナシアルモ無論假名ナリトハ
興士團ハ安昌浩ヲ團長トシ米國ニ其本部ヲ置キ各地方ニ支部アリ其下ニ團所ナルモノアリ極東支部ハ南京(最近上海ニ移レリ)ニ在リ北京ニハ北京團所アリテ李鐸ハ其ノ長タリ
本團ハ堅實ニシテ教養アル青年ノ養成ヲ目的トスル平安道派ノ秘密結社ニシテ義烈團等ノ如キ直接的破壊行動ヲ避ケ根據アル独立運動ヲ企圖スル團ナリ北京ノ團員ハ十余名ニ過キサルカ如シ
北京韓人青年會ハ最近ノ創立ニ係ル即チ本年

九

五月十四日平民大学ニ於テ發起人會及創立総會ヲ同時ニ開催シタルカ發起人ハ左傾派ノ金天友(弘善)寄老春林有棟康基鳳等ニシテ現在ノ會員ハ三十九名ナリ規約第九條ニ依ル執行委員九名ハ左ノ如シ
奇老春、車應俊、李洛九、金天友、
康基鳳、崔　英、金玉亭、李相度、
林有棟、
創立當日ノ出席者ハ會員三十九名中三十一名ニシテ前起役員ノ外姓名ノ分明セル分左ノ如シ
金　文、黄梅春、李秉英、梁在涉、
李仲選、全日富、鄭煥善、呉錫範、
金東洲、金昌國、李鐘達、李錫華、
尹有英、李在明、
本會ノ規約第二條ニ本會ハ本會ノ綱領ノ主旨ヲ貫徹スルヲ以テ目的トストアルモ該綱領ナルモノハ未タ詳ナラス然リト雖モ本會ハ北京社會科学研究會系ニ属シ共産黨ノ一機関タルヤノ疑アリ
北京韓国留学生會学生ト称スルモノ、部ニ於テ若干述ヘタルカ如ク本會ハ従来分離シ居タル高麗留学生會及朝鮮留学生會ノ二者ヲ統一シタルモノニシテ其統一ノ動機ハ大独立黨組織北京促成会ノ成立ニアリ即チ大正十五年十月二十八日平民大学ニ於テ両者ノ学生相集リ協議ノ結果双方共其名称ヲ取消シ新ニ北京韓国留学生會ナルモノヲ創設シタルナリ

一〇

十二月十二日平民大学ニ於テ総會ヲ開キ規約起草委員ノ成案ヲ討議シ九ケ条ヨリ成ル規約ヲ通過シタリ其中重ナル条項左ノ如シ

第一條　名称宗旨位置

一、略

二、本會ノ宗旨ハ友誼ヲ敦睦ニシ学術ヲ講究シ韓国革命ノ完成ヲ期ス

規約第三條ニ依ル各部及委員左ノ如シ

庶務部、金天友、車應俊、
社交部、金鳳煥、裵仁守、
財務部、金東柱、権泰衡、
体育部、鄭煥善、

本會ノ會員ハ約四十名ナルカ内姓名ノ分明セルモノ左ノ如シ（前記役員ヲ省ク）

梁在涉、金日富、李　春、金　文、
李圭烈、黄梅春、康基鳳、金善泰、
李鍾達、朴観海、元　興、李景熙、
李再明、李洛九、

外ニ不明ノモノ十三名アリ

北京社會科学研究會　本會ハ大正十四年十一月十五日ノ創立ニ係リ現在ノ役員ハ左ノ通リナリ

庶務部、車應俊、金奎河、
経理部、李錫萃、金宇一、
社交部、張志樂（本人ハ廣東ニ行キ不在）
運動部、鄭煥善、安潤哈、
文藝部、黄梅春、李洛九、

本會ノ會員中姓名ノ分明セル分左ノ如シ（前記役員ヲ省ク）

金天友、李　春、金鳳煥、呉　鐸、
李在明、金　文、金容贊、元　興、
李景熙、李　英、金善泰、金龍基、

本會カ十五年五月一日附ヲ以テ發展シタル宣言書ニ依レハ本會ハ共産主義革命カ朝鮮民族解放ノ唯一ノ道程タルコトヲ是認シ朝鮮独立運動者ヲ駆ツテ共産主義革命ノ実行手段ヲ講究シツヽアルモノト認メラル

タムル團ノ名ハ大正十四年四月北京ニ於テ朝鮮総督府嘱託鮮人金達河殺害事件以来頗ル人心ヲ刺激シ一種恐怖ノ象兆タルカノ意ニテ畢意不言実行ヲ意味スルモノナリト云フ先年李世栄カ此ノ命名ヲナシタルモノナリトノコトナルカ現今北京ニ在ル同團員ハ左記ノ七名ナリト云フ

曹成煥、黄益秀、李圭駿、李　洋
崔泰允、金鍾聲、柳道一、

本團ノ手ニテ最近「赤拳」ナル不穏印刷物ヲ發行シタルカ生活費搾取ノ前提ナリトモ評セラル同團ニハ常ニ精鋭ナル新式拳銃数挺（或者ハ十数挺ヲ目撃シタルコトアリト言ヘリ）ヲ藏シ居リシカ最近ハ生活費ニ窮シタル結果皆之ヲ売リ払ヒタリトノ説モアリ真偽詳ラス兎ニ角最モ兇暴ナル團体ト認メラレアリ

朝鮮人耶蘇教會　大正十三年二月以前ハ高麗基

督教青年會ト同シク米国公理會ノ一部ヲ借リテ日曜ノ禮拝ヲナスノミニテ一定ノ牧師モ之ヲ置カサリシカ同月ニ至リ米国及支那教會ノ援助ヲ得テ北京鮮人耶蘇教會董事會ナルモノヲ設ケ教會ノ独立ヲ計リ朝陽門大街三百十四号ニ一戸ヲ借リ受ケ南京ヨリ金根河(光泉ト號ス)ナルモノヲ聘シテ牧師トシ(十三年七月着任)今年九月ニ至リ支那官广ニ届ケ出テタルニ支那ニテハ欧米人以外ニハ布教ノ権利ヲ與ヘ居ラサル為ニ唯タ黙認ノ姿ニテ今日ニ及ヘリ

十五年七月教會ハ北池子北頭、三十九號ニ移轉シタルカ同年一月、一月中壹萬元ノ豫算ニテ教會建築ヲ思ヒ立チ寄附金募集趣旨書ヲ内外ニ配布シタルモ其結果ハ不成功ニ終レルモノヽ如シ

本教會ハ直ニ之ヲ以テ不穏ノ團体ナリト名ケ難キモ朝鮮人ハ内外共ニ教會ヲ利用シテ秘密ノ集會ニ充ツルコトハ其常例ナルカ本教會モ此ニ洩レス時々不穏團体ノ集會場ニ充テラレツヽアルハ事實ナリ又教會員タル所謂教人ハ多ク独立運動者ニシテ動モスレハ通常禮拝祈禱ノ際ニ於テスラ不穏ノ言動ヲナスモノアリ相當注意ヲ要スヘキモノトス

一三

北京高麗基督教青年會大正十三年初頃ニハ會員約四十四、五名ヲ有シ北京トシテ可ナリ有カナル團体ナリシカ遂ニ独立シテ京城ノ中央基督教會ニ加入シ同時ニ朝鮮人耶蘇教會ト共ニ朝陽門大街三百十四号ニ一戸ヲ借リ受ケ居タルモ十五年七月北池子北頭三十九號ニ移轉セリ

本會ノ會員ニハ平安道人多キヲ以テ一般ニ平安道ノ青年會ナリトノ評ヲ下シ居レリ

十五年八月ニ於ケル本會ノ役員ハ次ノ如シ

會長　徐丙浩(其後天津ニ移轉シタルカ後任者不明ナリ)

書記　金成廉

會計　呉正麟、

支那入藉鮮人會　大正十五年十月中姜九禹張建相、朴崇秉、曹成煥等發起トナリ支那ニ歸化シタル鮮人ノ土地所有問題其他ノ権利擁護ヲ目的トシテ入藉懇民會ナルモノヲ組織セントシ同月三十日附ヲ以テ籌備會趣旨書ヲ石版摺トシテ各方面ニ發送シタルカ該主旨書ニハ南北満州等ニ在ル移住者二百萬ノ政治上経濟上ニ於ケル悲惨ナル状況ヲ縷述シ移住民ノ権利ト利益ヲ擁護シ外来ノ壓迫ニ抵抗シ自己生活ノ改善ヲ圖ルト云フノ見地ヨリシテ先ツ入藉者ヲ各地方毎ニ團結シタル後之ヲ統一團結セントスルモノニシテ北京ニ於テ先鞭ヲ著ケ籌備會ノ組織ニ着手シタルモノナルカ本會モ先ツ細胞組織ヲ完成シタル後大同團結ヲ作ラントスル其ノ道程ハ大独立黨組織北京促成會ト其軌ヲ一ニスルモノナルカ所謂英雄中心主義ヲ排シテ民衆注重主義ヲ採リタルモノニシテ之ハ近年一般ノ風潮タルノ観アリ之レ亦共産黨侵潤ノ影響トモ謂フヘキモノナランカ

一四

當時趣旨書ニ署名シタル人名ハ左ノ如クナリ

姜九禹、金宏善(弘善)　金海山(國賓)　権宗洙(相洙)

張壽山（健相）　李光、李翼贊、撲建秉（朴建秉）
撲観海（朴観海）撲学斉（朴醉石）裴達武（裴天澤）
裴亮九（權寧睦）、裴雲英（裴仁守）、宋壽山（宋虎）、
呉一善（南亨祐）、元興（元泰熙）、曹煜（曹成煥）、
韓震山

不穏出版物

大正十五年十月二十日調査ニ依レハ當時北京不逞鮮人ニ依テ發行セラレツヽアリシ不穏出版物左ノ如クナリキ

題號	文字別	主義色彩	發行所	關係者	摘要
革命	諺漢文	共産主義	北京信箱二六四號 周究成（通信所）	周究成	共産党員張建相ノ手ニ成ルモノ
導報	〃	民族革命主義	北京大学才一院	朱啓勲	導報社ノ機関紙ニテ朱ハ元世勲ノ変名ナリ
渡頭	〃	〃	通信所北京師範大学	林晦堂	朝鮮留学生会ノ機関晦堂ハ林有棟
血潮	〃	〃	不明	不明	元世勲黄一山宋虎等ノ手ニ成ル

備考血潮ハ謄写版其他ハ石版ナリ
革命ハ第三十三號ヲ本年二月初發行シタル後發行者張建相カ支那官憲ノ共産党員取締ニ恐レテ上海ニ逃避シタル爲目下發行中止中ナリ
導報ハ経濟困難ノ爲十五年四月第二十八號ヲ以テ中止渡頭モ昨年四月第三號ニテ中止理由前同様
血潮ハ昨年八月第二号マテニテ中止セリ
右ノ外社會科学研究會ニテ發行セシ「学苑」モ昨年四月才四號以後ハ發行セス
大正十五年十二月十五日主義者辛鉄ニ依テ「革命ノ道」ト云ヘル純然ナル共産主義宣傳ノ機関雜誌

發行セラレタルカ之亦本年二月十日第二號ヲ出版シ三月八日國際労力女子紀念日ニ當リ紀念號ヲ發行シタル後ハ休刊中ナリ一ニハ支那官憲ノ取締ニ怯ヘタルモノナルモ一面ニハ日々ノ糊口ニモ窮シツヽアル彼等ニハ雜誌發行ノ餘裕等之レナキニ至リシコトモ其原因ノ重ナルモノトス

最近ニ至リ「ダムビ」團員ノ手ニ依リ「赤拳」ト称スル石版摺ノ不穏雜誌發行セラレタルカ通信處ハ北京郵務局信箱第三十七號韓台光發行處赤拳社發行人、韓培權トナシアルモ之等ハ何レモ假名ニシテ全團員黄勲、李圭駿、李洋等ノ手ニ成ルモノナリト云フ五月初ノ創刊號ハ同時ニ終刊號ナルカ如シ本誌ハ暴力主義ヲ讃美シタルモノニシテ反對者ヲ脅威スル爲ニ特ニ作ラレタルモノナリトノ説アリ

支那軍隊ト朝鮮人

支那各地ニ在ル士官学校軍官学校等ニハ朝鮮人ノ在学シタルモノ其数尠ラス但シ當初ヨリ一定ノ目的ヲ以テ入学セシニアラス多クハ單ニ一時糊口ノ途ヲ得ンカ爲ニシタルモノナレハ其出入退轉モ常ナク随テ一定ノ學科ヲ修了シテ相當ノ資格ノ得タルモノハ極メテ寥々タルモノアリ

今日迄之等学校ニシテ北京ニ在ル鮮人ノ関係アリシモノヲ擧クルハ次ノ如シ

一、邯鄲武官学校
二、洛陽学生團
三、保定航空学校

朝保秘第一一三七號

昭和三年五月十七日

朝鮮總督府警務局長

各道知事殿

各派遣員殿

在滿鮮人思想團体分布狀況ニ關スル件

客年秋在滿鮮人壓迫事件勃發當時鮮人擁護ノタメ大連在住一部浪人ニ依リ組織セラレタル國際大民會ニ於テ歸順鮮人等ヲ利用シ調査シタル在滿鮮人思想團体分布狀況（附屬地圖アルモ省略ス）左記ノ通リニシテ同會本部員ヨリ内密入手シタルモノナル旨奉天總領事ヨリ通報ニ接シタルニ付御參考迄通報ス

在滿鮮人思想團体分布狀況

（在大連國際大民會調査）

一、正義府　　六、高麗革命黨

二、參議府　　七、新人同盟會

三、新民府　　八、南滿青年總同盟

四、ダームル青年黨　　九、韓人會

五、勞働黨

在滿鮮人思想團体ノ概況

一、正義府

沿革、本府ハ大正十三年冬吉林ニ於テ南滿鮮人統一會議カ開カレタ當時南滿各地ニ散在セル各小團体即チ義成團（當時本部吉林）統義府（本部南滿東邊道興京縣）光正團（本部長白山塩松）等其他七八團体カ團結シテ組織サレタルモノニシテ目下在滿鮮人思想團体ノ内最モ勢力アルモノナリ

位置、目下本部ハ吉林省磐石縣ニアリテ各機關ハ吉林以南ヨリ鴨綠江沿岸一帶ノ各地ニアリテ東邊道ヲ地盤トシテ活動シツツアリ

主義、設初ハ民族主義ニシテ朝鮮ノ獨立ヲ計ルモノナリシカ今ハ獨立ノ不能ニ目覺メテ民族運動ヨリ社會運動ニ移リ多少左傾シタルモノヽ如シ而シテ目下ハ在滿鮮人ノ民衆ヲ指導スル一種ノ自治團体トナリテ一般鮮

2

族ノ保護自治ヲナシツツアリ

制度、委員制度ニシテ五十戸以上ヲ單位トシテ一區ヲ組織シ區ニハ區長アリテ自治行政、教育等ノ事務ヲ司リ五百戸以上ヲ以テ一地方トナシ地方ニハ地方長アリ千戸以上ヲ以テ總管區トナシ總管區ニハ總管アリテ區同樣ノ自治行政教育産業等ノ事務ヲ司ルモノトス區、地方、總管區ニハ各議會アリテ議事ヲナシ役員ヲ選定ス中央議會ハ年一回總會アリテ各地方及ヒ總管區ヨリ派遣サレタル代議員等ノ集合ニヨリテ開催サレ中央執行委員ヲ選定ス中央執行委員會ハ同府ノ最高機關ニシテ行政、軍事、教育、法務、生計、財務、民事、外交、交通部等ノ各部アリテ其ノ各部ニハ各々部委員長及委員アリテ事務ヲ處理ス中央執行委員會ノ事務員約七八十餘名アリ

幹部、中央執行委員長、玄正卿、軍事委員長、李青天、財務部長、

玄默觀・以下金赫大・金鎭治・金東三・李一心・金珠等ニシテ同府ノ最モ有力ナル幹部前軍事委員長ナリシ吳東振ハ逮捕サレ目下新義州刑務所ニアリ

經濟、　目下困難ニシテ同府ノ自治行政下ニアル鮮人農戸約四萬戸ヨリ每年平均七圓餘（現大洋）ノ義務税金ヲ取リテ經常費ニアテ不足ノ分ハ時々各地ニ於テ臨時的ニ軍資金トシテ强募シテ充用ス（一ケ年ノ經費約現大洋三十萬圓ヲ要ス）

武力、　同府ノ軍事部ハ府民一般ノ壯丁ニ對シテ義務義勇兵ヲ徵募シテ常備八個中隊一個中隊人員約七十餘名、憲兵、其他民警（警護員）等ヲ合計シテ大略七百餘名ノ武裝兵員ヲ有シ之ヲ各地ニ分駐サセテ各地ノ鮮農ヲ保護シツツアリ所有スル武器ハ全兵員ノ半數ハモーゼル拳銃、其他ハ小　3
銃又ハブローニング拳銃ヲ以テ武裝ス警護員ハ嵐ニブローニングヲ以テ武裝ス各農村ニハ軍事普及會（在鄕軍人團）アリテ青年將校各地ヲ巡回シテ農村壯丁ニ軍事的知識ノ普及ニツトメツツアリ

外交、　南支國民軍トハ密接ナル連絡アリテ常ニ相往來シ南支革命戰ニモ同府ノ青年多數國民軍ニ從軍シツツアリ勞農露西亞第三國際共產黨トハ最近ニ於テ連絡ヲ取リツツアルモ未タ南方國民黨トノ如ク密接ナラス對支官憲ノ交涉ハ南滿卽チ國境方面ニ於テハ支那官憲ヨリ壓迫サレ吉林以北ノ地方ニ於テハ多少支那官吏ヨリ同情サレツツアルモノヽ如シ

宣傳機關紙、　上海ニ於テ大東民報（週刊新聞）戰友（月刊雜誌）等ヲ發行シテ自府ノ宣傳トナシツツアリ

沿革、　同部ハ大正十一、二年頃統義府（正義府ノ前身）ノ一部分ナリシカ幹部金筱厦、前德元等カ李朝ヲ中心トシテ上海ノ韓國臨時政府ヲ擁護シテ此ヲ鮮人ノ最高機關トナシテ活動スヘク計畫中統義府ノ幹部ト内訌ヲ起シ大正十二年ノ多頃統義府義勇軍一、二、三個中隊兵員約五百名ヲ引卒シテ統義府ヨリ分離シテ別ニ長白山、撫松方面ヲ根據トシテ參議部ナルモノヲ組織シタルモノナリ

位置、　本部長白山下輯安縣ニアリテ各機關ハ撫松、長白、安圖、通化、柳河ノ各縣ニ散居セル鮮人農村アリテ右一帶ヲ地盤トシテ活躍シ鮮内平安北道鴨綠江沿岸各地及ヒ咸鏡北道甲山、茂山、惠山鎭方面ニマテ其活動地盤ヲ延張シツツアリ

主義、　大正十一、二年頃ハ李朝奉公主義其後二、三年間ハ共和民族主義現在ハ北滿ノ新民府又ハ浦潮ノ鮮人共產黨ナドト提携シテ正義府ヨリモ極　4
端ニ左傾シテ目下盛ンニ南滿及ヒ北鮮、西鮮地方ニ向ヒ左傾宣傳ヲナシツツアリ

制度、　正義府ト殆ント同樣ノ委員制度ヲ採用シテ中央執行委員會カ最高機關ニシテ正義府同樣ノ各部ヲ有シテ事務ノ分擔ヲナシ部民一萬五千餘戸ニ對シテ自治的行政ヲナシツツアリ（正義府同樣ナル爲メ下略）

幹部、　中央執行委員長池龍海、軍事委員長金筱厦以下李白波、李雄海、崔石泉等ニシテ中央委員約五六十餘名アリ

經濟、　他ノ團体ニ比較シテ割合ニ裕福ナリ經常費ハ部民一萬五千戸ヨリ每年義務税金々票十圓餘ヲ取リ不足分ハ常ニ鮮内ニ侵入シテ軍資金ヲ募集シテ充用ス同部ハ鮮内ニ於テ常ニ莫大ナル軍資金ノ募集ニ成功シツツアリ又他ノ何レノ團体ヨリモ常ニ鮮内ニ於テ活動スル爲メ鮮内ノ住民モ其ノ暴威ニ恐怖シテ彼等ノ軍資要求ニ應スルモノナリ

員ヲ以テ韓國革命軍ヲ組織シ相當實力アル部隊ヲ掌握セリ武器ノ五分ノ一以上ハモーゼルニシテ其他ハ小銃ナリ南支雲南士官學校、廣東黃海軍官學校及モスコー國際士官學校出ノ靑年將校等多數來リテ軍事敎育ヲ施シ其ノ實力輕視スヘカラサルモノアリ在鄕軍人團アリテ農村ノ靑年ニ軍事敎育ノ普及ニ勉メツツアリ目下同府モ徵兵制度ヲ採用シツツアリ

外交、　南支國民軍トハ密接ナル連絡アリテ同部ノ靑年將校等多數武漢派ニ投シテ從軍シツツアリ勞農露西亞ノ第三國際共產黨トハ直接ノ連絡ハ未タナケレト浦潮ノ鮮人共產黨トハ提携シテ鮮內ニ向ヒ左傾宣傳ヲナシツツアリ又大刀會トモ連絡シテ活動スル爲メ支那官憲ヨリ壓迫サレツツアリ鮮內ニモ各支部アリ

宣傳紙、　上海ニアル大韓獨立新聞ヲ機關紙トシテ自團ノ宣傳ヲナシツツアリ

5

追加注意

同團ハ他ノ何レノ部隊ヨリモ常ニ活動目標ヲ鮮內トシテ侵入ス故ニ國境方面ニ於テ發生シタル事件ノ三分ノ二以上ハ同團ノ所爲ニ係ルモノナリ他ノ團体ヨリモ最モ獰猛ニシテ一般鮮人恐怖シ居レリ

三、新　民　府

沿革、　同府ハ大正十三年傾北滿寧古塔附近ニ於テ重ニ南鮮人ニヨリテ組織サレタルモノニシテ正義府及參議部カ平安南北道人カ多數ナルト同樣ニ新民府ハ殆ントト南鮮系ノ人物ナル爲メ正義府トハ地方的觀念モアリテ融和セサルカ如シ東支鐵道沿線ニ散在セル各靑年團及北間島ノ大日團、鮮內ノ普天敎等カ結合シテ組織サレタルモノナリ

位置、　本部東支鐵道東部沿線石道河子ニ置キ五站ヨリ哈爾賓マテノ沿線及北間島ノ北部（局子街、龍井、琿春、地方ノ以北）ニ各支部ヲ設ケテ同地一帶ヲ地盤トシテ活動シ其勢力ヲ六十餘萬ノ鮮農カ住居[illegible]北間島一帶ニ延張スヘク目下盛ニ活動シツツアリ

主義、　共和主義、獨立民族主義（大正十四五年マテ）ナリシカ目下ハ實際ニ於テ朝鮮ノ獨立不可能ナルヲ覺リテ浦潮鮮人共產黨ト提携シテ主義上左傾シ目下ハ極端ナル共產主義ニ奉仕セントスルモノ、如シ浦鹽鮮人共產黨ヨリ多數宣傳委員來リテ入府シ同府ノ幹部トナリテ活動スル爲メ同府ハ殆ント赤化サレタリ

制度、　正義府、參議部ト同樣委員制度ニシテ區長、地方長、總管カ行政自治及ヒ敎育ヲ司リ區會議地方會議中央會議等カ役員ノ選定ヲナス中央執行委員會ニハ軍事部、生計部、經濟部、宣傳部、司法部、外交部、敎育部、通信部、産業部、民事部等ノ各部アリテ各自ノ事務ヲ司リ中央委員六十餘名アリ

幹事、　中央執行委員長金赫、軍事委員長金佐鎭、民事部委員長宋吾、司法委員長朴觀海等以下朴斗熙、白悌烈、黃龍等ナリシカ本年一月末哈市領事館ヨリ石道河子ノ本部ヲ襲撃シテ七八名ノ重要人物ヲ逮捕シタリ幹事ノ移動未タ不明ナリ

6

経済、　目下困難ニシテ浦鹽ノ鮮人共産党ヨリ多少資金ノ援助ヲ受ケ又南方支那國民党ヨリモ援助ヲ受ケツツアリ經常費ハ正義府ノ如ク一萬五六千戸ノ府民ヨリ毎年一戸平均金七圓位ノ義務税金ヲ取リ又軍資募集等ニヨリテ充用ス鮮内ノ有力ナル資本家及ヒ普天教ヨリ毎年相當ノ資金ノ援助ヲ受ケツツアリ

武　力、　正義府及參議部ニ比較シテ劣レル觀アリ前衞隊ナルモノ百餘名（モーゼル及ヒブローニング拳銃ヲ以テ武装ス）及保安隊ナル二百餘名小銃ヲ以テ武装シ東支鐵路ノ各沿線ニ配置シテ自治、治安ヲ保持シツツアリ保安隊ノ本部ハ東寧縣（三含口）ニアリテ軍事委員長金佐鎭直属ノ部下ナリ

浦鹽ノ共産党方面ヨリ武器ノ援助ヲ受ケツツアリ軍官修養所ト云フ一種ノ下士官養成所ノ如キモノアリテ七、八十名ノ學生ヲ收容シテ教育シツツアリ

7

外　交、　南支國民党トハ數年前ヨリ密接ナル關係アリテ向志代表相往來シツツアリ

追　加

一、新民府及參議府ハ提携シテ浦鹽ノ鮮人共産党ト策應シテ活動シ目下「インタナショナル」ノ指導ヲ受ケツツアリ

二、正義府ハ未タ「インタナショナル」ト完全ナル連絡ナク新民府トハ多少往來アレトモアマリニ密接ナル提携モトレズ參議部ト正義府トハ在來統義府時代分離シテ今日マテ感情融和セス殆ント沒交渉ノ間柄ナリ

三、正義府モ新民府モ參議府モ各々上海方面ノ義烈團及國民党トハ連絡提携シツツアリ

四、正義府ハ目下最モ有力ナルモノニシテ目下殆ント獨立シテ活動シツツ

四、ダームル青年黨（ダームルトハ回復ト云フ朝鮮ノ古語）

大正十二年ノ冬興京ニ於テ組織サレタルモノニシテ純全タル民族主義ニ奉仕シ朝鮮ノ獨立ヲ目的トス

正義府内ノ一種ノ結社ニシテ平安南道人ヲ中心トス目下國境鮮内ニ機關ヲ設置シテ活動シツツアリ現在党員約三千アリト云フ幹部ハ金履大、金鎭浩玄正卿、玄默觀等ナリ

五、勞働黨

大正十三年ノ春吉林省樺甸縣ニ於テ組織サレタル民族主義團体ニシテダームル青年黨ニ對抗シテ出來タルモノニシテ現在南鮮方面出身者ヲ中心トス常ニ正義府ノ中央ヲ自黨ニヨリテ支配スヘク努力シツツアリ目下党員約三、四千アリト云フ（全部南鮮人）幹部金東三、李瑜龍、李一心等

六、高麗革命黨

大正十二、三年頃吉林磐石縣ニ於テ組織サレタルモノニシテ社會主義無産革命ヲ標榜シ全鮮人ノ統一党タラン事ヲ目的トス第三國際共産党トモ連絡アリ特ニ國民党トハ密接ナル關係ヲ有ス會員鮮内ニ多數アリテ約一萬ト稱ス幹部ハ梁起澤、柳東説、李一心、朱鎭洙等

七、新人同盟會

大正十五年ノ春吉林ニ於テ組織サル目的ハ鮮人各團体ヲ統一シテ社會主義ニ奉仕セントスルニアリ

幹部、李毅、白觀、南君成、會員三百餘名アリト云フ

八、南滿青年總同盟

浦鹽ノ高麗共産黨ヨリ在滿各民族團体ヲ赤化サスヘク特派サレタル朴柄熙金アントン等七、八名ノ共産黨員ニヨリテ大正十四年冬吉林ニ於テ組織サレ目下青年間ニ共産主義ヲ宣傳シツツアリ雜誌（同盟）ヲ發刊其他赤化文書

8

ヲ鮮人間ニ配布シテ赤化ニ勉メッヽアリ

九、韓人會

昨年末西間島參議部管内ニ於テ同村ノ民間ノ思想、政黨トシテ組織サレタルモノニシテ未タ幹部及其他詳細不明ナリ

朝鮮青年運動ノ當面任務

昭和三年十月

在中國韓人青年同盟ノ創立

朝鮮總督府警務局

目次

在中國韓人青年同盟ノ創立

一、沿革

在滿（主トシテ南北滿州）朝鮮人青年運動團体トシテハ從來吉林省磐石縣ニ南滿青年總同盟、東支綏寧安縣ニ北滿勞力青年總同盟及北滿青年總同盟アリ又樺甸縣ニハ大同青年總同盟アリテ各地青年團体ヲ統轄シ共産主義運動ニ沒頭シアリ又間島地方ニハ東滿朝鮮青年同盟アリ上海ニハ在中國本部韓人青年同盟アリテ之等諸團体ノ概況ヲ擧グレバ左ノ如シ

一、南滿青年總同盟

大正十三年十二月吉林省磐石縣ニ於テ金剛等發起ノ下ニ組織シ附近各縣散在ノ既成各青年團体ヲ網羅シテ細胞團体トシ鋭意勢力ノ伸長ヲ圖リ機關紙トシテ「同盟」ヲ發行シ一面鮮內團体ト連絡シ全朝鮮青年運動ノ統一ヲ目標トシテ活動シツツアリテ昭和二年十月左ノ宣言ヲ發表セリ

1、吾等ハ革命的總力量ヲ集中スルノ外凡テノ革命分子ト共ニ民族的唯一党ヲ組織セムトス

2、吾等ハ党トシテ又党員個人トシテ唯一党促成會ヲ組織シ又ハ之ニ參加ス

3、完全ナル唯一党成立シタル後本党ノ存續變体或ハ解体ハ社會ノ要求ニ絶對服從ス

而シテ不逞團正義府トハ一時密接ナル連絡アリシモ最近ニ於テハ正義府武力派ト相容レズ其ノ關係昔日ノ如クナラズ不即不離ノ狀態ニ在ルモノノ如ク現在本部執行部ハ組織、教養、宣傳、經濟、少年、婦人部等ニ分レ勞農初等讀本（諺文）ヲ發行シテ農村文盲者ヲ教養スルト共ニ共産主義ノ宣傳ニ努メツツアリ現中央執行委員長ハ韓哲ニシテ細胞團体六十三會員二千一百六十四名ヲ擁セリ

二、北滿勞力青年總同盟

大正十四年十一月大盛青年會及中西青年聯盟等主トナリ北滿青年運動ノ統一ヲ圖ラントシ北滿各地青年團体ヲ糾合シ東支線鐵嶺河ニ於テ「勞力青年ノ組織的團結ヲ以テ社會建設ノ役軍ノ訓練教養ヲ圖ルト共ニ高麗民族ノ解放ト無産階級ノ利益ノ爲ニ闘フ」トノ綱領ヲ揭ゲ活動ヲ開始シタルモ偶々幹部間ニ意見ノ衝突ヲ來タシ多數ノ脫退者ヲ生シタルカ其ノ後根據ヲ石頭河子ニ移シ機關紙「勞力青年」ヲ發行シツツアリ幹部朱東振ノ入獄後ハ中心勢力ヲ失ヒ會勢頓ニ振ハズ本部ヲ更ニ寧古塔ニ移シ最近北滿青年總同盟ト合同スルヤノ說アリ協議中ノモノノ如ク現中央執行委員長ハ朱東振ニシテ會員三百八十名ヲ有ス

三、北滿青年總同盟

大正十五年五月十日在東支線朝鮮人青年聯合會、東一青年聯合會、阿城青年會、大同青年會、プロ青年會、新星青年會、勞働青年會、九月青年會ノ聯合ヲ以テ阿城縣開新學校ニ於テ創立總會ヲ開催シ(1)階級的及組織的ノ團結ト青年運動ノ統一ヲ促成シ革新戰線ニ參加スヘキ群衆ノ訓練教養ヲ爲ス(2)自斷的矛盾ナル現社會ヲ打破シ合理的社會ヲ建設ス(3)朝鮮民族ノ解放ト社會ノ革命遂行ヲ期スノ綱領ノ下ニ鮮內火曜會系主義者ト提携シ活動中ナルカ經費及幹部ノ離散等ノ爲本部ヲ寧古塔ニ移シ僅ニ機關紙「農軍」ヲ斷續的ニ發行シ居ルニ過ギズ現中央執行委員長ハ金有馨ニシテ細胞團体一八會員三百十三名ヲ有セリ

四、在東滿朝鮮青年總同盟

大正十五年一月間島龍井村ニ於テ朴載厚、金素然、李周和、朱採熙等主唱ノ下ニ東滿青年總聯盟ヲ組織シ(1)我等ハ合理的社會生活ノ智的教

青ト實地訓練ヲ期ス(2)我等ハ相互扶助ノ精神ヲ以テ大同團結ニ努ム(3)我等ハ大衆ヲ本位トシ新文化ノ向上ニ努ムノ綱領下ニ在間島各青年團体ヲ糾合シテ其ノ細胞トシ當時會員一千名ヲ擁シ一大潜勢力アリ昭和三年一月第三年第一回定期大會ニ於テ組織ヲ變更シ在東滿朝鮮青年總同盟ト改稱シ各地ノ青年會ヲ單一同盟制トシ京城朝鮮青年總同盟及北滿、南滿青年總同盟ト有機的聯絡ヲ採ルコトヲ決議セリ而シテ新綱領トシテ

1、本總同盟ハ朝鮮人青年大衆ノ政治的經濟的民族的具体的利益ヲ獲得スル爲メ絶對鬪爭ス

2、本總同盟ハ朝鮮人青年大衆ノ政治的經濟的民族的具体的利益ヲ獲得スルニ必要ナル敎養及訓練ヲ期ス

3、本總同盟ハ無組織朝鮮人青年大衆ヲ組織セシメ青年大衆ノ文盲退 3
治ヲ期ス

ヲ決議シタルカ間島總領事館警察署ノ許容スル處トナラズ前綱領ヲ踏襲スルコトトセリ而シテ大會時ニ於ケル加盟團体ハ聯盟十一、細胞百二、會員約五千人ニ達スルノ狀況ニアリシカ昭和三年九月間島總領事館警察署ニ於テ檢擧シタル朝鮮共產青年會滿州總局東滿道韓部機關ハ本總同盟ヲ表現團体トセルコト判明シ幹部及主ナル會員ハ殆ンド檢擧サレ同年十月間島總領事館警察署ニ於テハ本同盟ノ存續ハ同地方ノ公安ヲ害スルモノト認メ諭示解散セシメ文簿其他ヲ任意提供セシメタリ當時ノ幹部ハ中央執行委員長崔榮根常務書記金英鎬等ナリ

五、在中國本部韓人青年同盟

廣東、武昌、北京、上海、南京地方ニ散在セル朝鮮人青年團体ハ從來何等ノ連絡統一ナカリシヲ遺憾トシ昭和二年十一月六日ヨリ廣東革命青年會、武昌革命青年會、北京韓人青年會、上海韓人青年會ノ各代表上海ニ會合シ聯席會議ヲ開キ在中國本部韓人青年同盟ヲ組織スルコトトナリ十一月八日ヨリ創立大會ヲ開催セルカ綱領トシテ「韓國獨立ト世界革命ノ理論ト實際的戰術ヲ討究樹立シテ其ノ實現ヲ期ス」ヲ決定シ朝鮮青年ノ總本營タル京城朝鮮青年總同盟ノ一支隊任務ヲ遂行シ滿州青年團体ト提携シ遂ニ中國韓人青年總機關ヲ組織スルコト等ヲ決議シ執行委員長邊長城以下ヲ選定セリ昭和三年九月機關紙「青年前衛」ヲ發行セリ現中央執行委員長趙時元副中央執行委員長李漢林ナリ

而シテ之等青年團体ハ各地ニ割據シテ互ニ自已勢力ノ伸張ニ努メ派爭ヲ事トシ主義宣傳上何等統一的運動ナキヲ遺憾トシ從來ヨリ屢々青年運動ノ統一ヲ企スルモノアリシモ機熟セザリシ爲促成ノ氣運ニ向ハザリシカ遂ニ昭和二年八月東支線海林ニ於テ南北青年團体代表協議會ヲ開キ民族 4
共產兩主義運動ノ統一及鮮內青年運動ノ連絡ニ關シ協議ヲ重ネタル結果

一、南滿、北滿、東滿各青年總同盟ヲ統一シ新ニ滿州青年總同盟ヲ組織スルコト

二、滿州青年總同盟ハ民族運動ニ就テハ朝鮮獨立党ノ指揮ヲ受ケ共產主義運動ニ關シテハ朝鮮共產党ノ指揮ヲ受クルコト

三、滿州青年總同盟ハ滿州ニ於ケル革命運動ノ中心トナリ朝鮮青年總同盟ト聯絡ヲ採ルコト

等ヲ決議シ爾來統一促進ニ努メツツアリシカ一方在上海中國本部韓人青年同盟ニ於テモ客年十一月其ノ創立大會ニ於テ在滿青年團体ト聯絡シ速ニ在中國韓人青年總機關ヲ組織スルコトノ決議ニ基キ中央執行委員鄭遺ヲ昭和三年一月上旬滿州ニ派遣シ南滿青年總同盟執行委員長韓哲、鄭穆青年總同盟執行委員長李裕善、北滿青年總同盟執行委員長金有聲及大[illegible]

正義府幹部金東三、李觀一、玄正郷等ヲ訪ヒ統一問題ニ關シ協議スル處アリシカ既ニ統一ニ關シ準備ヲ進メ居ル折柄ナルヲ以テ何レモ之ニ贊同シ稀旬ニ各代表ヲ召集スルコトトナリ鄭遠及南滿青年總同盟執行委員長韓哲ニ於テ創立準備ヲ進メ四月二十日住中韓人青年總機關發起大會ヲ開キ南滿青年總同盟外七ケ團体ノ名ヲ以テ別添譯文ノ如キ宣言書ヲ作製シ滿州及鮮内各地ヘ頒布セリ而シテ五月二十六日吉林省磐石縣呼蘭集廠子ニ於テ創立大會ヲ開催スル運トナレリ

二、創立狀況

創立總會ニ參加シタル團体代表ハ中國本部韓人青年同盟、南滿青年總同盟、哈長青年同盟、[illegible]、北滿青年總同盟、××青年總同盟、松江青年總同盟、[illegible]ノ八ケ團体ニシテ臨時執行部トシテ議長ニ金萬善、副議長李[illegible]、書記李承元ヲ選定シ在日本朝鮮青年同盟、大衆新聞社等ノ祝文ヲ朗讀シタル後議事ニ入リ左ノ諸案ヲ可決セリ

5

一、世界問題

(1) 現下世界ノ情勢ハ兩大陣營ノ尖鋭化シタル對立的闘争ニ依リテ決定サレツツアリ即チ宗主國、侵略國家ニ對スル殖民地及反植民地ノ解放運動、自國内ニアリテハ搾取階級ニ對スル被搾取階級ノ反抗運動ニシテ之等ノ白熱化ハ更ニ帝國主義者ヲシテ横的聯合ヲ以テ「パシスト」的反動政策ヲ施行セシムルト同時ニ其ノ反面ニ於テ被搾取階級被壓迫民族ハ事實上縱的同盟ヲ以テ其ノ力量ヲ結合シテ抗争シツツアルナリ

(2) 一九一八年度慘膽タル歐州戰亂ニ依リテ歐羅巴ノ帝國主義者等ハ戰勝戰敗國ヲ問ハズ各自國内ノ生産機關ヲ破壊サレシヲ以テソノ回復ノ爲メ顧化ノ餘地ナカリキ斯クノ如キ政局混亂期ニ際シ「ソウエート」露西亞ハ極度ノ革命力ヲ措進シテ帝國主義ノ陣營ニ對シ攻撃ヲ開始シタレドモ無産階級ノ革命的進出ノ不足ト被壓迫民族解放運動カ無計畫的タリシニ依リ確實ナル成功ヲ得ザリキ

(3) 一九二六年マデ歐羅巴ノ帝國主義國家ハ彌縫政策ニ依リテ多少ノ整頓ヲ得國家生産ハ一時的安定ヲ見ルニ至レリ然ドモ更ニ自國内無産階級ヲ尚一層猛烈ニ搾取セザルヲ得ザル條件ニ依リ又モ植民地ニ於ケル野獣的掠奪ヲ激甚ニスヘキ狀態ニヨリ彼等自ラ衝突シツツアリ而シテ國際資本主義ハ兩分割ノ軌道上ニ疾走シツツアリ

然ルニ彼ノ「ソウエート」露西亞ハ之ニ對應シテ各國無産階級トノ同盟ヲ愈々堅固ニシ彼等ノ革命的進出ヲ鼓吹シツツ世界帝國主義ニ對スル勝負ヲ決着スル決定的準備ニ決死的努力ヲ盡シ夫ト同時ニ各國無産階級ト各植民地被壓迫民族ハ從來ノ組合主義的科學的争闘様式ヲ把握シツツ自巳ノ陣營ヲ整頓及擴大ヲ計リツツアルナリ

6

(4) 一九二八年ニ至リソノ角度ハ愈々尖鋭化シテ空前ノ絶項ニ到達セリ所謂軍備縮少會議ニ於テ「ソウエート」露西亞ノ提案「軍備全廢案」ニ對スル各國ノ反對ハ軍備擴張ヲ公々然ト暴露シ又之ヲ急ギツツアルハ果シテ帝國主義闘争再演ヲ明カニ表示シ加而各國反動内閣ハ無双ナル「パシスト」的行動ヲ以テ民衆ヲ壓迫シ前衛闘士ヲ絞殺シツツアリ「ソウエート」露西亞ハ之ニ對シ革命的抗争ヲ勇敢ニシ帝國戰争ヲ革命戰争轉換ニ努力シ各國無産階級ト植民地民族等ハ矢張同盟的友軍的闘争ヲ最モ猛烈ニナシツツアリ

(5) 一九一四年ノ戰争ハ西歐ヲ中心ニセシモノナレド將來ニ切迫セル戰争ハ東洋ヲ中心トスルコトヲ指摘スルモノナリ東西ノ強大ナル

帝國主義國家カ相互對立シ第一位ノ生産消費市場ニシテ地域廣汎ニアリナカラ四分五裂ノ狀態ニアリ封建的勢力カ尚殘存セル半植民的中國革命カ軍閥革命ニ退化スルニヨリ各帝國主義カ角逐戰ヲ開始シ愈々日本帝國主義ハ滿蒙侵略ヲ積極化シ其ノ侵略ノ範圍ヲ擴大セントシ大出兵ヲ開始スルニ至リ事實上戰爭ノ慘極化ハ演出シアリ

(6) 此ノ「モーメント」ニ臨ミテ世界無産階級青年ト被壓迫民族青年ハ同盟的結合ヲ最堅固ニシ戰爭ヲ防禦スヘク其ノ準備ニ畢死的努力ヲ盡スベキテアル又戰爭ヲ外面ニ反對シ內容ハ戰爭ヲ援助スル怪辯主義者等ヲ打倒シ特ニ中國ノ武力革命青年ト共ニ革命ヲ完成スルコトヲ圖タ決心スルモノナリ

二、朝鮮及滿州問題

イ、朝鮮問題

(1) 世界資本主義ト共ニ集リタル潮流ニ合流シアル日本帝國主義ハ最後ノ餘生ヲモ少シ延長センガ爲朝鮮ニ於テ經濟的ニ野獸的掠奪ヲ計畫實行シ併セテ政治的ニ絕對的專制暴壓ヲ加ヘ鐵道網ノ大々的計畫、產米增殖策實施ト東洋拓殖、不二興業兩會社全國的土地略奪銀行及其他金融機關大擴張ト日本ヨリ移民增加、水力電氣利用ノ大工業施設、朝鮮勞働者統一禁止、水利組合等ノ施設ニテ奴等ハ今朝鮮民族ヲ經濟的ニ絕對封鎖又ハ搾取シ其ノ政治網ニアリテハ制令第七號ト治安維持法ニ依テ革命的前衛闘士及一般勇士ヲ投獄拷問絞殺シ警察官ヲ增員シ監獄ヲ改造擴大シ軍隊ヲ增派シ（國境方面ニ一師團ノ增派）言論集會結社ノ自由ヲ强奪シ甚シキニ至リテハ私立學校ノ教

員迄防害スルニ至リ彼等ハ現今朝鮮民族ヲ惡毒ナル鐵蹄ニテ踏ミ散ラシ壓殺セントス

(2) 朝鮮ニ於ケル運動ハ全体性的客觀情勢ニ結晶サレ且ツ內的發展ノ必然性ニヨリ從來ノ組合主義的經濟鬪爭ヨリ全体性的目的意識的政治鬪爭ニ其ノ方向ヲ轉換シナカラ運動ヲ分散シ地方熱鼓吹ト派閥主義者等ヲ其ノ實踐的戰鬪ニ於テ克服乃至撲滅セントシ又內面ニアリテハ勞働總同盟ノ部分々立ト單一党ノ解体ニテ新幹會ノ誕生、槿友會ノ創立青年總同盟ノ地方單一制實施、少年總同盟ノ出現等ニ依リ戰線ノ整頓乃至擴大ヲ企圖シツツアリ

(3) 然トモ內部ノ實踐鬪爭ニ於テ不足ノ憾アルハ新幹會ハ小ブルヂョア思想團体及文化團体ノ領域ヨリ離脫シ得ザルノ感アルノミナラズ其ノ組織ニ於テモ强大有力ナル中央集權制ヲ確立セズ我ガ解放運動ノ先頭隊的役割ヲ有スル勞働者ハ漸ク三％ノ組織率ヲ持テ居リ派閥主義ハ未ダ毒素ヲ放散シナカラ所謂理論ノ假面ヲ冠リ大衆ヲ愚弄シ徒ニ階級標識撤去論乃至清算派的傾向ヲ以テ單一協同戰線党結成過程ニ於テ認識的混亂ヲ惹起シツツアリ

(4) 故ニ本大會ハ此ノ「モーメント」ニ於テ朝鮮ノ戰鬪的責任カ重大ナルヲ指摘シ下ノ如キ決定條件ヲ樹立スルモノトス

第一、日本帝國主義ヲ根本的ニ打倒スヘク全民族的前衛ニ結束ノ全力ヲ盡シ協同戰線党ヲ完成スルコト

第二、朝鮮ノ諸戰鬪的前衛ヲ百折不撓ノ勇氣ト信念ヲ以テ凡テノ反動的理論ヲ批判分折克服シテ大衆的實踐闘爭ニ依リ

凡テノ反動群ヲ撲滅スルコト

第三、朝鮮ノ青年前衛ハ諸被壓迫青年ヲ一旗幟下ニ總結束シ青年獨自ノ闘爭ヲ展開シテ特ニ日本軍國主義トノ最後決戰ニ先頭隊タラシムルコト

ロ、滿州問題

(1) 沒落過程ニ於テ其ノ殘命ヲ延長センガ爲凡ユル發惡ヲ盡シアル日本帝國主義ハ滿蒙侵略政策ヲ積極的ニ斷乎トシテ實行シアリ

(2) 反動的日本帝國主義ハ滿州ニ於テ政治的優越地位ヲ封建的勢力軍閥貪官、汚吏、土豪等ト結拓シテ其ノ勢力ヲ擴張シツツアリ

(3) 二重ノ壓迫ト搾取ニ反抗スル我等ノ運動ハ此ノ諸條件ニ決定セラレタルヲ以テ自己發展ノ必然的階級ヨリ政治闘爭ノ戰場ニ進出セントス

(4) 滿州問題ヲ始メ自治權獲得又ハ中國革命軍群衆ト共ニ「ブルヂョア」主義ヲ奪取セントスル領域ヨリ世界帝國主義ト封建的惡勢力ト闘爭スル政治運動ヲ展開スルコト

(5) 大衆混亂錯綜ニアリシ封建的地方熱ト沒落ヲ繰リ返シツツアル派閥主義ノ存在ヲ皆大衆ノ意識的闘爭ノ實踐過程ニ依リ清算撲滅スルモノトス

(6) 日々隆盛ニ向ヒツツアル滿州青年運動ハ總力量ヲ在中國青年同盟ノ旗下ニ集中セシメ凡テノ戰闘的準備ヲ組織的ニ計畫スルヲ要ス

(7) 政治闘爭カ展開サレル現階級ノ決定的要求ナル民族唯一党ヲ

結成スルニ闘爭的組織大衆ノ絶叫ト青年大衆ノ强キ要求トノ支持下ニ於テ其ノ發展ヲ見ルコトヲ得

三、宣言、綱領、規約及當面闘爭スローガン

1、宣言

（別添）

2、基本綱領

(一) 本同盟ハ韓國ノ絶對獨立ヲ期ス

(二) 本同盟ハ青年大衆ノ獨自的要求ノ貫徹ヲ圖ル

3、行動綱領

(一) 我等ハ中國革命青年ト同盟シテ日本帝國主義ヲ打倒スルモノトス

(二) 我等ハ民族唯一協同戰線党ヲ完成スルコト

(三) 我等ハ組織的軍事運動ヲ起スコト

(四) 我等ハ大衆的合法的闘爭ヲ積極的ニ展開スルコト

4、規約

（別添）

5、當面闘爭スローガン

(一) 政治

イ、自治權獲得

ロ、公民權獲得

ハ、中國主權ヲ侵害スル不平等條約取消

ニ、日本滿蒙侵略積極政策反對

ホ、言論集會結社ノ自由權獲得

ヘ、加捐雜税制ヲ反對スルコト

ト、貧官、汚吏、土豪ノ打倒
チ、民族的差別待遇ノ徹底的廢止

(二) 經濟

イ、勞働青年ノ罷業及團結權ノ確立
ロ、八時間勞働制實施
ハ、青年勞働者ノ最低賃銀率制定
ニ、幼年勞働者雇傭反對
ホ、小作權ノ確立
ヘ、稻田辦法其ノ他約法ノ反對
ト、土地ノ買權獲得
チ、三房東（地主ヨリ土地ヲ借用シテ之ヲ更ニ小作者ニ轉貸スルコト）制度ノ廢止

(三) 教育

イ、朝鮮民青年少年特殊教育權ノ獲得
ロ、日本帝國主義ノ植民地教育反對
ハ、男女共學制ノ主張
ニ、青少年文盲ノ退治
ホ、宗教ト學校トノ徹底的分離
ヘ、學制及教科書統一主張
ト、學生學術研究ノ自由

(四) 社會

イ、封建的因習ノ廢止
ロ、女子人身賣買ノ禁止
ハ、早婚廢止

ニ、迷信打破
ホ、强制結婚反對

四 役員選擧

1、執行委員
金萬善・崔煥・李炳夏・李×源・李尙×・黃基贊・鄭希夏・
金明×・李鎰・朴×曾・崔×赫・洪鳳基・申×柱・李×雨・
金××・李××・陳公×・

2、常務執行委員

執行委員長 金萬善
庶務部 黃基贊
組織部 李炳夏
宣傳部 崔 煥
少年部 李×源

3、檢查委員

委員長 孫×鎬
黃××・李×洙・金×・張×勳

五 組織及宣傳問題

1、組織問題

××ハ特別區ニ指定シ本同盟中央執行部ニテ直接管理スルコトトシ環境ノ不利ナル關係上表面組織ハ獨立機關トシ其ノ組織制ヲ單一同盟制ニ變更スルコト

中國本部ヲ第一區トシ柳河、興京、開原ヲ中心トシテ第二區トシ磐石、樺甸、双陽、吉林ヲ中心トシテ第三區トシ額穆、敦化ヲ中心トシテ第四區トシ舒蘭、五常、楡樹ヲ中心トシテ第五區トシ哈

長線一帯ヲ中心トシテ第六區トシ老爺嶺以北中東線一部ヲ中心トシテ第七區トシ老爺嶺以東中東線ヲ中心トシテ第八區トシ青岡、蘭西、同賓、木蘭ヲ中心トシテ第九區トシ湯原通河巴彦ヲ中心トシテ第十區トシ寶清、密山、饒河ヲ中心トシテ第十一區ト劃定シ未組織區域劃定ニ對シテ中央常務執行委員ニ一任ス

2、宣傳問題

對外宣傳ヲ目標トシテ獨立會報部ヲ置キ同盟中央宣傳部管理下ニ雜誌「青年前衛」（不定期刊行）ヲ刊行シ對内教養ニ關シテハ全体ヲ中央常務執行委員會ニ一任ス

六、民族唯一協同戦線党組織促成

滿州ノ特殊條件タルノ假面ヲ以テ絶對團体本位ニヨリ協議機關ノ名目ノ下ニ民族唯一協同戦線党ヲ組織セントスルハ其ノ本質ニ於テ党ノ意義ヲ忘却シ其ノ組織ニ於テ汚陋ヲ過犯スルモノト本大會ハ認定ス故ニ本大會ハ民族唯一党在滿促成同盟ト其他各地促成會ヲ積極的ニ支持スルコトニ決定ス

13

七、少年問題ニ關スル決定

大會ハ中國ニ散在スル少年運動ヲ各區域各支部ヲ通シテ次ノ如ク少、採、隊、宣言、綱領、法則風規約ニ集中セントス（次項未入手ニ付キ内容判明セズ）

八、同盟經濟問題

機關報ニアリテハ經濟ノ解決策トシテ永友制トシ各機關ニ於テ經營セル機關紙ノ經濟ハ中央ニ於テ引受ケ下ノ如ク豫算案ヲ決定ス（一年度總收入一、一二八圓、總支出六十五圓）

以上ノ諸決議ヲ終リ五月二十九日午后四時閉會シタル本同盟ノ主義目的ハ基本綱領ニ示ス如ク韓國ノ絶体獨立ニアリテ一面ニ於テ共産主義的色彩ノ頗ル濃厚ナルコトハ諸決議ニ於テ明カニ認メ得ヘク朝鮮ニ對シテハ日本帝國主義ヲ根本的ニ打倒スヘク協同戦線党ヲ完成シテ最後的決戦ノ先頭隊タルコト滿州ニ於テ、中國革命群衆ト協同シテ帝國主義ヲ驅逐スルコト等ヲ決議シ居リテ將來必ズヤ之等ノ方面ニ向ツテ一層活動スルモノト認メラル

尚同年七月創立總會ニ參加セル勵新青年會ニ於テハ代表李相根ノ行爲ハ越權ニシテ韓人青年同盟ニ加盟ハ反對ナリトノ聲明書ヲ發表シ又上海在中國本部韓人青年同盟ハ同年九月第一回定期總會ニ於テ中國韓人青年總同盟ノ創立ハ全中國韓人青年群衆ノ統一戦鬪機關トシテ努力スヘキモ其ノ組織及勢力範圍薄弱ニシテ議事々項中自治主義的傾向アルコト及勢力範圍ヲ滿州ニ限レルカ如キハ反テ統一運動ヲ阻害スルモノナリトシ完全ナル統一機關結成ノ爲メ更ニ委員ヲ滿州ニ派遣スルコトヲ決議シ同盟創

14

立ニ努力シタル幹部ノ責任ヲ問フ處アリ又南滿青年總同盟代表尹来ハ創立總會ノ前夜ニ至リ突然理論ノ相違ヲ理由トシ所在ヲ晦シ總會ニ參加セザリシ等ノコトアリ早クモ内部統一ヲ缺ギ外部ニ在リテモ亦相當ノ反對者アリテ一部ニ於テハ其ノ進行ヲ疑フ者サヘアル現況ニアリ而シテ「創立以後ノ經過」トシテ機關紙「青年前衛」（九月五日上海ニ於テ發行）創刊號ノ報ズル處ニ依レバ各地青年團体ノ動靜左ノ如シ

㈠南滿青年總同盟ハ、尹兩代表ハ個人名義ヲ以テ理想ノ相違ニ依リ參加スル能ハザリシコト申越シタリ

㈡新星青年會ハ本同盟ニ加盟ノ公函到來

㈢撫本青年會執行委員會ニ於テハ本同盟ニ加盟スルコトヲ決議ス

㈣北滿青年總同盟ハ解体ニ決定シ本同盟ノ規約ニ依リ區組織ニ努力中ナ

(五) 中國本部韓人青年同盟中央籌少委員會ハ解体ヲ決議シ各地支部ニ對シ本同盟ノ規約ニ基キ改造方ヲ指令セリ

(六) 哈長青年聯盟ハ解体シ本同盟ノ規約ニ依リ區組織ニ奔走中

(七) 松江青年聯盟ハ代表ノ報告ヲ受理シ解体ヲ決議スルト同時ニ區組織ニ奔走中ナリ

(八) 北滿朝鮮人青年總同盟（勞力青年總同盟？）ハ執行委員多數ガ本同盟ニ何等ノ理由ナクシテ加盟ヲ反對セルヲ以テ會員中ニハ幹部ノ分裂行動ヲ排斥スルト同時ニ本同盟ニ加盟ヲ運動中ナリ

(九) 中國本部韓人青年同盟北京支部ハ既ニ解体シ本同盟支部ニ改造廣東支部ハ改造準備中ナリ

(十) 南滿青年總同盟ハ解体シ本同盟ノ第二區ヲ既ニ成立シ第三區組織ニ進行中ナリ

15

(十一) 敦化青年聯盟ニ於テハ加盟ヲ決議シ中央ニ組織委員ヲ要請中ナリ

(十二) 額穆青年聯盟ニ於テハ加盟ヲ決議シ中央ニ組織委員ヲ要請中ナリ

(十三) 安圖青年聯盟ハ近々加盟ノ特信到來

(十四) 中央常務執行委員會ハ國恥記念日ニ宣傳文ト同宣傳大綱ヲ發表シ國際青年デーニモ宣傳文ヲ發表セリ

尚創立總會ニ於テ決議シタル機關紙發行ハ上海ニ青年前衛社ヲ置キ九月五日「青年前衛」（全文諺漢文）ノ創刊號ヲ發行シタルガ編輯兼發行人ハ崔煥ニシテ將來不定期ニ刊行スルモノノ如ク創刊號ニハ創立宣言、朝鮮青年運動ノ當面任務大衆立党組織ノ理論ト實際、在中國韓人青年同盟創立經過報告等ヲ掲載シ居レルガ在上海中國本部韓人青年同盟幹部金基鎭ノ執筆セル「朝鮮青年運動ノ當面任務」ト題スル論文ハ朝鮮內外ニ於ケル青年運動ノ趨向並目的等ヲ窺知シ得ルモノト認メラルルヲ以テ別紙譯文添付ス

住中韓人青年總機關發起大會宣言書

歴史ノ過程ハ分散的運動ノ不規無統制ナル形態ヲ一蹴シ全民族的民主々義戰取ヲ通シテ樹立セラレタル理論下ニ我青年部隊ノ進出様式ハ如何ナル方式ヲ以テ如何ニ發展スルカヾ吾等ノ當面セルテーゼデアル

吾等ハ過去ノ漠然トシテ且空論タリシ社會ノ左右病ノ幼稚ヲ克服シ派爭ニ因動セル一般的意見上ノ差違ヲ薀滅シ革命青年ノ在中特殊任務及自体ノ付存セル訓鍊ヲ充實スルニ於テ當面ノ役割ヲ盡スモノデアル。散在セル我等ノ部隊ヲ集合シヨウ之ハ最モ吾等ノ戰鬪力ヲ增大レ自体ノ敎養ニヨリ能率的ナル政治的力ヲ得ルモノデアル。

ブルヂョア社會ニ於テ有閑階級等ノ集合トハ全然趣向ヲ異ニスル吾等ハ現存セル金融資本ノ攻勢ノ疾走スル瞬毎ニ蹂躙ヲ受クル無産階級ノ擡頭ト被壓迫民族ノ解放運動ハ帝國主義ノ内在的矛盾ト共ニ反帝國主義ノ必

勝ノ要素ヲ決付シッツアル此戰鬪ニ在リテ社會科學ノ思考方式ニ依リ最強力的高級化セル住中青年總機關ノ組織ヲ必要トスル。而シテ生動スル吾人ノ戰術ヲ以テ之等萬惡ノ毒素ヲ發撒スル日本帝國主義ノ夫レト決鬪シヨウ！最後ノ吊鐘ヲ開ケ、日本帝國ノ腐敗シ行ク陣痛ニテ聲ヲ揚クル悲鳴ヲ！！彼ノ反動化シタル日本帝國ト總攻擊ヲ開戰スル吾人ノ唯一方法ハ最意識性的結合ニヨリテ其効果ヲ收得シ得ヘシ實ニ住中韓人青年總機關發起會ハ此任務ニ於テ產生シタモノデアル。在中青年各團体ハ此發起會ヲ絶對支持シ急速ニ總機關ノ組織ヲ完成レヨウ！

吾等ノスローガン

一、在中韓人青年ヲ總結束シヨウ！
一、朝鮮獨立ヲ完成シヨウ！
一、中國國民運動ニ直接參加シヨウ！
一、世界革命ヲ完成シヨウ！
一、帝國主義戰爭ノ危機ト戰ハウ！

一九二八年四月二十日

住中韓人青年總機關發起團体（無順）

北滿青年總同盟
南滿青年總同盟
○○青年總同盟
본부（本部？）青年總同盟
淞江青年總同盟
南滿青年總聯盟
哈彥青年同盟
勵新青年同盟

宣言

又動化セル列強帝國主義ハ只今急激ニ沒落ノ過程ヲ過程シッツアリ而シテ其陣營内部ニハ烈シキ緊迫、鋭利ナル市場問題ヲ中心トシテ本質的破綻ガ生スルノミナラズ其根本ニ於テ自体ノ致命的桎梏ヲ暗示スル一大新興勢力ガ巨人諸的形勢ヲ以テ成長發達シ其反動攻勢ニ嚴然對峙シ居ルヲ見得ベシ其ノ全体性ニ在リテ反資本要素ガ國際的ニ一層鞏固ニ結成セラルルコトト又部分ニ在リテノ各國無産階級ノ激烈化シタル革命的進出ト各種民地及半殖民地民族ノ白熱化シタル反帝國主義運動ハ帝國主義牙城ノ根本的崩壞ヲ如實ニ表明シ居レリ

之レニ從ヒテ世界資本主義全鎖ノ強力的一環ヲ占ムル日本帝國主義ハ其全鎖ノ沒落潮流ニ合流シッツ最後發惡ノ運路ニ立脚シ極端ニ反動化シ夫レ自体ノ内在的矛盾ヲ隱シナク暴露シ居レリ而シテ彼レハ國内ニ在リテ勞働者、農民大衆ニ對シ野獸的暴壓ヲ以テ挑戰行爲ニ直接出頭シ階級對

立ヲ一層尖鋭化セシメ更ニ國外ニハ朝鮮及滿洲ニ向ヒ武裝セル軍隊ト警察ヲ先頭トシテ絶對專制的暴壓ヲ敢行シ又更ニ最後ノ餘生ヲヨリ多ク延長セムトノ野慾ニヨリ北中國及滿蒙ヲ積極的ニ侵略スルコトニ奮忙シツツアリ。此現實ニ當面セル朝鮮民族ノ決定的進路ハ唯敵ト與ニ最後ノ決戰ヲ必期セサルベカラサル其場面ニ展開サレタリ。此處ニ朝鮮運動ハ之等外的要因ニ決定セラレ又ハ内的發展ノ必然ナル要求ニ依リ從來ノ分散的、局部的、孤立的鬪爭様式ヲ投棄シ、ヨリ嚴正ナル理論ニ立脚シ其方面ヲ轉換シツツ新シキ組織過程ヲ通シテ全面的、大衆的、政治鬪爭ニ進出セリ、此階基（モメント）ニ於ケル朝鮮青年ノ切迫セル任務ハ非常ニ其意義重大化セリ。先ツ吾等ハ全体解放戰線ニ在リテ日本軍國主義トノ鬪爭ニ武裝的先頭隊タラサルベカラズ又斯クセムニハ吾等ハ科學的政治意識ト充分ニ結付セル軍事訓練ヲ受ケサルベカラズ而シテ又吾等ハ青年ノ經濟、政治、社會的獨自ノ要求ヲ何處迄モ徹底的ニ解決セサルヘカラ
19
ズ全体民族ノ利益ト理想ヲ代表シ其先頭ニテ戰フ民族的前衛ト結束−協同戰線党完成ノ爲メ全体革命的大衆ト共ニ努力セザルベカラズ

然レトモ此任務ノ實踐ニ於ケル吾等ノ前途ハ決シテ單純ナラズ又單純ナルヲ得サルナリ、今日迄青年大衆ヲ自家私心ノ儘ニ蹂躙、弄絡シタル派閥主義殘滓ト地方割據主義ノ毒素ヲ其實踐的鬪爭ヨリ完全ニ清算撲滅シテ革命群衆ヲシテ之等ノ反動要素ト確實ニ分離セシメ協同戰線党結成過程ニ於テ認識的混亂ヲ計圖スル反動理論−所謂階級標識撤去論−清算派的傾向−ニ對シ理論的批判ノ武器ヲ以テ分析排撃シ大衆ノ進路ヲ明確ニセサルベカラズ。而シテ又吾等ハ特ニ我戰線内部ニ日本帝國主義血派ノ流入ヲ不斷監視セサルベカラズ。今尚思想團体領域ヨリ完全ニ脱離シ得サル朝鮮ノ青年運動ヲ其領域ヨリ完全ニ脱離セシメ絶對單一中央集權的組織機能ニ依リ地方的ニ孤立シテ鬪爭セル數萬ノ組織的青年大衆ヲ統一セル旗幟下ニ總結束セシメ同一ナル歷史的運命ニ處スル中國ノ革命青年ト共同的ニ日本帝國主義ヲ打倒セサルベカラサルヲ以テ又廣汎層ニ在ル青年大衆ノ革命力量ヲ抽出−昂揚−結晶セシメ組織的、大衆的政治鬪爭及反軍國主義運動ニ進出セシメザルベカラサルヲ以テ、此ノ實踐過程ヲ通シテ曚昧ナル青年大衆ヲ啓蒙セシメ社會科學ニ依ル戰術、戰略ノ注入ヲ以テ彼等ヲ訓練シ彼等ノ意識ヲ強化セシメザルベカラザルヲ以テ、吾人ハ在中國韓人青年同盟ヲ組織シ理論ト實踐トノ完全ナル統一下ニ於テ全朝鮮青年運動ノ一部隊ノ任務トシテ全体解放運動ノ一部門的役割トシテ以上總テノ事ヲ決行スベキコトヲ宣言ス

一九二八年六月四日

在中國韓人青年同盟

在中國韓人青年同盟規約

第一章　總則

一、本同盟ハ在中國韓人青年同盟ト稱ス

二、本同盟ハ同盟ノ綱領、宣言及決議ヲ貫徹スルヲ以テ目的トス

三、本同盟ノ位置ハ中央常務執行委員會ノ決議ニ依リ隨時選定ス

四、本同盟ノ組織原理ハ民主々義中央集權制ト爲ス

五、本同盟ノ事業地帶ハ韓人ノ居住スル中領一帶トス

第二章　會員及會員ノ權利義務

六、本同盟ノ同盟員ハ同盟ノ綱領ト規約ヲ承認シ上部機關ノ指令ト全体ノ決議ニ服從シ規律ヲ嚴守シ義務金ヲ納付スル十六歲以上三十歲以下ノ青年トス

七、本同盟ニ加盟スル節ハ次ノ如キ手續ヲ要スルモノトス

10

1、本同盟ニ加入ヲ欲スル者ハ盟員二人以上ノ保證ヲ附シ願書ヲ提出スルコト

2、願書ハ通常會ノ決定ト支部委員會ノ決議ヲ得タル後區域ヲ經由シテ中央ニ報告スルコト

但シ班以上關係ニモ手續スルコトヲ得

八、本同盟ノ權利義務ハ左ノ如シ

1、權利、選擧權、被選擧權、提議及決定權

2、綱領規約宣言及決議ヲ遵守スル義務上部機關ノ指令ニ服從スル義務規律ヲ嚴守スル義務、義務金ヲ納付スル義務

九、本同盟員カ他地方ニ移轉スル場合ハ所屬機關ノ承認ヲ得タル後上部機關ニ報告シテ移住地方機關ニ登錄ス

一〇、本同盟員ハ皆班ニ屬スルヲ要ス

21

第三章　班ト班會

一一、班ハ本同盟ノ基本組織ニシテ盟員五人以上二十人以下ヲ以テ組織スルモ支部委員會ノ決議ヲ要ス

一二、班ニハ班會ト班執行部或ハ班責任者ヲ置ク

1、班會ハ月一回ツツ執行部或ハ責任者ヨリ召集ス

2、班執行部又ハ班責任者ハ班會ニ於テ選擧セル後支部執行委員會ノ承認ヲ要ス任期ハ三ケ月トス

一三、班ハ月一回ツツ事業經過ヲ支部執行部ニ報告スルモノトス

第四章　支部ト支部執行委員會

一四、支部ハ三個以上ノ班ヨリ組織スルモ區域執行委員會ノ決裁ト承認ヲ要ス

備考・支部ナキ處ノ班ハ舊執行委員會ヨリ直接管理ス

一五、支部ニハ定期總會、臨時總會、執行委員會ヲ開ク

1、定期總會ハ毎四ケ月一回ツツ執行委員會ヨリコレラ召集スルモ所屬盟員三分ノ二以上ノ出席ヲ要ス

2、臨時總會ハ執行委員會ノ必要ト認ムル時ト所屬班三分ノ二以上ノ要求アル時執行委員會ヨリ召集スルモ所屬盟員三分ノ一以上ノ出席ヲ要ス

3、執行委員會ハ支部總會ヨリ選出セルモノ或ハ上級機關ヨリ指定シタル七人ノ委員ヲ以テ組織シ總會ノ決議ト上部機關ノ指令ニ依ツテ事務ヲ執行ス

備考・執行委員會ハ秘書部責任者カコレヲ召集スルモ委員半數以上ノ出席ヲ要ス

4、支部執行委員會ハ秘書、組織、宣傳、調查ノ四部ヲ置キ各部ノ責任者ハ該部事業ヲ執行委員會ノ統治下ニ於テ管理執行スルモ秘書部責任者ハ支部ヲ代表ス

22

一六、支部ハ月一回ツツ事業經過ヲ區域執行委員會ニ報告ス

第五章　區大會ト區執行委員會

一七、區ハ同盟大會或ハ中央執行委員會ヨリ劃定シ域內ニアル支部ヲ網羅シテ組織ス

備考・區ノナキ支部ハ中央執行委員會ヨリ直接管理ス

一八、區ニハ定期總會、臨時總會、執行委員會、常務執行委員會ヲ開催ス

1、定期大會ハ年一回ツツ執行委員會ヨリ召集ス代表數ハ執行委員會ヨリ規定シ規定代表三分ノ二以上出席ヲ要ス

2、臨時大會ハ執行委員會ノ必要ト認ムル時所屬支部三分ノ二以上ノ要求アルトキ執行委員會ヨリ召集スルモ代表數ハ執行委員會

ニテ規定シ規定代表半數以上ハ出席ヲ要ス

3、區執行委員會ハ區大會ヨリ選擧セル者或ハ上部機關ヨリ指定セル若干ノ委員ヲ以テ組織スルモ總會ノ決議ト上部機關ノ指令ニ依ツテ事務ヲ執行ス

4、執行委員會ハ秘書、組織、宣傳、調査、經濟五部ヲ置キ各責任者ヲ選出ス

5、常務執行委員會ハ執行委員會ヨリ選出セル各部責任者ヲ以テ組織シ當該部ノ事務ヲ掌理ス秘書部責任者ハ執行委員會ニ代表ス

備考・執行委員會或ハ常務執行委員會ハ委員半數以上ノ出席ヲ要ス

一九　區ハ月一回以上事業經過ヲ中央執行委員會ニ報告スルヲ要ス

第六章　同盟大會ト同盟中央執行委員會

二〇　同盟ニハ定期總會、臨時大會、中央執行委員會、中央常務執行委員會、中央執檢聯合委員會、中央擴大委員會、中央執檢聯合擴大委員會ヲ開催ス

二一、同盟大會ハ本同盟ノ最高決議機關ニシテ大會ハ代議員ヲ以テ構成ス大會ハ中央執行委員十七人ト中央檢査委員五人、候補九人ヲ選擧ス

二二、定期大會ハ年一回中央執行委員會ヨリ此ヲ召集スルモ代議員數ハ中央執行委員會ヨリ規定シ規定代議員三分ノ二以上ノ出席ヲ要ス

二三、中央執行委員長ハ中央執行委員中ヨリ大會ニ於テ選出シ同盟ノ事業ヲ總管理シ同盟ヲ總代表ス

二四、臨時大會ハ區三分ノ二以上ノ要求アルトキ或ハ中央常務執行委員會ヨリ此ヲ召集スルモ代議員數ノ規定ハ定期大會ト同一トシ規定代表三分ノ一以上ノ出席ヲ要ス

23

二五、中央執行委員會ハ大會ヨリ選出セル中央執行委員ヲ以テ組織スルモ次期定期大會迄ニ最高執行機關トシテ大會ニ對スル全責ヲ負フ

二六、中央執行委員會ハ庶務、組織、政治、文化、少年五部ヲ置キ各部々長ヲ選出ス但シ各部々長ハ大會ヨリ選出スルコトヲ得

二七、中央常務執行委員會ハ各部々長ト委員長ヲ以テ組織シ當該部ノ事務ヲ處理シ執行委員會閉會後ハ執行委員會ヲ代表ス

二八、中央執行委員會又ハ中央常務執行委員會ハ中央執行委員長之ヲ召集スルモ委員半數以上ノ出席ヲ要ス

二九、中央擴大委員會ハ中央執行委員ト各部責任者ト檢査委員會責任者等ニヨリ構成スルモ委員半數以上ノ出席ヲ要ス

三〇、中央執檢聯合委員會ハ必然ト認ムル時執檢兩部ノ動議下ニ於テ執行委員長之ヲ召集スルモ各々半數以上ノ出席ヲ要ス

三一、中央執檢聯合擴大委員會ハ中央執行委員ト中央檢査委員及各部責任者ヲ以テ構成スルモ委員半數以上ノ出席ヲ要ス

第七章　中央檢査委員會

三二、中央檢査委員會ハ大會ヨリ選出セル檢査委員五名ヲ以テ組織スルモ責任者一人ヲ選出シテ檢査委員會ヲ代表セシム

三三、中央檢査委員會ヨリ必要ト認ムルトキハ中央執行委員會ノ動機ヲ以テ區域或ハ支部ノ檢査委員會ヲ組織ス中央檢査委員會ハ此ヲ總括ス

三四、中央檢査委員會ノ任務

1、規律ニ違反スル盟員ヲ檢査ス

2、決定事項ニ違反スル事務ノ執行ヲ檢査ス

3、必要ト認ムルトキ中央執檢聯合委員會、中央執檢聯合擴大委員會ヲ中央執行委員會ト協議シテ召集スルコトヲ得

24

第八章　經濟

三五、本同盟ノ經濟ハ加盟金三十錢、義務金十錢其他ノ收入ヲ以テ充當ス
會計年度ハ總テ定期大會迄トス

三六、支部ハ支部收入ノ三分ノ一ヲ區ニ、區ハ區收入ノ三分ノ一ヲ中央ニ納付ス但シ加盟金ハ全部中央ニ納付ス

三七、會報部ノ經費ハ獨立會計トス

第九章　罰則

三八、本同盟員ニシテ左ノ條件ニ該當セル者ハ其ノ輕重ニ出會、停權、遣責ヲナス

1、同盟綱領ヲ違犯スルモノ

2、同盟ノ名譽ヲ汚損スルモノ

3、決定ニ從ハズ單獨行爲行動アルモノ

4、同盟ノ統制ト綱規ヲ紊亂スルモノ

三九、班ヨリ處罰セルモノハ上部機關ノ承認アル迄有效トス

四〇、四ケ月以上ノ義務金ヲ納付セズ故ナク三回迄通常會ニ不參スルモノハ出會者ト見做ス

附則

本規約ハ同盟大會、代議員三分ノ二以上ノ決議アルニアラザレバ改正スルコトヲ得ズ本規約ハ通過ノ日ヨリ實施ス

25

◎朝鮮青年運動ノ當面任務

ム・ス生（金基鎭）

朝鮮青年大衆ハ革命ノ渦中ニ生活シテ居ル。然ラバ朝鮮革命ニ於ケル吾等ノ任務ハ何デアリ又其ノ任務ヲ遂行スルニ於テ如何ナル根本的方針ヲ有ツベキカ？之レガ朝鮮戰鬪的青年ノ前ニ具体的問題トシテ提出サレテキル。吾等ノ考察ハ先ツ一般的ニ朝鮮革命運動ニ論及セザルヲ得ナイ。朝鮮革命運動ハ如何ナル條件ノ上ニ成立サレテキルカ？ソレハ如何ナル社會的歷史的特質ヲ有ツテキルモノデアルカ？帝國主義日本ハ朝鮮ヲ強盜的ニ併呑シタ後朝鮮民衆ヲ經濟的、政治的、社會的ニ悲慘無比ノ深淵ノ中ニ一人モ殘ラズ入レテ了ツタ。日本帝國主義ノ野蠻的強盜的壓迫ト搾取ハ朝鮮人民ノ各階級及層ニ及ビツツアル。同時ニ社會ノ後進性ニ依ル封建遺物ニ依ル大衆ノ苦痛ガ又廣大デアル。

(1)農村大衆ノ貧窮化、收容スベキ施ナキ廣大ナル過剩人口、地主ノ横暴(2)勞働大衆ノ低劣無比ノ勞働條件(3)都市貧民大衆ノ極度ノ貧窮化(4)日本資本ニ依ル朝鮮資本ノ被壓迫萎縮！之等凡テカ朝鮮人民ノ日本帝國主義強壓ノ下ニ於ケル經濟的生活ノ中心的特徴デアル。政治的生活ニ於テハ自田ノ[illegible][illegible]ノ影ダニ發見スルコトガ出來ナイ。三千里半島ガ武裝セル監獄ニ化シタノミナラズソレハ更ニ海外ニマデ及ビツツアル。又經濟的搾取ト政治的壓迫ヲ制限ナク、遠慮ナク恣行スル日本帝國主義ハ同時ニ朝鮮民族ヲ彼等ノ忠實ナル犬馬ニスル爲ニ、種々ノ思想的活動ヲスル。斯クノ如キ國内情勢ニ基ツイテ朝鮮革命運動ハ開始サレテ今ノ如ク發展シタ。此ノ運動ノ當面目標ハ日本帝國主義打倒、朝鮮ノ完全ナル獨立ノ獲得デナケレバナラヌ。同時ニ社會發展ノ大桎梏トシテ廣大ナル大衆ノ搾取形態トシテ殘存スル封建遺制ノ清算デナケレバナラヌ而シテ此ノ運動ニ於テ朝鮮民族ノ凡ユル戰鬪的階級層ハ協力同盟シテ強敵ヲ攻メネバ

26

ナラヌ。ココニ朝鮮革命運動ノ特質ガアリ、協同戦線ノ必然性ガアルノデアル。然シ吾等ハ朝鮮革命運動ヲ獨善的一國ノ運動ト思ッテハナラヌ現在ノ國際的情勢ハ一國ノ運動！ソレガ如何ニ後進國ノモノデアッテモ一ノ獨善的・孤立的存在ヲ許サナイ。朝鮮革命運動ハ日本帝國主義トノ鬪爭ニ依ッテ世界革命ニ結着シ、世界革命ノ組織ノ存在ニ依ッテ朝鮮革命ノ勝利ガ確保サレル。

(二)

次イデ吾等ノ考察ハ朝鮮社會ニ於ケル青年ノ地位ニ論及セザルヲ得ナイ此ノ考察ニ依ッテコソ始メテ朝鮮青年運動ノ任務ト運動方針ガ具体的特殊ノ形態ヲ以チ現ハレ得ルデアラウ。

農村生活ノ破滅ハ廣大ナル農村青年ヲシテ幼年ノ時カラ牛馬ノ如キ生活ニ處セシメル。父母撫養ノ家長制的義務ヲ負フテヰル彼等ハ苦役ニ於テ被搾取ニ於テ、如何ナル農民ヨリモモット悲慘ナル地位ニ居ル。

十六萬ノ朝鮮農村被雇用人ノ大部分ハ青年デアリ自作及小作ノ凡テノ耕作ノ重要ナル勞働ハ大概青年ノ肩ニ擔ハレルヤウニナル。資本ノ攻撃ノ下ニ憐レナル餘命ヲ繼イテヰル手工業ノ領域ニ於ケル青少年徒弟ノ地位ハ又慘憺タルモノデアル。工場ニ雇傭サレタ青少年ノ數ハ比較的多數デアリ、彼等ノ勞働條件ハ成年ノソレニ比シテ非常ニ低劣デアル。彼等ノ被搾取ト被虐使ハ無制限トナリ、ソレハ一般朝鮮勞働者ノ狀態ヲ益々惡化セシメル。斯クノ如ク朝鮮青年ノ殆ンド全部ナル廣大ナ勞役青年層ハ經濟的生活ニ於テ既ニ極度ノ悲慘ナル地位ニ處シテ居ル。又朝鮮青年ノ大部分ハ無學デアル。日本帝國主義政治ハ朝鮮青年ノ教育ノ機會ヲ剝奪シ、所謂教育ハ帝國主義ノ走狗ヲ作ル爲ニ一部比較的「幸福ナル」青年層ニ加ヘルノミデアル。學ビタイト云フ絶叫ハ朝鮮青年大衆ノ間ニ於テ

悲切ニ繼續スル。智的無學ト過度ナル勞働及營養不足ニ依ル肉体ノ損失ハ朝鮮青年ノ心身ヲ破壞シツツアル。學校ニ入ッタ青年モ學校内ニ於テ無制限ノ侮辱ト壓迫ト不滿トヲ經驗シ、學業ヲ畢ヘタ後ニハ容ルル處ナキ過剩人口ニ編入サレル外ニハ何等他ノ途カナイ。朝鮮青年ハ斯クノ如ク日本帝國主義ノ壓迫ノ下ニアリテ各方面カラ最モ悲慘ナル生活ニ強要サレルノミナラズ、封建的因襲ノ巨大ナル遺風ニ依ッテ、家庭、洞内、全社會ハ彼等ノ生活ヲ極度ニ拘束スル。斯クノ如キ生活上ノ環境ト感受性ガ多ク突進性ガ強イ一般的青年固有ノ心理的狀態ガ結合サレル處ニ朝鮮青年大衆ノ強烈ナル革命性カ決定サレル。而シテ其處ニ朝鮮青年運動ノ特殊的地位カ發見サレル。

(三)

朝鮮民族ノ前ニ最大ノ敵トシテ立ッテヰル日本帝國主義ト封建遺制ハ朝鮮青年大衆ノ前ニ於テモ亦最大ノ敵トシテ立ッテヰル。朝鮮青年ノ鬪爭ノ先鋒ハ朝鮮民族全体ノソレト同様ニコレニ向ハネバナラヌ。日本帝國主義ガ打倒サレナイ限リハ、封建的遺制ガ掃清サレナイ限リハ朝鮮青年ノ地位ハ決シテ根本的改革ノ第一歩モ歩キ得ナイ。而シテ此ノ鬪爭ニ於テ朝鮮青年大衆ノ各層カ協同セネハナラヌノガ朝鮮全体革命運動ニ於テ各革命的階級層ガ協同セネバナラヌノト同一ニ必要デアリ且ツ必然デアル。勞働青年、農村青年、都市青年、知識青年！之等諸層ノ同盟ヲ組織シテソレヲ鞏固ニスルコトガ卽チ朝鮮青年運動ノ當面組織ノ基本的方針トナラネバナラヌ。而シテ此ノ組織ノ基礎ヲ眞ニ大衆層ニ置クノカ青年運動ヲ事實的ニ大衆化スルニ於テモ其ノ鬪爭力ヲ強クスルニ於テモ又其ノ將來ヲ確保セシムルニ於テモ、無條件ニ必要デアル。此ノ目的ノ爲ニ當然重要視スヘキモノハ廣大ナル勞農青年大衆デアル。「勞農青年大衆

ノ獲得」之ガ朝鮮青年運動ノ最大努力トナラネバナラヌ。此ノ廣大ナル層ノ獲得ニ依ッテコソ朝鮮青年運動ハ始メテ少數知識階級青年運動ノ舊傳統ヲ完全ニ拋棄シ得ベク、具体的壓迫ト搾取トヲ最モ深刻ニ体驗スル此ノ層ノ獲得ニ依ッテコソ朝鮮青年運動ノ革命性ハ絶エズ増大シ得ベク従ッテ動搖性ヲ克服シ得ルデアラウ。朝鮮青年運動ニ於ケル知識青年ノ役割ハ多且ツ大デアル。然シ彼等ノ生活環境ニハ最後マデノ革命的突進ヲ保障スベキ條件ガ足ラナイノミナラズ數ニ於テ甚ダ少ナイ。

今日マデノ朝鮮青年運動ガ其ノ基礎ヲ此ノ層ニ置イタノハ幼稚ナル朝鮮社會ノ情勢ヲ反映シタモノデアルト同時ニ運動ノ發展程度ガ幼稚ナルコトヲ證明スルモノデアリ其ノ弱點ヲ語ルモノデアル。斯クノ如キ弱點ハ急速ニ改革セネバナラヌ。知識青年ノ革命的役割モ眞正ナル青年大衆ノ組織ガ完成シテコソ始メテ充分ニ發揮シ得ルノデアル。

29

(四)

朝鮮青年ハ朝鮮民族全体ノ一部分デアル。又各階級ノ青年ハ其ノ階級ノ一部分デアル。青年ノ王國カ全民族、全階級層ヲ離レテ建設サレ得ナイノハ自明ノコトデアル。従ッテ朝鮮青年運動ハ全体ノ朝鮮革命運動ト分離スベカラザル關係ヲ有タザルヲ得ナイ。全体運動ト青年運動トノ關係ハ全隊ト支隊ノ關係デナクシテハナラヌ。全隊ノ任務ハ枝隊ノ任務ノ基礎トナルト同時ニ枝隊ハ其ノ基礎ノ上ニ於テ、枝隊トシテ當面スル特殊條件ニ適應シテ其ノ自体ノ特殊任務ヲ有ツヤウニナル。朝鮮革命運動ノ過去ノ階段ニアリテハ青年運動ト全体革命運動トノ關係ガ以上ノ如クデナカッタノガ事實デアル。全体革命運動ノ組織ガ存在シナカッタ階段ニ於テハ朝鮮青年團体ハ最モ重要ナル政治的任務ヲ獨立的ニ遂行シタ。其ノ時ニ於テハ青年運動ハ枝隊トシテノ青年獨自ノ任務ニアラズシテ殆ント全体運動ノ代表者トシテノ任務ヲ遂行シタノデアル。之ハ朝鮮革命運動ノ初期ニ於テ不可避的ニ現ハレテ來タ事實デアル。故ニソレハ朝鮮青年ノ過誤ヲ意味スルヨリモ其ノ効果ヲ語ルモノデアル。然シ朝鮮革命運動ノ現階段ハ最早過去ノ階段ト區別サレル階段デアル。全体運動ノ組織ハ各方面ニ亘ッテ組織サレツツアル。全体運動ト青年運動トノ關係ガ明確ナル形態デ規定サレネバナラヌ又サレ得ル階段ガ到來シタ。全青年大衆層ハ全民族ノ一枝隊トシテ全隊ノ闘爭ニ指導サレソレニ積極的ニ參加スルト同時ニ青年運動自体ハ明瞭ニ青年特殊ノ運動團体トシテ現ハレネバナラヌ。青年運動ガ別個ノ組織ヲ有ツノハ青年ガ全民族又ハ階級ニ於テ特殊的地位ヲ有ッテヰルノニ基ヅイタカラデアル。故ニ青年運動ノ特殊的任務ハ唯此ノ特殊的地位ニ依ッテ決定サレネバナラヌノデアル。従ッテ非青年ヲ青年團体ニ收容セル過去ノ傳統ハ急速ニ揚棄スベキデアル。

然シ青年團体ガ青年ノ特殊地位ニ依ッテ決定サレル青年ノ特殊任務ノ遂行團体デナクテハナラヌト云フコトハ青年大衆ヲ全体ノ闘爭又ハ其ノ所屬階級ノ闘爭ヨリ遊離セシムルノヲ意味シテハナラヌノハ勿論デアル。従ッテ青年團体ニ組織サレテヰル青年闘士ハ政治運動團体、勞働團体、農民團体、女性團体、協同組合其他各種ノ大衆團体ニ積極的ニ參加シテ其ノ團体ノ運動ニ勇敢ニ活動セネバナラヌ。

30

(五)

然ラバ朝鮮青年運動ノ特殊任務ハ如何ニ規定サレルヘキテアルカ?

其ノ重大ナルモノヲ擧グレバ次ノ如クデアル。

第一、廣大ナル青年層ニ加ヘル經濟的搾取ヲ考慮セネバナラヌ。工場鑛

山林其他各種ノ企業體ニ於テ無制限無保護ニ搾取サレル青少年男女

ノ利益。農村ニ於テ隷屬スル農村青年ノ利益、職場ニ於テ虐待サ

レル手工業青年ノ利益ノ為ニ闘争セネバナラヌ。

第二、青少年ノ自由ヲ極度ニ拘束スル封建遺風ニ対シテ闘争セネバナラヌ。

第三、別役青少年ノ不平ヲ代表セネバナラヌ。

第四、而シテ殊ニ重要ニシテ中心的ノモノハ青年ノ教育事業―智的及体的デアル。

第五、世界青年運動ノ重要任務トナッテキル反軍国主義闘争ハ朝鮮ニ於テハ意義ヲ異ニセザルヲ得ナイ。然シ軍国主義ニ対スル不断ノ暴露ガ必要デアリ、革命時及革命後ノ権力維持ニ於テ青年ノ軍事的活動ノ重大性ヲ考慮シ其レニ対スル不断ノ準備ガ必要デアル。

青年運動ハ青年ノ社会的特殊地位ニ基ヅイタ行動綱領ニ依ッテ広汎ナル青年ヲ戦線ニ引キ入レネバナラヌ。然シ其ノ部分的要求ノ綱領ニ対スル闘争ハ恒ニ朝鮮革命ノ聯絡スルヤウ指導サレネバナラヌ。其ノ闘争ヲ通

31

シテ青年ノ解放ノ途ハ朝鮮革命以外ニハナイコトヲ自覚ナキ青年ニ体知セシメネバナラヌ。

朝鮮青年ヲ革命ニ教育スルコトハ青年団体ノ今後ニ於ケル中心的活動デナクテハナラヌ。革命ノ為ニ又革命後ノ建設ノ為ニ青年大衆ガ絶エズ準備ザレネバナラヌ。然シ此ノ教育事業ハ一般闘争カラノ青年ノ退却ヲ意味スルノデハナイカラ青年ノ革命的教育ノ基礎ハ闘争ニ置カネバナラヌ教育ノ主要ナルモノハ勿論政治教育デアル。然シソレハ以外ノ一般的教育ノ必要ヲ除外スルノデハナイ。又同時ニ肉体的訓練モ教育事業ニ算入サレネバナラヌ。青年ノ教育事業ニ於テ文盲ノ広大ナル存在ハ最大ノ敵デアル。之レニ関スル熱烈ナル闘争ガ必要デアル。

(六)

朝鮮ノ闘争的青年ハ青年運動ヲ指導センガ為ニ各層青年ノ地位、現状ノ

特質ト運動ノ経験ヲ急速ニ討究、分析、把握セネバナラヌ。闘争ニハ情熱ダケデハ不足デアル。革命的情熱ハ正確ナル運動方針ニ結着シテコソ始メテ有効ニナリ正確ナル運動方針ハ敵ヲ知リ自己ヲ知ルコトニ依ッテ存ズル。

朝鮮青年運動全体ヲ指導スル青年ノ組織体ハ青年運動全体ノ方針ヲ決定スルノデソレハ全朝鮮青年運動方針ノ基礎トナル。

然シ各地方青年団体ハ其ノ基礎ノ上ニ於テ其ノ地方ニ於ケル青年ノ特殊地位ヲ考慮セネバナラヌ。而シテ運動方針ニ其ノ特殊性ガ反映サレネバナラヌ。公式的、千遍一律的ナリシ過去ノ運動方針ノ伝統ヲ清算スルノガ戦闘的青年ノ当面任務ノ一ツデアル。

朝保秘第二七四一號

昭和三年十一月二十四日

朝鮮總督府警務局長

内閣拓殖局長殿
内務省警保局長殿
警視總監殿
關東廳警務局長殿
外務省亞細亞局長殿
在支公使殿
臺灣總督府警務局長殿
京都・大阪府知事殿
神奈川・兵庫・縣知事殿
長崎・福岡・山口縣知事殿
天津・上海・廣東・漢口・奉天殿
吉林・哈爾賓・間島總領事殿
安東・鐵嶺領事殿
長春・芝罘領事殿
朝鮮軍司令官殿
朝鮮憲兵隊司令官殿
各法院檢事長殿
各法院檢事正殿
高等法院思想專任檢事殿
各道知事殿
各派遣員殿

在中國韓人青年同盟ノ創立ニ關スル件

在支那朝鮮人青年團体間ニハ從來何等ノ連絡統一ナカリシカ内外ニ於ケル民族單一統結成運動ニ策勵シ客年以來青年團体統一總機關組織ニ關シ各團体間ニ於テ協議ヲ進メ居タルカ本年五月二十六日吉林省磐石縣呼蘭集廠子ニ於テ在中國韓人青年同盟ヲ組織スルニ至リタルカ其ノ沿革及創立状況左記御參考迄ニ通報ス

以下は、資料23「在中国韓人青年同盟ノ創立」と同一です。　（不二出版）

昭和四年十二月

在外不逞鮮人團体調

警務局保安課

◎南満方面

◎國民府　新賓縣旺清門

中央執行委員

玄益哲、金寛允、高而許、梁仁元

張承彦、金成長、安　鴻、李英熙

李鎮卓、金文擧、林東煥、朴在勳

中央執行委員長　玄　益　哲

地方部執行委員長　梁　仁　元

教育部執行委員長　金　寛　允

公安部執行委員長　金　文　擧

財政部執行委員長　張　承　彦

外務部執行委員　李　成　根

張　志　鎬

外務部執行委員　朴　在　勳

〃　李　鎮　卓

〃　金　　　敦

〃　林　東　煥

〃　李　英　熙

〃　安　　　鴻

〃　金　成　長

〃　高　而　許

總務部兼地方部秘書　金　時　鍾

教育部兼公安部秘書　金　東　愚

財務部秘書　崔　炳　模

中央審判所長　梁　仁　元

中央査判 金寛允
〃 張承彦
〃 李英燾
〃 書記 金時鐘
検理長 金文擧
検理 安鴻
〃 高而許
書記 金東愚

會計検査院
院長 張承彦
委員 金文擧
〃 朴致煥
黨員 安光善
秘書 金時榮

○朝鮮革命軍（國民府武力團） 分擔區域

第一隊長 安鵬 說一李東勳 寛東、寛西
第二隊長 張哲浩，張守萬 桓南、桓東半部
第三隊長 楊火石，柳光屹 輯山、桓東半部
第四隊長 安鴻，李允煥 桓仁、撫本、興化
第五隊長 李允煥，梁瑞鳳 輯西、通南
第六隊長 金文擧，金昌憲 柳河、海源
第七隊長 朴錫允，都雄杰 樺甸、磐石、撫松
第八隊長 劉光屹，權泰植 權用金 吉額、安圖
第九隊長 梁瑞鳳，安鵬 吉林、吉西、懷德、舒蘭
第十隊長 金柳永 說一金競勳 長白、臨江

第一指揮部（韓僑同鄉會撲滅ヲ目的トス）
指揮長 李雄
政治指導員 高義惠 說一高轄信、朴濟勳、林炳武
副司令 梁瑞鳳 朴濟勳
經理 金文擧 林炳武
隊長 張守萬
隊付將校 田雲鶴
〃 文時亨、李允理 說一李雲淵
〃 李東勳、李鐸

第二指揮部（國民府反動輩撲滅ヲ目的トス）
指揮長 李成根
副指揮長 金萬 說一金九、金龜
經理 張承田，張昇典
隊長 安道洽、趙雄傑 說一趙雄杰
〃 安鴻
隊付將校 朴炳化、李宗洛、李元浩

軍事政治委員
李辰卓、李雄、梁瑞鳳、金文擧
李英燾、崔昌杰、金興海

◎西北間島聯盟獨立黨協進會 撫松縣
會長 李青天
秘書 許相

募捐及宣傳部長　玄公世
軍事部長　延炳俊
探偵部長　嚴洪奎
外交部長　韓應一
教育部長　孫學模

◎留吉學友會　吉林

會長　金仁基

◎民族唯一黨組織同盟

政治部委員　玄正鄕
宣傳部委員　辛日鎔
軍治部委員　李基德
勞農部委員　崔芝文
青年部委員　黃起龍
婦女部委員（兼）黃起龍
經理部委員　高轄信

◎民族唯一獨立黨在滿策進會

執行委員
金元植、李圭東（李貫一）李東山
金尚德、金東三、金盛鎬
金筱夏、黃學秀、崔顯
鄭信、李承一、金昌煥
李鍾岱、裵活山、金荆山

◎北滿方面

◎南北滿洲韓族總聯合同盟　昭和四年十月創立

寧安縣山市站

會長　金東山
副會長　金佐鎭
議事長　金容大
顧問　金定濟
宣傳委員長　李元甫
文化部委員長　吳昌煥
生計部委員長　高裕杉
實業部委員長　朴一憲
財務部委員長　孫鳳

秘書部委員　玄通默
書記部委員　姜日清
編輯委員　許綸
軍政部委員　郭德順
決死隊
第一隊長　吳運承
第二隊長　金憲
第三隊長　白愚谷

◎培達農民會　寧安縣寧古塔
會長　鄭信
副會長　崔大甲
顧問　金佐鎭
經務兼庶務部長　趙日
農務監査部長　金泰俊
文化部長　劉俊芳
財務部長　李一鉉
檢査部長　蔡允範

◎北滿唯一獨立黨　寧安縣寧古塔
常務執行委員長　李相龍

印刷編輯部委員長　金澤
外交部委員長　朴璜翊
財務出納部委員長　鄭一豐
教育部委員長　吳甲
殖民部委員長　玄循
歸化勸誘部委員長　延柄宇
民情觀察部委員長　金洛道
文化宣傳部委員長　方謂龍

◎赤旗團　東寧縣三岔口
軍事部長　崔尚傑
財務部長　李青山
團員　崔尚傑、李春山、尹杰、金敬開
金澤仁、黃碩俊、申翼範、李永秀
崔元根、

◎歸化民同鄉會　敦化
董事　金桂山
會長　李白嵐コト李白欄
副令長　判事長　李承林
監事　馬晋

◎朝鮮革命黨　敦化縣香水河子

組織委員長　馬晋
委員　李青藤
〃　韓在郁
〃　金鉉默

◎額穆合興公司　額穆縣蛟河鎮

支配人　金光憲
專務取締役　李鍾楨
監査役　李白嵐
〃　金桂山
顧問　李青天
〃　馬晋
顧問　金履大
貸付係　黃河淸
豫金係　許永鎭
國庫金收支係　金河平
納税係　金定植
拓務係　崔興斌
運輸係　蛟河鎭　金光憲
〃　敦化　金桂山

◎高麗革命軍　黑龍江省巴彦縣西集廠

團長　李範錫
幹部　白雲峰

幹部　李英泰
〃　金昌德

◎大韓國民東洋會　泰來縣塔子城

會長　吳允浦
副會長　李海俊
檢務委員長　郭仁植

◎革命聯合總團　吉林省陶賴昭

一名　大韓獨立革命軍事財政聯合總司

總團長　劉鐵
食糧部長　柳樹房
軍事部長　金濟民
內務部長　朴素心
產業部長　鄭翊朝

海林

◎韓國革命黨

秘書部　金佐鎭
經理部　鄭信
計畫部　韓奎範
軍事部　李鵬海
宣傳部　李一九

○東興學校　海林

校長　鄭信

校監　李德載
〃　李達
學監　趙柏五

◎生育社　舒蘭縣老喜頂子

社長　洪濩
庶務部長　李章寧
殖產部長　林麟順
修養部長　李靑天
親睦部長　金白
交涉部長　朴一萬
顧問　尹牧山
顧問　呂準
〃　李倬
〃　白純

○生育社舒五分社　五常縣小楡河子

分社長　李琓鎬
庶務部兼財務主任　鄭東煥
親睦部主任
糾察　金斗星
〃　金東爀

○生育社敎化分社

分社長　尹佐衡
殖產部主任　鄭大鉉

親睦部主任　金定植
交涉部主任（兼）金定植
庶務部主任　金顯禹
修養部主任　趙重九
糾察　朴逸、金顯龍、方宜榮

◎韓國國民革命部　密山縣東饒河

中央執行總局長　未定
議事部長　金桂山
庶務部長　鄭信
外交部長　金東山
軍事部正部長　金佐鎭
軍事部副部長　金履大
地方部長　馬白東
財務部長　李白嵐

議事部

審議課長　金基鴻
決議課長　李日泰
諮問課長　不詳
議呈課長　金河平
法律制定課長　李京植

庶務部

人事課長　金定植
圖書課長　鄭一茂
受付課長　未定
戶籍課長　沉鳳來

交涉課長　李敏定

外

交通課長　貝鶴書

交民部

民國課長 李 鍾楨
歐米課長 未 定
移民課長（兼） 金 桂山

軍事部

教育課長（兼） 金 佐鎭
軍務課長（兼） 金 履大
募捐課長 張 寒星
救恤課長 黃 河星

地方部

地方課長 未 定
交通課長 金 濱浩
地方納稅課長（兼） 金 桂山
支部監督課長 馬 白東

財務部

納稅課長 楊 道洙
收支課長 未 定
理財課長 金 覺
顧問 李 東輝
〃 全 盛鎬
〃 姜 九禹
〃 柳 東悅

◎北京方面

◎大獨立黨組織北京促成會

幹部

金 東洲
朴 觀海
李 光
李 相一
李 相蜂
權 泰衡
金 昌國

◎タムール團

團員

金 文濈
朴 泰烈
李 泰龍
金 鍾璧
曹 成煥
李 洋
崔 泰允
李 志堅

◎義民府　綏遠省包頭

表面生計會ト稱ス

主席委員　趙三伯
敎育委員　申南山
軍事委員　崔少松
外交委員　金威庭
財政部委員　趙大則
庶務部委員　申紫雲
實業部委員　金光

◎上海方面

◎大韓民國臨時政府（通稱上海假政府）

國務領主席　李東寧
內務長　趙琬九
外務長　吳永善
財務長　金九
軍務長　金徹
法務長　李東寧

○議政院

議長　金明濬
副議長　徐太宇
常任委員　金弘敍
秘書　白基俊
議員登錄人員　三十四名

◎義烈團

團長　金元鳳
團員　陳公木（李慶洙）朴俊爽、金奎植
韓奉根（志髮又ハ韓錦山）王子良（崔雄林又ハ崔林）
柳光世、楊檢、曹國棟、陳甲秀
田信謙、李敏達、崔昌根、朴友振
李喆鎬、柳重漢、柳友檻、朱烈
朴健雄、金成淑、

13

◎丙寅義勇隊

隊員

李裕弼、朴昌世、李景山、姜昌濟
李秀峰、都碁煩、朴永坤、郭重善
龐溫東、金道元、羅東憲、金昌健
姜坡（本名姜澗植）

◎興士團遠東支部

長　安昌浩

◎大韓赤十社

社長　吳永善

◎愛國婦人會

主宰者　金仁慶
　金淳愛

會員　約二十名

◎韓國勞兵會

理事長　李裕弼

◎僑民團

團長　金九

總務　鄭泰熙

議事員

李敏達、黃塤、郭憲、泰熙昌
嚴恒燮、金宇鎭、金枓奉、玉成彬
金鍾商、宋秉祚、韓鎭教、尹琦燮
趙尙燮、安昌浩、李裕弼、

◎仁成學校

校長　金枓奉

學監　尹琦燮

教師　閔丙偉、鄭海日
・　崔海鄉（女）崔亨祿（女）

會計　宋秉祚

○仁成學校維持會

執行委員長　鄭熙昌

常務委員

鮮干爀、金枓奉、尹琦燮、金徹
安昌浩、鄭泰熙、宋秉祚、韓鎭教
李溟玉、金玄九、李春泰、嚴恒燮

庶務科

主任　金澈
宋昌浩、鄭泰熙、

財務科

主任　安秉祚
金玄九、韓鎭教、李溟玉
李春泰、嚴恒燮、

學務科

主任　鮮干爀

金枓奉、尹琦燮

◎米布方面

◎大韓國民會中央總會長（桑港）　白一圭

○桑港地方會長　申翰

○サクラメント地方會長　李王亭

○メリタ地方會長　李敦義

○オプリコン地方會長　金敬淑

○マツタンサル地方會長　朴昌雲

○カルテラ地方會長　金世元

○シカゴ地方會長　金圭星

○オクランド地方會長　金銀海

○タフツ地方會長　任至誠

○メキシコ地方會長　李明源

◎歐米委員部（華聖頓）

主幹　金鉉九

徐載弼

鄭翰景

金永琦

◎新韓民報（桑港）

主筆　白一圭

○同志會紐育支會

總務　李基鳳

○同志會市伽古支會

長　洪益範

総務　趙五雲

◎僑民團長（紐育）李進一

◎櫻花會長（紐育）金マリア

◎國際青年會外國學生親友部（紐育）

幹事 黃昌夏

◎北米留學生會（市伽古）

總會長 李勳求

副會長 張世雲

總務 崔敬植

書記 韓昇寅、許奎

營業部長 金熏

編輯部長 李勳求

社交部長 吳天錫

財務部長 金世璇

宗教部長 朴仁德

体育部長 申瑩澈

理事部長 金マリア

◎三一申報（紐育）

社長 許正

主幹 張德秀

◎興士團（北米ロスアンゼルス）

理事長 郭林大

理事部長 黃思容

檢事部長 姜永陞

◎僑民團（布哇）

團長 孫德仁

副團長 金成基

總務 李鳳求

財務 金光濟

法務 田耕頤

學務 梁有漢

商務 閔健浩

◎國民府（布哇）

社長 閔燦鎬

主幹 崔昌德

◎獨立團（布哇）

長 金潤倍

◎大韓人救濟會（布哇）

長 金福順

◎商業會（布哇）

長　安元奎

總務　李元順

財務　朴成均

書記　李福基

◎留學生會（布哇）

長　李奎鎔

◎同志會（布哇）

長　安永贊

高等警察資料第三輯

昭和四年二月

朝鮮に於ける同盟休校の考察

朝鮮總督府警務局

秘

序

朝鮮の同盟休校も最初にあつては內地の夫れと異る所なく單純な原因から生れて來たものであり警察的に見て直接處置を必要とする樣な場合は極めて尠かつたのであるが最近に至つては民族主義乃至社會主義運動の一部として斯る事件を惹起する樣な傾向が特に顯著となつて來たやうである。從つて同盟休校を以て單なる學校內部の騷動として看過することは出來ないばかりでなく、警察としては進んで之が原因、運動方法等を研究し對策を考究せねばならないことになつたのである。このことは單に警察として重要な問題であるばかりでなく、朝鮮統治と云ふ大きな立場から見ても極めて緊要なことである。

本輯はかかる意味に於て今まで行はれた同盟休校を縱橫に解剖し其の依て來る所を究明し高等警察上之が對策を練る爲に資せんとするものである。

昭和四年三月

一

目次

朝鮮に於ける同盟休校の考察

一、同盟休校

朝鮮に於ける同盟休校の特質……朝鮮青年の二大思潮

學生の同盟休校は從來內地に於ても屢々行はれ敢て珍とするにあらざるも朝鮮に於ける同盟休校は朝鮮が特種の事情にある點に於て特に新教育を受けつゝある新附同胞にして且つ第二の國民たる點に於て特別なる注意の必要がある。

近來朝鮮青年の思想を支配し又將來支配するに至るであらふ二つの思潮は民族主義思想と共產主義思想である。此の二つの思想は常に合流或は交錯して種々の青年學生の運動に現れて居る。最近社會の注意を惹く樣になつた學生の同盟休校も其の一表現として見らるゝものあるに至つたことは特に注意を要すべきである。同盟休校の根本を考察するには先づ朝鮮に於ける向學熱の勃興を觀察せなければならない。

二、向學熱の勃興

舊時代の敎育制度……新學制の不振……騷擾事件と向學熱……排日思想と同盟休校

朝鮮に於ける舊時代の敎育制度は李朝の初期（太祖七年）に大學を京城に設け成均館と稱し地方郡縣に鄕校を置き田畓を與へこれを以て維持に充てしむる制度であつた。是卽ち今日の鄕校財產の起源である 此の外に京城には東、西、中、南の四學があつて之等は皆官學であつた 地方に於て今日も尙散見せらるゝ書堂は何れも私學で之等書堂を卒へた者は鄕校に入つて敎を受け進んで成均館に入るを順序とし科擧に登第して官吏に登用せらるゝを唯一の目的とし李朝末期迄此の制度が續いた。

明治二十七年日清戰役の結果朝鮮の國礎明かとなるに及び日本の制度を模倣し新學制を定めたが其の運用宜しきを得ず實效を擧ぐるに至らなかつた。明治三十七年日露戰爭の結果日韓協約の成立に及び日本より學政參與官を聘し學校の首腦とし玆に一新紀元を劃し更に日韓併合實施され朝鮮敎育令の發布を見愈々新學制の樹立を見るに至つた。

然るに久しき因襲に染める一般の思想は漢籍を專修せざる新教育は彼等の修用を繋ぐに足らず且つ日韓併合を潔しとせざる徒輩は其の教育方針に疑ひを懷き故國と云ふ觀念を失ふに至るものと考へ就學を欲する者甚だ少く地方の書堂は依然として盛況を呈して居た。今大正元年以降の書堂數を調ぶるに次の通りで大正八年迄は漸次增加の傾向を辿つて居た。

自大正元年至昭和元年　書堂普通學校對照表

	書堂	普通學校
大正元年	一八、二三八	三四一
同二年	二〇、二六八	三六六
同三年	二一、三五八	四〇三
同四年	二三、四四一	四二七
同五年	二五、四八六	四四五
同六年	二四、二九四	四五九
同七年	二三、三六九	五〇五
同八年	二四、〇三〇	五六八
同九年	二五、四八二	六七九
同十年	二四、一九三	七九一
同十一年	二一、〇五七	九四四
同十二年	一九、六一三	一、〇九六
同十三年	一八、五一〇	一、一二五
同十四年	一六、八七三	一、三二〇
昭和元年	一六、〇八九	一、三九〇

然るに大正八年朝鮮獨立騷擾事件以來俄かに新教育を欲し向學熱は一時に勃興し書堂は漸次衰退するに至つて昭和元年には大正元年より二千百五十二を減じて居る

斯く向學熱が一時に勃興した所以は彼の朝鮮獨立騷擾事件の動機誘因となつた米國大統領ウイルソンの民族自決主義が期待に外れ平和會議にも華盛頓會議にも亦太平洋會議にも朝鮮問題の如きは更に顧らるゝ模樣もなく彼の膨大な國土と無限の經濟力と世界大戰を口實に急造した兵力とに深き信賴を置き民主自由の旗高く振り翳し正義人道を高唱する彼の米國の支持後援に依り朝鮮の獨立を圖らんとしたことが全くの夢想に過ぎなかつたことを覺り玆に初めて他力主義を捨て自力を以つて獨立に進まざるべからざることに氣付いたのである。それには所謂文化を促進し實力を養成せざるべからずと爲し文化の本源は教育にありとて所謂向學熱が嶄然として現はるゝに至つた。又地方に於ける頑固者流にありては萬歲運動が新教育を受けたる者及學校生徒が中堅となり其の行動が機敏で秩序のあるのを見て新教育必ずしも祖國の觀念を滅却せしむるものにあらず否寧ろ新教育ならざるべからずと云ふ觀念を懷くに至り就學兒童は一齊に激增し既設學校のみでは收容困難となり當局は俄に學校建設にかゝり遂に三面一校二面一校と進み今又一面一校の實現も近き

將來に見らるゝ樣になつた。

斯の如くして勃興せる向學熱の中には既に不純とも云ふべき或るものゝ潛在が認識され、此の思想の中に勉學に志しつゝある朝鮮學生の運動隨つて同盟休校の裏には、自然に民族的思想の流れが多分に漂つて居ることは明かである。殊に初等學校に於てすら同盟休校が行はれることは確に朝鮮の一特色である。然し之れを以て同盟休校原因の總てと爲すは當らない。中には天眞爛漫なる兒童の眞の慾求が偶々同盟休校なる好ましからぬ形式に依つて表現されたものも少からぬことに注意すべきである。

三、同盟休校通觀

同盟休校の年別道別比較……盟休首謀學年……學校別盟休回數……盟休事件百分比
盟休の一般的傾向……反米熱と盟休……私立學校の盟休

同盟休校累年比較表

道別	京畿道							忠清北道						
官公私立別	官公立			私立			計	官公立			私立			計
年次別／程度別	初等	中等	高等、專門	初等	中等	高等、專門		初等	中等	高等、專門	初等	中等	高等、專門	
大正十年		一	一		七	一	一〇							
大正十一年		一	一		一二		一四	一						一
大正十二年			一		九	二	一二							
大正十三年		三			二		五							
大正十四年					四	二	六	四						四
大正十五年昭和元年	二		二	一	一		六	五						五
昭和二年		一			九		一〇	二	二					四
昭和三年	一	三	二		八		一四	一				二		三
累計	三	九	七	一	五二	五	七七	一三	二			二		一七

年次別	忠清南道 官公立	忠清南道 私立	忠清南道 計	全羅北道 官公立	全羅北道 私立	全羅北道 計	全羅南道 官公立	全羅南道 私立	全羅南道 計	慶尚北道 官公立	慶尚北道 私立	慶尚北道 計	慶尚南道 官公立	慶尚南道 私立	慶尚南道 計
程度別	高等、専門 中等 初等	高等、専門 中等 初等		高等、専門 中等 初等	高等、専門 中等 初等		高等、専門 中等 初等	高等、専門 中等 初等		高等、専門 中等 初等	高等、専門 中等 初等		高等、専門 中等 初等	高等、専門 中等 初等	
大正十年		一 一	二				一		一				二		二
大正十一年	一		一	一 一		二	一 四	一	六	一	一	二	六	二	八
大正十二年	一 一		二		二	二	二	一 一	四	一	一	二	二	四	六
大正十三年		一	一	一 二		三	一 三		四						
大正十四年	二		二	二		二	一		一				一 一		二
大正十五年 昭和元年	一 一		二	三 一	三	七	一		一	一 一	一	三			
昭和二年	一 七	一	九	二	三	五	一 一	二	四				二 三	一 二	八
昭和三年	一		一	一 四	三	八	四 二	一	七	二 二	二 一	七	七 二	三	一二
累計	三 一三	二 二	二〇	六 一二	一一	二九	一一 一一	二 四	二八	四 四	五 一	一四	一〇 一六	一〇 二	三八

道別 / 官公私立別 / 程度別 / 年次別	黄海道 官公立	黄海道 私立	黄海道 計	平安南道 官公立	平安南道 私立	平安南道 計	平安北道 官公立	平安北道 私立	平安北道 計	江原道 官公立	江原道 私立	江原道 計
程度別	高等、専門 中等 初等	高等、専門 中等 初等		高等、専門 中等 初等	高等、専門 中等 初等		高等、専門 中等 初等	高等、専門 中等 初等		高等、専門 中等 初等	高等、専門 中等 初等	
大正十年				一	二	三	二	一	三			
大正十一年	一	二	三		四	四	一	一	二	二		二
大正十二年	一 五	四	一〇	一 二	一 一	五	二	一 二	五	一	一	二
大正十三年	一		一									
大正十四年	九	一 二	一三							八	一	九
大正十五年 昭和元年	三 七	二	一二	二 一	一 一	五				一 五		六
昭和二年	一		一		一	一	一 一	一	三	二 七		九
昭和三年	一 二		三		二	二	二 六	三	一一	一		一
累計	七 二四	七 四	四二	四 三	一 一二	二〇	四 一一	七 二	二四	三 二四	二	二九

年次別	咸鏡南道 官公立	咸鏡南道 私立	咸鏡南道 計	咸鏡北道 官公立	咸鏡北道 私立	咸鏡北道 計	合計 官公立	合計 私立	合計 計	備考
程度別	高等、専門 中等 初等	高等、専門 中等 初等		高等、専門 中等 初等	高等、専門 中等 初等		高等、専門 中等 初等	高等、専門 中等 初等		
大正十年		一 一	二				一 三 四	一 一二 二	二三	
大正十一年	一	三 二	六	一		一	一 五 一八	二六 二	五二	
大正十二年	二 一	二	五		二	二	一 七 一五	二 二五 七	五七	
大正十三年							六 五	三	一四	
大正十四年	三	一 五	九	一		一	二 三〇	二 六 八	四八	
大正十五年 昭和元年		二 二	四	一 三		四	二 一二 二七	八 六	五五	
昭和二年	六 五	一	一二	三 二	一	六	二〇 三〇	一六 六	七二	
昭和三年	三 五	二 三	一三	一		一	二 二四 二七	二五 五	八三	
累計	一一 一五	一二 一三	五一	五 七	三	一五	七 七九 一五六	五 一二一 三六	四〇四	

同盟休校は大正十年以降の件數を調ぶるに

大正十年 二三　大正十四年 四八
大正十一年 五二　大正十五年 五五
大正十二年 五七　昭和二年 七二
大正十三年 一四　昭和三年 八三
通計 四〇四

累年の通計を以て道別に見るに

第一位 京畿道 七七　第二位 咸鏡南道 五一
第三位 黄海道 四二　第四位 慶尚南道 三八
第五位 江原道 二九　第六位 全羅北道 二九
第七位 全羅南道 二八　第八位 平安北道 二四
第九位 平安南道 二〇　第十位 忠清南道 二〇
第十一位 忠清北道 一七　第十二位 咸鏡北道 一五
第十三位 慶尚北道 一三

と云ふ順序になつて居る

又盟休主謀者を學年の上より見たる件數、盟休の時期、二回以上盟休せし學校及盟休の百分比等は次の通りである

同盟休校首謀學年調

	第一學年	第二學年	第三學年	第四學年	第五學年	第六學年	計	首謀學年不明ノモノ	合計
大正十年	三	五	四	四	一		一七	六	二三
同十一年	三	七	一一	九	四	五	三九	一三	五二
同十二年	五	五	九	七	三	六	三五	二二	五七
同十三年	一		三	五		二	一一	三	一四
同十四年	二	四	三	一七	四	一二	四二	六	四八
同十五年 昭和元年	二	四	六	八	五	一六	四一	一四	五五
昭和二年	五	一六	七	五	五	一七	五六	一七	七三
同三年	三	一六	一七	一三	一〇	一五	七三	一〇	八三
計	△一 二四	△二 五七	△一三 六〇	△四三 六七	△二五 三二	△七三 七三	三一一	九一	四〇四
備考	△印ハ初等校數ヲ示シ右書數字ニ含ム								

同盟休校の起りたる月別調

	一月	二月	三月	四月	五月	六月	七月	八月	九月	十月	十一月	十二月	計
大正十年	一				一	三				六	八	四	二三
同十一年	七	三	二	二	四	五	四	一	五	七	七	五	五二
同十二年	五	六	二	六	九	六	五	一	三	四	六	四	五七
同十三年	一	一	一	一	二	七						一	一四
同十四年	六	三	五	四	一〇	三	六		一	四	五	二	四八
同十五年 昭和元年	五	四	一	六	七	一八	二	一	一	四	五	一	五五
昭和二年	三	二	一		七	一四	六	一	一一	七	一三	七	七三
同三年	五	六	三	六	一三	二五	八	一	四	九	三		八三
計	三三	二五	一五	二五	五三	八一	三一	五	二五	四一	四七	二四	四〇四

自大正十年至昭和三年 二回以上盟休せし學校調（官公立）

中等學校以上

學校名	大正十年	同十一年	同十二年	同十三年	同十四年	同十五年	昭和二年	同三年	計
光州高普			一	一			一	一	四
海州高普				一		一			二
全州高普				一		一			二
京城第一高普				一			一	一	三
東萊高普					一		一	一	三
大邱高普						一		一	二
鏡城高普						一	一		二
咸興高普							一	一	二
平壤農業	一					一			二
全州農業		一				一		一	三
咸興農業			一				一	一	三
沙里院農業						一	一		二
春川農業							二		二
北靑農業							二		二
咸興商業			一				一	一	三
麗水水產			一		一			一	三
水原高農			一			一		一	三
法學專門						一		一	二

同（私立）

中等學校以上

學校名	大正十年	同十一年	同十二年	同十三年	同十四年	同十五年	昭和二年	同三年	計
普成高普	一				一		一	一	四
養正高普	一							一	二
松都高普	一			一		一	一	一	五
培材高普		一			一				二
高敞高普			一			一	二	二	六
中央高普			一				一		二
徽文高普			二	一			一	二	六
五山高普							一	一	二
永明學校	一					一			二
義明學校	一	二							三
儆新學校	一		一				二	一	五
保光學校	一	一	一		一				四
濠信學校							一	一	二
貞信女學校		一			一				二
開城學堂		二							二
開城學堂商業學校							一	一	二
昭義商業	一	一							二
新興學校			一			一	一		三
崇實學校		一					一		二
敬愛學校			二						二
北靑高普期成會講習所			一			一			二
普成專門			一		一				二

自大正十年至昭和三年　同盟休校一箇年平均に對する百分比例

	高等、專門校		中等校		初等校		合計ニ對スル
	官公立	私立	官公立	私立	公立	私立	
百分比	一四、五八三	一三、五〇〇	九、〇六〇	六八、七五〇	一、〇八〇	一、〇六一	二、〇九〇

學校總數ハ昭和元年末現在ニ依ル

大正八年以前に於ては朝鮮に於ける思想方面の運動は全く無風狀態で同盟休校の如きも極めて少く偶之れあるも極めて平凡で全く社會の注目を惹くに足らなかつた。大正八年以降に於ては一般朝鮮人の民族運動は頗る露骨となり動もすれば制度其の他に對する反抗が勃發し騷擾事件直後に於ては排日的意味の盟休も續出し國際祝日等に際し式典に列するを嫌ひ此の機を利用して排日宣傳を爲さんとするの風も見へた。然し之れは騷擾の餘波を受けた一時的傾向で逐て高潮した向學熱の勃興に依つて直に緩和されたが然し尙學生の不平不滿が時折同盟休校なる形式に於て發露するに至つた。然し之れも亦一面から見れば彼れ等が多少横文字でも見へる樣になつて自惚れを生じ世事俗

情に通ずるに至り從來崇敬の的であつた敎師が漸次底落して見ゆる樣になり實際はそうでなくとも彼等は敎師と自分との距離が左程迄遠くなく僅が數十步乃至數百步に過ぎないと云ふ樣な判斷を下し輕侮の念を生ずるに至り更に又彼等の自覺卽ち自分等も勉强すれば他に負けるものではないと云ふ强い自信が出來たことにも起因し、新敎育を受けた靑年學生の舊道德舊習慣に對する反抗的氣分が師長に對する尊敬を缺ぐ樣になつたことも其の一つとして數へられるのである。現に某女學校に於て舍監が舊思想の抱持者なるの故を以て排斥したる事例あるに見ても一面の事實である。更に又歐洲戰爭後世界を風靡したデモクラチツク思想に胚胎した誤つたる自由主義思想から放縱を喜び秩序規律を壓制なりと稱する不眞面目者の妄動もあるので之等總てを民族的反感とのみ見ることは出來ないが尙時に或は稍明瞭に又時に或は極めて朦朧の間に之れが存在を認識し得る場合が尠くない。殊に別表に示すが如く最近一二年の間に中等學校の盟休事件に於て鮮明に露骨に之れが表現せらるゝに至つたことは特に注意を要すべきである

今毎年の發生件數に就て官立學校と私立學校とを比較して見るに大正十年十一年十二年は共に私立學校の方が多い。朝鮮の私立學校は多く米國南長老派系ミツシヨンスクールで之等學校に於ては、例の騷擾事件がウイルソンの民族自決主義の刺戟に誘發され、米國が盛に唱導した正義人道主義に深く賴むところがあり、且つ在鮮米國宣敎師等は暗に騷擾を聲援するが如き態度ありしに拘らず、平和會議華盛頓會議等に於ては之れに一瞥も與へられず米國の賴むに足らざるを覺り其の不信に反感を抱き更に當時外交界の問題として社會の注目を惹いた米國の排日運動に對する反感と混同して鮮內外に反米熱が起り米國系敎會に於ては信者の激減を見たことがあつた。此の反影が私立學校に盟休を誘發するに至つたのである。尙一面に於ては向學熱の勃興に伴ひ山間の僻地に至るまで堂々たる校舍が建設さるゝ樣になり之等私立學校は俄に其の設備敎具敎材等總てが貧弱に見へ學生の淺薄なる思慮に依り設備の改善を要求して盟休を行ふに至つたのである。大正十三年十四年は稍沈靜の模樣が見へたが十五年に至り再び擡頭し、昭和二年に於ては七十二件、昨年

は八十三件を數ふるに至つた。之れ常に民族的反感を煽り矯激なる言論を事とし毒筆を振ひ好で民族鬪爭階級鬪爭を指導するが如き態度を爲し學校鬪爭なる新熟語を用ひ學校に於ても鬪爭を敎練すべし等の極端なる言辭を弄する諺文新聞雜誌の刺戟と左傾主義者等が隱密の間に煽動して同盟休校を以て民族運動階級鬪爭の一試練として敢行せしむるに至つた結果である。

四、同盟休校の原因、種別

(一) 學校設備　校規校則學科其の他に基因する盟休

第一類　學校改善に關する盟休

第二類　向學心、向上心の溢れと見らるゝ盟休

第三類　怠學廢頽氣分に基く盟休

(二) 敎員排斥に關する盟休

敎員排斥の觀察……排斥の理由なりし敎師の言行……民族意識に基く敎員排斥

(三) 學校內部の出來事に基因する盟休

(四) 生徒間の出來事に基因する盟休

(五) 地方問題に關する盟休

(六) 民族意識竝左傾的思想の反影と認めらるる盟休

大正五年國葬時前後の民心……同國葬前後の思想運動……全州高普盟休淑明女高普盟休……光州、松都、開城各高普盟休……徽新盟休に對する新聞の冷評……普成高普盟休……咸興高普盟休……東萊高普盟休……中央高普盟休……新興科學研究會の檄文……徽文高普盟休……第一高普盟休……東亞日報所揭朝鮮普通敎育の缺陷……同普校敎員は鮮人を採用せよ

……昭和三年盟休校調……咸興高普盟休……咸興農校、商校及徽文高普盟休……釜山第二商業盟休……東京學友會外二團體の檄文……東萊高普盟休光州高普盟休……光州農校、女高普盟休……普州高普盟休……水原高農盟休……大邱高普盟休……培材高普盟休……學生ストライキ擁護全國同盟……在中國韓人靑年同盟のスローガン

同盟休校の原因竝に種別に就ては(一)學校設備、校規校則學科其他に基因する盟休(二)敎員排斥に關する盟休(三)學校內部の出來事に關する盟休(四)生徒間の出來事に基因する盟休(五)地方問題に關する盟休(六)民族意識竝に左傾思想の反影と認めらるゝ盟休の六部門に分類して觀察するに次の通りである。

(一)學校設備　校規校則學科其の他に基因する盟休

此の項に屬する盟休を更に第一類、第二類、第三類に分類し第一類には學校の校舍設備其の他改善に關する事項を集め、第二類には學年延長學科及敎授時間の增加等主として向學上に關する事項を收め、第三類には訓練訓育、校規校則竝に學科に對する不平不滿を訴へた廢頽的氣分に基く事項を掲ぐることにした。

(1) 第一類

年		學校昇格要望 官公立	學校昇格要望 私立	卒業生ノ資格認定要求 官公立	卒業生ノ資格認定要求 私立	卒業生ノ就職斡旋ノ要望 官公立	卒業生ノ就職斡旋ノ要望 私立	制服制帽章等ニ關スル要求 官公立	制服制帽章等ニ關スル要求 私立	校舍ノ新築改築諸設備ノ改善要求 官公立	校舍ノ新築改築諸設備ノ改善要求 私立	運動場ノ擴張要求 官公立	運動場ノ擴張要求 私立	敎具標本運動具等配備要求 官公立	敎具標本運動具等配備要求 私立	優良敎員ノ增加及補充ノ要求 官公立	優良敎員ノ增加及補充ノ要求 私立	計 官公立	計 私立	合計
大正十年	中等以上		一						一	一	一		一		一		二	一	七	八
	初等		一													一		一	一	二
大正十一年	中等以上	一			一				一		五		一		三	一	二	二	一三	一五
	初等									三	三	二	一				一	五	五	一〇
大正十二年	中等以上		三		二						二	一					一	一	八	九
	初等	二	三		一						二				二	一	一	三	九	一二
大正十三年	中等以上									二						一		三		三
	初等													一				一		一
大正十四年	中等以上				二										一				三	三
	初等																			
大正十五年昭和元年	中等以上		一							四						一		五	一	六
	初等		一						一	一	二					一	一	二	五	七
昭和二年	中等以上	三	四		一		一			三	二		一	三	三	二	三	一一	一五	二六
	初等									三	二	一			一	一	四	五	七	一二
昭和三年	中等以上		一		一	一	一			四	一			三	二	二	一	一〇	七	一七
	初等					一										一		二		二
累計	中等以上	四	一〇		七	一	二		二	一四	一一	一	三	六	一〇	七	九	三三	五四	八七
	初等	二	五		一	一			一	七	九	三	一	一	三	五	七	一九	二七	四六
	計	二一		八		四		三		四一		八		二〇		二八		一三三		一三三

此の表に依れば昭和二年が第一位で大正十一年十二年之れに次ぎ而も私立學校に多く前述米國に對する反感と私立學校の設備改善要求に起因したことが如實に現れて居る。

(2) 第二類

年		地理、歷史、物理、化學、英語敎授要求 官公立	地理、歷史、物理、化學、英語敎授要求 私立	農科ノ正科編入要望 官公立	農科ノ正科編入要望 私立	柔劍道ノ敎授要求 官公立	柔劍道ノ敎授要求 私立	學年延長要求 官公立	學年延長要求 私立	四年制ヲ六年制ニ改ムルコトノ要望 官公立	四年制ヲ六年制ニ改ムルコトノ要望 私立	六年制ヲ四年制ニ學年短縮問題反對 官公立	六年制ヲ四年制ニ學年短縮問題反對 私立
大正十年	中等以上		一										
	初等												
大正十一年	中等以上												
	初等	二								一			
大正十二年	中等以上												
	初等												
大正十三年	中等以上					一							
	初等												
大正十四年	中等以上												
	初等				一								
大正十五年昭和元年	中等以上					一							
	初等												
昭和二年	中等以上												
	初等										一	一	
昭和三年	中等以上						一	三	二				
	初等												
累計	中等以上		一			二	一	三	二				
	初等	二			一					一	一	一	
	計	三		一		三		五		二		一	

	農業產業課廢止反對（官公立／私立）	聖經科廢止要望（官公立／私立）	二部教授廢止（官公立／私立）	廢校存置、閉校問題解決要求（官公立／私立）	新教育令ニ依ルコトノ要望（官公立／私立）	英語時間增加要求（官公立／私立）	教授時間格守要求（官公立／私立）	教授時間增加要求（官公立／私立）	校長ノ長期旅行ニテ不在ヲ不平トシテ（官公立／私立）	英語教授ニ國語使用要求（官公立／私立）	圖書室解放要求（官公立／私立）
大正十年 中等以上							一				
大正十年 初等											
大正十一年 中等以上			一		一		一				一
大正十一年 初等		二	一	一			一	一			
大正十二年 中等以上				一			一				
大正十二年 初等		一							一		
大正十三年 中等以上						一					
大正十三年 初等											
大正十四年 中等以上											
大正十四年 初等							一				
大正十五年昭和元年 中等以上											
大正十五年昭和元年 初等							一				
昭和二年 中等以上		一								一	
昭和二年 初等							一一				
昭和三年 中等以上	一										
昭和三年 初等											
累計 中等以上	一	一	一	一	一	一	三			一	一
累計 初等		三	一	一			三二	一	一		
累計 計	一	四	二	二	一	一	八	一	一	一	一

	入學募集人員增加要求（官公立／私立）	入學試驗ヲ內地樞要地ニテ行フコト（官公立／私立）	規程外科目廢止ニ不滿ヲ抱キ（官公立／私立）	計（官公立／私立）	合計
大正十年 中等以上				二	二
大正十年 初等					
大正十一年 中等以上	一	一		四二	六
大正十一年 初等				五四	九
大正十二年 中等以上				二	二
大正十二年 初等				二	二
大正十三年 中等以上				二	二
大正十三年 初等					
大正十四年 中等以上					
大正十四年 初等				二	二
大正十五年昭和元年 中等以上				一	一
大正十五年昭和元年 初等			一	二	二
昭和二年 中等以上				二	二
昭和二年 初等				二二	四
昭和三年 中等以上				四三	七
昭和三年 初等					
累計 中等以上	一	一		一四 八	二二
累計 初等			一	一三 六	一九
累計 計	一	一	一	四一	四一

(3) 第三類

	校規校則其ノ他訓練等ニ關スル不平（官公立／私立）	修業年限延長反對（官公立／私立）
大正十年 中等以上		
大正十年 初等		
大正十一年 中等以上		
大正十一年 初等	一	
大正十二年 中等以上		
大正十二年 初等	一一	
大正十三年 中等以上		
大正十三年 初等	一	
大正十四年 中等以上		
大正十四年 初等		
大正十五年昭和元年 中等以上		
大正十五年昭和元年 初等	一一	一
昭和二年 中等以上		
昭和二年 初等		
昭和三年 中等以上		一
昭和三年 初等		
累計 中等以上		一
累計 初等	三三	一
累計 計	六	二

	實習時間ノ減少短縮、變更要求（官公立／私立）	實科教育ノ方法ニ對スル不平（官公立／私立）	農場實習ノ私立學校ニ於テ農場ノ工事ニ手傳ハシメタル爲メ（官公立／私立）	冬季休暇ノ延長ヲ要望（官公立／私立）	端午ノ節句ニ休業セサリシ故（官公立／私立）	遠足ヲ中止シタル爲（官公立／私立）	敎師ノ生徒ニ對スル處置ニ反抗シテ（官公立／私立）	不良生徒ノ處罰ニ同情シテ（官公立／私立）	生徒ノ考案ニ依ル學藝會ノ演藝ノ內容面白カラストシテ變更シタルニ不平ヲ抱キ（官公立／私立）	貧窮兒童、保護會費廢止ヲ要求シテ（官公立／私立）	窓硝子破損賠償ノ廢止ヲ望ミテ（官公立／私立）
大正十年 中等以上	一										
大正十年 初等											
大正十一年 中等以上											
大正十一年 初等	一			一		一	一	一			
大正十二年 中等以上								一			
大正十二年 初等			一				一	一			
大正十三年 中等以上	一							一			
大正十三年 初等											
大正十四年 中等以上											
大正十四年 初等	一				一			一	一		
大正十五年昭和元年 中等以上								二			
大正十五年昭和元年 初等	一	一									
昭和二年 中等以上	一										
昭和二年 初等							一			一	一
昭和三年 中等以上	二						一	一一			
昭和三年 初等	二	一						二			
累計 中等以上	五						一	二四			
累計 初等	五	一一	一	一	一	一	二一	二三	一	一	一
累計 計	一〇	二	一	一	一	一	四	一一	一	一	一

(二) 敎員排斥に關する盟休

	普通學校生徒ヨリ侮蔑サレタルヲ懲戒サレ度シト要求シテ（官公立／私立）	一生徒カ女教員ニ醜行ヲ迫リ拒絶セラレ退學處分ニ附セラルルヲ見越シ校長ヲ排斥セントシテ（官公立／私立）	他校ノ盟休ニ刺戟サレテ（官公立／私立）	青年會加入禁止ニヨリ（官公立／私立）	少年斥候隊ニ加入セシ生徒ニ退學ヲ命セシニヨリ（官公立／私立）	授業料ノ引下、徵集期日督促ニ對スル不服等ニ因ルモノ（官公立／私立）	汽車乘車券ノ配給ヲ要求スルモノ（官公立／私立）	計（官公立／私立）	合計
大正十年 中等以上								一	一
大正十年 初等									
大正十一年 中等以上						一		一	一
大正十一年 初等							一	四三	七
大正十二年 中等以上								一	一
大正十二年 初等						一		四二	六
大正十三年 中等以上								二	二
大正十三年 初等								一	一
大正十四年 中等以上									
大正十四年 初等		一						五	五
大正十五年昭和元年 中等以上								二	二
大正十五年昭和元年 初等						一		二四	六
昭和二年 中等以上								一	一
昭和二年 初等						一		一三	四
昭和三年 中等以上			一四					三八	一一
昭和三年 初等	一		一	一	一	一		二八	一〇
累計 中等以上			一四			一		一四 五	一九
累計 初等	一	一	一	一	一	二二	一	一三 二六	三九
累計 計	一	一	六	一	一	五	一	五八	五八

教員排斥種別調

年次	区分	人格及素行ニ對スル排斥 計	同 初等 私立 公立	同 中等以上 私立 公立 官立	教授法ニ對スル不満ニ基ク排斥 計	同 初等	同 中等以上	教職員ノ資格ニ基ク排斥 計	同 初等	同 中等以上	訓育厳格ナリト稱スル排斥 計	同 初等	同 中等以上	生徒ノ虐遇ニ基ク排斥 計	同 初等	同 中等以上	教師ノ處置ヲ不満トスル排斥 計	同 初等	同 中等以上
大正十年	内地人				一		一												
	鮮人	三		三	五	三	二	二		二				三	三				
	國外人																		
	計	三		三	六	三	三	二		二				三	三				
大正十一年	内地人	六	三	一 二	五	一	四	一		一	一	一					二	二	
	鮮人	六	一 三	二	八	一	七	五	一	四	一		一	四	三 一		一	一	
	國外人	一		一															
	計	一三	一 六	四 二	一三	一 一	一一	六	一	五	二	一	一	四	三 一		三	一 二	
大正十二年	内地人	七	一 四	二	七	三	四	二		二	一	一		五	二	一 二			
	鮮人	五	一 一	三	二	一	一	一〇	一	八 一	一	一		一	一				
	國外人	一		一															
	計	一三	二 五	四 二	九	四	五	一二	一	一〇 一	二	一 一		六	三	一 二			
大正十三年	内地人	六	四	二	二		二							一	一				
	鮮人	二		二	二	一	一												
	國外人																		
	計	八	四	四	四	一	一 二							一	一				
大正十四年	内地人	五	五		四	一 二	一				二	二		三	二	一			
	鮮人	一六	一 九	五 一	六	三 二	一				二	二		四	四		一	一	
	國外人																		
	計	二一	一 一四	五 一	一〇	四 四	二				四	四		七	六	一	一	一	
大正十五年昭和元年	内地人	一〇	七	三	一三	一 三	一 八	二	一	一	五	二	三	三	三		二	二	
	鮮人	七	一 四	二	六		三 三				一		一	一	一		一	一	
	國外人	一		一										一		一			
	計	一八	一 一一	一 五	一九	一 三	四 一一	二	一	一	六	二	四	五	四	一	三	三	
昭和二年	内地人	二三	一 五	一六	二五	八	六 一一	六		一 五	四	二	二	二	一	一	三	二	一
	鮮人	七	二 三	一 一	一四	四	一〇	四		四	一		一	三	一	二	二	二	
	國外人																		
	計	二九	三 八	一 一七	三九	一二	一六 一一	一〇		五 五	五	二	一 二	五	二	三	五	四	一
昭和三年	内地人	九	三	三 三	九	一	八	四		四	一	一		四	四				
	鮮人	七	四	三	一一	三	五 三	五		五	一		一	一	一				
	國外人	二		二															
	計	一八	七	八 三	二〇	四	五 一一	九		五 四	二	一	一	五	五				
累計	内地人	六五	二 三一	六 二六	六六	二 一八	一七 二九	一五	一	四 一〇	一四	九	五	一八	一三	二 三	七	六	一
	鮮人	五三	六 二四	一九 四	五四	七 一一	三〇 六	二六	一 一	二三 一	七	一 二	三 一	一七	六 九	二	五	二 三	
	國外人	五		五										一		一			
	計	一二三	八 五五	三〇 三〇	一二〇	九 二九	四七 三五	四一	一 二	二七 一一	二一	一 一一	三 六	三六	六 二三	五 三	一二	二 九	一

年次	区分	教師ノ訓戒及處罰ヲ不満トスル排斥 計	同 初等 私立 公立	同 中等以上 私立 公立 官立	民族的意識ニ基ク排斥 計	同 初等	同 中等以上	教員間ノ不和ニ基ク排斥 計	同 初等	同 中等以上	階級意識ニ基ク排斥 計	同 初等	同 中等以上	其ノ他 計	同 初等	同 中等以上	合計 計	同 初等	同 中等以上
大正十年	内地人				一		一							一	一		三	一	一 一
	鮮人				二		二										一五	六	九
	國外人																		
	計				三		二 一							一	一		一八	六 一	一〇 一
大正十一年	内地人													一	一		一六	八	六 二
	鮮人							三	三		一	一		二		二	三二	六 九	一六
	國外人													一		一	二		二
	計							三	三		一	一		四	一	三	四九	六 一七	二四 二
大正十二年	内地人							一		一				一		一	二四	一 一〇	八 五
	鮮人													二	一	一	二一	四 三	一三 一
	國外人																一		一
	計							一		一				三	一	二	四六	五 一三	二二 六
大正十三年	内地人	一	一		二		二							一	一		一三	七	二 四
	鮮人																四	一	三
	國外人																		
	計	一	一		二		二							一	一		一七	八	五 四
大正十四年	内地人	三	三					一	一					一		一	一九	一 一五	二 一
	鮮人							二		二				二		二	三三	五 一七	一〇 一
	國外人																		
	計	三	三					三	一	二				三		三	五二	六 三二	一二 二
大正十五年昭和元年	内地人													二	二		三七	一 二〇	一 一五
	鮮人	一	一											五	三	二	二二	四 七	五 六
	國外人																二		二
	計	一	一											七	三 二	二	六一	五 二七	八 二一
昭和二年	内地人													一一	三	三 五	七三	一 二一	一一 四〇
	鮮人	一	一		一	一								五	二	一 二	三八	二 一四	一九 三
	國外人																		
	計	一	一		一	一								一六	五	四 七	一一一	三 三五	三〇 四三
昭和三年	内地人				二		一 一							一四		一 一三	四三	九	六 二八
	鮮人	三	三					一		一				六	一	四 一	三五	一三	一九 四
	國外人																二		二
	計	三	三		二		一 一	一		一				二〇	一	六 一三	八〇	二二	二七 三一
累計	内地人	四	四		五		一 四	二	一	一				三二	八	七 一七	二二八	四 九一	三七 九六
	鮮人	五	五		三	一	二	六	三	三	一	一		二三	四 三	三 一三	一九九	二七 六三	九四 一五
	國外人													一		一	七		七
	計	九	九		八	一	三 四	八	四	三 一	一	一		五五	四 一一	二〇 二〇	四三四	三一 一五四	一三八 一一一

備考

敎員排斥に關する同盟休校は前表に示す通り昭和二年迄の累計が三五四件之れを內鮮人別にすれば內地人敎員の排斥が一八五、鮮人敎員の排斥一六四、外國人が五を示し中等學校以上に於ける敎員排斥は一九〇初等學校にありては一六四を表して居る。尙排斥の理由を類別すれば人格及素行言行に對する排斥と敎授法に關する排斥が最多を占め前者が一〇八後者が一〇〇を示し件數も相伯仲して居る。生徒の處遇に基く排斥は生徒に體罰を加へたるに基くもの階級意識に基く盟休は在來の社會階級意識に基くものである。今排斥の理由となりし敎師の素行言行其の他を例示すれば次の通りである。

一、某校長は部下職員を遇するに甚だ冷酷にて職權を濫用し猥りに私的行爲に迄干渉し職員間の圓滿を缺き屢爭論することあり生徒に對し亦甚だ苛酷にして放課後遊戯中の生徒が敎員室に後を向くるときは直に之を叱責する等狂的にして父兄に對して傲慢部民を蔑視する等に依り排斥せらる。

一、某外人校長は何等識見なきに拘らず動もすれば人格を無視し橫暴の行爲ありとの非難高きのみならず生徒に對しても聖書研究を强ふる爲一部職員

の間にも其の非常識を語るものあり生徒等も亦一樣に校長を誹謗しつゝありしが偶々某日全生徒を集め信仰不熱心なるを責めたるに生徒等は其の恐を冷笑し一生徒は宗敎は正科なりやと多少反抗的態度を以て質問したるに同生徒を校長室に引き入れ暴力的制裁を加へたるに之を聞きたる一般生徒は盟休するに至れり。

一、某敎師は平素監督嚴重なる爲生徒の氣受け面白からざりしが偶々某地に修學旅行を爲したるに旅行中屢々指定の時間を誤り或は豫定外の舟遊若くは紀念撮影を迫る等不規律なる行動多かりし爲め再三嚴戒したるに對し反感を抱き盟休す。

一、汽車通學せる一生徒が車掌と喧嘩したる爲鐵道側より學校に交渉あり調査の結果生徒に不都合の點ありしを以て鐵道側に謝罪せしめたるに生徒中には職員が生徒を無視して鐵道側に同情したりとて憤慨し他に口實を設け盟休す。

一、生徒に對し實科敎育の一助として養鷄を爲さしめありしが同樣の趣旨に

て更に養蠶を爲さしめ其の所要桑葉は生徒をして歸宅後山桑の採取を爲さしめ居りしが桑葉採取の如きは一里餘の山野に赴かざるべからざる者もあり勉强に影響ありとて一般に之を嫌忌し盟休す。

一、歷史時間に「當地の古跡を見るに諸子の祖先の偉大なりしを知るに足る然るに諸子の如く怠惰にては到底祖先の如き偉人物にはなれざるべし」と訓諭したるに生徒は祖先を侮辱したるものなりと曲解し盟休す。

一、校庭に於て櫛鏡其の他裝身具を携へ居たるを訓戒したるに校長に對し不平を抱き排斥の爲盟休す。

一、女生徒の「赤玉」云々の唱歌に對し冗談に「白玉」云々と謂ひたるに端を發し男生徒は之が釋明を求め延て朝鮮日報記者と論爭となり遂に盟休に至る。

一、唱歌敎授中一生徒が足踏せざるを戒めたるに俄然故意に足踏を大にし敎師の制止に應せざる爲室外に放逐したるを不平とし盟休す。

一、農業敎授に當り生徒等は交互に奇問を發し說明を求むるを以て「汝等は敎師を苦むる爲めに如斯非常識なる質問を爲すものなり」と詰りたるに「然

り師は過日我等に何も知らずと言へり故に我等は博學多識なる敎師の試驗をなすものなり」と挑戰的態度に出でたるを以て敎師は一應授業を打切りたるに生徒等は校長に對し我等は質問に應答出來ざるが如き敎師の下に勉學を欲せず良敎師を招聘され度と要求して盟休。

一、敎室に備付の暖爐が不完全の爲煙洩れ敎室內燻り居たるを敎師は曩に生徒が白墨箱に蛙を入れ置きたることありしを聯想して今回も自分に對する惡戯なりと誤信し生徒を室外に集合せしめ詰責したるを不滿とし盟休す。

一、受持訓導年少なる爲生徒より(生徒中には敎師より年長又は同年者多し)輕蔑されありしが偶々某日敎室掃除不十分なりとて生徒一同を訓告したるに反感を抱き盟休す。

一、某校四年生は無屆にて校庭にて蹴球會を開催せるを以て校長は平素の訓示に反すとて其の不心得を責めたるも悔悟の情見へざるに依り父兄に注意を與ふべく明日登校の際父兄を同伴すべき旨命したるに生徒等は何等過失なきに父兄を呼出し訓示するは不都合なり我等を懲罰に附する爲ならむと

誤信し盟休す。

一、四年生某二名が無届にて早引したるを校規を紊るものとして停學を命じたるに一般は校長の處置苛酷なりと稱し排斥の爲盟休す。

一、一講習生が小使室にて喫煙せるを發見叱責したる以來校長對生徒との折合宜しからず偶々四年生に對し石炭節約の爲多量を焚くへからずと戒告したるに「朝鮮人奴等は石炭を焚く必要なし」と云ひたりとて甚しく憤慨し無慈悲にして亂暴極まる敎師より敎を受くる必要なしとを排斥盟休す。

一、鮮人は亡國の民なり危險思想を抱持す或は權利のみを主張して義務心を閑却する等常に侮辱的言辭を弄する事あり爲に生徒の反感を購ひ居たるが偶々始業時間に遲刻せし生徒を嚴訓したるを動機として排斥盟休す。

一、某敎師は一日二三時間敎授するのみにて若し生徒の試問解答不良の場合は「腐つた民族」又は「野蠻人種なり」等と罵倒することありと稱して排斥盟休。

一、某敎師は生徒を亡國人種と罵り又月謝三十錢なり一日に一錢宛敎ふる等

の言辭を弄したる等に依り排斥盟休す。

一、日鮮人區別を暗示し鮮人を草莽野蠻視し生徒が疑問の點を聞けば自己の知るのは威張つて學生等の知らざるを叱責し傲慢なる態度にて對答する等の理由を以て排斥す。

一、授業開始に當り小使が振鈴を鳴らしたるに側にありたる一生徒が「左樣なものを鳴らすな」と云ひしを附近にありし某敎師は右生徒を詰問し脅威的に振り擧げし手が生徒の鼻柱に當り出血したるを見たる學友は同敎師に反省を促すと稱して盟休す。

一、時間の都合に依り複式敎授を爲す旨發表せるに不遜の態度ありたる生徒の面部を毆打し將來嚴重なる訓練を爲す旨言ひ渡したるに反感を抱き盟休す。

一、漢文の學期試驗中一生徒は答案を提出せす退場したるを以て級長をして呼戻さんとしたるも應せず敎師自ら彼を敎員室に連れ來り注意を與へたるに自分は退校するものなれば注意を受くる要なしとて反抗的態度に出でたるを以て敎師は其不遜の行爲に憤慨し毆打したるに平素素行不良にして粗暴傲慢内地人敎師に特に反感を有する彼は極力抵抗したるを以て會居せたる二敎師は之を見兼ねて共に生徒を毆打したるに他の敎師等は生徒に同情し「神聖なる神の學校にて人身を毆打するは不都合なり」と稱したるに力を得益々力强く抵抗したるも力及ばす退出したるが翌日より同級生全部盟休す。

二、算術敎授中生徒の答案不良なるを指摘し寧ろ退學せよと叱責し剩へ三名の生徒を毆打したるを父兄及生徒に於て憤慨し居たるが偶々同校訓導内地視察中、旅行の平安を祈る意味にて飮食店に會飮したるに數名の生徒其の場に來り飮食店に會飮するは敎育家として正しき行動なりやと質問したるを恩師に對する言動にあらずと駁し毆打して盟休。

一、手工敎授中一生徒が手工器具にて机を損傷したるが平素の注意を守らずとて懇諭したるに反抗的言辭を弄したるを以て改悛する迄敎員室に止め置き次の時間は他訓導代りて授業したるに右生徒は密に敎室に入りて授業を

受けたるを知り毆打したるに一同憤慨盟休す。

一、某敎師は六年生中に長髮者(辨髮にあらず)あるを見て生意氣なりとて裁縫用鋏にて二分刈りとならしめたるに平素同敎師に不快を抱き居りし生徒等は排斥の爲盟休す。

一、敎授不親切にして生徒の質問に穩當に解譯說明することなく反つて叱責し往々之を打擲することありて生徒より嫌忌せられ居たる折柄體操授業中不規律なりとて二三の者を打擲したるにより排斥盟休す。

一、體操時間中一生徒の動作不規律なりとて之を毆打したるを憤慨し盟休す

一、休憩時間中遊戯に熱中し始業時間に二分間遲刻したるを毆打したるに盟休す。

一、始業時間に至り飮水の爲敎室に入場を遲れたりとて生徒十二名を毆打し二名を退學處分に附すべしとて敎室に入れざりし爲排斥盟休。

一、女敎員の新に配置されたるを評して女敎員の着任は學校を惡化すと云ひたる由を傳へ聞き之を取調ぶるに當り生徒に苔を加へたり依て盟休す。

一、內地より初めて赴任し朝鮮の事情に通せず性短慮にして粗野朝鮮の風習を誹謗し兒童に對する愛情薄く校長の贔負に依り採用されたる小使を毆打したる生徒を停學處分に附したる處自ら退學を申出其の許さるるを見て盟休す。

一、校長の子供と他の一生徒と喧嘩を爲したるに校長は自分の小供に何等懲戒せず相手の生徒を毆打し一時人事不省に陷らしめたりとて斯る校長の許には敎育を受くるを欲せず校長を他に轉任せしめ其の子供を退學せしむるにあらざれば登校を爲さずと稱して盟休す。

一、校舍に隣接せる校長竝に內地人職員の宿舍附近に兒童を使用し砂利の撒布を爲さしめたるに對し兒童反感を抱き盟休す。

一、校長の長男疫痢にて死亡し敎師等は生徒を使用掃除を爲さしめたるに端を發し青年會員は父兄と結び兒童を盟休せしむ。

一、某敎師宅に於て一女生徒が同室せるを目擊し之を吹聽したるに醜行ありと誤信し排斥盟休す。

一、某敎師は夏季休暇を利用し某地に旅行の歸途一旅館に投宿中同宿の一生徒が『偶々居合せたる同校女生徒と醜行ありたるを現認したり』と生徒間に吹聽せるにより其の生徒を毆打したり因りて排斥盟休。

一、某敎師は獨身にして平素飮酒酩酊常に野鄙なる俗歌を口にする等敎師の體面を汚すが如きこと多く生徒等は之を快しとせざりしが偶々自分の下宿屋の娘に仲人を以て結婚を申し込みたる事實あるを聞知し排斥盟休す。

一、生徒に對し汝の姉妹が居るなら自分に與へよ或は妻あらば貸與せよ女生徒が今少し大きければよきに小さきを遺憾とす汝等の女兄弟を皆出せよ最も美人を娶るべし等の言辭を弄し又生徒に煙草を與へ又は貰ふことあり等の事實を掲げ排斥盟休す。

×　×　×

民族意識に基く盟休は後說の通りであるが敎員排斥の理由として表面に民族的反感の現はれたるものは甚だ尠い、試みに排斥されたる敎員職員を內鮮人別に區分して百分比を算出するに中等學校以上にありては內地人敎師は百人の內八名鮮人敎師は百人の內一八名が排斥されたることになり初等學校に於ては內地人敎師が四名鮮人敎師が二名排斥された割になつて居る。中等學校に鮮人敎師の排斥が異常に多いのは元來同盟休校は私立學校に多く私立學校は鮮人敎師多數在職するに依るものと解される、內地人敎師排斥は內地人なるが故に是も非も無く排斥すると云ふことは從來は餘り見へなかつた。多くは前に掲げた事例に類似の事實ある爲の排斥であつた。然るに昭和二年後半期以降にあつては些細なる非行又は失態を針小棒大に誇張し或は殊更に曲解して排斥の理由とするに至つた。今民族意識に基き敎職員を排斥した事例を示せば次の通りである。

×　×　×

一　醫學專門學校に於て某敎授が學會に於て發表せる朝鮮人に對する解剖學上の研究發表が朝鮮人を侮辱するものなりと稱して排斥す。

一　某私立學校生徒は排日思想を抱持し時折之を言動に顯し居たり、然るに某々鮮人兩敎師は思想穩健にして鮮人の不穩行動に同情せざるのみならず

常に之等生徒の思想善導に腐心しあるに反感を抱き排斥するに至る。

一　某內地人方に飼育せる熊を見物せんと多數雪崩れ込みたる學生を咬傷したる同家飼犬を他生徒等追跡し警察官に制止されたるが前に鮮人の飼犬に同校生徒が咬傷されたる際は直に校長現場に臨み應急處置を加へ犬は撲殺せしめたるに今回は何等の處置に出でざるは內鮮人差別を爲すに依るものなりと稱して排斥す。

（三）學校內部の出來事に基因する盟休

		大正十年 中等以上	大正十年 初等	大正十一年 中等以上	大正十一年 初等	大正十二年 中等以上	大正十二年 初等	大正十三年 中等以上	大正十三年 初等	大正十四年 中等以上	大正十四年 初等	大正十五年昭和元年 中等以上	大正十五年昭和元年 初等	昭和二年 中等以上	昭和二年 初等	昭和三年 中等以上	昭和三年 初等	累計 中等以上	累計 初等	計
學校對評議員ノ紛爭ヲ解決スル爲メ	官公立															一				一
	私立											一						一		
學校職員及理事者ノ不誠實ニ憤慨シタルモノ	官公立																			一
	私立									一								一		
職員間ノ不和ニ因ルモノ	官公立				一				一				一						三	一三
	私立		一	一	一		一			一			二			二		四	五	
解雇職員ノ教唆ニ因ルモノ	官公立																			一
	私立										一								一	

	轉任退職教員ノ留任復職ヲ要望スルモノ（官公立・私立）	公立學校ニ轉校セントセシヲ阻止セシニ因ルモノ（官公立・私立）	試驗問題漏洩ノ爲メ（官公立・私立）	計（官公立・私立）	合計
大正十年 中等以上					
大正十年 初等				一	一
大正十一年 中等以上	三		一	五	五
大正十一年 初等	一 二			二 三	五
大正十二年 中等以上					
大正十二年 初等	五			六	六
大正十三年 中等以上	一			一	一
大正十三年 初等				一	一
大正十四年 中等以上	一			三	三
大正十四年 初等	二	一		二 二	四
大正十五年昭和元年 中等以上				一	一
大正十五年昭和元年 初等	三			五 一	六
昭和二年 中等以上					
昭和二年 初等	一 二			一 二	三
昭和三年 中等以上	三			五	五
昭和三年 初等	二 一			二 一	三
累計 中等以上	七 一		一	一四 一	一五
累計 初等	一三 七	一		一九 一〇	二九
累計 計	二七	一	一	四四	四四

（四）生徒間の出來事に基因する盟休

	通學生徒ノ部落闘爭（官公立・私立）	生徒間ノ不和ニ基クモノ（官公立・私立）	運動競技ニ基クモノ（官公立・私立）	不良生徒ノ排斥ヲ要求ス（官公立・私立）	白丁ノ子弟ト共學ヲ嫌忌シテ（官公立・私立）	一女生徒ノ女權主張ニ關スル口演ヲ不都合ナリトシ男生徒之ニ抗議セントセシヲ阻止セラレタルヲ不平トシテ（官公立・私立）	計（官公立・私立）	合計
大正十年 中等以上								
大正十年 初等			一				一	一
大正十一年 中等以上								
大正十一年 初等					一 二		一 二	三
大正十二年 中等以上								
大正十二年 初等					一	一	一 一	二
大正十三年 中等以上								
大正十三年 初等								
大正十四年 中等以上								
大正十四年 初等				一	一		二	二
大正十五年昭和元年 中等以上								
大正十五年昭和元年 初等	一	一					二	二
昭和二年 中等以上								
昭和二年 初等	一	一	一				三	三
昭和三年 中等以上								
昭和三年 初等								
累計 中等以上								
累計 初等	二	二	二	一	一 四	一	二 一一	一三
累計 計	二	二	二	一	五	一	一三	一三

（五）地方問題に關する盟休

	停車場ノ位置決定ニ反對シテ（官公立・私立）	新改築學校ノ位置ニ反對シテ（官公立・私立）	學校ノ合併ニ反對シテ（官公立・私立）	計（官公立・私立）	合計
大正十年 中等以上					
大正十年 初等					
大正十一年 中等以上					
大正十一年 初等					
大正十二年 中等以上		一		一	一
大正十二年 初等		一		一	一
大正十三年 中等以上					
大正十三年 初等					
大正十四年 中等以上					
大正十四年 初等			一	一	一
大正十五年昭和元年 中等以上					
大正十五年昭和元年 初等	一			一	一
昭和二年 中等以上					
昭和二年 初等		一		一	一
昭和三年 中等以上					
昭和三年 初等					
累計 中等以上		一		一	一
累計 初等	一	一 一	一	二 二	四
累計 計	一	三	一	五	五

（六）民族意識竝左傾的思想の反影と認めらるる盟休

	內鮮人差別撤廢要求（官公立・私立）	內地人教員ヲ鮮人教員ニ換ヘルコト（官公立・私立）	鮮人教師ヲ多數採用スルコト（官公立・私立）	鮮人本位ノ教育ヲ授クルコト（官公立・私立）	內鮮人教師ノ俸給ヲ平等ナラシムルコト（官公立・私立）	內鮮生徒ノ喧嘩ヨリ訴訟問題ヲ惹起シ鮮人側ニ於テ辯護士ニ依頼セムトシ阻止セラレタルヲ不服トシテ（官公立・私立）	內地人生徒ノ入學ニ制限ヲ設ケルコト（官公立・私立）
大正十年 中等以上				一			一
大正十年 初等							
大正十一年 中等以上					一	一	
大正十一年 初等							
大正十二年 中等以上	一						
大正十二年 初等	二						
大正十三年 中等以上							
大正十三年 初等	一	一					
大正十四年 中等以上							
大正十四年 初等							
大正十五年昭和元年 中等以上							一
大正十五年昭和元年 初等	一						
昭和二年 中等以上	一		一				
昭和二年 初等							
昭和三年 中等以上		一	一				
昭和三年 初等							
累計 中等以上	二	一	一 一	一	一	一	一 一
累計 初等	四	一					
累計 計	六	二	二	一	一	一	二

	內鮮人共學反對（官公立・私立）	朝鮮歷史同地理教授ヲ要求シテ（官公立・私立）	諺文新聞雜誌ヲ備付スルコト（官公立・私立）	朝鮮語科ノ新設竝時間增加等ノ要求（官公立・私立）	英語ノ教授ニ朝鮮語ヲ使用ノ要求（官公立・私立）	獨立記念日ヲ記念スル爲（官公立・私立）	太平洋會議朝鮮問題上程ニ賛意ヲ表スル爲メ（官公立・私立）	同窓會ノ自治ヲ要求（官公立・私立）	學友會校友會ノ自治ヲ要求（官公立・私立）	校友會費年度決算報告要求（官公立・私立）
大正十年 中等以上							一			
大正十年 初等							一			
大正十一年 中等以上						一		一		
大正十一年 初等										
大正十二年 中等以上										
大正十二年 初等										
大正十三年 中等以上				一						
大正十三年 初等										
大正十四年 中等以上										
大正十四年 初等										
大正十五年昭和元年 中等以上					一					
大正十五年昭和元年 初等										
昭和二年 中等以上		一		一				一	二 一	一 一
昭和二年 初等										
昭和三年 中等以上	二	二	一	二				一	三 二	
昭和三年 初等		一								
累計 中等以上	二	三	一	四	一	一	一	三	五 三	一 一
累計 初等		一					一			
累計 計	二	四	一	四	一	一	二	三	八	二

年	別	學校内ノ集會言論出版ノ自由要求（官公立／私立）	生徒ノ遵守スヘキ校規ヲ壓迫ナリト稱シテ廢止要求（官公立／私立）	生徒ノ待遇改善要求（官公立／私立）	實習ニ當リ生徒ヲ勞働者扱ヒセサルコトノ要求（官公立／私立）	學校ヲシテ植民地統治ノ一機關タラシムルコトヨリ解放シ自由ナル學術研究ノ場所タラシムルコトノ要求（官公立／私立）	朝鮮教育制度ハ日本ノ壓迫下ニ日本臣民化セントスルモノナレバ組織ノ爲メ反對スヘシト爲シテ盟休スルモノ（官公立／私立）	盟休ヲ民族運動ノ一手段トシテ團結抗爭ノ試鍊ト爲スモノ（官公立／私立）	學生ノ思想取締ニ警察ト聯絡ヲ執リタルニ反感ヲ懷ケルモノ（官公立／私立）	學校ト警察ノ野合ニ反對スト爲スモノ（官公立／私立）	警察ノ横暴ヲ糺彈スヘシト爲スモノ（官公立／私立）	治安維持法ニ依リ檢擧セラレ退學處分ニ附セラレタルヲ不當トシテ（官公立／私立）	校内ヲ警察ニ捜索セシメタルコトニ憤慨シタルモノ（官公立／私立）	計（官公立／私立）	合計
大正十年	中等以上													三	三
	初等													一	一
大正十一年	中等以上													三 一	四
	初等														
大正十二年	中等以上													一	一
	初等													二	二
大正十三年	中等以上													一	一
	初等													二	二
大正十四年	中等以上								一					一	一
	初等														
大正十五年 昭和元年	中等以上													一 一	二
	初等													一	一
昭和二年	中等以上	一	一	二		一	一		一					六 一一	一七
	初等			一	一									二	二
昭和三年	中等以上	三				一	六 二	一 三		一	一	二	一	一三 二四	三六
	初等													一	一
累計	中等以上	四	一	二		二	六 三	一 三	二	一	一	二	一	二五 四〇	六五
	初等			一	一									一 八	九
	計	四	一	三	一	二	九	四	二	一	一	二	一	七四	七四

朝鮮の盟休事件には全般を通して極めて朧ろげながら民族的反感乃至總督政治に對する反抗氣分の反影が隱顯して居る事件の尠くないことは前に述べた通りであるが最近これが極めて濃厚になり左傾的思想さへも含まるゝに至つた。此の傾向は大正十五年頃から始まり殊に同年六月に行はれた故李王殿下の國葬は鮮内治安の大局から見るときは些したる影響はなかつたが大正八年の騷擾が當年の國葬を機として起つたことより鮮内外の不良者等は再び此の機會を捉へて民族運動を起すべく盛に活躍し不穩宣傳文書竝に印刷物が現

れ不穩落書不穩流言等は數へるに遑なき程であつた。殊に四月二十八日京城府協議員高山孝行一行を高位高官と認め兇行を加へた金虎門事件竝に駐在所派出所面事務所等を襲撃した拳銃事件其の他數種の不穩犯罪事件等に依り學生の思想も不尠動搖し國葬當日多數生徒の妄動を見るに至つた。地方に於ては無理に學校の休校を願ひ出づるもの續出し怠業氣分も手傳つて盟休の續出を見た。當時差押處分になつた不穩文書中高麗共產黨青年會員金丹治權五卨等の作成した標語に

朝鮮人教育は朝鮮人本位に!!!

普通教育を義務教育に!

普通學校用語を朝鮮語に!

普通學校長を朝鮮人に!

中等以上學生の集會を自由に!

大學は朝鮮人を中心に!

と記したものがあつた之れは特に注意を要すべきもので昭和二年以來の

盟休が此の各條項を洩れなく要求して居ることは見逃すことの出來ない事實である。又思想方面の運動は治安維持法の實施に依り結社の自由を制限せられたので地方に多くの青年會を組織し其の陰に匿れて主義運動を爲さんと謀り將來主義運動の闘士を養成する爲に或は少年團或はボーイスカウト等の設立に着目し少年少女の雄辯大會又は講演會等を利用して子女の口から主義宣傳を爲さしめんとする傾向を表はして來た。之等が直接間接の理由となつて同盟休校事件の頻發を見るに至つたことは覆ふべからざる事實である。

大正十五年の盟休中最も執拗であつた事件は公立全州高等普通學校の同盟休校で最初講堂及寄宿舍の建築柔劍道の教授校長竝教員の排斥等を要求して盟休するに至つたのであるが父兄の介入に依り却つて生徒を惡化せしめ遂に電話看視校門見張自轉車置場看視校長室亂入等役割を定め校長を校外に放逐負傷せしめ相當社會の耳目を聳動せしめた。此の盟休は表面主義思想の現はれは見出されなかつたが學生の團結所謂學校鬪爭は裕に社會運動たり得ることを證明することが出來た此の意味に於てこれが近來惡化した盟休の皮切り

であつたと謂ひ得る。

次は昭和二年五月に起つた私立淑明女子高等普通學校の同盟休校である。

本校の盟休は兩内地人教師の排斥生徒の待遇改善裁縫教師に鮮人教師採用鮮人教師多數採用人格高き教師の優遇等を要求して盟休したのであつたが生徒父兄中に朝鮮日報發行擔當者安在鴻朝鮮少年團長全柏等が介入し調停を名にして父兄會を開き自ら其の代表となり「淑明女子高等普通學校は四百名の學生の物にて齋藤（當時の教務主任）一人の物にあらず」等の決議を爲し學校内部の經濟にまで立入りて論難し生徒を支持して盟休を助長するが如き言辭を弄し盟休生と密に會見して之れを指導し或は新聞を利用して學校側の非を鳴らし又或は盟休事件の檢討を名にして暗に盟休を煽り民族意識を挑發する等の行動に出た。之れが爲生徒等の結束頗る固く實に四箇月の永きに亙つて遂に解決の模樣なく止むなく教務主任の辭任を見るに至つた。

此の事件以來中等學校の盟休は頗る惡化の傾向を現し從來の單純なる教員排斥設備改善昇格要望を目的とする盟休と異り教員の排斥も内地人教員を目

標とするもの多く些細なる非行又は失態を故らに誇張曲解して盟休を理由附け其の運動方法の如きも左傾團體諺文新聞社等に宣言書等を送り其の後援を依頼せんとする傾向を表して來た

公立光州高等普通學校生徒は同年五月日鮮差別感情を置かざること外七項を要求して盟休を決行した

私立松都高等普通學校私立開城學堂私立儆新學校は共に同年六月盟休を起したが之等の學校は從來試驗忌避の爲年中行事の如く盟休するので問題とする程でなかつた。殊に儆新學校に於ては英語を國語にて教授せよとの要求を出したので朝鮮日報は

今日の朝鮮人學生として既に使用して來た朝鮮語を日本語に代へて説明して呉れと要求するは如何なる精神から出たのであらふ若し其の條件が學生の眞實なる希望であるとすれば夫れは其の學校の教育精神に或は痲痺されたものと云はざるを得ないが斯ることは決して無い筈であり唯其の盟休に適當な條件が無かつたことを反證すると共に其の學生達の無意識的妄動を責めて斯

る沒精神の氣風が此の教育界に傳染されない樣大に警戒するのである」と冷評を浴せた。

私立普成高等普通學校では校友會の生徒自治、校長外數名の教員排斥を理由とし同盟休校の擧に出た、盟休生等は各學年より代表者を選び盟休總本部を置き各學年に本部を置き六箇所の支部を設け連繋を取り鐵拳團を組織し通學阻止、歸郷阻止、觀劇阻止等の部署を定め結束を固めて居た。而して學校側の態度强硬なるを見て校長を門外に擔ぎ出し放逐の意味を如實に現はさば校長は痛憤に絶へず必ず辭職するに至るべしと爲し校長が盟休生に對し訓諭中咳拂ひと呼子を合圖に門外に拉し萬歲を高唱した。更らに驚くべきは市内を引き廻すべく人力車を準備して居たことである。本盟休事件に關し新幹會員某は會の代表なりと稱して學校に出頭校長の引退を勸説した。斯く惡化した盟休は暴行學生の檢擧も效を奏せず遂に校長の引責に依り四箇月を經て漸く解決した。

公立咸興高等普通學校生徒は同年七月學校をして植民地政治の一機關たる

ことから解放し自由なる學問善導の場所たらしむること、内地人教師三名の排斥外五項を掲げ次の如き陳情書を提出して盟休した。

陳情書

教育者と云ふ金儲業を我が咸興高等普通學校の教諭としたことは教育の目的に反したことである總督府學務局自身が日本の失業者の失業防止の手段として我が朝鮮の窮乏せる經濟より多大の金額を徴收して以て朝鮮人子弟の教育の名の下に建てたかの如くも思はれ又最も良き忠犬を作るを目的として所謂殖民教育を施すかの如くも見える何故ならば別項我等が排斥する四教諭は勿論の事教諭中一人殘らず我等に學問をさせるとのことでなく教壇に立ちて日本の優越を語り朝鮮人の必然的滅亡を說き我等に奴隷根性を注入せんとする現代教育の特權階級の專有機關である事は勿論だが斯る事は殖民地に對する虐政を以て合理化し瞞着せんとするものであると思はれる

我等は斯る教育は教育とは思はない斯る教育は政治的壓迫と經濟的搾取を恣にする他の一方に於て精神的に壓迫することではないか吾等一方は知識慾に飢えたものである我等は父母に多大なる犧牲を拂はせて學海に出帆したが第一步なる我が高普に於て希望は絶望と變つた

我等が要求し又然らずではならざる教育其のものではなく謂はゞ非教育的であり我等の頭を鈍らす事を悟つた要するに學校は要塞地であり先生は憲兵であり密偵であるかの如く我等に恐怖心を起させるでも學問がしたいばかりの我等は畏れ〱陷穽に入るかの如き心持で毎日登校をしなくてはならぬのである

願くは人類の教育者ペスタロッチに倣てくれ教育者は國境と民族を超越し人類愛に立脚し人類の將來を計り世界平和の爲めの教育者たるべきではないかそして教育者は俸給より責任を重んじて資格なきものは快よく教育界より退かねばならぬ我等が只今同盟休學を以て學校長に要求する具體的條件は左の如し

一　學校をして殖民地政治の一機關たる事から解放し自由なる學問善導の場所たらしめる事

(1) 校友會の全權は全會員一同に返還する事

(2) 教師は生徒の要求を本位として教授すべき事

(3) 脚絆は全廢する事

(4) 靴は黒なら何んでも良い事

(5) 級長は級の互選に依る事

二　中學程度の教育者たる資格なきものを本校より早速逐放する事

(1) 山根教諭

生徒の納得如何を問はず勝手横暴の目茶苦茶喋なり

(2) 宮崎教諭

果樹園を本業とし教授に誠意なし

(3) 岡本、小笠原兩教諭

教へることより生徒を侮辱するを以て享樂とする

三　我等の要求の爲に決行した此度の同盟休學に對して一人の犧牲者をも出さない事

四　一、二、三要求條件を快く聞き入る事出來ない場合は校長は引責退職すべき事

五　以上の要求を聞き入れるなら生徒各自に通知する事以上我等の要求の完全に成功するまでは斷じて登校せざる事を我等宣言す故に校長は此の點よく察して解決せられん事を茲に陳情す

×　×　×

これに對し學校では寛容なる態度に出で父兄等も學校の態度を諒とし學校を援助して解決に盡力したる爲一名の犧牲者をも出さず僅か七日にして解決

されたることは頗る御手際であつたが然し此の不穩なる陳情は他に尠からず累を及した事は遺憾であつた。

公立東萊高等普通學校は警察に生徒を依賴せざること、辯論練習を認可すること、生徒の待遇を改善すること、其他を揭げ七月十一日盟休を初め、參謀、暴力、通信辯論、監視の五部に分ち部の下に區を置き各部各區に部長區長を配置し結束に努め隨時機宜の會議打合を爲し監視部員は隨時隨所に出沒し學校當局父兄の動靜及生徒の行動を偵察して其の狀況は洩れなく參謀部に報告せしめ常時召集非常召集の制を定め區長をして傳達せしむる等の方法を講じて居たが父兄等は假令生徒の要求に多少の理由あるにしても師弟間の情誼を無視し生徒の本分を沒却したる行爲は道義に背反するものなれば同情の餘地なしとて生徒の不法を叱責訓戒し未だ嘗つて見ざる態度に出でたる爲僅か五日にして解決を見るに至つた。

私立中央高等普通學校は九月二十七日苛酷なる規則の廢止と同窓會の生徒自治校長外數名の教員排斥を要求し又私立徽文高等普通學校は十月二十四日

閔子爵の銅像建設反對と金校長が日本を內地日本語を內地語と云ひ朝鮮歷史を教授せず朝鮮人にして朝鮮と云ふことを念頭に置かざること等に不滿を抱き學友會の生徒自治校長及數名の內地人教師排斥を表面の理由として盟休するに至つた。此の二件は普成校事件と共に昭和二年中に於ける最も執拗なる盟休で警戒通信探偵等の分擔を定め結束團結に努めた、中央校に於ては手を盡して登校を勸誘した結果過半數は登校を希望するに至り教授を始めたが强硬派百餘名は盟休に關し犧牲者を出したるに憤慨し其の理由を訊すと敎圍き窓硝子を破壞する等亂暴を敢行したので警察は三十餘名を檢束した。然るに生徒等は三十名のみを檢束するは不當なりと興憤し用意のビラを撒布する等形勢頗る穩ならざりしを以て遂ひに百三十四名を留置の上改悛の情顯著にして登校を誓ふ者より漸次釋放し主謀者六名を出版法違反に依り檢事に送致し約二箇月を經て漸く解決した。尚本校の盟休生等は數回數種の聲明書を作成して各方面に送つた其の重なるものを揭ぐれば次の通りである。

×　×　×

我等は學生である學生中にも中學生である我等の知識はそれだけ低劣であり見聞もそれだけ貧弱である而して我等の世情的訓練も亦それだけ不足である事は我等自らが卒直に告白する所である然れども誤解する勿れ其の理由を以て我等をして如何に道具視し如何に機械視し將又犬馬の如き動物視し封建的奴隸の如く虐待するとも我等は決してそれを甘受する譯にはならぬ我等が學校に入る時は少くとも高見博識の各位先生に人格的に我等の將來の指導を受くる爲めである決して學校當局の反動的專制的暴君的命令の下に唯々として服從し其の道具となり其の機械となり番犬となり奴隸にならむとしたものではない

我等の父兄が我等を學校に入れる時彼等の豫定の果して何になるや學校當局で我等を受け入れる時彼等の豫測は果して如何であるや我等は知らざるも我等自身の考はそうでなかつたのである

勿論世には我等の思ふ理想的學校は小學校より大學校に至る迄一も存在せざるのは現實上止むを得ざる事實である故に我等は空想に捉はれ現實に浮かれて無理の注文を要求するのではない然し反て其の機會を利用し自身自ら反動群の番犬となり奴隸になると同時に學生を强制し番犬の番犬奴隸の奴隸を作らむと腐心奴力する者があるとせ

ば我等は決して容赦する事は出來ぬ

皆様！其の實例を知らむと欲するか？見よ！我中央學校の崔斗善校長を、否彼を普通適例と云ふよりも寧ろ徹底せる代表的標本と言ふを適當とする

×　×　×

此の聲明に對し在東京新興科學研究會は次の如き同情檄文三十枚を在大阪朝鮮勞働者組合其の他に送付した勿論朝鮮内にも送付したものと思はれる。

×　×　×

中央高普盟休に對し

嚴正なる社會的批判を喚起す

最近朝鮮學生界に在りて其の中小學校を問はず盟休の氣分が全國的に勃興しつゝあることは古今東西の歴史を通じて其類例を見ることが出來ない特殊的現狀である其が果して何を說明するものであろうか？

殖民地差別教育に對する不平!!

學校當局の專制に對する反抗!!

學生要求條件無視に對する不滿!!

學生人格蹂躙に對する抗爭!!

現在の急進的思想家未來社會の主人公である吾等青少年學生諸君吾々は諸君の社會的條件の必然を究明して諸君の組織的奮鬪の義勇を觀察し諸君の爲否朝鮮の未來の爲其生動發展する「生」を祝賀せなければならぬ

吾等は諸君の義擧に對し學生風紀を云々する反動的小ブルジョアーの口吻を敢て學ぶことは出來ない何故なれば此の樣な口吻は支配階級の道德的標語としての欺瞞政策に過ぎないからである

然るに近日傳ふる所に依れば京城に在る中央高等普通學校生徒の盟休が一大衝動を與へたと云ふのであるが其の理由は何であろうか？

元來此の盟休が該校第三學年生の教師白鳳濟排斥決議(去月二十八日)を動機として爆發されたのであるが其裏面には該校長崔斗善氏の生徒に對する絕對專制が第一因であるが故に該校三學年生の盟休があつて間もなく二學年生も此に加擔して一學年生も之に同情し第一、四學年生二百四十名は今三日午後九時頃二、三學年生の要求に共鳴するとの條件を決定して學校當局に提出した後に盟休を斷行したのであつた

屢々登校勸誘の有つたにも拘はらず彼等一同は内外に飛檄して斷然たる態度を聲明

し校長の支配階級的絕對專制の罪狀を痛烈に指摘した

吾等は朝鮮に在る幾多の報導機關が崔校長及該校當局に對する擁護及體面の關係に拘泥して其罪狀を或る程度迄隱蔽しておることを公然と指摘しなければならないのであつて幾百青年學主の鬪爭問題否全朝鮮學生界の一大問題を焉ぞ有耶無耶の幽谷中に封鎖して止むべきやである

吾等は吾々社會が十指を以て其罪を數へておる崔校長の校國に於ける絕對的專制政治を更に一度指摘して見よう

中央高普校長崔斗善氏は

一　各學年班長に手帳を與へて青、赤色を以て學生の社會主義者及民族主義者を色別せしめたこと(刑事手帳式)

二　學生討論に際し監督をして注意」、中止」を常になさしめたること（警察署長式）

三　該校同窓會の分立を拒否して積極的に干渉支配したこと(官僚主義的中央集權式)

其の他各教師に對する無禮、獨斷、越權等の行動

吾等は該校長の如何なる人となりであることは以上の罪狀を以て能く判斷することが出來る

崔氏は鮮人否朝鮮の所謂有名の教育家ではないか？然らば朝鮮青少年に對する理解は全然沒常識の程度より脫し得ないものではあるまいか？

吾等朝鮮民族の殖民地警察．官僚政治に對する憎惡の感情は「地を劃して獄となすも議不入」と云ふ古語を以てしても尙且つ形容することが出來ないものである

況んや感情の銳敏、性格の快活を所有する青少年學生達の其に對する特殊的反抗が如何に强烈で偉大なるものであろうか？

現世界に於て反軍國主義運動、反軍事教育運動の主人公は彼でなくて何人であろうか？

如上の青少年學生の特徵を最も宜く理解して此により教育の方法を調定することが教育界殊に朝鮮教育家の唯一の任務であらねばならぬ

然るに崔氏及該校當局の「刑事手帳式」「警察署長式」「官僚主義的中央集權式」ー以上三つの式を朝鮮の教育家は企て拓いて常識ある朝鮮人として焉そ行ひ得る所であろうか？無智！妄動！橫暴！

吾等は中央高等普通學生盟休を期とし崔校長の校國に於ける絕對的專制政治に對し其の正體を徹底的に曝露せしめて社會的制裁を嚴粛に表明せなければならないのであ

同盟休校の原因、種別　六一

同盟休校の原因、種別　六二

ると同時に吾等は進んで全朝鮮學生界の教育に對する凡ての不平、凡ての反抗を昂揚擴大せしめて全民族的根本問題に迄引上げなければならない

專制校長を該校より驅逐せよ！、

教育の學生本位を主張せよー、

學生自治權を樹立せよ！、

一九二七年十月十日

在東京　新興科學研究會

×　　×　　×

徽文高普校では同校三年生が十月二十四日前述の理由に依り校長排斥學友會の自治外數項を要求して盟休した。然るに五年生が理由なき校長排斥に反對し四年甲組も亦教室にて反對の協議を爲し居る所へ一、二、三年の盟休生七八十名が亂入し大格鬪を演じ又軟派學生十數名を市內各所に於て毆打したので十八名を檢擧した、彼等は更らに之れにも懲りず盟休反對生の授業中に押し寄せ暴行を加へんとしたが教師の制止により漸く事無きを得た。警察ではは再び煽動者八名を檢擧し學校側及卒業生等が手を盡して登校を勸誘した結果漸次登校生增加し約四十日を費して漸く解決するに至つた。

公立第一高等普通學校に於ては他校が盟休するに我が校がこれを爲さゞるは甚だ意氣地なき事なりと爲し現在の教育方法は朝鮮魂を養成するにあらずして日本奴の壓迫下に日本臣民となるべき教育を受けて居るのであるから後進者の爲め飽迄これを決行し團結抗爭の一習練とするのであると稱して朝鮮歷史を鮮人教師をして教授せしめること、朝鮮語殊に文法を教へること、學生本位の學友會を創立すること、教員排斥其の他數項を掲げて十一月十一日盟休したが學校當局及警察の適當なる處置に依り前記各校程の紛糾は見なかつたけれども尙約二箇月を費して解決した。

以上の惡化した同盟休校殊に京城に於ける夫れは其の要求結束運動方法等頗る類似の點があり他に煽動指導する者なきやの疑があつて極力搜査したが發見に至らなかつた。

斯くの如く同盟休校が現教育制度に對する反抗を目標として起る樣になつ

同盟休校の原因、種別　六三

同盟休校の原因、種別　六四

た原因は前に述べた高麗共產黨の不穩文書其の他種々あるが昭和二年二月「朝鮮普通教育の缺陷」と題し東亞日報に掲載せられた慶南密陽金振國の論說及普通學校教員は全部朝鮮人を採用せよ」と題する社說等も與つて力あつたことは謂ふまでもない。

×　　×　　×

朝鮮普通教育の缺陷

緒言

現下の我が教育界には色々の種別待遇がある。外の事は總て後の機會に讓つて最も卑近であり且つ重要なりと思はるゝ普通學校教育に對して少しく論じて見ようと思ふ。現下の我々は民族的にも社會的にも餘り不完全なことが多いけれども我々の特に叫ばんと欲するのは實に此の教育問題なのである。或者は一部分的問題なりと評するかも知れないか此教育問題は實に我々の前途を左右するものであり、又總ての問題の鍵となるべきものである。斯く重大なる朝鮮人の教育そのものが今日果して如何なる立場に置かれて居るであらうか。

×　　×　　×

我々の現下の教育は教育史、教育學等何物に於ても見ることの出來ぬ又何れの國に於ても見ることの出來ない朝鮮特有の教育を受けつゝあるのである。教育と云ふものが教育の本意を離れて或る政治策略に利用され其の前途暗澹たるものありとすればこれは眞實なる教育とは言ひ得ないのである。筆者は茲に冷靜なる態度を以て普通教育の缺陷と矛盾を指摘し幾多の實例を擧げて證明し以て當局者の反省を促すと共に我々として當然なる要求の主張すべきことであることを指摘しておくのである。

普通教育の缺陷と其の矛盾

第一は學年制度である。卽ち日本人小學校には義務教育と云ふ意味に於て學校と云ふ名稱さへあれば生徒は十名だらうが五名だらうが人數の多寡によらず六年制であるのみならず高等科まで置くことになつてをるがそれにも拘らず近來は八年延長問題が頗る有勢であつて近く實現の見込が確實であるそうである。

× × ×

これに比べて我が普通學校は數も少ないのみならず十に七八は皆四年制である。これは概ね交通不便の地方であるか四年で業を卒へた後は父兄の財力と兒童の學力ある場合漸く六年制の普通學校に入學させるのであるが一般から見て一郡に一つか二つか

三つしかない六年制學校で一級六七十乃至八十名しか收容の出來ない現狀に於て七八校乃至十餘校から出る四年制卒業者中の志願者を悉く收容することは出來ない相談である。

× × ×

然るが故に四年を終へれば當然五年に入學し得る資格を有するものに對し試驗とか運動とか云ふ不詳事が演出されるのである、しかし一々收容されないのは不可抗力である。昨年四月某校の實例を見れば、八十餘名の內で苦心慘憺して收容したのが僅か十二名に過ぎなかつたと云ふ事實もある。

× × ×

六年制の卒業者は亦どうであらうか。全部ではないだらうが某郡の例を見れば每年百七八十乃至二百名近き數を出してをるがこれも前者の如く父兄の財力と兒童の學術の兼備により上級學校に入學の出來る好運者は一割に過ぎず其の殘りは都合に依り日本人の小學校高等科に入らうとしても小學校では之を拒絶するか或は收容することもあるが其の場合は三十圓乃至百圓の特別寄附金を受けてから入學せしめるのであるがこれも亦志願者の數通りに收容すること不可能である。

× × ×

普通學校卒業後他校入學問題に就いて當局者は普通學校は上級學校への入學準備校でないと云ふだらうがそれは勿論のことである

× × ×

普通學校は別個の使命と目的とがあつて上級學校への準備校でないことは小學校と同一である、しかるに日本人兒童が小學校だけ卒業してそれで家に止まる者が果して幾人であらうか。人類の慾望は同じである、日本人だけ小學校を卒へてから上級學校に往き、朝鮮人は往つてはいけないといふ理窟はない筈である。彼等が事情さへ許せば上級學校へ往かうとするのは當然のことである

× × ×

譬へ朝鮮人がより以上に學ばんとしないでも、現今普通學校の四年か六年それで充分であるからより以上學ぶ必要がない、これで使命を全うしたとすれば之は生を求むる人生に對して餘りに良心なく誠意なき話である。見よ、四年を終へて五年に入學出來ない者又は六年を卒へて上級學校か或は小學校高等科に入學出來ない者は果してどれ位あるであらう。

× × ×

以上の例を以て見れば一郡には少くとも三百近くある筈である。之に由り全朝鮮を推測して見れば八萬近くなるであらう。多端なる我々の將來に重大なる使命を持つて居る彼等少年は何に着目し何を爲しつゝあるであらうか。これが仲々の大問題である、その中には厭々ながらも止むを得ず商店の店員か官公署其他銀行會社の給仕或は小使の役に就くやうになるものもありその外の大部分は皆父兄の職業に從ひ農業に就くやうになるのである。

× × ×

東洋の古語にも農は天下の大本なりと言つたゞけに現在でも貴重なるは無論の事である。しかし現今我々の社會から見て殊に經濟組織から見て又刻一刻に破滅しつゝある農村の現狀から見て或は時代の思潮から見て彼等は農業そのものに滿足し切れずに居るのである。一見して不合理なるかに見へるが環境の事情がさうである以上どうすることも出來ずに居るのである。

× × ×

又朝鮮に於ける農業の重要なるを叫びつゝやれ振興策だやれ何だと聲を大にして說

き廻る人々もそれは單に口と筆だけの農業であつて實際自己の體驗からして何をどういう具合に振興させ改良させ樣と云ふ人は未だ不幸にして見受けることが出來ないのである、朝鮮の所謂先覺者とか指導者とか自負して居る人達が斯かる有様であるから結局農業は職業の業となるべきが故に(原文に若干の脫字あるもの丶如し)彼等が忌はしく思ふのも無理ではないのである、是が家庭の過失であらうか、敎育の普及せぬ爲からであらうか知らないが彼等は父兄の吩付でも擔軍を背負つて山に登り、ホミ(草取鍬)を手にして田畑に出ることを好まないのである。彼等は單に好まないのみならず厭がり命令でも服從しないのが普通の事になつてをる。

× × ×

然らば彼等は何を爲さんとし又は何を爲すを好むであらうか。彼等は奇麗な價の高い帽子を冠らんとして居るのである。而して遊食者となり、放蕩者となつてしまふのである。又甚だしき者は父兄との間に衝突を起し反目するに至るのである。家庭に居る普校卒業生に對し「お前は學校卒業後何をして居るのか」と聞くと彼等は暫く躊躇つた後「遊でん居ります」と聲を落して答へるのが普通のことである。彼等の下げた頭が現代の所謂ハイカラであるのは言はずもがなである。

× × ×

又その父兄に逢つて近頃あなたの息子さんは何を爲して居ますかと問へば生唾を呑みながら「實に困つたことです少しも畑仕事の手傳はせず、私共の云ふことは一切聞きません。そして百姓以外の事をやりたがるのでどうしたらよいでせう。實に困つた事です」と答へるのである。子弟は暫くためらつた後「遊んで居ります」と答へ父兄は溜息の後「困つた事です」と答へるのである。

× × ×

彼等の家庭には父兄が居つても大部分無學文盲の人が多いのである。所謂普通學校を卒へたその子弟達は困つたことながらもその無學な父兄の指導や命令には從はないのである。勿論天性からではない。裏面には復雜な內容があるからであらうが結局は看板敎育の弊害に歸する外はないのである。追々年を取るに從ひ反抗する樣になつて來るのである。そして舊道德觀念から見たる不孝不悌の子弟となるのである。

× × ×

そして竟には無職遊食、放蕩浮浪して遠大なる將來を誤るのである。それがどうして痛嘆せずに居られやうか。こうなるからして鄕村の頑固なる父老達は子弟を學校にやれば、こんな苦痛を買ふことになるからとて最初から入れまいとするのである。已未(大正八年)以來都鄙を通じて勃興した向學熱が漸次冷却しつ丶あるのは經濟破滅に起因するのも多いが裏面に斯かる原因の潜在することも考へて見なければならぬのである

× × ×

天眞爛漫なる彼等をして社會に在りては不良少年たらしめ家庭に在りては、不肖子たらしむ其の罪は父兄にあるだらうか。子弟自身にあるだらうか。社會の然らしむる處によるのであらうか。將又思潮にあるだらうか。皆多少の責任もあり、原因となるのであるが、その內何よりも重い責任を有して居るものは敎育そのものである。

× × ×

制度不完全で方針の誤れる敎育意義を沒却して政策に利用させる敎育、四年か六年間に日本化と日本語注入のみに汲々として居る敎育等の御蔭であると言ふべきである近頃日本に於ける人口增加、食糧缺乏の解決策として朝鮮經濟救濟と云ふ美名の下に產米增殖計畫だの產業第一主義だのと看板を立て丶實業敎育なるものを耳の聾する程騷ぎ廻つて居るのである。幾ら當局者が力を入れても根本方針と制度を新しくしない

限り目的を達することは不可能である。

× × ×

田舍は田舍になる程四年を六年に、六年を高等科にして純然たる敎育的意義に於て理解ある敎育を施さねばならぬのである。これに對し當局は經費問題を口實として斥けるであらう。余はこの經費問題は後段結論に於て論じやうと思ふ。

兒童生活と敎材矛盾

敎科書敎材は內容は論を待たず感情や政治を離れた敎育的意義のそれでなければならないのである。若し之に反して寸毫でも敎育看板の下に民族的感情や政治的野心の爲の敎材を用ゐた點があるならば議論の餘地もない、罪惡たると共に默過することの出來ないことである。

餘は實例を擧げて其の曲直を明にしたいと思ふ。

× × ×

普通學校敎科書に對し詳細に論述せんとすれば、一學年から六學年まで各科各卷各課に分ち編纂趣旨から敎材の目的、兒童敎育、敎授、及其の結果にまで及ぼさせねばならぬ。しかしそれは餘りに敎育的說明に偏する嫌あるのみならず、時間と紙面が許

さないので今回は重要科目たる修身、朝鮮語歴史、日本語等に對して其の大略を論ずるに止めて置く。

修　身

修身の目的は兒童に德性を涵養し以て實踐的指導を爲すに在ることは誰でも同感だらう。然し現今普通學校で使用して居る敎科書の內容と其の配列が果してどれだけ朝鮮兒童の德性を涵養することが出來るであらうか。而して實踐的指導者たる日本人と根本的に民族性の異なるのは勿論、風俗慣習や言語や道德その他生活環境の明に異つて居る朝鮮人兒童に純日本的のそのまゝを持つて來て敎へてる敎師の苦心と兒童の苦痛は非常なるものである。その反面に於てその效果の反比例するは勿論時間上又は精神上に反つて害を及ぼしそうなものを大略揭げて見やう

○第一學年　△ミヤ、シンセツ　○第二學年　△十三、恩ヲ忘レルナ

○第三學年　△一、孝行　△二、學問　△三、仕事ヲハゲメ　△四、整頓△五、寬大

△六、健康　△九、堪忍　△十、物事ニアハテルナ

△十一、恩ヲ忘レルナ　△十四、儉約　△十九、共同　△二〇、近所ノ人

△二十一、公益　△二二、生キ物ヲ愛セヨ

○第四學年　△五、健康　△十一、良イ慣習ヲ作レ　△一四、人ノ名譽ヲ重ンゼヨ

○第五學年　△一我ガ國　△二、我ガ國　△四、公益　△八、主婦ノ務メ

△九、兄弟　△十八、謙遜　△十九、友情　△二二、德行

△二三、良イ國民

○第六學年　△一、國運ノ發展　△二、國交　△三、憲法　△一四、良心

△一六、工夫　△一九、師弟

等である。此の內に多少でも朝鮮的敎材が含まれて居ると假定してもそれは極く粗薄であつて德性涵養に資する程のものはなく大部分は日本的敎材なのである。これを以てどうしても朝鮮兒童の德性を涵養し道德實踐の指導となるだらうか。要するに朝鮮人又は朝鮮人の將來と言ふことは少しも念頭に置かずして日本人化方策のみに努めてをることを知るに足るのである。これがどうして無理でなからうか。然るが故に此を學んでをる朝鮮人兒童の頭腦は如何、たゞほんの時間潰しとなつてをるのみである修身の目的を達するには何よりも先づ敎科書の敎材選擇が第一である。

×　×　×

其の民族性に立脚して風俗、習慣と實生活を基礎とするものでなければ駄目である。

當局者は朝鮮に適當な敎材がないと云つてをる、しかしこれは議論にならぬ說である修身科を日本材料で固めずに少なくとも四學年頃までは純朝鮮的敎材のみを用ゐねばならぬのである。編纂を擔當せる人々や敎授の責任を有つてをる人々はどう考へてをるのであらうか。

×　×　×

日　本　語

日本語は正確に他人の言語を諒解し自由に思想を發表して日常生活に必須なる智識を授け併せて德性涵養に資せしむるを以て目的とするのである――とのことである。夫れには余も同意であるが併し朝鮮人として殊に何等の理解もたず兒童等に何の必要があるであらうか。

○卷一　一〇、遠足（エンソク）　二二、ナツノクサバナ　三八、アソビ

四六、月（ツキ）トムシ　五二、トラ

○卷二　二、ドウブツエン　五、キツヽキ　六、ネコ

一〇、子リス　三〇、三ツノタカラ

○卷三　三、五一チイサン　二三、三人ノ子供

○卷四　二、約束　一三、扇ノ的　一四、雪舟

二五、私ノテマリ

○卷五　八、春子サン　一〇、病氣　一一、ヘンナオ客遊ビ

一四、田植　二〇、黑コガネ　二五、奈良

○卷六　三、日本　一〇、弓流　一三、京都

十五、元日　一七、八代村ノ鶴　二一、七里和尙

○卷七　二五、東京ノ震災　二六、安代川ノ義夫

○卷八　四、東京ノ兄カラ　一三、助ケ舟　十六、乃木將軍

二五、菅原道眞

×　×　×

以上は四年までの大綱であつて五學年以上は普通學校用日本語敎科書が全然なく、小學校のそれを敎へてをるのである。近頃總督府當局者が五、六學年用に日本語敎科書を編纂せんが爲めに朝鮮と臺灣との編輯官會議を開いたと言ふことを聞いた。しかしそれが實現されるには少くとも數年間掛るであらうから朝鮮に普通學校が六年間に

なつてから既に十年近くなる今日まで教科書なしで教へて來たのは當局者の無誠意もこれ以上甚たしきはなからうと思はれると共に、其の心事を疑はざるを得ない次第である。

× × ×

一年から四年までにも斯の如き教材では兒童が充分に理解をすることの困難なるは勿論のこと、教師自身でも朝鮮人では充分に內容を理解することは容易ならぬことと考へられるのである。元來日本人にあらざるものが幾許の接觸を以てしてもその生活慣習を完全に解得すると云ふことは無理な上にも無理なことであるのである。

× × ×

故に日本語科にも四年までは朝鮮的卽ち朝鮮人本位の教材を取らねばならぬと云ふことに成るのである。そうすればどれ位教授に便利であり、理解に容易であるかは解らないのである。編纂趣旨書には日本を紹介し日本風俗を理解せしめんが爲めであつて、それに依つて日本化し所謂日鮮融和に備へると云ふのであるが此に對しては別に語る必要もないが、それを實現するには別に手段や方法は幾らでもある筈なのに、どうして初等教育から、それを實施して天眞爛漫な幼年者の頭を錯亂せしむるのであら

うか？又其の必要と理由は何處にあるだらうか。此れが爲に反つて反對の結果を招すことになりはすまいか。故に教育の意義を沒却したと云ふのであり、徒勞に歸してしまふだらうと斷言して置くのである

歷　史

歷史は國體の大要を知らしめ、且つ國民の志操を養ふを以て目的とするのである。斯く言つても現今普通學校で使用する教科書は餘りに遺憾千萬である。勿論筆者は政治や民族問題に對する評論をするのではない。そのまゝ國體の大要と國民志操と云ふことに對して論ずるのである。

× × ×

此の問題には語らざるべからざる材料が非常に多く且つ問題も大きいが言論の壓迫を受ける我々の立場としては云はんと欲することを悉く云ふだけの自由もないが敢て默してをる必要もないから事實のまゝを論ぜんとするのでやる。普通學校の歷史教科書は上下、二卷に分ち五學年から課するのであるが此の上下兩冊は五十三課となつてをるのである。

其の中に朝鮮兒童の教育機關たる普通學校歷史に朝鮮的教材をどれ位取り入れ又幾課に編成配置されてをるであらうか、勿論それは一課さへもないのである。唯其の看板として日本教材課の中に少しづゝ交ぜ入れてあるだけである。朝鮮の族譜に適子と庶子を差別する如く昔、兩班と常民を區別した如く先祖の歷史まで甚だしく差別したのである。そんなに區別したものすらも二年間に全部が僅か八件しかないのである。それも大部分公正をはなれた我田引水的に自分達を擁護して他民族を蹂躙したものである。その中にも實に憤慨に堪へないことは我々朝鮮の歷史として教へられる歷史なるものは我が朝鮮の文獻や傳說にも全然なく、又我々が夢にも見た事のない全然虛妄の史實が並べられてをることである。歷史は少なくとも遺蹟記錄要素がなければならぬではないか。口があつても敢て言ふことの出來ない我々の立場であるから恰も啞が胸を病んだやうな有様である歷史の大略を列記すれば左の如くである。

× × ×

卷の上

△第三課「日本武尊」と云ふ題の末に朴赫居世を附說してあるが其の重要事項は日

本十代崇神天皇の時代に任那から日本に救援を請ふたと云ふのを赫居世王が日本から渡つて來た瓠公を任用して國政をよく治めたと云ふことである。

△第四課「神功皇后」と云ふ題の末に十四代仲哀天皇の時代に神功皇后が熊襲を征伐する時に熊襲の背後に朝鮮があるから先づ朝鮮を征伐しなければならないと新羅と戰ふ計策を立て水軍をして對馬を經て新羅の地域たる東海岸に至つた處これを聞いた新羅王は大いに恐れて「東方に日本と云ふ神國あり天皇あるを聞けり、今來るは是れ必ず日本の神兵ならむ」とて直に白旗を以て降服し「假令日が西から出て溟れ上に溯ることあるとも每年の朝貢は決して怠らざるべし」と誓約したと書き其の後に百濟高麗も日本に附屬したと書いてある。

× × ×

斯かる虛妄の記錄は朝鮮では、どんなにしても求め見ることの出來ぬ史料であり、朝鮮には寧ろ之と正反對の記錄さへあるのである。又日本文獻にも世人の認むるに足る記錄や遺蹟はないのである。これは憤慨せずには居られぬことである。當局者よ！何と答辯するつもりであるか。本問題は以前にも當面の教育者間に物議の多かつたことである。我々が朝鮮とか日本とか云ふ互の利害關係を離れて第三者の態度を以て見

ても有史以來日本は朝鮮から、文物、禮儀、道德、宗敎、風俗、言語等直接間接に莫大なる恩惠を蒙つて來たではないか。

× × ×

日本が今日誇りとしてをるもの丶總ては全くこれからの產物と云ひ得らる丶のである、これこそ世人の共に認むるに足る堂々たる歷史的事實と、科學的證據が幾らでもあるのである。專問家にあらざる我等でも幾多の證據を擧げ得らる丶のである。事實斯の如きに不拘事實相反するものを登載してをる心事はどう考へても分らないことである。斯かる文句は斷然削除せねばならぬものである。我々は力の及ぶ限り之を主唱し且抗議すべきである。

△第八課「天智天皇と藤原鎌足」と言ふ題に對して新羅白濟が日本に救援を請ふたと云ふのを前提として新羅統一を少しく書き加へ

△第十三課「菅原道眞」と言ふ題に王建の高麗建國のことを少し加へられ

△第十六課「源義家」に附けて高麗文宗煦が大覺國師だつたことを書き加へられ

△第二十七課「足利借上」に附加して朝鮮太祖と題して李太祖の建國經路を少し書いてあるのみである。

卷の下

△第三十三課「織田信長」と云ふ題の末に退溪、栗谷、兩先生の若干の事蹟と色論、(老論、少論、南人、北人の四色)の起因に對し少々揭載されてをり、

△第三十五課に豐臣秀吉の壬辰の亂を記し

△第四十四課「松平定信」と云ふ題に附けて英祖正宗と云ふ題を以て仁祖太王の丙子の胡亂と英正兩大王の治蹟及基督敎に對することを記し

△第五十一課　大院君の鎖國主義と江華島條約を記して壬午軍亂(明治十五年の京城の亂)の時日本公使館に火を放つたのは單に朝鮮國政の疲弊したるに由りしものなりと記したのみでその理由の根本は記載して居ない。昔の出來事なら虛言も吐き易いが近年の出來事で二千萬朝鮮人の耳目にあり〳〵と殘つてをる事なるを如何せん。「韓國合併」と云ふ題の下に「ポーツマス條約の後日本は韓國京城に統監府を置き韓國內政を保護改良したるに何等效を奏せず、元來多年の弊政なるが故に施すべき術なく竟に合併した」と書いてあるが、これも果して事實ありのま丶なのであらうか？吾人は言を多く費したくないのである。

× × ×

以上は修身、歷史、日本語に對する敎材の內容と配列の大略を述べ筆者の意見を處々に加へたのである。全般を通じて見ると日本的敎材が餘りに多くして疎忽淺薄で價値なく沒理解、沒交涉で朝鮮兒童の實生活に禍ひすること多かるべきを論じたのであるが、普通學校で敎授の任に當たる敎師の徒勞とこれを學ぶ生徒の苦痛が如何ばかりであり、その效果の如何は敎師自身が體驗しつ丶あることであり、父兄達も憂慮してをることである

× × ×

普通學校に劣等兒童の多いのは其の原因は何であらうか。意義ある敎育を施して人生らしき人生たらしめんとするには第一要素が敎材である。朝鮮の兒童であるから須らく朝鮮的敎材を取るべく內容充實して且價値あるものにせねばならぬのである。茲には朝鮮的敎材の採用するに足るべき材料がないと云ふのが當局者の口實である。これ何と無誠意な態度であらうか。我々は少くも五千年の歲月と二千萬の民族が生きて來た東洋文化から見ても遜色がなかつた。今日世界に誇るべき偉蹟や今日の文明を以てしても尙及ばぬ遺蹟や記錄事實を多く有つてをるのである。

× × ×

茲に五千年間二千萬の內から現出したる、文化、道德、人物、風俗、習慣等に對して普通學校敎材たるべき材料がどうしてないと云へるであらうか。十數年間の總督政治と五千年の二千萬民衆を相殺して了ふとするのは餘りにも可笑しいでことある。敎育界のみならず如何なる方面にても此の五千年の歷史を有つてゐること丶二千萬の民衆であると云ふことを一刻でも忘れてはならないのである。それであるから朝鮮人本位の敎育を施さねばならぬと云ふのである。

× × ×

朝鮮語

其の人の言語は其の人の生命である。これは權力を以ても奪ふこと出來ない、同化せしむることの出來ない絕對的のものである故にその民族の生命あるとき迄は言語も同じく存して居るのである。

若し言語のなくなる時には生命も共に消へ失せてしまふのである。

我々が英語に堪能であり日本語によく通じて居るとしても、それだけでは滿足することは出來ないのである。英國人が日本人たるには或は適するかも知れないが朝鮮人た

るには外國語のみでは自我生活に完全を期することは出來ないのである。故に朝鮮民族が存在する限りに於て最後の一刻までも朝鮮語は寸時もなくてはならないものであり須臾も等閑視すべきものではないのである。或者は朝鮮語は將來無くなるものであるから朝鮮人は朝鮮語を習ふ必要はない等、暴言を吐き自分の父祖の歷史を念頭にも置かないで罪のない幼い子弟を六七歳の時から日本人の小學校に入學させて兒童に此の上なき苦痛を與へながらも得意滿面の狂者も居るが斯る者は度外に置き朝鮮人普通學校の生命たる朝鮮語は果して如何なる待遇にあるかを論じて見よう。

× × ×

第一敎科書の冊數から見て日本語は一學年間に二冊づゝであるが朝鮮語は冊數は一冊で而も頁數も少ないのである。次に時間割はどうであらうか、一週間に日本語は一學年が十時間、二、三學年が十二時間、五、六學年が九時間であるのに朝鮮語は幾時間割り當てられて居るだらうか。合理的に考ふれば少なくとも日本語の二倍位はあらねばならぬ筈であるが實は一、二學年に四時間、三、四、五、六學年に三時間宛しか當てられてゐないのである。

× × ×

要するに日本語を主とし朝鮮語を從としてをるのである。これに政治的國家的意味がある譯でもなからうに朝鮮人が生きてをる國でその使ふ言葉即ち主語たるべき所の朝鮮語を外國語に取扱つて居るのは甚だ疑はざるを得ないのである。率直に言へば朝鮮語は將來滅亡するであらうー使はせない積りから出る手段と見る外はないのである前述の如く言語は生命なれば二千萬の朝鮮人が一朝にして亡くなるか然らざれば一夕に全部日本人となつてしまつたならばいさ知らず若し然らざれば一人でも存在するその最後の一刻まで此の國有の言語は存在すべきではなからうか。

× × ×

古より今に至る迄に東西の强族が弱族を侵食して壓迫した例は多いが總てのものを皆壓迫し强奪し盡す事はあつても固有の言語は奪つたり又は無くなす事は出來ない筈である。弱者にありても假へ强者の壓迫に堪へかねて生命を與へた事があつても固有の言語を與へるか又は同化されてしまう樣な例はなかつたのである。全然そういふ例はなかつたのである。以前にも無かつたが今後にも絕對なかるべきことを信ずるのである。

× × ×

、敎科はどうであるか無味乾燥疎忽淺薄で別段の價値なく充實味を缺いたものである敎師や生徒が愛着心を持つことも出來ず系統を見出すことも出來ぬのである。又何等充實せる參考書もないのである。も一つ語りたいと思ふのは師範學校の外には上級學校入學試驗に朝鮮語のないことである。

× × ×

今日の普通學校は日本語全盛、日本語萬能である。日本語を以て朝鮮語を壓迫するのである。質問にも日本語にあらざれば、聽取せず朝鮮人先生にも日本語でなければ應對することが出來ないのである。甚だしきに至つては朝鮮語一回に「罰金一錢也」の取締法を設けてをる奇怪な事實も數多くあるのである。朝鮮語科は敎科書數も少なく時間も少ない。敎材は無味乾燥である。充實した參考書もない。入學試驗も行はないのである。こういふ風でどうして好成績を求め得るであらうか。

× × ×

學科の內で朝鮮語科は一番劣等な成績を示してをる現狀も無理からぬことである。今日の普通學校入學生の狀態は都會地を除くの外大部分は皆諺文も知らないので入學するのである。一學年に入學すれば初めから日本語や算術などに逐はれて朝鮮語の方

は到底力が及ばないのみならず學校や家庭に於てもこの朝鮮語を等閑視してをる傾向が尠くないのである。

現今の實際問題として朝鮮兒童の朝鮮語は學科の內最劣等の成績を示してをるのである。吾人は之を見る每に自ら滂沱たる落涙を禁じ得ないのである。

× × ×

又一つは朝鮮語と漢文を混合したことである。我々は全民族的に漢文中毒の害を蒙つて來たのである。漢學は我が朝鮮文化の上から見て其の功勞も少なくないがその弊害も多いのである。永い間學び且つ用ひて來た爲めに外國文たる漢文は或程度まで朝鮮文化したのが少くなかつた。

而して文化と生活とを區別し難き程密接なる關係を有つてをるのもあり或る場合には漢文が朝鮮文で朝鮮文が漢文たる時もあつたのである。故に我々は漢文を全廢しようか又は時間の餘裕があつたら學ばうか?。近頃各言論機關は率先して我々の文即純の朝鮮文の更生を計らんとし雜誌東光の如きは漢文全廢論を主張してをるのである。此の朝鮮文が一日でも速かに實現し從つて文盲の少からむことを豫め喜んでをる次第である。

普通學校では極めて少ない時間に朝鮮語と漢字を一緒に敎へるので俗に謂ふ所の眼を開ける暇もないと云ふ狀態となつてをるのである。故に普通學校は卒業したが雜誌一頁碌々讀めはせず又朝鮮文の手紙一枚書くことも出來ないと父兄が歎くも無理のない話である。

× × ×

普通學校の用語

乳飮兒は泣くのを以て自己の要求を表はしてをるのである。腹が減つても泣き寢場所が惡くても泣くのである。又體の具合が惡くても泣き母親の顏が見たくとも泣くのである。斯くして總ての欲求を表はし且意思を表してをるのである。單に簡單なる泣聲に過ぎないけれどもその內容は以上の如く單純ではないのである。少くともその全生活を代表するものである。

× × ×

乳兒の生活は比較的單純であるだけにその發表や要求も簡單であるが逐々成長するに伴はれてその生活の內容も漸次複雜となり發表や要求も泣聲だけでは滿足しないや

うになるのである。而して其の次には泣く代りに言語を以て表示する樣になるのである。吾人が兒童の生活を觀察するに彼等の生活範圍は自己生活に直接關係を有するものに非ざればそこには何等の趣味も有たないのである。その言語の內容も自己の興味を有たないのは不徹底である。遂に彼等の言語は比較的單純で生活も言語に正比する樣になるのである。

× × ×

それが爲に自己の言葉にあらざれば自己生活に滿足を得難く向上發展せしむることも出來ないのである。これはその兒童にはその固有の言語が必要であると云ふ事で卽ち朝鮮の兒童には朝鮮語が必要である、否朝鮮の兒童には朝鮮語にあらざれば絕對不可能である。

× × ×

現下普通學校では朝鮮語を除いた外には全部日本語のみを使用するのである。のみならず前にも論じた如く取締が極めて甚だしいのである。朝鮮人先生にも必ず日本語で話させること、日本語に非ざれば質問し得ぬこと誤つて發した朝鮮語一回に一錢の罰金を取ること。その外些細なものは列擧するに遑もないほど苛らく堅いのである。

そうした敎育の效果がどうであり、弊害が如何程あるかをと云ふことは以下各學年別に論じて見よう。

× × ×

第一學年

其の地方と敎育普及の程度に依り入學年齡の差異も多少あるが凡そ六、七歲から九、十歲位のもので平均七、八歲に入學するとしても今日の我々の程度から見て八、九割は皆無學文盲の子弟であるが爲に諺文も知らないで入學するのである。

× × ×

此の責任は勿論父兄にもあるがしかし單に父兄のみを責めたくはないのである。父兄自身が諺文も知らないのみならず生活に追はれて子弟を顧る暇がないのである。父は野原に出て働き母は日稼をするのである。彼等は斯かる立場にありながらも息子でも學問させて人に侮辱されないやうにしたい爲め天に徹する程の怨恨と血誠を以て汗で集めた學資を出して入學させるのである。

× × ×

これを見る時に「あー神よ！この幼い人達を憐れんで下さい」と云はざるを得ないの

である。入學兒童と云ふのは大部分上述の程度のものである。諺文さへも知らないのは勿論自己の言葉それまでも實に幼稚なものである。他人の言葉を聞くときその言葉が自己の生活範圍を脫した少し複雜な言葉であれば理解されないと同時に趣味を有たないのである。敎師が朝鮮人であつてもその兒童に適當しない言葉を使用すれば亦理解と趣味を知らない樣になるのである。

× × ×

自分の言葉でも斯の如き兒童に若し一度も聞いたことのない外國語を使ふとすればそれはどれほどの苦痛を感ずるであらうか兒童は入學式當時からばんやりとして唯椅子に腰を掛けてをるだけである。そして敎師の動作と口だけを見守つてをつてそして先生がする通りにして行くのである。其の內幾人かゞ先生の口眞似をするやうになるので外の子供達はそれを見て不思議さうに見てをるのである。そして暫くしてから恥かしそうに好奇心を以て先生の口先を眞似て行くのである。かくて初めて先生の敎へる敎育用語に身を入れて行くのである。

敎師　コクバン

生徒　コクバン、ココバン、コバン

教師　も一つぺん
生徒　モ一ツペン
教師　これが黒板です
生徒　コレガコクバンデス
教師　それは言はないんです
生徒　ソレハイワナインデス

斯の如く教師が教へようとする教科上の主語もそれを說明しやうとする說明語も生徒は一切合切交ぜこぜに先生の口眞似だけして恰も鸚鵡の如く眞似ることだけ眞似て行くのである。

× × ×

實際三學年は中心學年であり、重要な時なのである。而も教材の內容は五、六學年を除くの外各學年中一番日本的敎材が多い。修身は十八課あり、日本語は五六兩卷で十四課あつて當局もそれだけ力を注いでをることが見ゆるのである、

しかし教材の理解難と用語の不充分の爲敎師の期待と生徒の欲求は水泡に歸して了ふことが多く修身課が修身敎授なのか日本語敎授なのか區分することが難しい位で時

間を空費し徒勞するのみである。

日本語の敎材の爲にそうであり算術は用語だけよく覺えてをれば內容は別段六ケ敷いものではないが說明してをる日本語を理解することが出來ないから結局算術を理解することは難しい事になる。

× × ×

作文の時間になると第一の苦痛は「朝鮮語の何々は日本語で何々と云ひますか」と云ふ質問の連發である。そんなに骨を折つて作つたものに對する敎師の訂正が又大變苦心を要するのである。誤字、脫字、不成語、日本語、朝鮮語の相異點の區別し難きもの等ありその大半は朝鮮語を直譯して書いたものであつて迚も整理に骨が折れるのである。これを朝鮮人だから朝鮮語で書いたらどんなに書きよく讀み易く、且天眞な作品が出來てどんなに趣味があることだらう。

× × ×

四學年以上

三年を過ぎて四學年以上になれば用語に對する不便は多少少くなる、しかし全精力を悉く日本語に搾られて他の學科に力を注ぐ餘暇がなくなる。其の結果は日本語も完全でなく、他の學科も充分でなく、何んだ彼んだで時間を空費し精力を空費するのである。萬一六年間の用語を朝鮮語でしたならば日本人兒童が七年間かゝつてをる。高等科までも六年間で修了することは容易であらう、實にそれ以上の聰明と素質がある。

× × ×

入學から卒業まで用語に壓へられ怜悧な聰明と優秀なる個性を發揮すること能はず天眞なる生活あれども習ひたるものを實生活化することは出來ないのである。それでも之を教育と云ひ使命を果したと云ひ得るであらうか。當局者が如何に辯明しても事實が有力に證明しつゝあるを如何せん。

× × ×

自己の言語であつたならば簡單に了解し得ることを外國語である爲めに二遍三遍重ねても氣持よく覺えられぬ。家庭では朝鮮語で一つ二つと習つたものを學校に行けば日本語で一つ二つと數へられるのである。直言すれば時間を失ひ精力を減退せしめてをるともいへるのである。彼の他の國の兒童等が自己の言語を以て敎育を受け、その活潑なる態度を見る時は朝鮮の可哀相な子弟の身の上を考へて淚を催さゞるを得ないのである。

父兄たる我々所謂先進たる我々は果して如何なる方法を講じたらよいか。如何にして此の問題を解決したらよいだらうか。我々の前途は我々の力を以て開拓しなければならない。絕叫せよ、奮發せよ、政治的計策政を離れた眞敎育に意義ある敎育を主唱せよ。

普通學校敎員は全部朝鮮人を採用せよ

（中外日報社說）

（略）敎育なるものは比較的成熟せる先輩が此の社會生活を學ぶに未熟なる後輩を薰陶することを指したものであり、敎育の目的は兒童に此の社會に適當なる道德的理智的狀態を發展せしむるにあるのである。

× × ×

日本人敎員を普通學校に採用する敎育政策は以上吾人が主張する敎育の本義と目的に違反するのである、日本人敎育は其の人が日本人であるだけ、朝鮮人の思想感情慣習等手つ取り早くいへば朝鮮人の社會生活に對する理解が迂遠である。

× × ×

此の社會生活に迂遠である日本人敎員が、此の社會生活に未熟なる朝鮮人兒童を薰

隘することが教育の本義に矛盾しないで濟むであらうか。朝鮮人の社會生活に理解なき日本人教員が其の社會生活に適當なる人材を養成せんとする時、教育の目的に脫線することなきや。師範學校に於て日本人教員に朝鮮人社會生活に對する相等なる智識を敎へるにした所で、その「相等なる智識」だけでは完全なる教育を施すことは期待し難いのである、

× × ×

模倣性豐富にして感受性鋭敏なる白紙の如き兒童の心理と品性を陶治し社會的生活に適當なる市民を養育する教員は「相等なる智識」ある者にあらず其の社會生活を「體驗」せる者であらねばならぬ。故に下の如き條件の本に

(一) 兒童と教員間に情濃厚にして兒童の模倣性と感受性は全的なること

(二) 兒童の切なる要求に應ずること

(三) 兒童の智的道德的原質に根本的陶治を加へることの出來ること——是れ普通學校に朝鮮人教員のみを採用せよといふ第一の理由である。

× × ×

勿論總督府當局が日本人教員を普通學校に採用するのは其の趣旨が日韓同化策にあ

るのである。しかし朝鮮人兒童が果して日本魂に感染するであらうか、新聞紙上往々朝鮮兒童が結束して日本人校長又は教員に反抗して居るのを見るが、又兒童が家庭と環境と社會が「朝鮮的」なるを忘却していいであらうか、甚だ疑問である、假令幼稚なる兒童が日本人教員に同化されたとしても在來の經驗に依れば、それは幸か不幸か暫時的であつて、彼等は成長するに從つて自動的に朝鮮人の意識に歸り、朝鮮人本位の社會生活を營むに至るのである。

× × ×

朝鮮民族の思想感情慣習は幾千年間の努力の結晶である。世界の文化を發表せしむる爲各民族は固有の思想と感情を更に精密に更に深遠に發展せしむることを前提とする。然るが故に朝鮮人の文化を阻止することは世界の文化を阻止することになりはせぬか、又事實上文化を抑制すること能はざれば何の爲に同化策を實施し何の理由を以て普通學校に日本人教員を採用するのか、(略)これ第二の理由である、

第三の理由は朝鮮人の切實に感ずる教育普及の必要からである。朝鮮全體には學校不足の爲め就學不能の兒童幾萬なるを知らないのである。然るに全國に校數一千百八十七校中朝鮮人校長は僅か三十七人であり。校長事務取扱は二十名內外であり其の餘は

悉く日本人である。而して日本人は朝鮮人よりも總て高給である、而して教育の本義に矛盾し教育の目的に違反するに何を以て日本人教員を採用するのか——其の冗費を節減して學級を增し未就學の兒童の收容に力めよ。(略)

× × ×

前年の情勢を受けた昭和三年は盟休を決行した學校が八十三校を算し民族思想の發露と認めらるゝ盟休が三十七件に及んで居る。右の內中等學校以上の盟休狀況を表示すれば次の通りである。

昭和三年盟休學校調 (中等學校以上の分)

學校名	原因	發生 解決 月日	結果	備考
京城公立第一高等普通學校	一 校長以下教授數名排斥 二 民族運動ノ一表現トシテ	昭和二年十一月十四日 昭和三年一月十二日	父兄ノ斡旋ニ依リ生徒陳謝登校ス	暴行生十二名檢束訓戒放免ス
咸北吉州公立農業學校	一 昇格運動トシテ	二月十七日 五月五日	生徒ノ軟化ニ依リ解決	暴行生廿一名檢擧六名ヲ起訴
慶南晋州私立一新女子高等普通學校	一 退職教員ニ同情シテ	三月三日 三月七日	同窓會幹部ノ調停ニ依リ解決	
全北私立高敞高等普通學校	一 校長排斥	三月十二日 四月一日	生徒ノ悔悟ニ依リ解決	
平壤私立光成高等普通學校	一 校長以下教師ノ排斥 二 試驗問題ノ爲	三月十二日 四月二十四日	生徒ノ陳謝ニ依リ解決	三一記念日ヲ引例講演シタルモノニ嚴戒

學校名	原因	發生 解決 月日	結果	備考
京城私立普成高等普通學校	一 教員排斥	三月二十日	事前發見ニ依リ盟休迄ニ至ラス	
京城私立女子商業學校	一 中教授ノ留任運動トシテ 二 申教授ノ使嗾ニ依ル	四月十日 五月十日	主謀者ノ檢擧ニ依リ生徒軟化登校ス	暴行生二十七名檢擧五名ヲ檢事ニ送リ二名有罪トナル
官立京城法學專門學校	一 校長排斥丸山學監退職ニ同情	四月 六月二十五日	學校ノ善處ニ依リ解決	
咸興公立高等普通學校	一 朝鮮歷史朝鮮語教授等 二 民族運動ノ一表現トシテ	五月一日 九月一日	主謀者ノ處分ニ依リ軟化登校ス	暴行生約百名檢束十五名起訴懲役八ケ月以下ノ判決アリ
咸興公立農業學校	一 實習缺科ノ爲處分セラレタル生徒ニ同情シテ 二 民族運動ノ一表現トシテ	五月三日 七月九日	主謀者ノ檢擧ニ依リ登校スルニ至ル	暴行生九名檢擧四名起訴懲役八ケ月以下ノ判決
咸興公立商業學校	一 教師排斥 二 民族運動ノ一表現トシテ	五月七日 六月三十日	生徒ノ悔悟陳謝ニ依リ解決	暴行生六名檢擧三名起訴懲役六ケ月ノ判決
全南麗水公立水產學校	一 教員ノ充實ヲ要望	五月七日 五月十八日	上級生ノ慰撫ニ依リ解決	
京城私立徽文高等普通學校	一 學友會ノ自治獨立	五月二十三日	協議中ニ探知事前解決	
京城公立女子高等普通學校	一 李王三週年ニ白服强制着用運動トシテ	五月二十四日 一日間	主謀者ヲ懇諭シ解決	
慶南私立馬山瀛信學校	一 教員排斥其他	六月五日		未解決
開城私立松都高等普通學校	一 教員排斥	六月十一日	未解決	暴行生十一名ヲ檢束訓戒放免ス
平北寧邊公立農業學校	一 校長排斥	六月十三日 六月十六日	父兄ノ懇諭ニ依リ解決	

學校名	原因	發生解決月日	結果	備考
京城私立養正高等普通學校	一、教師五名ノ排斥 二、學友會ノ自治要求	六月十五日 六月二十八日	主謀者ノ處分ニ依リ解決	
平北私立五山高等普通學校	一、教員排斥	六月十四日 七月十三日	主謀者ノ處分ニ依リ軟化登校ス	
釜山公立第二商業學校	一、校長ノ排斥 二、民族運動ノ一表現トシテ	六月十六日 九月一日	父兄ノ斡旋ニ依リ登校	煽動者新幹會支部長ヲ檢擧ス
慶南東萊公立高等普通學校	一、校長以下二教諭排斥 二、民族運動ノ一表現トシテ	六月十八日 六月二十一日	學校ノ懇諭ニ依リ解決	
慶南金海公立農業學校	一、設備ノ充實 教員排斥	六月二十五日 六月二十六日	面長ノ斡旋ニ依リ解決	
光州公立高等普通學校	一、退校處分者ニ同情シテ 二、民族運動ノ一表現トシテ	六月二十六日 九月十八日	主謀者ノ檢擧ト父兄ノ斡旋ニ依リ解決	九名起訴セラレ何レモ懲役一年以下ノ判決アリ
全北全州公立農業學校	一、校長以下教諭排斥 二、設備充實	六月二十七日 七月七日	主謀者ノ處分ニ依リ解決	暴行者十一名檢擧何レモ懲役十箇月
光州公立農業學校	一、森岡教授ノ排斥 二、民族運動ノ一表現トシテ	六月二十九日 九月二十二日	主謀者ノ檢擧ニ依リ生徒陳謝登校ス	暴行生五名起訴セラレ懲役八箇月以下ノ判決
光州公立女子高等普通學校	一、教師排斥 二、民族運動トシテ	七月二日 七月四日	父兄ノ斡旋ニ依リ解決	
平北義州公立農業學校	一、校舍ノ新築設備ノ充實要求	七月七日 七月十日	父兄ノ斡旋ニ依リ解決	煽動者二名ヲ檢擧ス
慶南晋州公立農業學校	一、朝鮮史朝鮮語ノ教授要求 二、民族運動トシテ	七月六日 九月一日	主謀者ノ處分ニ依リ解決	放火生ヲ檢擧ス
慶南晋州公立高等普通學校	一、朝鮮史朝鮮語ノ教授要求 二、民族運動トシテ	七月六日 九月一日	主謀者ノ處分ニ依リ解決	
開城私立開城商業學校	一、松尾校長排斥	七月十一日		未解決

學校名	原因	發生解決月日	結果	備考
官立水原高等農林學校	一、祕密結社事件檢擧ニ當リ學校ノ處分不當トシテ	九月二十一日 十月三日	軟化陳謝ニテ登校ス	
慶南統營公立水產學校	一、岡崎教諭排斥 二、設備ノ充實	九月二十二日 十月十五日	生徒ノ陳謝ニ依リ解決	
大邱公立高等普通學校	一、生徒ノ自治獲得 二、內地人教員ノ排斥	九月二十六日		未解決
全北私立高敞高等普通學校	一、校長排斥	十月十三日		未解決
京城私立徽文高等普通學校	一、教員排斥	十月二十二日		未解決
大邱私立信明女學校	一、校長以下教員排斥 二、設備充實	十一月十九日		未解決
計 三十六箇校				

此の內主なる事件の概要を略記すれば前年七月咸興高等普通學校は學校をして殖民地統治の一機關たる事から解放せよと稱して盟休を行つたことは前述の如くであるが更らに再び前年の要求實現を期して五月一日から盟休を始め主謀者等は屢々登校生に暴行脅迫を加へた、警察では之れを檢擧し學校側に於ては退學を命じたので直接行動は徒に犧牲者を出すのみなりとし宣傳戰に依り輿論喚起に努めざるべからずとなし次の如き檄文を鮮內中等學校及在

內地鮮人諸團體宛發送した。

× × ×

全朝鮮被壓迫同志諸君に檄す

數年來積りに積りし我等の不平は昨年七月に遂に爆發せし吾等の同盟休校！其は當時校當局の瞞着の手段に凡ゆる吾等の要求條件は今年三月迄企待する事になつた然し今年三月は既に數月を過ぎたか欺瞞を事とする校當局は何等の處決かなかつた敬愛する同志よ!!今日吾等が受けつゝある植民地教育なる搾取を前提とせる麻醉劑なる事は勿論良く判る事である然し當時一部識者達は漫評或は批評し同盟休學は現代學生等の流行病だとか思想中毒だとか云ひ嘲笑するのみであつた然し是は却つて識者自身達の現社會情勢に對する認識の不足か知らせることが出來ない軍國主義の馬蹄下にて蹂躙され所謂宗主國との差別的教育の不滿と義憤が積りし吾等五百餘名の心膽は遂に破裂し盟休の反旗を再び揭げざるを得なかつた事は等しく被壓迫の同志大衆諸君の周知せらるる所と思ふ然し專制に熟したる校當局は解決の誠意の光は毫も發見すること能はず只管抑壓を以て待ちたる上決局答辯なる物は「今回の事件に對しては全部道當局に

一任したる故我等は何等の關係がない」と云ひ韓恂鉉教諭は「總督府政務總監が來咸の時曰ふには」「盟休が瀕發する朝鮮中等學校二三校位は廢校せしめても妨げない」と宣言せられたからお前達は思ひの儘やつて見ろ」又校長代理たりし澤木茂正教諭は曰く「自分は眞正なる教育を爲すのではない金錢でも取得し飯でも貰つて食はうとするのが目的だから當局の指令の儘服從するのみだ」と豈それのみだろうか彼の暴惡千萬なる山根囑託は曰く「禽獸の如きお前等に教育何か無用だ」とか如何にして我等にのみ局限するだらうか!!此の如何に植民地搾取教育軍國主義の奴隸的教育にのみ熟鍊せる奴等の告白でないか見よ!!今日我等の受くる教育正體を奴等自身に曝露せしめたのである殊に政務總監の蠻勇なる發言こそは假借なき直言であることだ奴等の正體は日々に斯くの如く曝露せらるるのである校當局よりも能く解決するを得るにも拘らず事件全部を道當局に全任せば道當局者等は警察署に皆委任して解決を求めんとす是如何に聯系的であり教育者としての無責任なる沒常識なる態度を表示せるに非らずや市內路次々々には警察の魔手陣を配置し校內外庭には佩劍金靴の辛辣なる音のみ騷亂せしめ校內には刑務所看守の樣に刑事隊と正服警官隊を配置し恰も殺人强盜犯でも逮捕する樣だ深更に安眠する同志と白晝大路にても高普徽章だけ見れば見付け次第同志等を

無條件下に拘引しては曖昧にも四五日宛拘留場に苦しめさせては更に檢事局に迄護送是こそ直ぐに植民地特殊現狀であるのである

長い間蹂躙されたる同志諸君!!

吾等商品視する奴隷的教育植民地差別教育を首肯すべきであろうか否抑壓には必ず反作用がなければならぬ又我等は恐ろしき魔醉劑是を首肯しつゝ其儘嚥下するを得ざる我等ではない又見よ學校道廳警察所謂市內數人の學父兄其の他官僚輩ー同一線上にて軍國主義に買收せられし人物等が集會して組織せる學校後援會ー斯くの如く四角形に我等を取卷き無理なる抑壓を與へたのである一箇月餘も掛つて當局者等は唯二十名の犧牲者を出したのみであつた。

同じ境遇に處せる同志諸君!!

再び見よ！奴等は明春より朝日共學に妄說を飼羊の毛を拔き搾りて最後に返さんとの準備であるのだ。

被壓迫同志諸君!!

吾等は矛盾の教育制度を打破せねばならぬ新社會の役者となるべき吾等は皆共に義憤の心血を脊に積んで精神を勵まし共に反旗を揭げねばならぬのだ

一　朝鮮人本位の教育を獲得しやう！

二　植民地差別的教育制度を打倒しやう！

三　朝日共學に絕對反對しやう！

四　軍事教育に絕對反對しやう！

五　校內學友會自治制を獲得しやう！

咸興高等普通學校盟休生一同

一、九二八年六月

× × ×

此の檄文が鮮內中等學校生徒に尠らぬ衝動を與へたことは論ずるまでもない。

公立咸興農業學校は五月三日公立咸興商業學校は五月七日共に咸興高普校に倣つて盟休を始めた。

私立徽文高等普通學校は五月二十三日盟休を始むべく協議中を探知し主謀者を退學せしめ事無きを得た。

公立釜山第二商業學校は六月十六日から盟休を初めた

これは東京學友會外二團體名義發行の咸興高普盟休事件に對し全朝鮮學生諸君に檄すご題する次のリーフレットに刺戟されたものであつた。

× × ×

咸興高普盟休事件に對して

全朝鮮學生諸君に檄す。

親愛なる學生諸君！日本帝國主義の鐵蹄の下に蹂躙される朝鮮民族に殘つてをるものは何であるか？彼等の非人間的搾取に吾等の膏血が盡き彼等の警察政治に吾等の政治的自由は悉く剝奪されたではないか！尤も彼等が諸君に强要する奴隷教育は彼等の植民地政策を如實に表現したものである。彼等は何故に諸君に朝鮮史の教授と朝鮮語の使用を禁止するか？彼等は何故に朝鮮の子弟たる諸君を教養するに於て日本人本位で教師を使用し吾等の朝鮮に日本人本位の教育を實施するか？日鮮人共學制は何が爲に實施せんとするか？之れが朝鮮民族の爲の教育であるか？

否然らずである。それは諸君の頭腦から『朝鮮と』云ふ觀念を根絕せんとする魂膽から出た企圖である。諸君は深く記憶せよ！今日の朝鮮教育は諸君に對する阿片である、それは諸君を永久に彼等の奴隷と走狗にせんが爲め朝鮮民衆を完全に彼等の俎上魚肉にせんが爲の觀念的武器である。朝鮮の學校は諸君を暗黑の巢窟に永久に眠らせる觀念的阿片の工場である。

然し諸君！朝鮮の學生は斯かる人爲的睡眠を永久に甘受しない。彼等の不平不滿は全國的に膨大して行く。

それで二三年來に盟休の巨濤は全朝鮮を震憾して來た。然し盟休が發生する度每に學校と警察は醜雜なる野合をして學生に對して凡ゆる彈壓凡ゆる誘惑をして來た。その度每に吾が在東京三團體は學生の鬪爭を力强く支持すると同時に學校と警察に對して絕えず抗爭して來た。

然るに去月八日又復咸興高普に盟休事件が爆發した。日增に紛糾は益々甚だしく行つて行く、學校の學生に對する直接間接の懷柔分離策と彈壓策は漸次露骨化して行き警察の取締は益々甚だしくなつて行く。見よ！警察は十四五名の學生を檢束取調べたその理由は今般檢束された學生が幾人かの軟化學生に對して暴行を加へたからであると。然し之れは戰鬪的學生を直接彈壓せんが爲に造り出した口實に過ぎない。假令學生間に些小なる喧嘩があると云つても只それを理由として多數の學生を檢束するのは學校行政に對する警察の直接干渉を意味するものである。

然るに今般の咸興高普盟休學生の要求條件は殖民地的奴隸敎育の典型的履行者とも云ふべき同校々長の排斥民族的差別敎育の撤廢にあると。之れが如何程正當なる要求であり此の要求を貫徹せんが爲の鬪爭が如何程正當なる鬪爭であるか？尤も客年七月幾個日人敎諭排斥及其他の數箇條件に因つて同校に紛糾が發生した時、學校當局は空の手形を濫發して學生を懷柔登校せしめ殆んど一箇年を經過した今日に至る迄約束を實行しなかつた。之れも今般の事件の有力なる動因であると。

見よ！彼等の純眞なる學生を欺瞞し、籠絡する此の罪惡を。之れが果して敎育者の態度であらうか？

學生諸君！又復今月五日に咸興商校に盟休が起つた。のみならず、咸興農校にも盟休が起つた。斯くして北鮮の小都市には學生の一種地方的總罷校が起つた。之れは決して一校一地方の問題にあらずして全朝鮮學生全朝鮮民族の問題である。以上の三箇校の學生は全朝鮮學生の切實なる要求と利益とを代表して戰つてゐる。それ故に全朝鮮學生は彼等の勇敢なる鬪爭を力強く支持しなければならぬ。

奴隸敎育は諸君に下す魔手である。

それ故にその魔手を排除せんとせば、以上の三校の勇敢なる戰士を鬪爭を以て支持し

なければならぬ。唯各學校を中心として鬪爭が最も大なる支持になる。全朝鮮の學生諸君は奮起して奴隸敎育の牙城に肉迫せんが爲に

一　專制校長を逐出せよ！
一　學校と警察との野合は絕對に反對だ！
一　檢束學生を釋放せよ！
一　校內に學生自治制を確立せよ！
一　植民地奴隸敎育を撤廢せよ！
一　朝日共學制實施は絕對反對だ！
一　學生の全國的單一體を樹立せよ！

在東京朝鮮留學生學友會
朝鮮青年總同盟　在日本朝鮮青年同盟
新興科學研究會

×　×　×

此の檄文は鮮內各地に配付され之に刺戟されて盟休するに至つた學校が尠くなかつた。如何に學生の心裏を混亂せしめたかは想像に難くない。

公立東萊高等普通學校も右檄文に刺戟され內地人敎師の排斥、鮮語時間の增加學校講演會に鮮語の使用等を要求して六月十八日盟休を決行した。

公立光州高等普通學校は同校生徒李景栞なる者が共產黨と稱する不穩宣傳ビラ貼付竝不穩文書を郵送したる事件に關し檢擧された、學校に於ては之を退學處分に付したるを動機に犯罪の確定せざる以前に退學處分に附するは不都合なりとし朝鮮人本位の敎育其他數項を要求して盟休した、生徒等は結束を圖る爲め中央執行部及地方代表なる機關を組織し中央執行部には參謀部、通信部、外交部及會計部を置き歸省學生に屢々檄文を飛し結束連絡に努め又學校及父兄其他に不穩文書十數通を送付した。本校盟休には在東京卒業生等が母校紛糾事件對策講究會を組織し學校長、父兄會代表、同窓會代表等に對し聲明書を送り又休暇歸省中の留學生三名を代表委員として問題解決の爲と稱し或は校長を訪問し或は同窓會、父兄會等に對し直接間接に盟休生の氣勢を煽る如き言行ありし爲所轄署に於て檢束嚴重加諭した。

公立光州農業學校、公立光州女子高等普通學校生徒は何れも同地高普校に倣つて盟休の擧に出た。

公立晋州高等普通學校生徒は例の咸興高普校盟休事件に關する檄文に刺戟

され朝鮮敎育制度の改革を要求するには全鮮生徒が一致團結して抗爭せざるべからずと爲し同地農業學校生徒を誘ひ共に要求條件を議し內務、外務、調査、警務の四部を組織し盟休を行つた農業學校の一生徒は盟休事件の主謀者と目せられたるを憤慨し同校々舍に石油を注ぎ放火したるも宿直員の發見するところとなり大事に至らずして消し止めた。

水原高等農林學校では同校生徒の秘密結社事件檢擧に際し學校當局が校內を警察官に搜索せしめ又未だ犯罪確定せざるものを放校又は停學處分に附したることは不當であると稱して九月二十一日同盟休校を決行した。

私立大邱高等普通學校では生徒の自治權獲得と內地人敎師の排斥を要求して九月二十六日同盟休校した本校の盟休は學生等が組織して居た共產主義の秘密結社に於て理論の研究から實際運動への第一步であつた(詳細後說)

私立培材高等普通學校では十一月六日日本天皇の卽位式に際し平穩に此の祝賀を迎すは朝鮮人の政治的服從を表明することゝなり正に民族の一大恥辱たるを以つて奉祝氣分に心醉せる民心をして擾亂せしむべしと爲し同盟休校を決行せんとしたが未遂に終つた此の事件も裏面に共產黨の手が動いて居

たのであつた。（詳細後說）

在東京朝鮮青年同盟員李玄徹早稻田高等學院生徒金正洙等は九月上旬學生ストライク擁護全國同盟を組織し大邱高普校及徽文高普校の盟休に際し次の如き不穩ビラを送つた。

× × ×

全朝鮮學生蹶起せよ

植民地奴隷教育を打倒せよ

一 朝鮮人本位の教育を施設せよ
一 校內の學生自治權を獲得せよ
一 校長の校長會議參加に絕對反對せよ
一 反動的專制教育者を逐出せよ
一 徽高盟罷を絕對死守しよう
一 大高盟罷を積極擁護しよう
一 全國學生は一日間同情罷學斷行せよ
一 盟罷學生に檄文檄電を發送せよ
一 校內の警察干涉は絕對反對なり
一 檢束されたる盟罷學生を奪還せよ

一九二八ノ一〇ノ二五

學生ストライキ擁護全國同盟

同盟休校の原因、種別 一一三

同盟休校の原因、種別 一一四

× × ×

其の他大小盟休事件に關し盟休生の聲盟書左傾團體の不穩檄文等が無數に發送された、其の重なるもの二、三を示せば次の通りである。

京城女子商業學校の盟休事件に對し新興科學研究會より發送したる抗議文

日本帝國主義の派遣隊なる朝鮮總督政治の我が朝鮮民族に對する暴壓は我等の青少年學生層まで其圈外に置かない樣にしたのである、最も其等の殖民地的奴隷教育政策の執行者であり其の走狗の役割を擔當する所謂朝鮮の學校當局者等の反動的態度は眞に今日の朝鮮人としては許すことの出來ない背信と云はねばならぬ、其等の朝鮮人の苦しい青少年學徒の育英を眼中に置かず學校當局は支配當局との淫奔なる野合の下に警察の威力を以て吾等の學園を蹂躙して居るではないか今般貴校の三十餘人學生檢擧事件は朝鮮の腐敗せる學校當局者の酷惡なる正體を如實に曝露されたるものにあらずや吾等は一切の殖民地的奴隷教育の徹底的打倒を期し學徒の集團を以て今般貴校の不當に蹂躙せられる姉妹の爲めに若等鐵面皮なる學校當局者等の反動的行動を徹底に彈劾しようとする今般の學生檢擧事件は明に全學生大衆に對する反動的彈壓なるものと認め吾等は玆に不當處置に對し貴當局に抗議す

一九二八年五月四日

新興科學研究會 印

京城女子商業學校長貴下

× × ×

私立光成高等普通學盟休事件に對し在日本朝鮮青年同盟より送付せる檄文

檄

光成高普盟休事件を鬪爭を以て應援しやう!!

日本帝國主義の殖民地奴隷教育政策は我朝鮮青少年の學生諸君に何時も永眠劑の注射を强制して居る奴等の凡ゆる政策は我朝鮮青少年諸君を欺瞞し墮落の深淵に屢々陷れんとするものである、師範學校、農業學校、巡査養成所等日本政府が今朝鮮內地に

同盟休校の原因、種別 一一五

て實施して居る教育制度の裡面を見るとき其の陰險野鄙なる－我朝鮮を永遠に日本政府の治下に隸屬せしめんとする－謀策が學生諸君の日常經驗より餘地なく暴露されて居る、朝鮮歷史除外朝鮮語使用禁止教員の日本人本位等之を如何に見ても我朝鮮青少年學生の腦裡より「朝鮮」なる觀念を永久に除去せしめんとする考である、此の凡ゆる廣汎なる政治的不平より我學生諸君は奮起せざるを得ない、是今各處に起れる所謂學生盟休事件である

同盟休校の原因、種別 一一六

殊に近頃起つた基督教會の經營たる平壤光成高普の盟罷事件は已に月余に亙り戰鬪的學生諸君の强固なる力を以て勇敢に鬪つて來た、其の盟罷の理由は校長排斥、寄宿舍撤廢反對、學友會解散反對、犧牲者二十八人復籍要求基督教信教强要反對等である是如何に正當なる要求ではないか？夫れにも拘はらず學校當局は露骨的に警察と野合し先頭にて最勇敢に鬪爭して居た數十名の學生を無理にも牢獄に押込めて居る どうして夫ればかりだらう？學校體操教師の教授である、之又日本帝國主義の忠僕たる中尉李喜謙を使嗾し軍力を以て學生を亂斬したといふ、諸君！是實に朝鮮教育者の敢行すべき態度であうか？吾々は玆に於て日本帝國主義の奴隷教育政策の本質を一度認知すると同時に該校の經營者たる基督教會の醜態を知ることが出來る、而て京城男女商

業學校大邱高普も亦今動搖しつゝある

諸君！斯く雨後の筍の如く各地に蜂起する盟罷事件は何を語るか？之は少くとも朝鮮青年運動の一部隊たる學生諸君の日本帝國主義の奴隸教育政策に對する勇敢なる鬪爭であらねばならない然らば吾々は彼等を如何に支持し應援すればいゝのか？帝國主義等の植民地奴隸教育政策の陰險なる裡面を如實に曝露せしむると同時に彼等の日常生活に對する些少なる不平不滿をも殘る處なく指摘し校內の鬪爭より日本帝國主義に對する鬪爭に進展せしめねばならない、斯る意味にて本同盟は次のスロ！ガンを以て積極的に鬪爭を應援すべきことを期する

一　學校教員を朝鮮人本位とせよ！
一　朝鮮語を以て教授せよ！
一　校內の學生自治を確立せよ！
一　學校と警察との野合に絕體反對せよ！
一　同窓會に對する學校當局の干涉に絕體反對せよ！
一　寄宿舍の專制的壓迫に抗爭せよ！
一　朝鮮歷史を教へよ！
一　教員の任免を學生の意思に任せよ！
一　中等學校に朝日共同制實施に絕對反對せよ！
一　學校の凡ゆる施設を完全にせよ！
一　軍事教育實施に絕體反對せよ！
一　日本帝國主義の奴隸教育政策に徹底的に抗爭せよ！

一　學生の全國的單一體を樹立せよ！

一九二八年四月　日

在日本朝鮮青年同盟
朝鮮青年總同盟

×　　×　　×

同じく光成高等普通學校盟休事件に關し在東京朝鮮留學生學友會及在東京新興科學研究會聯名にて送付せる聲明書

光成高等普校盟休事件に關する聲明書

去る三月十五日頃に校長の專制的行動に憤慨して起れる光成高等普通學校學生の盟校事件は日に〳〵紛糾に紛糾を重ね今や一月餘を超ゆるも解決の曙光を見ず此の事件の進展するに從ひ學生に對する學校當局の彈壓は無謀なる警察の干涉は漸次酷甚になつて行く見よ！學校當局の不法處分の濫造に犧牲となつた學生は既に二十八名もあるし警察當局の×蠻的强壓的檢束の鐵蹄の下に蹂躪せられたる者已に十餘名に達するのみならず今後事件を深刻化するに從ひ如斯處分檢束が續出すべき事は火を視るより明かである。

如斯警察の露骨化せる暴虐無至なる干涉は朝鮮でなければ見れない現象である、併し夫れは次にしやう！學校當局の處置は果然教育者として正當なる處置で誠實なる態度であろうか！事件解決の鍵は誰が持つてゐるか？學校當局者自身ではないか？夫れにも拘らず彼等は「不良學生根絕の爲めには廢校も妨けなし」との暴言まで吐きつゝ學生に對し終始一貫の卑劣なる行動を取つて來た然し彼等の行動は其の横暴が之れのみに止まらず又見よ！去る三月十日には同校の體操教師某が盟休學生一名に對し爭ひの後大膽にも拔劍亂打したことまであつた事を其の無法なる蠻行が之れより甚敢きものが何處に在り人權蹂躪が之れより甚だしきものが何處にあらう之れはサーベル政治に呻吟する全朝鮮被壓迫大衆はこのサーベル政治の代理履行者より徹底的に分離せねばならない

學生盟休は確實に朝鮮の特殊なる現狀である然し夫れは一般的に殖民地教育政策の產物である

朝鮮學生なるが故に受ける特殊奴隸教育朝鮮學生なるが爲めに民族的蔑視朝鮮學生にのみ限れる特殊の差別的教育施設此れ盟休發生の社會的根據である之は客年全國各盟休校學生の要求條件と近日京城高商を始めとして起る幾校の動搖原因に明白に曝露

された事實である曰專制校長の排斥日本人教師の排斥曰差別的教育の徹廢曰教育施設の完備曰朝鮮語教授の採用等々其の何れもか殖民地教育政策に對する不平不滿の具體的發現でないものがあらうか？

夫れにも拘らず反動的支配階級は校當局者等は「學生の思想惡化」「外人の背後煽動に依る妄動」の語句を羅列し中傷と虛構とを事とし凡ゆる威脅と懷柔を乘用し學生の初步的不平不滿を奔走したのみならす所謂紳士層は被等獨特なる處世觀に立脚し「時代病弊」「一大不詳事」「過渡期の病的現象」等の長嘆息をして事實の本質を隱蔽して來た

然し學生の不平不滿が以上の如き根深き政治的條件より胚胎せるものなる以上夫れが如何して彈壓、中傷、懷柔、隱蔽に解消さるるものであろう？夫れは依然として强力的に成長して行くのである

今回光成高等普通學校の紛糾も其の發生の直接的動機の如何に拘らず究極的には斯る政治的條件より胚胎せる不平不滿の具體的表現の一つである吾々は斯る見地より當校學生側の凡ゆる要求を正當なるものと認定し夫れを無條件に支持すると同時に當局者と無謀なる警察の不當なる處置に對し斷然に反對する

一　專制校長を逐ひ出せ！
一　拔劍教師を逐ひ出せ！
一　學生の自治權を獲得せよ！
一　殖民地奴隷教育政策に反對せよ！

一九二八年四月十九日

在東京朝鮮留學生學友會
在東京新興科學研究會

× × ×

徽信學校盟休生の發送せる聲明書

徽新學校盟休に對し天下人士諸氏に告ぐ、滿天下人士諸氏我等は永く歲月を置いて學生々活に於て之を見た現代朝鮮敎育は刻一刻と反動化されて往くのを否既に完全に反動化してしまつた「神聖なる敎育とか」何んとか云ふ聲出して騷ぐ呪文は總て我等を催眠させむとする魔劑醉であるのを我等はすつかり見た目を開きてゐる我等としては見ないとしても見ないことが出來ぬ一方にては最も我等の爲めにするか如きも意識的か無意識的か彼等帝國主義に秋波を送り彼等の既定方針

其儘を實行させんと盡心し彼等の罪惡を隱蔽する憎むべきなる先生等の風を見て感じたことのない者は白痴である筈である。

只今朝鮮の天地には學生盟休の怒濤が捲起した諸氏よ之を單純なる流行的病と言つて平易に處理してはいかぬも少し其の本質を捕捉し如何にして斯くの如き現象が續發するかを研究すると同時に之を輕舉妄動であると言はず一つの大なる社會問題として取扱ふべきである。

滿天下人士諸氏よ今般我が徽新學校にも盟休の怒濤が來倒した我等は此の眞相を公開し社會に聲明す諸氏は之を如何に見るか之れも一つの流行病的だと言つて一言に附してしまうとするのか然らざれば一部社會に逆宣傳其の儘を是認せんとするのか

諸氏よ極度に惱んで居つた我等は到底忍ぶことは出來ぬ人間本位でない現代敎育制度が條件を作つて吳れた不平と憤怒！學校に對し湧出する怨恨！我等としては到底一部社會の惡評を顧る餘地もない。

自由平等博愛を主とする徽新學校であつたら我等は可能なる範圍內に要求を陳情し水平的解決を熱望したけれども學校當局は再三延期を要求したる後其の儘其れを抹殺したのではないか？其の所謂學校の精神も欺瞞の標語である生徒籠絡の手段である事を我等は知つた。

一、我等は同窓會の自治權を要求した我等は同窓會があると云ふ話を聞いた丈けで其の內容其の規則其の金錢關係の如何は輪廓迄も知らざる者である先生獨裁は之何の橫行か？學生をして組織された同窓會は學生自治が當然でないか尙ほ之の五百學生の同窓會金を一部基督信者の集合である基督學生靑年會に補助してやると謂ふ學校側の話は過去同窓會費の濫用を歷々に話してゐるのではないか？

二、否それのみか！敎員會は先生黨派間の詰鬪場で敎員會時は蓮池洞が騷亂し每日辭を枯らした先生等の面々！これを如何に見るべきや我等は之の暗黑の敎員會を公開し生徒大衆の前に正當なる批判を受けろと要求した我等はこの黑幕の開いて學校の將來のために是非曲直を明らかにせんとするのである然れども校長は「敎員會公開も「崔三悅吳建泳兩先生の對話仲介も」「我は死んでも出來ぬ」と謂ふ之れが果然正當なる態度か？其の誰を恐れるのか

敎務主任は「私はそんな對話をするのは某氏と同類項となるので出來ぬ」と云つた吳建泳先生の非行は我等の前に如實に現はれてある一部學生を衝動して置て其機會を利用し某種の運動を計畫する野卑なる行動？

果然之が神聖だと自稱する宗敎家の行動か？よし我等は其の氣味を知つた崔氏が同類項になりたくないと云ふのも一の回避である事を自己非行の曝露されるのを閉口しない吳氏!!自己秘密露出を恐れる校長!!

我等はこの中に誰が善い惡いと云ふべきか其の非行の一直線に立つた同類項でなく何であろうか？

三、朝鮮を威脅する言論集會の自由束縛は神聖と云ふ敎內に迄浸入して來たこれ卽ち集會には先生に屆出で生徒監の背席、先生の中止、禁止この如何ばかりか恨心に堪へざる現象か？之は現代法律其儘直輸入したのでなくて何か？これ如何程走狗的行動か？我等の叫ぶのは之總て鐵鎖より脫出せんとする我等の叫ひに社會の總ての民衆は堅く合唱せよ。

四、萬里學海を修めんとする我等は資格ある先生を要求するのは必然の事である。南相鏝、金敎文、洪昌楨、金永濟柔道で生徒を數次亂打したる河村氏!!我が數百學生の切實なる要求が之等の排斥である。それにも不拘一分の誠意ある回答をしないのに之を如何にして學生の爲の學校と云ふべきか？

我等は善く學んが爲の切實なる要求である

何故同じき月給であり乍ら資格不充分なる先生を招聘するのか？我等は其本意が何處にあるかを知るに漠然である。

全朝鮮學生諸君よ

全朝鮮青年家よ

總ての學父兄諸氏よ

社會人士諸氏よ

血湧く四百學生の渇望の叫びが卽ち我等の盟休である!!

盟休が社會的價値を正當に認識すると同時に力ある聲援を祈る

一九二八、六、六

徽新學校第一、二、三學年

盟休生一同

諸位

× × ×

同盟休校の原因、種別 一二五

以上は最近に於ける同盟休校中特に顯著なるものを掲げ如何に民族主義化し如何に左傾主義化したるかを明らかにしたのである。

同盟休校の原因、種別 一二六

更に又こゝに注意すべき事は近來學校卒業生を以つて組織せられた同窓會に於て會長に校長（内地人）を戴くことを嫌忌し議事講演等に鮮語の使用を主張するに至つたことである此の傾向は益々擴大するに至るであらふと思はれる。

昨年五月二十六日吉林省磐石縣呼蘭集廠子に開かれた在中國韓人青年同盟創立大會に於て決議した綱領中に當面の闘爭スローガンとして教育に關する事項に就き左の如く掲げて居る。

教育

イ、朝鮮民青年少年特種教育の獲得

ロ、日本帝國主義の殖民地教育反對

ハ、男女共學生の主張

ニ、青少年文盲の退治

ホ、宗教と學校との徹底的分離

ヘ、學制及教科書統一主張

ト、學生學術研究の自由

同盟休校の原因、種別 一二七

在中國韓人青年同盟は從來滿洲、京津、南清、各方面に散在割據し互に自己勢力の伸張に努め派爭を事として居た各青年團が主義宣傳上何等統一的運動なきを遺憾とし屢々其の統一を圖つたけれども機熟せざりし爲め其の氣運に至らなかつたが遂に昭和二年八月東支線海林に於て南北青年團體代表協議會を開き民族共産兩主義運動の統一及鮮內青年運動の連絡に關し協議を重ね民族運動に就ては朝鮮獨立黨の指揮を受け共産主義運動に關しては朝鮮共産黨の指揮を受くること竝に朝鮮青年總同盟と聯絡を採ること等を決議し統一促進に努めた結果遂に其の時期到來前記場所に於て創立大會開催に至つたのである。

同盟休校の結果 一二八

五、同盟休校の結果

結果調……處分調……刑事處分調

同盟休校の結果を生徒の要求に對する處置盟休生及首謀者に對する處分等に就いて見るときは左表の通りである。

同盟休校結果調

結果	大正十年	大正十一年	大正十二年	大正十三年	大正十四年	大正十五年昭和元年	昭和二年	昭和三年	累計
要求認容	二	七	五	一	三	四	一	三	二六
要求一部認容	—	一	一	—	—	二	二	一	七
要求緩和	—	二	四	—	二	—	二	—	一〇
要求徹回	—	—	—	—	一	—	二	一	四
要求放棄	—	一	五	—	—	—	—	—	六
非ヲ悟リ登校ス	八	二三	一八	四	三	二四	二二	四二	一六〇
首謀者處罰	八	—	三	四	三	一四	二六	二	八七

首謀者檢擧	責任教師自決	被排斥生徒退學・	學校ノ聲明ニ信頼ス	諭示ニヨリ盟休ニ到ラズ	放任	責任教師ノ陳謝	首謀者自決	學校閉鎖	要求ヲ校長ニ一任	被處分者ノ處分取消	未解決	其ノ他	計
一	二	—	一	—	—	—	—	—	—	—	—	一	二三
一	二	一	一	二	一	—	—	—	—	—	—	一〇	五三
一	一	—	—	二	—	一	一	—	—	—	—	六	五七
—	一	—	—	—	—	—	—	一	—	—	—	三	一四
—	一	—	三	一	—	一	—	—	—	—	—	三	四八
二	一	—	二	一	—	一	—	一	一	—	—	二	五五
四	五	—	二	—	—	一	一	—	—	—	—	五	七二
五	二	—	一	七	—	—	—	—	—	三	六	二	八三
一四	一五	一	一〇	一三	一	四	二	二	一	三	六	三二	四〇四

盟休學生處分調

	警察處分					學校處分						合計
	檢事ヘ送致	訓戒放免	檢束	說諭	計	退學	停學	謹愼	譴責	學校閉鎖	計	
大正十年	三人	一人	—人	一五三人	一五六人	七〇人	四七七人	—人	—人	—人	五四七人	七〇三人
大正十一年	八	—	—	七〇	七八	一三〇	三七六	六四	—	—	五七〇	六四八
大正十二年	—	—	—	—	—	六四	三三六	二〇〇	—	—	六〇〇	六〇〇
大正十三年	—	—	—	五	五	五三	四七〇	三七	—	一	五六〇	五六五
大正十四年	—	—	—	一二	一二	一五九	三四三	—	—	—	五〇二	五一四
大正十五年昭和元年	一八	—	七	—	二五	一三六	三五	一三	二	一	一八六	二一一
昭和二年	二一	—	一三三	八八	二四二	四〇九	一、三〇四	八三	二	—	一、七九七	二、〇三九
昭和三年	一二一	四六	一八〇	—	三四七	五四〇	一、四一七	九〇	—	—	二、〇四七	二、三九四
計	一七三	四七	三二九	三二七	八六五	一、五六〇	四、七五八	四八五	四	二	六、八〇九	七、六七四

盟休學生刑事處分調

	一箇年以下ノ懲役ニ處セラレタルモノ	罰金ニ處セラレタルモノ	計
大正十一年	(一)一人	一〇	一一
大正十五年昭和元年	(九)九人	—	九
昭和二年	(二)二人	—	二
昭和三年	(二一)五一人	—	五一
計	(三三)七三人	一〇	八三
備考	一　昭和二年ハ全部私立中等學校生徒ニシテ他ハ公立中學校生徒ナリ 二　(　)內ノ數字ハ刑ノ執行猶豫トス		

六、同盟休校の處理

學校の諭示……父兄會の斡旋……同窓會……左傾團體
結束の切崩……首謀者處罰……暴行者檢擧……學校の閉鎖

從來同盟休校の解決策として執り來つた直接の方法は次の通りである。

學校側の諭示　何れの學校に於ても同盟休校の起つた場合には先づ第一に學校當局の諭示に始まつて居る、然し此の方法に依つて解決するのは初等學校は別として中等學校以上にあつては生徒の要求全部若くは大部分が認容せらるゝ場合又は校長自身が非常なる人格者で生徒父兄の信頼尊敬が極めて厚き場合の外成效した事例は甚だ尠い。

父兄會の斡旋　父兄會の斡旋に依り解決するは純理上誠に當然の事であるが朝鮮の諸學校殊に普通學校に於ても從來父兄との聯繫が內地の夫れに比し

て密接でない樣で父兄の敎育に對する理解も極めて薄いので重大なる盟休事件の發生に際しても多くの場合父兄は我不關焉と云つた樣な態度を爲す場合が尠くない、學校でも盟休既に發生して初めて周章或は父兄を呼び出し或は家庭を訪問し學校の立場を辯明する等只管登校を勸奬と云ふよりも寧ろ登校さして貰ふ樣に歎願して廻ると云ふ方が適當である樣な場合も尠くない、又父兄會が快く斡旋を應諾したる場合に於ても地方の民情に依り父兄中に民族的或は左傾的若くは事を好む者があつた場合は徒らに生徒の無法な要求を支持し却つて解決を困難ならしむる場合が尠くない故に父兄會をして斡旋せしむる場合は地方の民情及父兄の各個に就き適正なる觀察を下した後でなければ意外の失敗を來すことがある。

然し初等學校に於ける盟休の解決は全く父兄を度外に置くことも出來ないことは勿論である。今父兄會其の他の斡旋に依り解決を容易ならしめたものと却つて紛糾困難ならしめた事件を調ぶれば次の通りである。

		父兄會 益々紛糾セシメタルモノ	父兄會 解決ヲ容易ナラシメタルモノ	同窓會 益々紛糾セシメタルモノ	同窓會 解決ヲ容易ナラシメタルモノ	青年會 益々紛糾セシメタルモノ	青年會 解決ヲ容易ナラシメタルモノ	思想團體 益々紛糾セシメタルモノ	思想團體 解決ヲ容易ナラシメタルモノ	計 益々紛糾セシメタルモノ	計 解決ヲ容易ナラシメタルモノ
大正十年	中等以上	一	四							一	四
	初等	一	一							一	一
大正十一年	中等以上		一	一						一	一
	初等	三	五							三	五
大正十二年	中等以上	三	七			一				四	七
	初等	五	四				一			五	五
大正十三年	中等以上	一	三			一				二	三
	初等	一	二		一					一	三
大正十四年	中等以上		一								一
	初等	四	九							四	九
大正十五年昭和元年	中等以上	四	三							四	三
	初等	五	二				一			五	三
昭和二年	中等以上	四	七	三	一			一		八	八
	初等	六	八					二		八	八
昭和三年	中等以上	二	二		一			二		四	三
	初等	一	一〇		一					一	一一
累計	小計	四二	八七	四	四	二	二	五		五三	九三
	合計	一二八		八		四		五		一四五	

同窓會　同窓會の斡旋は學校當局より依賴することよりも寧ろ先方から進んで斡旋を申し出づる場合が多い　從つて誠意の認めらるゝ場合も尠くないが彼れ等の解決方法は多くの場合双方讓歩に依り妥協點を見出さんとする方

法で仲裁方法としては巧妙なる方法であるが何れか一方の主張が强硬である場合は不成效に終るのである。

左傾團體　左傾團體が團體として表面介入した事件は少いが之等團體及主義者等は却つて解決を困難ならしめるので斯の種の介入は寧ろ排除する方が適當である。

結束の切崩　同盟休校は多くの場合二三主謀者の煽動と一般の附和雷同と大勢に動かされ餘儀なく附隨する者に依つて成立するので第三者は勿論第二者も理否明瞭になれば固より登校を希望する者であるから切り崩しは相當有效なる方法で盟休の斯くまで惡化しなかつた以前に於ては結果も左程困くなく切崩も容易であつたが今日に於ては之に備ふる爲組織を設け係員を置き文書言動に依り結束を激勵するを常として居るので切り崩しも中々容易でない且つ暴行脅迫等の犯罪行爲を助長せしむる虞がある。

主謀者處罰　主謀者の處罰は校規の維持と之が紊亂者に對する制裁と他生

徒に對する反省を促すことゝ不良分子の排除と四つの意味が含まれて居る、之に依つて直に解決するは初等學校盟休の外甚だ尠く却つて結束を固めしむる場合も尠くない。

然し之は學校に與へられた最大の特權であり、利器であると同時に最後の手段であつて數次の處罰は確かに解決に進む唯一の手段方法ではある。

暴行者の檢擧　從來學校側に於て凡そ以上の方法に依り手を盡すも尙解決に至らざる場合は暴行脅迫等の犯罪行爲に出づるを待つて首謀者を檢擧し之れに依つて解決を計る手段を講じて來た。又解決困難なる盟休事件には學校側と協調を保ち首謀者を拘束し或は檢束し其の間に學校側をして善處せしめた事もあつた。卽ち盟休解決に警察力を利用したのであつて學校と警察の野合云々も此の邊の消息を指したものである。

學校の閉鎖　學校の閉鎖は官公立學校に於ては未だ一度も無いが一二私立學校に於て實行した事例がある。元來學生は學問を習はんが爲敎授を受けんが爲に學校に通ふのであつて登校しないことゝ學問を習はないことゝ敎授を受けないことは學生の苦痛であり。從つて學校は停學退學等の處分權を有しこれに依つて生徒を懲戒し指導し校規校風を維持し生徒を薫陶することが出來るのである。然るに學生の休校に依り却つて學校側に於て狼狽の狀を爲すことあるは當に主客顚到の觀がある。

七、學生の秘密結社

（一）大邱高普生を中心とする秘密結社
新友同盟……革友同盟……赤友同盟……一友黨……무리새會……우리同盟
丘火會
（二）京城學生團の秘密結社
ㄱ黨……讀書會
（三）其の他學生秘密結社
東萊高普校生の祕密結社……革潮會……無産少年會……美興學校事件……興農社

同盟休校が民族主義共産主義の一表現として行はるる樣になつたことは再三述べた通りであるが彼等の思想は單に同盟休校のみに止まらずして共産主義を奉ずる秘密結社の組織にまで進んで居る、今其の概要を略述すれば左の通りである。

（一）大邱高普生を中心とする秘密結社

大正十五年冬頃大邱高等普通學校在學生尹章赫、尙戊祥等八名は時代の變

遷と朝鮮の實情に鑑み吾々學生は生徒に殖民地奴隷教育の暴戾なる彈壓に忍びず汎く社會科學を研究し來るべき共産主義社會に立つべき準備の必要ありと爲しマルクス主義講座會を開き朴光世、張赤宇、金善基、柴田健介等を講師とし社會主義共産主義の理論と實際に就き研究して居たが回數を重ねるに從ひ同志の增加と共にマルクス學說に心醉する者續出するに至り遂に共産革命を熱望するに至つた。

新友同盟

昭和二年十一月下旬遂に彼等は學說及理論の研究より更に一歩を進め組織結合を以つてマルクス主義の理論を實際に應用すべく協議し之が目的遂行の爲め秘密結社を組織し創立總會を開くことゝなつた其の創立趣旨に曰く資本主義の生産力と經濟組織の矛盾とに依り資本主義制度は或る階程を經過し歷史的必然の歸結として共産主義制度へ辿るものである。されば吾々は共産主義實現の目的を達せんとするものであるとなし又一つには帝國主義英國の印度及加奈陀に於ける、米國の比律賓に於ける、日本の朝鮮に於けるが如く自

治權を有せざる弱少民族が其の支配國の政治經濟的羈絆を脫し獨立を爲さんとする運動を助長せなければならないとして、

一、我々はマルクス主義的革命戰術の涵養を目的とす
二、我々は被壓迫民族の解放運動を爲す

との綱領を揭げ結社を新友同盟と名づけ張赤宇を黨首に尹章赫を責任秘書に擧げ中央執行委員として張鍾煥、孫益基、權泰鎬、金洛衡、白大潤、趙銀石の六名を撰び全員を三つのグループに分ち、

第一グループ責任　尹章赫、張鍾煥
第二グループ責任　孫益基
第三グループ責任　文哲洙

と定め各グループ毎に主義の研究を爲すことに定めた。尙大邱府內に於ける各公私立學校生徒に對し主義の宣傳を爲すことゝし夫々の學校に緣故深き者を拔擢し次の通り分擔を定めた。

大邱高等普通學校　張鍾煥、文哲洙

大邱農業學校　權泰鎬
大邱商業學校　張元壽、李月峯
大邱私立啓聖學校　鄭復興、鄭壽崗
大邱私立嶠南學校　李鳳在、趙銀石
大邱師範學校　金鳳九
大邱女子高等普通學校　金鳳九

斯く陣容全く整ひ主義の研究及宣傳に努めた結果多數の盟員を擁するに至つた、然し一面秘密漏洩の虞あるに至つた爲中央幹部に於て協議の末更に完全なる組織に改むることに決し一應結社を解體することになつた。

革友同盟

昭和二年十二月新友同盟幹部等は結社の組織を朝鮮共産黨の組織方法に倣ひ多くのヤチエカ（細胞團體）を設けヤチエカ會員には中央部を秘密にし各ヤチエカ間に於ても相互に其の存在を秘し恰も一ヤチエカ獨立體の如き秘密結社を組織することゝし結社を革友同盟と名付け綱領標語其の他組織方法を次の

通り定めた。

綱領

一、我等はマルクス主義的革命戰術を涵養す
二、我等は朝鮮民族の解放運動を圖る

標語

一、革命家は絞首臺を恐るゝなかれ
二、被壓迫民族の絶對勝利を期す

中央部組織

秘書部委員　張赤宇
財政部委員　李月峯
宣傳部委員　金洛衡
組織部委員　尹章赫
政治文化部委員　張鍾煥
調査出版部委員　孫益基

ヤチエカ責任

第一ヤチエカ責任　尹章赫
第二ヤチエカ責任　張鍾煥
第三ヤチエカ責任　孫益基
第四ヤチエカ責任　金洛衡
第五ヤチエカ責任　李月峯

斯く陣容を整へ毎土曜日曜にヤチエカ會中央幹部會を開き一般社會的訓練の素地を作る爲政治經濟の重要問題を討論し朝鮮の革命は如何にして爲すべきかに就いて、

革命の樣式は議會に依る平和手段と鬪爭に依る暴力手段の二つあるが自主權を有する國は議會主義に依ることが出來るけれども朝鮮や印度の如く自主權を有せざる國にありては暴力主義に依らなければならない、革命の策源地としては滿洲若は露領を適當とする。

と論じ民族問題に關しては、

朝鮮の民族運動は自然成長期より目的意識期へ經濟運動より更に政治運動に方向轉換して遂に民族單一黨を樹立した、之が促進の役割を勤めたのは新幹會であるから此れを支持すると共に過去の派閥的團體を全部解體し全鮮的に青年農民勞働の三同盟を決行せなければならない。

と論じ又支那問題に關し、

三民主義革命完成後は當然の歸結として朝鮮の革命が實現せらるゝのであるから國民政府を支持し北京政府張作霖を打倒し帝國主義政策を撲滅せなければならない。

等の論議を重ねた。ヤチエカ會に於ては唯物史觀又は資本論の講議解釋等を行つて居た。政治文化部委員張鍾煥は大邱高普校で當面の學生問題の題下に

朝鮮の教育制度は帝國主義擁護の奴隷教育で日本民族同化教育を强制し朝鮮民族の尊嚴を蹂躪し民族精神を痲痺せしむる非人道的教育である

と論じた、調査部委員孫益基は帝大の內鮮人差別と題して民族思想を煽る演説を試みた、斯くして居る間に各ヤチエカ會員が中央本部の處在を知る樣に

なつて盟員の統制に缺ぐるところが出來て來たので中央幹部に於て協議の末本部及ャチエカ會員を合併し一大結社を作ることゝして昨年二月再び組織變更を行ふに至つた。

赤友同盟

綱領

一、我等はマルクス主義的革命戰術を涵養す

二、我等は被壓迫民族の解放運動を爲す

中央部組織

庶務部、政治文化部、組織部、宣傳部、調査研究部、出版部の六部を置き委員を設けた。

グループ組織

學年別學校別に九のグループを設け責任者を置くこと新友同盟菫友同盟の時と同樣であつた。

此の同盟の發會に際し朴得龍は開會の辭として、

吾々を壓迫して居る資本主義社會は金城鐵壁の如く固く構へて居る此の壓迫に對する無產大衆は唯々鞏固なる團結に依つてのみ彼等の羈絆より脫し得られるのである殊に現今朝鮮の如きは日本帝國主義の橫暴に依り二重三重の壓迫を被れるに相到するとき三嘆尙止まざるものがある然し朝鮮の社會運動も漸次進展して其の組織期に入つた、此の時に當つて吾々學生も其の步調を一にして矛盾せる社會の現狀を打破し萬人平等の新社會を建設せなければならない、之が爲には會員が一致團結して階級鬪爭の第一線に立つて牢獄を恐れず勇往邁進せなければならない、最後の勝利は吾等に來るであらう。

と論じた、爾來屢々例會を開き會費を徵し或はマルクス主義の理論に關し、或は又時事問題政治問題に關し不穩の演說を爲し又は論文の起草等を繰り返して居たが偶々本校に於て成績不良者十六名盟員數名あり)を退學處分に附したことに關し緊急幹部會を開き張赤宇金聖七の兩名は學校當局の暴壓政策を痛論し（一）大邱高普暴壓政策又は恐怖政策反對同盟を組織すること（二）在學

生は一齊同情同盟休校を斷行すること（三）退學生は學校當局の暴壓政策に對する眞相を擧げて總督又は知事及學務局に陳情書を提出し復校運動を試みること（四）學校當局の暴壓政策を一般新聞紙上に發表すると共に全鮮社會團體及中等學生に聲明書を發送すること等の動議を提出したところ皇甫善外大多數は之に贊同したが朴得龍は本件を公然と決議するに於ては事端發覺の曉には列席幹部は連帶責任を負はなければならないから提案の範圍內に於て部分的に秘密に決行するが適當であると意見を陳べた之に對し趙銀石、金洛衡等は赤友同盟の幹部會に於て秘密を云謂するは同盟自體を無視し列席幹部を侮辱するものであると反駁して論爭したが結局朴得龍の意見に從ふことゝなつた、此に於て張赤宇等一派は次の聲明書を起草した。

資本主義の末路たる帝國主義の橫暴は全世界の弱少民族を壓迫しつゝあり殊に日本帝國主義の橫暴政策は政治的經濟的に二重にも三重にも我が民族を餘地なきまでに壓迫せり敎育の神聖は口實にして徒に幼兒の個性を踏み壞しつゝあり見よ今回大邱高普强制退學處分をこれ資本主義末路たる暴

壓政策にあらずして何ぞ茲に於て我々は大邱高普の罪狀を暴露し滿天下諸君に泣訴す全國的に輿論を喚起せよ、全國的に大邱高普暴壓政策反對同盟を組織せよ、學生諸君？、諸君は如斯暴壓敎育を甘んじて受くるか今日他人の事たるも明日諸君の受くべきことに非らざるか？、諸君は全國的に同盟休校を斷行せよ暴壓政策に反對せよ

四月二十二日定期總會を開き役員の改選を行つた、此の改選は本同盟を在學生のみの力により繼續することゝし卒業生を排除したのであつた、次で恒例に依り各部の經過報告を爲し研究事項に移り（一）支那革命と馮玉祥蔣介石の批判（二）日本無產政黨の狀況（三）野田勞働爭議等の說明を爲して散會した然るに四月二十八日更らに緊急總會を開き皇甫善、金聖七等一派は大邱高普暴壓政策反對同盟の提議は其後盟員互に責任を回避し提議中一として行はれざるに憤慨し盟員の無誠意と團結力の乏しきを理由とし脫會を申出た依つて他の幹部等は極力慰撫調停に努めたが遂ひに意見纒らず結局結社の自然解散を見るに至つた。これ以來盟員は各派に分れ各類似の結社を組織した。

一、友黨

張鍾煥權泰鎬一派は四月三十日不平分子指導分子を排除し一友黨を組織し綱領として

一、我等はマルクス主義的革命戰術を涵養す

二、我等は學生運動を實踐的に行ふ

の二項を掲げ庶務部、財務部、組織部、政治文化部、調査部、出版部を置き五つのグループを設けた。

븜 새 會

金聖七一派は六月上旬に至り、將來朝鮮に於ける學生運動は現制度の如き民族精神を蹂躪せる殖民地奴隸敎育の課程のみに甘んぜず廣くマルクス主義の思想を研究し共産社會實現の先鋒となり民族獨立の目的を共産革命に依り達すべくこれが爲には團體的訓練を積むの要ありとなし븜새會を組織し綱領を

一、朝鮮學生の使命を完ふす

とし庶務部、政治文化部、研究部、組織部、調査部の六部を置いた。

우리 同盟

趙銀石尙戊祥一派は朝鮮に於ける社會運動の現狀を論じ新幹會又は青年會の如き緩慢なる運動にては到底マルクス戰術に依る無産革命の實現を見るは不可能であるから假令少數なりとも決死的同志を以つて團結し之に依り所懷の目的遂行に邁進すべしと爲し八月下旬に至り우리同盟を組織し綱領を

一、我々はマルクス主義的革命戰術を涵養す

二、我等は鞏固なる團結を圖る

とし庶務部、政治文化部、宣傳組織部、調査研究部の四部を置いた。

丘 火 會

皇甫善、文祥佑一派は最近に於ける一般學生の傾向は科學的思想の研究に傾けるものあるを悟りマルクス主義の書籍に親しみ遂に現代資本制度の不合理を呪ひ且つ朝鮮人としての民族的精神を蹂躪する殖民地敎育制度の押へ難き不滿を抱くに至り學生運動の解放と理想的共産社會の建設に進むべく之が

爲には團體的訓練の必要あるを認め昭和二年十一月新友同盟と相前後して丘火會を組織し綱領を、

一、我等は社會科學を研究す

二、我等は鞏固なる團結を圖る

とし庶務部、財務部、文化部を置き主義の研究を重ねて居たが後赤友同盟の一グループとして合併した。

斯くの如く大邱高普校を中心とする秘密結社は既に爛熟の域に達し或は露西亞ソビエット政府の新經濟主義を論じスターリン對トロッキーの政策に付き批判を爲し或はレーニンの著書ロシヤ農村問題、帝國主義論、大山郁夫著民族階級意識、平凡社發行社會思想全集、雜誌朝鮮の光、プロレタリヤ藝術等の輪讀を爲し或は宗敎の否認無神論等を唱へ此の儘では過されない狀態であつたが遂に皇甫善、文祥佑一味の丘火會及金聖七一味の븜새會が中心となつて九月二十六日同盟休校するに至つた。彼等は盟休決行までに븜새會にありては實に十四回丘火會にあつては十一回の會合を重ね同級生の爲人を研究し

贊成派、反動派、中間派スパイ等の人別を推定し周到なる計畫の下に實行に入つたのであつたが之が爲却つて斯る結社の存在が發覺さるゝ動機となつたのであつた　此の秘密結社事件の中心人物たる張赤宇は同志に語つて曰く、

自分は朝鮮共産黨慶尙北道責任である朝鮮共産黨は上海派とイルクック派がある。上海派は其の勢力を火曜會にイルクック派はソウル青年會に扶殖し爾來兩派相對立して朝鮮に於けるヘゲモニ(覇權)を握らんとして暗鬪を續けて居た。これが爲國際共産黨の承認を得るに困難であつた、京城で檢擧された第一次第二次兩度の共産黨檢擧は火曜會系の共産黨で新義州で檢擧された第三次の共産黨はソウル系であつた。昭和二年四月京城で社會運動者中央協議會開催を機會に火曜會殘黨とソウル系殘黨とが第四次に聯立黨を組織した、共産黨にはP黨とY黨がある、露西亞では二十二歲以上をP黨員にするけれども朝鮮では二十四歲以上をP黨に編入するのである。入黨資格は相當共産主義的訓練を受けたものでなければならない、黨員は月收入の百分の一を黨費として納めなければならない、共産黨の綱領は私

有財産制度の否認を目的として居る、黨の組織は秘書、財務、政治、文化、調査組織、出版等の中央幹部があり道には道幹部の下にヤチエカがある。黨主は國際共産黨と連絡し宣傳費の支給を受けるのである。Y黨員中成績優秀で志操確實なるものは露西亞共産大學に留學せしむることになつて居る朝鮮共産黨員は總數二百二十名で慶北には約三十名の黨員が居る。

と語りY黨員たらんことを勸誘したので尹章赫、張鍾煥以下九名が高麗共産黨青年會に入黨した。

又或る談話會席上に於て語つた各人の社會科學研究の動機感想等を見るに次の通りである。

李康福　自分の父は曾つて大正八年制令違反として牢獄に繋がれたことがあつたその事が常に腦裡に徹して離れない自分が社會運動に携はる樣になつたのはこれが爲である目下自分の親戚たる槿友會大邱支會長李春壽(女)に民族運動の指導を受けて居る。

李相吉　自分の四寸の兄李相命は大正八年萬歲騷擾の際同志と共に警察に

引致せられたが自分は此の兄より社會運動の指導を受けた。

金東光　自分の父は熱烈なる民族主義者で常に幼少の頃から其の感化を受けて來た。殊に昭和二年中京城養正學校在學中の友人より社會運動の敎示を受け或る時は煩悶の末自殺を覺悟したこともあつた自分は社會弱少民族の爲には犧牲的決心を有つて居る。

金聖七　自分は新寧公立普通學校在學中擔任敎師李萬根先生より民族主義の感化を受け普通學校五年の時から研究を續けて居る。

李慶錫　自分は目下東京の勞働組合に籍を置き社會運動に從事して居る實兄から指導を受けた。

と語つた。

(二)　京城學生團の秘密結社

「　黨

昭和三年二月京城語學院宋炳宷、普成高普校具鍇會、中東學校崔星煥、李哲憂、李敏湜、中央高普校朴判同、柳秉根培材高普校韓炳宜、金炯元、養正高普校李庚培、鍾路青年會館南相璜等は各當該學校代表者として會合し、

朝鮮に於ける思想運動は一九二五年度以來從來の部分的經濟的運動より全體的政治的マルクス主義の運動に方向轉換を爲したるに獨り學生運動は朝鮮學生社會科學研究會其の他があるけれども何等見るべき活動なく衰微狀態にあるは遺憾に堪へざる次第である。依つて學生運動も一般思想運動と同一軌道を辿り從來の局部的運動から全體的マルクス主義運動に進出すべき時機に際會した。吾等は今後學生運動をしてマルクス主義政治鬪爭へ導くべき任務を遂行する爲鞏固なる團結を作らなければならない。

と論じ秘密結社を組織することゝなつて結社名及綱領其の他を次の通り定めた。

結社名　「黨

綱　領

一、本黨は之を「黨と稱す

二、本黨はマルクス主義の研究並に學生運動の統一を期し之をして共産主

義的ならしむ

三、學生の現實的利益を擁護する爲組織を鞏固ならしむ

組　織

中央執行委員長　宋炳宷
責任秘書　宋炳宷
秘書　李哲夏
組織部委員　崔星煥
　安三遠
　閔忠鉉
宣傳部委員　金雲善
　朴判同
　韓炳宜
檢察部委員　崔星煥
　文般鍾

右會合に於て三月一日獨立騷擾第十回紀念日に宣傳ビラを撒布し一大デモンストレーションを起さんとの發議があつて各友誼團體に交涉委員を派遣することに決したが官憲の嚴重なる取締に依つて遂ひに實現を見るに至らなかつた。地方細胞の組織は學期末及夏季休暇等歸省の機會を利用し社會科學に興味を有し且つ戰鬪的分子をして各當該地學校內に秘密細胞を組織し學校を單位として漸次一道に押し擴め優秀なる細胞を選定して正黨員に編入すること等を協議した。三月十日第二回中央執行委員會を開き朴判同は中央高普校には社會科學に興味を有する者あるを以つて近く細胞組織の可能性あるべき旨を報告した。閔忠鉉は黨の存在に關し朝鮮には朝鮮學生會があるのでㄱ黨存在の必要なからんと提言した、之に對して宋炳來は曰く朝鮮學生會は專問學生を以つて組織したもので局部的のものである然るに現時の學生運動は全體的に進展の時機に際會して居るので朝鮮學生會の如き表現的局部的組織を避けて裏面的全體的組織を以てするにあらざれば吾々の目的を達成することは出來ない故に本黨の存在が必要であると論じ一同を首肯せしめた。四月九

日第三回中央執行委員を開き學年末休暇歸省中に於ける細胞組織に關し文殷鍾は全南光州高等普通學校に細胞組織を試み同志發見に努めたけれども目的を達し得なかつたことを報告し李哲夏は忠南公州高等普通學校に二名の同志を發見したが未だ細胞組織の運に至らなかつた旨を報告した、六月九日韓炳宣は培材校生徒八名に對し黨の趣旨を說き細胞の組織を完成した、又李哲夏は暗號を工夫して諺文の母、子音を亞拉比亞數字に代へ之れを分數式に組立つる法を案出した、尙韓炳宣は這般の御大典を期とし騷擾を惹起せしむることは朝鮮獨立の機運を促進せしむべき最良の方法であると爲し宣傳ビラ作成の爲資金を仰ぐべく在京主義者等に謀つたが成效覺束なきを諭され失敗に歸した、然し彼は此の機會を無爲に過すは甚だ遺憾なれば所屬學校に同盟休校を起し以て當局の朝鮮統治に悅服せざる意志を表明せんと考へ同級生と數回の會合を重ね事旣に成らんとしたが四年生鄭洛容が從來各學校の同盟休校の結果を見るに何れも失敗に歸して得る所は唯犧牲者の續出のみである殊に盟休決行の理由及事實が一般に周知されない場合に於て然りである今回のこと

は韓炳宣獨斷の計畫に成れるもので多くの關知せざるところである、斯の如きは唯犧牲者續出の外何等奏效の途なきものであるから贊成は出來ないと反對したので衆之れに從ひ遂ひに此の計畫も失敗に終つた。此に於て彼れは憤慨の餘遂に校長宛「退學한韓炳宣」と血書したる退學屆を校長室に放り込んで姿を匿した、然し之が因となつてㄱ黨事件が發覺するに至つた。

讀　書　會

朝鮮科學研究會執行委員長姜炳度は儆新學校生徒崔星煥、培材校李鉉相、中東校李哲夏、靑年會吳在權等と共に朝鮮學生の民族的意識を喚起する爲盟休事件發生の際は極力之を支援すべきことを昨春以來協議し來りしが六月に至り遂に共產黨のヤチェカ組織に倣つて中央、第一、徽文、培材、中東、儆新、普成、基督教靑年會館等に秘密結社讀書會を組織するに至つた昨年夏養正高普校及儆新同盟休校に際しては屢々常務委員會を開催して直接指導の任に當つた又本結社の中心人物姜炳度及李哲夏は第四次共產黨事件に關係し高麗共產靑年會員であつたことが判明した。

（三）　其の他學生秘密結社

東萊高普校生の秘密結社

東萊高等普通學校生徒金東得等五名は昭和二年六月以來共產主義の實現を目的とする秘密結社を組織して居た。

革　潮　會

慶南東萊生れ梁正或は昭和二年十二月釜山第二商業學校生徒尹昊權東萊少年同盟執行委員長金圭直等十一名と共に現政府を否認し經濟組織の變革を目的とする秘密結社革潮會を組織して居た。

無產少年會

慶南少年聯盟執行委員長金鍾泰は昭和三年八月以來密陽農蠶學校生徒朴亥釗、林幹綠等と共に現社會制度を呪咀し共產主義社會の實現を圖る爲秘密結社無產少年會を組織せんと密に同志を糾合して居た。

美興學校事件

咸南永興郡美興學校は大正十四年頃より左傾主義者梁宗源、裵東健等が之

を操縦して居たが先般梁宗源が同校々長となるに及び左傾主義者を集めて敎師とする等面白からぬ形勢が見へたので注意中のところ敎師韓道列は五六年生に對し現制度を否認し民族主義共産主義の講述を行ひ生徒に之を筆記せしめて居た。

興農社

水原高等農林學校黄鳳善、張保羅、金燦道、高在千等の一味は學科の研鑽を名として昭和二年六月頃より朝起會を開き敎師の監督を避けて民族主義の呼吹に努めて居たが團結の必要を感じ將來の農事改良を名として興農社を組織して民族解放運動の促進を圖つて居た。

八、最近向學熱推移の裡面

文盲退治運動……ソビエツト民族政策……世界革命……主義宣傳の目標
朝鮮共産黨に對する指導

近來諺文の新聞雜誌が頻りに朝鮮文化を唱道し文盲退治（此の語を在中國韓人青年同盟も用ひた）なる言葉を用ひて諺文の普及を唱へ冬季農閑期を利用し農村啓蒙運動として地方青年團に對し講演會、討論會、講習會、夜學會等に依り諺文讀本を無料配付し地方に新文化を紹介すべく指導し斯くする事は農民の蒙を啓き當局の農事改良政策の基礎を作るのであると辯明を加へて主張し最近黄海道に於ては百五十餘箇所に文盲退治運動を起すこととなつて其の實行方法を決議したことが報道された　敎育の慾求普及は何れの時代何れの社會に於ても誠に好ましきことながら今此の傾向を仔細に注視するとき彼の露西亞ソビエツト政府が民族政策として民族文化の復興を其の一眼目として居ることに思ひ當るのである。

トルコ敎育總長はレーニングラードに於ける敎育家會合の席に於て余が幾多ソビエツト敎育機關を歴訪して最も深く感嘆したことは勞農子弟の敎育と「あきめくら」退治方法であると演説した。文盲退治と「あきめくら」退治其處に何等かの暗示を悟らずには居られない。

ボルセビキーは勞資關係に於ける階級鬪爭を以て資本主義國に當ると同時に弱少民族に依つて帝國主義國に對抗する作戰方針を樹て前者に依る革命運動は主として無産階級の多數にして産業組織の完備せる歐米に於てこれを行ひ後者即ち民族鬪爭に依る革命運動は主として被壓制民族の最も多數なる東洋に於てこれを行ふこととし其の目的を唯一つの世界革命に置いて居るが其れに進むに二つの途を執つて居る即ち（一）ソビエツト聯邦内の東洋諸民族に對しては廣汎なる自治權を與へ其の文化と經濟的地位の向上を圖り其處にソビエチズムの徹底を圖ると同時に（二）聯邦領外の東洋に於ける植民地屬領國及半獨立國に對しては其の民族解放運動を援助し宗主國の勢力を驅逐し以て世界革命の豫備軍（レーニンは世界革命の前衞たるべき歐米先進のプロレタリヤ

に對し東洋被壓世民族を稱して世界革命の豫備隊と名づけた）を作り帝國主義の背面を衝かんとするのである。而して此の政策を實現せんが爲に聯邦内の東洋民族共和國を以て聯邦外の民族に對し實物宣傳政策即ち聯邦領内の既に赤化した民族を手本として其の隣境の民族にこれを宣傳し彼等をしてこれに倣はしめるのである、ソビエツト政府は此の政策を以て近東中東極東諸民族に對し民族の解放を以て革命運動を援助しトルコペルシヤアフガニスタン内外蒙古等に於て其の政策に成功した。然し最も期待を置いた印度に於て失敗した其の原因を印度人の無敎育とガンヂーズムと英國（當時勞働黨内閣であつたに係らず徹底的に彈壓を加へた）の必死的防禦とに於て居る、レーニンは印度のプロレタリア階級は其の數こそ多いが多くは無敎育で階級意識が無く勞働者間の團體組織が幼稚で政治的訓練が乏しいと嗟嘆して遂に矛先を支那に向けたのであつた。

世人多くは赤化運動を目して思想未熟の學生や勞働者の雷同的騷動位に見るか若しくば直に現狀破壞の脅威と爲すものがあるがソビエツト政府の政策

は東洋諸弱少民族に民族意識を注入し民族主義の革命を起さしむると同時に其宗主國の勞働者を喉嗾して共産革命を起さしめ假令共産革命に至らずとも少くともこれに內應せしめ內外相呼應して一擧に帝國主義國を覆し以て弱少民族をして其の本國の羈絆を脫せしめ共産主義革命に導き（露西亞の革命もケレンスキの政治革命からレーニンの經濟革命に轉化した）更に世界革命を實現し「あわ」良くばソビエット聯邦に合併せんとするもので其の理想はピーター大帝やカイゼル皇帝の夫れより一層偉大なるものである。此の大理想大抱負の下に彼等は帝政時代の露西亞が採りたると同樣にバルガンに彼斯にアフガニスタンに印度に支那に朝鮮に其の鋭鋒を磨いて居る。然し帝政時代に於ては帝國主義軍國主義に依る侵略を以てしたがソビエット社會主義露西亞は之に代へるに民族主義と共産主義を以て臨んで居る。帝政時代に於ける對外政略はバルカンに於てクリミヤに於てペルシャに於てアフガニスタンに於て又近くは滿洲に於て常に失敗を重ねたが民族主義共産主義を以て臨めるソビエット社會主義露西亞はトルコに於てペルシャに於てアフガニスタンに於て

內外蒙古に於て又近くは支那の革命に於て夫々相當の成功を收め彼等一流の外交手段に依り表面に現はさずして夫の勢力を扶殖して居る。

彼等社會主義國家の信ずるところは資本主義國家と社會主義國家とは兩立し得ない。前者が後者を白化するか後者が前者を赤化するか二者其の一に歸するとマルキシズムの原則を信奉して居るのである故に彼等は自己存立の必要上其の宣傳も根強く執拗に辛辣であり彼等の世界革命も此の理論に根ざして居るのである。

ソビエット露西亞に於ては共産黨の配下に青年共産黨を置きその下に亦少年及幼年の共産黨があつて年少の黨員候補者は年長黨員の指導を受け長ずるに及で共産本黨員の補充に當り新陳代謝する組織になつて居る然るに文明の低級なる國にありては老年は云ふ迄もなく壯年も亦餘りに無智であり時代遲れであつて到底自ら新しい制度や組織の改革にあたる能力を持たない。故にレーニンやスターリンは東洋の半開國に於ける革命運動には老年は全く當にならない壯年に對しても餘り多くの期待を置くことは出來ない主として青年

若くは少年に依つて事を成すの外は無い文明の程度が低ければ低い程夫の國の革命運動は年少者の力に俟たねばならぬとの見地から現に蒙古に於ても最初から幼少年の赤化に最も大なる注意を拂つた。

飜つて我が朝鮮人の思想を考ふるに所謂事大主義思想が數千年の傳統を爲し併合以前に於て既に露西亞黨があつた事は記憶に新たなるところである。大正八年の騷擾も一面から視れば親米傾向の現れであつた、今日に於て露西亞の後援を排除せんとするが如きことの有り得ないことは衆の齊しく首肯し得らるゝところである。現に露西亞ソビエット聯邦共産黨中央委員會極東部に於ては國際共産青年會の組織に關し指導命令を發して曰く、

「地方に青年會を組織する爲宣傳部を通じて青小年を會員に加入せしめ組織の根本を强固にせなければならない、夫れには黨委員の責任管下にある青年特に修學中の青少年中からはじめ之を細胞組織とせなければならない、目下の時代は無産階級運動がソビエットの建設條件に從つて組織せらるゝ時代である吾々は共産黨の新しい後繼者を養成し十分なる階級意識を有する無産階

級を造成する事を講究すべきである、そして新後繼者に共産主義の精神を研究せしめるに都合の良い組織と方法を定め彼等青年の革命に對する熱誠と奮勵を社會智識方面に導き其の成效を收むることに努力せなければならない」と敎へて居る。尙青年の指導敎養に關する詳細なる指令の要點を略記すれば

一、中央委員會極東部で刊行した印刷物により青年等に革命鬪爭の總ての經驗體驗を傳へ資本主義社會に於ける矛盾と階級鬪爭を會得せしむること。

一、學生中に黨の俱樂部網を作り之を中心として國際青年會を組織すること。

一、國際青年會の機關は勞働者及村落にある細胞を指導する人物の養生に努むること。

一、農村青年に共産主義を吹き込み政治的範圍を擴張し農村青年の文化程度を向上し諸刊行物を供給する等の方法に依り組織的の宣傳を一層力强く行ふこと。

一、近來勞働青年間に勃興せる運動競技は保健體育上は勿論多數青年と共産青年會員との連絡を密接にする爲にも之を利用せなければならないこと。

一、工場では青年勞働者を體育倶樂部に加入せしむる必要があること。

一、初等學校を發達せしめることは國際共産青年會の爲ばかりでなく全黨にとつて最も必要なことであるから學校では階級意識を有する無産階級を養成して第一線に立つ多數の無産階級を補充する重大な任務を實行せなければならないこと。

一、多數民衆と不斷の連絡を有する無産學校網を出來る丈け保護擴張し學校内に於ける敎育事業就中政治敎育事業に力を注ぎ青年の共産主義運動を中心として革命訓育に力を集中すること。

等を指導して居る。

此の指令を受けた朝鮮共産黨及高麗共産青年會では學生に對する共産主義宣傳に力を注ぐことゝし高麗共産青年會に學生委員を設け學生部を置くこと

ゝし各道委員に對し學生に對する主義の宣傳方を指令したる結果大邱高普事件京城に於ける「黨讀書會等が組織せらるゝに至つた三一紀念日に於ける全鮮的一大デモンストレーションも此の朝鮮共産黨及高麗共産青年會の計畫であつたことが判つた。

前章に陳べた在中國韓人青年同盟に於て掲げた鬪爭スローガンに於ける特種敎育權の獲得とは何を意味するのであらう。青少年文盲の退治も單に善良なる向學熱の表現とのみ見て樂觀すべきでないことは前記共産黨の指令に依り明瞭となつた。男女共學の主張、宗敎の否認、學生の要求する朝鮮語敎育、學校自治の要求等皆一としてソビエット政府の制度に倣つて居ないものはない、大邱に於ける學生秘密結社に於て一學生は曰く支那の三民主義革命完成後は當然の歸結として朝鮮革命が實現せられるのであるから國民政府を支持せなければならないと論じて居る。

當然の歸結とは露西亞の援助を期待するものにあらずして何であらふ。然るに支那の三民主義革命は露西亞の思ふ通りには行かなかつたにもせよソビ

エットの金と武器と智惠の援助を受け殆んど成功の域に達した、若し露西亞が東洋赤化政策卽ち彼等の民族政策を捨てざる限り彼等は更に朝鮮に力を注ぐべき時期に達したと云へやう。

昭和四年三月二十五日印刷
昭和四年三月二十八日發行

朝鮮總督府警務局

京城府南米倉町一五九番地
印刷所　行政學會印刷所

〔調査資料第九輯〕
〔昭和五年二月〕

〔元山労働争議に関する新聞の論調〕

〔朝鮮総督府警務局図書課〕

表紙は、原本において欠落しています。
（不二出版）

序

元山勞働爭議（文坪勞働爭議も含めば表面的爭議として昭和三年九月二十八日より翌年五月五日まで繼續され漸く落着したが其の期間實に二百二十日を數へ朝鮮勞働運動史上未曾有のものであつた。

從つて、內外の各新聞も本勞働爭議に關しては、特に注意を拂ひ種々なる報導論說等を試みた。

本輯を編纂したる所以のものは、將來勞働運動の頻發を豫想せらるる今日、元山勞働爭議を一貫的に知悉研究することが警察官に取つて必要事であると信じ其の參考に供せんとするに在る。

昭和五年二月

目次

元山勞働爭議に關する新聞の論調

一、新聞による元山勞働爭議概觀

(1) 大阪朝日新聞朝鮮版 （一月三十日―二月六日）

元山の大爭議

調停すべきはずの會議所が乗出し勞働組合潰滅を企つ

市民もまた問題の渦中に投ず

元山の海陸運輸勞働爭議は朝鮮で未曾有の大爭議として今や各方面からその成行きを注視されるやうになつた。平素なら爭議の調停に努力する商業會議所が第一線に立ち運送業者聯合會荷主、廻漕店の團結束をうしろだてに勞働組合潰滅てう目的を達成するまでにはいかなることがあつても頑張ると絶叫し、勞働者側では全鮮第一と稱せられてゐる元山勞働組合の後援のもとに會議所の屈伏を期待し雙方の尖り尖つた全神經はこの未曾有の階級戰にそゝがれ、府民はあげて爭議の渦中にまきこまれてゐる。佩劍の音は全市にひゞき、私服刑事の姿はあらゆる小路にも見出されるやうに息づまつた空氣が現在の元山には張つてゐる。

一

二

罷業人數千五百名、全市の商取引は中止のやむなき有様、かゝる爭議はどうして勃發したであらうか話は一昨年の六月に遡る。元山勞働組合聯合會に屬する千二百の勞働者が「賃金の統一」を運送業者聯合會に提出し拒絶されると卽時總罷業を斷行したがこれは僅か一週日の後勞働者側の凱歌とゝもに終了した。この爭議によつて勞働者は團結の力なるものを會得し、その後も數次要求書を提出、與の手の罷業をほのめかして運賃値上げをさせた。これがため荷主ならびに運送業者の賃金支拂額は一年に十五萬圓近くの增額を見なければならなかつた。運送業者荷主の間にはいつとはなしに勞働組合の存在をにくむやうになつたのも致し方なからう。

× × ×

かゝる雰圍氣のうちにライジングサン石油會社文坪油潛所の爭議が昨年九月八日突發した　それは内地人の職工監督が一朝鮮人職工を亂打したことから爆發したもので職工側の第一の要求はこの監督の免職にあつた。しかし當時御大典前であつたことから時の元山警察署長は大いにこれを憂慮し、警察側自らの調停案を作成解決をはかつたがそれは勞働者側の要求を大部分容れたかの如き案であつたので會社は容易に應じなかつた。警察では御大典の期日も漸く迫るにつれ解決を急ぎ、つひに會社側にはいきゝか不滿の調停條件であつたが遂に雙方を服從せしめた。卽ちそれは暴行監督の轉出のほか

（一）罷業團から犧牲者を出さぬこと、

（二）罷業中の賃金は日給の四割を支拂ふこと、

（三）最低賃金制、傷病慰藉料、解雇手當の問題は三ヶ月以内に協定することなどであつたが會社側の最も苦にしたのは第三の條項で、これが今回の大爭議の重大なる原因とならうとは調停した署長も豫期しなかつた所であらう。

三

ライジングサンの背扱ひ拒絶から

埠頭人夫解雇となり遂に今回の爭議を惹き起す

昨年九月勃發したライジングサン石油爭議は御大典前のことではあるし警察側でもこれが解決に躍起となつて努力したので、會社は調停條項中の一項、卽ち最低賃金、傷病慰藉料、解雇手當三制度の制定は非常に不滿であつたがやむなく警察の調停に應じた。しかし會社側はどうかしてこの條項を履行したくないと腐心してゐるうち早くもこの問題の協定期間たる三ヶ月の時日を經過した。一方職工側では首を長くして會社側の協定申出でを待つてゐたが、期限滿了近くなつて何等の沙汰もないので舊臘二十九日勞働組合聯合會から會社側に對し「協定期間も後數日で滿了するから一週内に解決したい」とて聯合會作成の最低賃金その他の原案を提示した、朝鮮にはいまだ最低賃金制など制定したところなく内地でも海員組合その他數團體なので、聯合會では職工の生活費、鮮内各地の勞銀を愼重に調査した上漸く一つの要求原案を作成した。卽ち最低賃金は技術勞働者一圓二十錢、普通勞働者八十錢、婦人勞働者六十錢で驚くほど高い賃金ではない、また解雇手當は技術勞働者九十日分、普通および婦人勞働者六十日分傷病慰藉料は從業により傷病の場合治療期間中日給と治療費の全額を支給し、勞働力を失ふ程度の負傷に對しては三百六十日分の日給を、死亡の場合は六百日分の日給を支給せよとあつた、會社側では熟慮した結果工場長D・K・ケオ氏自ら回答文を草したがそれが爭議勃發の直接原因となつた。

四

× × ×

會社の回答要旨は就業規則職工待遇の内規は只今作成中でこれは職工に直接いふ。大體會社では勞働組合なるものを認めないから交渉する必要がないといふのであつたが、この組合否認の一語が勞働組合を憤激せしめ爭議の導火線となつた。一方職工待遇案は一月十二日職工たちに發表されたが、それは九月の調停案を無視したやうなもので從前よりも改惡だつたといふので職工の憤慨するところとなり、組合聯合會ではこれら職工の意思により十四日午前十時から一齊罷業することを委員會で決議した。これと同時に罷業の結果を勞働者側に有利に導くためライジングサンの爭議を元山にまで延長し石油會社の貨物はいかなる事情があつても絶對に取扱はないとを申合せて卽時運送業者にこれを通告した。

× × ×

十四日午前十時となるや、組合側は一齊罷業を宣告し、一職工が打ち鳴らす鐘の音と共に百六十餘の職工は瞬時にして事務所を包圍し萬歲を唱へ、示威的に隊伍をとゝのへて工場から一人殘らず去つた。

かくて石油爭議は再び展開されたが、こえて十七日元山港に石油會社の板材千八百個到着した。これが取扱ひ店たる國際通運會社では卽日陸あげし倉庫に保管して置くべく人夫に運搬を命じたところが、人夫達は組合聯合會の決議を楯に陸揚げを拒んだ。通運會社は艀から陸揚げせずに置くのは危險であり顚覆した場合巨額の損害あることを說いて百方勞働者に賴んだが組合の決議を重んずる人夫はどうしてもきかない。『よしッ、甲の荷物なら取扱はぬ乙のは取扱ふといふ得手勝手な人夫はもう罷めてくれ』『そんなら罷めませう』とこゝに勞資の交涉は全く決裂し、人夫はこの解雇宣言と同時に埠頭からさつた。その後僅か一時間にして他の人夫までが罷業を敢行した。理由は?

支店長や社員達が埠頭にとび出し齊汗をながして働く

全市の商取引は全く中止さる

ライジングサン石油會社の板材陸揚げを拒んで國際通運會社から解雇を宣告せられた埠頭組第一區の人夫約八十名は一齊に埠頭から立ち去つた。これを見た通運の船內、陸上の兩勞働者は直に集合し解雇の理由を聽いてゐたがこれまた突如「解雇の理由が不法である」として同盟罷業を宣言してそれ〳〵引きあげた。かくて通運の勞働者二百五十名は十七日午前十時ごろから十一時までの短時間にストライキを敢行して仕舞つたので通運側は大狼狽したが、入港中の汽船が出帆不能に陥つては凡ゆる方面に多大の損害をおよぼすところから、翌十八日は早朝から通運社員が脊廣服の上に法被を一着なし支店長から小

五

六

使に至るまで埠頭に飛び出し平素ペンしか握つたことのない生白い手で石炭積込みを行つた。筋肉勞働の苦痛を始めて味はつた脊廣階級の社員は僅か三十分の勞働であぶら汗と石炭粉で顏面の皮膚がひきつり手足は自由を失つたかに感じられた。その悲慘な樣を見るに見かねた國際運送會社の內地人勞働者は會社の應援命令下るとゝもに出動し、これを手傳はんとしたところ朝鮮人勞働者たちが一齊に騷ぎ出した「吾々の同僚が職を賭して爭議をしてゐるのだ。もし諸君が通運會社を應援するなら吾々朝鮮人々夫も義によつて罷業團を應援する」と抗議を持込んだ

× × ×

通運の石炭積込みは國運の手傳ひによつて漸く終つたが、爭議は國運にも擴大した。卽ち國運の二百名の人夫は十八日から同情罷業を敢行したので兩會社は卽時警察に訴へ出て取締方をもとめ、かつ調停方を商業會議所に依賴した。元山署植村署長は卽時通運側代表者と勞働組合聯合會幹部を招致し、雙方の主張を聽いて見たところ勞働者側は「ライジングサンの荷物はとり扱ふことは出來ぬが、その他の勞働には絶對に服する。解雇の宣言を取り消しさへすれば直にストライキを中止する。」と態度を軟げたが通運側は一切をすでに會議所に委託したので今態度を決定しかねると反對に態度を硬化した。かくて署長はにはかに解決し難いのを見て手を引いたが越えて二十日になると元山陸上運輸勞働者約四百名が通運の解雇處分に反對して全部同情罷業を斷行した。

かく爭議が急速に擴大してゆき僅か數日の間に元山における海陸の運輸勞働者千五百名が總罷業狀態に入つたのみならず、製曲(麹)、仲介業、斗量、結卜等計八團體の勞働團體が總罷業に加はり全市の商取引を全く不能に陥らしむるが如き結果に陥らしめたのは彼等無資産の勞働者の行爲としてはあまりに不思議である。のみならず二十一日には調停を依賴されてゐるはずの元山商業會議所が「運送業同盟業者の依賴により今後勞働團體加入者は絶對に雇傭せず。」と直接元山勞働組合聯合會に對して戰闘的?の通告文を郵送し、爾來組合聯合會の潰滅を唯一の目標として進み二十二日から全市の自由勞働者を募集せんとして全然失敗に終つた。裏面には何等かのものが勞働者の後に嚴然と存在してゐなければならぬ。それは今まで商業會議所が目の敵として機會だにあらば粉碎しやうとしてゐた元山勞働組合聯合會の存在である。ではそれは如何なる力と金と團結力を持つて勞働者を擁してゐるのか。また今までの彼等の行動は?

強大なる團結力と豐富なる資力で常に資本家を壓める

勞働團體に會議所反感を起す

今度の元山の大爭議で最も特異の點であげるならば、爭議の範圍が驚くべき急速度を以て擴大し、僅か旬日の間に同情罷業を斷行したもの十六組合に達したことと、元山商業會議所が會議所本來の使命と精神を振り棄てゝ調停を頼まれるや忽ちにして調停の埒外に飛び出し、市內商工業者資本家の最前線に

七

八

立つて直接勞働組合と果敢なる階級戰を演じつゝあることである。特に商業會議所がかゝる爭議の直接の當事者となつたことは全國にいまだその例を見ないところであり總督府さへも元山商業會議所の設立精神を沒却したかの如き行動については种々憂慮し出した有樣である。ではどうして會議所がかゝる果敢なる行動をとるに至つたかそれは元山勞働組合聯合會の組織と行動を知るならば判然とするであらう。

× × ×

組合聯合會は大正十年無産勞働者の經濟解放、知識の向上を目的として生れ、現在では純組合主義的運動のみをなし、鮮內各運動團體のごとき政治運動を絶對に排擊する勞働團體である。そして現在では二十三個の勞働組合と二千二百人の勞働者(それは元山の勞働者の殆どである)を抱擁する全鮮第一の團體である。七年前早くも消費組合を組織し、資金三千圓を銀行から借り米麥、日用品、反物、雜貨を市價の二、三割引で組合員に賣出し、現在では萬餘の資金を運轉する大消費組合に發展した。その後勞働理髮部なるものを組織し、組合員のよもぎ頭を散髮、左わけの別なく十五錢で理髮し、一昨年には勞働病院まで設立した。現在は專屬醫師二名を常置し日々四、五十人の外來患者を診察し、藥價は市價の四割方で施藥し、六〇六號の注射も一回三圓としてゐる。一方勞働者の敎養と訓練に力をそゝぎ洋式會館を建設した。階上を七百餘名を收容する集會所とし、階下は演武場と會議室事務室にあてゝゐる。演武は柔、拳道、力比べ等で團體訓練と身體の健全をはかるのださうで、勞働組合としては全國にも珍ら

しい設備をしてゐる。すべてこれらの建物は組合の所有物となつてをり、月五十錢の規約貯金、月收の百分の一の組合費、電話などを合すれば組合の總資產は五萬圓以上といはれる。

× × ×

この豊富な財と完全ともいふべき諸種の社會的施設を有する組合聯合會の團結力は推して知るべしである。しかも一昨年の運輸勞働爭議によつて團結の絶對的の力を會得した組合員はその力をたのんで今まで幾度となく商工業者に要求書或は決議文を送附して待遇改善を要求し大抵は成功してゐる、これがため朝鮮人商工業者並に內地人の一部實業家は甚だしき經營難に陷つたもの多く、一方埠頭の荷役賃金も清津ほどでなくとも仁川よりはるかに高くなつてゐる かくて運送業者は組合聯合會の要求により年十五萬圓近く增賃金を支拂はねばならぬと悲鳴をあげだした。この金額が事實か否かは別としてもその間の事情は大體推知されるであらう。

× × ×

かゝる事情から商業會議所は次の如く叫ぶに至つたのである。「元山の商業界の發展を期する會議所はかくの如く市內商業者を虐めぬく組合聯合會の存在を否認する。內地からの投資者中にも、あの强大なる組合聯合會の存在を恐れ投資を斷念するものさへあるではないか。元山の發展のために組合聯合會の潰滅を期す。」と、しかし組合の要求が彼等のいふ如く生活苦からか或は會議所のいふごとくせいたく

九

一〇

な生活のための不當な要求であるかは會議所の行動を云爲するものには極めて重大なことである。

姑息な人夫募集は遂に失敗に終り好餌で組合員を釣る

あらゆる策を弄する會議所

元山勞働組合聯合會はその團結の力をたのみとして不法なる運賃値上げの要求をしば〳〵なしたと會議所はいふ。しからば現在の運賃はどれだけ高額であるかといふと、荷揚賃一錢六厘(仁川は七厘)積込賃一錢八厘程度で仁川よりはるかに高くなつてゐるが、清津よりは低額である。勞働者の月收はどうかといふと、最高三十餘圓程度で清津、仁川よりも劣つてゐる、卽ち仁川は物貨が輻輳するため自ら收入增となり、清津は勞賃の割高によるものといはれる。そこで元山勞働組合は一月に入ると共にまた決議文を提出し

一、荷繰賃金の改正

二、荷役中破損または遺失した物貨の損失補償は從來勞働者の全額負擔であつたのを晝間の分は勞資折半にて補償し夜の分は運送店の全額負擔とせよ

と要求した。この要求はこんどの爭議の原因たる通運の埠頭人夫解雇騷ぎのため未解決のまゝ立消えとなつたが、會議所はかくの如く次から次へと新なる要求をしてはばからぬ勞働團體は、元山府のために一刻も早く潰滅せしむべしと絶叫し、態度極めて强硬である。ではあらゆる有益な社會施設をなし豊富な財を有し過去九年間の長い抗爭によつて培つた組合の團結力をいかにして破るか。商業會議所ならびに運送店はいかなる戰術を用ひてゐるだらうか。

× × ×

爭議勃發の當初商業會議所は府內の自由勞働者を狩集めることによつて埠頭の荷役は不便ながら進められると信じ一月二十一日「勞働組合員は絶對に使用せず」と宣言して組合員の勞働者を解雇し、二十二日自由勞働者約百六十名を集めて荷役にとりかゝらしめたところ、組合側は早くもこれを探知し多數の「糾察隊」なるものを繰出して就業を阻止し、容かないものには威迫的態度をとるに至つたので自由勞働者は恐れをなして退散した。かくて商業會議所の最初の作戰は全然不成功に終つたが、あくまでにくき組合を潰滅せんとする會議所は遠く仁川から人夫を募集し短時日に二百四名の優秀勞働者を集め得たので、國粹會の兄哥連に嚴重護衞せしめて二十六日朝元山到着直に稅關倉庫に收容卽日積込作業に從事させた。國粹會員はこの間警察官の警戒區域內でも週り太の杖を持つて橫行し罷業團に對して示威的行動をとり空氣を惡化せしめたので、二十七日元山署から退散を命ぜられた。それはとも角仁川からの人夫募集は罷業團側にかなりの衝動を與へたと共に會議所の罷業破り手段はある程度まで成功した。

× × ×

しかしかゝる少數の臨時人夫では第一元山の商取引を圓滑にすることが出來ず、また二千二百名の勞

一一

一二

働者の集團を破るにはあまりに無力であつた。そこで元山商業會議所では市內の勞働者を組合から脫退せしめる策をとることゝなり、それには彼等を饑えしむるために雇傭契約を破棄するほかに、勞働組合の如き凡ゆる社會施設、卽ち勞働者の割引診療劵の交付とか勞働理髮、勞働風呂、廉賣所などを設置しこの好餌を以て組合員を會議所側に誘き彼等無產者にも今後永久に組合の存在を不必要とせしめやうとの案を立てた。これが果して成功するか否かは甚だ疑はしいが、しかし通運も丸運もこれに贊成し準備を進めることゝなつた。一方清津からも多數の人夫を急募し組合員を大いに困らせやうとしたが、これは清津勞働組合が同情罷業に出かねまじき猛烈な反對運動をなしたのでこれは目下行詰りの形である。

中以下の商賈人が既に悲鳴をあぐ

問題は罷業團の食糧、兩者は日一日と疲れを見せる

以上の如く元山商業會議所は爭議の直接關係者である運送店よりも、週酒店よりも、將又荷主よりも態度を硬化し、市中の商業取引の沈衰を度外視して一意勞働組合の潰滅に邁進してゐる。一方勞働組合聯合會でも漸次硬化し市中の運送方面のみならず生產の方面にも打擊を與へ、以て會議所をして悲鳴をあげさせやうと聯合會加入の總ての組合に對して同情罷業をなさしめた結果、現在では洋服技工、荷車製造精米勞働、印刷職工、製曲勞働の諸組合が一齊罷業し總罷業に加はらないのは罐詰工、靴工、木工同盟等および自由勞働者のみとなり今や未曾有の階級戰の範圍は全市に擴大してゐる。

これがため最も困るのは陰暦正月をあてこむ中、小商人で大資本を有する通運、丸運などでは「このごろ荷動きの閑散期であるのと昨年の旱水害で鮮内生産物の出廻りは非常に少ないから左ほどには困らぬ」と嘯へ煙管でうそぶいてゐる。會議所側もこれら大資本を有する一部會社、大商店の氣焰によつて一層元氣づき一ヶ月以上の爭議にはピクともしないといつてゐるが中、小商人ことに朝鮮人商家の困窮は豫想以上で、爭議勃發以來旬日を經過したばかりの三十一日米穀商韓君弼ら數名の有志は植村元山署長に對し「一日も早く調停者を物色して貰はねば倒產者が續出するかも知れぬ」と陳情するに至つた

× × ×

一方罷業團の困苦もこれに劣らない。爭議の範圍擴大するにつれ聯合會の配給粟によらねば生きてゆかれない罷業團の家族も漸次增加し今では一萬餘に達してゐる。これがため聯合會が最初貯へた食糧貨車三臺分の粟、この約半分の米はすでに配給し盡し、さらに三十一日貨車一臺分二百二十石の粟を購求したといはれる。しかし聯合會の爭議資金にも限りがあり、今後一ヶ月も爭議が續けば彼等一萬餘の家族は必ずや飢餓に瀕するだらう。このとき罷業團がいかなる行動に出るかは極めて重大な問題で警務當局は勞働者たちがヤケとなり保安上重大な結果をひき起しはせぬかと非常に憂慮してゐる。

× × ×

かく治安維持の上から見ても、また元山最大多數の中、小商人階級の利益から見てもこの大爭議を一刻も早く解決しなければならぬとは官民一般の一致した見解である。しかるに今まで誰一人として調停に立たないのは最初調停を依頼されて飛び出した元山商業會議所が、調停の任務を忘れて雇主側の第一線に立つたのみならずその態度があまりに硬化し過ぎたのと、罷業團の態度もこれにつれ同じく硬化し過ぎたゝめ調停者がうつかり飛び込むときは却つて事態を惡化せしむるかの狀態であつたからだといふしかし今では雙方とも疲勞の色があり殊に前記の如く治安上經濟上一日も忽にすることが出來ない今日では、新任の馬野知事か或は鮮内の有力者の奮起を切望せずにはをられないと元山の某有力者は語り、さらに會議所も組合當over

(2) 京 城 日 報 (三月廿六日)

馬野知事の發表

旣に世間で周知してゐる如く、元山勞働聯合會は前執行委員長金璂桓の名に於て、昭和三年十二月廿八日附管下德源郡文坪所在ライジングサン石油會社文坪油精所宛最低賃金、解雇手當、死傷慰藉金等の制度に關する要求書及本年一月三日附元山府内大盛商會外八ヶ商店に宛勞働賃金値下要求書發送を發端として遂に目下紛爭中の爭議を惹起した。

一、原 因

先に昭和三年十二月所轄元山警察署長の調停で解決した文坪油精所の内地人職工監督排斥及賃金値上要求にかかる調停條項中六項目に最低賃金解雇手當、慰藉金支給決定の件あり、これは三ヶ月以内に協定するとありし故を以つて、元山勞働聯合會では十月廿九日附執行委員長金璂楨の名で期前に前記未解決事項の實行方法につき回答期限を定め督促した。會社側は當時既に該規定の案文を作成してゐたが暫く社内の内規として、その所屬勞働者のみに内容を示したのみで、勞働聯合會に對しては一月四日附を以つて規則及内規は不日所屬勞働者に傳達すべきも貴會に對しては回答致しかねる旨返事をした。然るに回答文中弊所に於ては一切の勞働團體を承認せずとの文字あり、勞働聯合會はこの文は即ち勞働聯合會の存在否認なりと憤り會員委員を選み交渉したが互に感情にかられ遂に本年一月十四日元山勞働聯合會は、ラ社に對し同盟罷業を宣言しその職工百四十三名は同日より罷業を決行したのである。又勞働聯合會では元山府内米穀並に魚肥商大盛商會外八ヶ商店に對し、一月三日で十日間の回答期限を附し賃金値上を要求し、次で同様一週間の回答期限を附し國際運輸元山支店及國際通運元山支店に賃金値上の要求をなした。

二、罷業に到りし經過

斯くて勞働聯合會では一月十四日附ラ社關係の一切の貨物は、これを取扱はぬといふ聲明書に基き、一月十六日丸通元山支店扱ラ社行石油函用材約百屯の荷扱を殊更に拒絕した結果、丸通では荷主の如何で運搬せぬような勞働者は運送店として使用する能はず、と宣言し、茲に端を發し一月十八日丸通元山支店は一月十六日附勞働聯合會所屬人夫は一切使用せざるとの聲明を事由として元山入港中の室蘭丸の石炭積込を中途で取止め、續いて同情的罷業は國際運輸元山支店及運送業組合に波及し益々罷業の範圍を擴大せしむると共に本件に直接關係なき洋服、印刷、製靴、荷車製造製麵勞働者等も同情罷業に出で一時は罷業人員一千三百三十八名(一月十九日現在)に及び現在は一千百六十名(三月二十三日)を算する情勢である元山府内の荷主及運送業者側は茲數年間に亘り勞働聯合會のために罷業を以て威嚇せられ、勞銀の値上を餘儀なくせられたこと一再に止まらず、又常にその强大な勢力に壓迫され怨を呑んで今日に到れりと稱し、一方勞働聯合會側はこの間完全に元山府内の勞働を獨占掌握して專恣橫暴の振舞尠からず、爲に元山府内の輿論は勞働聯合會に對し何等かの根本的治療を加へ局面轉回を圖らぬと元山府の發展は到底望むべからずとなしてゐる。たまたま今回の事件の突發するや雇主は多年の惡弊を芟除するは將にこの機會にありとなし、互に深き決心で團結を强固にし本件を商業會議所に委託し夫々陣容を整備し決然立つて勞働聯合會に對抗した。

三、罷業の經過

爾來兩者は强抗してゆづらず（この間勞働者側で暴行脅迫もあり）荷主側では一月廿六日仁川より人夫二百六名を雇入れ（三月五日全部送還）間もなく咸南勞働聯合會を組織し、元山在住の閑散人夫を集容し訓練を施し、啻に勞働者の不足に惱むことなきのみならず、今日に於ては却て勞働者過剩の現象を呈するに到つた。勞働聯合會では團體の結束を一層强固にし、あらゆる手段を講じ罷業資金の調達、會員の團結を固め來つたのである。

四、當局の態度

本道では爭議當事者の態度極めて强硬で、互に相讓らぬ狀況にあるのみならず元山の勞働者需要は現在一日最高七百に達せぬ實狀であり、罷業が一般の商況に影響する所、極めて輕微であり、而かも勞働聯合會の主義綱領が甚だ不穩且つ幹部の態度又頗る過激なりしため進んで調停の勞を執らす專ら嚴正公平一に治安維持の任に當り、徐に勞働聯合會の自覺の時を待つてゐた。然るに最近勞働聯合會は主義綱領を穩健に改變し、幹部をも更新し以て荷主側と妥協の意あるを示すに到つたのである。即ち勞働聯合會執行委員長金泰榮（二月六日金瓊植にかはる）は最近元山府尹を訪問して當局の斡旋を懇願する所あり。且つ雇主側でも勞働者の立場に同情し、聯合會と關係を斷たば何時たりとも雇入るることを聲明してゐた事情もあり勞々兩者妥協の餘地を認め双方の代表者につきその眞意を質した所、兩者虛心坦懷意を披瀝する場合は必ずしも妥協不可能に非ざることを認め目下極力折衝、一日も早く本爭議の解決せんことに最善の努力を拂つてゐる。

（毎日申報は本文を全部掲載し他の諺文紙は當局の態度のみを掲載せり）

二、爭議日誌

一、十二月二十九日　聯合會文坪油槽所に手當規程等制定を要求
一、一月　三　日　同　大發商會外九店に勞働賃金値上を要求
一、一月　四　日　「ラ社」勞働團體を認めざる旨回答
一、一月　十　日　聯合會、通運運輸に賃金値上要求
一、一月十四日　文坪製油勞働、文坪運送勞働組合罷業斷行
一、一月十七日　通運會社仲仕六十餘名ラ社「マーク」入荷物の取扱を拒絕
一、一月十八日　埠頭勞働組合第一區第二區、運送勞働組合第一區、船舶勞働組合第一區罷業
一、一月十九日　運送勞働組合第二區、船舶勞働組合第二區罷業
一、一月二十一日　運送勞働、船舶勞働組合の殘部罷業
一、一月二十二日　斗量勞働、海陸勞働組合罷業
一、一月二十三日　結ト勞働、運搬勞働組合罷業

一、一月二十四日　元山仲介、製曲勞働組合罷業
一、一月二十六日　仁川勞働者到着
一、一月二十七日　洋服技工組合罷業
一、一月二十八日　製曲勞働復業
一、一月二十九日　印刷職工、荷車職工罷業
一、二月　一　日　洋靴職工、製曲勞働（更に）罷業
一、二月　一　日　聯合會各職工組合に就業を命ず
一、二月　二　日　洋服職工、印刷技工復業
一、同　　　日　馬車組鮮人罷業
一、二月　三　日　製曲勞働復業
一、二月　四　日　荷車職工元山仲介復業
一、二月　六　日　洋靴職工復業
一、二月　七　日　執行委員長檢擧
一、二月　九　日　金泰榮委員長代理となる
一、二月　十　日　聯合會家宅搜索

一、二月十四日　市民協會調停に奔走す
一、二月二十日　市民協會調停案提出
一、二月二十一日　同決裂
一、同　　　日　會議所新勞働會創立を決議す
一、三月　二　日　「ラ社」人夫滿員
一、三月　七　日　聯合會幹部總辭職改選。「マーク」綱領の變更を議す
一、三月　八　日　咸南勞働會創立
一、三月十八日　府尹調停に出馬
一、三月二十一日　仁興組八名就業
一、同　　　日　聯合會內紛を暴露す
一、三月二十五日　馬野知事聲明書發表
一、同　　　日　運搬勞働、結ト勞働復業
一、三月二十六日　府尹の調停決裂
一、三月二十七日　聯合會結ト勞働、運搬勞働に復業を命令す
一、三月二十九日　「ラ社」職工咸南勞働會に入會

一、四月一日　暴動化
一、四月三日　再度の襲擊
一、四月四日　委員長代理金昌淵檢擧
一、四月六日　自由就業命令
一、四月十七日　運搬勞働、結ト勞働解體
一、四月十八日　埠頭組合以下續々脫會

三、元山勞働聯合會の組織

元山勞働聯合會は
大正九年二月十六日京城府齋洞五四番地に於て金光濟等が勞働大會を組織し各地に支部を設くることゝなり、同年七月二日李元錫が支部長となり、勞働大會元山支部を組織したけれども秩序紊れて統一困難なる爲め李永植、金瓚植、金京模等三名の斡旋にて前記三名の外韓璣洙、金大鉉、安商柱、趙鍾九、魏貞範、南觀容、朴昌祚、韓致恒等理事となつて大正十年三月十五日元山勞働會として創立總會を擧げ、爾後十四年十一月八日元山勞働聯合會と改稱し、昭和三年五月六日第十二回定期總會迄に七回に亘り綱領

規約の改正を爲し現在
一、勞働運動の統一と無產者の世界的提携を圖り無產階級の解放を期す
一、教養に努力し勞働者の智識を啓發し當面の利益を圖り政治的又は經濟的より勞働者の生活を向上せしむ

の二綱領掲げ、規約第二條には『本會は朝鮮勞働總同盟の綱領及本會の綱領を貫徹するを以て目的とす』とし附屬事業として消費組合を經營し、穀物部、雜貨部、理髮部の三部の外別途經營の方法に依り醫師二名を雇傭し勞働醫院を附設し、約八千圓の不動產(家屋器具)を有して居る。思想系統は서울靑年會系に屬し運動方法は比較的堅實であつたが火曜會系共產黨員の喰込軟化運動が奏効し昭和二年一月以來(イ)非妥協を絕叫せる標語を定め(ロ)主義書籍は會の公金を以て講讀せしめ(ハ)第一次共產黨公判に策動し(ニ)運動方針を元山に局限せず世界的勞働者の提携を唱へ(ホ)新幹會と提携し(ヘ)文盲退治運動に力を注ぎ(ト)中國革命の聲援を敢てし(チ)勞農露國を模倣せるマークの制定を爲す等漸次赤化運動に傾きつゝある中、昭和三年三月より七月に亘る京城鍾路警察署、新義州警察署、平壤警察署、京畿道警察部等に於ける朝鮮共產黨檢擧に依り之に關聯せる李啓心、金大鉉、張基郁、安夢龍、韓明燦、朴泰善等の指導運動者が檢擧さるゝと共に共產黨指令に基き軟化運動に狂奔せる李鏞林國外に逃走し一時共產系の策動は其の影を潛めるに至つたが勞働者の一致團結の力は益々强固となり次表(1)に示す二十六回の爭議を悉く勝利せしめ遂に最近其下に擁する大衆の力を以て雇主側を威壓し橫暴を逞うし

以て其の發展を策して居たのである。

元山勞働聯合會の爭議に介したる回數調査表

開始月日	終結月日	爭議の主體	參加人員	摘要
大正十四年一月二十一日	同二月十五日	元山勞働會	六〇	元山客主組合に對し明太魚運搬賃の値上を要求し其の一部を値上せしめて解決せり
同七月二十八日	同十月十四日	同	一七〇	元山府海岸埋立工事人夫勞賃値上を請負者に要求し罷業したるも人夫中農民介在し統制を缺きて不得要領に終結せり
大正十五年一月二十五日	同一月二十七日	結ト組合	三〇	客主組合に對し荷造運賃値上要求を爲し目的の一部を達して解決せり
同二月二十七日	同三月一日	元山洋靴職工組合	二〇	賃金値上要求を爲し一部要求を容れしめて解決せり
同三月五日	同三月十五日	遜興印刷所職工	五	勞働聯合會後援の下に賃金値上要求したるに雇主側大半の要求を容れ解決せり
同三月十四日	同三月三十一日	小林印刷所職工	一四	同上右
同三月二十八日	同四月一日	吉田印刷所職工	六	勞働聯合會の後援に依り小林印刷所職工の同情罷業と稱し賃金値上を要求し有利に解決せり
大正十五年三月二十八日	同四月一日	三菱堂印刷所職工	六	同上右
同三月二十二日	同四月二十四日	勞働聯合會		客主組合に對し運賃値上を要求し交渉の結果全部を承認せしめて解決
同七月十六日	同七月二十日	結ト組二區	六〇	海東回漕店に對し荷揚賃不拂に關し聯合會より抗議し支拂はしめたり
同七月十九日	同七月二十日	同	六〇	尹某商店に對し運賃不拂に關し聯合會より抗議し支拂はしめたり
同十月十三日	同十月十八日	海陸、埠頭兩勞働組合		賃金値上要求を爲し聯合會の仲裁に依り要求の一部を達し解決す
同十一月二日	同十二月三日	三光組	二〇	船井回漕店に對し木材荷揚賃金値上要求を爲し有利に解決せり
同十一月二十九日	同年十二月三日	運送組合	四〇	賃金値上要求を爲し荷主側讓歩し勞働者側有利解決す
同十二月十三日	同十二月二十日	木工同盟	二四	賃金値上待遇改善を要求罷業せるを聯合會にて後援有利解決せしむ
昭和二年三月八日	同三月十日	明石精米所人夫	四三	賃金値上要求を爲し聯合會の仲裁にて要求の半額値上して解決せり

年月日	年月日	団体	人数	概要
昭和二年六月六日	同六月十三日	聯合会	一、〇七九	元山各荷主側に要求したる賃金値上問題は聯合会員の総罷業に依り要求の大部を達して解決せり
同九月十四日	同九月十六日	木工同盟	二八	賃金値上要求し五分乃至一割五分値上して解決せり
昭和三年三月五日	同三月七日	理髪職工組合	二二	聯合会の支持に依り賃金値上待遇改善要求を為し一部目的を達し解決す
同四月五日	同四月十三日	運送労働組合	一八四	通運会社より賃金値下を為さんとしたるに対抗罷業し従前通りとして解決せり
同九月三日	同九月十四日	製錬労働組合	四〇	賃金値上要求を為し目的全部貫徹
同九月七日	同十月六日	文坪製油労働組合	一五四	ライジングサン文坪油槽所にて職工より待遇改善賃金値上要求同盟罷業を為し労聯の援護にて労働者有利に解決せり
同十月八日	同十月十七日	文坪進興組	一四	聯合会の支持を受け文坪丸文運送店に賃金値上要求を為し全部貫徹
同十月十九日	同十一月一日	元山洋服技工組合	一一	労聯の援護を受け賃金値上要求を為し一部目的を達し解決せり
同十一月三十日	同十二月七日	聯合会		一般穀物商に対し運搬賃金値上を要求し一部目的を達し解決せり

二五

年月日	年月日	団体	人数	概要
同十二月五日	同十二月八日	丸三精米所人夫	一七	賃金値上要求を為し一部目的を達し解決せり

元山労働聯合会細胞団体一覧表

労働組合	小細胞団体	員数	組合長書記	使用店主
結ト労働組合	第一区	七五	長 呉貞河 書 朴来彦	元山貿客主組合 各商会商店
同	第二区	六七	同 金徳守 同 南相九	右に同じ
運搬労働組合		八四	同 黄洛泰 同 崔明嗣	右に同じ
埠頭労働組合	埠頭組一区	五六	同 宋龍福 同 金中甫	國際通運
同	登負組一区	四一	同 朴允植 同 沈允燮	國際運輸
運送労働組合	丸三組三区	五二	同 白君善 同 元斗煥	丸三運送大盛商会 丸三精米所

二六

労働組合	小細胞団体	員数	組合長書記	使用店主
運送労働組合	通運組一区	八八		國際通運
同	丸運組二区	二三		國際運輸
同	義興組四区	一四		鈴木運送
同	新興組五区	一五		丸十運送
同	玉林組六区	一七		玉林運送
同	丸成組七区	一八		北鮮倉庫大和運送
同	仁興組八区	八		丸興運送
同	大興組(九、一一)	一八	長 崔引學 書 金炳程	元興運送
同	一〇区	一四		

二七

労働組合	小細胞団体	員数	組合長書記	使用店主
同	一二区	二六		
斗登労働組合	昌設組一区	七二	長 金成吉 書 金京植	金成宣[illegible]各運送店、米穀組合
同	新設組二区	三三	同 崔仁禎 同 植昌明	㈱元東川上横山[illegible]商会 金水根趙秀一
船舶労働組合	本船組一区	七四	同 曹永叉	國際通運
同	運設組二区	三八	同 裴元燮 同 金永剛	國際運輸
同	船吉組三区	二四	同 金炳燮	三島発動汽船艀船組合 船作田商店
同	船興組四区	一七	同 金秉治 同 金潤所	平川回漕店
海陸労働組合	淡盛組	六一	同 李永桁 同 金俊甫	森、徐興泰商二成共信商会
同	三勢組二区	一八	同 崔吾東	三田商店

二八

海陸勞働組合	三榮組三區	五七	長 韓斗星 幹 金德鉉	和田梁田畠谷本福田會一 成野店製造社
同	三光組四區	四八	同 石俊化 同 鄭淳元	木本精米所
車運勞働組合	中車組一區	一三	同 金仁神 同 邊基詳	府内一般
同	兩羽組二區	七		兩羽商店
	松本組三區	一〇		松本商店
	馬車組四區	一五	同 梁増達	府内一般
	臥牛組五區	一三		同
	一與組六區	二七	同 洪基福	同
元山印刷職工組合		四〇		

元山木工同盟		二〇		
同洋服技工組合		一五		
同理髪職工組合		一二		
同洋靴職工組合		一七	長 李景燦	
文坪製油勞働組合		一〇三		
元山汲水勞働組合		二三	同 李植璉	
元山仲介組合		三〇	同 許承河	
製油勞働組合		五三	同 池學萬 同 鄭可鉛	
其他	個人加入（合同八組）		一三六名	

計		五〇	一,五九二

外に青年部消費組合の二部あるも人員重複するに付之を省略す

今新聞紙の報する該團體の記事を示して見よう

朝鮮日報 （二月十二日）

爭闘中の元山勞働聯合會と其の内容

未曾有の罷業の起るまで

一萬餘石の食糧まで準備して一萬餘名の罷業團の生活を月餘に亘つて支持し、何等後顧の憂なからしめたばかりでなく、今後と雖も五六ヶ月は罷業人夫をして泰山の安にあらしめ以て食糧を供給して行くことが出來ると傳へられてをる元山勞働聯合會が、斯く巨大なる財産を有つてをつたことさへ既に一般驚異を與へたことであるが、一歩を進めて其の内部の組織や、團結の方式や、指導精神や、無産者のに盡して來たことなどを詳細に研究する時、一層の驚異を感ぜずにはをられない。

この箇所は底本において破損しています。（不二出版）

二大綱領の下に會員二千名集る

運動の統一と、無産者の世界的提携を圖り、無産階級の××を期す。

一、教養に努力して勞働者の智識を啓發し、當面の利益の爲めに闘爭し、以て政治的又は經濟的に勞働者の生活を向上せしむ。

といふ二章の綱領を掲げて此の聯合會が創立したのは今より九年前の一千九百二十一年三月十五日であつた。その當時元山にあつた勞資兩階級の陣營を見るに、資本主側にては舊韓國商工部より認可を受けたる元山商業會が日韓合併後變更となり、客主（問屋）組合なる貿易商等の機關となつたが、其の外に仲介組合なるものがあり、明太商組合があるのみであつた。

× × ×

一方の勞働者側には純然客主（問屋）組合の附屬たる勞働會なるものがあつたのを、後の組合長金瓊植氏が一千餘名の勞働者を引取り始めて勞働聯合會なるものを創立し、元山に於ける海陸運輸勞働者の殆んど全部ともいふべき一千八百餘名と、又技工的職業に從事する洋服、印刷、製帽、製靴、等のあらゆる勞働者約四百名、總計二千二百餘名を包容してをる今日の盛況に至らしめたのである。この聯合會なるものは、職業と場所とに依つて作られた二十三組合を合同した聯合會であつて、又其の中には場所を一層細別して作つた六十餘個の「班」なるものが個々に組織されてをるのである。

班、組合、聯合會の三段にした組織體

かく六十餘個の『班』を集めて三個の組合となし、その組合を纏めて一個の聯合會を結成したもので

あるが、此の三段組織の勞働會にては如何なる事業を爲さんとするものであるか。

一、勞働運動の前衛軍を養成する爲め、講習所並に學校等を設く。

二、勞働階級に階級意識を促進する爲め新聞雜誌の經營發行並に巡廻講演、講談等を爲す。

三、各地勞働運動、靑年運動、衡平運動、女性運動を恒に調査す。

四、本會各細胞團體員を以て消費組合を組織し、組織員の生活上必要物品を購入供給す。

而して、其後八九年間に何の程度までのこれ等の事業を爲し遂げたであらうか。

無產階級の向上と文盲打破運動

斯く朝鮮勞働總同盟の綱領と自らの二個の綱領とを完全に貫徹する爲め、元山勞働聯合會にては昨年より前衛軍を養成する爲めに「靑年部」なるものを新に設け、現に約四百名のプロ靑年を集めて甚だ階級的訓練を與へてをるのである。殊に幹部の語る所によれば今年の夏には講習會を開き種々の理論と實際を並せて敎へ込む方針だといふてをる。その外にも「階級意識を促進する爲めに新聞雜誌の編纂や巡廻講演會を開催する」と標榜してをるが、其實行方法については種々の腹案もある模樣である。今日の所先づその表面に現はれた事蹟を擧ぐるならば、勞働者の文盲を絕滅する方法として之に全力を注いでをるが、日々汗水流して働いて來た者等に對し夜學にしろ何にしろカーギャーコーギョー（가갸거겨）を敎へてそして成人させて行くことは仲々骨の折れるばかりでなく、實際問題としては困難事に屬する

ので聯合會では彼等會員を隨時に各處に集めて置いて、所謂物識りの一人が出張し、各種の新聞や雜誌や著述を聲高々に讀み上げ之を聽かせ、又問題每に詳しく講釋して、勞働者自身が當然有たねばならぬ智識や或は世界の出來事を注入して彼等の啓發に當つてをる。多分近い將來に於いて勞働讀本や、パンフレットの如きものも出版するだらうといはれてをる。現に角幼稚な朝鮮勞働者を指導し啓發するには卑近な方法を以て導き實効を擧ぐることに努めてをる。

消費組合の設立と勞働病院の經營

しかしこれよりも刮目すべき事業は消費組合の經營と、勞働病院並に理髮所、救濟部等の直營である。消費組合は一昨年初めて創設したのであるが、組合員等が加入當初に一人每に二十圓宛出資（但十回分納）したものであるが、最初は元山の有志十八名の連署にて銀行から借入れた金八千圓を基として物品を購入し事業を開始したのであるが、其の內には穀物部、雜貨部の二部があり、會員の生活必需品を市內の相場より二割乃至四割位の廉價で供給してをり、一ヶ月間の取引高は如何に少ない月でも一萬二千圓を下ることはないといはれてをる。又其の品物を買ふには組合から豫め會員の收入と家族の狀態を調査したものを基とし其の程度に必要なる分量の米穀券及び雜貨券を與へて其の範圍內にて購入せしむることにしてある。何はともあれ元山里にある組合倉庫と事務所の前には恒に購買客混雜し繁昌してをる。殊に今日消費組合の運轉資金は三四萬圓に達してをり常に圓滑なる運轉を續けてをる。

患者の延人數は一年二萬に上る

聯合會が經營する勞働病院には數年前まで咸北に於ける社會運動の鬪士として名の聞へた京城醫專出身の車哲淳が院長としてをるの外、醫師一名、產婆一名、藥劑師二名、看護婦四名をり、入院室も十數室を有する堂々たる大病院であつて、組合員には藥價四割引を以て與へてをるので每日患者が六七十名を下らず一年間の延人員は實に二萬一千餘名に上る又入院患者も、四時病室滿員大盛況で他は推して知るべきである。理髮所も十五錢づつで刈るので二千の組合員と其の男家族で常に大繁昌を來してをる。

規律井然たる救濟部の事業と內容

又救濟部なるものは聯合會の細胞團體たる各勞働組合每に設けてあつて、組合員にして結婚するものがをれば其費用は組合から負擔してやり、御馳走の如きも組合員が作つてやり、又結婚式になくてはならぬ親戚總代の代理や、新郎の乘つた馬の手綱取りや、新世帶の爲の新しい商間に至るまでも準備してやることになつてをり、又葬式の時も同樣で輿かきまでも組合から出してやり、一週忌だとか、祭日の時などもも組合から種々面倒を見てやることになつてをるので、組合に加入してさへをれば、これ等のことには何の心配もいらぬ譯である。又若し病氣にでもなれば藥代として金を貸してやり、誰れかに毆られたなぞいふ時には多勢の者が押しかけて行つて復讐をしてくれるなぞ、現に角組合員たる者は同一の境遇にをる勞働者であるのだといふ意識から出て來る相互扶助を實際に行ひ又行はんとしてをるのである。

玆に其一例を擧ぐるならば

昨年三月組合員禹尙俊（三〇）なる者が埠頭にて仕事中、過つて重傷を負うたことがあつたが、組合では早速雇傭者たる國際運送に交涉して治療費として金五百圓を取り、其の金で五ヶ月間も入院治療せしめた後、各組合から五圓宛、各個人から若干づつ集めた金合計三百圓を作つてやつたので、同人はそれを資本に小さな木綿屋を始めたが、一家の者はそれで充分に生活が出來るやうになつてをる。

然らばそのやうな救濟費は一體何處から出て來るかといふに、それは最初組合員が組合に入會する時に出す加入金を巧に廻はして、其の利子から種々の救濟事業を爲してをるのである。

團結精神と賃銀分配方法

各勞働組合の賃銀分配方法は殊に嶄新なるものあり、組合內に於ける各「班」にをる者が五十名でも八十名でも「班」全部が埠頭或は稅關の如き所で稼ぎに出る時各々自己の能率に伴れ每日七十錢受くる者もあり一圓五十錢宛受くる者もをるが全部の者が受けただけの賃銀を「班」に持ち寄り、病氣で出られなかつた者や年老つて働けない者も一人として數に入れ、又聯合會や自分所屬の組合も一人分宛の數に入れたる後之を平均に分配するのである。故に一度組合に入りさへすれば、病氣に罹つても收入があり、負傷しても賃銀が貰へるといふ組織になつてをるから安心して働けるのである。そして組合員は其の收入の百分の一を會費として聯合會に別に納入するのである。

現在聯合會に加入せる細胞團體數

この聯合會に屬してをる細胞團體なるものは

運送、船舶、埠頭、運搬、結ト、斗量、海陸、車運、合同、罐詰等の各勞働組合等

此の海陸勞働者を職業別にすると

洋靴、木工、印刷、理髪工、精米、同友、汲水、仲仕、洋服技工、荷車職工、製油、製類等の各組合であつて元山中の各組合を全部網羅せるの感がある。彼の今回の罷業一たび起るや全元山の總ゆる機關が一齊に停頓狀態に陷つたのも偶然ではないのである。

聯合會員の地方別、委員長金瓊植氏の爲人

而して二千二百名の會員中に、何の地方の人が最も多いかといふに平安道、江原道、咸鏡道が一番多く、其の次には慶尙道、全羅道、黃海道の順序である。この大機關を運轉して行く機關を見るに、各細胞團體代表者を網羅せる代議員會——（四十一人にて組織）が最高中央執行機關であつて、其下に執行委員會や檢査委員會があり、總會は毎年四月に開く。委員長は無報酬、常務委員四名は二十五圓宛の手當を受けてをる。

× × ×

今日これだけの團體となり、一萬數千名の大家族を養つて行く此聯合會が、此の盛況を見るに至つた

三七

のは委員長金瓊植氏の力である。氏は水原の人で、舊韓國時代に畿湖學校と（現在の中央高普）外國語學校を卒業したる後畿湖學校に學監として多年就職し獨立協會に入つて活躍したとがあり、度支部に奉職したる後時勢一變を見て海外に走り、大正八年の騷擾後、元山に移住し聯合會を組織したのである

一年の會費七千餘圓

勞働聯合會に屬する勞働者二千餘名が一年間に働いて來る賃銀の總計は、實に七十餘萬圓といふ巨額に達し、會員等が規則通りに其收入の百分の一を納めるものだけでも、一年に七千餘圓となり、其他毎日の六十餘個所の「班」から入つて來る聯合會としての收入が毎年數千圓に達し消費組合や勞働病院や理髪所よりも多少の收入があり、又加入の時に納入する參加金三十圓、消費組合が加入金二十圓等があるので、更に角組合からの一言でスグ動かすとの出來る金が數萬圓備へてある譯である。昨年聯合會の事務所を七千餘圓で新築したので資本が若干減少したが、九年間もかかつて資金の蓄積に努力した組合だけに、財政上の基礎は堅く今回の盟罷を斷行するに方つても「今日から五六ヶ月間は一萬餘の家族に食糧を提供する」と幹部が聲明した位であつて、世上によく見る空手形ではないのである。聯合會が今日まで一個月以上も一絲亂れず支へて來たのも所以のあるとであつて、粟代だけに一月一萬五千圓の豫算であるといひ、兩三日前も滿洲粟四百餘袋を買ひ、現金で三千三百餘圓を支拂つた位である。

三八

團結の爲め會員を嚴選

この種々の準備から見れば「何か事を起さうとするには相當の資本金から充分にしなければならぬ」といふ、聯合會の精神を充分に知るとが出來るのである。「堅い團結をしやうとするには烏合の衆ではだめだ」自由勞働者を聯合に入る時には加入金卅圓と、消費組合に廿圓の出資を強ひる等金錢上の嚴格なる制限が附せらるゝ譯で、會員を如何に嚴選してをるかが判るであらう。それが爲め會員たらむとする自由勞働者は五十圓の加入金を作る爲めに、酒を止め煙草を斷つて金を作り參加するのであるが、それでも元山に於ける勞働者の九割迄加入してをるを見れば、彼等勞働者に聯合會なるものが如何に見へ、且其參加に依つて受くる利益が如何に廣大なるかが想像されるであらう。

讀書、運動其他の設備

記者（朝鮮日報記者）は總罷業斷行印後の聯合會事務所を訪問した。其時先づ第一に眼に映じたものは、一同が悲痛な決心を爲し默々として座つてをる幹部や、會員の樣子も樣子であるが、壁に掛けた有名な人等の照像や、聯合會の種々な會合の時に寫した紀念寫眞や、或は何年何月何日には何をした彼にをしたと書いて貼つた年代表や、書籍棚に飾られたいろ〳〵の書籍などが爭議本部の空氣を彩つて餘りあるものであつた。又廣場には會員の筋肉運動に資する爲めの鐵棒や其他の運動機具の設備も十分にされてをるやうであつた。二階の會議室は四五百名の會員を充分に入るゝに足る廣さがあり。又それ相當の椅子が準備されて居た。其の正面の壇上には「八時間勞働制を確立せよ」「萬國の勞働者よ須らく團結

三九

せよ」「環境は意識を支配する」等のスローガンが墨痕淋漓たるものであつた。斯かる雰圍氣からはぐくまれた勞働者の團體が、今回のやうな全元山商工階級を相手にして大爭議を起したのである。然らば如何なる動機から此の總罷業にまで至つたのであらうか？その後の經過を一わたり眺めねばならぬ。

罷業の發端は「勞働團體不承認」から

いま、今回の大爭議の眞相を極く簡單に述ぶるならば、昨年九月八日、元山より北方三里の地點たる文坪に所在するライジングサン石油會社出張所で、或る朝鮮人の勞働者が日本人の監督から毆打されたとがあつた、乃で同工場で働く朝鮮人勞働者一百廿餘名は憤慨して會社にその日本人監督の解雇を迫つたが、何のニべもなく拒絕されたので同月十三日から終に盟罷を斷行するに至つた。然るに、會社側ではこれが調停を元山警察署長に依賴したので、十月五日署長の面前で會社側代表と、職工側代表とが集るつて

一、同監督を解雇すること

二、罷業團に犧牲者を出さぬ事

三、罷業中の賃銀を四割拂ふ事

とゝし、又職工側から出した。

最低賃金、解雇手當、病傷者慰藉金の制定

四〇

等は大阪、神戸等の他の工場に於ける實例を參酌する必要があるので、三個月以內に協調に應ずることに決定し、二十四日目に職工側の勝利を以て解決したのであつた。その三個月目の期限たる十二月二十八日になつたけれども、會社側から何等の回答がないので元山の勞働聯合會（文坪製油勞働組合は復業後聯合會に加入した）にては催促を兼ねて、問題の最低賃金等を下の如き案を作つて通知をしたのであつた。

一、最低賃金は從來普通勞働者七十錢なりしを八十錢に、婦人の四十錢なるを六十錢に技術者の一圓二十錢なるはそのまゝとす。

二、解雇手當は技術勞働者九十日分、普通六十日分、婦人も六十日分

三、從業中の死亡者は六百日分、負傷者は治療費全部と其間の日給支出

而して一月三日に至つて會社から漸く回答が來た。

曰く最低賃銀の如きは會社の內規上外間に發表することは出來ざるのみならず、會社としては目下制定中である。又我が會社としては一齊の勞働團體を承認せず。

といふのであつた。茲に於いて聯合會にては勞働團體を認めず云々の語は、世界の勞働團體を侮辱するものである。且會社が三個月前の約束を守るや守らざるやを知る爲めにとて、其の內規なるものゝ發表を要求し、十二日に至り秘密に發表された。

大罷業の發端

職工側の主張によつて內規の發表はされたものゝ、それは以前とは打つて變つた苛酷なものであつたので、職工側は遂に聯合會に指令を仰ぐに至つた。茲に於いて聯合會にては緊急委員會を開き十四日朝十時より文坪にては罷業を斷行せよ、總ての細胞團體にては石油會社の荷物は一切取扱ふ勿れと決議した仍で十四日午前文坪の組合員百六十餘名は鍾聲と共に石油會社事務所の前に集りて、罷業宣言を爲すと共に示威運動を爲し各歸路に就いた。これを以て三百萬圓の資本を投じ晝夜巨大なる生產を爲してをつた大工場の活動は止つて了つたのである。これが朝鮮勞働運動史上に大記錄を殘すべき今回の大罷業の發端である。

埠頭勞働者の同情罷業

然るに罷業の火焔は瞬く間に元山まで捲き込んで了つた。從いて四日目の十七日には元山埠頭に石油會社の石油箱一千八百函が到着したが、しかし聯合會の指令に絕對服從する埠頭勞働組合員六十餘名は其の荷物を船から卸すことを拒絕した。そこで從來同社をお得意として專門に扱つて居た國際運送會社ではお前達がそんな態度を取るんなら、石油會社の荷物ばかりではない、外の荷物も扱はせないと六十名全部を解雇して了つた。そして、運送店の事務員達をして荷物を卸して倉庫に納め出したので、今度は國際の人夫達が承知せず『資本家が資本家の仕事を應援するんならば、我々は我々勞働者の應援をす

る』と同情罷業を爲すに至つた。斯くて僅か二日の間に四百五十名の罷業を見るに至つた。尙長津水力電氣の鐵材や其他の貨物を山のやうに積んで入港した立神丸や、白頭山丸等每日八九隻の汽船は荷を卸すとも積むとも出來ず海中に立往生の喜劇を演じ、會社側にては莫大なる損失を蒙りて狼狽し、事件を警察署長に訴へたのであつたが、聯合會側では『解雇宣言だけ取消せば、卽時復業する』と聲明したので、同署長は事件が簡單に片付くと信じ、會社側に聯合會の要求通りにするやう勸むる所があり、運送業者側も之に應じやうとしてをつたのに、何う思つたのか突然一切のことを元山商業會議所に一任するに至つた。

廿三日に總罷業斷行

然らば調停の依賴を受けた第三者たる商業會議所はその間如何なる任務を盡したか。問題の相手たる勞働聯合會を一回でも訪問して一言半句の交涉をしたであらうか。訪問どころではない二十一日に『雇主側の依賴なれば聯合會員は一切使役しない』といふ通告文を聯合會宛に發送すると共に、府內に於ける自由勞働者を驅り集むるに至つたので、之を見た聯合會は事件が餘りに奇怪な方面に展開するので廿三日緊急委員會を開催し、今後の事は各細胞團體の自由意思に一任することを決議したので、廿三日よりは遂に元山全體に至る總罷業が斷行され、爭議參加人員は實に二千名に達し、元山のあらゆる生產機關は休息狀態に陷るに至つた。然らば何うして元山の商工階級の代言者たる商業會議所が何の爲に雇主

側を代表して聯合會に挑戰するの態度を取つたのであらうか。

聯合會の强みと弱點

勞働聯合會側では、今回の爭議に就き、如何なる强みと弱點とを有つてをるかといふに

一、資金豐富にして持久戰繼續の可能なること

二、組合員等が幹部を絕對に信任しをるを以て、反動家の操縱に操らるゝ危險と、自體內の分裂の念慮なきこと

三、爭議の爭點が單純に團體承認及團體契約權確立（文坪は新たに獲得、元山は從前の通り）に在るを以て、世界思潮を理解する一般社會の輿論的支持と聲援とを得らるゝこと

四、爭議開始以來、罷業團の態度比較的公正にして又飽くまで合法的戰術を採れること（例へば咸興、新興、元山等主要都市の消燈を憂慮し、特に發電上必要なる重油の輸送のみは始終一貫して繼續し來れるが如きこと、又同情罷業せる印刷、製油、車輛、洋服、洋靴等各技術團體の如く直接關係なき勞働組合に對しては、市民の苦痛を憂慮し數日を經ずして復業を命令せる等）

六、組合員の賃銀は仁川、鎭南浦よりは若干高いが、淸津等に比較すれば低廉であり、又取扱ふ物貨の數量が少く一人當り月收入平均廿五圓內外なれば、五六名の家族を有てる勞働者の生活費としては最低程度たるべく、故に、先づ人道上の見地よりも組合員に同情のあること

七、肥料一桶取扱に雇主側は荷主から七十錢を受取り勞働者には僅か七錢五厘を與へ、其の殘餘六十餘錢を全部自己の收入とし、其他にも勞資雙方の利得は其の均衡を失へること太だしき故、假へ賃金增額要求があつても勞働者側は別に無理ではないこと

八、元山市民の三分の一が、罷業者及び其家族なるを以て、社會政策から見ても全然失敗に終らせることは出來ぬこと

等であるが、その反對に爭議に對して敗北を見はせぬかと憂慮さるゝ點は

一、全朝鮮第一といはるゝ程、會員數多く、團結力強く、財政的基礎確立せる團體なるを以て、脅威と不快を感じてをる或る方面からの意識的中傷を誤信し、或は脫線的制裁をしはすまいか？

二、而して現在聯合會側では、委員長以下卅四名の收監者と數名の拘禁者を出してをる事實ある點から見て、前途に倚ほ犧牲が增加しはせぬかと思はるゝ點

三、聯合會は腹背に敵を受けてをる形なる事、卽ち前方には勢力強大なる商業會議所に對してをり、後方には脅しく雇主側の立場にをる朝鮮人客主組合と相對してをることであつて、朝鮮人市街たる元山里一帶の興亡を考ふる時、多少の微妙なる躊躇の念が湧きはすまいか

等が其の弱點と見られてをる。

四五

元山商議の強みと弱點

然らば、其の正面の相手たる元山商業會議所は、如何なる強みと、弱點を有つてをるかを檢討して見る必要がある。卽ちその強みとしては

一、『勞資協調』なる溫情主義を絕對唯一の看板としてをるので官邊よりの同情を得易きこと

二、國粹會、在鄕軍人團、靑年團、自衛團、消防組等の聲援あること

三、商工階級を背後に有つてをるだけ爭議資金豐富なること

四、文坪石油會社から工場閉鎖の事實を擧げ、企業家が斯く退却する時は地方の衰頹を來すからとて、商工階級の聲援を受くることが出來る。

五、勞働者は皆同樣である以上、組織勞働者でも自由勞働者でも、雇傭して賃銀さへ與ふれば、大局上決して社會的非難を買ふ理由がないと云ふこと

六、仁川勞働者二百八名の少數でも連れて來ることに成功し、九牛の一毛ではあるが荷物運搬を繼續して行き得ること

七、資金が多くて其れを好餌として新勞働團體を小規模、暫設的ではあるが設置する可能性が多少見えること

其の反對に爭議に敗れはしないかと憂慮せらるゝ點を擧げて見れば

一、商議內に會長と見解を異にする副會長金景俊等の一派があるので、自體內の分裂が起り易き點

四六

二、小商人等の打擊が大中商工業者に比し、ずつと大なるに依り大小資本家の相互の衝突となり、陣形が收拾出來ざる難局に陷らざるや

三、他地方の勞働者募集が全然失敗に歸したのみならず（中國勞働者募集依賴も中國領事に拒絕せられた）此の先き可能性なく、二千名程が從事して居た荷運を、二百名がする外なくなつたので仕事が進捗せず、又爭議の報に接した內外各地の荷主等は、發送を停止し、其の爲め元山の貿易額は甚しく減退し、經濟界の破滅が近づくので當面の責任者であるだけに商議は何とか難局を打開しなければならない弱點を持つこと

此の如く記者は最後に雙方の強點七つと、弱點三つ宛を擧げて見た、賢明なる讀者が旣に其の勝負を知つて居るであらう。

從主關係より勞資關係へ

併し乍ら團結と、階級意識を武器とする勞働聯合會と資本と政治的背景を武器とする、元山商工階級の總試合は、今回が初めでない。歷史的に如何なる勝負があつたかを顧るに、再昨年六月に、聯合會所屬運輸勞働者千餘名が總結束をして、資本家に對して賃金統一を要求した事があつた。其の賃金統一と云ふのが、勞働者の團結權を獲得せんとする初めての試驗であつたが、實に此の運動の開始さるゝ前迄は、勞働者等は、雇主や什長の其の日〳〵の感情に依つて、賃金を出鱈目に受取り、又は酒の一杯や煙

四七

草代を貰つて仕事を爲し、或は人夫什長や資本家の家に行つて、無報酬で庭も掃き便所も掃除し、正月や中秋の樣な日には、鷄や蜜柑函を買つて持つて行つたと云ふ。此れは何處の國、何れの時代にも、勞働者が無智な爲めに一度は踏んで來た階級である。然し勞働者等は自覺した。彼等は從主的であつた過去の情實關係に縛られて居ないで、近代的商工「ブルヂョア」に勞働力を賣る單純なる一ヶの商品勞働者となつて仕舞つた、故に、第一に賃銀を科學的に決定せんとし、第二には酒と煙草を買つて吳れるのを拒絕し、第三には無報酬で個人の家に行つて仕事をすることを拒絕し、同時に送り物を一切廢止せんとするのであつた。然して此れを完全に永久にする爲めに勞働聯合會を承認し、一齊の勞働契約を直接聯合會代表者と結んで吳れと要求した。

爭議勝利で十五萬增加

其の時資本家側は、一言の下に拒絕した。其の時も資本家の戰術は他地方より勞働者を連れて來ることであつた。盟罷卽時に仁川に人を派し其處の閑散勞働者三百名を船に乘せて連れて來たが、聯合會員の示威運動と糾察隊の警戒の爲めに、元山の地も踏まずに歸つたので、資本側は百計盡きて、賃金統一に應じ、團體契約權をも認めて、爭議は一週間で聯合會の勝利で解決した。

此の爲めに資本家側は一箇年に、約十五萬も多く支拂ふこととなり、資本家側は如何にかして、團體契約權を破壞し、聯合會を潰さんとして居たのであつて、決して突發の事件ではない。

四八

建物の價格のみで二萬數千圓

今其の後の經過を一瞥して此の文を結ぶことゝする。金委員長は過去聯合會の幹部であつた、金〇〇と云ふ人が朝鮮〇〇〇事件で、今新義州刑務所に收監されて居るが、其の部下に其の樣な人がある以上委員長に關係がない譯がないと云ふ疑で、收監取調を受けて居る樣であり。

其の外に幹部會員三十餘名收監されたのも、或は文坪石油會社長英國人技師を毆打したと云ふ嫌疑と他人を脅迫したと云ふ嫌疑に依ると云ひ、又檢事局警察署で、爭議資金の出所を嚴探して見たが、其の金は不正のものでないことが判明した樣であり、殊に調査した結果某細胞團體には、未だに十八銀行に千餘圓の貯金あるのを始めとして、各組合每に相當貯蓄があるのみならず、建物全部の現時價のみでも一萬數千圓に達するのを發見し大いに驚ろいたと云ふ。（特派員　金東煥）

四、罷業の發端

一、昭和三年秋九月曠古の御登儀、御大典御擧行の期日が漸く迫らんとした時、文坪ライジングサン石油會社從業勞働者が、內地人職工監督排斥を條件として、同盟罷業を勃發したが、元山警察署長調停

のもとにラ社と文坪製油組合との間に三ヶ條の條件を以つて解決した。

二、三ヶ月以內に協定すべしと決定せる「最低賃銀制、傷病慰藉料、解雇手當の問題」が、期限の到達せるに係らず、會社側が協定に應ずべき態度を示さなかつたので、聯合會は協定原案を作製添附して會社に對し協定催告書を提出した。之に對して會社からは聯合會を認めざる主旨の回答を與へた。

三、聯合會は所期の目的を達し得なかつたので、一月十四日、執行委員會決議によりて、新に會社に要求條件を提出し同時に文坪製油勞働組合、文坪運送勞働組合に同盟罷業を宣言し更に此の爭議を元山に迄延長して「ラ社」の荷物は其理由の如何に係らず之を取扱はざることを運送業者及び其の勞働者に通達した。

四、此より先埠頭勞働組合は、聯合組合の名により國際通運會社に對し、一月三日、十日間の猶豫を以つて三ヶ條の要求を提出し（朝日、一、二一）又一月十一日に、一週間の猶豫を附して二ヶ條の要求を提出（朝日一、二一）せるが、之の回答期日前、一月十六日國際通運會社扱、ラ社の箱材約百噸到着し此の荷上げを命じたるにラ社荷物なるを以つて其取扱ひを拒絕したる爲、會社は解雇宣言を爲した。

罷業開始當初の日誌

一、十二月二十九日　聯合會文坪油精所に手當規程等の制定を要求す

一、一月三日　聯合會大盛商會外九店に勞働賃金値上要求

一、一月四日　文坪油精所勞働團體を認めざる旨の回答を爲す

一、一月九日　聯合會質問委員を文坪に派す

一、一月十日　聯合會國際通運、國際運輸に勞働賃金値上を要求

一、一月十一日　國際運輸に內地人側荷主集合商議側の出席を求めて協議し罷業を覺悟して準備の爲め遷延策を講ずることとなす

一、一月十二日　運送店側より値上要求の說明書を請求す

一、同　日　聯合會側第二回質問委員を文坪に派し決裂狀態となる

一、一月十三日　聯合會側罷業を決議す

一、一月十四日　文坪製油所に對し更に要求書を提出して罷業決行

一、一月十七日　國際通運の仲仕六十餘名が「ラ社」の荷物取扱を拒絕す、通運側は他の荷物をも取扱はせずと宣言。內地人の手に荷役を終る。

一、一月十八日　室蘭丸に石炭積込中の仲仕四十名は幹部の命令なりとて（正午頃）罷業す

一、同　日　國際運輸が石積込を自家の仲仕六十名をして爲さしめんとしたる所拒絕して罷業。內地人の手に處理す

（本日の罷業者は前記の通合計百名にして埠頭勞働組合第一區第二區、運送勞働組合第一區、船舶勞働組合第一區に屬し組合數二百五十九名なり。以下罷業人員は當日の實際勞働者數にあらずして罷業せ

る組合の組合員數なり）

一、一月十九日　運送勞働組合第二區船舶勞働組合第二區罷業（本日罷業者六十一名）

一、一月二十日　通運、運輸以外の運送業者の勞働者怠業す（十九日迄に罷業せるは何れも通運、運輸の勞働者）

一、一月二十一日　運送勞働、船舶勞働組合の殘部（前記のもの）罷業す

一、一月二十二日　斗量勞働、海陸勞働組合罷業（罷業者計八七六外に文坪一五三）

一、一月二十三日　結卜勞働、運搬勞働組合罷業す（罷業者計一一〇二、外に文坪一五三）

(1) 朝鮮日報（一月十七日）

元山勞聯對石油會社

勞働遂に停止

昨年九月頃の元山勞働聯合會對『ライジングサン』石油會社油精所の盟罷事件は既報したが、去る十四日正午元山勞働聯合會では又文坪油精所に對して勞働を停止したと云ふ文坪油精工場の勞働は勿論右油精所の關係貨物は船積陸上、汽車積、運搬等一切を停止するのであつて、罷業團では同日市內に同罷業に對する眞相報告の宣傳文數千枚を配布して一般關係者の諒解を求め、同時に持久戰を辭せざる意志で團結を鞏固にした。

(2) 朝鮮日報（一月十八日） 五三

「ライジングサン」對元山勞働聯合會の盟罷事件は昨年十二月末日以内に要求條件たる、最低賃銀率、死傷者慰藉金、退職慰藉金等を協定することとして復業したが、其の後協定期が經過する迄何等のこともないので、聯合會では左記の如き協定原案を附して催告書を發送した所同答文句が聯合會を侮辱するものであつたので質問委員を送つたが所期の目的を達し得なかつたので更に去る十四日執行委員會の決議で同盟罷業を宣言し持久を豫想して罷業會員を同情して會員は各五錢宛を提出し罷業期間は一切禁酒することとなし違反者は第一回違反一日休務第二同は三日休務第三同は七日休務第四同は除名處分をすることとして持久中である。

聯合提出の協定原案

一、最低賃金技術勞働者一圓二十錢普通勞働者八十錢婦人勞働者六十錢

二、解雇手當、技術勞働者九十日分、普通六十日分、婦人六十日分

三、從業中死傷者慰藉金、負傷、治療期間中日給及治療費全額。死亡者、六百日分日給額、但し日給及月給の金額は勞働者の死傷時の日給額を標準とす。

(3) 朝鮮日報（一月十九日） 五四

文坪油工盟罷詳報

文坪油精所の盟罷に就き元山勞働聯合會幹部金昌烈の談に依れば昨年九月の爭議解決のとき死亡者及負傷者慰藉料の件と解雇の時は元山勞働會と協議することに罷業中の賃金四割を支拂ふことの四ヶ條は三ヶ月間猶豫することとして解決したが三ヶ月を過ぎても何等解決をしようとしないので聯合會で詰問した處會社からは本社では勞働團體を承認しないと云ふ文句の回答が來たので此れは聯合會を侮辱するものなりとして質問委員を送つた所支配人「キョー」は決して侮辱した言辭を書いたのでなく通譯の失策であると云ふたので然らば其の詫狀を書けと云ふと彼れは元山に松本と云ふ公證人が居るから其處へ行つて彼れの立證で其の文句が果して侮辱的であれば自己が詫を爲し然らざれば聯合會で詫を爲すと云ふことにして分れ、去る十二日勞働會幹部元正常氏が地方法院元山支廳に行つて松本と云ふ公證人の有無を問ふた處松本と云ふ檢事と辯護士はあるが公證人はないと云ふので松本辯護士の所へ行つて待つて居たが誰れも來なかつた。其れで聯合會では一層憤慨して翌十三日更に會社に行つて『キョー』を訪問して無責任を責めた處『キョー』は自分の代りに林と云ふ日本人を松本方へやつたのである。又要求條件に就いては勝手にせよと云つた。殊に壯觀であつたのは『キョー』が形勢が惡くなつたと思ふたのか手を打つて派遣の警官を呼び又林を呼んでお前に元山に行つて無事解決して來いと云ふたのにどうしたかと云ふて毆つたことであつた。此うして持久戰に入つたのであるが勞働會員は一日五錢宛を集めて一ヶ月三千圓と云ふ巨額な資金を罷業團に提供して居る。又此の事件の眞相と會社の答辯を聞きに行つた文川社會團體咸鉻申德五兩氏には『キョー』は面會しなかつた。

今回の要求條件は次の通である。

一、作業時間は八時間と定めること

一、就業規則を改正すべく本組合と協定すること

一、沐浴場を設け職工には無料とすること

一、罷業期間は日給全額を支拂すること

一、釜山で約束した通り舍宅を建築して職工に與ふること

一、支配人が辭職すること

一、其他略

(4) 朝鮮日報（一月二十日） 五五

元山港二千人夫盟罷 五六

元山港海陸荷揚人夫約二千餘名は十八日午前十一時より一齊に同盟罷業を斷行し内國通運其の他の大荷主等は目下其の對策を講究中であるが同盟罷業の動機眞相は左の通り。

前記一千餘名の勞働團體の者等は去る三日より國際通運に對して

一、關稅倉庫内の穀物綑替賃金一個二錢を三錢に引上げること

二、從來支拂はざりし貨車の位置變更料金を一車二圓宛支拂ふこと

三、船積危險品破損辨金（從來は人夫負擔）を晝間は半額夜間は全額を會社側で負擔すること

等の三ヶ條を十日間の猶豫を與へて要求した後、十一日には更に

一、乾鰮の岸壁よりの積込み賃金二錢を三錢五厘に引上げること

二、小棧橋揚積賃金を艀取賃金と同樣にすること

等の二條件を一週間の餘裕を與へて要求し荷主側では其の間屢次會合して對策を講究して居たが、人夫側では荷主側の同答を受けない前に『ライジングサン』石油會社の箱材荷揚問題を發端として突然十八日午前十一時より前記の通り同盟罷業をしたもので荷主側では消防隊靑年會在郷軍人等の應援を受けて辛うじて荷物を處理して居るが中國の苦力を使用しても人夫の要求を聞かないと、强硬な態度に出で居り解決の曙光が見えない。

(5) 朝鮮日報（一月二十二日）

「ライジングサン」石油文坪油精所對元山勞働聯合會の爭働爭議は益々惡化して數日前神戶より入港した立神丸及芝浦丸兩船が積込んで來た「ライジングサン」石油文坪油精所用石油箱材料約一千八百梱約一萬箱分を陸揚げせんとしたとき國際通運會社所屬人夫埠頭組では該荷物は文坪油精所所用物品であるから陸揚げしないと會社側に云つた所、會社では種々手段を盡して勞役を懇望したが應じないので、如斯態度に出れば他の荷物も依賴することが出來ないと云ふたので、元山勞働聯合會所屬の埠頭組員六十五名は去る十八日正午勞役中止を宣言するや、國際運輸支店では前記國際通運會社に同情して自社の人夫を一部分與して該作業を援助せんとしたが同會社人夫登負組では該作業の援助に應せず、萬一强要すれば罷業すると云ひ出し、結局午後一時半頃罷業を斷行し、繼續して同午後四時頃兩社の陸送部人夫も罷業を斷行した。

五、勞働聯合會側の態度

一、勞働聯合會は最初「ラ社」を一擧に降服せしめんとして「ラ社」關係の物品の運搬を拒絕すべき旨其の細胞團體に命令し「會社が工場を他に移轉するか又は勞働組合員は全部解雇さるるか何れかだ」

五七

五八

と豪語したが、自體を中心とする波紋の擴大されたる爭議に自ら不安を感じたるものの如く「今回の爭議は賃金問題で無くて會社が勞働者を解雇したるもので勿論盟罷ではない」との意を二十二日、二十六日、二十七日に數回聲明して罷業の責任を會社に轉嫁せんとした。

二、仁川勞働者募集の妨害に失敗し爭議の前途漸く憂ふべき狀態を呈したが、一月三十日の京城日報は『速に解決せしむべき義務が元山商業界にあり』と論じ（新聞紙の論調參照）二月一日の朝鮮日報は「聯合會員を使用し、聯合會を承認すれば直に解決するものだ」と報導して解決責任は商業會議所にあるが如き記事を掲載した。

三、新任委員長代理金泰榮が元山に到着するや早速官憲に對して調停を依賴し、二月二十七日には組合員の二食斷行を報じ愈々窮乏を暴露したが三月七日には勞働聯合會は幹部總辭職改選し綱領「マーク」の變更を傳へた。

四、其の間調停運動ありたるも商業會議所は常に「聯合會否認」を條件とし聯合會は亦此の條件を撤回せしめんと懇願したるも商議側は遂に應せざりし爲め玆に箇別復業の策を取り三月二十一日仁興組復業し、三月二十五日、運搬組及結卜組第一區第二區の復業を傳へたが（何れも一時的の勞働に從事したるものの如し）就業は意の如くならなかつた。

五、玆に於て最後の暴力手段に出でんとしたるものの如く四月一日に至り咸南勞働會を襲擊したが何等形勢の變化を見ず、剩へ幹部多數を失ひ、遂に資金盡きて自由就業命令を發することとなつたが此れ亦効なく遂に失業の狀態となつた。

勞働聯合會側の態度日誌

一、十二月二十九日　聯合會文坪油槽所に手當規程等の制定を要求す
一、一月三日　大盛商會外九店に勞働賃金値上要求
一、一月九日　文坪油槽所の勞働團體否認の回答に對し質問委員派遣
一、一月十日　國際通運、國際運輸に對し勞働賃金値上要求
一、一月十二日　文坪油槽所へ第二回質問委員を派遣す
一、一月十三日　委員會を開き對文坪油槽所の罷業を決議す
一、一月十四日　更に要求書を提出して文坪製油勞働組合及文坪運送勞働組合罷業
一、同日　ラ社の荷物は取扱はざる旨聲明
一、一月十七日　通運に於て從業中の埠頭勞働第一區、運送勞働第一區の勞働者六十名が「ラ社」荷物の取扱を拒絕す
一、一月十八日　室蘭丸に石炭積込中の人夫四十名（船舶勞働第一區ナシ）は幹部の命令なりとて正午頃罷業

五九

一、同日　運輸に於て從業中の埠頭第二區は右積込を命せられて拒絕罷業

六〇

一、一月十九日　運送勞働第二區船舶勞働第二區罷業
一、同日　幹部李永梅勞働者募集妨害の爲め仁川に向け出發す
一、一月二十日　通運、運輸以外の運送店の勞働者怠業す
一、同日　支那領事に對し勞働者募集妨害運動を爲す
一、一月二十一日　運送勞働、船舶勞働の殘部罷業す
一、同日　商業會議所の仲裁は拒絕する旨通告す
一、一月二十二日　斗量勞働、海陸勞働組合罷業
一、同日　今回の爭議は罷業にあらずして通運が業務を停止せしめたものなりとの「ビラ」を撒布す
一、同日　糾察隊を組織し、罷業は其細胞の自由とする旨決議す
一、一月二十三日　結卜勞働、運搬勞働罷業
一、一月二十四日　元山仲介、製曲勞働罷業
一、同日　小運送店が就業方を申込みたるも拒絕す
一、一月二十六日　會議所に立會演說を申込み拒絕されて聲明書を發表す

一、一月二十七日　洋服技工組合罷業す
一、一月二十八日　製曲勞働復業す
一、一月二十九日　元山署に於て通運會社文席と會見無條件就業を提言す
一、同　　　　日　印刷職工荷車職工罷業
一、一月三十日　馬車組合脫退屆を出す
一、同　　　日　印刷職工一部復業
一、二月一日　洋靴職工罷業、製曲勞働再び罷業
一、同　　日　各職工組合に就業を命す
一、二月二日　委員長府尹に仲裁を依頼す
一、同　　日　洋服技工印刷職工復業
一、同　　日　馬車組中鮮人のみ罷業
一、二月三日　製曲勞働復業、荷車職工三名復業
一、二月四日　荷車職工中現に就業中のもの聯合會を脫退
一、同　　日　同上殘餘就業
一、二月五日　幹部四名「暴力行爲」に依り檢擧さる

六一

六二

一、同　　日　小林印刷所の職工十六名が値上を要求即日解決す
一、二月六日　委員の補缺を爲す
一、同　　日　金泰榮視察の爲め元山に來る
一、同　　日　洋靴職工復業
一、二月七日　委員長金瓊植detained罪にて檢擧さる
一、二月九日　金泰榮委員長代理に選任さる
一、二月十一日　金泰榮元山着
一、二月十二日　金泰榮文坪訪問
一、二月十三日　金泰榮警察訪問
一、二月十四日　市民協會の斡旋にて客主組合と會見
一、二月十六日　金泰榮德源郡守を同伴元每社長を訪問、會議所との會見を依頼して拒絕さる
一、二月十八日　金泰榮等京城に向ふ
一、二月十九日　金泰榮等本府に嘆願
一、二月二十一日　市民協會の調停案を拒絕
一、同　　　　日　聯合會委員會で賄食廢止を論議す

一、三月四日　金泰榮等知事訪問
一、三月七日　幹部總辭職改選し「マーク」綱領の變更傳へらる
一、三月八日　新幹部道廳訪問
一、三月十五日　韓璣洙府尹を訪問
一、三月十八日　府尹調停に出馬金泰榮に招電を發す
一、三月十九日　金泰榮等府尹訪問
一、三月二十一日　仁興組八名就業
一、同　　　　日　韓璣洙金泰榮と意見を異にして（體面論を捨て自由就業を主張）辭職屆を提出す
一、三月二十二日　金泰榮府尹の調停案を拒絕
一、三月二十四日　韓璣洙府尹に對し更に調停を依頼す
一、同　　　　日　結卜第一區は客主組合を通じて咸南勞働會に加盟ヲ申込ム
一、三月二十五日　結卜勞働組就業、馬車組就業
一、同　　　　日　金泰榮府尹と會見
一、三月二十六日　金泰榮府尹を訪問調停決裂
一、三月二十七日　結卜勞働、運搬勞働に復業命令を下す

六三

六四

一、三月二十八日　金泰榮、金昌淵を委員長代理となし退元
一、三月二十九日　牛馬組に復業命令を下す
一、四月一日　仲介組合脫退屆を出す
一、同　　日　暴動化
一、四月三日　再度の襲擊
（本日より自由就業を決議せんとする委員會が委員長代理金昌淵の策動に依り再度流會）
一、四月四日　委員長代理金昌淵檢擧、韓璣洙委員長代理となる
一、四月六日　自由就業決議

次ぎに此れに關する主なる新聞記事を示して見よう

(1) 朝鮮日報（一月十八日）

盟罷は遺憾なるも此の境遇となつたのは石油會社の誘導である

委員長　金　瓊　植　談

元山勞働聯合會執行委員長金瓊植氏は緊張した語調で左の如く語つた。

今般「ライジングサン」石油會社文坪油槽所に對する罷業事件は實に遺憾である。昨年九月盟罷があつ

てから僅か三ヶ月位の今日、又盟罷する樣になつたのは世間で或は盟罷を濫用すると。批難されるかも知れないので、今般の事件に關する前後の顛末を印刷し、全朝鮮各友誼團體と一般社會に公布せんとしたが、元山警察署は前述の盟罷顛末理由書を全部押收して行つたから、此れを發表する自由がない。然し今般の盟罷は、該會社が我々をして盟罷せざるを得ざらしめたものである。換言すれば全世界の勞働團體を侮辱し、勞働者の結社權を蹂躙したのみならず我が聯合會に對して背信背約の行動を爲したものである。解決の方法は杳然として居るが、會社側で工場を他に移轉するか、文坪製油勞働組合員一同が解雇されるか、兩者の内一つであると豫測するが、萬一解雇されれば、其の職工勞働者を元山に移屬せしむるより他はない。（十八日東亞にも同樣記事あり）

(2) 東亞日報 （一月二十三日）

商業會議所へ仲裁拒絶

元山商業會議所では、去る二十一日市内の要所へ『今回勞働聯合會では何等理由無く賃金引上を要求し文坪石油工盟罷事件を利用して元山勞働者をして罷業せしむる』等の文句を書いた『ビラ』を貼付したので勞働聯合會では其の『ビラ』の文句が今回の事件を逆宣傳し、從がつて仲裁はさて置いて、事態を漸次惡化する煽動であるとして、二十一日商業會議所に對して仲裁拒絶の公文を送つたと云ふ。

六五

(3) 東亞日報 （一月二十三日）

元山運送勞働組合罷業

去る二十一日午前八時より元山勞働聯合會細胞團體元山運送勞働組合員約四百五十名は、解雇會員に同情して一齊に同情罷業をした。

六六

(4) 東亞日報 （一月廿四日）

聯合會聲明書

元山勞働聯合會では二十二日聲明書を撒布したが其の内容は『今回の通運、運輸の兩會社で仕事をして居た四百餘名の勞働會員が、一齊に仕事を爲し得なくなつたのは決して賃金問題で同盟罷業をしたのでなく、兩會社が文坪石油工場關係の物品を運搬しなければ、他の仕事もするなと云ふて停止せしめたから、仕事が出來なくなつたのである』と云ふのである。

(5) 東亞日報 （一月廿四日）

元山勞働爭議

屢報文坪「ライジングサン」石油盟罷事件は、益々擴大し、國際通運、運輸兩會社側で元山勞働聯合會員四百五十名を解雇するに及んで、勞働聯合會細胞團體なる元山勞働組合員四百餘名が同情罷業を起し畢竟全元山勞働界が動くに至つた。

二十二日には勞働聯合會では緊急執行委員會を開き、勞働爭議調停に立ちたる商業會議所側が爭議の解決策に出ですして、却つて他所より人夫を募集する等、聯合會側に對して對抗の準備を爲すが爲めに解決の方途がないと云ふことに意見の決定を見、總罷業を決議して其の方法は所屬細胞團體の意思に任することとしたが、昨二十三日朝からは勞働者約二千名は總罷業を斷行し元山一帶の空氣は頗る緊張した。

六七

(6) 東亞日報 （一月廿六日）

糾察隊組織

勞働聯合會では、總罷業の方法行動は各細胞團體の自由に任するとの執行委員の決議があるので、各細胞團體で各散兵的作戰を爲して居るが、其の中でも自己の自由で爲す糾察隊等は、各自己の思ふ通りの職務を爲し、或は遠く仁川等に行つて勞働者の侵入を防禦し或は從業して居る團散勞働者の氏名を調査し、容認を爲す等非常に活動して居る。

六八

(7) 東亞日報 （一月二十八日）

勞働聯合會聲明書

去る二十七日聯合會では更らに次の二聲明書を發表した。

（其の一）

今般の我等の勞働停止は唯だ國際通運が契約を無視して、埠頭勞働組合第一區に對して勞働を停止させた事に起因して、各細胞團體が同情を表したのである。決して同盟罷業を行なつたのではない。何等の要求なきのみならず、政治的經濟的又は民族的意味もないのである。然るに拘らず在郷軍人會消防隊が出動するとて全市を騷動せしむるは實に不可解の奇現象である。本會は元山憲兵分隊長、警察署長に質問したる處此れを全部否認して杉野個人の空想であるかも知れないと云つた。又元山商業會議所は我が會員家族萬餘を非市民の如く見て居るのは事實であるから、我々は一般大衆の公平なる批判を求むる爲め商業會議所に對し立會演説を開催することを要求した。

一九二九年一月二十六日　元山勞働聯合會

（其の二）

本會は元山商業會議所に立會演説を要求したことは昨日付『ビラ』に依つて御承知なるが、商業會議

所よりは左の如き答文が來た（答文略）

黒白を爭ふ必要がないと云ふが、立會演說の要求に應じないと云ふのは、即ち責任を自負するものと認定せざるを得ない。大衆よ、本會は爭議に對する公正なる批判を受けんとしたが、會議所は何等市民に告白することもなく、元山の大衆は宜く知つて居ると云ふ口實で大衆を欺瞞せんとして居る。

一月二十七日　　元山勞働聯合會

(8)　朝鮮日報（一月三十一日）

三團體同情罷業

勞働聯合會の細胞團體洋服職工組合三十餘名は去る二十七日、同細胞團體牛車組合二百餘名と印刷職工組合の三十餘名は去る二十八日、同情罷業を斷行した。

(9)　東亞日報（二月三日）

印刷其の他の職工に復業命令

元山勞働聯合會では一日常務執行委員會を開き、洋服職工、製車職工、印刷職工に復業指令を發して復業させた。

六九

精米、洋靴工罷業

去る一日には元山洋靴職工組合職工四十名丸三精米所人夫十七名が同情罷業を開始した。

(10)　東亞日報（二月四日）

馬車組人夫も盟罷

勞働聯合會所屬鮮人と日本人勞働者が集まつて居る馬車組も遂に二日より朝鮮八十三名だけ罷業を斷行した。

(11)　東亞日報（二月八日）

洋靴工復業

去る六日洋靴職工四十餘名に對し復業を命じたので即日復業した。

(12)　東亞日報（二月九日）

委員補缺

去る五日檢擧された委員の補缺として去る六日左の通り指名した。

七〇

執行委員　朴奉善　朱明珣　張元燮
檢查委員　李奎善

(13)　東亞日報（二月十一日）

委員長檢擧後の勞聯側の陣容

罷業中の元山勞働聯合會は、遂に司法權の發動に依つて委員長金瓊植以下幹部全部が收監されたので去る六日に常務四名が選擧されたが、缺員中の執行委員三名と委員長代理を選擧する爲めに、去る九日午後三時同會舘に、執行委員と檢查委員五十餘名が集まり、臨時議長韓瓊洙司會の下に、罷業中の經過報告があつた後、滿場一致次の如く選擧した。

執行委員
通運組　孫月峯
埠頭組　鄭興周
昌設組　金泰榮
委員長代理　金泰榮

七一

(14)　朝鮮日報（二月十一日）

元山勞聯の新陣容
委員長に金辯護士　金泰榮氏昨夜出發赴任
括目すべき今後の活躍
余の一命は運動に一任　生死成敗は問題でない
家族會議で決定したと
◇新任委員長　金泰榮　氏談

余は昨夜電報を受け即時家族會議を開催して出馬を決定すると同時に一般家族に對して今回の出發は實に死んで來るか生きて來るか分らぬ。一度立つ以上生死を選ぶ所でない。總ての物質と精神を犧牲とする覺悟をして居ると自分の決心を談つた。そして出來得る限り元山に長く滯在する積りで今後の爭議方針は左の如くなす考を持つて居る。

一、持久戰繼續

余の調查した所によるも今罷業團側には數萬圓の資金がある。資金がなくとも此んなになつた以上持久戰で勝利を謀る外はないから、四五ヶ月間も十分支持する資金のある以上少しでも讓歩しようか。

七二

絶對に彼方側が屈する時迄何ヶ月でも吾々は持久戰をして行く方針である。

二、運動は合法的に

そして二千餘罷業團員をよく取締り之れから先きも從來の如く法治國家の法律が許す範圍内で合法的に末の末まで戰ふ積りである。

三、仁川勞働者問題

之れは最も重大の問題で吾聯合會では意識のない彼等を少しも排斥する譯はない。亦同じ勞働者である以上出來得る限りよく保護してやろうと云ふ方針に決定した。

四、反動勞働團體

今專ら問題となつて居る某々氏等の新設勞働團體に對しては何處までも撲滅する積りで之れも亦、合法的に卽ち社會一般の輿論に訴へて目的を達する積りだ。

五、前任委員長保釋

赴くと卽時前任委員長以下諸幹部及會員等の保釋運動を辯護士の資格でして見る積りだ。そして終りに一言せんとするのは或る側から或は罷業資金に對して某種の疑惑を含むと云ふことを聞いたが少くも八九年間血と汗で會員全體が集めた其金に何の疑惑があらうか。余は總ての事に自信があつて立つたのである。

七三

七四

(15) 朝鮮日報 (二月二十日)

上京した金委員長各方面に意見陳述

昨日總督府を訪問し事情陳述虚構報告を痛擊

日の經つに連れて擴大する元山勞働爭議に對して總督府當局に於ては種々誤解する點があるやうなので元山勞働聯合會委員長金泰榮は執行委員金昌烈氏と檢査委員長李永柄等兩氏を帶同し憤然と一昨十八日午後の汽車で上京し昨十九日午後一時より總督府生田内務局長を訪問し從來の態度を非難すると同時に爭議眞相に對して長時間話したるが其の要領を擧ぐれば

△今般罷業は勞働聯合會側に於て何等の要求はない。賃金を上げて貰い度いと云ふのでもなく、唯從來も認定して來た通り勞働者の團體を認定し、夫れに從つて勞働契約權を承認してくれと云ふそれ丈のことである。

△地方警察が罷業團側に不利な事實を虚構して中傷的に報告したことが頻繁である。例へば勞働聯合會員等は餘り仕事を分業的にやつて能く進捗することもなくして賃金の增額要求ばかり頻繁にすると云ふこととか又會員等が思想團體に加入して年々赤化して行くとか云つて居るが、實はそんなに分業的にするものでもなく殊に會員等は新幹會に加入しても居ないので政治的行動は一切避け唯經濟鬪爭ばかりである。

△又一つは警察の報告には前日に聯合會員等が元山市中に於て示威運動をする際に赤い旗を揚げ、尙は萬國旗の中から特別に日本旗のみを除いたと云ふ報告があつたと云ふが其の時我等は赤い旗を揚げたこともなく又萬國旗を揚げたこともない。

警戒に對しては警務局長と話せ

勞働團體否認說は不當

勞資協調を望むと

然るに其の場で内務局長が金泰榮氏に答辯したことを記錄すれば左の如くである。

私は未だ何とも云ふことが出來ないが貴殿の話は皆宜しいと思ふ。尙勞働團體を否認すると云ふがそれはいけない。若し其の團體があるが爲めに治安を妨害すると云へば直接政治の當局者が解散を命するか亦は何か制裁を加ふべきものであつて他の人がかれこれ云ふべきことではない。尙警戒に對しては警務局長と話を爲し又諸般の事項は勞資協調を望む。それで今度の事は元山に於ける一地方の事實であるから道知事によく云ふて諒解を得る樣にしたらよからうと思ふ。

無罪者には處罰は出來ないだらう

最後迄爭はんことを望む

七五

七六

獄中で同志激勵

元山勞働聯合會長金瓊植氏が今般爭議事件の爲め囚監されたことは皆知る所であるが去る十八日に至り同聯合會の或幹部に「第一信」が着いたが「總ての者が苦痛を受けながらも唯終迄落膽しない樣に爭ふべし」との意味を含まれて居る。其の内容を大略紹介すれば左の如くである。

「其の間皆樣無事にして會内狀況は如何なるや私に對することは「盲人が豆を打つと同じ事で全く譯が分らんが結局無罪の者には罰が當らんものと自信するばかり」兎に角留守の間會の事や病院の事は君が着實に爲すことを信じ安心して居る。此の不自由の身をして後日落望しない樣に周旋しなさい。會内皆樣に宜しく安否を問ふ特に!!(以下略)

(16) 東亞日報 (三月九日)

罷業團退讓の前提　綱領委員等變更　勞聯側態度急轉直下に突變

商業會議所側の解決條件其の儘

新委員長は　金　泰　榮氏

最近二ヶ月も續いて來た元山勞働爭議の强硬なる態度で解決の曙光が見えず互に、陣容のみを鞏固にして戰ふ間に勞働聯合會の重要人物四十餘名は某々嫌疑がありとして一人二人宛檢擧され刑務所や警察署へ捕へられ委員長代理の名義を持つて居る金泰榮外數名氏が勞働聯合會の諸般の陣容を預かつて來たが、去る七日に執行委員會を開き全執行委員の總辭職をすると共に同聯合會の綱領と「マーク」を改めることとなし、以上の總ての條件を評議員會でも通過せしめた。そして卽時新任執行委員を選擧したが矢張り執行委員長を金泰榮氏となし執行委員三十餘名を選擧した後、代議員會をも通過せしめと云ふが前記の總ての條件は以前に、市民協會と商業會議所で解決案として提出したものであるから、元山の勞働爭議は勞働聯合會重要人物等を總辭職せしめて讓步的に解決される樣子であると。

勞聯執行委員會現職幹部總辭職

爭議の解決を爲し得ざる責任を負ふて

綱領マークは檢討すること

元山勞働聯合會では去る七日午前十一時より同會館內で執行委員會を開催し委員長以下全幹部が總辭職を決議したが其の理由は今回の罷業が生じた後本幹部一同は解決に就いて誠意を盡して來たが今日迄五十餘日を過ぎるも解決の曙光を見ざるは自ら能力の及ばざるを證するものなりと云ひ、又咸南知事及警察部長は委員長代理金泰榮氏に對して宣言して曰く聯合會綱領に『朝鮮勞働總同盟の綱領を貫徹することを目的とす』とあるが朝鮮勞働總同盟の綱領は同知事が京畿道警察部長在職當時禁止したものであるから從がつて此の綱領も禁止すると云ひ、マークの內容が勞農ロシアと高麗共産黨を意味すると云ふ

七七

理由で同聯合會の存在を認定し難いと云ふたので前記綱領マークの內容に對して專門委員五名を選定し其れに對する內容を檢討研究決定し代議員會に提議することにして同十二時閉會した。と」

辭職願受理新委員選擧

綱領問題は檢討研究することに緊急代議員會經過

勞働聯合會執行委員會の經過は別項報道の通りなるが同日午後二時より代議員會で提議した案件を討議したが、執行委員の總辭職の件に就いて長時間議論紛々として居たが個人の情誼を顧みず聯合會の爲めだとすれば辭職願を受理すべきであると可決し、マークに就いては專門委員五人を選定し其の檢討研究を爲すこととなし其の次に新任執行委員金昌烈、朴泰善、金泰榮外二十七人を選定した。

新任委員會

新執行委員會を繼續開催し委員長を投票の方式で金泰榮氏を選擧し常務に朴泰善金昌烈李容熩三氏を選擧し、消費組合長には韓璣洙氏を選擧して同四時頃無事閉會した。

(17) 朝鮮日報 (三月二十一日)

今日迄の罷業入費三萬圓　四十萬名に食糧配給

糧米のみで二千六百餘俵　現金其の他總入費が三萬餘圓

七八

元山罷業以來二個月

元山勞働聯合會で二千餘名の罷業團員と八千餘名の家族迄全部一萬餘名に對して盟罷開始以來二個月間も食糧を供給して、罷業資金の豐富な點に於て朝鮮勞働運動史上に新記錄を作つたことは既報したが、今日迄其の糧米供給を受けた延人員總數は約四十萬名に達し罷業團本部で供給した糧米だけで一千四百十四俵其の價格一萬六千八百五圓の巨額に達したのみならず、其の他にも薪炭數萬束を買ひ與へたものあり現金で直接救濟してやつたものも約二千圓位あり幹部等の各所に交涉に步いた旅費其の他事務費迄で全部計算すれば既に三萬圓近い金を使つたと云ふが、今糧米に對する數字を記錄すれば左の通であると

糧米供給表

種別	數量	價格
滿洲粟	一、三五八	一四、五四〇圓
小米	一六六	一、七七五
安南米	五〇	七三〇
白米	二〇	三三〇
小豆	二〇	四三〇
總計	一、六一四	一七、八〇五

七九

(18) 中外日報 (三月二十三日)

團結の足並崩る仁興組復業を開始

元山勞働爭議は双方堅く對峙して讓らず持久戰中であるが聯合會側では今回新勞働會が創立され各方面に活動し始めたのを見て作戰計劃を立直し、今後は荷主側の要求に應じて復業せしむるとの說があつたが二十一日午後二時から仁興組は荷主側の要求に應じて賃金は從來の通りで無條件で復業を命するに至つたので、聯合會側の足並みが稍崩れかかつたやうである。

(19) 朝鮮日報 (三月廿四日)

元山爭議

山崎元山府尹の調停案に對して勞働聯合會は斷然拒絕したことは既報せるが再昨二十二日に至つて聯合會の金委員長は元山府尹に對して罷業團の對案として

第一、勞働聯合會には何等の要求條件がない。唯だ盟罷以前と同樣會員を使つて吳れる事卽ち不當な理由で解雇した勞働者を復業せしめ、同情罷業をした會員等を從前の如く使用すること。而して咸南勞働會を經由して我が會員を個人的に使用せんとする案に絕對反對す。

八〇

第二、萬一聯合會側に罪ありとして謝罪を求むるとすれば雇主及商業會議所側にも罪があるから當然謝罪せしめよ。其の謝罪を受けるものは他の何人でもなく元山の全市民である。市民の前に双方同程度の謝罪を爲すべし。

第三、今後勞資協調主義で進まんと云ふが然らば勞資協調とは勞働者と資本家が共に宜く生活せんとする主義であるから資本家等は不當なる利益を占め様とせず勞働者の利益の爲めに正當なる態度を取るべきこと。

三つを傳へて十日間の期間を與へ三月三十一日迄に回答を求めた。

(20) 中外日報 (三月廿七日)

實際的に解決す——六百名無條件復業

持久戰中の元山爭議は二十九日午前七時に至り聯合會側は突然運搬組、結ト一區二區に對して復業命令を發したので六百餘名の人夫は總出動を爲し、五軒の大商店の貨物運搬を開始するに至つた。廿四日夜より元山海陸物産戶商たる元東商會、任泰俊商店、普興商店、慶南商會、朴允一商店より此の際無條件にて復業せよといふ要求があり遂に之を承諾して無條件復業を命じたのであるが、これにつき某商店主は語る。

八一

本來今回の爭議は聯合會と內國通運、國際運輸の二會社との爭ひであつて荷主と直接には何等蟠りは無い筈である。唯同情罷業の飛沫を受けただけで荷主中には何うしても聯合會の人夫を使はなければならぬと考へてをる人が相當あるやうで、今日までは荷の少ない時だから傍觀してゐたがこれからは季節であり、不慣の人夫に荷を扱はるると不安も伴ふから聯合會に勸告しました。

八二

六、雇主側關係

一、雇主側では閑散人夫の募集に依つて當分不自由ながら作業を繼續し得るものと信じて、一月二十一日聯合會に對し絕緣狀を送付し、二十二日市內の閑散人夫百六十名を以て作業を爲さんとした所聯合會は直に糾察隊なるものを繰出し威嚇したる爲め人夫は恐れて逃走した。

二、第一次計畫に於て失敗した商業會議所は翌二十三日書記長を仁川に急派し、該地の國粹會の援助に依り人夫二百七名の募集に成功した。玆に於て新勞働會の設立を計劃し、二月十五日頃には既に成算成りたるものの如く市民協會の調停に對しては勞働聯合會の絕對否認を言明して拒絕した。

三、三月八日には咸南勞働會の設立を完成し更に府尹の調停に對しても同様主張を固持して決裂せしめた。則ち商業會議所側に於て勞働聯合會を絕對に否認するものなる以上勞働聯合會の調停は永遠に絕望なることを主張する譯である。

雇主側の態度日誌

一、一月四日　文坪油精所勞働團體を認めざる旨回答

一、一月十一日　國際通運に內地人側荷主集合商議側の參席を求めて協議罷業を覺悟し準備の爲め遷延を策することとなす

一、一月十二日　運送店側より値上要求に對する說明書を要求す

一、一月十五日　「ラ社」京城支店長來元。商議側の申込に依り會見

一、一月十七日　通運會社「ラ社」荷物取扱拒絕されて他の荷物をも取扱はしめざる旨宣言

一、同　日　運送店側急遽集合して協議し說明書の督促を爲す(二十日迄)

(安東縣より支那人勞働者、仁川より閑散人夫、地元內地人及店員に依り對抗し得るものとして既に決意せるものの如し)

一、一月十八日　運送店側協議事件を商業會議所に一任す

一、同　日　ラ社側と商議側再會す

一、一月二十一日　會議所側前記値上要求の說明書提出期間を超へたるを理由として聯合會に絕緣狀を送付勞働者募集の宣傳ビラを撒布す

一、一月二十二日　「ラ社」は無斷缺勤者は退職と看做す旨揭示す

八三

一、同　日　運送組合長の名を以て罷業勞働者の解雇を通告

一、同　日　商業會議所書記長仁川に急行

一、一月二十四日　小運送店聯合會に就業方を申入れ拒絕さる

一、一月二十六日　仁川勞働者二百七名到着

一、同　日　聯合會の立會演說申込を拒絕す

一、同　日　元山客主組合(鮮人側問屋の組合)は商議側と步調を一致することに決議す

一、一月二十八日　仁川人夫二五名を文坪に應援せしむ

一、一月二十九日　通運側元山署に於て聯合會と會見、聯合會は無條件復業を申立てたるも事件を會議所に委任したるを理由として拒絕

一、同　日　文坪では地元民二五名を既に雇入る

一、二月五日　ラ社は製罐工場を廢止する旨揚言

一、二月五日　小林印刷所の職工十六名が値上を要求幾分値上して卽日解決

一、二月九日　仁川勞働者二名歸仁、二名所在不明

一、同　日　會議所に於て爭議委員會を開き聯合會粉碎を更に決意す

一、二月十四日　客主組合市民協會(鮮人側有志會)の斡旋に依り聯合會と會見

八四

一、二月十七日　客主組合會との會見の結果に付き協議し更に商議との歩調一致を決議す
一、二月十九日　會議所新勞働會設立を決定す
一、二月二十日　仁川人夫十六名歸還せしむ
一、同　　日　市民協會より仲裁を提議さる
一、二月二十一日　右提議を拒絕す
一、同　　日　仁川人夫七十一名を送還
一、二月二十五日　商議新勞働會設立の「ビラ」を撤布
一、二月二十六日　仁川送還人夫七名逆戾す
一、二月二十八日　仁川人夫四名送還
一、三　月　二　日　咸南勞働會入會申込者既に四百七名に達す
一、同　　日　「ヲ社」は人夫滿員の旨揭示
一、三　月　五　日　仁川人夫九十三名送還（內三十名は途中より引返す）
一、三　月　八　日　咸南勞働會創立
一、三月十二日　咸南勞働會は事務所を設置す（入會者四百二十名を十細胞に組織す）
一、三月二十六日　元山府尹の調停に對し聯合會の否認を條件としたる爲め決裂

八五

一、三月二十七日　會議所爭議より手を引くことを聲明す
一、三月二十九日　荷主大會を開催し咸南勞働會支持を決議す
一、同　　日　ヲ社職工咸南勞働會に入會す
一、四　月　八　日　聯合會の自由就業に對しては聯合會を脫退し咸南勞働會の手を經ることを條件として使用することとなす
一、四　月　十　日　右決議し、結ト勞働組合が聯合會と關係を斷けたる旨を以て使用を懇願せるも咸南勞働會に入會せさるを以て拒絕す

次ぎに此れを關する新聞記事を示して見よう

(1) 朝鮮日報（二月廿二日）

解決を商議に依賴

國際通運、國際運輸兩社の海陸人夫が罷業を斷行したので元山運送業者は大いて狼狽して、即日元山商業會議所に解決を依賴したが、會議所では元山商工界の大問題なりとして、同日午後五時半臨時緊急評議員會を開き、協議の結果自ら問題の解決に當ることとした。

八六

(2) 朝鮮日報（二月廿三日）

元山回漕業組合決議

元山回漕業組合では、去る二十一日緊急總會を開き、協議した結果、元山勞働聯合會に勞銀引上要求に對する理由說明を、去る二十日迄に爲すべき筈であつたのに、何等の回答を爲さざるが、如斯、無誠意なる勞働團體の所屬人夫を使役するは、將た永久に不安を醸するものであるから、自今、元山勞働聯合會の人夫は、一切使役しないことに決議し、通告文を作成して元山商業會議所を經由して元山勞働聯合會に送付したと云ふ。

(3) 朝鮮日報（二月廿六日）

仁川勞働者募集

元山商業會議所より仁川商業會議所に勞働者募集を依賴して來たが、仁川も目下、勞働者の需要が過多で意の如く募集出來なかつたが、國粹會前川富三郎が立つて、元山に行けば毎日一圓二十錢宛の賃銀を出し、旅費は三圓乃至五圓を出すと云ふて活動したので、約三百名が應募し、二十五日の夜行が、二十六日朝の汽車に出發することとなつたので、仁川勞働聯盟、仁川商盟、新幹仁川支會、同友會等では

八七

二十四日午後六時より四隊に分れて、徹底する如くに仁川驛、上仁川驛及各勞働者宿泊所を一々訪問して、元山爭議の實狀を語り、一部奸惡漢の言に弄絡されることは將來の爲めに不利であることを述べたが、無自覺な勞働者には、何等の効果なく、翌朝も前川方の前で、勞働聯合會、權委と新幹會郭尙勳が路上演說を爲したが、別に効果なく、仁川警察署の爲めに郭尙勳、權忠一李昌植が檢擧された。

(4) 東亞日報（二月廿六日）

商業會議所の策戰

商業會議所の策戰は、元山勞働聯合會を惡宣傳して、聯合會員を極度に興奮させ、一方閑散勞働者を募集して、十餘名をして仕事をさせれば、興奮した聯合會勞働者は、暴行を爲し、其の時は警察が、全部檢束するから、其の時期を利用して、募集した勞働者全部を國粹會長林田に統率させて、新勞働會を作る計劃であつたと云ふ。

(5) 東亞日報（二月廿八日）

元山客主組合は仲介組合へ絕緣

元山客主組合は、二十六日評議員を開き、元山仲介組合（六十餘名）は勞働聯合會に加入せるものな

八八

りとて絶緣を決議した。

(6) 東亞日報 （二月二日）

持久戰中の元山大罷業

仁川勞働者八名又復脱走して捉へらる

重ね重ねの警官隊で嚴重に警戒し犯罪人のやうに悲慘な生活をなさしむ

人道上重要問題

去る三十日午後十二時頃仁川から來た人夫の中で八名が又脱走するつもりで彼等が監禁されて居る市内州洞土木出張所二所から竊かに出て逃走する時、元來鐵壁の樣に圍んで嚴重な監視をなして居る巡査に發覺されて酷く毆られ、更に捉へられて行つたが、今彼等の脱走しやうとする原因を聞くと彼等が始め人夫に募集される時は通川炭礦に往くと欺かれたばかりでなく、元山に來て見ると罷業事件が實に豫想したことと違つて事態が頗る險惡なるに大ひに驚き、尚ほ仕事にも什長、國粹會員、消防隊、警察官等の三重四重の壓制の下に仕事を爲し、宿所と云ふ所に歸つたら冷たい二階の上に筵を敷いて居るばかりでなく、總ての自由が失はれて居つて便所に行く事迄も一々監視を受けて、丁度犯罪人同樣に取扱はれて居るので稍々隙に障つて始終脱走を計畫して居る。前日脱走した人の話に依れば始め來る時恐ろしい契約書に判を押し又金五圓宛取つたのが借金となつて、今やる仕事の賃金も何時拂ふか未だ一文も拂はないので、おひ〳〵舊暦の御正月も迫りて郷里を思ふ心が切であり、歸らうとしても契約があり逃走しやうとしても旅費がないので、何うしたらいゝか知らないと、彼等の現狀は頗る悲慘であると。

八九

九〇

(7) 東亞日報 （二月九日）

焦燥する石油會社罷業團に復業強要

夜中に職工を強制して引張つて往く會社側の行動に一般憤慨

（前略）

會社當局は極度に焦燥して工場監督林、中村等大勢の人か罷業團員の宅を戸別訪問して有ゆる甘言利説を爲して復業を要求したけれども、一人も此に應ずる者がないので、其の晩の夜更頃警官隊と一緒に出動して眠つて居る四名の罷業團員を強制して引張つて往つて、眞黑な工場の中でその晩を明かさせて復業を強要したが、誰も應じなかつたのであるが、一般は社會側の卑劣な行動と警察官の干渉に對して大に注目中である。

石油會社工場廢止説は宣傳に過ぎぬ

（前略）

同會社では工場の全部を他所に移轉するとか、全然廢止するとか云ふ噂を出して、元山繁榮に對して一般をして恐怖の念を惹起さしめると云ふが、聞く所に據れば元來同會社は中東北部朝鮮と滿洲に販路を開拓する目的で文坪に位置を定めたのであつて同會社の事業政策から見て最も適當な位置と云ふべく亦莫大なる施設をしたのだから工場撤廢云々は全く元山商業會議所が此頃勞働聯合會と闘ふて最後の決勝を得やうとするに唯一なる口實となす「勞働會は元山の繁榮を阻害する」と云ふ條件に對して言ふた一實證的材料として言ふたに過ぎぬと云ふ。

(8) 毎日申報 （二月廿五日）

罷業紛糾を餘所に新勞働團體出生

同濟、運送業及一般荷主側では今般の罷業勃發當初から健實な新勞働團體の設立を希望して居つたが理想的な團體が設立されたならば、施設其他に對しても應分の援助をすると云ふ聲明を發した處、日々に人夫が増加して來た事は既報の通りで、仁川の人夫も必要が無くなり其の半數は既に歸還せしめ。從つて國際通運、運輸、運送業組合、荷主組合等は現在三百名内外の新人夫をして作業をさして居る模樣で　やがては此等新勞働者をして新たに勞働會を組織して其の會名を咸南勞働會と命名し役員等は相互選擧で選任することになつた。同會では米、粟、小豆、麥等の原價配給、醫療機關の設備、理髪所等も設けやうとして居るが、差當り左の如き特約を實施することになつたと。

九一

配給部、米、穀物、鹽を傳票で原價で配給。

旭町　笹川商店

醫療部　實費醫療　府立病院

理髪部　二十錢で市内全理髪店

而して第二段としては同會事務所及合宿所も新築し、且つ時々娯樂も開催して慰安を與へやうとの計劃があり、同會は純然たる勞資協調の精神の下に出生したものである。

九二

解決は永久に望無し

市民協會の調停案を商業會議所は完全に拒絶

元山市民協會では調停案を作つて雙方に提出したがその調停案の内容は

一、勞働聯合會の主義綱領を全然改善せさること

二、幹部と役員を全部更迭させること

三、今後は勞資協調の精神を遵奉する覺書を聯合會から提出せしむること

以上の通りの三ヶ條であつて之に對して元山商業會議所では二十一日運送回漕業者等と會合協議の結果我等は元山勞働聯合會そのものの主義精神を否認するものであつて今回の爭議は我等の否認する點か

ら出發したものであるから、今更どんな條件を付しても聯合會を相手とする調停には應ずることが出來ず、その會則綱領を改めたり又は役員を改選しても決して立黨の精神が無くならないものであるから折角の市民協會の調停ではあるが遺憾ながら應ずることが出來ないと云ふ意見が一致即時書面を以つて市民協會に拒絶通知を發した。

之で今回の罷業準後の解決は永遠に望無き狀態に陷り別項の如き新團體が出生したので元山勞働界には新氣運が生き動いて居るのである。

(9) 朝鮮日報 （三月廿一日）

元山荷主大會

再昨二十九日元山商業會議所で荷主大會を開催し、朝鮮人荷主二十餘名日本人荷主四十餘集まり、杉野會頭より、爭議の經過を報告して今後表面上、會議所は手を引く旨言明した後、

『團體契約權は、朝鮮、日本は勿論、全世界勞働者にないのである。故に諸君は此の樣な惡法を肯定してはならない。聯合會員が聯合會を脫退して諸君と雇傭契約を結ぶのは會議所としては關係はしない。聯合會の末路が、如何になり咸南勞働會が如何になり行くかは、自分は知つては居るが此處では明言し難い』と意味深長な言で話を終つた。

九三

次きに咸南勞働會常務理事金銀運氏が、就任挨拶に兼ねて、自分は聯合會員と情實關係が深いので、不憫な聯合會員を救ふ爲めに、咸南勞働會を組織した。荷主側で、其の間、聯合會員を使つた所もあるが、此れは却つて彼等を害するものであるから、今後聯合會員を使はない樣にして貰ひたいと云ふ意味で、挨拶を終つた。其の次ぎに咸南勞働會理事 商業會議所特別評議員洪鍾熙氏が『自分が三月五日に京城より歸つて來た所、會議所で咸南勞働會を組織して、會長たるべき人を求めて居たので、自ら進んで關係することとなつた。今回の爭議を民族的に視るものもあるが、元山は商港であるから民族を區別してはならない、自分は咸南勞働會に關係したのは、爭議を民族的又は政治的に轉換させない爲めである』と述べ『將來總督府と官憲では、聯合會を如何になし、咸南勞働會を如何に保護するかは、此處で明言しない』と會頭と同樣に、意味深長な事を云つて閉會となつた。

七、官廳側關係

一、軍隊と警察官とが爭議に干涉し、消費組合帳簿の押收、聯合組合重要人物の檢束等を爲して聯合組合を壓迫したと傳へた。

二、警務局、殖産局監督官廳は、仲裁の勞を執るべき筈の商業會議所が率先して爭議の渦中に投せるを遺憾とし警告を發する模樣である。

九四

三、二月四日總督府で局長以下社會課長地方課長が山崎元山府尹と鳩首協議し解決策考究をしたが時機に非ずとして當分直接、間接の干涉を爲さないことにした。然し二月十九日金泰榮が總督府を訪ひ其實狀を述べたので、今迄の官憲の報告と對稱して今後の態度を決定する必要を認めた。

四、二月三日には委員長金瓊植を取り調べ五日には常務執行委員四人を檢擧した。之の事實は鮮內の多數新聞に刺戟を與へた爲に其記事は豐富である。

五、二月七日には金瓊植を拘引し元山警察署は總動員戒嚴した。

而して次に委員が檢擧せられた。

又二月二十八日には馬野咸南知事が入城し歸任後三月三日には咸南警察部長が元山に至り元山は極度に緊張した。

官憲側の行動日誌

一、一月二十三日　暴行　一、脅迫　二、檢擧
一、一月二十四日　暴行　二、脅迫　一、檢擧
一、一月二十五日　暴行　二、脅迫　一、檢擧
一、一月二十七日　新幹會の咸南社會團體聯合會計劃を禁止
一、一月二十九日　聯合會糾察隊十餘名檢擧

九五

一、同　　日　聯合會帳簿押收
一、同　　日　元山署長斡旋して運送側と聯合會側を會見せしむ
一、二月二日　青年同盟の爭議批判演說會禁止
一、二月五日　常務執行委員四名檢擧
一、同　　日　委員長金瓊植取調
一、二月七日　同人檢擧
一、二月十日　聯合會側家宅搜索
一、二月十四日　押收物品返還
一、二月十九日　委員長代理金泰榮總督府を訪問陳情拒絕さる
一、二月二十一日　檢查委員長李永楠外委員五名檢擧
一、二月二十三日　韓璣洙其の他檢束さる
一、三月四日　金泰榮道知事訪問（綱領マーク等の不穩を指摘されたるものの如し）
一、三月八日　新幹部道廳訪問
一、三月九日　警察部長元山に出張
一、同　　日　李永楠等釋放さる

九六

一、三月十八日　元山府尹出馬金秦棨に招電を發す
一、三月二十五日　馬野知事聲明書發表
一、三月二十六日　府尹の調停決裂
一、四　月　一　日　聯合會暴動化し被疑者を續々檢擧
一、四　月　四　日　委員長代理金昌淵暴動を煽動したる嫌疑に依り檢擧

次ぎに此れに關する主なる新聞記事を示して見よう

(1)　朝　鮮　日　報　（一月二十五日）

在郷軍人と消防隊活動

約四百名の在郷軍人と青年會消防隊員等は目下萬一を憂慮して警戒中で二十四日午前には咸興歩兵隊から約參百名の兵隊が元山に到着して市内各處で示威行進をしたが元山警察署では前記罷業團中の幹部七八名を檢束して嚴重に取調中とのことで一方場合に依れば大檢束をせんと目下嚴重警戒中である。

(2)　朝　鮮　日　報　（一月三十一日）

警察の干渉開始

元山署では去る二十九日午前五時頃より多數警官隊が出動して、元山勞働組合と消費組合の帳簿を押收したので、其の高壓的手段に激憤して居る。

(3)　東　亞　日　報　（二月四日）

警務局商議に警告

警務局では爭議の永く續くときは、一般勞働者の空氣を一層惡化せしめはしないかとの考へで、一日も早く圓滿は解決を希ひ、元山商業會議所の態度を遺憾に思ひ居り、殖産局でも商業會議所自體が爭議の渦中に入つたことは、本來の趣旨に反するものなりとて、眞相を調査の上相當なる警告を發する樣子である。

(4)　東　亞　日　報　（二月六日）

元山罷業問題で總督府各局密議

元山の爭議に就き總督府では方今對策考究中であるが、警務局では、職業柄勞働團體が鞏固なる團結を爲し資本家に對抗するのを喜ばざる樣であるが殖産局では、今回の如く秩序整然として行動するのは始めて見た現象であるので、交渉團體乃至勞働團體として認定するのが正當であると云ふ見地から、反つて商業會議所の本分以上の無謀な行動を制肘せんとする樣子が見え、商工課長が、方今其の準想を研究中であるが、内務局でも再昨四日上京した山崎府尹の報告を聽取し、局長以下社會課長、地方課長が鳩首協議し、解決策考究中であるが現今は未だ時機でないので、當分直接間接の干渉を爲さないことにしたと云ふ。

(5)　東　亞　日　報　（二月七日）

執行委員收監

元山警察署では、去る五日午前十時頃に、常務執行委員元正常を檢擧檢事局に送り、午後三時頃、又常務執行委員李宗敏、李容恩、李革を檢擧して檢事局に送つた。

(6)　東　亞　日　報　（二月九日）

金委員長突然收監—罷業團側形勢險惡

元山一帶の空氣極度緊張—警戒も一層嚴重を加ふ

元山勞働爭議事件に對して彈壓は司法機關の活動まで見るやうになつて爭議事件の總參謀部たる勞働聯合會幹部李宗敏氏外三名を元山檢事局に拘禁したことは既報の如きであるが、此のやうに官憲の活動

が爭議團に及ぶやうになつて一般に大衝動を與へたのであるが、去る七日には聯合會委員長金瓊植氏を松本檢事が拘引收監した、事件の内容は未だ判明せざるも、仁川から募集して來た勞働者を勞働聯合會で脅迫したと云ふ嫌疑だと云ふ、斯の如く官憲の手が爭議團に及ぶに隨つて爭議團に層一層衝動を與へて形勢は險惡に元山一帶の空氣も極度に緊張し警察署は動搖を憂慮して嚴重に警戒中である。

(7)　東　亞　日　報　（二月十日）

委員長檢擧以後形勢

各地檢事急遽來元—徹夜密議後活動

咸興と北靑檢事も出動—勞聯帳簿も檢閲中

元山勞働爭議は漸次擴大し遂に司法官の出動で元山勞働聯合會の委員長金瓊植外同會幹部數名が突然咸興地方法院元山支廳松本檢事の活動で拘引收監さるに從つて爭議團に於ては層一層非常なる衝動を與へ形勢は益々險惡であると云ふことは既報の通であるが其後咸興地方法院檢事局より岩城檢事、同法院北靑支廳より米倉檢事が各々書記二三人を連れて來て八日午前一時頃檢擧の旋風が起つて急遽出動し、同支廳では徹夜關係司法官等が鳩首密議した後、夫れ等は突然九日朝に勞働聯合會館に走つて來て同會館を圍んで室内室外の寫眞を取ると同時に、同聯合會の帳簿を一々閲覽中であると、事件の内容は絶對

秘密に附すると。(元山電話)

(8) 中外日報 (二月十九日)

當局の干渉硬化
十七日にも帳簿押收—糧食注文にも干渉

米倉檢事以下五六名の警官が勞働聯合會に到り帳簿其の他名簿會錄までも全部押收したとの事であるが、當局は元山勞働聯合會に來て、あらゆる帳簿及文書を押收し亦今迄會員の食ふべき糧食の注文に對しても干渉するとの事である。

(9) 朝鮮日報 (二月十九日)

咸南警察部長が警務局に上京密議
今後は續々檢擧する方針—警察力集中を暗示

咸南警察部長が警務局に來訪して局長室で元山大爭議の經過報告の後種々今後の對策を協議したが、今後は三月一日も近つき居り爭議の檢擧者三四十名もあり罷業團も日々興奮して行き、一方雇主側でも漸次團結的態度で進むので雙方どんな危險のことが起りはせぬかとこれに對する充分の警戒をなす必要

一〇一

一〇二

を感じ警察力の集中と罷業團を嚴重に取締ることで此れに對し松下警察部長は次の如く語つた。罷業以來已に二十日を經過したがまだ解決の曙光が見えぬのは甚だ遺憾である。此れは雙方が讓歩して始めて解決の望があるので今の現狀では到底解決しそうにもない。漸次險惡となる模樣で治安を維持する爲め今後は少し不穩があつても容赦なく檢擧する心算である。亦雇主側でも亂暴のことがあらば直ちに檢擧する筈である。

警官の增員と元山集中は警備に對する秘密であるから言ふことは出來ぬが、事態に依つては現在以上の多数の警官を必要とするかも知らぬ。三一日と爭議に對してはまだ考へぬがそれに對しても考慮する必要があるから局長に會見の際話が出るかも知れぬ。

(10) 朝鮮日報 (二月二十一日)

罷業團陳情聽取後—總督府の態度決定
◇中裁與否はまだ疑問◇
關係當局聯合講究?

元山勞働聯合會委員長代理金泰榮氏が同會檢査委員長李永楷氏と同會執行委員金昌烈を帶同して十九日總督府を訪問して關係各當局に盟罷に對する種々眞相を陳述する所ありと云ふことは昨報の如くであるが盟罷事件發生の後行政機關の報告のみ聞いて居て、罷業團側細々なる事件眞相を聞いた總督府各關係當局者は元山の盟罷事件は全朝鮮的の問題でない。唯元山の局部的問題であるから此問題所管咸南知事と妥協し、よいやうにすべきであるとのみで罷業團側に對して何等言質を與へなかつたが、元山盟罷事件が突發以來資本家側と勞働會側の損害は言ふに及ばず第三者である一般市民の損害も眞に莫大でこのまゝにすると全元山が經濟的に破滅狀態に陷るのは豫想の出來るので、兼て兩側が解決の考は夢にも見ないので爭議が持久戰に入り一二ケ月後に勞働會側の軍糧が缺乏の場合は推想どうなる事か分らぬので元山盟罷事件と直接間接の關係があつて前記罷業團の眞情を聽取した總督府の內務局長、警務局長、保安課長、社會課長の諸氏は二三日內に對策講究會議を開催して、今日まで見た行政機關の報告と罷業團側の陳情內容を對照して、總督府では依然傍觀的態度を持するのか、亦は如何なる方法で盟罷を解決せしむる仲裁の手段を採るかに對して最後の決定をなすとのことであるが、現今の元山盟罷事件は表面は別に變動はないが、內容では無言中に漸次緊張しつゝあるので罷業團側の陳情を聽取した總督府當局の盟罷事件に對する態度如何は各方面で大に注目を引きつゝありと。

(11) 東亞日報 (二月二十四日)

委員六氏又檢擧

一〇三

一〇四

去る二十一日聯合會委員李永楷、金景模、崔明福、李炳弘、金秉治、韓斗星が檢擧された。

(12) 東亞日報 (二月二十七日)

元山の罷業以來警察或は檢事局の手に檢擧收監されたる聯合會側の主なるもの左の如くである。

委員長　金瓊植
消費組合長　韓璣洙
檢査委員長　李永楷
常務委員　元正常、李宗敏、李容恩、李鉌
執行委員　金景模、金秉治、崔明福、李炳弘、韓斗星、
外二十九名

(13) 朝鮮日報 (三月一日)

馬野咸南知事突然上京當局と密議
約三時間に亘る重大協議
內容は絕對秘密に付するが元山事件斷乎處置說

昨二十八日午前咸南知事馬野氏が急遽入京して即時總督府に登廳して保安課長、警務課長と長時間密議の後更らに淺利警務局長と面談して繼續して午前十一時半から總督府室に集り約三時間も密議をしたが、協議の內容は絕對秘密に付するが洩れ聞く所によると元山罷業事件發生後四十餘日の時日を經過したが、まだ解決の望みは見えず事實上勞働者の××××が見へ其の影響が莫大であるとて、今同其の同盟罷業事件に對して或る嚴重なる處置をせんと去る二十六日から其具體的意見を書類に作り急に咸南知事を電招して其のやうに協議するのであると。

(14) 中外日報 （三月五日）

疑雲路寄に抱擁せられた警察部長の來元
雙方の意見を聞いた後に或る處分をなすやうだと觀測
擔銃警官巡回示威

馬野知事が先日總督を訪問して歸任するや咸南警察部長は三日午後二時の汽車で元山驛に下り、即時愛娘館に入つたが聞く所によると警察署長と先づ相議の上、荷主側の意見と勞働聯合會側の意見を詳細に聞いた後、兩者間に或る處置をなす樣子で、元山警察署では將來何か大事はないかと推察するものか最近三四日間元山市內を嚴筒の如く包圍警戒中で去三日朝は擔銃巡査百餘名が全市街を廻り非常警戒をなすと同時に一大示威運動をなすので空氣は極度に緊張しつゝありと。

一〇五

(15) 朝鮮日報 （三月二十五日）

元山爭議に對する注目せらるゝ知事の態度

元山爭議に對しては其の間府尹並に知事が交替に調停に盡力したけれども、罷業團側の主張は團體交涉權の確認を要求するのであるが雇主及當局側では法律上それを認めることは出來ないとの意見を持つて居るので、仲々に解決の曙光が見えず馬野知事はそれに對する意見並に經過を二十五日午前十一時總督府記者室で發表するそうであるが谷口課長は富永保安課長訪問後之に就て語る。

團體交涉は法律上の問題は兎も角實際に於て法が集會結社を許す以上其の團體の人格を認めてやるのは當然のことである。社會の一部では解散を云云するが目下の如く穩健に進んで居れば決して解散の如き處分は下さないが一晩のうちにどう變化するか判らぬ。

と語を避けた果して二十五日馬野知事は如何なる行政處分を下すか一般は注目して居ると。

一〇六

八、調停運動

新聞紙の報道に依つて按ずるに商業會議所の仁川勞働者の募集成功は爭議團の出鼻を挫くには充分なるものであつた樣である。即ち一月二十九日元山署長の斡旋に依る聯合會幹部と通運次席との會見に於ては既に、聯合會側は無條件復業を申出でて居る。然し通運側は一擧にして聯合會の撲滅を志し、之の聯合會側の申出を拒絕し其の後の調停運動にも常に商議側は聯合會の否認を條件としたので、調停成立の餘地も無く、從つて罷業も案外長延びたのである。

調停運動日誌

一、一月二十四日　市民協會（鮮人側有志の會）對策準備會を開く
一、一月二十九日　元山署長の斡旋にて通運側と聯合會側會見
一、一月三十一日　元山穀物商組合代表元山署に解決方陳情書を提出
一、二　月　二　日　委員長府尹に仲裁方依賴
一、二　月　三　日　鮮人雜貨商飲食店等三十六名連署警察に陳情す
一、二　月　八　日　府尹出馬說得へらる
一、二月十四日　市民協會の斡旋にて聯合會と客主組合會見
一、二月十五日　市民協會調停委員を選定す
一、二月十六日　金泰榮德源郡守を同伴元山每日新聞社長を訪問會議所との會見を依賴拒絕さる
一、二月十七日　客主組合は會議所と同一步調を取ることに決議

一〇七

一、二月二十日　市民協會調停案提出
一、二月二十一日　雙方共拒絕
一、三　月　四　日　金泰榮知事訪問
一、三　月　八　日　新幹部知事訪問
一、三　月　九　日　警察部長の調停說得へらる
一、三月十八日　府尹出馬金泰榮に招電を發す
一、三月十九日　金泰榮府尹を訪問
一、三月二十六日　府尹の調停決裂

次ぎに此れに關する主なる新聞記事を示して見よう。

(1) 東亞日報 （一月二十七日）

署長の斡旋を拒絕

二十九日元山警察署植村署長の斡旋で、勞働聯合會幹部と通運の次席とが、元山署で會見したが、勞働聯合會幹部は今回の事件は罷業でなく解雇されたのであるから、只今でも仕事をせよと云ふならば無條件で就業すると云ふと、署長は喜んで次席に其の事を語つた。處次席は支店長に電話を懸けたが、結

一〇八

局會社は事件を元山商業會議所に委せたから、今は何とも云へないと云つて、直に解決されるものを、一層複雜にしたが其の後會議所からは一言半句の言もなく、其の上に通運會社の絶緣狀を經由して送つたのである。

(2) 東亞日報 （一月廿八日）

元山市民協會調停決議

元山市民協會では去る二十六日評議會を開き、調査委員の調査報告を聞取つた後積極的に調停することに決議したが今は雙方共態度が强硬であるから當分形勢を觀望することとなし、形勢觀望は三幹部に委任した。

(3) 東亞日報 （二月十九日）

一進一退の元山大爭議

雙方陣容を更張―事態は又復逆轉

形勢更らに險惡―空氣は加一層險惡

元山市民協會の周旋で元山勞働聯合會と元山問屋組合代表が會合して一日も速かに解決せんとし條件

を市民協會に一任し其翌十六日德源郡守の個人的周旋で金泰榮氏と會議所側西田氏が會見し解決策を講究したるも結局會見が有名無實となつた。そこで勞資兩大隊は團結に力を注ぐこととなり聯合側は粟八百石を亦注文したと。

(4) 東亞日報 （二月二十七日）

調停拒絶の理由―双方の云ひ分

元山市民協會が錬りに錬つた調停案なるものは

一、元山勞働聯合會は勞資協調主義を實行する事

二、聯合會の最高幹部改選の事

三、勞資問題に就いては懇談的に解決する事、懇談にて解決せざることは元山商議又は元山市民協會の仲裁に依ること

四、元山勞働聯合會規約中非合法的文句ある時は之を改定すること

右について元山商議側の拒絶理由(大意)

元山勞働聯合會の主義精神穩かならざるを以て其の團體を否認する以上、聯合會との調停は不必要と認む

又聯合會側拒絶の理由(大意)

一、我等の爲めに收監されたる幹部を人情上改選する能はず

二、勞資協調的に進むまいとするのではないから、今日になつて殊さらに仲裁機關を設く必要なく、勞資協調主義を實行せよといふことは解決の問題とするに足らぬ

(5) 朝鮮日報 （三月十一日）

元山大爭議事件不日解決豫想

警察部長が直接出馬調停各方面の注目集中

辛然綱領と「マーク」を改め同時に幹部總更迭まで斷行した元山勞働聯合會では去る八日午後六時汽車で新任委員長金泰榮氏以下重要幹部數氏と咸南道廳に至り首腦者を訪問せしめた所、前記數氏は翌日朝道廳に至り咸南道知事と警察部長、商工課長に面會して其の間の經過を語つた上、再昨九日晩十一時汽車で元山に歸還したが此れと同時に咸鏡南道の松下警察部長も今氏一行の乘つた汽車で急遽元山に到り、目下各方面要路者と會見して居るが、探聞したる所に依れば警察部長が今回自身居中調停に立つ樣子で、遲くも此の先き五六日内には朝鮮稀有の今回の大爭議も解決さるるもの如く觀測されると

(6) 東亞日報 （三月十八日）

元山府尹出馬調停―委員長來元を急請

委員長に速く來いと電報―解決に直面せる元山爭議

永く曳きづつて來た元山勞働爭議は元山勞働聯合會側で幹部が總辭職を爲し新幹部が選擧された後咸南道當局を訪問し交渉した結果漸次解決が近づくと云ふことは屢報された所であるが、其間或る用で入京滯在中の新任委員長金泰榮氏に十七日山崎元山府尹より速く來いとの電報が來たので、氏は十八日午後十時十五分の汽車で行くと答電したと云ふが探問した處に依れば此の長久なる勞働爭議を調停せんと山崎元山府尹が出馬して、元山商業會議所側とは既に數回會見し、解決條件其の他を協定した模樣であるから氏の今回の歩みに依つて此の爭議が解決を見る樣である。

(7) 中外日報 （三月廿三日）

一般の期待―遂に水泡に歸す

山崎元山府尹が京城歸來中の元山勞働聯合會委員長金泰榮氏に急遽歸來方を打電したるより委員長は二十日消費組合韓璣洙氏と共に訪問し、植村署長立會の下に會見したが府尹が打電したる用件は今回荷

主側が組織したる咸南労働會が完全に成立したるを以て同會人夫を永遠に使役するが若し労働力不足の時は聯合會側の力を借りたがいいと思つて其の意見を述べると傳へたのみであつたので一般の期待は水泡に歸した。

府尹の意見に聯合會にては不贊成

馬野咸南道知事は上京の途二十日元山に到着し丸芳樓に金委員長を迎へ山崎府尹と同様の意見を洩したので委員長は『自分は府尹や道知事の意見には贊成することは出來ぬ。寧ろ府尹の電報を見て來元したことを後悔してゐる。自分も早く京城に歸りたいと思ふ』と答へたさうである。

(8) 朝鮮日報（三月二十一日）

調停者たる元山府尹態度甚だ模糊

咸南労働會労働者を使ひ不足ならば聯合會を相手に。

解決の曙光尚ほ遼遠

元山府尹が労資兩方の意見を綜合した上、今回の労働爭議を解決する爲め居中調停に立ち丁度上京中であつた聯合會委員長金泰榮迄でも官報電報で呼んだことは既報せるが、豫定の通り金氏は昨十九日朝元山に到着して其の日午後二時より府尹官舍で聯合會側の代表金泰榮、韓璣洙、金昌烈の三氏と府尹及 一一三 警察署長との第一次會見をしたが、其の時府尹は自己の腹案を一つも表示することなく單に商業會議所會頭の言だと云ふて『今後雇主側が労働者を使ふときは新に新設された咸南労働會員を最初使つて其の他に必要な場合は聯合會の労働者を使ふ意思だ』と云ふことを傳へたのみであるので聯合會代表者等は餘りにも頼りなくて直ぐ歸つて來たと云ふが、今後何時又會見を求めるかも知らないが調停者の態度が此の様に鮮明でないのみならず腹案を具體的に提出しない前には何等解決の曙光が見えそうにないと云ふ。 一一四

九、罷業の影響

一、罷業の影響に對しては諺文新聞は其の報道記事中所々に記載して居るが纏つた記事は餘り見當らない。大阪朝日新聞社は『朝鮮朝日』に於て小商人の悲鳴を傳へたが其の後此の種の記事は國字新聞には比較的少なかつた。從つて一般に地方民に及ぼしたる影響に關する記事の見るべきものはない。

一、罷業費は極く概算であるが左の通り見積られて居る。

聯合會側（朝鮮日報は三萬圓と報して居る）		
粟代	九三六、四	一六、一八九、〇〇〇
食糧在庫せるもの		二、〇〇〇、〇〇〇
宣傳費		九五、〇〇〇
旅費		二〇〇、〇〇〇
雜費		一〇〇、〇〇〇
計		一八、五八四、〇〇〇
雇主側（但し警察側では三萬一千七百圓と見積つて居る）		
直接爭議費用		六、五〇〇、〇〇〇
咸南労働會創立費		一、五〇〇、〇〇〇
同會補助		二、〇〇〇、〇〇〇
計		一〇、〇〇〇、〇〇〇

一、爭議前は労働は總て請負であつたので仕事さへあれば一ヶ月一人平均四十圓位の收入になつた様だが爭議後は日給制となり現今は一人一日八十五錢乃至一圓二十五錢となり労働者の收入は三割位減少した様だ然し日給制は能率が上らないので近く又請負制となるものと期待されて居る

次ぎに此れに關する新聞記事の主なるものを示して見よう。

(1) 東亞日報（二月十日） 一一五

兩大米穀商八日又破產

殆んど一ヶ月に亘る労働者の罷業で、物貨の移輸出は停滯狀態にあつて、市況は話にもならない。破產者の續出を豫想して來たが。果竟元山の巨大なる米穀商某々二商店が、破產宣告を受け門を閉ぢて居ると。 一一六

金融が何時もより緊ふ。舊年末にも拘らず、昨今の元山の市況は、最も閑散で、金融界は全然閉鎖狀態であつて、今後も破產者が續出する様子であるから、元山商業界は極度に不安と恐慌の中にあると。

(2) 東亞日報（二月廿二日）

露顯した罷業影響

元山各銀行を通じて不渡手形の總額は約五十萬圓で、今月中に破產の運命にあるものは鮮人七、日本人六名なりと。

(3) 朝鮮日報（四月三十日）

爭議の影響

輸移入表

		今年	昨年	比
輸入	一月	五五〇、七七五	五五一、九七五	一、二〇〇減
	二月	四四八、四二六	四七七、三四〇	二八、九一四減
	三月	四六八、一四四	八四九、四八二	三八一、三三八減
輸出	一月	四二、〇一二	八、一八五	三三、八二七增
	二月	六、五二〇	三九、九九九	三三、四七九減
	三月	三七、九四一	三〇、三八〇	七、五六一增
移入	一月	九二四、三三九	八七、九二一	八三六、四一八增
	二月	一、二六八、六九一	九八三、三四一	二八五、三五〇增
	三月	一、〇五二、四〇五	一、四六八、一四七	四一五、七四二減
移出	一月	八一二、六七六	一、〇一三、八〇八	二〇一、一三二減
	二月	四六八、八八七	四八八、四〇三	一九、五一六減
	三月	四二七、二一三	五三八、九七七	一一一、七六四減

鐵道荷物表

		今年	昨年	比
到着	一月	一二、四四九	一一、五一〇	九三九增
	二月	七、九四六	八、一七四	二二八減
	三月	一一、八四五	一一、四五三	三九二增
發送	一月	六、一九七	五、九二一	二七六增
	二月	五、三七八	七、七八六	二、四〇八減
	三月	一一、八七五	九、三七七	二、四九八增

組合銀行帳尻

		預金合計	貸付金	割引手形	荷爲替手形(單位圓)
一月	昨年	四、二五九、一〇四	二、六九七、〇一〇	七五〇、三二三	六五四、七五〇
	今年	四、九九五、一七一	三、〇一〇、一二八	九六六、四三九	七四〇、六一一
	比	七三六、〇六七增	三一三、一一八增	二一六、一一六增	八五、八六一增

一一七

一一八

		預金合計	貸付金	割引手形	荷爲替手形(單位圓)
二月	昨年	四、四〇九、八七二	二、七三五、三六七	七三六、二六九	四二一、〇〇六
	今年	四、五三三、一四一	三、一九六、四一一	六五八、五〇一	三七七、五〇七
	比	一二三、二六九增	四六一、〇四四增	七七、七六八減	四三、四九九減
三月	昨年	四、二八七、五八〇	二、七〇三、五六九	八六七、三八三	六〇六、二四五
	今年	四、三九二、〇七二	三、一〇四、四三〇	八四六、〇三六	四七七、九七三
	比	一〇四、四九二增	四〇〇、八六一增	二一、三四七減	一二八、二七二減

韓一銀行支店帳尻

		預金合計	貸付金	割引手形	荷爲替手形(單位圓)
一月	昨年	二二六、七七二	四三二、一五二	九二、二八二	二二、二一七
	今年	二四九、五四八	四八五、七一三	一一〇、四一九	一三七、五二七
	比	二二、七七六增	五三、五六一增	一八、一三七增	一一五、三一〇增
二月	昨年	一七〇、一四一	四四九、七三三	八五、六九九	一二七、〇四四
	今年	二一二、二五〇	五六二、二四九	六九、六六九	一〇二、九八一
	比	四二、一〇九增	一一二、五一六增	一六、〇三〇減	二四、〇六三減
三月	昨年	二〇五、八九〇	三七八、二五一	九〇、六四九	一八五、一一一
	今年	二二二、〇八二	五五五、六六〇	八三、三四八	一七九、五〇三
	比	一六、一九二增	一七七、四〇九增	七、三〇一減	五、六〇八減

郵便局爲替受拂表

一月	昨年	二九四、四二七
	今年	二九〇、三〇四
	比	四、一二三減
二月	昨年	二一五、三〇九
	今年	二六二、二〇四
	比	四六、八九五增
三月	昨年	二八九、四五〇
	今年	二四二、七四五
	比	四六、七〇五減

木綿類移入表

		生廣木晒細布	天竺布	白木綿(單位圓)
一月	昨年	九〇、五五六	五、〇四五	四、七一三
	今年	七〇、二七五	四、七三七	三、七〇四
	比	二〇、二八一減	三〇八減	一、〇〇九減
二月	昨年	八八、一七〇	三、九九七	一〇、〇四九
	今年	三三、七一四	一、二四二	五、六七四
	比	五四、四五六減	二、七五五減	四、三七五減
三月	昨年	七八、七五五	四、二九六	九、二三三
	今年	三二、九二六	一、一二六	六、八六九
	比	四五、八二九減	三、一七〇減	二、三六四減
減少合計				一三四、五四七圓

在庫穀物表

		籾	玄米	白米	粟(單位石)
一月	昨年	五、七〇八	三、一一七	五九五	一、七五二
	今年	一〇、〇五〇	五、八九七	一、四一一	三、七一五
	比	四、三四二增	二、七八〇增	八一六增	一、九六三增
二月	昨年	一八、〇五八	一四、三一二	二四、七四六	一、八〇六
	今年	一三、一五七	七、六八二	一、三六七	四、八三〇
	比	四、九〇一增	一〇、六三〇減	二三、三七九減	三、〇二四增
三月	昨年	九、三一三	四、八九八	一、一五一	七、〇三七
	今年	一〇、二二六	二、二〇三	一、四三〇	七、八四七
	比	九一三增	二、六九五減	二七九增	八一〇增

一〇、暴動化

一一九

一二〇

元山勞働聯合會所屬勞働者は四月一日遂に暴動化した。之に對し聯合會側では頻りに偶發的事件の如く宣傳して居るが、組織的計劃的行動なることは蔽ふべからざる事實で或は最後の決戰として此れに依つて咸南勞働會側を威怖休業せしめ、以て局面の變化を計つたものであることは疑ふ餘地もない。

今此れに關する主なる新聞記事を示して見よう。

(1) 東亞日報 (四月六日)

棍棒携帶の群衆咸南勞働會を襲撃

去る一日午後六時頃咸南勞働會へ數十名の群衆が襲撃し、第一着に電線を斷ち石を投げ棍棒を振り廻して、咸南勞働會側の幹部、會員の別なく亂打して、數十名の負傷者を出した、事件が突發したが、內二名は危篤だと云ふ。襲撃した群衆は直に風の如く踪跡を隱したと云ふ。

數百名の警官總動員：宛然戒嚴狀態

事件突發に驚いた警察署では、卽時武裝した警察官數百名を總出動して、數十臺の自働車で現場に急行したが、其の時既に、襲撃者一同は姿を隱したので、卽時警戒搜索に着手し、咸南勞働會を始めとして全市內を水をも漏さぬ樣に警戒する等、恰も戒嚴狀態の樣であるが、襲撃犯人を搜索の結果、二日午前二時頃になつて暴行嫌疑者として、元山勞働聯合會員十餘名を檢擧して取調中である。

労聯幹部は愕然失色

労働聯合會を訪問した處、幹部一同は愕然失色しながら、我々は何事があつたか全く知らないと云ひ今回の襲撃事件は組織的に計劃されたものでない樣である。

負傷者は、咸南労働會幹部三永社劉秉祚氏を始めとして、申泰勳、朴根洙、韓昌一、韓範周等數十名であるが、劉秉祚は生命危篤であると。

(2) 東亞日報 (四月四日)

一絲不亂の元山大罷業事件も遂に暴力行動となり、一日午後六時頃に數十名の群衆が咸南労働會幹部を襲擊し、多數の重輕傷者を出した事は昨報の通であるが、元山警察署では、加害者逮捕に宛然戒嚴令を下した如く嚴戒して居るのに、昨三日午前二時頃、更に咸南労働會細胞團體共從組組長金敬文の家を十數名が襲擊して、金敬文を毆打し重傷せしめ、同居人金花篇、石今息の二名も輕傷せしめ、午前五時頃には同じく、咸南労働會細胞團體春日組員が露西國領事館入口にある、通運で仕事をするとき、又十數名が襲擊して數名の輕傷者を出して、何しかに逃走れたので、警察は労働聯合會員、全淳福外五名を檢擧した。

二日迄に元山警察署に檢擧された員數は、三十餘名で、主として聯合會細胞團體運搬組員及結卜組員

一二二

一二三

等である。

(3) 中外日報 (四月五日)

咸南労働會が聯合會員に襲擊されてから、事態が重大となつたが、二日には春日町附近で、牛車夫一名が襲擊毆打された事件あり。一般は事件の展開に對して大いに注目して居るが、警察は三日午後四時より、四十名の警官を總出動警戒を嚴重にして居る。

襲擊された劉炳祚は、鼓膜を破られて重態であるが、生命には差支はなくも退院は苦労をする樣になるだらうと云ひ、又金敬文は幸に死に到らないが、完全な人になることは難かしいだらうと云ふが、咸南労働會では、幹部某々氏が警察に出頭して、保護不徹底を質問し保護を願つたと云ふ。

(4) 朝鮮日報 (四月五日)

襲擊嫌疑者三十四人引致

再昨三日は休日なるに拘らず、元山署員は總出動して、武道場に於て、拘禁した聯合會員三十四人を取調中であり、同三日午後には、文坪方面より聯合會員五名を引致し、是亦同事件嫌疑者として取調中であると。

其の氏名左の如し

崔相度、趙成奎、金相天、閔泳俊、金斗現

(5) 朝鮮日報 (四月六日)

受難中の聯合會

暴行事件に依り執行委員李永格外四十餘名が檢擧され、金昌烈だけが殘つて事務を執つて居たが、再昨四日午後九時に、金昌烈も拘禁され、消費組合書記趙樞衡、趙仁洙も檢束されたので、聯合會の將來は憂慮されるが、其れでも最後迄戰ふと云つて盟つて居る。

(6) 朝鮮日報 (四月七日)

武裝應援警官四十名又到着

咸南労働會襲擊事件發生後方々で衝突事件が續出するので、元山署では文川、高原、安邊、永興署に應援を求めたので去る三日夜より四日朝迄に武裝警官四十餘名が到着した。

(7) 朝鮮日報 (四月七日)

労働聯合會陣容變更

労働聯合會では去る四日、執行委員會を開會せんとしたが出席者が不足で流會したが、同會常務幹事李容煥氏が去る二日引致されたので、朴永同を常務幹事に選定し、陣容を整へて事務を執行すると。

一二三

一二四

(8) 東亞日報 (四月七日)

檢擧された群衆中二十一名は労聯員

咸南労働會襲擊被疑者たる、労働聯合會細胞團體員は二十一名檢擧されたが、中十一名は卽報したが結卜組第二區、金永奎、徐仁奉、鄭昌大、李洪植、朴仁善、李源道、李致雲、梁奉準等九人も檢擧されたと。

(9) 東亞日報 (四月七日)

労聯主要幹部檢擧

去る四日の晩と五日朝には、労働聯合會常務金昌烈消費組合趙仁浩、趙禮亨等の重要幹部を大部分檢擧したが、檢擧の手は労働聯合會全體に波及する樣である。

一一、自由就業以後

元山勞働聯合會は四月六日内外の情勢上其の罷業を支へ得ずして遂に自由就業の命令を發し、同時に資本側と或種の諒解あるものの如く宣傳して分裂を避けんとした様であるが時既に元山の勞働市場は咸南勞働會所屬勞働者の獨占する所となり、聯合會員を收容すべき餘裕なきのみならず、雇主側の追擊甚しくして殆んど全く失職の狀態となり、更に細胞團體の脫退要求となり幹部の内紛となつた。斯くて失業勞働者は遂に四月十七日以後より其所屬勞働聯合會を脫退して咸南勞働會に入會するの止むを得ざる狀態に立ち至つた。

自由就業以後の日誌

一、四月六日　自由就業決議（各細胞は各就業運動を爲す）

一、四月八日　韓環洙代議員會を招集して自由就業の報告を爲す

一、四月十日　德興商店に就業したる聯合會淡盛組員門鑑なき爲め稅關に出入を禁せらる

一、同　日　運搬勞働組合聯合會と關係を絕ちたる旨を以て使用を懇願したるも咸南勞働會に加入せざれば使用せさる旨申渡さる。

一、四月十三日　金奉榮辭任聲明

一、四月十四日　韓環洙署長を訪問して解體を辭せさる口吻を洩らす

一、四月十七日　運搬勞働、結卜勞働解體

一、四月十八日　埠頭組合、船舶一區、運送一區脫退

一、四月十九日　大興組、淡盛組、兩羽組、牛車組、三光組、三勢組脫退

一、四月二十日　三榮組脫退

一、四月二十一日　登負組、運設組、新設組、船吉組、船興組、脫退

一、四月二十四日　丸運組脫退

次ぎに此れに關する主なる新聞記事を示して見よう

(1)　朝　鮮　日　報　（四月八日）

勞聯の自由復業

勞働聯合會は糧食の缺乏、檢擧の擴大等の爲めに、遂に去る六日檢擧された十九名の幹部を除いて十一名全部集合し、悲愴な中に左の如き決議と命令を發布するに至つた。

一、會員の自由復業を許すこと

一、常務朴奏瑨の辭任を受理す

一、消費組合との取引は從前の通にす

一、補缺幹部に朴相植を選定して消費組合理事に補選す

一、仲介組合の脫退は受理せず

復業は如何になるか

以上の如く復業命令を出すこととなり、荷主側を訪問して決議を提示して、從來の通り就業せしめ且つ全部を使用して異れと交涉する筈であるが、果して細胞團體は決議の通り履行するか、又雇主側が從前の通り採用するか？問題の展開は最も注目すべきものである。

(2)　中　外　日　報　（四月十日）

復業の命は受けたが實際に仕事はない

元山大罷業は去る六日勞働聯合會側の讓步で一段落を爲したので聯合會側は之れが經過を各細胞團體に報告する爲めに去る八日朝より代議員會を開催し解決に對する條件内容及び今後の復業に對する各荷主側との交涉方法等を相談したるが、荷主が朝鮮人日本人の區別なく新たに組織された咸南勞働會員を現に採用してをる故、聯合會員等は各々技能により勞働市場を占領すべきである－と悲憤慷慨に滿ちた議論で會議を終つたが、復業命令を發した後勞働に着手した人員は僅か百餘名であつて、其の餘の一千

九百餘名は未だ就業するに至らず一般罷業員の困窮は眼も當てられぬ有樣である。又文坪に於けるライジングサン石油會社で從業してをつた勞働者等は、本部より復業命令を受けたが同會社にては其後既に他より勞働者を採用し作業中であるので就業の餘地なく、一百三十餘名の勞働者等は空しく手を束ねて遊んでをる。

仕事の爭奪から衝突の心配がある

聯合會執行委員會の復業命令を受けた各細胞團體にては、今後勞働市場を回復すべく各々猛烈に活動中であるが罷業中に既に仕事場を奪はれてをる關係上將來の解決は頗る困難と見られてをる。且又聯合會對勞働會の關係は本來面白かるべき筈なく、更らに去る一日の襲擊事件さへあり何時衝突が始まるものとも豫斷が出來ないので仕事場〳〵には警官が警戒してをる。

(3)　朝　鮮　日　報　（四月十日）

精神上の收穫多大

勞働聯合會某幹部は左の通り語つた。

我々が今回の同盟罷業を斷行した後、三ヶ月近くあらゆる犧牲を忍んで惡戰苦鬪して來たが、あらゆる事情が不利な爲め、自由復業命令を下すに至つたのは、誠に痛恋に堪へない。今回の爭議は、今日

は形式上負けたが、多くの經驗を得たので、從かつて多くの自覺をしただけに、決して失敗のみではない、唯だ殘つた問題は、全會員が全部從前の通、就業するかは疑問であるが、我々は出來るだけ此の問題の爲めに最後の努力をせんとするものである。

各細胞代表會

八日の各細胞代表會で韓環洙は左の通述べた。

我等は今日戰に敗れて白旗を揭げたが、然りとて仕事を爲さずし流浪するのは、聯合會を愛する本意に背くのである。戰つて萬一不利ならば總退却をしてから、再び時機を見て再起することもあるのであるから、今日敗戰したものの、他日機會を見て、我々の實力を囘復することが出來るのである、故に我々は暫く屈辱を忍んで自重することを希ふ。

(4) 朝鮮日報 (四月十日)

各荷主冷然

元山の大荷主である國際運輸會社當局は次の如く語つた。

勞働聯合會で自由復業を命令し、其の細胞團體代表者が來ては從前の通り使つて呉れと云つて來たが我等は我々が旣に作つた咸南勞働會があるから、其れを捨て置いて、使ふことが出來ない。然し聯合

會々員は過去永らく使つて來たのであるから、萬一自分等で其れだけまでにするとすれば、考慮すべき點があるが、そうかと云ふて、全部は使へないから、一先づ、閑散人夫として使ふより他がないから、賃金も從前の通りやることが出來なく日當とするより他はないと。

(5) 朝鮮日報 (四月十日)

文坪石油復業團百二十名解雇

就業命令に依つて文坪油工組は代表者を會社に送つて交涉したが、會社では、旣に他より勞働者を募集して居るので、技術者十名だけは復業せしめ、他は解雇すると云ふが、此れが事實とすれば又問題が起るかも知れない。

(6) 朝鮮日報 (四月十二日)

食糧缺乏、萬餘の生命如何

聯合會では旣に粟が無くなつて殘つたものは何もなく、復業も意の如くならずして二百名に過ぎず。萬餘の生活問題を如何にすべきや、又何事が起らないかと一般は注目して居る。

(7) 朝鮮日報 (四月十三日)

荷主側聲明書

自由就業の決議ありたるを以て同會員中には、荷主側の諒解あるものの如く思ふものがあるので、荷主側では十日左の聲明書を發表した。

元山勞働聯合會が各細胞團體に對し自由就業を命じたが、此れを以て荷主側との諒解が出來るものと思ひ、雇主側に對して復業を乞ふたが、荷主側には咸南勞働會が存在する以上、如何なる人夫でも、咸南勞働會を經はじなければ使用する能はず、從がつて聯合會側が如何に自由就業を命じたとしても荷主側には何等の關係を有せず、荷主側所要人夫は其の專屬供給機關なる、咸南勞働會の供給を待つものなることを玆に聲明す。

四月十日

勞爭委員會

(8) 中外日報 (四月十三日)

聯合會幹部內紛

自由就業に因して遂に聯合會內部に紛糾が生じ、十一日に至つて金泰榮氏は左の理由書を發表して、突然執行委員長を辭任した。

(前略)我々は決して何物かに反抗し何物かに對して反動することを、唯一の進路とするものでない。唯だ生を求むるのみであることは多言を俟たざるものである。然るに拘らず、我々の先決問題である食糧の缺乏と或る分子の協同力の乖離とに依つて、今日に至つては如何とも出來ないのも事實である此れは自分の力の不足を歎くべきものであるが、何よりも此の事實は、實地を無視することの出來ないのは、現今の自分の苦痛である。現存の事實である。幸に、我等の同志韓君の協力を望んで居たが同君も事情の如何なるものあるや知らざるも、最初の決定と異なる態度を取るに至つたので、自分の單身努力も勞窮り、漫然虛位を占むべき面目なきのみならず、最終の美を完決する信念も少なくなつたので、責任ある地位を辭すると同時に衷情を訴へて同志の許容を乞ふ。

(9) 東亞日報 (四月十七日)

金元勞委員長辭任せず

元山勞働聯合會委員長金泰榮氏が辭任したことは旣報の通りであるが同會にては此の際委員長の辭任は種々の點から見て安當ならずとて同委員韓環洙外數名の者來城相談中の所金氏は辭任を撤回したと。

(10) 朝　鮮　日　報　（四月廿三日）

勞聯會員四百名脫退

去る十七日には結ト組第一區第二區及運搬組の會員百七十名が聯合會を脫退して咸南勞働會に入會し十八日には更に通運組船渠組埠頭組計二百十八名が退會屆を出して咸南勞働會に入會願を出した。

(11) 每　日　申　報　（四月廿五日）

元山勞爭人夫事實上全部就業

元山勞爭は全く靜穩に歸したが咸南勞働會の會員名簿に依つて觀察するに舊聯合會人夫も咸南勞働會の人夫も皆完全に就業した模樣で咸南勞働會の組別人員は朝日組一二、國運組一八、運搬組一〇、共榮組八八、海運組一八、埠頭組一〇四、船頭組一四、陸送組六二、鵠釜組八、通關組一〇、馬車組一一、運送組二五、咸元牛車組二一、共同組八一、三永組九八、日出組七、金鎭組一、成德成組五、福祿組五九、で舊聯合會より脫會して入會したるもの三百一名國際通運の保證で入會した者五十四名、國運二五名文坪人夫百名であつて舊勞働聯合會人夫も是非を悔ひて入會したので十七日來急轉直下的に此の大成功を得たのであると。

一二、爭議に對する新聞の論調

東亞日報が前後五回に亘つて勞働合會擁護の社說を揭載し、每日申報は勞資協調の意味を打て爾議の態度を非難した。朝鮮日報は初めて「ライジングサン」石油會社の態度を非難しただけで、爭議擴大後に於ては一言も社說として述べて居ない。又中外日報（二月十日創刊）も社說を載せなかつたが、斯くの如く社說として揭載せずして報道記事を主題として其の中に言はんと欲する意見を或は誇張し或は宣傳し或ひは當局を皮肉るのが最近諺文新聞記事の一傾向である。

朝鮮日報の「爭議中の元山勞働聯合會と其の內容」と題するもの（組織記事參照）東亞日報の「元山大罷業插話」と題する宣傳的の記事の如きは其の主なるものである。

今此れ等を列擧して見れば左通である。

(1) 朝　鮮　日　報　（一月二十三日）

元山油工罷業の擴大（社說）

英人經營の咸南文坪所在ライジングサン石油工場の爭議が發端にて、元山水陸勞働者の總同盟罷業となつた。これが近來稀に見る大規模の罷業であるだけに同地方商工界に及ぼす影響は莫大なるべく、實業家側は甚しく焦燥の狀態にあり、且つ時機が時機だけに、或はその背後にある種々の思想團體の操縱するところなきやと、警察當局は嚴重に監視せる模樣である。

× × ×

今、同罷業の由來に就いて考察するに、今日突發したのではなく、その實は既に昨年八月來の爭議の連續にしてその胚胎するところ甚だ久しいのである。しかして、その當時の理由なるものは、頗る明白且簡單にして何れの勞働爭議にも常に見受くる賃金の引上げであつた。その要求額は僅か一日に十錢の引上げに過ぎざりしを以て、工場主側に於いても職工の要求通り承認することによつて、問題は圓滿に解決したのであつた。

× × ×

然るに、工場主側の就業時間延長によりて、問題は再び逆轉するに至り、彼等がたとへ十錢の引上げはしたけれども、更に一時間延長したのであつて見れば朝三暮四の譏を免れ得ないであらう。それゆえに、職工側に於いては再び奮起し、最低賃金制を要求するの外、退職手當の制定並びに死傷者への慰藉料に關する三個條件を提出せしに對し工場側はその猶豫期間三ヶ月を經過したるも、何等の返答を爲さず。玆に於いて元山勞働組合會より同工場に催告文を送るに至つたのであるが、同工場主側にてこれを全然否認したることによつて問題は一轉し、文坪石油工場對元山勞働聯合會の爭議と化して仕舞つたのである。

× × ×

元山勞働聯合會に於いては、代表者を屢々送りて文坪石油工場の失言に對する謝罪を要求したるにその都度無責任なる言辭を弄する爲め、元山勞働聯合會は同工場主の反省を促すべく、同工場の爭議が勝利を得る時まで、飽くまでも同情の總罷業を繼續するの決心を以て、出來得るだけ組織的に進行すべく、彼等各自が禁酒貯金して今後三ヶ月間の準備を爲しつゝあることを見ても、それが如何に大規模であるかが判るであらう。

× × ×

過去七年間の勞働爭議に於いて件數にまれ、關係人員數にまれ十三道中にかくれなき咸南ではあるが今回ほど量に於いて大規模に、その質に於て組織的であつたことはない。これは過般釜山に行はれた荷揚人夫の大盟罷を彷彿として聯想せしめる。現下の狀勢をして雙方互に堅く持して讓らず、到底短日時間にその圓滿の解決は望み難いもののやうである。

× × ×

吾人をして冷靜な態度を持ちて今回の盟罷事件を評せしむれば、文坪石油工場に於いて働ける一百五十人が、賃金の引上を要求せるに對し、同工場主がそれを無條件に承認しながら、一方に於いて更に勞働時間を延長するが如きとは、賃金の引上によりて生ずる損失のそれを、時間延長に依りて補充せむとするの手段にして、如何に勞働力を商品視す現代とはいへ、信用に關するところ頗る大なりと言ふべきであり、職工側より言ふならば、賃金引合によつて得たる利益を、時間延長によつて消失して仕舞ふことのために、再び要求條件を提出したのは無理からぬことである。

× × ×

しかして、誠意なき雇主のとであれば猶豫期間を經過せしめしを、必ずしも深く咎むるではないが、勞働聯合會に對する失言を直ちに取消さずして、竟に總盟罷を激成するに至らしめたその責任は、雇主たる文坪石油工場が負ふべきである。

(2) 東亞日報 (一月二十五日)

元山勞働爭議(社說)

客年九月以來問題の文坪「ライジングサン」石油工場の事件が導火線となつて、朝鮮で始めての大爭議が元山に激成された。其の原因は昨年九月の罷業解決のとき協約した條件を、會社側で履行しないので元山勞働聯合會は會社に質問した處、會社側では勞働團體を侮辱したので聯合會は其の失亡の謝罪と條件の履行を要求したが應じないので、畢竟去十四日より石油職工の罷業となり、元山勞働組合員に
一三七
して運輸勞働に從事する者等は「ライジングサン」會社の貨物取扱を拒絕するに至りたり。茲に於て運送會社は「ライジングサン」會社の貨物取扱を拒絕したる勞働者四百五十人を解雇したるに依り、元山勞働聯合會の細胞團體、元山運輸勞働組合員四百五十名が同情罷業を爲し、去る二十二日には事態が一層重大化して、二千餘名の總罷業が斷行されたのである。
一三八

此の解決如何になるかは未だ不明であるが、勞聯側の聲明書に依れば、事の此處に到るべき相當の理由があり、殊に調停に任ずる商業會議所が、勞働聯合會の態度が穩當でないと流宣傳をした爲め、總罷業を激成したのであるから、爭議の一部の責任があるのである。

爭議が深刻化するに從がつて彈壓が甚しくなるのは豫定の事實である。然し何れの爭議も時代思想の根據が深いものであるだけに、彈壓を以て解決し得ることを信ずるならば、時代錯誤である。假令一時の小康を得るとしても後日に不安を遺するのである。

(3) 東亞日報 (二月三十日)

元山商業會議の妄動(社說)

元山の勞働爭議は、其發端より既に二週間、大罷業開始されてより一週間を越へし今猶双方の態度强硬にして其解決は杳然たる狀態にあるもの丶様である。三千の就業者は作業を中止し、一萬の人口は其生活を賭するに至り、元山の商業界は生氣を失ふほどの重大結果を產み出せる大罷業であるだけに、吾人は公正な方針の下に、而も速かに解決されむことを望むで止まないのである。而して此公正なる解決に最も障害となる者が、當初爭議調停を托されし商業會議所そのものなるに於いて、吾人は同所の行動の無責任にして不公正なるを指摘せざるを得ない。今、爭議發端の經路を明らかにするならば、文坪ライジングサン石油會社對同社職工間に於ける昨年の盟罷解決條件履行を、勞働聯合會の名義を以て要求したるところ、會社側にては勞働聯合會を否認するてふ回答を爲したことが動機となり、去る十四日該會社職工の同盟罷業となつたのである。その後元山に於いて該會社所屬の兩運送會社の勞働者等は、文坪油工盟罷に同情的態度をとり、石油會社行貨物の取扱を爲さざるために、兩會社にては彼等の全部を解雇するの擧に出で、同時に兩運送會社は元山商業會議に所謂「調停」を依頼したのだそうである。

× × ×

然るに商議に異樣なる調停を行はむとするの誠意なかりしは、勞働者が無理罷業を爲したといふ逆宣傳文を撒布せしとを見ても肯かる丶のであり、而して解雇された兩會社關係の勞働者に同情した元山勞働聯合會が、已むを得ず總罷業を決行するに至つたのである。此に對して雇主側の運送店組合、同消業組合は勞働聯合會に所謂絕緣狀を送り商業會議所は人を仁川に派して勞働者を募集し、國粹會、靑年團
一三九
消防隊等の援助の下に、陸上作業を開始し、かくして爭議は遂に持久戰に入るに至つたのであるが、勞働聯合會より商業會議所に罷業の責任所在に就き公開立會演說を要求したるも、商議はこれを拒絕した。
一四〇

以上の經路を詳細に解剖し見るならば、何より先づ我等は今同の爭議が、全く勞働者の團體契約權承認、不承認にあることを看取するのである。從つて元山罷業の條件は何等複雜な者ではなく、兩運送業者が解雇せし勞働者を復活させ、文坪石油會社に於ては勞働聯合會の存在を是認さへするならば、これで事足りるのである。かく容易に解決する可能性ある問題に對して商業會議所は何ゆえに表面上調停を云爲しながら、一方に於いては故意に勞働者へ挑戰的態度をとり、あたかも第三者かの如く假裝しつ丶雇主側のロックアウト政策をヨリ積極的に行ふの必要が那邊にあるか。

× × ×

又罷業發端以後の勞働者側の行動は、完全に合法的運動として自ら惡動を嚴禁し、秩序整然たるに警官は鐵筒の如き警戒線を敷いて居るが、かくせなければならぬ事件なきに拘らず、所謂國粹會、靑年團消防隊を動員し必要以上の示威を行ふとは如何なる心思であらう。かくてもヨリ爭議惡化の責任を商議が能く避げ得るだらうか。

斯くした商業會議所は、元山の商界に大打擊を與へ、[illegible]任を獨り擔ふべきであり、商業界を代表する商議は商業界の自縱を逐行せむとする者である。旣に元山商業界には、一部に於いて商議の妄動に對し

非難の聲さへあり、必要以上に事態を惡化せしめた責任の所在を徹底的に問ひ爭議の圓滿公正なる解決を速かならしむる義務が、元山商業界にある者といふべきである。

(4) 東 亞 日 報 （一月三十一日）

元 山 罷 業 と 警 察（社 説）

元山警察は罷業の本營なる元山勞働聯合會と消費組合の帳簿を押收したと云ふ。今日迄勞働者側の行動が秩序整然として警察當局に何等干渉の口實を與へなかつたのである。併し乍ら警察は恰も資本家の利益を保護する爲めに勞働者側の弱點を探すことに苦心して居たかの樣に、罷業持續の原動力たる消費組合と其の資金に手を著けて見ようとする樣である。商業會議所が勞働聯合會を「ロックアウト」する爲めに、他處より勞働者を募集して此れを牛馬同樣に監視と××下に使役する行動等に對しては、警察は何等の制裁と監督を爲さずして、突然勞働者の陣營に手を入れる其の本意が何處にあるのであらうか

吾人は、今回の元山勞働爭議が最も公正に、又圓滿に解決することを希ひ、既に、異論した所であるが、萬一警察が無用の干渉を事とし事態を惡化せしむる樣な事があらば、其の惡化の責任は、商業會議所と共に免かれ得ないのである。吾人の希ふ所は、爭議の雙方の當事者側で、冷靜なる頭腦を以て最終の解決を圖ると共に、第三者の地位にある警察が一層沈着なる態度を以て、此れに對する無用の挑發を

一四一

避けることにあるのであることを警告する。

(5) 毎 日 申 報 （二月七日）

元 山 罷 業 事 件（社 説）

協 調 精 神 發 露 を 促 が す

元山勞働爭議は目下元山市民協會其他に於て調停を斡旋中であるから此の先どうなるか成行が待ち遠しく速かに解決せられんことをのみ望んで居る所であるが、茲に爭議雙方の主張内容態度を見るに荷主側では罷業勃發直後一切の對策を商議に依賴し、同所では宛ら勞働爭議制壓者の樣な態度を持つて元山勞働會の樣な横暴な團體を相手にして居つては商工界の爲めに不利だし、他所から企業家が、元山に投資も肯んじない樣になると云ふので此の際そんな團體とは斷然絶緣して仕舞つて、理想的な勞働團體を新たに組織して全元山の福利を圖ると宣言し、仁川等から勞働者を連れて來て不充分ながら作業を續けて居る。その一方聯合會側は此度の罷業の原因は荷主側にありとして責任を廻避し巧妙に罷業團を操縱して、相當の資金を準備して鬪爭を繼續しやうとして居る樣である。

然り而して此の兩方の主張には相當の理由があると云ふので今速かにその黑白を斷言することは出來ないが、朝鮮としては未曾有の勞爭を起さしめた直接責任者である「ライ社」が昨年九月に勞働者に對

一四二

して十二月中には乾度待遇條件を改善すると言つたに拘はらず、期限になつても改善は愚か却つて改惡に近い條件を提示したことは確かに勞働者側を瞞着した行爲であつて勞働者に於て該會社の荷物の陸揚を拒絶したのも他に何等の對抗力の無い勞働者側として已むを得ない最後の手段と謂ふべきであらう。

只勞働團體に於て此れと何等關聯の無い他方面に迄も罷業を決行して社會を威嚇して以つてその目的を貫徹しやうとしたことは決して正當な方法ではなくつて或は個中に不純分子の魔手が動いて居るのではないかと疑はれる點が有るし又一般荷主側から事件解決の委任を受けた商議に於て只强壓的手段に依つて勞働者側を屈伏させやうとする態度も決して最善を期した方策とは謂へないのである。

解決を依賴された商議では正に虚心坦懷兩方の主張を吟味し强者を抑さへ弱者を扶けて以つて圓滿なる解決を圖るべきであらう。

仲裁の立場にある者にして一方に對して敵對行爲を取るが如きは決して適中した所爲とは言へないのである。

況んやそれが大部分感情に支配せられて益々相手の惡感を増さする觀が有るに至つてある。

勞働者側としては或は乘心を激するに依つて常軌を逸した態度に出る點もあるのである。然し大衆は至つて愚なるが如きも極はめて賢明なるものであつて正義と純理とに對しては最も敏感に隨從するものである。

一四三

幸に局に當る各人士等は一切の感情を除去して只正義と純理の在る所に依つて迅速に圓滿なる解決を圖らんことを切望するのである。

(6) 東 亞 日 報 （二月九日）

元山爭議解決策如何（社説）

當局居中調停の必要

元山の勞働爭議は、文坪ライジングサン石油會社の職工盟罷より既に三週日經過し、調停の任に當りし元山商業會議所の妄動に因りて愈々擴大し、罷業團員無慮二千に達するに至つた。

× × ×

元山港内には一切の貨物の運送と貨物の賣買杜絶し、舊暦の正月を前に昨今の埠頭や市街には閑散な空氣が一樣に支配して居る。しかるに、形勢は依然險惡にして近日には自由勞働者の罷業を見るに至りしかも日本人勞働者までが同情的罷業を斷行し、何時の日その解決の曙光を見得らるゝか？實に啞然たる狀態である。しかして、これをその成行のまゝに放置したならば一萬人を包含する二千の罷業團に對してなり、破産に瀕せる小中商業者に於いてなり、延いては商業會議所自體に對してなり、收拾し能はざる難境に陥るものであり、到底一地方の勞資關係として傍觀し得ざる場合に至つたのである。

一四四

しかるに、最初調停の任を受けた商業會議所が、關係なき荷主と、運送組合と、回漕組合との職責を排して、自身商業家の利益を代表するものなりとて、仁川の勞働者と國粹會員を募集し來り、自ら進むで爭議の第一線に立つだのである。事態を斯く險惡ならしめた今日若しもョリ下手をしたならば、そのある側を帮助したてふ譏りを受くるであらうから、之れが調停の爲めに起うとするものゝないことも疑のないことであらう。

× × ×

しかし勞働者及資本家を代表せず、全然第三者の立場よりこれを調停し得る者は、爲政當局を除きては他に求め得ざるべく、事態がかく險惡なるだけに、元山府民の利益を代表する元山府尹より、又はそれが咸鏡南道の所在地であるが故に咸南道知事より未だ何等調停の意思さへ見へず、次にこれを關係府當局にまれ道當局にまれ、何等の措置を爲さない今日、總督府内務局よりなりとも、速にこれを處決する責任あるにも拘らず調査に名を籍り單純なる勞資の關係なりとして下を下さざることは、その意の那邊にあるかを理解し難いのである。

× × ×

咸南道知事が、何等調停するの能力なしとして、内務當局が調査に名を藉りてその趨勢に委するとすれば、その間元山府民の生活上の不安と脅威は何うであり、又その日〳〵漸く生活する勞働者と各方面

一四五

の產業界の打擊は、果して何うであらう?元來この爭議が、單純なる勞資の關係にのみに限られたるにあらずして、中小業者までが、この渦中に捲き込まれてをるのを、何うして勞資關係としてこれを放置されよう?今は雙方共疲勞せる狀態にある。去月卅一日には中小商人が元山署に調停を依賴しこのまゝ一箇月を經過するならば破產者が續出するであらうと訴へたではないか。

× × ×

調停の時期も完熟した!今、調停すべき責任者出でずんば、以後の事態は如何に展開しゆくかわからない。當局は各自に、今直にその調停の責を負うであらうから、萬一これを傍觀するとせば事實に於て全元山府民の生活上の脅威と不安とを看過するてふことゝ何等異なるところないであらう。是れ爲政當局者の速に居中調停の實現を希望する所以である。

一四六

(7) 中外日報 (二月十日)

(停刊中の社會相)

元山大勞働爭議

今回の大爭議の原因は遠く昨年九月に起つた文坪ライジングサン石油會社從業勞働者の罷業である。當時罷業を指導して居た元山勞働組合聯合會では會社側の背信行動に憤慨して去る、一月十三日同聯合會委員會が一度解決して就業して居る文坪製油勞働組合勞働者百六十餘名に罷業指令を下し、同時に聯合會所屬の勞働者は何處でもライジングサンの貨物を一齊取扱はないことに決議し、十四日午前十時に文坪製油勞働組合が罷業を斷行し、其の決議文を關係各方面に通知したが、此の爭議が起つてから二日の後元山通運會社に、ライジングサンの石油箱材料の松板一千八百箇が到着したので、前記埠頭組第一區勞働者が取扱を拒絕し、即席に解雇された。それて解雇された勞働者が、埠頭を去つたのを見た、第二區第三區の勞働者も同情罷業を爲すことになり、遂に通運側の二百五十名の罷業となり事件が擴大した、十八日午前には、通運側の勞働者が罷業し、貨物を取扱ひ得ないのを見た國際運送側では、事務員達埠頭に出て貨物の揭げ下しをする樣になつたので、此處でも又勞働者等は一齊に仕事を捨てゝ出來て、二百名の勞働者が罷業に加擔した。二十日には、元山の陸上運輸勞働者約四百名が又同情の理由で罷業を斷行した。此の樣に罷業が忽ち擴大して遂に、一千八百餘名の海陸勞働者が罷業を敢行するのを見て、通運と國際では警察に勞働者の取締を乞ふと共に、商業會議所に調停を依賴したが、問題がだん〳〵惡化して、再昨年以年賃金統一の爭議を筆頭に、聯合會に對して每年十五萬圓を餘計に支拂ふ樣になつた商工業者等は、此の際聯合會を打破せんと、調停はやめて直接商業會議所が聯合會を相手に戰はんとして、二十一日に至つて『運送業者の依賴に依り今後勞働團體に加入したものは一斉使用しない』と云ふ通告を發送して、二十二日よりは元山の個人勞働者を募集した。然し元山の勞働階級を組織せし

一四七

め訓練した聯合會を前にして、此の運送業の勞働者募集に應するものがなく、商議は、第一次に失敗したので、更めて仁川で依賴して二百四名の勞働者を急速募集し、國粹會員と警察の嚴重な警護を受けて二十六日に元山に到着して就業させたが、警察では萬一を慮り罷業團を監視し、仁川人夫を保護したが爭議團は、爭議資金と聯合會で施設した病院、消費組合、理髮所等の施設を背景として、溫健着實に爭議を繼續するのみで、仁川勞働者に加害せんとする氣勢が秋毫も見えなかつたので、警察では反つて國粹會員の退去を命令した。此の樣に持久戰に入つた爭議は解決が未だ見込がないが、商議側では聯合會に對立して、勞働團體を組織せんと、聯合會よりは施設を一層完全にして勞働者を奪ひ取らんとする計劃を立て、既に通運と國運から此れに要する資金を得ることに內定したと云ふ。然らば此の樣な策戰に對抗する元山聯合會は、如何なる實力を有して居るか。此れは確實なことは判らないが、今日迄既に二十餘日間秩序よく、抗戰して來たのと、此の先きも永く進む氣勢を見せて居るのを見れば、其の實力と組合員の訓練の程度を知り得るのである。然して現在は、自由勞働者と日本人勞働者も、罷業をしたが果して此の朝鮮で始めての大爭議が、此の先き如何に展開し、解決されるかは斷定し難いが、去七日には、突然當地警察署で聯合會委員長金璟植氏を拘引して、罷業の港元山市中は一層緊張した空氣に包まれた。

一四八

(8) 東亞日報（二月二十六日）

元山大罷業挿話

文坪罷業團仁川勞働者歡迎

文坪罷業團が、仁川より募集して來た勞働者を迫害しないかと憂慮して、國粹會員や警官が掩護して來たが、意外にも罷業團は兩手を擧げて歡迎したので、寧ろ大いに驚いたと云ふ。其の理由を知つて見れば、仁川勞働者も何處の勞働者も同じ境遇に居るものである。同じ境遇にある勞働者と、衝突する考はなく、同じ境遇にある勞働者の地位を奪つた事にはなつたが、遠からずして步調が整ふことを信ずる爲めであると。

罵 三 尋

元山總罷業の爲めに元山市民殊に、商業家は銀行では手形の不渡となり、取引が閑散となつた。然し債權者は債務の督促を怠らない。或日元山某運送業家の家へ債權者が來て、督促した處、荷物は倉庫に腐つて居るが、金にはならないから拂へないと答へたので、自分等で運搬したら宜いだろうと云ふと、澤山な荷物を運搬出來ないと云ふので、怒つて倉庫に驅付けて開けて見た所が倉庫に罵三尋あつたと云ふ。

一四九

健忘中の罷業團員

罷業勞働者が、或日の朝妻に朝飯を早くせよと云ふて怒つた。妻は夫に對して其の理由を問ふと、仕事をしに行くのだから早くしなければならんでないかと云つたので、妻は再び罷業中でないですかと云ふと、初めてそうだ〳〵と云ふて笑つた。

肖像を描いて居た話

仁川勞働者が元山埠頭に於て仕事をするとき、元山罷業團の糾察隊が仕事場に行き姓名の分つたものは姓名を書き、姓名の知れないものは鉛筆で肖像畫を描いて居た。其の時傍に居た勞働者が「おいお前の顏を畫いて居るよ」と注意した處、仁川の勞働者は荷物を投げ捨てて兩手で顏を覆ふて「助けて呉れ」と云つたと。

炊事夫に變裝した話

仁川勞働者は自炊生活をして居る。罷業團糾察隊が彼等の生活裏面を調査せんと炊事夫に變裝して合宿所に入り、夜明け迄語り其の中什長一人を連れ出して、語つて居る中に朝の十時になつても什長が歸らないので、統率して來た國粹會員等が八方探し、同十一時頃になつて赤田橋附近で糾察隊と相談して居るのを發見して、連れ歸り八釜しく云つたと。

商業會議所幹部の門標隱匿

一五〇

元山商業會議所幹部某々は、總罷業の發生後何の爲めか知らないが自分等の門標を外して仕舞つて、家に居ても何時も居ないと訪客を歸して居る。

下駄陳列

元山商業會議所の參謀格の某新聞社長の家には、總罷業發生後客があつてもなくても、下駄三十餘足を何時も陳列して、人が多い樣に見せかけてある。其の理由が何處にあるのか知れないと云ふ話。

腹が饑じければ屈復

元山新幹支會長李可順氏が元山府尹を訪問して、罷業が段々擴大するが調停する意思がないと問ふた處、同府尹は種々語つた內、結局腹が饑じければ屈復すると云つたと云ふ。話は全く異實なことではあるが、腹が饑じくて屈復することを望むのは、結局誠意がないと云ふ證明である。

薪取りに晝飯御馳走

元山罷業團は、半數は罷業の仕事に從事し、半數は薪取に行き、自分の家で炊いたり、入獄者の家にやつたりして居る。所が罷業者が山に薪取りに行くと山主が驅け付けて「誰れだ」と詰問する。薪取は罷業團であることを語つて薪の一荷位さして呉れと云ふと、木の葉計りでなく木迄で取つて行けと云ひ歸りて自宅に立寄つて呉れと云ふ。薪取りは、山主の家に行つたら折角取つた薪を奪はれるかと思ふて其の儘歸らんとすると、主人が途中で待つて居る、仕方なく附いて行くと、意外にも白い飯を一盃盛つ

一五一

て呉れたので、餘り意外なのに驚ろいたと云ふ。

西洋人の涙

文坪ライジングサン石油會社支配人英國人「キョ」が、勞働者に對する條文を林と云ふ通譯に飜譯させたのが、間誤つて、誤解が生じ、今回の罷業になつたと云つて、林を呼び寄せ、其の理由を語つた上地上に座り土地が凹む程に、留息を爲し、拳の樣な涙を流したと云ふが、或はそうかも知れんと同情する人が語つて居る。

腹帶を絞める方法

罷業團で糧食を分配してやるとき、今は罷業中だから出來るだけ節約せよと、罷業團員婦人に云つた罷業團婦人等其の言葉を聞くと、直に「そうですとも私共には腹帶を絞める妙法があります」と云つた其の妙法と云ふのは兩手が腹帶の方に始終行くと云ふ意味だと云ふ。

凍足の婦人群

罷業の爲めで獄に入つた團員が少なくない。彼等の婦人は、朝、晝、夕の三度、飯を作つて其れを下げて差入れに行くが、行つて來るだけでも足が凍るのに、一時間も待たされるので凍らない譯には行かない。そして其の婦人群を「凍族」の婦人と稱する。

元山里府尹は誰れか

一五二

總罷業となるや、元山府尹は赤田橋以上の官署街の町洞總代を呼んで、萬一を警戒せよと訓示したが赤田橋以下の朝鮮人總代は一人も呼ばなかつたので、元山新幹會支會長李可順氏が、府尹を訪問して市民權は同等であるのに、何故呼ばなかつたかと詰問した處、急な事で忘れたと云つたので、府尹の健忘症は市民を不安ならしめないかと再問して歸つたが、此の爲めに、元山里の府尹が誰だろうと云ふ評判がある。

約束は過ぎれば無効

勞働聯合會常務委員元正常が、ライジンクサン石油會社支配人「キョー」を訪問した處、「キョー」が自分は勞働團體を否認するものではないがどうかして飜譯が間違つたのであると、述べたので、然らば英文の草案を持つて最も法律に委しい松本檢事の處へ行こうと云ふた。すると今日は都合が惡いから明日行くと云つたので、翌日行つた所が不在だと云ひ、其の翌日も不在であつた。數日後或幹部が「キョー」に會つたので、其の事を云ふと、約束は過ぎれば無効だと云つたと。

一五三

各々一杯

罷業となつてから聯合會では、直に禁酒令を出したので、今迄で酒で一杯飮んだのが、言葉で一杯飮むこととなり、罷業團員が會ふと「君僕が一杯出すよ」「いや俺が出す」と云ふて、緊張した中にも時々笑聲が出ると云ふ。

一五四

(9) 東亞日報（四月八日）

元山罷業一段落（社說）

元山の大罷業は四ヶ月に近き長久なる歷史を殘して六日の總復業命令に依り一段落を告げた。

× × ×

未だ元山埠頭作業者の復業が報道されたのみであり、罷業の原因たる文坪石油會社職工の復職問題の落着は後報を待たねば判らないが、果してこれが資本家の豫期したる完全な解決なりしや否やは速斷し難い。今日までの形勢を見て、今回の罷業はその歷史的意味を除いては、全く勞働者側の敗北に終りしことは否定し能はざるであらう。それは勞聯側唯一の條件たりし團體契約權が全然蹂躪されたことのみを見ても判るであらう。今、彼等に殘されたことは只敗北の原因を探究精査し後日の鑑とすることにあるのであれば、若しも朝鮮の勞働運動に對して多少の敎訓と經驗とを殘したるものとすれば、今回の罷業が犧牲的失敗に終りしものなりしにしても全く無意味ではなかつた、といふべきであらう。

× × ×

元來、勞働運動の威力が純然その團結力にあることは既に定評あるところであるが、團結の威力は組織の要因、訓練の充分如何にある。於是乎時間的に長久なる歲月の訓練に依る意識が必要であり、空間的には少なくも全體的組織と聲援が必要であり、また社會各層中の一部をなす階級との協同が必要なのである。勞働運動史上に於いてかかる組織と訓練とが强固なると否とに依りて鬪爭力の强弱が決せらるるのであり、實際戰にありてもそれに比例して勝敗が決せらるるのである。

× × ×

勞働者の組織に訓練の歷史永き先進諸國にありても、資本家との抗爭に於いては、實に多大なる困難を發見するのであり、況むや、地域的に孤立し、社會的にも協同戰線完成し居らざる元山勞聯が、たとへ自體のみは整然たる組織ありたるにしても、資本家と權力との聯合戰線と消費者の默殺的態度に對して、最後の勝者たり得るであらうとは考へ難いことではなからうか。ただ、幹部が拘禁され、御用勞働團體の側面攻擊と權力の强壓の下に於いて、少なくも數個月間を一絲亂さず整然と持久したことは、團體の力を證したるものといふべきである。

× × ×

嚴正なる批判までも嫌忌する空氣の中に於いては、吾人は當局今回の勞資抗爭に對する態度を論議することを避くる。しかし總括的に見て今回の當局者の採れる態度を方針が、決して朝鮮に於ける勞働運動を所謂健全なる發達に導くよりは、むしろ、その反對の結果を生ぜしむることになるだらうことを指摘すれば、それでいいんだ。少なくも彼等が勞働者として社會の大衆を形成する一分子なるを認めてその社會的進出を善導することが今日の文明社會の權力家の標榜である。

一五五

一五六

× × ×

かくすることが、また社會の健全なる進化を促進せしむるの道なりと見るべきである。これは餘りにも明白なる理論なるに拘はらず、これを反覆せなければならぬといふことは寒心すべきことである。これは何處迄も朝鮮の勞働運動たりし今回の罷業が假令、失敗の結果としかならなかつたにしても、或は失敗に終つたがために重大なる影響を受けたことだけは事實である。

(10) 朝鮮日報（四月二十八日）

元山大爭議段落後記

元山勞働聯合會の大同盟罷業！朝鮮に於て未曾有の大勞働爭議！此れが一度起るや如何に世間の注目を引いたか。殊に對抗する相手が商業會議所と云ふ、資本家の集團で其の背後には特殊なる權力の擁護さへあつて、心あり、新興勞働運動に理解あるものは勿論、多少關心する人であれば、皆其の展開に注目し期待を持つて其の歸結を持つて居た。

然し遂に白旗を揭げて降伏した。聯合會員は勿論ではあるが期待し勝利を待つて居た同階級の民衆の失望は如何程であらうか、然し此の敗北も決して意味なきものではない。故に再び過程、經過、經驗、教訓を考察するのも無意味な事ではない。

然らば盟罷の總本營、元山勞働聯合會は如何なる歴史を持つて居るか、元山は今より四十九年前に開港されて商業が殷盛となるに從つて勞働者が集中したが、彼等は無意識的に自己の階級を擁護する爲めに二十年前より『都中』と云ふ組織を有するに至つた。今の聯合會の細胞團體は卽ち其れである、『都中』は各雇主卽ち『客主』別に組織され什長と云ふのが其れを指導し支配して居たが聯合會組織前には既に二十餘箇の都中があつた。其れが十年前の全朝鮮を動かした風の後を承けて、一九二一年に現今の聯合會幹部李永梧、金瓊植、金京模の三名の斡旋で最初は五ヶの都中を合して元山勞働會を組織し、同年三月十五日に創立總會を開いた。當時の會員は八百名で、理事は前記三名の外韓璣洙、金大郁、安府柱、趙鋼九、魏貞鶴（現咸南勞働會理事）南觀浩、朴昌祚、韓致恒等であつた。

其の後元山勞働會は他の都中を統一し、一方同年十月二十一日に消費組合を發起して、會員には毎月五十錢宛を拂込ませ、他に二千圓を借入して合計三千五百圓を以て、其の翌年二月に消費組合を開始し、其の後更に新加入者より二千圓、舊會員には十回二分割して二圓宛拂込ませて基礎を固めた。

其の他にも同年十一月には更に聯合會直營の理髮部を設けて會員には二十錢宛で理髮し、其の翌年一九二三年七月には一人五十錢宛五ヶ月間支出して、現今の會館を買收し、其の他にも或は簡易食堂を經營し（此の食堂は一年も繼續せず二千圓以上の損害をして廢止）又死亡疾病災害に備へる爲め規約貯金

を實施して專ら會員の生活向上に努めた。此の樣に元山勞働會は初期の勞働團體の踏む道である會員の親睦生活向上に努力して來たが、一九二五年十一月五日に、組織を變更して名稱を元山勞働聯合會と改稱し、從來の理事制を執行委員制に改め細胞團體を職業別に整理して、會員の教養階級意識の注入を目的として、毎年夏に勞働講習會を開催し、又同盟罷業を或は部分的に或は全體的に起して勞働者の一大本營となつた。

此の樣に健全な發達を爲して居る中に、朝鮮勞働總同盟に加入して、聯合會でも、

一、勞働運動の統一と無產者の世界的提携を圖り無產階級の××を期す

一、教養に努力して勞働者の智識を啓發し、當面の利益に鬪爭して政治的又は經濟的に勞働者の生活を向上せしむ

と云ふ綱領を揭げて、其の間三百六十五件と云ふ爭議に勝利して勞働賃金を從前に倍にした。

從つて元山の資本家は聯合會の威力に戰き、今回の爭議には結束して聯合會の打破に努めたのも決して偶然ではない。

聯合會の規約五條には、左記機關を設くと規定してある。

一、代議員會

（各細胞組合所屬臨員三十人以上二人五十人以內三人五十人以上四人宛選出）

二、執行委員會（第一回執行委員長は金瓊植が選定され今日迄で）

三、常務執行委員會

を置き其の他に青年部を置き、三十五錢以下の青年を以て青年教養運動をして居た。

再昨年には賃金引上の要求を爲して一齊に罷業したが、從來荷主と各細胞團體とが直接に契約して居たのを其の時初めて聯合會に於て團體契約權交涉權を握ることとなつた。

そして爭議直前には細胞團體が三十二會員一千五百九十一人であつた。

（爭議の日誌及影響に關する表略）

以上の如く大なる影響を與へたが、荷主側では咸南勞働會と閑散人夫とで從前の通り仕事を繼續して居るので、結局抗戰する相手がない狀態となり、一方糧食が缺乏したので反對者もあつたが、大勢は如何とも出來ずして自由就業を決議した。荷主側は聯合會を滅さんとするのであるから使用しては與れず税關では門鑑がないので出入させなかつたりしたので、仕方なく咸南勞働會に入會したものが約四百名あり、又轉業したものもあるが、未だに約五百名は失業して居る。然し聯合會は決して今回の爭議で無くなるものではない。

聯合會は今迄で常に勝利を得て居たのに何故に敗したが、第一は時機の不適當な爲めである。今度の爭議は資本家の挑戰に應じて仕方なく始めたものではあるが、一月と云へば元來荷物の少ない時である

のに、其の上に附近には昨年に旱災水災があつて罷業に依つて荷主の受ける苦痛が少なかつた。次ぎは閑散勞働者が資本家の募集に應じて勞働市場を奪つた事である。其れから重要幹部の檢擧、指導者の缺乏も原因と見ることが出來る。而し何よりも我等の看過出來ないのは、聯合會が過去に於て指導理論が確立せず、爭議中も確乎たる理論と方向を定めなかつたこと卽ち、過去の罷業には唯だ賃金の引上と生活向上のみに注力し、又爭議に際して餘りに勝利を輕信し、從つて今回の爭議には何等の積極的の政策を樹てなかつたことである。

此の外にも批判すべきことはあるが、此處では唯だ、最後迄で合法的に抗戰して結局悲慘な失敗に歸したことを書いて、今回の爭議が多くの教訓を與へたことを記して置く。

一三、各地の同情運動

一、同盟罷業團に對する同情の表示として、金品の送附を爲す者、同情的行動を爲す者、同情的檄文を寄する者等があるが之を更に該文各新聞が毎日大々的に「同情行爲」として記載するのも其れ自體として又一種の盟罷同情運動と解し得られない事もない。

一、同情金品は合計金四百二圓四十四錢と粟六斗薪九百三十把となつて居る。

一、初めに同情的宣傳文書を揭げ次に新聞記事（同情金品のみ）を揭げて見よう。

(1) 檄文、檄電

一、文坪製油組合の爭議を聲援す。
昨年月末組織大衆迄包含し猛烈に戰ひ文坪製油勞働組合は資本家欺瞞政策に落入り更に爭議を起すに至りたるが此の時機會社側の欺瞞態度を積極的に暴露せよ今般爭議には昨年と同じく資聯合會迄妥協的に進まずに戰闘的に勇敢に奮闘し吾等無產階級の爲め萬丈の氣焰をはけ。

一月十七日　　京城染洗勞働組合

一、新年に貴體健全なることを承知致しました同志の奮闘することを望む。

一月十八日　　全北井邑郡井邑面道地里　井邑勞働組合　林盛涉

一六一

一、集めて戰ひ同情罷業斷行勢力を以て全元山勞働者數千名の總罷業の出來るに對しては朝鮮にては今だ見ざる決擧であると言ふ可きものなり元山は勞働運動の要塞であるそれに依て飽迄戰かはゞ必ず勝利と認める思ふに堅く固めて戰ふことを激す。

一月二十四日　　全北扶安郡邑内　合同勞働組合

一六二

一、健康なる自體を以て總ての害毒を犯し勝利の旗を掲げよ

一月二十六日　　京城崇四洞　乳啓得

一、協調養氣初度の勝利を祝す。

一月二十七日　　洪原六臺牛車組合

一、人類社會の基礎關係と勞働關係を停止するものには肥滿者の油ぎつた血で循環を停止するの已むなき偉大なる威力の所有者勞働者は最後の勝利者である今度の罷業には必ず勝を期するものなり内外地に有る勞働者の無限と企待にそむくな。

一月二十五日　　端川青年同盟

一、强壯なる義勇と理智の團を以て吾等のやることを解決最後まで闘へ。

一月二十六日

一、大勝利を祈る團體第一主義に暴力は止め幹部に犧牲者を出すな來する同情迄協定を進め官憲との衝突を出來るだけ止め無自覺な資本家をやつつけ貴會等の勝利を祈る。

一月二十九日　　水原勞働組合

一、正當の要求を滿天下大衆に共鳴して最後の勝利を期せ。

一月二十九日　　鹿湖無產者

一、力のある限り目的を達し大衆のために。

一月三十一日　　龍山京龍合同勞働組合

一、今日暴行無道なる資本主義と爭議することは只異なる正義を叫ぶものにしてもう一步社會進展をさせるための爭闘なると同時に全無產階級の勝利を得る爲めの闘爭なると言はざるを得ず茲に於て同途は強く出よ更に强く彼の勝利を得る迄で積極的に激闘に突進せんことを望む。

一月二十七日　　仁川新聞配達組合

一六三

一、しつかり戰へ　一月二十日
一、最後の勝利迄　一月二十三日
一、猛闘投身　一月二十四日
一、あく迄戰へ　一月二十五日
一、罷業の勝利　同
一、勇敢に戰へ　同
一、堅く戰ひ最後の勝利を得る迄　同
一、惡戰苦闘最後の勝利　一月二十六日
一、最後迄戰へ　同
一、戰ひ最後迄　一月二十七日
一、闘ひ戰へ　同
一、意氣百倍最後迄闘へ　一月二十八日
一、最後迄闘へ　同

一六四

鎮南浦店員相助會
洪原たいは勞働組合
洪原たいは勞働組合
釜山勞働會
京城出版勞働組合有志
高原勞働組合
大邱勞働共濟會
釜山洋靴職工組合
京城光化門[illegible]
京城洋服技工組合
仁川勞働聯盟
仁川米商勞働組合
慶南うるさん青年支會
慶南金海農民組合

一、起つて戰ひ勝利はそこだ　一月二十七日　馬山勞働會
一、最後迄突進せよ　同　平北定州青年同盟
一、最後迄戰へ　同　全南求禮勞働聯盟
一、突進せよ勝利へ　一月二十八日　洪原青年同盟
一、しつかり鬪へ　同　洪原農民組合
一、何處迄も鬪へ　一月二十七日　全州青年團
一、二千の同志よ飽迄戰へ　一月二十八日　新幹會大阪支會
一、勇敢に鬪へ　一月二十九日　京都新幹會支會
一、最後迄戰へ　同　安東新幹會支會
一、最後迄々々々　一月二十九日　慶南旅渓勞働同盟
一、勇敢に戰へ　一月三十日　慶北豊基勞友同盟
一、最後迄戰へ　同　全州新幹會支會
一、堅く戰ひ力を入れて鬪ひ罷業の勝利を得る事を望む。
　一月二十六日　京城呂成渾　全極
一、二千の同志諸君に團結して猛烈に吾等のために最後の勝利をかくとくせよ。

一六五

一六六

一月二十七日　新幹會尙州支會
一、右同　同　青總尙州郡委員會
一、右同　同　尙州勞働組合
一、右同　同　尙州青年會
二月四日
一、奪ひ食つて生きる現世に居れば奪はるゝも亦避け難き事實なるも凡てのものを取得出來る時代に在つて自己の利權を取返さんとするは人間の眞理である我等も奪ひかぶされる非眞理を破らんとする此の戰にあつて力ある聲援を惜まぬものだ。
百折不屈の勇氣を以て最後迄戰へ。
一九二九年二月一日
朝鮮青年總同盟安邊青年同盟
一、勇敢無比なる文坪石油會社罷業團諸君！
諸君等の戰報は各新聞紙上を通じ好く承知す諸君の要求が正當且つ公正なるにも拘す我等の敵會社當局は某暴力團を利用し諸君の正義の公道を蹂躙迫害せんとし居らざるや罷業團諸君の幾多の障害物を諸君の力で一蹴し且つ最後迄戰へ勝利の旗が揚る迄。

文坪石油株式會社爭議團萬歲
在日本朝鮮勞働總同盟
京都朝鮮勞働組合

抗議文

今般貴地に勃發したる大罷業に付貴會議所は兩側の解決へとの美名の下に何等公平なる態度を取らず今や二千名の勞働と二萬の生靈の死活問題を眼前にあらゆる手段で挑戰を持續するは甚だ遺憾に堪へない處である本支部は階級的立場から貴所の盲動に對して抗議す。
一九二九年一月三十日
東京府下世田谷下北澤三七七
在日本朝鮮勞働總同盟東京在留朝鮮勞働組合西南支部
一、元山勞働聯合會罷業團總會は來れり鬪爭が大なる程收穫も大なり同志等よ戰へよ奴等に屈するな最後の勝利が我等に歸することは歷史が證明する茲に我等は同志等に勇鬪を高喊して激す。
一九二九年二月一日
新幹會文川支會
一、元山勞働聯合會罷業團よ我等は爭議に皮相的の勝利のみ着眼せず一歩を進めて基本的立場に立ち敗

一六七

一六八

る意義ある日に大所得を準備し勝利を得る樣に激す。
一九二九年二月二日
文川青年同盟
一月三十一日
力ある限り目的を達し大衆の聲援を求めよ
釜山勞働會
釜山鐵工組合
二月六日
一、最後迄結束を望む
二月四日
京城樓下洞
仁旺青年會
一、我等の生命を奪ひ取る露宋聖壁の雇主と横暴妄動たる商議との非人間道を撲滅し吾等の最後の勝利の爲め抗爭せよ。
二月五日

高城の一労働者より

一、元山労働聯合会の二千の同志達よ同志諸君達は朝鮮無産階級運動史上の光輝ある最後罷業の壮烈なる補歩を進めた闘へ／＼闘ひて最後迄資本家の牙城を陥落させよ最後の一人迄闘争せよ盛らに失ひたるものは鉄鎖のみ得るべきものは自由とばんなり

一月三十一日

龍岡郡龍月面柱月里農民組合

一、今般元山労働者罷業に対し貴会が奮闘を続し並に罷業合員の一層固き団結をなし最後の勝利を得ることを祈ります。

二月二日

京城鍾路二丁目八九

京城無産青年会

一、同志諸君如何程難しき戦の報道に依り大概の事は聞きしも我が無産階級の為に闘争する同志諸君諸君等の勝利を得んが為に団結なる二字を以て唯武器とし持久戦の最後迄戦はんことを望むと同時に健闘を祝します。

一月三十一日

一六九

一七〇

海州南本町一五七

海州青年同盟

一、元山労働者諸君よ遠く紙上よりも諸君の闘争する経過は詳細聞き来りたるも脛踊者彼等のあらゆる威力と暴力を以て吾等を抑壓するとも唯吾等には團結なる二字を以て彼等の前に對抗しよう然して最後の勝利到來する迄は我等の固りたる實力にて持久戦の最後迄戦ふことを待ち吾等は少量の同情を以て同志諸君の前に上げるに付一部の要務にても補充せられんことを望む。

一、朝鮮労働者團結萬歳

一、元山罷業労働同志萬歳

一、萬國労働者團結萬歳

一月三十一日

海州労働聯盟

一、元山罷業に對し貴會の最最苦闘を祝すと同時に罷業の最後勝利を望む。

二月二日

京城鍾路二丁目八五

労働クラブ

一、如何程配慮し努力するや見さるも見たるに同じ弟は昨日上京し本日元山に行て兄様に勿論皆様同志達と嬉しく逢ふと同時に其處の策戦實況を拜見せんとしたるも不自由なることありて此處より其盡踊鮮せんとす群山鐵道労働會と群山労働會皆の同志少なき力なりとも同封書と共に應援金募あげるに付其處の皆様の同志に詳細に其の意を傳へて最後迄戦ひ多き成功と勝利を得る様にしなさい最後に皆様の闘士の奮闘勝利を祝す。

追而金を送るに私の名儀にて爲したるに付了知せられたし。

二月四日

趙容寛

剣刃の如き鋭き風衣と食なき我が大衆を威脅する此の時皆様同志の熱烈なる奮闘と吾等は涙を含んで感謝致します元山皆様の勝利は即ち我勝利なりと思ふ我等に少き力なりとも誠を表する爲左記の如き別紙金券を送るに付何卒將來多き勝利ある様戦て下さい四圍の事情のため思ふことのあまり書けず。

記

一、金七十四圓二十銭　群山鐵道労働會

一、金十二圓五十銭　群山労働會

二月四日　群山鐵道労働會

一七一

一七二

群山労働會

二月七日

最後の勝利を得る迄奮闘せよ

一九二九年二月二日

慶北安東邑内

安東労友會

二月八日

一、皆友達等の強い勇氣を以て持久戦で勝利の旗を揭げよ。

朝鮮青年總同盟　康津青年同盟

一、戦へ友等よ

正義にて戦へ

人道にて戦へ

暴力に負けず

魔術に欺かれず

最後の一刻迄強く戦へ

一九二九年二月六日

新幹會順川支部

一、資本家と其の走狗に對し抗爭を開始する元山勞働聯合會會友等の積極的爭闘を祝!!
我等の利益を獲得のため最後迄健闘を祝す。無產者等團結せよ!

一九二九年二月六日

朝鮮勞働總同盟　晋州勞働聯盟

一、强く正義に戰へ!!

一九二九年二月五日

朝鮮咸北民聲報雄基分社

一七三

一、友　等　よ

强く力を盡して戰へ
勝利の末には必ず我々のもの
我等の武器は唯結束
我等の彈丸は唯力
それであるから友達よ勝利のため
そして勝利の旗を高く揭げて謳へせ
勝利の風が此處迄吹く樣に

一九二九年一月五日

一七四

羅州勞働組合聯盟
羅州農民組會聯盟

一、良く戰へ力を盡して最後迄最後の勝利は吾等の運命なり結束しようか　心をしつかり!!
鞏固の團結は無產大衆の生命の糧なり友の心中に湧く血と涙を知るか知らぬか。

二　月　三　日

廣州南漢勞働共助會白

二月九日

一、惡戰苦闘する同志達よ鞏固なる團結と堅き力を以て勝利を得る時迄奮闘努力せよ。

二　月　四　日

慶北軍威青年同盟

一、其の日〳〵の戰報を受けて諸君達の血戰に只感激するのみなり夫は吾等全勞働階級の友愛と不正に對する憤怒の凝りで勞働者の威力の下に最早彼等は慄えてゐるから少しも容赦なく決して戰勝を誓ひ最後迄罷業の精神を高揭し誰も頼まず誰にも依頼せず唯の指導でもない自主的精神を以て惡黨を進擊しあらゆる悪壓を破り最後の勝利を擧げよ。

二　月　三　日

平壤關西黑友會

一、鬪士諸君よ今般の總同盟罷業は朝鮮の初めの記錄たると同時に世界的記錄なり吾等は生きるためにブルジョアと最後迄力に力を加えて戰ひ無產大衆のため献身的犧牲をのぞむ萬國の勞働者は總て團結しよう。
吾等は生きるため×××と强く戰はう。

二　月　六　日

茂山青年同盟新站支部

（右檄文は全部赤書す）

一、元山の大罷業に關する件
首題の件に關し今般貴聯盟々罷事件は吾等大衆の最大利益を代表するものに付最後の一刻迄力强く戰ふことを激勵す。

二　月　六　日

吉林省城大門外大空合內

一七五

一七六

吉林青年同盟

一、貴會の勇敢なる鬪士よ堂々たる團結を以て武器となし正義と合法的に一層奮闘し最後の勝利を茲に激勵す。

二　月　六　日

全南松汀里
運輸勞働組合

二月二日

一、正義奮鬪勝利を祝つて已ます。

鎭南浦三和勞働青年會

一、階級戰に勝てよ。

間島青年同盟
間島勞働同盟

一、飽く迄戰へ

三湖勞働同盟

二月四日

一、同志等よ生きるため最後迄健在なれ。

二月六日
一、徹底的奮鬪
新浦大陸勞働組合
一、祝奮鬪
平北定州勞友會
二月七日
裡里　星煥
一、サーベルをけとばして要求を貫徹せよ。
一、最後迄勇敢に戰へ。
大阪朝鮮勞働東北支部
二月八日
一、最後迄健鬪
大阪元山學友會
一、祝健鬪
裡里자청組合
一、飽く迄勇敢に戰へ。
全南咸平新幹支會
二月十一日
親愛なる戰鬪的全元山罷業勞働者諸君！
大阪朝鮮勞働港區支部

一七七

一七八

殘忍兇暴なる資本家の牙城に向ひ『ジエネラルストライキ』と云ふ巨砲の赤彈を投げつけ宣戰布告して以來其は實に徹底せる戰鬪的抗爭を持續し居る勇敢なる諸君の英雄的行動に關する情報に接して本組合は諸君と共に同一なる被壓迫被搾取的社會環境に在る新潟縣下に散在する二千餘勞働者—即ち組合員を代表して此の一篇のメッセージを通して滿腔の祝意を諸君の前に代送す。

親愛なる戰鬪的兄弟諸君！

死滅に切迫せる日本帝國主義は其自身の内部より濃厚となり行きて避くべからざる尖鋭なる矛盾を抹去(抹殺)せんとする妄慾の發作必然より反ソビエート戰を前提として第二次世界大戰を準備して國内の無產階級に向つては巨大なる軍備の强制徵收と共に其等の生活窮迫の强要之に依り必然的に甚激化し行く其等反抗運動に對し未曾有の絕對サーベル彈壓は而して更に殖民地に向つては言語道斷の搾取と壓迫を强制し居れり之は何ものよりも我が朝鮮二千三百萬大衆の急激なる生活破綻の現實過程が最も雄辯に物語り居る處にして各地の小作爭議晋州の車夫罷業又は今般の諸君の英雄的罷業が之が具體的に實證し居れり親愛なる戰鬪的兄弟諸君「我等の拾つべきものは唯頑張なる賃銀鐵鎖にして求むるものは全世界なり」

「我等は現在社會に在りて最後迄の××の遂行なり」而して我等の進路は唯一つのみ其は既に歷史が明確に指示決定せし處なり。

唯此の一筋の道を最後迄踏み行く處にのみ吾等は解放されるされど進み行く此の道は平坦ならず聞く處に依れば今般の諸君の英雄的威力に肝膽を冷やした彼等資本家群は既に夫等の必要に依つて飼育せる番犬走狗を總動員して諸君の義氣を粉碎せむと百方狂奔亂舞し居ることを多くの「新聞」は傳へたり之は特に我等が事新らしく思惟する迄もなく豫想せる事實なり見よ—彼等の强硬なる態度萬一之を容赦すとせば何ものが容赦し得ざるべき？定平より……文坪より……咸興より……

乍然我々は少しも畏供し躊躇するの要なし唯更に更に戰陣を鞏固に死守して一歩一歩「血」の陣步に前進すべきのみ彼等の總ての欺瞞脅威彈壓狂暴は唯我等更に又××的に前進する前提條件なることを證驗せよ……

親愛なる戰鬪的罷業團諸君……

一點の妥協一片の讓步一步の退却——之は我等の敗北にして恥辱なり「死力然らずば生」之れのみなり勇敢に進め陣營を死守せよ總ての要求を貫徹せよ敵は必ず白旗を揭げ諸君の陣頭に來り戰慄屈服し終るなり我等は遠く諸君の戰勝を期待し居れり而して勇敢なる鬪爭を積極的に支持することを盟誓す。

朝鮮プロレタリア解放萬歲
世界プロレタリア解放萬歲
元山總罷業勞働者萬歲

一七九

一八〇

一九二九、二、二

在日本朝鮮勞働總同盟
（新潟縣新津町横町三〇九七）

二月十五日
祝罷業大成功
成文章者矢必困其心志
負大任者天必勞其筋肉
雖苦缺乏忍耐之心吾輩
必須之性勇住邁進せよ
馬山線進永面本山注湖勞農會

二月十五日
祝罷業大成功
馬山線進永面本山注湖職工組合
本山注湖金府進永支部注湖班

二月十九日

吾等の勝利は團結にあり反抗の恒火を擧げ必死的應援と最後の勝利の來る時迄闘爭せられむことを望む。

羅州青年同盟西北支部

二月十九日

一金二圓也

軍資金として送ります二千の同志團結の威力を以て勇敢に戰へ。

大阪西淀川區海老江下二丁目六五
大阪朝鮮勞働組合西部支部
津田鐵工場一同

二月廿日

勇戰する元山の同志達よ奴等の暴壓と奸策を一蹴し必勝を期して勇敢に戰へ共同の敵××帝國主義を打倒せよ。

朝鮮民族解放萬歳

朝鮮勞働者農民解放萬歳

一九二九、二、一四

一八一

在日本朝鮮勞働總同盟
東京組合西南支會第七班

一八二

聯合懇談會

二月十四日

最後の勝利あれ

日本勞働同盟組合同盟關西支部

二月十四日

勇敢に戰へ

濟州青年同盟てうてん支部

(2) 同情金品

東亞日報
朝鮮日報　二月七日以降

罷業團に對する同情金左の如し

新浦勞働組合　五十圓
新北青勞組合　十三圓
新昌勞働組合　十圓
永興勞働同盟　二十圓二十錢
咸陽培達洋靴工　二圓五十錢
德源堂隅里農民　薪二百五十束
德木商店　薪五十束
洪原勞働組合　十圓
韓興洋靴店　薪百五十束
釜山勞友會　金十圓
文川青年同盟　金二圓五十錢
文川協同組合　金五圓
新幹文川支會　金二圓五十錢
水原勞働組合　金五圓
一、李鳳洙　米一俵
一、金一圓宛　金永杰、韓蓉運、朴昇載

一八三

一八四

一、金五十錢宛　李在弘、吳鍾周、申泰洙、金弘燮、金基瑱、韓春和、朴泰率、千榮水

一、金品消費組合　外二十箇所
貳百六十八圓六十五錢
外薪二百十束

一、德源郡赤田面湧珠里農民一同　火木二百杷

一、德興釀酒所職工一同　金十圓

一、群山鐵道勞働會　七十四圓二十錢

一、群山勞働會　十二圓五十錢

一、中國吉林省城汗誠會では五十一圓八十四錢を聯合會に送付した。

一、德源青年同盟外八箇所
金八十四圓三十五錢
外薪二百三十束

一、兵庫縣尼ヶ崎市に本部を置く朝陽會では、阪神同胞は蹶起せよと云ふ檄文を撒布し、即時集まった同情金四十五圓を元山勞働聯合會に送金した。

一四、争議關係の主なる宣傳文書

争議に關する宣傳文書は殆んど同工異曲のものであるが在中國韓人青年同盟のものだけは共産黨的立場から新幹會等の排撃に言及して居た。

(1) 鮮 內 發 行

見よ元山の革命的勞働者の英雄的鬪を!!

元山の大罷業は我が革命的朝鮮無産大衆の歴史的使命なる階級鬪爭を遂行するに當り必然的に起つた無産階級解放運動の炬火である。我等の成功に依つて、朝鮮無産階級の赤血を搾取する日本資本主義と及び彼等と握手する朝鮮資本家閥の牙城を覆滅し、其れに依つて、日に武裝を鞏固にし、我等朝鮮無産大衆の歴史的政治的進歩を抑壓する、日本軍國主義國家の野蠻的暴威を擊破しなければならない。それが我々無産階級解放戰線の第一線的進歩である。

見よ我等朝鮮無産大衆の當面の敵なる日本資本主義の經濟組織は益々「資本を高度化」し「生産方法を集約化」することに依つて其の貪慾的搾取機關を整備し、血に飢へた其の毒牙で朝鮮無産大衆の生命を咬み害り、彼の殘忍無道なる日本軍國主義の政府は此の暴惡なる資本主義の掠奪を保障する爲めに刀と劍を我等の胸に當てゝ此れ又た刺し殺すのである。

一八五

我が無産大衆は此の横暴なる殺戮的抑壓の下に不可なる經濟的條件――勞働條件の强制を受け、慘酷なる搾取と掠奪を受け、生存と生活の保障を奪はれて、勞働者は苦役場で農民は飢寒の死線で、憤慨に堪へずして泣くのである。

今や朝鮮無産階級解放運動の革命的時期は爛熟し、日本資本主義の沒落の時期が近づいた。

我等朝鮮無産階級解放運動の前期的鬪士は激甚なる鬪爭で以て、朝鮮無産大衆を拘束する彼の日本資本主義の鐵鎖を切斷する時が來た。

元山罷業は確實に此の歴史的任務に當面する第一歩である。

大罷業激發して約三十餘日間、我革命的鬪士二千の元山勞働者同志は飢渴と酷寒の中に尙ほ燃へる意識と、計劃と、鬪爭で以て、元山資本家階級の本營に總攻擊を加へたのである。

一度罷業が始まるや運輸交通は杜絶し、工場は閉鎖されて元山一帶に經濟的大恐慌の旋風が起つた。

資本家階級は大罷業の前に恐怖を感じ乍ら工場の獨占と、軍國主義的示威に依つて最後の惡闘を爲して其の歴史的自滅の過程を促進し、資本家の走狗なる政府は數百の警察と檢事の出動を爲して同志の檢束に必死の力を盡して居る。

彼奴等の自滅は目前に見える。我が朝鮮無産大衆は積極的に此の大罷業を擁護し最後の勝利を戰取しなければならない。其れが爲めには先づ全國的總罷業を斷行し、革命的戰士の元山集中を爲し元山罷業

一八六

の對象なる商業會議所と其の他の反動團體――在鄕軍人會、消防組、國粹會、咸南勞働會を襲擊破壞し、其の經濟的勢力の根原を絶滅させて革命の氣勢を全國に宣揚しなければならない。

此れが我等の歴史的使命である。

――口　號――

一、全朝鮮勞働者同志等よ總罷業を斷行しよう!

一、資本閥の牙城を破壞しよう!

一、日本帝國主義を打倒しよう!

(2) 內 地 發 行

(イ)

全國の勞働者は猛起して元山爭議を勝利せしめよ!!

各工場職場で應援團を組織して極度に苛酷低劣なる勞働條件下にあり、殊に民族的なる賃銀差別は慘酷なる朝鮮勞働者の一般的生活であると同時に特殊的生活である。

全國の勞働者諸君! 我等は今目前に展開された「元山爭議」を見得ないのであるが四五個月を持久する元山勞聯の勇敢なる鬪爭を! 我々は知らねばならん! 同一なる搾取の生活に依り生血を吸はれて衣食の出來ないものは我々であることを! 又我々は喰ひ着る爲めには勞働賃金の引上を! 身體を維

一八七

持する爲めには勞働時間の七時間制確立を! 而して此れは我々の×活を決定する重大問題であるだけに我々の勇敢なる實踐に依つて戰取すべきものであることを! 故に「元山爭議」は全國內外に散在する我々の其の苛酷低劣なる勞働條件を解決する爲めの炬火である。此れは決して元山の勞働者に局限した爭議でなく同一なる勞働條件下に搾取を受ける全國の勞働者は此の爭議が自身の爭議であることを知らねばならん。

そうだ! 元山爭議の勝敗は全國の我々の勝敗でなければならない。

全國の勞働者諸君! 然らば我々は「元山爭議」を我々の巨大なる積極的參加と支持で以て其の勢力を大ならしめ其れに依つて我々の吸血鬼雇主の敗北を戰取しなければならん。

そうだ! 我々は此の爭議を勝たしむる爲めには又雇主の背後に槓杆となつて居る警察の干涉と抗爭しなければならん。然り! 元山警察は既に我等の先頭で勇敢に戰ふ戰士四五人を奪ひ去り我等の元山爭議を積極的に阻害する爲めに咸南警察を總動員させたではないか? 併し此の樣な凡ゆる加重の迫害は我々の××的鬪爭を激發させる以外には何ものでもない。

全國の勞働者諸君! 我々は各工場職場で工場大會職場大會を開き緊急に「元山爭議應援團」を組織すると同時に爭議基金を募集して爭議本部に送り雇主と警察に抗議を送れ! 而して我々の正當なる要求の前に雇主を屈從せしめ我等の奪はれた戰士を警察の手から奪還しよう!

一八八

資本家

一、元山爭議に全國の勞働者の力を集中せしめよ！
一、各工場職場では應援團を組織せよ！
一、爭議を勝利せしむる軍資金を送れ！
一、爭議團の生活は我々の力で守護しよう！
一、警察の干涉に絕對抗爭して我々の前衛を擁護しよう！

一九二九年二月一日

在日本朝鮮勞働總同盟
東京府下戸塚町源兵衛一四四

（ロ）

全國の勞働者は
總罷業で元山爭議を死守せよ！
奴等の野蠻的迫害は一層加重する！
決戰の準備を勇敢に緊急にしよう！

全國の勞働者諸君！

歷史的意義ある元山爭議は支配階級の積極的應援下に——咸南警察の總出動は勿論憲劍

國際的意

と支配階級は銃劍と鐵砲で武

と鐵砲で武裝した三百餘の憲兵四百餘名の在鄉軍人千餘の反動靑年團員消防夫、暴力團、背逆的仁川勞働者を欺瞞して——一步の讓步も見せない！此れは元山爭議團の正當なる要求を抹殺せしめる最大最惡の反動たると同時に全國の勞働大衆を侮辱する奴等の野蠻的行動である。全國の勞働者諸君！此處に於て我々は決戰の準備を怠つてはならない。

見よ！元山勞聯の職工部を始めとして元山每日の印工と元山製車職工等は勇敢に罷業を斷行し洪原勞働組合等は禁酒禁煙して爭議基金を送つたと云ふ。そうだ！全國の勞働者は斯く同一の敵に向つて同一なる抗爭の巨彈を投じなければならない。

全國の勞働者諸君！ 我々は一齊に禁酒禁煙を斷行しよう！ 全國的に罷業を斷行しよう！ 全國的に鬪士を派遣しよう！ 我々の斯かる××的決死的鬪爭のみが我々の×資本家と反動的支配階級の一切の奸策を粉碎する唯一の武器となるのである！ 然り！我々は正當にして勇敢なる××的武裝で必ず奴等を屈從せしめねばならない。

一、禁酒禁煙を斷行し爭議資金を送れ！
一、全國的總罷業で奴等の奸計を粉碎せよ！
一、戰士を全國的に派送せよ！
一、仁川勞働者の背逆的行動を大衆的壓力で歸還せしめよ！。

義ある我等歷史的鬪爭元山爭議を絞殺せ

裝し

一九二九年二月五日

在日本朝鮮勞働總同盟
東京府下戸塚町源兵衛一四四

んとする

我等の敵は

（イ）

我等の勝利は
最後の一人！ 一刻までだ!!
警備隊の倍强の組織と大衆の決死的壓力で
一切の奴等の野蠻的惡口と陰謀を粉碎せよ！

元山爭議團諸君！

諸君の苦難なる全國の勞働者と全國際的勞働大衆を代表した——既に諸君の宣明した——歷史的××的鬪爭の砲聲が戰時の如き戒嚴下に叫ばれるや同一なる搾取と壓迫の生活の中に其の迫害の鐵鎖を斷ちつゝあつた國內の勞働大衆！のみならず國際的に元山爭議に對する抗爭の巨勢は燎原の火の如く猛起しつゝある。

元山爭議團諸君！

見よ！ 此の反面に我等の巨大なる攻勢に魂魄を喪失したる資本家等は恟愓として慌な

背後の專制

資本家のみでは

る惡口を爲し此の××的鬪爭を絞殺する爲めに咸南警察の總出動は勿論三百餘名の憲兵と四百餘名の在鄉軍人千餘の反動靑年團員消防夫暴力團等と及び背逆的仁川勞働者を欺瞞して我々に宣戰布告を敢行したではないか？ 併し我々猛虎の前に此等狂犬吸血鬼の劣惡なる惡口は問題とはならない。此れは反つて我等の的鬪爭を激發させる以外には何ものでもない。

元山爭議團諸君諸君！

諸君は益々倍强の勇氣と××的鬪爭で邁進せよ！ 諸君の後には奴等の橫暴なる陰謀を根絕せしめ諸君の正當なる要求の前に奴等を屈從せしめる幾千萬の國內勞働大衆と幾億萬の國際的勞働大衆がある。諸君の抗爭の軍資は我等の血で充當すべきであり奴等の奸惡なる擧行には××我等の死力で以て激戰粉碎すべきである諸君は益々倍强の警備隊の××的組織で以て爭議本部を死守し凡ゆる機會を緻密に利用して決死的××で以て奴等の干城に肉迫せよ！ 最後の一刻まで！ 最後の一人まで！ 此の××的歷史的鬪爭の前には全國の勞働大衆の最後の一刻！ 一人まで！ 全國際的勞働大衆の最後の一刻！ 一人までだ！

一、我々の勝利の前には最後の一人まで！ 最後の一刻までだ！
一、資本家の一切の凶計を××的鬪爭で屈從せしめよ！

政治勢力を打倒

な　せ

い　よ

一、支配階級の反動的干渉を××で粉砕せよ！

一九二九年二月五日

在日本朝鮮労働総同盟
東京府下戸塚町源兵衛一四四

(3) 國外發行

朝鮮被壓迫勞働大衆の前哨戰で
朝鮮無産階級の赤旗を高く掲げる
元山勞働者兄弟等に檄す
——併せて全朝鮮被壓迫勞働大衆に

元山勞働者同志等！

喊聲を上げる人間の地獄、僅かの賃銀の爲めに一匙の飯を求めて其の敵の工場内で同志等は飢へたる腹を何程摑み乍ら暮して來たか、蒼白なる妻の顔と力なく倒れて泣く幼ない弟、子女を幾度抱へて泣いたか？殊に罷業以來同志等の生活の悲惨！千辛萬苦——怒號、憤慨、闘爭の毆打、監禁、絞殺。

あゝ！同志等よ！我等は異域の流離者、同志等は國内の工場奴隸！　そうだ千萬遍考へてもそうだ虐待が同樣で、生活が同樣で、侮辱、境遇が同じき我々は、同志等の事を考へるとき何時か歯を噛み拳

一九三

を握るのである。

同志等見よ、同志等を斯く牛馬の如く驅使し、同志等の血と肉を心の儘に吸食し乍ら、又更に同志等を捕へて忌憚なく絞殺し又絞殺しつゝある。四十餘鬪士の沸く身は今鐵窓の中で呻吟して居る。四十餘の革命者の氣焔は今窓鐵の中に獸殺されて居る。朝鮮無産階級の前衛隊は今鐵窓の中で『卑怯と屈從は朝鮮無産階級の反逆者』だと目を見張つて喊聲を上げて居る。同志等！　我等と水火の關係にある資本家地主——奴等を其の儘にして置いては到底生きて居ない。進んで奴等を其の儘にして置いては朝鮮被壓迫勞働大衆の解放は絶對に得ることが出來ない。

元山勞働者兄弟等！

我等は朝鮮を見る、朝鮮の顔を見る。同志等が死地で少しも恐れることなく生々たる鬪爭を繼續して居る、其の中から生々たる朝鮮の顔を見、又進んで朝鮮無産階級の前哨として肉迫戰を開始する同志等の勇敢なる顔が今更らの如くに見える。明らかに顯はれる。同志等の戰は朝鮮無産階級の巨人の戰鬪的勢力が歴史的、劃時期的に此處にまで到達、成熟したと云ふことを公門しつゝあり、而して實踐的鬪爭領域に於ては反革命的一切の惡勢力、封建要素、派閥殘滓、階級標幟撤去論、國粹主義輩、張日星、金燦等の餓鬼隊及び墮落しつゝある朝鮮小ブルヂョアが日本帝國主義の暴壓の下では役に立たず、卑怯、御用、合流しつゝある新幹會中央幹部等を唾罵、撲滅しつゝ進出しつゝあるものである。今の同志等戰は

一九四

同志等自身のみの爲めの戰では決してない。全朝鮮被壓迫勞農大衆の先頭に立ち、街頭の學生ストライキ、農場の貧農民小作爭議等々の反日本帝國主義的の一切抗爭、一切の革命勢力を抱擁し、又曳いて行く機關車である。同志等の戰は決して孤立的遭遇戰ではない、同志等の周圍には全朝鮮被壓迫勞農大衆の力強い準備軍と後援兵があり、同志等の背後には國際勞働總本營の千里眼が厳然として直射して居る同志等が今妥協的傾向——強壓的手段に壓されて鬪爭を中斷したり屈從するとすれば、其れは卑怯な自殺である。墮落した自滅である。而して歴史的任務を拋棄するものである。

我等の耳には元山勞働者兄弟等の言葉が聞える。全朝鮮勞働者兄弟等の言葉が聞える「『マッチで、鶴嘴で毆し、最後の一分一秒まで戰へ』」と叫ぶ聲が耳に幽かに聞へる。我々は元山勞働聯合會出戰軍の爲めに既に動員令を下した。着て居た着物と喰つて居た食器を質入してでも同志等を後援することを固く約束した。

然り！同志等よ！戰へ鉢卷して戰へ元山勞働聯合會出戰軍!!

一、八時間勞働制を戰取せよ！
一、罷工する兄弟等の背後に刀を刺す工賊を撲滅せよ！
一、一日の賃銀は元山勞働者兄弟に
一、治維法を廢止せよ。

一九五

一、監禁された前衛鬪士を奪還せよ！
一、野蠻的總督政治を排擊せよ！
一、農民は一匙の食を元山勞働者兄弟等に！
一、打倒日本帝國主義！
一、朝鮮民族解放萬歲！
一、死守ソヴエット聯盟！
一、第二次大戰の危機と戰へ！
一、世界革命萬歲！

一九二九年三月　　日

在中國韓人青年同盟
中央常務執行委員會

一九六

調査資料第十五輯　昭和五年一月

咸鏡南道甲山郡火田民家放火事件ト諺文紙

朝鮮總督府警務局圖書課

一、發端

六月二十五日及二十六日ニ朝鮮日報ト中外日報トハ咸南甲山郡普惠面大坪里ニ於テ營林署員ト警察官ガ協力シテ火田民ノ住家六十三戸ニ放火シタ旨ノ記事ヲ揭載シタガ一般ニ單ナル風評トシテ別ニ問題トシナカツタ。所ガ七月十日ニ至リ東亞日報ガ次ノ如キ記事ヲ揭載スルト共ニ同日及翌日ニ亘ツテ一ツハ正面ヨリ他ハ側面ヨリ批判シテ更ニ輿論ヲ喚起スベク社說ヲ連載シタノデ該事件ガ遂ニ相當ノ重大性ヲ帶ブ樣ニナリ各新聞紙ハ筆ヲ揃ヘテ各方面カラ之ガ記述ヲ取テシタノデアル。

東亞日報　七月十日

八十戸民家ニ放火　千餘火田民ヲ驅逐

火田民整理ニ當局者ノ頭ヲ惱マシテ居ル昨今、惠山鎭營林署保山望山林保護局デハ去ル六月十七日同局員六名武裝警官十一名ヲ帶同シテ管内甲山郡普惠面大坪里ト大興里方面ニ出動シ火田民等ガ新シク作ツタ家屋ヲ一軒殘[illegible]放火シテ四日間ニ瀧瀧谷デ六十三戸大朱哥谷デ二十五戸計八十八戸ヲ全部燒却

1

シ其處ニ居住シテ居タ火田民千餘名ヲ驅逐シタトイフ大不祥事ガアツタト云フガ、其ノ原因ハ昨年關北一帶ノ空前絕後ナル大水害ノ爲メニ家ヤ田沓ヲ一度ニ水葬シテ仕舞ツテ生活ノ途ヲ失ツタ罹災民等ガ遂ニ今年一月ヨリ四月ノ間ニ前記大坪、大興里方面ニ集マツテ大坪里ニ九十軒餘、大興里ニ三十軒餘ヲ新築シ一軒ニハ二三戸ガ居住シテ附近ノ山ニ火田ヲ作ツテ馬鈴薯燕麥ヲ植ヘテ千餘名ノ家族ガ辛ジテ生活シテ行クノヲ森林令違反ダト云フテ斯クモ苛酷ニ放火驅逐ヲシタノデアルト。

住民代表含涙陳情　當局ハ責任廻避

其ノ樣ナ當局者ノ暴擧ニ依ツテ一朝ニ家ヲ失ヒ深山ニ露宿シテ居ル火田民千餘名ノ家族等ハ餘リニモ苛酷ナル驅逐デアルトテ住民代表金元述崔承在ノ二名ヲシテ咸南道廳ニ陳情セシメタガ何等ノ明快ナル返答ヲ聞クコトガ出來ズシテ、更ニ總督府ニ陳情シタガ總督府林務課デハ其レヲ更ニ咸南道廳ニ押シヤツタノデ去ル八日ニ更ニ咸南內務部長ヲ訪問シテ陳情シタガ其ノ責任ハ營林廠ニアツテ又其ノ措置モ其處ニ於テ爲スベキモノデアルト云フノデ代表二名モ仕方ナク涙ヲ呑ンデ歸ツタト云フガ昨年天災地變ヲ避ケテ山中ニ入リ込ンダ千餘名ノ火田民等ノ家族ハ今回ノ災難デ今ヤ生途ガ絕ヘタノデアル。

人道上ノ問題トシテ輿論沸騰

別項ノ如ク火田民ノ家ニ放火驅逐シタ動機ニ對スル當局者ノ答辯ハ、火田民ノ新シイ放火冒耕ヲ積極的ニ禁止シ取締リツツアルニ拘ラズ、彼等ハ當局ノ許可ナク前記ノ如ク數百戸ガ移住シテ窃カニ放火冒耕シタコトハ違反デアルト同時ニ當局者トシテ容恕出來ナイコトデアルカラデアルト云フガ、一般社會ノ輿論ハ生途ナク行先ナクシテ仕方ナク窮餘ノ一策トシテ違反デアルコトヲ知リ乍ラ心殘リ多キ故鄕ヲ後ニシテ僻村ニ入リ込ンダ其ノ情狀モ同情スベキモノガアルガ、若シ其ノ情狀ヲ當局者ガ理解同情シナイトシテモ其ノ樣ニ多數ノ民家ニ放火シタコトハ人道上一大暴擧デアルトテ非難ノ聲ガ高イガ當局者ハ此レニ對シテ互ニ責任ヲ廻避シツツアル。問題ト責任ノ所在ガ明カナルト共ニ注目スベキモノガアル。

東亞日報　七月十日

火田民ノ放逐　人道上ノ重大問題

咸南甲山郡ノ火田民對營林署事件ハ遂ニ惡化シタ。營林署ノ官吏ハ火田民ノ住宅八十三戸ニ火ヲ放チ其ノ住民ヲ放逐スル手段ヲ取ツタノデアル。詳細ナ

2

ル報道ナキ爲メ其ノ眞相ヲ確認スルコトハ出來ナイガ、若シ斯ルコトガ實際ナリトセバ營林署員ノ行動ハ實ニ常規ヲ脫シタル人道上ノ重大問題トイハザルヲ得ナイ。加之、目下當局ニ於テ考究中タル火田民整理方針ニ照シテ見テモ誤レル脫線的行動デ、當局ハ須ラク責任上又ハ人道上徹底ナル對策ヲ考究スベキ義務ガアルノデアル。然ルニ傳フル所ニヨレバ放逐ヲ受ケタ住民ヨリノ陳情ニ接シタ咸鏡道當局者ハソノ責任ヲ營林署ニ轉嫁シテ嘆願ヲ受ケツケナカツタトノコトデアル。コレガ事實デアルナラバ、人民ノ生命財產ノ保護ヲ職責トスル當局者トシテ無責任ナル行動トイハザルヲ得ナイ。甲山郡火田民ノ問題ハ既ニ一ケ月前ヨリ表面化シ、住民代表ハ總督府當局ニマデ陳情シタコトガアツタ。當時總督府デハ之ハ地方ニ局限サレタル問題ナリトテ咸南道廳ニ責任ヲ嫁シタ爲メ、住民達ハ更ニ咸南道當局ニ陳情シタルモ、道ニ於テモ又言ヲ左右ニ托シ責任ヲ廻避シタ爲メニ、千餘ノ住民ハ苛酷ナル驅除ノ下ニ進退ニ窮スル難境ニ陷ツタノデアル。

當局者ハ既ニ巨額ノ調査費ヲ入レテ火田民ニ對スル調査ヲ屢々行ヒ更ニ多クノ豫算ヲ以テソノ整理計劃樹立ノ最中デアル。ソノ本意ガ勿論林政ノ整理ニ第一義ヲ置イテヰルカモ知レナイガ併シ同時ニ又火田民ノ生活安定ヲ案出スルコトハ人道上當然ノコトデアリ、且整理ノ實ヲ擧ゲルコトトモナルノデアル。然ルニ營林署ガ斯ル苛酷ナル手段ヲ以テ放逐ノミヲ是レ事トスルガ如キハ實ニ火田民整理ノ根本義ヲ忘却シタル暴擧デアル。加之、如何ニ火田民ガ禁止地域ヲ犯シタトハイヘ、法律モアリ司直ノ手モアル今日、住民ノ撤退ヲ法ニヨリ強要スル方法モアルベク之ニ應ゼザル時ハ法ヲ以テ制裁ヲ加ヘルコトモ出來ル筈デアル。ソレヲ如何ニ營林署トハイヘ人民ノ住居ニ火ヲ放チ彼等ヲシテ山谷ニ徨ハシメタコトハ人道ハ第二ノ問題トシ、第一ニ法律カラ許ズベカラザル行動デアル。

殊ニ奇怪ナコトハ咸南道當局者ガ斯ノ如キ營林署ノ行動ヲ見ナガラモ見ザル風ヲ裝ヒ、且又放逐サレタ陳情ニ接シナガラモ事實ノ調査スラセズニ營林署ニ責任ヲ嫁セルコトデアル。斯ル態度ハ確カニ營林署ノ暴擧ヲ默認シ且コレヲ助長スルモノト見ルノ外ハナイ。コレガ果シテ道民ノ生命財產ノ保護ニ任ズル官憲ノ正當ナル態度デアラウカ。火田民整理ノ擧ガ起ツタ時カラ吾人ハ斯ル事件ノアルベキヲ憂ヒ、當局者ノ注意ヲ喚起スル所カアツタガ、今斯ル實例ヲ見テ尙ホ一層憂慮ヲ禁ジ得ナイ次第デアル。吾人ハ營林署ノ猛省ヲ促スト共ニ、ソノ監督ノ責任ト人民保護ノ職責ヲ有ツ當局者ノ猛省ヲ促ス次第 3
デアル。驅逐ヲ受ケタ火田民ノ生活安定ノ道ヲ速ニ講究スルコトモ當局ノ責任デアリ、營林署ノ暴擧ヲ嚴重ニ調査シ更ニ斯ル事態ヲ起サザルヤウ戒飾ヲ加ヘルコトモ亦當局ノ責任デアル。

東亞日報　七月十一日

朝鮮ノ現狀ト宗敎團体

宗敎ト云フ自体ノ定義ガ區々テ如何ナル境界ヲ宗敎ト云フカハ知レナイガ併シ此處デ云フ所謂宗敎團体ト云フノハ此ノ頃愚民ヲ籠弄シテ指導者間ノ私腹ヲ肥スガ如キ迷信的宗敎ヲ云フノデハナイ。日ク普天敎、日ク靑林敎、日ク白々敎、日ク紫霞敎等ノ樣ナ迷信的原始的野蠻ナル宗敎ハ却ツテ人民ノ自由ト發展ヲ阻害シ民族ト國家ヲ滅亡ニ導タ最惡ノ社會的存在物デアルカラ取テ此處ニ此レヲ論スル餘地ガナイガ少ナクモ或ル信念ノ下ニ多數人ガ此レニ歸依シ或ル程度ノ歷史ヲ有スル宗敎ニ對シテハ少ナクモ社會ノ期待ヨリシテモ宗敎自体ノ其ノ或ルモノヲ自任スル點ヨリシテモ大イニ論評スル餘地ガアルノデアル。

朝鮮ノ宗敎團体デ最モ權威アリ歷史ノ長キモノハ基督敎、佛敎、天道敎等デアル。佛敎ガ三國及高麗時代ニアリテ朝鮮人ノ文化ト道德ニ最大ノ貢獻ヲシタトスレバ基督敎ハ近世西洋文明ガ輸入サレテ以來朝鮮人ヲ自由平等ノ新思潮ニ感染セシメタ點ニ於テ大ナル功勞ガアリ其ノ他ニ天道敎ハ朝鮮人自体ノ覺醒ト團結ヲ圖ル點ニ於テ一大貢獻ヲシタ。而シテソレガ最近朝鮮民衆ノ覺醒ヲ促進シタ民族的大運動ニ動員シタコトニ依ツテ其ノ民族的貢獻ガ莫大ナリト云フコトガ出來ル。併シ宗敎ハ宗敎デアツテ覺醒タル現實ノ前ニハ其ノ獨自的存在ノ不能ナル宗敎的本体ヲ暴露シ佛敎ハ隱遁主義ニ、基督敎ハ利我的個人主義ニ、而シテ天道敎ハ英雄的分派主義ニ各々旗　ヲ立テタ。吾等ハ今自今十年前ノ彼ノ宗敎界ノ活潑ヲ今日發見スルコトガ出來ナイ。宗敎界ノ誰レガ敢ヘテ此レニ對スル否定ノ應答ヲナス勇氣ガアルダラウカ。

吾人ハ今事新シク宗敎界ノ沈滯ヲ論ゼントスルモノデハナイ。併シ宗敎ガ宗敎トシテ社會ニ存在スル以上宗敎ハ當然ニ或ル社會ヨリ課セラレタ其ノ任務ヲ實行シナケレバナラナイ。人道ヲ論シ正義ヲ說キナガラ不義不正ヲ目前ニ發現シテ此レヲ恬然不關視スル態度ハ何物ヲ語ルノデアルカ。吾等ハ朝鮮ニ現出スル總有不正不義ヲ一々論ズル暇カナイ。無理ナル言論集會結社ノ禁止不正義ニ立脚シタル現經濟生活ガ產ム無智ト貧困、人權的社會的無理ナル差 4

雖ニ此レ皆正義ニ反スルモノデナクテ何デアラウカ。宗教団体ハ此ノ如キ永久遠不正義ノ社會ノ上ニ何ヲ努力シ希求スルノデアルカ。安心立命トカ自由平等トカ、人乃天トカハ皆何ヲ意味スルノデアルカ。吾人ハ永久的殆ンド常習的トナレル此ノ不正義ノ狀態ヲ長タラシク例ヲ擧ゲントハシナイ。併シ近日ニ起ッタ甲山火田民八十戸ノ焼却事件ダケヲ見テモ朝鮮ガ如何ニ人道ト正義ニ外レタ總有醜悪ナル事實ガ演出サレルカヲ語ルモノデアル。

宗教家諸君人類十六億ノ中ニ僅カ千餘ノ人間ガ放火ニ依リ其ノ生活ノ根據ヲ失フトシテモ世界全体ヨリ見レバ寥寂タル事實デアルカモ知レナイ。併シ宗教ノ本旨ハ如何。釋迦ハ一個ノ虫ヲモ美シク見タ爲メニ後ノ歸依者ハ錫杖ヲ杖イテ歩カナカッタ。基督ハ人類中ノ最少ナル一人ニ行フノガ即チ神ニ行フノダト云ッタデハナイカ。宗教ハ愛デモ慈デモ仁デモ智デモ根本ニ於テハ人類ノ正義ノ爲メノ犠牲ニ過ギナイ。千餘ノ人民ガ不幸ノ放火ト驅逐ニ依リ其ノ行路ヲ知ラズシテ迷ッテ居ルノデアル。諸君ハ恬然此ノ現實ニ沈黙シテ居ルカ。講壇ヨリ街路ニ出テコイ。説教ヨリ實地ニ接セヨ。而シテ全種類ガ共ニ泣キ、共ニ戰フノガ現下朝鮮ノ宗教ノ本旨デ宗教家ノ使命デアラウ。

二　報導的記事ト社説

其ノ後各諺文新聞ハ殆ンド毎日引續キ非常ニ誇張シテ或ハ極メテ煽動的ナル言辭ヲ弄シ、或ハ毒筆ヲ振ッテ當局ヲ攻撃シタ。

今之ヲ報導的記事ト社説トニ分類シテ示シテ見ヨウ。

(一)　報道的記事

諺文新聞ノ報道的記事ハ常ニ單ナル報道ノミヲ爲スコトハ極メテ稀デアッテ常套的手段タル報道記事ヲ緯トシテ其ノ中ニ安價ナル煽動、批難、當局攻撃同情ノ押賣ヲ織リ込ンデ居ル。

而カモ其ノ記載スル所謂眞相ナルモノハ誇張、捏造、單ナル推理ノ結合シタモノデアル。

今各新聞ノ報道記事ヲ日附順ニ記載スルコトニスル。

A　東亞日報

東亞日報　七月十二日

火田民家放火問題デ營林署長ヲ呼出シ

火田民驅逐事件ニツイテ、其ノ眞相ヲ調査スル爲メ惠山鎭營林署長ヲ呼出シ今明日中ニ到着ノ豫定デアルガ、火田氏ハ總督府林政ノ癌腫デアリ、多大ノ豫算ヲ以テ適當地ニ移住サセント計劃中、惠山鎭營林署員ガ暴擧ニ出タコトニ對シテハ、總督府デモ意外ニ思ッテ居ルト"

法律上ノ問題デ今後ヲ監視　辯護士協會金炳魯談

辯護士協會ノ金炳魯氏ハ次ノ如ク語ッタ。

火田民整理策ヲ樹テテ實行セント傳ヘラルル昨今、此ノ如キ事件事實アッタトスレバ、當局ノ態度ニ疑ヲ懷カザルヲ得ナイノミナラズ、人道上、法律上ヨリ見テ大問題デアル。我々法曹會デモ此ノ事件ノ内容ヲ詳細調査シテ當局ガ如何ナル措置ヲスルカヲ注目シテ居ル。

責任者ヲ召喚　渡邊山林部長談

此レニ對シテ渡邊山林部長ハ「今回事件ノ起ッタ惠山鎭營林署ハ最モ重要ナ林區デアルカラ署員ガ或ル手段ニ出タ樣デアルガ、新聞紙ノ報道ハ少シク誇張サレテ居ル樣デス。移轉地ヲ與ヘテ空家ニ放火シタト云フ説モアルノデ、何レニシテモ直接報告ヲ聞ク爲メニ營林署長ヲ呼ンデ置キマシタ」ト云ッタ

東亞日報　七月十三日

新幹會奮起　眞相ヲ調査

問題ハ單純ナ人道上ノ問題デナク、法律上カラ見テモ、刑事上重大ナ問題デアルトテ、新幹會本部デモ事件ノ内容ヲ調査シテ其ノ對策ヲ講究スルガ、事實相違ナケレバ告發デモスルト。

東亞日報　七月十六日

火田民家放火事件　陳情委員又上京

住民代表廉承在氏ガ再作十四日上京シテ總督府ニ陳情シタトイフガ、同氏ハ其ノ時ノ光景ヲ次ノ如ク語ッタ。

我々ハ昨年ノ咸北ノ水害ノ爲メニ家財モ土地モ流出シタノデ各地ヲ流離中、甲山郡大坪里ニ廣イ土地ノアルコトヲ聞イテ、今春其處ヘ行ッテ起耕シ播種シタ所、去ル四月十七日森林主事朴春植ト境氏等ガ來テ、退去ヲ命シテ新興里ニ移住セヨト云フノデ、住民等ト營林署員ガ行ッテ見タ所、其處ニハ既ニ七百餘戸ガ入リ込ンデ居リ、營林署員ガ其ノ土地ヲ半分宛取ッテヤルト云フタガ、眞逆ソンナコトモ出來ズシテ秋迄待ッテ呉レト云ッテ置イタガ、彼等

ハ聞キ入レズシテ五月三日ニ巡査ヲ連レテ來テ、放火燒却スルト云フノデ、里民等ガソレデハ自分等モ火ノ中ニ入ツテ死ヌト云ツテ哀願シタ所、其ノ時ハ其ノ儘歸ツタガ、去ル六月十六日ニ營林署員六名ガ武裝警官十一名ヲ連レテ來テ、自分ノ手デ家財道具ヲ取リ出シテ四日間モカカツテ、八十三戸ヲ悉皆燒イテ仕舞ヒマシタ。其ノ時ノ慘狀ハ言葉デハ云フコトガ出來マセン。

重要家産ハ全滅　既耕農作モ失時

婦人等ハ地面ヲ踏ミ鳴ラシテ痛哭シ、或者等ハ燒死スルトテ火ノ中ニ飛ビ込ムノヲ巡査ガ抱キ止メル等、大騷ヲ爲シ、趙昌龍氏ノ如キハ重傷ヲ負ヒマシタ、家ノ中ニアツタモノハ彼等ガ自分ノ手デ出シタノデ、大概目ニ付クモノ丈ケヲ出シタガ、深ク地中ニ仕舞ツテアツタモノハ皆燒キ、糧食ノ如キモ多ク燒イテ仕舞ツタノデ、今ハ全ク餓死スル境遇デ露宿生活ヲ始メテカラ、早數十日ニナリマス。此ノ様ナ譯デ播イタ植物モ草取ヲシナイカラ今年ノ生活モ又見込ハアリマセン。燒却シタ家ハ八十三棟デアルガ、戸數ハ百九十戸ニモナツテ居リマス。

東亞日報　七月十六日

各團体聯合放火事件討議

去ル十日北青郡内各社會團体員聯合懇親會ヲ金裕錫方ニ開催シテ左ノ通リ討議シタ。

一、新幹北青支會ハ眞相ヲ本部ニ報告シテ輿論ヲ喚起スルコト。
一、記者團ハ本社ニ調査特派ヲ要求スルコト。
一、青盟ハ京城青總ヘ報告輿論ヲ喚起スルコト。
一、眞相ヲ京城辯護士團ニ通知シテ後援セシムルコト。
一、火田民救濟會ヲ組織シ新幹會ニ一任スルコト。
一、批判演説會ヲ聯合主催スルコト。

東亞日報　七月十八日

火田民救濟會　北青署禁止

北青各社會團体ハ十五日救濟會發起會ヲ開イテ準備中、北青署ヨリ禁止ヲ受ケタガ、其ノ理由ハ救濟スルコトダケハ善イガ、時期ガ時期デアルカラ集會ハ出來ナイト云フノデアツテ、準備委員ノ落膽ハ勿論一般ノ輿論ガ囂々トシテ居ル。

7

東亞日報　七月十九日

火田民驅逐對策講究會

去ル十七日市内水標町朝鮮教育協會ニ、新幹會ヲ始メトシテ言論、宗教、法律其ノ他各方面社會團体代表三十餘名ガ集マリ、金商養氏司會ノ下ニ、甲山火田民驅逐事件對策講究會ヲ組織シテ次ノ如ク決議シタ。

一、委員安在鴻外二十六人
一、調査員派遣ノ件
一、十九日新幹會京城支會ニテ委員會ヲ開クコト。

東亞日報　七月二十日

萬一事實ナラバ調査後處置　兒玉政務總監言明

火田民驅逐對策講究會デハ調査委員李爽氏ト新幹會李周淵氏ヲ、現場ニ特派スルコトトシタ、李爽氏ガ昨日午前兒玉政務總監、澤林務課長、富永保安課長ヲ訪問シタガ

兒玉總監ハ

國有林野ニ火田民ガ侵入スルコトハ元來不可デアルカラ當然禁止スベキデアルガ、取締官吏ハ温情主義ニ出ナクテハナラナイ。萬一放火驅逐シタコトガ事實ナラバ調査ノ上當然處置ヲスル」ト語ツタト。

東亞日報　七月二十一日

火田民驅逐問題デ新幹會金炳魯氏ヲ派遣

新幹會ハ去ル十三日ニ其ノ對策ヲ講究スルコトヲ發表シ、十五日ニハ北青支會ヘ事實調査方ヲ指令シタガ、遲延スル様ダカラ、十八日ニハ全會中央執行委員金炳魯ヲ特派シタガ、調査員ガ歸ルト共ニ直ニ對策ヲ講究スル由。

東亞日報　七月二十一日

對策講究會委員會禁止

甲山火田民放火驅逐對策講究會デハ十九日委員會ヲ開カントシタ所、鍾路署ヨリ禁止ヲ命ジ、今後會トシテノ一切ノ行動ヲモ禁ゼラレタガ、其ノ理由ハ第一ニ名稱ガ不穩デ、第二ニ事實未ダ不明デアルト云フノデアツテ、調査ノ爲メ出發セントシテ居タ李爽氏モ未ダ出發シナイデ居ルト。

8

東亞日報　七月二十一日

火田民驅逐ト朝鮮青總ノ決議

朝鮮青年總同盟デハ火田民驅逐事件ニ對シテ左ノ如キ公文ヲ發送セントシテ居タ所、鍾路署デハ常務執行委員車軟貞ヲ呼出スト同時ニ全會舘ニ行ッテ文書ヲ押收シタト。

一、端川、咸興、北青、洪原、利泉ノ各細胞團体ハ連絡ヲ取ッテ重大ナル活動ヲ爲スコト
二、事件ノ眞相ヲ調査發表スルコト
三、責任當局ニ對シテ質問スルコト
四、被逐民ノ今後ノ居住ノ安全保障ヲ要求スルコト
五、事件ノ法律的性質ヲ闡明シ法律闘爭ヲ展開スルコト

東亞日報　七月二十一日

天道敎青年黨朴達成氏派遣

天道敎青年黨デハ朴達成氏ヲ二十日夜行デ特派スル由

東亞日報　七月二十三日

住宅衝火ガ原因　食糧モ燒失呼飢
糧食ヲ燒ステ生途汇然　甲山火田民ノ慘狀

特派員　朴錦發電

余ハ今北青ヲ經テ惠山鎭ニ向フ途中ニアリ。北青カラ惠山鎭マデ五十二里自動車ノ便アリ。惠山鎭ヨリ今回火田民住宅ニ衝火シタ不祥事ノ起ッタ余ノ目的地瀧々谷マデ十三里デ、此ノ途ハ徒歩カ馬ニ乘ルノ外ナク、シカシ雨ノ爲メ處々ニ道路斷絶セル田ヲ開ク、惠山鎭營林署員ニ驅逐セラレタ瀧々谷住民ハ、家屋ヲ燒却セラレル時、地中ニ埋メ置キシ彼等唯一ノ食糧デアル薯モ引出ス暇ナク火ヲ放ッテソレマデ燒キステ、住民九百名中過半數ハ餓飢ニ陷ッタト。

各紙　七月二十四日

火田放火調査員禁足

咸南甲山火田民放火事件ニ對シ天道敎青年黨ニテハ執行委員朴達成氏ヲ事情調

9 査ノ爲メ派遣シタガ氏ハ何ノ爲メニカ其ノ途中豊山ニ於テ警察署ヨリ禁足ヲ命ジ現場ニ赴クコトヲ禁ジタ。

東亞日報　七月二十九日

甲山事件顚末　報告演說會開催サル。

京城鍾路新幹會本部ニテハ今回問題トナレル甲山火田民放火問題ニツキ實地調査ノ爲派遣中ノ金炳魯氏ガ二十七日夜歸城シタノデ二十八日緊急常務委員會ヲ開キ金氏ノ報告ヲ開キタル後二十九日夜中央青年會舘ニテ眞相調査演說會ヲ開クヿ同決議事項左ノ如シ

一、眞相調査報告書作製發送ノコト
二、二十九日夜中央青年會舘ニ眞狀調査報告演說會開催ノコト
三、被害民救濟ト責任當局ニ對スル抗議ハ來ル中央常務委員會ニテ決定スルコト

東亞日報　七月三十日

甲山瀧々火田民放火驅逐事件眞相

甲山郡普惠面大坪里火田民家放火驅逐事件ノ現場ハ、白頭山下胞胎山ノ前ニアル高原デ、縱ハ四里半、幅ガ一里半位アリ、巨離ハ惠山ヨリ十六里ノ山中デアル。

住民一同ヲ命令シテ自手デ自家ニ放火

去ル十六日ニ惠山鎭營林署營天堡保護局森林主事堺眞蔵等營林署員六名ト、惠山鎭警察署保安主任福田警部補以下十一名合計十七名ガ來テ、部落民ニ對シテ何程撤退ヲ命ジテモ聞カナイカラ放火シテヤルト云フノデ、マサカ火ヲ付ケルコトモナカラウトテ、壯丁等ハ大概身ヲ隱シテ仕舞ッタ。所ガ彼等ハ殘ッテ居タ男女老幼ニ命ジテ自ラ自家ニ放火サセタ。火光天ヲ衝イタ現場ハ涙ノ河トナッタコトハ勿論デアルガ、中ニハ婦女ヤ老幼ヲ他家ニ監禁シ又命令ヲ聞カナカッタ白德鳳、李賢洙ヲ無數ニ亂打シ、、、、、、、、、

前後五日間繼續　三洞里順次燒却

別項ノ如ク十六日ヨリ放火ヲ始メタ營林警察兩署員ハ大瀧々谷ヨリ小瀧々谷ヲ經テ、大宗哥谷ニ至ル三村落ニ放火シタルガ、其ノ内ニハ唯ダ毀シタダケノ家モアルガ、今被害者及被害ノ程度ヲ見ルニ左ノ通リデアル。

全昇華燒失家屋五間　金泰律同四間　安貫重同六間　朴乙夢同六間　權時
磬同六間　李在金同四間、李在玉同四間　朱炳烈同六間　李禹性四間　妻 10

洪八六間　全光勳同四間　金信元同六間　鄭範河同四間　康明義同五間
李乙甲同六間　趙晃坤同六間　朴正燮同六間　金正煥同四間　金正寛同四
間　朴乙燮同四間　金正甲同四間　朴俊根同四間　趙昌龍同四間　韓龍杓
同四間　朴陽元同六間　李龍株同四間　朴性爵同六間　高宗萬同四間　劉
秉淵同六間　李炳辰同六間　姜炳成同六間　金賢敎同四間　趙七燦同四間
金德鼎同六間　權福萬同六間　張箕祚同四間　金斗星同六間　千容洛同四
間　盧丙九同四間　白德奉同四間　李在福同四間　李鳳洙同四間　李源季
同四間　權弘謙同四間　金官玉同五間　金正植同六間　金賢群同六間　姜
鳳善同四間　李敬約同六間　姜俊同六間　朴喜洙同四間　李政範同四間
張錫信同六間　姜弘均同六間　姜福萬同五間　姜鳳萬同四間　李應周同四
間　鄭群聖同三間　李鉄先同四間　金聖洛同四間　鄭知紹同三間　金昌淳
同四間　高千均破壊四間　鄭遠元破壊四間　金在淳破壊三間　（大宋哥洞）
韓仁燦焼失四間　金萬興同二間　嚴尚勳同二間　李成君同二間　全今俊同
二間　劉故烈同二間　金敎云同三間　金正三同四間　金正約同三間　鄭南
周同二間

以上焼却六十三棟　破壊三棟

兩作年迄人跡不到ノ場所

瀧々谷ト云フ名ハ其處ニ瀧ガ三ツモアルカラ生ジタ名デ、兩昨年迄ハ人跡不到ノ地デ、唯ダ阿片密耕者ガ中國ヨリ來テ阿片ヲ密耕シタコトガアツタガ、昨年ノ水災民ガ發見シテ今年三月迄ニ百九十戸ガ入リ込ミ、八十餘棟ノ家ヲ建テタ。此レヲ聞イテ駐在所員ガ早速戸口調査ニ來テ、好意ヲ寄セテ居タガ去ル四月初旬ニ營林署員朴基乙ト加藤巡査ガ來テ、此處ハ山林地帶デアルカラ農作ヲシテハナラナイト、驅逐ヲ始メタガ農民等ハ既ニ種子モ大部分播種シ、且數日前迄警官等ガ好意ヲ寄セテ居タ爲メ、家ヲ建テタ後ダカラ拒絶シタ。其ノ後營林署デハ彼等ノ收容地ヲ新興里宣德洞ニ選定シタト云フノデ、六七日間モカカツテ見廻ツタガ、住メソウナ所ガナイノデ、歸ツテ來テ居タガ、其ノ後ハ營林署デハ毎日ノ如クニ驅逐ニ來タ。住民等ハ行ク所ガナイノデ拒絶シテ居タガ畢竟十六日ノ事件ヲ起シタノデアル。

新定收容地ハ居住出來ナイ不毛地

普惠面長金東浩氏ハ左ノ如ク語ツタ。

自分ニ新任デアルカラ何モ知ラナイガ、宣德洞收容地ト云フ所ハ全ク住ムコトノ出來ナイ所デス。第一飲料水ガナク、住宅地カナク、耕作スル土地ト云

11

フノモ皆草原デ、下ハ岩デアリマス。ソレカラ私ノ面デモ事件ヲ調査シタガ自分トシテハ語ルコトガ出來ナイ、タダソレダケヲ知ツテ居レバヨイデセウ」ト。

惠山警察署　鈴木署長談

鈴木惠山鎭警察署長ハ次ノ如ク語ツタ。

「我々ハ營林署員ヲ保護スル爲メニ行ツタノデアルカラ、全ク放火スル爲メニ行ク事トハ知リマセンデシタ。他人ノ家ニ火ヲ附ケルコトハ人道ニ反スル事デアルカラ、其ノ樣ナ事ヲスル筈ガナイデセウ。其ノ中小サナ家ノ一二棟ハ或ハソウシタカモ知レマセン」ト云フテ甚ダ答ニ困ツテ居タ。

營林署長ハ閉門不出

營林署長ハ總督府ノ緘口令ヲ受ケテ家ヲ閉メテ出勤セセズ、堺森林主事ハ營務局ノ調査員ヲ案内シテ居テ居ラズ、其ノ下ニ居ル金炳澤ト云フ事務員ノ語ル所ニ依レバ「水災民ニ對シテハ萬般ノ便宜ヲ圖ツテヤレトノ上司ノ命令モアルガ、瀧々洞ノ者等ハ水災民デナイト云フモノモアルガ、本府山林課ノ金氏ガ來タ時自分モ行ツテ調査シタ所皆罹災民デアツタ」ト語ツタ。

被害住民談

被害者ノ一人全昇華ハ語ツテ曰ク「我々ハ他ニ生活ノ途ガアレバ何故此ンナ問題ノ處ニ居マセウ。當局ガ收容地トシテ定メテ與レタ所ハ不毛地デアルカラ、死ヌ爲メニ其處ニ行クヨリハ寧ロ此處デ死ンダ方ガ宜イデス。、、、、、、シナガラ歸ツテ行ク日ニハ、可愛想ダト云フ考ヘサヘモナカツタ樣デス。貴方々ガ歸ツタ後デ又官廳カラ來テ何ヲスルカ知レマセン、誠ニ恐ロシクテナリマセン」ト云フテ一里モ從イテ送ツテ來タ。

幕天席地中ノ長霖　飢寒ニ病者續出

不意ノ慘禍ヲ受ケタ住民等ハ一方各官廳ニ陳情書ヲ出シ、放火シタモノヲ相手トシテ告訴ノ提出ヲ爲ス準備ヲシテ居ルガ、家ヲ失ツタ者等ハ、殘ツタ家ニ集マリ、又焼殘リノ木デ室ヲ作ツテ居ルガ、其ノ光景ハ元始時代ヲ聯想セシメルモノアリ、殊ニ此ノ頃ハ毎日ノ雨降リニ、食物モ缺乏シテ草根木皮ヲ喰フテ居ルガ、顏ハ青膨レニナツテ居ル。

東亞日報　七月三十一日

甲山火田民事件演說會禁止

新幹會ノ甲山火田民事件報告演說會ハ禁止サレ書面報告モ禁止サレタ。

12

東亞日報　八月二日

瀧々洞ヲ訪ネテ

北青ヨリ十四時間デ惠山鎭ニ着イタ。同行者ハ金炳魯、北青ノ金學洙、甲山ノ金殷瑞ト記者ノ四名デアッタ。翌日ハ京城ヨリ後ヲ追ッテ來タ中外ノ鄭寅翼ト北青ヨリ來タ金丸、雲興面ノ青年デ特ニ我等ノ爲メニ立ッタ韓南享ノ三名ヲ加ヘテ一行七名トナッタ。

午後三時ニ出發佳林里デ一泊シ、二十二日早朝出發、普天堡ヲ過ギ大鎭坪デ晝食ヲ爲シテ出發シタガ、一行ハ皆疲勞シテ話ヲスルモノモナイ、雨ハダンダン降リ出シ日ハ暮レカカッタ。其ノ中ニ漸ク小宋哥洞ガ見エタ。此處カラハ營林署ノ退去命令ヲ受ケタ所デアル。

里民ハ我々ヲ發見シテ大騷ヲ爲シ、畑デ仕事ヲシテ居タモノガ飛ンデ來テ額ニ土ガ付ク程ニ禮ヲシタ。劇的場面ダ。誰カガ我々ハ營林署員デハナイカラ安心セヨトイッタ。

一里計ノ峠ヲ越シタ十戶ヲ燒イタ所ガ大宋哥洞デアル。此ノ村ハ小宋哥洞トハ反對ニ甚ダ冷淡ダ。北青ノ金丸氏ガ瀧々洞ノ途ヲ問フタ所ガ「知ラン」ト云フテ辱メル。我々ハ何處デモ營林署員ノ待遇ヲ受ケルノヲ可笑シク思ッタ

此ノ村ニハ書堂ヲ改良シテ學校ノ樣ニシタノガアル。學校デ少シ休ンデ幾人カノ案內デ直ニ瀧々洞ニ向ッタ。

此處カラ一里半ノ峠ヲ越セバカノ瀧々洞デアル。道トテモナク落葉松ノ間ヲ縫フテ行クノデアル。此處カラ大瀧々洞ニ行クニハ又一里ノ峠ヲ越サネバナラン。彼處此處ニ燒跡ガアル。殘ッタ幾軒カヲ訪問スルニ一軒ニ三四家族數十名ガ住ンデ大騷デアル。丁度夕食準備ノ釜ノ蓋ヲ開ケテ見ルト草ノ粥デアル。今回ノ事件ニ隨分苦勞シタノミナラズ、主人ノ不在中警官ノ調査ヲ受ケテ居ル間ニ子供ガ火ニ燒ケテ死ンダト云フ金元述ノ家ヲ訪問シテ大瀧々洞ニ向ッタ。峠ヲ越シタ處、大瀧々洞ノ住民等ガ峠ノ下マデ迎ヒニ來テ居タ。誰レカカ先ニ知ラセタカラデアル。不知々々互ノ目カラ涙ガ流レタ。

先ヅ燒跡ヲ見テカラ高イ所ニ登ッテ見タ。地形ハ東南北ガ山デ西ガ開イテ居ル。大小瀧々洞ヨリ流レル水ガ西口デ合ッテ十數尺ノ瀧カ三ツ出來テ居ル。瀧々洞トイフ名ハ此レカラ出タノデアル。

土質ハ我々素人ニハ分ラナイガ、色ガ黃黑クテ、幾百年デモ農業ノ出來ル沃土ニ見エル。麥ノ丈ガ馬ノ丈程アリ、千二百坪一日耕ニ甘藷ガ七十石乃　13

至八十石收レルト云フカラ土質モ推察スルコトカ出來ル。九月ヨリ霜ガ降リ出シ翌年四月ニ漸ク雪ガ解ケルト云フ。

五月カラ八月マデ農夫一人ガ働ケバ七八人家族ノ一年ノ生活ガ出來、殘リ八ケ月ハ限リナク太平ヲ味ヒ時々山狩ヲスルダケデアル。野獸ハ鹿猪デ猛獸ガナク、農業ハ稻ノ外ハ何デモ出來ルト云フ。

此處ハ住メバ一千戶五千名充分ニ住メ、漆布ノ下ニハ瀧々谷ノ十倍ニモナル太平原ガアッテ、一望無涯ノ林平線ヲ爲シテ居ル。五萬ノ人口、一萬戶ガ收容出來ソウデアル。

此處ハ交通不便ノ爲メニ知レナイデ居タノデアルガ昨年ノ春ニ、金容河、金道亨、金應順ノ三人ガ家族ヲ連レテ住ンダノガ初メデアル。所ガ昨年ノ洪水ニ罹災シタ者等ガ此處ノ風評ヲ聞イテ、昨年陰歷十月ヨリ今年三月迄ニ一百六十九戶一千百餘名ガ入リ込ンダノデアル。

此處ニ入リ込ンデ來タ時ノ情況ハ、誠ニ可愛想ナモノデアッタ。白雪皚々タル上ニ、人跡ナク方向サヘモ分ラナイノミナラズ、糧食サヘナイノデアル。三四日モ餓ヘテ木ノ下ニ火ヲ焚イテ夜ヲ明カシ、雪ニ彩レタ子女ヲ負フテ漸ク此處ニ着イタノデアル。或者ハ指ヲ凍傷デ失ヒ、又雪ノ上ニ流産シタ女モアッタ。

「我等ハ餓死セントシテ居テモ此ノ國ノ人民デアルコトヲ知ッテ居リ、此ノ土地ハ國有地タル朝鮮ノ土地デアルコトモ知ッテ居ル。同時ニ支那ヤ露西亞ノ土地デナク、又個人ノ土地ダトモ思ッテ居ナイ。ノミナラズ從來ヨリ國有地ニ依ッテ暮シテ居ルモノノ爲メニ、火田民條例モアルカラ、此ノ國ノ人民トシテ火田民トナッテ生活スルノガ寧ロ當然ナコトデアル」トテ彼等ハ彼方此方カラ植木ヲ拾ヒ集メテ、去ル四月マデニ八十六棟ノ住宅ヲ作リ、同時ニ穀物ヲ植ヘタ。

彼等ハ十戶ニ一人ノ統首ヲ定メ其ノ上ニ村長ヲ置イタガ、村長ハ金元述デ、統首ハ金載勳等十七名デアル。

ソシテ阿片ヲ栽培シナイコト、森林地帶ノ火災ニ氣ヲ付ケルコト、賭博ヲシナイコト等ノ洞則ヲ定メテ、惡事ヲ嚴禁シ、淳厚質朴ナ風俗ヲ奬勵シテ、秋ヲ待ッテ居タ。溺レタ者ガ舟ニ飛ビ付イタカラトテ叱責スルコトガ出來ルダラウカ、然シ世ノ中ガ變ッテ居ルカラ彼等ハ心配シテ居タ。

所ガ四月初旬ニ大鎭坪駐在所ノ加藤巡査ガ戶口調査ニ來テ「此處ニ住ムナラバ山火事ニ注意シ、阿片密耕ノ如キ惡イコトヲセス、新移住者ハ必ス來タ旨ヲ述ベ、速ク面事務所ヘ行ッテ手續ヲセヨ」ト其ノ規則迄モ敎ヘテ行キ、其　14

ノ後營林署員モ來テ惡イ顔ヲセズニ歸ッテ行ッタ。

其處デ彼等ハ再生ノ思デ各種ノ準備ヲシタガ、其ノ内ニ官憲ノ顔ガ青クナカカッタノデ、山神ヨリ恐レテ彼等ガ來レバ警聽スル爲メニ五戸デ鷄ヲ一宛順次負擔スルコトニシテ時ニハ牛ヤ豚マデモ殺シテ食ベサセタ。此ノ樣ニ誠ヲ込メテ待遇シタガ遂ニ無駄事トナッテ退去命令トナッテ仕舞タ。

理由ハ山林地帶ガ近イカラ山火事ノ恐レガアルト云フノデアル。「火ノ田ヲシマス」「イケナイ」「秋迄延期シテ下サイ」「イケナイ」「我々ハ此ヲ離レテハ行先キガナイカラ一層死ニマス」「木ガ大事カ人ガ大事カ」「有地ニ國民ガ住マナイデ誰ガ住ムカ」此ノ樣ナ言葉ハ却ッテ毆打ヲ買フニ過ギナカッタ。

官憲ハ火田民收容地ガアルカラ其處ニ行ケト云ッタ。洞民百餘名ハ收容地ト云フ儀化里宣德洞ヲ五六日モ踏査シタガ、大部分ハ岩デ少シヨイ所ハ既ニ七百餘戸ノ火田民ガ植付ヲシタ所デアル。仕方ナク拒絶シタ。官憲ハ更ニ植付シタ處ヲ取ッテヤルト云ッタガ其レハ一層出來ナイコトデアル。皆歸ッテ來タ。此レカラハ官憲ノ態度ガ一層強硬トナッテ「汝等ハ官吏ニ反抗スルカラ銃殺シテモ關ハナイ」「放火シテヤル」埰森林主事ノ如キハ「懲役ニヤッテヤル」「俺ガオ前等ヲ逐ヒ出シ切ラナカッタラ切腹シテ見セル」ト云ヒ、警官ハ一言デモ云フモノヲ捕ヘル。持ッテ行ク糧食ヲ奪フ等大騷ヲ爲スノデ、住民等ガ彼處此處ニ陳情ニ行ク等五月中ハ殆ンド毎日此ノ樣ナ風波デアル。隨ッテ畑ノ手入モ出來ズ糧食モナイ心配デ夜モ寢ラレナイノデ毎晩互ニ手ヲ執ッテ泣キ明シテ居ル内ニ何時カ六月十六日トナッタ。

此ノ日惠山鎭警察署福田警部補以下十一名ト埰、朴春植等營林署員六名計十七名ガ武裝ヲシテ來テ「今日ハ最後ダ」ト云フ言葉ヲ殘シテ住民ノ住宅ヲ燒キ棄テタガ、其ノ時ノ光景ハ如何デアッタラウカ。

秋霜ノ如キ銃劍ノ下ニ火ハ無心ニ燃ヘタ時住民等ノ腸モ共ニ燃ヘタノデアル鴨綠江ノ水ハ流レルモ火ヲ消サウトモセズ白頭山ハ眺メテ居テモ物ヲ云ハナイ。火ハ十六日ヨリ二十日マデ五日間ニ七十三棟ヲ燒キ三棟ヲ壞シテ百餘戸千餘名ハ露天ニ彷徨シタ。

深夜山中ニ發スル痛哭ノ聲ハ人ノ聲デアルカ、鬼神ノ聲デアラウカ。二十棟位殘ッタ家ニ幸ニ居住スルモノモ、其ノ聲ヲ聞イテハ取ヘテ家ノ中ニ入リ寢テハ居ラレナカッタト云フ。食フモノハ草デ寢ル處ハ木ノ下デアル。霖雨サ

15

ヘ降ッテ來ル、此レヲ悲慘ダト云フナラバ世ノ他ノ悲慘トハ如何ナレナ區別シヤウカ、

千里ノ邊境ヲ考ヘナク點ケラレタ燐寸一本ガ此ノ樣ニ世上ノ物議ヲ釀ストハ誰レモ思ハナカッタダラウ。官憲ハ行ケト云ヒ、住民ハ行カナイト云フ。此ノ間ニ於テ住民ヲ行カセル爲メニ點火サレタ燐寸ハ果シテ誰レノ手デ點ケラレタカ（此ノ問題除）假令七十一棟ヲ全部住民ノ手デ燒イタトシテモ元來ガ自發的デナク官憲ノ威壓ニ他動的ニ點ケラレタノデアル以上此レハ寧ロ第二ノ問題デアル。何レニシテモ七十餘棟ガ燒失シ住民ハ未ダ其處ニ居ルコトダケハ事實デアル。瀧々洞。此處ハ今日ノ太陽、今日ノ風ガ吹クガ人間界デ稱ヘラレテ居ル「正義人道」「安寧秩序」ト云フ時代語カラ除外サレテ居ル不幸ナ處デアル。

B 朝鮮日報

朝鮮日報　七月十二日

火田民家放火　當局モ調査

惠山鎭營林署並山林保護局員ノ咸南甲山郡普惠面大坪里及大興里火田民住宅放火問題ニ對シテ、總督府渡邊山林部長ノ言ヲ聞クニ

「新聞記事ヲ見テ卽時照會シタ處、營林署員ガ七十餘戸ニ放火シタコトガ判明シタ。併シ報告ガ餘リ簡單デアッテ詳細ハ分ラナイガ、其レハ他所ニ移住ノ手續ノ出來タノデ、住民等ノ諒解ヲ得テ放火シタモノト思フ。萬一住民ノ諒解ナクシテシタモノナラバ其レハ實ニ大問題デアル。何レニシテモ惠山鎭營林署長ニ今日出府方ヲ命シタカラ眞相ハ其ノ時判明スルト思フ。

警官ノ加擔ハナイダラウ

當水保安課長ハ「警官ガ別ニ警官ノ仕事ガアルカラ其ノ樣ナコトニ應援スルコトハナイト思フガ、未ダ報告ガナイカラ分ラナイ、併シ事實ガナイカラ報告シナイモノト思フ」ト語ッタ。

朝鮮日報　七月十五日

營林署員放火問題　北青記者團、埰主事トノ問答

惠山鎭營林署員ノ放火事件ニ關シ當時現場ニ出張シテ指導監督シタ惠山鎭營林署森林主事埰貞織氏ガ去九日北青ニ來タノデ北青記者團デハ十日同氏ノ旅宿ニ於イテ會見シ質問スル所アッタガ問答ノ内容ハ左ノ通リデ同氏モ放火事

16

實ヲ是認シタ。

問 新聞紙所報ノ貴管內火田民八十餘戸ノ住宅ニ火ヲ放チ放逐シタコトハ事實デアルカ

答 事實デアル。

問 其ノ當時貴下ノ外營林署員並ニ十一名ノ警官ガ參加シタコトハ事實カ

答 事實デアル。

問 放火シタノハ何時頃カ

答 六月十七日ト思フ

問 燒失家屋ガ八十餘戸ダトイフガソレニ違ナイカ

答 ソンナニ澤山ダツタトハ思ツテヲラヌ

問 大坪里溜々谷デ六十三戸、大宗哥谷デ二十戸トイフコトデハナイカ

答 サア、、、、、、

問 放火ノ時ソノ住民ノ食糧ト世帶道具並ニ人命ノ損害程度ハドウデアルカ

答 放火ノ時ハ既ニ營林署當局ニ於テ經營シタ移轉先ニ女ヤ子供並ニ食糧品ハ全部移シ男子ノミ殘ツテ居タカラ何等ノ損害モナカツタ

問 移轉先ト云フノハ何處カ

答 放火シタ所カラ約二里半ヲ距ル宣興洞トイフ所デ約六千六百町歩ノ地域デアル。

問 放火ノ動機ハドウデアルカ

答 我等ガ放火シタト傳ヘラレルノハ多少語弊ガアル。放火ノ動機ハ元來法律上カラモ其處ニハ居住ヲ許サヌ處デアルニモ拘ラズ、如何ニ撤退ヲ命ズルモ之ニ從ヌバカリカ、ソノ命令ニ反抗スル傾向ガ見ヘルノデ已ムナク總督府ニ之ガ指示ヲ仰イダ處絕對ニ其處ニ居住セシムルコトハ出來ヌト云フテ來タノデ去六月十八日マデニ撤退スル樣命令ヲ發シタ。然ルニ六月十七日ニ至ルモ撤退スル態度ヲ取ラヌノデ遂ニ放火シタ。

問 先刻貴下ハ放火當時ハ最早女ヤ子供達並ニ食糧品ハ移轉先ニ移シタノデ之等ノ損害ハナカツタト答ヘタ。然ルニ六月十七日ニ至ルモ撤退ノ形勢ガ見ヘナイノデ放火シタトスレバ、其時マデ住民ハ悉ク放火現場ニ居ツタデハナイカ

答 、、、、、、、、、、

朝鮮日報　七月十八日

17

移住延期陳情ト山林部ノ拒絕

更ニ政務總監ヲ尋ヌルコトニナルヤウダ

甲山火田民問題

既報 先日發生ノ咸南甲山郡普惠面大坪里ノ火田民家ヲ營林署員ガ放火シタノニ對シテ、當局ニ陳情ノ爲メ上京シタ該地住民代表廉承右氏ハ、十六日午前總督府ニ渡邊山林部長ヲ訪問シテ縷々陳情スル所ガアツタガ、渡邊部長ハ初カラ終マデ他ノ所ニ移住シナイカラソンナ患難ニ遇ツタノデハナイカト却ツテ住民側ヲヨクナイ樣ニ云フノデ、廉氏ハ營林署デ定メテクレタ地ハ惡シクテ農業ガ出來ヌノデ即時移住ガ出來ズ、躊躇中突然ノ難ニ遇ツタノデアルト辯明シタ後、ドチラニシテモ之レカラ先キ二年間ダケ延期シテクレト陳情シタガ到底延期ハ出來ヌト拒絕スルノデ廉氏ハ仕方ナク總督府ヲ退出シタトノコトデアルガ、十八日ニハ更ニ兒玉政務總監ニ面會シテ陳情スト。

朝鮮日報　七月二十三日

農作シタ馬鈴薯モ燒失　餓死境ノ千餘ノ住民

壯丁ハ浮キガ迴ハリ幼兒ハ飢ニ泣ク　本當ノ地獄ト髣髴タル現場

慘禍ヲ受ケタ甲山ノ火田民

甲山ニテ　特派員　韓鴻霆

水害罹災民ガ住場ヲ求メテ甲山ノ山奥デ火田ヲ耕作シ集ツテ來タ八十戸餘リノ家ニ立退カナイカラトテ火ヲ付ケタ所謂甲山溜々洞火田民家衛火事件ノ眞相調査ノ爲メニ本特派員ハ海山越ヘテ現場ニ向ツタ。

事件ノ發端。　問題ノ地溜々洞ハ地味ガ稍々ヨイノデ罹災民千餘人ガ集ツテ來テ草ヲ刈リ地ヲ開イテ種ヲ蒔キ馬鈴薯ヲ植ヘテ何萬年モ生キヤウト飢ヘタル腹ヲ抱ヘテ開墾ニイソシンデ居ツタ處、陰五月三日營林署員ガヤツテ來テ此處ハ國有地ダカラ立退ケト云フ。立退先モ別ニナイシ立退先ヲヤルト云ツテモ血ノ汗ヲ流シテ火田ニ蒔付ケタ農作物ガアルカラ之ヲ秋穫スル時迄マツテクレト懇願シタガ、彼等ハ新興里ニ行ケ、其處ハ既ニ開墾シタ者ガ居ツテ火田ガアルカラソレヲ奪ツテ半分宛ニ分テヤルト云フノデ、溜々洞民ハ我々ガ開墾シタ土地ヲ棄テテ他人ガ開墾シタ土地ヲ奪フト云フコトハヨクナイコトデアルノミナラズ、火田ト云フモノハ手一杯ニ開墾スルモノデアルカラ、既住民ノ居ル處ヘ行ツテ住メルモノデナイ。新興里民ノ火田ヲ奪ウト奪ツタ我我ガ奪ハレタ彼等モ共倒レニナルカラ、秋穫ヲ終ハル迄待ツテ與レタラキツト移住スルト百方哀願シタ處彼等ハ口デ云ツテ聞カナケレバ家ニ火ヲ着ケル

18

ト蔵落スルノデコウンテ死ヌルノモアヽシテ死ヌルノモ同ジダカラ我々ガ家ヘ這入ッテ居ルカラ一緒ニ火デ燒イテクレト啖呵ヲ切ッタノデ營林署員モ其ノ盡引揚ゲタカラ、此ノ分デハ秋迄待ッテクレルコトト安堵シテ居ッタ處六月十七日署員六名ハ武裝警官十七名ヲ連レテ來テ口デ云フテ聞カナイカラコウシデヤル外方法カナイノジヤト家々毎ニ家財道具ヲ引出シテ火ヲ着ケ火光衝天トハナッタノデアル。

目デ見ルニ忍ビナイ惨狀。

コンナ目ニ遇ッタ住民ハ氣狂ノ様ニナッテ大騷ギヲシタガ、老人趙昌龍ハ爲メニ重傷ヲ負ヒ、情モ知ラズニ燃エ上ル火ハ三日間續イテ延燒シタノデアッテ當時ノ惨狀ハ到底筆紙ニ盡サレヌノデアル。ソシテ唯一ノ食糧デアル馬鈴薯等モ燒イテ仕舞ッタノデ現在濠々洞住民ハ皆飢ヘテ居リ壯丁ハ浮キガ廻ハリテ元氣ヲ出ス事ガ出來ズ、目モ當テラレヌ惨憺タルモノデアルガ、殊ニ氣モ詰マル様ナノハ物心モ知ラヌ幼兒ガ食ヲ求メテ泣ク聲デアル。燒却サレタ家ハ八十三戸デアルカ世帶數ハ百九十餘戸トナリ一千餘人ニモナルノデ家ヲ失ッタ彼等ハ木ヲ組ンデ巣ト爲シテ原始生活ヲシテ居ルガ病人ガ續出シテモ少々ノ病氣位デハ痛イトモ云ヘヌ現狀デアッテ、實ニ此ノ世ナガラノ地獄ヲ現出シテ居ル。

營林署員ヲ訴フ。

住民代表全元述氏ハ北靑支廳檢事分局ニ此ノ事ヲ訴ヘタ處檢事分局デモ直チニ調査ニ着手スルラシイ。

全氏ノ妻ノ取調ニ子供ガ火傷シテ危篤

怪シカラヌ惠山署ノ態度

住民代表トシテ京城ニ陳情ニ行ッタ全元述氏ノ妻ヲ惠山署デ取調ノ爲メニ直グ出頭セヨト云フノデ全氏ノ妻ハ子供ヲ置イテ警察ヘ往ッテ居ル間ニ子供カ焚口ヘ這込ンデ全身大火傷ヲ負フテ生命危篤デアルガ之モ放火事件ガ生ンダ副産物デアルト官邊ニ對スル怨聲ガ高イ。

朝鮮日報　（七月二十七日）

甲山事件踏査

元ハ阿片密栽地

昨年カラ火田民入耕

今回圖ラズモ世上ノ耳目ヲ聳動セシメタ火田民放火問題ノ發生地タル咸南甲山郡普惠面大興里區內深布洞一帶ト同大宋哥洞ハ甲山郡ノ東部咸北茂山境デアル。ソノ內大宋哥洞ハ數十年來ノ開墾地デアルガソコヨリ嶺ヲ越ヘタ平々水一帶ハ四里四方バカリノ平地デアルガ樹木鬱茂シテ數千年來斧鉞ヲ加ヘザル處ナノデ最近三年前マデ十數年間地方農民等ハ官憲ノ眼ヲ偸ミテ入山シ阿片ヲ密栽シテ居タノデアル。ソノ後漸次發覺スルヤ彼等ハ追ハレテ了ッタガ火田民ハ昨年陰三月一日ニ三戸移リ住ンデ開墾シ始メタノデアルガ本來土地肥沃ナル爲メ開墾ニ力ヲ注ガズトモ農作物ハ素晴ラシイ成績ヲ擧ゲルノデ、其ノ噂ヲ聞イテ四方ヨリ窮民等集マリ來ル者頗ル多ク、昨年水災以後ニハ各地ヨリ罹災民ガ漸次入リ初メ、今春迄ニハ一百七十餘戸ニ達スルニ至ッタ。家ハ七十九戸シカ建ッテ居ナイガ多イ時ニハ一戸ニ五六ノ家族ガ同居シテヲリ只管ラ春ニナッテ播種ノ時ヲ待ッタノデアル。

播種後ノ驅逐命令

死ストモ退去セズ

山間ノ事情ニ暗イ爲メ、僅カ一年ノ間ニ一百七十餘戸モ移住サレテ了ッタ營林署ニテハ此等ノコトヲ一切知ラナカッタ。大鎭坪駐在所ノ加藤巡査ガ前記大宋哥洞ニ戸口調査ノ爲メ赴イテ近來移住者增加ノ消息ヲ聞イテ現場ニ赴キ調査ノ上營林署ニ知ラセテヤッタノデ初メテ知リ、四月ノ初メ頃ヨリ毎日ノ如ク驅逐シ初メタノデ、彼等ハ涙ノ出ルヤウナ今日マデノ事情ヲ述ベテ甲山郡廳並ニ普惠面事務所ニ陳情シタガ結局水泡ニ歸シタノデアッタ。然シ時ハ既ニ種ヲ播キ初メタ頃デアリ又赤手空拳ヲ以テ家族ヲ率キ此ノ地ヲ去ッテハ向フベキ處モナイノデ死ヲ期シテ驅逐ニ應ジナカッタガソレデ　彼等モ尋常デハ立チ去ラヌモノト認メ森林主事會ニテ其ノ對策ヲ討議シタ結果他ニ一定ノ場所ヲ指定シテ全部移住セシメタガヨカラウト此ノ案ヲ總督府ニ申請シ、總督府ヨリハ關口事務官ヲ出張セシメ調査ノ結果普

惠面新興里儀化里ノ一部、面積約六千町歩ノ土地ヲ移住地ト定メ速カニ移住セシメヨト厳命シタノデアッタ

火田民移住ニ反對

其處ハ他ノ火田民ノ縄張

問題ハ更ニ平々水百姓等ノ話ニ戻ル。去ル五月二十五日普天堡保護區員來リテ新ニ移住スベキ土地ヲ與フル故同行セヨトイフノデ、彼等一百七十餘名ハ其ノ翌朝ヨリ八日間アノ山コノ山渡リ歩イタガ、何處ニ行ッテモ住マレソウナ處ハナク已ムナク新興里區域内宣德洞ヲ移住地ト定メ速カニ彼ノ地ニ移リ住メト命令シタガ其ノ附近一帯ハ數十年前ヨリ約五百戸ノ火田民ガ居リ。指定地ノ宣德洞ダケデモ二百戸ガ住ンデ居リ少シデモ田ニナリソウナ處ハ既住移住民ガ既ニ開墾シテ居リ、殘餘ノ個所ハ石畑ヤ急斜地バカリデアリ。聊カ平旦地ガアレバソレハ凹濕地デアッテ雨ノ降ル夏ノ日ハ無論ノコト、降雨ノナイ春ヤ秋デモ耕地ニナラナイノデ到底移住ニ堪ヘナイコトハ一度足ヲ踏ミ入レタモノ、等シク是認スル處デアッタ

此ノ如キ反對理由ヲ聞イタ彼等ハ宣德洞ノ既住火田民等ガ既ニ開墾シタ土

21

地中半分ヲ收ッテ瀑布洞ノモノニ分ケルコトヲ命ジタガ其ノ土地丈ケデハ其處ノ八モ漸ク延命シテ行クダケデ分ケレバ兩方共ニ生活ガ出來ズ死力ヲ盡シテ開墾シ既ニ播種シタ土地ヲ彼等カ投ゲ出シテモクレナイダロウシ又雙方共同様ナ境遇ニアルモノトシテハ取ヘテクレトモ云ヘナイノデ移住ヲ斷然拒絶シタ。

播種時期ガ遲レ種子ノ腐敗不少

別項ノ如ク播種期ニ八日間モ移住地ヲ探シテ廻リ又其ノ外ニモ毎日ノ様ニ驅逐ノ爲メニ來ル其ノ時毎ニ豫メ通知ガアルノデ村内カ總動員シテ迎接シ哀願ヲシタガ報酬ハタ、惡口ダケデアッタ。

此ノ様ニ常ニ不安ナ狀態デアッタノデ播種時期ヲ失ヒ辛フジテ集メテ居タ種モ腐ッタモノガ多イ。馬鈴薯ノ種ノ腐ッタモノノミデモ瀑布洞一帯デハ八九十石ヲ超スト云フ。

最初放火宣言

反抗者ヲ引致

其ノ後六月五日ニ至ッテ此ノ村ニ又重大ナ事件ガ起ッタ其レハ大鎭坪駐在所ノ加藤巡査ト農山里森林保護區森林主事朴春植ト山村監守一名合計三名ガ來テ何故移住地ヘ行カナイカ、萬一行カナケレバ焼却シテヤルト云フノデ農民等ハ移住地ハ人ノ住メナイ所デアリ、ソウカトテ此處ノ家ヲ焼カレルトスレバ何レニシテモ死ヌノデアルカラ家ヲ焼クナラバ我等モ殺シテクレト云ッテ皆家ノ内ニ入ッテ寢タノデ前記加藤巡査ハ金貴秀、李在貞、李炳哲等ヲ濫リニ毆打シ（中略）且ッ全昇華、金貴秀、張岡奎、李炳喆、李乙甲、李任福、李献高、李在貞、朴熙洙、ノ九名ヲ移住防害ノ煽動者ダトテ駐在所ヘ運レテ行クノデ村民等カ何ノ罪デ運レテ行クカ、火田ヲ耕作シタノガ罪ナラバ我々モ同罪デアルト云ッテ約五十名位カ大宋哥洞迄從イテ行ッタ

（以下掲載中止）

朝鮮日報　　七月三十日

瀑布洞ト宋哥洞

焼失戸數ダケデ七十三

本社特派員韓鴻邃君ノ第一信ガ二十三日本紙ニ發表サレルヤ直ニ押收サレ其ノ後ノ記モ不得已中止トナッタ今新幹會金炳魯氏ノ調査シタ記錄ヲ

22

見ルニ本社特派員ノ調査ト大同小異デアリ其ノ數字ダケヲ擧ゲルト焼却シタノハ瀑布洞ト大宋哥谷ノ二個所デ瀑布洞ハ六月十六日ヨリ十八日迄デ三日間ニ六十三戸ガ焼却サレ三戸ガ破壞サレ仝十八日ヨリ十九日迄ニハ大宋哥洞デ十戸ガ焼失シ四戸ガ破壞サレタガ其ノ詳細ハ次ノ通リデアル。

瀑布洞焼失家屋

本籍	姓名	家族	焼失間數
三水	全昇華	六名	五間
三水	金泰律	六名	四間
三水	安貴重	十名	六間
三水	朴乙夢	四名	六間
豊山	權時燦	三名	六間
同	李在金	未詳	四間
同	李在玉	同	四間
同	朱炳烈	同	六間
同	李禹性	七名	四間
同	姜洪筠	四名	六間

三水 金光勳 七名 [illegible]間
同 金信元 四名 六間
甲山 鄭祖河 四名 四間
三水 廉明義 未詳 五間
北靑 李乙甲 同 六間
同 趙冕坤 同 六間
永興 朴正麥 同 六間
豊山 金正模 同 四間
同 金正寬 四名 四間
平南 河英寬 三名 六間
三水 朴乙麥 四名 四間
豊山 金正甲 四名 四間
北靑 朴俊根 八名 四間
三水 趙昌烈 五名 四間
豊山 韓龍杓 五名 四間

23

同 朴暘充 七名 六間
三水 李龍洙 五名 四間
北靑 李性禹 未詳 六間
同 高宗萬 二名 四間
同 劉秉淵 五名 六間
同 李炳咸 七名 六間
三水 姜炳成 未詳 六間
三水 金贊敎 同 四間
北靑 趙七燦 同 四間
端川 金德珊 同 六間
甲山 權樞萬 同 六間
三水 張箕祚 同 四間
端川 金斗星 同 六間
明川 千谷洛 同 四間
三水 盧內元 同 六間
甲山 白德奎 同 四間
北靑 李在福 同 四間

同 李鳳洙 同 四間
甲山 李源季 同 五間
同 崔弘謙 同 四間
同 金官玉 同 七間
同 金正植 同 六間
豊山 金學群 同 六間
利原 姜鳳魯 同 四間
甲山 李敬約 同 六間
三水 姜鳳淳 同 六間
同 朴喜洙 同 四間
同 李致範 同 四間
同 張弼信 同 六間
同 姜弘均 同 六間
同 姜福萬 同 五間
同 姜鳳萬 同 四間

24

同 李應周 同 四間
同 鄭群星 八名 三間
同 李鍾先 未詳 四間
同 金逐臨 同 四間
同 鄭始鍋 同 三間
同 金昌淳 同 四間
同 高千均 同 四間
同 鄭達元 同 四間
同 金在淳 同 破壞

大宋哥洞

總戶數百四十六戶中放火燒失十戶

端川 韓仁 六人 四間
江原道 金萬興 二人 二間
本土人 嚴向勳 三人 二間
同 李成君 二人 二間
同 金今俊 三人 二間

豊山	劉之烈	四人	二間
北青	金教云	四人	三間
同	金正三	三人	四間
同	金正約	三人	三間
西間島	鄭南周	四人	二間

朝鮮日報　八月九日

國境見聞記　韓鴻露

十八日雨ハ止マナイ。途中道ガ分ラナイノデ樵夫ニ聞フタ處ガ「京城ノ總督カラ來ラレマシタカ」ト反問シタ。何故其ンナ事ヲ聞フカト云ツタ處ガ「洞長ノ話ニ依レバ總督カラ我々ヲ助ケニ來テクレルト云フコトデス」ト答ヘタ。

何カノ福音ヲ求メテ居ル彼等ハ可愛想ナモノデアル。

當日夕刻漸ク大宋哥洞ニ着イタ。此處モ二日間ニ燒失十戸倒壞四戸ト云フ恐ロシイ災變ノアツタ處デアル、其ノ仔細ハ紹介スル自由ヲ有シナイ

大宋哥洞ヨリ二里位ノ峠ヲ超セバ小瀧々洞デ其處カラ又一里位ノ峠ヲ超セバ大瀧々洞デアル。

大宋哥洞ヨリ態々案内シテクレタ人ト一所ニ千辛萬苦シテ小瀧々洞ニ着イタカ其處ニ十餘名ノ人ガ集マツテ居テ婦人迄ガ辛酸ナ顏ヲシテ嶺ヲ降リテ來ル自分ヲ睨ンデ居ル。

放火事件發生以後極度ニ激憤シタ任氏カ、死ヲ覚悟シテ巡査デモ、營林署員デモ打殺スト云フ評判ガ高カツタノデ事件ヲ調査ニ行ツタ面書記ガ大鎭坪カラ手紙デ部落カラ諸君ノ爲メニ調査ニ行ツタカラ誤解スルナト云ツテヤツテモ安心出來ズシテ保護ノ壯丁ヲ連レテ行ツタト云フ話ヲ聞イタカ自分ニ對スル表情ノ理由モ察セラレタ。

自分ヲ巡査カ營林署員ト思ツテ居ルナート考ヘタノデ同行シタ人ヲ送ツテ趣旨ヲ傳達サセタノデヤツト誤解カ解ケテワツト馳ケ寄ツテ引張ツテ行ク其ノ家ハ幸ニ燒カレナカツタ一間ノ家デアル。窓トテハ別ニナク暗ク松火ノ煤デ眞黒デアル。其處ニ集ツタ人ノ服裝ハ語ル必要モナイ。

「大體ドウシタ事件カ」ト第一問ヲ發シタ。七十越シタ老人ガ進ミ寄ツテ暫ク言葉ガナカツタガ「残念デ残念デ涙ナクテハ語ラレマセン」ト言葉ヲ絞ラナイデボトボト涙ヲ落シタ。一座ノ者ハ子供モ婦女モ地ニ伏シテ泣イタ。泣クナト慰メル自分モソウテアル。

隣ノ土幕カラ婦人ノ斷腸ノ哭聲カ聞ヘタ。

其ノ婦人ハ總督府ニ陳情ニ行ツタ全元進ノ妻デアルガ駐在所デハ全氏ヲ惡ンデ丁度其ノ前日ニ巡査二名カ此ノ家ニ來テ居タ時全氏ノ妻ガ來タノデ巡査ガ夫ノコトヲ種々問フテ時間ガ長クカヽリ其ノ間ニ家ニ居タ幼兒カ目ヲ離マシテ臺所ノ火ノ上ニ落チテ火傷ヲシテ死ンダカラデアルソウダ。

慘劇中ノ慘劇デアル。

我々ハ更ニ大瀧々洞ニ向ツタ。

大瀧々洞ニ到着シタ所カ村中ノ者カ遠イ所カラ久シ振リニ家族ガ歸ツテ來タ様ニ迎ヘテクレタ。

放火顛末ノ話ガ始ツタ。自分ノ家ニ自分デ放火シタト云フコトハ吾人ノ常識デハ首肯出來ナイ。ソウカト云フテ官憲ガ放火シタト云フコトモ法治國トシテハ想像モ許サレナイ問題デアル。

眞ニ一事實ダトスレバ人道上法律上ヨリモ一歩進メテ政治的ニ重大問題デアル。

總督府デハ各社特派員ノ調査事實ノ發表ヲ禁止シテ自己ノ調査シタ眞相ヲ某紙ニ發表シテ曰ク。放火ハ全部自手デシタノダト云ツテ居ル。吾人ノ調査ハ發表ノ自由ガナイガ吾人ノ調査ト總督府ノ調査トノ相違點ハ誰シモ推察出來ル所デアル。

當局ノ調査ガ事實トシテモ自己ノ家ニ自手デ放火シタ理由ガ疑ハシイモノデアル。其ノ理由トシテ六月十八日以内ニ移住ヲ約束シ移住後必要ナキ家ヲ其ノ儘ニシテ置イテハ他ノ火田民カ來ルカラ其ノ家ヲ無クショウト住民ニ相談シタ結果住民カ自分ノ手デ放火シタト云ツテ居ル。果シテ然ラバ今日迄デ何故ニ新收容地ニ行カナイデ露宿シテ居ルカ當局ノ明瞭ナ答辯ヲ希ムノデアル。

水田ノナイ地方デハ白米ハ冠婚裝祭ノ外ニハ用ヒナイ。然シ此ノ樣ナ山中デモ時々白米飯ヲ作リ豚ヲ殺スコトカアル。其レハ巡査ヤ營林署員カ來タ時デアル。冠婚裝祭ヨリモ命ガ大切デアル。巡査ヤ營林署員カ來ルト夜中デモ村ノ青年ヲ出シテ大鎭坪迄祖先ノ祭祀ニモ用イナイ白米ヲ貰ヒニヤリ名モ聞イタコトノナイ正宗ヲ買ツテ來テ豚ヲ殺シテ御馳走スルノデアル。

放火事件ノ時モ十六圓ノ豚ヲ殺シテ金三圓ヲ支拂ッテ行ッタ。四月初メカラ六月十九日迄ノ約三ヶ月半ニ瀧々洞デ消費シタ費用ハ

豚	三頭	四十九圓
鷄	二首	一圓二十錢
明太	一級	一圓二十錢
白米	三斗	七圓五十錢
粟米	二斗	四圓〇〇錢
鷄卵	七十個	一圓十〇錢
漁物其他雜費		五圓三十錢
計		六十九圓三拾錢 ― デアル。

此ノ外大栄吉洞デ約二百圓、大興洞デ約二百圓、合計シテ大興里區内デ約三ヶ月間ニ五百圓ノ消費デアル。

此レカ爲メニ各戸デ順番ニ鷄ヲ出スコトニナッテ居ル。

其ノ外ニ森林令違反者ヲ捕ヘテ自分ノ家ノ仕事ヲサセル。然モ後日ガ恐ロシクテ語ルコトガ出來ナイ。此レ等ヲ見テモ國境生活ノ裡面ガ推察サレル

惠山鎭青年會ガ講演ヲセヨト云フノデ仕方ナク承知シタガ講演會ハ例ノ理

27

由デ禁止サレタ。

中外日報　七月二十日

火田民家ニ衝火シタ
眞相調査員派遣
對策講究會ト新幹會本部
李周淵、李爽、金炳魯、

甲山火田民衝火放逐事件デ社會各方面ノ輿論ハ日ニ高クナッテ行クノデ市内水標橋朝鮮教育協會デ有志三十餘名ノ對策講究會ガアッタカ全會デハ李周淵、李爽、兩氏ヲ調査委員ニ撰定シ十九日夜十時發列車デ出發ノ筈。又新幹會デハ金炳魯氏ヲ代表トシ十八日派遣ノ筈ト。

政務總監以下
關係當局者會見
對策講究會委員

前記委員兩氏ハ出發ニ先ダチ先ヅ總督府關係當局者ヲ訪問シ強硬ナル抗議ヲナスコトトシ兒玉總監、富永保安課長、澤林務課長ト面會次ノ意見ヲ聞イタ。

兒玉政務總監談

問題ガ此ノヤウニ展開シタノハ甚ダ申譯カナイコトデアル。先般入京シタ陳情委員等ノ言モヨク聞キマシタ、何レニセヨ問題ヲ圓滿ニ速カニ解決スルノガヨイデス。余トシテハ何處マデモ平穩ノ主義デ解決シタイデス。

林務課長　談

營林署長カ先般上京シ逢ッテ見マシタ。ソシテ僕モ調査ノ爲メ人ヲ派遣シタカラ其ノ結果ヲ見ネバ分リマセン。ソンナ事實カアッタトハ信ンジラレナイシ又答フルノモ嫌デス。

富永保安課長　談

對策講究會ハ或ル地方デハ檢擧シ或ル地方デハ檢擧シナイノハ穩健ト不穩健ニヨルモノデアル。ト。

火田民事件
督總ノ方針

指示事項

一、端川、咸興、北青、洪原、利原、ノ各同盟カ互相連絡シテ事件ノ主要ナル活動ニ當ル事、
一、事件ノ眞相ヲ調査發表スル事、
一、責任當局ニ對シテ質問スル事、
一、被逐民ノ今後居住ノ安全保障ヲ要求スル事、
一、事件ノ法律的性質ヲ闡明ニシテ法律鬪爭ヲ展開スルコト.

中外日報　七月二十二日

各方面ノ注目集中サレタ
甲山營林署ノ放火事件

（特派員鄭寅翼第一信）

本府ニ召喚サレタ秀島營林署長ハ去十八日京城ヲ出發シテ咸南道廳ニ至ッテ或ル内示ヲ受ケ、二十日清津行デ歸任シタカ記者ハ偶然同車シテ此ノ事件ニ就イテ問答シタ。

彼レハ一切此ノ問題ニ就イテ開口セズ、唯ダ世間ノ風評ト眞相ハ大ナル巨離ノアルコト、此ノ問題ハ山林部デ直接調査中デアッテ緘口令ヲ受ケタコ

28

ト、自分ノ言ハ兎角誤解サレ易キコト、新聞社デモ調査シテ吳レト云フコトヲ述ベタダケデ火田民問題ガ重大ナ問題デ此レヲ救助シナクテハナラント社會政策的ノ話ニ話頭ヲ轉ジヨウト努メタ。

中外日報　七月二十九日

金炳魯氏歸京後
新幹會俄然緊張
甲山事件ノ報告ヲ聞イテ
對策ヲ卽席デ決議

市內鐘路新幹會本部デハ甲山火田民事件眞相調査委員金炳魯氏ガ去ル二十七日午後八時三十分京城驛着デ歸ツタノデ昨二十八日午前十一時カラ其會館內デ緊急中央常務執行委員會ヲ開キ調査委員金炳魯氏ノ眞相調査報告ヲ聞イタ後次ノ如キ決議ガアツタト。

決議事項

一、眞狀調査報告ヲ作成發表スルコト、

二、二十九日午後八時カラ鐘路中央青年會館デ眞狀調査報告演說會ヲ開クコトトス、

三、被害民救濟及責任當局ニ對スル抗議ハ中央常務委員會デ決定スルコトトス、

29

中外日報　七月三十日

山盤々水曲々タル險地デ
慕天席地シテ僅カニ延命

火田民家放火驅逐事件ニ付キ本社特派員ノ調査シタル所ヲ要約スレバ次ノ通デアル。

武裝官憲ノ嚴命デ一部ハ自手放火

去ル六月十六日ニ十七名ノ一隊ガ現場ニ現ハレテ家ニ放火スルト云フノデ、マサカ其ノ様ナコトモナイダロウ男ガ家ニ居ナケレバト思フテ壯丁ガ大概其ノ場カラ隱レタ。所ガ彼等ハ老幼男女ヲ威喝毆打シテ自ラ自分ノ家ニ火ヲ付ケサセ或ハ痛哭スル婦女老幼ヲ他ニ監禁シ、又命令ヲ聞カナカツタ、白德鳳李賢洙等ノ如キハ無數ノ毆打ヲ受ケタ。警察署員、營林署員ノ手デモ一部放火サレタ。

洞別ニ調査シタ被害程度

（略）

不法行動ニ抗議シタ
住民ヲ毆打重傷

大龍々谷ノ趙昌龍ハ當時他出シテ十八日ニ歸宅シタ所家ガ烏有ニ歸シテ居ルノデ憤慨シテ大宋哥谷區長申敬淳方ニ滯在中ノ郡主事ヲ訪ネテ詰問シタ。所ガ惠山鎭署金應淳部長ニ毆打サレテ顏ニ重傷ヲ負ヒ又大宋哥谷デ放火スルトキ朴弘範、李學奎ノ二人ガ消火ニ努メタトテ濫リニ毆打シ謝罪セヨトカ、罰金ヲ出セトカ云ツテ種々不法行爲ヲシタト云フ。

坐シテ死ヲ待ツノ絶望

火田民ノ其ノ後ノ生活ハ、死ニ若カザルモノデアリ、此ノ地ヲ去ル時ハ死ヌノデアルトテ、何レニシテモ死ヌナラバ此處デ死ヌトノ覺悟ヲシテ新移住地ニハ行カナク一方陳情ヲ爲シ又告訴ノ準備ヲナシテ殘ツタ家ニハ六七ノ家族ガ住ミ燒ケ殘リノ木デ假家ヲ樹テテ住ンデ居ルガ毎日雨降リデハ草根木皮モ喰ヘズシテ困ツテ居ル。

警察干與事實
協力否認
（東亞日報ノ記事ニ全ジ）
火田民移住第二豫定地
飮料水モナキ山間

昨年秋ヨリ罹災民ガ入リ込ムヤ所轄大鎭坪駐在所加藤巡査ガ面事務所ニ届出デヨトテ默認セル如クニ云ツテ居タガ突然營林署デ四五十年後ノ造林豫定地ニ選定シテ儀化里ト、新興里ニ移轉ヲ命ジタノデアルガ、儀化里、新興里ハ飮料水ガ不足シ、其ノ他生活ノ出來ナイ所デアルノミナラズ、他ノ火田民ノ耕作地ヲ切半スルノデアツテ兩方ガ應ゼズ到底可能性ガナイ所デアル。

意外ノ災禍デ
一時ハ愕然自失

別項ノ如ク當日ヨリ食物モナイモノガ少クナイガ中デモ甚ダシイモノハ、李應柱、甘藷十斗、李乙甲、寢具一件、衣服五件、劉秉淵、大麥二斗、甘藷六斗、李景鶴、白米四斗、裵喜煥、囍燵一箱、斧一、鎌三、槲一ヲ燒失シタノデアリ、李乙甲、金三奉、李應柱、安基俊、姜弘根、金貞植、姜懇在、李良

30

洙、金炳善、趙昌龍、金令監等ノ家ハ全ク家族モ居ナカツタノデアルカ兩署員ガ荷物ヲ取リ出シテ燒却シタノデアルト。

慘事中ノ慘事

全元述ノ愛兒燒死

罹災民中最初ニ京城ニ陳情ニ來タ全元述ノ妻カ七月十六日ニ二歲ノ子供ヲ家ニ寢カセテ隣家ニ用事ガアツテ行ツタ所ガ丁度岸、許ノ兩巡査ガ來テ居テ夫ノ事ヲ問フノデ仕方ナク答ヘテ居タ所ガ其ノ間ニ子供ガ目ヲ醒シテ母ヲ尋ネ廻ツテ居ル中ニ臺所ニアツタ火ノ中ニ落チテ火傷ヲシテ翌日ニ死亡シタト云

鷄豚モ殆ンド絕種

營林署員ト警察署員中ニハ此ノ山間ノ窮民ニ威嚴ヲ示スモノカアル。彼等ハ後患ヲナクスル爲ニ財布ヲ傾ケテ歡待シタノデ其レカ例トナツテ、何時モ鷄豚ヲ殺シテ食ヒ、其ノ額ハ數百圓ニ達シテ殆ンド鷄豚ガ絕種シソウデアル。

倭化里區長 談

倭化里、新興里ハ數百名ノ火田民ヲ移住サセル候補地トシテハ適當ナ所デハアリマセン。飲料水ガ無ク、山ノ傾斜ガ急デ、其ノ上ニ多クノ住民ガアツテ收容カ出來マセン。

天下無雙ノ險地デ

高原地帶ノ盆地

瀧々谷ハ胞胎山脈ト崔哥嶺ノ中ニ介在スル盆地デ地味カ肥沃デアル。火田トシテノミナラズ農耕地トシテモ適當デアルガ人ノ入リ込ンダノハ昨年三月以後デ其ノ前ハ阿片ノ密耕者ノ根據地デアツタ。

每日申報　七月十七日

火田民家放火說ハ針小棒大ノ誤傳

問題ノ咸南甲山郡普惠面瀧々谷火田民代表ハ數日前入城十六日午前澤林務課長ヲ訪問シテ惠山鎭營林署デハ火田民ヲ壓迫シテ住家ヲ燒却シタ爲メニ火田民數百戶ハ生活上莫大ナル脅威ヲ受ケルコトトナツタカラ考慮ヲ加ヘテ吳レト陳情シタカ右ニ對シ山林部デハ「瀧々谷ハ相當ナ林相デアツテ其ノ附近デ火田ヲ耕作スルコトハ森林保護上考慮シナクテハナラナイノデ所轄惠山鎭營林署デハ約一里半ノ所ニ適當ナル土地ヲ提供シテ移轉サセントシタ所最初ハ聞カナカツタカ結局當方ノ方針ニ服從シテ指定地ニ移轉シタ。又營林署デハ瀧々谷附近ノ今秋ノ收穫ヲ許シ空家ガアツテハ他所ヨリ更ニ移來スル虞ガアルノデ其レヲ防止スル爲メ放火シタダケデアルノニ世間デハ餘リ擴大シテ宣傳シタノデ當局トシテハ大イニ驚愕シテ、惠山鎭營林署長ヲ呼出シテ調査シタ結果、針小棒大ノ宣傳デアルコトヲ確知シタ」ト語ツタ。

每日申報　七月十九日

風聞區々タル甲山火田事件眞相

瀧々谷火田民ニ對スル惠山鎭營林署ノ退去處分ハ昨今世間ノ問題トナツテ居ルガ本社ガ今日迄探知シタル事情ハ大體左ノ通デアル。

水害罹災民救濟ノ爲メ

八百戶ヲ移轉收容

昨年ノ咸鏡道水害ノ罹災民ヲ救助スル爲メ咸鏡南道デハ約八百戶ヲ移住スル爲メニ、豊山郡所在艦像德外五國有林野約五千三百餘町步ヲ借受ケ、用材ノ無償讓渡、農具種子代ノ補助ヲシタ所道廳ノ周旋ニ依ツテ移住シタ數ハ六百二十一戶デアツタ。其ノ他ノ者ハ親戚ニ寄宿シ又ハ任意他ニ移住シテ一先ヅ一段落ヲシタノデアル。

潛入火田民增加シ

林相ノ荒廢甚シ

所デ惠山鎭營林署管內ノ國有林ニ昨年ヨリ潛入者カ增加シタ。此等潛入者ハ前記豫定數中任意移去シタモノ又ハ全然豫定數以外ノモノト云フガ其レハ事實判明シナイガ何レニシテモ道廳ノ救濟ヲ受ケナカツタモノニ相違ナイ樣デアル。

此レ等ハ任意ニ國有林ニ入リ込ンデ盜伐放火シテ火田ヲ耕作シ本年三月末ニハ其ノ數五百二十二戶ヲ算シタノミナラズ、益々增加ノ傾向ガアルノデ警察ノ應援ヲ求メテ調査シタ處實ニ一千十戶ノ多數ニ達シテ居タ。四月二十二日ニハ火田耕作ノ爲メニ附近森林ニ放火シテ約二百町步ノ森林ヲ烏有ニ歸セシメタノデ事態ガ急トナリ考慮ノ結果國有林經營上別ニ支障ナキ地域ヲ限ツテ居住ヲ許可シ同時ニ潛入者ヲ其處ニ移シ播種シタ者ハ本年ノ收穫ヲ爲サシメルト云フ寬大ナ措置ヲ取ツタガ中デモ瀧々谷ノ土地カ極メテ肥沃デアルノデ

潜入者ノ集マル所トナリ最初ノ調査デハ二十戸位デアッタノガ二百戸以上トナッテ居タ。全地ハ鴨緑江流域ノ林相善キ寳庫デアルノデ秋期迄ノ居住ヲ默認シテハ如何ナル危險ニ遭遇スルヤモ計ラレナイノデ全地ニ限ッテ速カニ移轉サセル方針ヲ取ッタ。

移轉ニ對シテハ
住民全部ガ承諾

其ノ取扱方法トシテハ幸ヒ全地ヨリ左程遠クナイ所ニ適當ナ地ガアッタノデ其處ニ移轉サセルコトニ決定シテ住民ニ其ノ旨ヲ説諭シテ納得セシメタ。移住スベキ家屋ノ建築ノ爲メニ國有林ノ木材ヲ供給シ漸々谷ノ農作物ヲ皆收獲スル爲メニ約七十三戸ノ家屋中十三戸ハ殘シテ殘餘六十戸ヲ全部此ノ際破壞スルコトニナッタノデアルカ其ノ破壞ニ關シテ意外ノ問題ガ生ジタノデアル。此レニ對シテハ本府カラ調査員ガ出張シタカラ營林署側ニ失策ガアレバ相當處分ヲスル由デアル。

33

（2）社説

社説トシテハ諺文新聞ハ如何ナル問題ニ對シテモ批判スルコトガ少ナイ。之レハ讀者ガ社説ニ興味ヲ持タナイ爲メデアロウ。從ツテ前項ノ如ク常ニ報道記事ニ其ノ全力ヲ注グノデアル。

朝鮮日報　七月十二日

罹災民村落放火問題
甲山郡管内ノ不祥事

去ル六月下旬咸南甲山郡普恵面淙々洞ニ於テ恵山營林署員ガ同地警察官ノ協力ヲ求メ、昨年ノ咸南地方ノ水害ニヨリ同地ニ移住セル罹災民八十餘戸ニ對シ、山林保護ノ爲メ居住撤退ヲ強要スル意味カラ、之レヲ放火燒却シタトノ報道ガアッタ。此事件ハ餘リニモ非常識デアル爲メニ聊カ評論ヲ躊躇シタバカリデナク、去ル九日同事件ノ共同責任者ノ一人タル恵山鎭警察署長ヨリ「斯ル事實ハ全然ナイ」トノ記事取消ノ要求ガ本社ニ到着シタノデ、吾人ハ更ニ半信半疑セザルヲ得ナカッタ。

34

然ルニ昨日迄ノ市内各言論、通信機關ニ來着シタ報道並ニ關係當局ノ談話等ハ、同事件ノ被害者タル數人ノ陳情委員ノ訴ヘノ如ク遂ニソノ確實性カ判定サルルコトトナッタ。之レカ爲メニ總督府林政當局デハ事件ノ眞相ヲ糾明セムトシテ恵山鎭營林署長ニ出府方ヲ命ジタトノ事デアルカラ今後ソノ眞相ノ現露並ニ其ノ責任問題カ注目サレル。

×

昨日迄ノ報道ヲ綜合スレバ全部放火サレタ戸數ハ甲山郡普恵面雲興里、大興里等ノ罹災火田民八十三戸デ營林署員ノ報告ハ七十餘戸デアルコトヲ承認シ、林政當局ハ撤退民ノ空家ニ放火シタモノデアルト解釋スルモ、本社ニ來着シタ報道ニ依レバ家屋ノ外ニ代用食糧迄一部燒失シタトノ事デアル。前記恵山鎭警察署長並ニ林政當局ハ新規移住民ニ適當ナル地所ノ提供、建築材木ノ無償使用許可、既耕農作物ノ收穫默認等ノ數點ヲ擧ゲテ辯明スルモ撤退ノ強要ト放火斷行ニ前後シテ罹災火田民トノ間ニ多少ノ紛糾カ起リ警察官ハ九名ノ罹災民ヲ拘引スルト共ニ特殊性ヲ有スル國境自衛團員ノ應援ヲ求メタ顛末マデ報ゼラレタ事ハ否認スルコトノ出來ナイ事實デアル。

稀有ノ大水害ニヨル新興郡ヲ中心トシタ數千戸ノ罹災民ニ移住地ヲ提供スル如キハ最モ時宜ノ應急策ナリシニ拘ラズ、今回一擧ニ八十三戸、千餘ノ罹災民ノ住宅ニ放火スルカ如キハ暴擧ノ極トシテ言語道斷デアル。渭原、江界、甲山、茂山ノ國境地方ニハ往々カカル非道ノ事件ヲ惹起スルハ遺憾ニ堪ヘヌコトデアル。

×

百二十萬乃至百五十萬ヲ算スル火田民ノ整理、又ハ各地ニ於テ離散スル剩餘農民ノ處置等ノ問題ニ關シ吾人ハ年來恒ニ主張スル所カアッタ。産米増殖、雜穀増殖等ノ政策ノ爲メノ荒蕪地、干潟地ノ開墾、土地改良等ノ事業ハ斯ル火田民及剩餘農民ノ移住ノ爲メニ東拓、不二並ニ其他各種會社ノ日本人移民奬勵策ヲ中止又ハ廢止スルコト當然デアリ咸鏡、平安、黄海等ノ各道ハ人口ガ相對的ニ少ク開拓ノ餘地充分ナレバ、先ヅ朝鮮人ヲ移住セシムルコト當然ナルノミナラズ朝鮮問題解決ノ程度ニ於テモ最モ必要ナ一科目デアルコトガ明カデアル。然ルニ爲政當局ノ行フ所ハ殆ンド全部コレト背馳シ、往々ニシテ斯ル暴擧マデ犯ス者ヲ出セルニ至ッタ事ハ心外ノ至リデアルノミナラズ、實ニ許スベカラザル罪責デアル。此ノ事實ニ關シ林政當局ト咸南道當局並ニ

35

營林署側ニ於テハ被害陳情民ニ對シテ互ニ責任ヲ轉嫁シ何等ノ同情モ寄セザリシ如キハ殊ニ奇怪デアル。且又較近朝鮮人ニ對スル日本人ノ態度ハ日ヲ逐フテ變リツツアリ、官公吏カラ產業、教育ノ從業者、一般庶民學生、勞働者ニ至ル迄互ニ相接觸スル者ノ間ニ輕侮疎外スルノ傾向益々甚シクナツテ行ク斯ル逓減ヤ訴ヘ並ニ嘆願ヲ目擊スルニ至ツタノハ注目ニ値スル現象デアル。

中外日報　七月二十二日

甲山火田民ノ不詳事

咸鏡南道甲山普惠面朧々谷ニ居住スル火田民ノ家屋六十餘戶ニ惠山鎭營林署員ガ放火シタ事實ハ常識的ニ信ジ難イ不詳事デアルソレダケ、社會ノセンセイシヨンヲ捲キ起シタ。事件ノ眞相ニ關シテハ、總督府當局ト言論機關並ニソノ外民間側ニ於テ調査中デアルカラ、正確ナル報道ヲ得ル前ニ斷定的論評ヲ爲スコトハ出來ナイガ、併シ此ノ事件ニ關スル最近各方面ノ消息ヲ網羅シテ見ルニ、營林署員ガ火田民家ニ放火シタノミハ間違ノナイ事實ノヤウデアル。若シ然リトセバ、之ヨリ甚シキ暴擧ハ更ニ無カルベキデ、人道上許スベカラザル近來稀有ノ不詳事トイフベキデアル。コレ等ノ火田民ハ昨年ノ咸南水害ニヨリ家屋ヤ田地ヲ流失サレ、文化ノ世間ヲ後ニシテ生ヲ深山ニ求メテ復フ所ノ憐ムベキ同胞達デアル。彼等ノ入山ハ最後ノ生計ノ方途デアルノダ。然ルニ斯ル火田民ガ法ニ違反スル行爲ヲシタトシテソノ住居ヲ燒拂フ暴擧ニ出デタコトハ非人道的行爲ナリトイハザルヲ得ヌ。

×

ヨシンバ火田民ガ無斷ニ國有林ニ放火シテ國法ヲ無視シ、且國財ヲ害スルガ如キ行動ヲシタトシテモ營林署員カ法律的ニ禁止サレタル放火的手段ヲ以テ火田民ヲ放逐セントスル如キハ、人道上ノ問題ヲ超越シ、法律上ノ問題トナラザルヲ得ヌノデアル。營林署ハ人民ガ國有林ニ放火スルトカ、或ハソレ濫伐スル者ニ對シテハ、如何ナル手續ヲ以テコレヲ禁止シ、懲罰スベキカ位ハ充分ニ知ツテ居ル筈デハナイカ。然ルニモ拘ラズ燒拂ヒノ如キ不法行爲ヲ以テ火田民ヲ放逐セントスル心事ハ實ニ奇怪千萬デアル。ソノ心事ハ外デハナイ。日本人ハ日ヲ逐フテ益々侮辱的態度ヲ以テ朝鮮ニ臨ム傾向ガ見エル。營林署員ガ火田民家ヲ燒拂フタコトモ亦カカル傾向カラ出發シタ暴擧デハナイカト信ズルノデアル。ナゼカト云ヘバ國法ヲ無視スルガ如キ行爲ヲシタ火田民ニ對シテハ、ドコマデモ法ニヨツテ懲戒セネバナラヌコトヲ明確ニ知ツテヲルニモ拘ラズ、無理矢理ニソノ住家ヲ燒拂フガ如キハ朝鮮人タル火田民ヲ根本カラ侮蔑スル行爲ナリトイフノ外、更ニ解釋ノ道ガナイカラデアル。

×

殊ニ奇怪ナコトハ本件ノ講究會ニ對スル警察ノ態度デアル。警察ハ單ニ同會ノ委員會マデ禁止シタノミナラズ、今後コノ事件ニ關スル一切ノ運動ヲ禁止シタトノ事デアルガ、如何ナル理由ノ禁止デアルカ推測スルニ困難デアル。一部ノ同胞カ不法的ノ慘害ニ遭遇シタノガ事實ナリトセバ、社會ニ於テ輿論ヲ起シドコマデモソレヲ糾明セントスルノハ餘リニモ正當ナ行爲デアルノミナラズ、政治セ所ル輿論ガアツテコソ始メテ公明ヲ期シ得ベキデアル。何ノ理由デ本件ノ集會ヲ禁止シタノデアルカ。ソレカ非合法的手段デ或ル種ノ運動ヲ起ストスレバ兎モ角、單ニ事件ノ眞相ヲ調査發表シ以テ被放逐民ノ安全居住ノ保障ヲ計リ、法律的鬪爭ニヨツテ事件ヲ闡明スル等同會ノ目的ハドコマデモ正當穩健デアル。然ルニモ拘ラズ斯ル會合ト運動ヲ禁ズルトハソレハ反ツテ事件ニ對スル世間ノ疑惑ヲ増スノミデアル。

×

甲山火田民問題バカリデナク、全朝鮮ノ火田民整理ハ緊急ナル問題デコレニ對シ吾人ハ既ニ屢々論評シタコトモアルガ、百二十萬ノ火田民ニ對シ何等ノ政策モ樹立セズ放任シテ置クトイフ事ハ確ニ失政ナリトイハザルヲ得ナイ。彼等火田民ノ中ニハ天災ニヨリ生ヲ山中ニ求ムルニ至ツタ者モ居ルガ、多クハ社會ノ競爭場裡ニ於テ逐ハレタ者達デアル。一定ナル面積ノアル所ニ日本移民ハ絕ヘズ年々數百戶宛朝鮮ニ入リ込メナカラ、日本移民ノ數倍トナル朝鮮農民ハ或ハ滿洲ニ、或ハ山谷ニ逐ハレテ火田民トイフ殆ンド原始的生活ヲセネバナラヌ境遇ニ立ツテ居ル故ニ當局者ハ日本移住民ノ問題ト根本的ニ考ヘ直ス必要ガアルノデアルガ、ソノ問題ノ結果タル火田民問題ニ於テ萬難ヲ犯シテ速カニ美良ナル整理ヲセネバナラヌ。

朝鮮日報　七月三十一日

火田民事件

咸南甲山郡普惠面普布洞、同大宋哥洞ノ、昨年水災デ家產ヲ失フテ集ツタ火田民ノ家產ニ放火シタトイフ事件ハ、昨今數日間新聞社カラ派遣シタ特派員ガ發シタ復命ヤ新幹會本部カラ調査員トシテ派遣シタ金辯護士ノ詳細ナル報告等ニ依リ其ノ眞相ガ竟ニ世間ニ發表サレタ。

×

本事件ハ六月二十五六日ヲ以テ相前後シテ世間ニ發表サレ、少ナカラヌ衝愕ノ感ヲ與ヘタガ其ノ報道モ區々タルモノデアツタ。最初ノ通信ハ放火六十三戸說、追報デ八十三戸說等モアツタ。コレニ對シテ七月十日總督府山林部當局ハ朝鮮思想通信記者ニ對スル營林署員ノ報告ニ依ル答辯ハ七十餘戸燒却承認等ガアリ、其他中間ニ上下スル報道ガアツタカ、今日各社特派員等ヤ前日新幹會調査委員ノ精確ナル調査報告ニ依レバ瀑布洞六十三戸、大宋哥洞十戸デアツテ、七月十日ニ山林當局カ答辯シテ發表シタ七十餘戸說カ正確デアツタノデアル。

×

此ノ事件ニ付テ爲政當局ノ態度ハ、初メニハ遺憾ノ意ヲ表スルト共ニ率直ニ出テ居タガ以後ニハ各調査員ノ行動ニ對スル制限或ハ禁止、調査發表ノ記事ヲ掲ゲル新聞ノ發賣禁止、及掲載方ノ干渉等ガアリ、二十九日同事件調査報告演說會モ禁止サレ本事件ニ對スル抑壓ノ態度ガ頗ル鮮明デアツタ。當局ノ意思ハ明白ニ表明セザルモ[illegible]人側ノ調査報告ノ發表スルコトヲ穩カナラズトシ、自己等ノ調査及其ノ主張スル所ヲ發表セントスルノデアルラシイ。

×

近來當局ニテハ今日迄民間デ調査發表シタモノヲ全部否認シソレト反對ノ報告ヲ持ツテ居ルトイフコトデアルトノ報告ノ內容ハ絕對ニ披露スルコトハ出來ナイカ、カカル重大事件ヲ他ノ流行語ノ五里霧中裡ニ投入シ置キ、イイ加減ニスルコトハ不可デアル。ソノ眞相ヲ發表スル責任アルハ勿論、眞相ハ如實ニ發表シ世間ノ疑惑ヲ解ク責任モアル譯デアル。

×

殊近十數年間朝鮮人ニ關スル斯ル事件ノ生ズル毎ニ、當局ハ恒ニ其ノ眞相ヲ隱蔽スルガ如キ態度ヲ取ツテ來タ、公明ナラザル事ニ對スル糾彈ハ姑ク置キ、頗ル怠劣ナル賢明ヲ指摘セザルヲ得ヌ

殊ニ僻遠・部落ノ散在地方ニハ交通不便ニシテ耳目暗ク、殺伐的ナル官憲ノ人達ガ往々ニシテ重大ナル過誤ヲ行フ可燃性ガアル。カカル事件ハ實ニ言ヲ左右ニ拒スベキデナイ。カカルコトハ民衆ノ疑イ易イコトナレバ充分ニ避クル方法ヲ講ズベキニ、何等其ノ方策ヲ講ゼザルハ確實ニ不賢明ノ大ナルモノトイフベキデアル。

東亞日報　七月三十一日

再ビ甲山火田民事件ニ就イテ

八十餘戸ノ人家ヲ燒拂ツタ事件トシテ世間ヲ驚愕セシメタル所謂甲山火田民事件ハ本社（東亞）特派員ノ報告ニ依リテソノ眞相ガ漸次判明スルニ至ツタ。ソノ結果ハ最初被害住民代表ノ陳情シタルコトガ確認サレ、隨ツテ當局ノ無思慮ニシテ輕率ナル處置ヲ遂ニ暴露シタ。

×

當局者ガ事態漸ク重大化セシ今日、唯一ノ逃避路トセルハ該火田村ノ放火ガ官憲ノ手ニヨリテ直接ナサレザルモノデハナク、住民自ラノ手ニテ爲サレタ。ーートイフ一點ニアルモノノヤウデアル。

即チ表面上ヨリ見レバ官憲ノ要求ニ應シテ住民等ガ問題ノ住宅ヲ燒拂フコトヲ承諾シ自ラ放火シタノデアレバ、形式上ヨリ見テ決シテ官憲ガ人民ノ意思ヲ無視シ、無理ニ人民ノ住居スル家ニ放火シタノデハナイトノ論デアル。然ルニ吾人ノ調査シタル所ニ依レバ官憲ノ所謂自意ノ放火ニ多少ノ幇助ヲ辭セザリシコトハ歷然タル事實デハアルケレドモ官憲側ニ於テコレヲ飽タマデモ否認セムトスルナラバコレハ左程追求スルノ必要モナイ。

×

何ントナレバ、自ラ燒拂ツタトイフコトハ決シテ今回ノ事件ノ重大性ト責任ノ轉嫁トハナラナイカラデアル。若シモ官憲ノ主張スルガ如ク該地住民等ガ官憲ノ指示セル移接地ニ行クノ意思アリ、行キ得ル能力アリ、好意的ニ現住地ヲ出發スル意志ヲ以テ自家ニ放火シタルコトガ事實ナリトスレバ、何ガ故ニ住宅ノ燒燼セル今日マデモ彼等ハ依然舊住地ノ灰燼ノ跡ニ露天生活ヲ繼續シ、代表ヲ選ビテ官憲ニ陳情シ、且ツ長霖期ノ不衛生的生活ト飢餓ニ因ル多數ノ病者マデ續出シツツアル

ニモ拘ラズ官憲ノ指定セル新住ノ地ニ行クヲ思ハザルハ是レ何ヲ意味スルモノデアラウカ。淳厚ニシテ無智識ナル農民ニ對スル官憲ノ威力ガ何ウデアルカヲ考フルナラバ、常識アル者ハ當時ノ眞景ヲ想像スルニ難クハナイデアロウ。依然トシテ形式上ノ手續ヲ以テ責任ヲ回避セムトスル是レ即チ民衆ヲ欺瞞スルモノニアラズシテ何ンゾヤ。

×

況ンヤ奇怪ナルコトハ、當局ガ該事件ニ對スル眞狀ノ發表ヲ禁壓セムトスルノ傾向アルコトデアル。新幹會ノ調査報告會ヲ始メトシ、各團體ノ討議ヲ徹頭徹尾禁止ヲ以テ一貫セムトスルコトカ近頃ノ極端ニ反動化セル言論集會取締方針ノ一端ナリトスレバ亦何ヲカ言ハンヤデアルガ、斯ル現實問題、人道上ノ重大問題ニ對シテ公正ナル批判ト輿論喚起ノ機會トヲ防遏セムトスルコトハ、彼等ノ良心ノ如何ヲ疑ハザラムトスルモ得ナイ態度デアル。斯ル禁壓ノ結果ハ、一層民衆ノ疑惑ト憤怒ヲヨリ增大セシムルモノデアリ、實ニ有害無益ノ禁壓デアルガ、單純ナル今回ノ事件ノミナラズ斯ル掩蔽主義ガ反ッテ重大ナル影響ヲ及ボスデアラウコトハ火ヲ觀ルヨリ明カデアル。

×

故ニソレガ何ヤデアラウトモ問題ハ問題トシテ依然トシテ殘ッテヲル水害ニヨッテノ移動民ガ、更ニ今年ノ農作物ヲ失ヒ住居迄ヲ灰燼ニ歸セシメ居ルベキ場所サヘ無イトイフコトハ人道上ノ重且ツ大ナル問題デアルダケ、又彼等唯一ノ住居ヲ燒拂フニ至ラシメタル「命令」ヲ發シタル官憲側ニアリテハ責任上彼等ノ救濟方針ヲ至急ニ講ズベキ義務ガアルノデアリ、隨ッテ斯ノ如キ輕卒ナル「命令」ヲ發セル當該官署當局者ノ責任ヲ問ハザルヲ得ノイノデアル。

毎日申報　七月十九日

甲山火田事件

火田耕作ハ我等社會ノ一特殊現象トイフベキ奇怪ナル習慣デアッテ、ソレカ林政上ヤ又ハ社會政策上一日モ存置ヲ許スベカラザルコトハ吾人ガ從來屢次論ジテ來タ所デアル。（略）

×

然而突發セル甲山郡ニ火田民侵入事件ノ如キコトハ吾人ノ持論ヲ傷クルノミナラズ火田民ガ如何ニ難治ノ民生ナリトイフ事實ヲ一般社會ニ暴露シ漸次緒ニ就カムトスル火田民整理計劃ニ一大暗影ヲ役ズルモノトイハネバナラヌコトデアッテ、百數十萬ニ達スル火田民ノ前途ノ爲メ痛惜シ、我等社會全體ノ爲メ默然タルヲ禁ズル能ハザル次第デアル。傳フル所ニ依レバ甲山國有林ニ侵入セル火田民ニ對シ營林署員トシテ取レル禁止方法ニモ、燒拂驅逐ナル苛酷ナル手段ヲ用ヒタルトイフ說紛々トシテ居ルカ萬一ソレガ事實ナラバ其ノ不法行爲ニ就テハ勿論相當ノ處置ヲ取ル必要ガ有リ、又總督府當局ニ於テモ目下人ヲ派遣シテ其ノ眞相調査中ノ由ナレバ吾人ハ其ノ眞相判明ヲ待チ更ニ論評ヲ加フベキモ、唯今日營林署員ノ取レル手段苛酷ナリトテ國法ヲ蹂躙シ、國土ヲ盲ス惡風ヲ看過シ難ク、同時ニ火田民ノ罪惡ヤ亂暴甚シトテ國法ニ依ラザル手段ヲ取ル官吏ノ失態ヤ行爲ヲ不問ニ附スルコトハ不可ナリト一言シテ置ク。

※

而シテ吾人ハ世間ノ一部ニ於テ本事件ヲ恰モ民族的災難デモ襲來セルカニ喧々囂々ヲ極ムル者等ニ一言ヲ呈シ、其ノ理性ヲ喚起セザルベカラザル義務ヲ切ニ覺フルモノデアル。咸南罹災民ニ對シ同情ヲ表セントスル念ハ誰トテ同樣デアル。又彼等ガ法治國民トシテ法ニ依ラザル迫害ヲ受クルニ至ッタナラバ、誰シモ憤慨ヲ禁ジ得ザルデアラウ。然シ單ニ同情ヲ強賣シ悲憤慷慨ヲ以テ能事トスルコトハ今日我等ノ決シテ取ルベキ所ニアラズ、我等ハ恒ニ冷靜沈着ニ事物ヲ觀察シ最善ノ對策ヲ樹テ、最善ノ進路ヲ求ムルニ努力シナケレバナラヌ。

×

甲山火田事件ハ別項報道ノ如ク本社ノ調査（毎申十九日附京日夕刊ト同樣）ニテ一部眞相判明シタ。之ヲ以テ觀ルニ普惠面ニ侵入セル火田耕作者等ハ國家ノ特惠ヤ社會ノ同情ヲ全然無視シ單ニ國土ヲ盲スヲ以テ能事トスルコト明カデアル。否單ニソレノミナラズ一百二十萬ニ達スル火田民救濟計劃ニ一大障害ヲ加フル行動デアッテ、之レヲ默過スルナラバ世上ニ默過スベキモノハ何者モナイデアラウ。

營林署員ガ不法行爲ヲ加ヘタルコトガ事實デアッテモ、ソレハ單ニ一營林署員ノ失態デアリ非行デアル。而シテ之ニ就テハ相當ニ懲治ノ方法ガアルデアラウ。一營林署員ノ失態ヲ攻ムルニ汲々トシ、國土ヲ冒シ、百二十萬ノ同胞ノ前途ニ光明ヲ除カントスル移住民ノ亂暴ニ就テハ反ッテ之ヲ贊同助長スルノ態度ヲ取ラムトスルコトハ、ソレガ果シテ我等社會ノ將來ヲ憂ヘ、我等一般ノ福利ヲ希求スル者ノ所爲トイフベキデアラウカ。吾人ハ本事件ニ就テ其ノ營林署員ノ失態ヲ嘆クヨリハ、移住民ノ斯ノ如キ行動ガ將來ノ火田民整理方針ニ重大ナル悪影響ヲ及ボスコトヲ甚ダ憂フル次第デアル。

三、事件ノ眞相

諺文新聞ガ時事的記事トシテ、又論説トシテ、火田民家放火事件ヲ既ニ記載シタ如ク盛ンニ掲載スルノデ當局ハ一般民衆ノ誤解ナキヲ期スル爲之ガ實地調査ヲ行ツテ八月十二日ニハ山林部カラ其ノ眞相ノ發表ヲ行ッタ。

然ルニ諺文紙中其ノ折角ノ全文ヲ掲載シタノハ毎日申報ノミデ中外日報ハ其ノ一部分ヲ申譯的ニ掲載シ、東亞日報、朝鮮日報ハ之ヲ默殺シタノデアル。

毎日申報　八月十二日

咸南甲山郡ニ於ケル
火田放火事件眞相
山林部カラ發表ー

本府山林部デハ咸南甲山郡火田民住家放火事件ノ眞相ニツキ十二日左ノ如ク發表シ、全然世上ニ傳ヘラレルガ如キ事實ナキコトヲ證明シタ

咸鏡南道甲山普惠面大坪里龍々谷ニ於テ營林署員ガ警察官立會ノ下ニ火田冒耕者ニ立退ヲ命ジソノ家屋ニ放火シタトイフ樣ナコトガ二三ノ新聞ニ掲載セラレ、又イハユル被害者ノ代表ト自稱スル者ガ陳情ニ及ンダノデ總督府ニ於テハ直ニ事件ノ眞相調査ニ着手シ先所轄營林署長並ニ現場指揮ノ地位ニアッタ森林主事ヲ本府ニ出頭セシメ種々當時ノ事情ヲ聽取シタルニ事實ハ二三ノ新聞ニ掲載セラレタル記事ヤイハユル代表者ノ陳情ト全ク相違セルコトヲ認メタノデアルケレドモ、更ニ事件ヲ愼重ニ取扱フ必要ヲ認メ山林部ヨリ關口事務官ノ一行警務局ヨリ新宅、鳥山兩屬ノ一行ヲ現場ニ出張セシメ各種ノ方面ヨリ當時ノ實情ヲ詳細ニ調査セシメタノデアル。其ノ結果ハ營林署職員並ニ警察署職員ノ側ニハ義務ノ執行上僅毫不法不當ノ行爲ナク官者ノ人ニヨッテ放火シタナドイフコトハ全ク二三ノ爲ニスル者ノ捏造ニ過ギナカッタコトガ明白トナッタ。

今ソノ實情調査ノ大要ヲ發表スレバ左ノ通リデアル。

惠山鎭營林署管内ノ國有林野内ノ昨年九月頃ヨリ茲ニ潜入スル者ガ漸次増加シ來リ、本年四月之ガ調査ヲ爲シタル所ソノ戸數千十戸ノ多キニ達シ何レモ國有林内ノ立木ヲ盗伐シテ家ヲ建テ國有森林ニ放火シテ火田耕作ヲ開始シ、ナホ益々増加スル情勢デアッタ。

潜入耕作禁止
其ノ家屋ノ取扱

所デコレラ一千餘戸ガ國有林野内デ生活シテ行クトイフコトニナルト、其火田耕作ノタメ森林ニ火ヲ入レラレル危險モアリ又現ニソノ事實モアッタノデアルガ、コノ地方ハ國有林經營上最モ重要ナル森林地帯デアッテコレヲ放任スルコトハ絶對ニ出來ナイノデ、國有林野内デハアルガ、森林經營上比較的支障ノ少イ地域ヲ指定シ（甲山郡普惠面、保興里、佳林里、儀化里ノ内面積凡ソ六千六百町歩）ソコニコレラ潜入耕作者ノ居住及耕作ヲ認メルコトトシテソレ以外ノ國有林ニハ絶對ニ潜入耕作スルコトヲ禁止スル

ノ方針ヲ取ッタガ、スデニ播種ヲ終ッタモノニハ本秋收穫後ニ移住スルノ猶豫ヲ與ヘタノデアル。然ルニコレ等ノ者ノ[illegible]八ケ所ノ中デ甲山郡普恵面大坪里内ノ瀧々谷ハソノ附近一圓ニ大面積ニワタル美林ヲ擁シ、鴨緑江流域ノ中デモ寶庫トイフベキ所デアルカラココダケハ何トカシテ早ク指定地ニ移轉サセル必要ガアルノデ秋ノ收穫ヲマタズシテ他ノ指定地ニ移轉スベキコトヲ特ニ督勵シタノデアル。然シ除草並ニ秋ノ收穫ノ爲各戸最小限度ノ人員ノ殘留スルコトヲ認メ、コノ殘留員ノ爲家屋六棟ヲ殘シ他ノ六十餘戸ハ何トカ取拂フ樣勸誘スル處カアッタノデアル。

移轉　寛大ナ處置

尚此ノ指定地ヘノ移轉ニ付テ營林者ハ出來得ル限リノ便宜ヲ計ッタノデアル、即チ指定地ニ於ケル建築用材及ビ今年一パイノ所要薪炭材ハ國有林カラ無償デ提供スルコトニシ、又移轉後ノ生活ノ一助タラシムベク造林地ノ手入ヤ防火線ノ開設等ノ爲ニ之等部民ヲ使役シテ勞銀ヲ配布シ、以テ彼等ノ生活ヲ補助スルコトヲ計劃シ森林保護組合ニ燕麥並ニ馬鈴薯等ノ食糧品ヲ準備セシメ移轉シタル者ニ一時凡ノ食糧ヲ提供スルコトトシ、尚又移轉直後家屋ヲ建築スルニ至ル間ノ居住ニ對シテハ附近部落ノ區長等有力者ヲ介シ既住者ノ家屋ニ分宿ヲ計ッタノデアル。

五月二十四日ハジメテ移轉ノ督勵ニ着手シテヨリスデニ二十日間ヲ經過スルニ拘ラズ一向移轉ノ模樣ガ見エナイノデ、イヨイヨ六月十四日森林主事二名警部補以下警察官十一名、巡視人夫四名、合計十七名ノ人々ハ瀧々谷ニ至リ十四、十五ノ兩日改メテ森林主事ヨリ部民ニ對シ當局ノ方針並ニ移轉ニ付キ詳細懇諭スル所ガアリ、多クノ者ハ理解納得シ翌十六日早朝ヨリ移轉ヲ開始シタノデアルガ、家財道具ハ食器以外ニ殆ンドコレトイフモノモナイノデアルカラ移轉ハ極メテ容易ニ行ハレルノデアル然ルニ前ニ記シタル如ク殘留スベキ者ノ爲ニ六棟ヲ殘シ他ハ何トカシテ取拂フト云フ問題ニナッタノデアルカ、コレニハ破壞スルカ燒却スルカヨリ外ニ方法ガナイ。ソノ何レヲ取ルカハ勿論本人達ニマカシタノデアル。又殘置スベキ六棟モナルベク大キナ家ヲ選定シタノデアルガ其ノ時六棟ハ少ナイ故モット多クシテクレトイフ要求モアリ、結局十三棟ヲ殘置スルコトトシタノデアル。ケレドモ部民中ニハアクマデ飜リツキノ策ニ由テ一面群衆心理ニ驅ラレ當局ニ對シテ反抗的態度ニ出デ、容易ニ退去ノ準備ヲナサナイ者モアッタノデ警察官ニ於テ其ノ主謀者ト目スベキ者數名ニ對シ利害得失ヲ懇諭シタ所大體納得シタ模樣デアッタ。ソレデ當日燒却ノ準備ヲシタモノ六棟ハソレゾレ森林主事、警察官立會ノ上本人等ニ於テコレヲ燒却シタモノデアル。カクテ翌十七日ニハ三十棟、十八日ニハ二十一棟、合計五十七棟ヲ移住者自ラ燒却シタノデアルガ、元來コノ家屋ト云フモノカ山小屋式ノ極メテ粗雜ナル假ノ建物デアルカラ五十七棟ノ小家屋ヲ燒却スルニハ一日デモ出來ルコトデアルノニ十六日カラ三日間モカヽッタノハ一ニ移住者自身ニ於テ處分スルノ方途ヲトラシメタ結果デアル

不良輩ノ煽動　爲ニスル宣傳

以上ノ樣ナ譯デイツレモ本人等ニ於テ燒却シタノデアルノニナゼコレガ官憲ニ於テ自ラ手ヲ下シタカノ如ク一部ニ誤リ傳ヘラレタカトイフニ現住地ヨリ退去ヲ命ゼラレ不快ノ感情ニトラハレ居ル際トテ當局ノ當然ナル措置ニ對シ反抗的氣勢ヲ擧グル二三不良分子ノ惡宣傳ニ乘ゼラレタモノト認メラレル。現ニ調査ノ際主婦等ニツキタヅネタルニ何レモ主人自ラ燒却シタル旨ヲ答ヘタ者ガ多カリシ如キ有樣デアッテ、全ク不良輩ノ煽動ニヨリ故意ニ虚構ノ事實ヲ捏造宣傳セルハ明カナノデアル。

更ニ又新ナル耕作指定地ニ付兎角ノ惡評ヲ爲ス者アルモ、六千數百町歩ニ亘ル廣汎ナル地域ナレバ素ヨリ其ノ中ニハ耕作不適地モ含マレテ居ルデアラウ。然シ其ノ耕地以外マダ耕作ニ適スル土地ハ相當廣クアリ、中ニハ瀧々谷ニ勝ル所モ少クナイ。一部不良分子ガ故意ニソノ不適地ノミヲ指摘シテ部民ヲ迷ハシ、一面當局ノ措置ヲ非難セントスルモノト考ヘラル。

コレラ要スルニ事件ノ眞相ハ前記ノ通リデアルニ拘ラズ、今回ノ耕作指定地移轉問題ニ關シ二三ノ者ノ策動ニヨリハシナクモ事實ノ眞相ヲ誤リ傳ヘラレタルハ甚ダ遺憾トスル所デアル。

方針ハ變ヘヌ

當局ハ國家大局ノ上ヨリ見テ今回ノ方針ニ出タノデ今回ノ事件ノ爲ニ既定ノ方針ヲ變更スルガ如キコトナク、ドコマデモコレヲ遂行シテ國境森林ノ保護開發ニ努ムル考ヘデアル。

中外日報　八月十四日

甲山火田民事件

山林部ノ調査發表

慶戰咸南甲山郡火田民事件ハ對シテ今般總督府當局ヨリ發表シタ事件ノ眞相ト云フノハ大僞左ノ通リデアル。

惠山鎭營林署管内ノ國有林野ニ昨年九月頃ヨリ潛入者ガ漸次增加シテ本年四月ニ此レヲ調査シタル所戶數千十戶ノ多數ニ達シ、國有林野ノ立木ヲ盜伐シテ家屋ヲ建築シ國有森林ニ放火シテ火田耕作ヲ開始シテ益々增加スル情勢ニアツタ。

然シテ此等一千餘戶ガ國有林野內ニ生活スルコトハ火田ヲ耕作シ森林ニ火ヲ入レル危險アリ、又現ニ其ノ如キ事實モアツタガ、此ノ地方ハ國有林經營上最モ重要ナル森林地帶デコレヲ放任スルコトハ絕對不能ナルニ依リ國有林野內ナルモ比較的支障少ナキ地域ヲ指定シテ其處ニ此等潛入耕作者ノ居住及耕作ヲ認定スルコトトナシ其ノ外ノ國有林ニハ絕對ニ潛入耕作スルコトヲ禁止スル方針ヲ取リタルモ既ニ播種ヲ終リタル者ニ對シテハ本秋收穫後ニ移住スル餘裕ヲ與ヘタノデアル。

所デ此等ノ潛入當所中、甲山郡普惠面大坪里內滿々谷ハ其ノ附近一帶ニ大面積ニ亘ル美林ヲ擁シ鴨綠江流域中ニテモ實權ト稱スベキ場所デアルカ此處ノミハ如何ニカシテ早速移轉セシムル必要アル爲メ今秋收穫期ヲ待タズ、他ノ指定地ニ移轉スルコトヲ特ニ督勵シタノデアル。

然シテ除草並ニ秋ノ收穫ヲナス爲メニ各戶最少限度ノ人員ノ殘留ヲ認メ此ノ殘留員ノ爲メニ家屋六棟ヲ殘シ他ノ六十餘戶ハ撤去スル樣督勵シタノニアツタ。（中畧）

五月二十四日ニ初メテ移轉督勵ニ着手シ、以來既ニ二十日間ヲ經過シタルニ拘ラズ、一向移轉スル模樣ナキニ依リ遂ニ六月十四日森林主事二名、警部補以下警察官十一名、巡視人夫四名合計十七名ハ滿々谷ニ至リ、十四、十五ノ兩日再ビ森林主事ヨリ居民ニ對シテ當局ノ方針並ニ移轉ニ對シテ詳細懇諭スル所アリテ大部分ハ此レヲ理解納得シテ翌十六日ヨリ移轉ハ開始シタガ家財道具ハ食器以外ニ別ニ無キ爲メ移轉ハ極メテ容易ニ出來ルノデアル。然シテ前記ノ如ク殘留スル者ノ爲メ、ニ六棟ヲ殘シテ其ノ他ハ此レヲ破壞スルカ、燒却スル外ニ方法ガナク其ノ何物ヲ取ルヤハ勿論本人等ニ一任シタ。又殘置スル六棟モ就中大家ヲ選定シタガ其ノ時六棟ハ少ナイカラ戶數ヲ增シテ吳レト要求シテ結局十三棟ハ殘置スルコトニシタルカ、部民中ニハ飽ク迄デ反抗セントノ策ニ出デ一面群衆心理ニ驅規サレテ當局ニ對シテ反抗的態度ニ出デ容易ニ退去ノ準備ヲ爲サザルモノモアツテ警察官ハ其ノ主謀者ト注目サレルモノ數名ニ對シテ利害得失ヲ懇諭シタル所大體諒解シタ樣子デアツタ

然シテ當日燒却準備ヲシタ六棟ハ各々森林主事、警察官立會ノ上本人等ヲシテ此レヲ燒却セシメタノデアル。云々。

調査資料第二十輯

昭和五年五月

諺文新聞の詩歌

朝鮮總督府警務局圖書課

序

諺文三新聞は半島二千萬民の文化の向上、思想の指導、民衆運動の指揮者を以つて自ら任じ其の筆鋒を凡ゆる方面に顯はして居る。

就中一面に於ては社説を以つてし二面に於ては時事報道を根柢とし第三、第四面に於ける文藝欄に於ては文藝に事寄せて青少年學徒に對して其の主義思想を暗示して居る樣である。

今昭和五年一月より三月末に至る間の詩、童謡の類を集輯して

の三つに分類して見た、中には分類の二種以上に跨るもの、何れとも區別し難いものもあつたが此れ等は重きを置かず適當に處理した。

其の數量は左の通である。

類別	東亞	朝日	中外	計
(一)	一九	二八	一三	六〇
(二)	四	一四	一	一九
(三)	九	三六	一〇	五五
計	三二	七八	二四	一三四

獨立(革命)を風刺し團結鬪爭を慫慂するもの

日を迎へに行こう（東亜一・一）

初日が昇る、日待に行こう、
新しい着物は着ないで、新しい心で、
ツリツン〳〵、鎧を着て、
初日に年始に行こう、日待に行こう。
初日が昇る、日待に行こう、
つまらんことは打捨てゝ、大きい火柱抱へて、
ツリツン〳〵、鎧を着て、
初日に年始に行こう、日待に行こう。
初日は昇る、日待に行こう、
古い悲しみ數へずに、大きな〇〇を持つて、
ツリツン〳〵、鎧を着て、
初日に年始に行こう、日待に行こう
初日は昇る、日待に行こう、
曲げて居た腰を伸ばして手を引いて、
ツリツン〳〵、鎧を着て、
初日に年始に行こう、日待に行こう。

鐘は鳴るけれど（東亜一・四）

鐘が鳴る、鐘が響く、
同族の深い眠を覺まさんと、
今日も、曉から鳴る其の鐘は、
鳴つてからも隨分久しいが、
鐘が鳴つても鳴らんでも、
其の眠は尙ほ覺めることを知らん。
毎日休むことのない其の音、
段々と大きくなるが、
其の夢は知らん顔して一層深い。

新年を迎ふ（東亜一・五）

去る年は送りませう、鄭重に、
希望の墓に深く安葬するとき、
代々傳はつた運命の袋も共に
埋めませう。
新年が來たならば屠蘇も汲ます、
我等はぐつと抱いて、新しい盟誓、
固い盟誓、合力と力強い奮闘で、
新年の挨拶しませう。
確かに自分の日だ、待つて居た其の日だ。
兩足を踏張つて、拳を一度振り上げた所、
江山が鳴つたから、
自分の日であることは確である。

燒けた石（東亜一・一〇）

火事の家跡に
礎石だけ殘つて居る、
彼の恐しい火の舌も、
其の石だけは呑むことが出來なかつた。
此の胸の中にも、
赤黑く燒けた燼溶けも燃えもしない、
其の石が默々として此の身を守つて居る。
其の石の上に、
我等の家を建てよう、
燒け壞された我等の家を、
確つかりと再び建てよう。

此の身も共に （東亞一・一一）

初日が昇る、此の身も共に、
　古着を棄てゝ新しい鎧着て、
　　一生磨いた刀を下げて、
　　　駿馬に乘つて、ツリツン〱、
　　　　初日を迎いに行こう。
初日が昇る、此の身も共に、
　新しい心を大きな火柱に包んで、
　　千萬斤の重い弓を擔いで、
　　　駿馬に乘つて、ツリツン〱、
　　　　初日を迎いに行こう。
初日が昇る、此の身も共に、
　小さいことは打捨てゝ、大勇を出し、
　　赤い心、大きな旗を持つて、

　　　駿馬に乘つて、ツリツン〱、
　　　　初日を迎いに行こう。
初日が昇る、此の身も共に、
　縮めて居た腰を伸ばし、手に引いて、
　　沸く血、我が〇〇を背負ふて、
　　　駿馬に乘つて、ツリツン〱、
　　　　初日を迎いに行こう。

新年が來ました （東亞一・一五）

新年が來ました、同胞よ、
　新春が來ました、
　　枯れた木の枝には新芽が出、
　　　倒れた芝には新葉が出る、
　　　　希望の新年新生の新春は、

　　　　　笑を一杯積んで大地に來ました。
新しい日が來ました、同胞よ、
　心の新日が來ました、
　　腐つた派爭取り除けて、
　　　古い心配を皆棄てる、
　　　　團結の新年、光明の新日が、
　　　　　新光を一杯積んで此の地に來ました。
折れた枝にも新しい花が咲き、
　重く壓される岩の下にも、
　　眞靑な子草が萠える。
新年が來た、更生の新春が來た、同胞よ、
　朦朧たる霧の中に埋められて彷徨する、
　　霜に會つた心の中ででも、
　　　新しい花を咲かせられよ。
合力と奮鬪の新しい花を咲かせられよ。

冬雨 （東亞一・二〇）

障子を打つ、雨が、冬雨が、
　全く素知らぬ顔して可成り降る、
　　春雨であるかの樣に、悽い冬雨が、
　　　世界が夢見て居るか、地塊が覆へつたか。
今幾日もなく桃花が咲くだろう、
今幾日もなく春風が吹くだろう、
　時節が覆へつた以上、世の中だとて、
　　冬雨だとて、來ないで居ようか、
　　　花だとて咲かないで居ようか、
　　　　あゝ皆が〱反對にばかり廻つて行け。

來んかく (東亞 一・二一)

ポプラの木、つく〱した枝、
人の足跡を慕ふ芝の墓、
廣く展開した松林、曲つた墓道、
寂寞なること限りなき冷風のみ、
ブー〱冬風のみ、
あゝ何んでも、此の地を〇〇する、
何んでも來い、來い、憐れな此の冬の庭園に。
忘れることの出來ぬ人は遠い所に、
ほんとに遠い所に
あるべからざる考は眼の前に、
ほんとに眼の前に、
眞黒な雲がコンモリと覆ふた、
男子の胸に切ないこと限りなき冷風のみ、
ブー〱、冬の風のみ、
あゝ何んでも、此の地を〇〇する、
何んでも來い〱、〱、
憐れな此の同族の胸に。

九

一〇

一路 (東亞 一・二三)

後で誰れかが頻りに鞭を打ちます、
進めと云ふて鞭打ちます、
道は岐れ道、死の道ともう一つ、
名の知れぬ其の道は死の道より、
より險しい道であることは知つて居るが、
其れでも此の韓國の人民であることを思ふて、
鞭より先きに立て行きます。
一心を固く決めて行きます。

勸める友よ (東亞 一・二四)

おー友よ、
未だに血の跳る青春ではあるが、
踐み躪られる此の身、血の氣ない顔を見て、
勸める儘に新しい精神の下に集まり、
力强く笑はう、
併し此の地塊に物悽い暗黑が潛在して居る間は、
僕を見て敢へて笑へと勸めるな。
おー友よ、
僕に向つて君の成功を祝ふ爲めに、
一杯の祝盃を擧げると云へば、
君の、より幸福そうな顔を見る爲めに、
飮むことは飮むが、
併し、甲斐のない君の成功が、
大地に霸るまでは、君の爲めに、
盃を擧げると勸めるな。

一一

オー友よ、
他人等は仕事を遂げて、
自由そうに快活に笑つて遊ぶだろう、
此の同族は仕事の殘つた此の時に、
希望の新春を迎へた、
兩足を擴げて新春を迎へよと云ふなら、
全生命を盡して迎へるが。
併し友よ、
僕は君に問ふ、
希望の新春が來たと云ふて、
此の同族に希望、幸福がないならば、
君は僕に向つて、
今度は何を勸めるのであるか。

一二

光明が來る（東亞一・二八）

親友よ、
君も曾つてより愛と自由と平和を得る爲めに、
街頭に、異郷に彷徨したではないか。
凡ゆる悲哀と煩惱と苦痛を斥け、
青い希望、赤い情熱が失せる前に、
抱へて見よう、持つて見ようと焦慮したではないか。
親友よ、
君も或るときは美しい憧憬が破れ、
憂鬱に沈んだ失望が雨霰の如くに降りかかつたとき、
君の輝やく瞳孔に涙が溜り、
溜息が出て來て兩拳が握られたではないか。
併し親友よ、
我等は前日、

一三

多くの人の前で宣言したではないか。
我等の集まる所に力が生じ、
力のある所に前進あり、
前進する所に我等の勝利があると、
大聲で我等が自ら宣言したではないか。
あーそうだ、親友よ、
我等の愛、
我等の自由、
我等の平和、
其れは我等の力で出來るのであることを、
我等は聲高く盟誓した。
そうだ、親友よ、
今に光明が來る、
靜かに頭を下げて地殼の中に流れる音を聞け、
遠く暗黑の裏で消える最後の反抗、

一四

近く暗黑の前で輝く建設の勝利、
暗黑と黎明が交替する其處に、
新世紀が破裂する音と共に、
光明が來る。光明が來る。

春となれば（東亞二・五）

埋まつて居た青蛙も草の中で踊るが、
我等の胸の中に踊るものは何であるか。
目には見えないが青蛙が億千の聲を合せて
鳴くであろう、雨降れど、鳴くであろう。
柳は折られても春となれば芽を出すが、
我等の胸の中で芽を出すものは何であるか、
目には見えないが青柳億千株、
千度百度折られても、鶯の宿る所。

一五

氷の解けた川の中で魚は踊るが、
我等の胸の中には踊るものは何であるか、
目には見えないが青龍白龍が潜んで居て、
時を迎へて登れば此の江山は新たになるだろう。

同志よ出て來い我等の仕事場に（東亞二・五）

俺は今、力の限り盡して叫ぶ、
同志よ、出て來い我等の仕事場に、
積んでは消える春の雪の樣な、
儚ない痴情を向へ投げて、
力强い兩腕を天高く上げ、
永い間だ蒸し暑く腐つて來た豚肉の嘔吐を。
風の滿ちた出戰のかど出に、
清算して、喜びの圓い目を擧げて、

一六

全人類の未來を胸に抱き、
　勇敢に奔走する我等の闘士を見よ。
傍觀する同志よ、
　早く〳〵其の躊躇する足を力強く動かし、
　錢よりも、愛よりも、凡ゆる姑息の幸福よりも、
　甲斐あり、價あり、偉大な、眞の人生の途を求めよ。

雛の子（東亜二・八）

我等は此の地の雛子の子だ、
　泣いては死する此の地の雛子の子だ、
　　春雪解けて小川に水流るれば、
　　　山奥で、野で、畑畦で、
　　　　聲を合せて泣き叫ぶ。
泣き聲を聞かれると、獵師の彈丸で、

　　　　幼ない胸が血まびれとなるが、
　　　春にさへなれば、然し泣きたくなる。
我等は此の地の雛子の子だ、
　泣いては死する此の地の雛子の子だ、
　　春風はザー〳〵寒いのに、
　　　泣けば死ぬことを宜く知り乍ら、
　　　　泣かないで居れないのを如何せん、
飢じい腹を滿たすものもなく、
　泣かなくても飢えることは同じだから、
　　我等は泣いて生きる途を求めるのだ。

固い土地を掘れ（東亜二・一一）

友よ、赤い日が東山に出た、
　早く〳〵起きよ、古着を着よ、

　　　鉢巻して、鍬を擔いで、勇敢に、
　　元氣よく仕事場に飛び出せ
鍬を高く捧げ、よいしよ〳〵、
　泰山が潰れる程喊聲を上げ、
　　此の地に赤い旗が踊るときまで、
　　　友よ、固い土地を掘れ。

先驅者（東亜二・一八）

此の心欝憤込み上りて、
　夜半に起き出で壘を叩き、
　　我等の爲めに血を流して去つた先驅者の爲めに
　　　痛哭し更に呪咀して見る。
先驅者よ、
　民衆の自覺と訓練と、組織のなかつたとき、

　　　君の勇敢な名だけは明らかに顯はれて居る。
嗚呼君は、此の無力な民衆の無知と、鈍感の
　悲痛な犧牲であり、呪咀すべき象徴である、
　　獨りで、併し勇敢に進んだ、
　　　義憤に血沸く男兒、殉敎者、英雄である
君等だとても如何にか民衆を怨み、
　否、反つて不憫に思ふて去つただろうが、
　　行く先きを知らずして迷ふて居る民衆を如何にせんと、
　　　君だけが目標を望んで行つて仕舞つたか、
　　悲壯であり、無情であるかな、
　　　我が先驅者等は。
嗚呼先驅者よ、
　我等は咽喉が渴けば跡毎に流れて居る血を飮んで行くだろう
　　が、大衆が一所に進む日、
　　　我等の中に先驅者の名を有するものは、

探さんとしても𨳝くなるでだろう。

朝鮮少年行進曲 (東亞 三・二〇)

友よ、我等は此の國の子、
　そうだ〳〵そうだとも。
山や海は變づても、又變つても、
　我等の心は變へないで居よう。
朝は早く〳〵起きよう、
　コケッコー〳〵鷄の鳴くとき。
我等は互に愛しよう、
　そうだ〳〵喧嘩せず。
友よ、我等は他を考へず、
　仕事をしよう〳〵、力の限り。

一切の疑懼を棄てよ (東亞 二・二一)

原則は立つて居る、殘りは細目だけである、
　目標は定まつて居る――問題は唯だ認識の早晩と、
　　出發の時刻のみだ、
　併し如何せん、嗚呼如何せん、
　　民衆の感覺が斯くも鈍く、
　民衆の意志と氣概が、斯くも沈滯して居るのを。
嗚呼民衆よ、耳を洗へ、
　目を開けよ、頭を磨け、翼を打て、
　　灰色の夢から覺めて現實に歩調を合せよ。
民衆よ、自覺せよ、嗚呼然し、
　汝から先きに、一切の卑怯を棄てよ、
　　一切の疑懼を破れ草鞋の如くに棄てよ。

【學藝】街　　路 (東亞 三・三〇)

凹凸の十九世紀、商工旺盛時代の記念塔、
直線、曲線、十字街路、雜音と高速度、
見よ！　街路！
力強く踏む勞働者、又男女職工の行列。

◇

凹凸の二十世紀、電流時代の化粧品、
黃昏の空の鐵網、
無限の電波、
角度の差、
金錢の臭みを散して東馳西走する自動車、
死の墳墓に電光石火的である、
見よ！　街路！
汗と血の賤んだ着物を着て、

紅塵の海より、
街路に出る人……等。

◇

凹凸の今日の舞臺、看板の背景色、
色取り〳〵の電燈の光!!
光明を搜す群衆、
「コンクリート」其の地層の底の下層に、
誰れが今日の街路！　夜の舞臺！
最後の光景！
待ち苦んで居るか、
假面ぜる恐怖と、暗黑と、鬪爭前の街路、
見よ、聞け、
街路の人の行列。

望年の辭　（朝日一・五）

君よ、笑はないか、
　蹙めて居た顔を直さないか、
　　憂欝に包まれた其の心を安んじないか、
　　　年が來た、又新年が來た。
君よ、歌はないか、
　歡喜と希望に滿ちた聲で、
　　其の歌が過ぎた日の其の歌より、
　　　もつと一層大きく、確りと、
　東に新しい日が登つた、
　　　新年が來た。
君よ、進まないか、
　退却した一歩を固い地盤として、
より高く、より長く、より廣く、

二五

　　新しい一歩を進めないか、
　一歩の退却よりもより大きい進展の一歩として、
此の街の上に新年が來た、
　　赤い朝が來た。

盟約　（朝日一・五）

お父様、
　貴方が萬一貴方の息子の爲めに、
　　全世界の暗い道を開き、
　　　力が不足だつたら、
　　私が一年二年養つて來た力があります、
　　　貴方の爲めに此の力を捧げないで居ましようか。
お父様、
　貴方が萬一貴方の息子の爲めに、

二六

　ひどく戰つて傷がつき、
　　血を流されるならば、
　私が一年二年集めて置いた血があります、
　　貴方の爲めに此の血を差上げないでありませうか。

新年　（朝日一・五）

友よ、新年が來ると云ふて、
　日が西から昇るのではない、
　　新年が來たとて未だ我々には、
　　　昨日は昨日で、明日は明日である、
　　見よ矢張り夜の後には晝が來るではないか。
國があるとき、
　金があるとき、
　　生命があるとき、

二七

　　　　眞實な新年が我等にも來るのである。
友よ、新年が來るとて、
　日が西から昇るのではない。

黎明の光　（朝日一・一二）

黎明を促がす群鷄の聲に、
　希望の新春は明けた、
　　重そうに張つてあつた暗の帳幕は、
　　　黎明の光に逐はれて隱れる。
友よ、歡喜に溢れる此の曉に、
　固い『リズム』を合せて、
　　生命の旗を高く飜へそう。
朦朧たる夢に醉つて居た、
　總ての「生命」等は、

二八

愛情に滿ちた撫摩に活力を得て、
眩ゆい程の歩調で躍動する、
おー偉大なる黎明よ。

心事 （朝一・一四日）

大聲上げても出て來ないなら、
壞れた喇叭だが吹いて見ようか、
幾等探しても手に取るものがないなら、
錆びた鍬だが擔いで行こうか。
血に咽ぶ咽喉の詰つた叫びには、
今日も心臟が裂ける樣だ、
手にすべきものを探し得ない兩腕には、
今日も、力瘤だけが渦卷いて居る。

二九

三〇

無軌道を走る心 （朝一・一四日）

心と、又多くの心が、
工場から起る煙に包まれて、
二八農夫の血汗となり、
チゲを背負ふ雇男の汚れた袖に觸れて、
走る〳〵、無軌道を走る。
何處でも衝き當り次第無條件に爆發せんと、
然らざれば向ふの端に行つて突然慟哭してやろうと、
グルリ〳〵射た矢の如くに無軌道を走る。
心と、又多くの心が、
腹が飢じく、肉は落ちて、骨が痛んで居るが、
腰を確り締めて地に耳を當て、
狂人の如く一人で走る、
忙がしい〳〵、
大聲上げて、無軌道を走る。

地が鳴る、耳が鳴る、
地平線の向ふ端で「ヘゲモニー」が叫ぶ樣だ拳が鳴る、
××を受けても×しそうにもない。
今日も心と多くの心が、
目を閉ぢて無軌道を走る、
醉拂の樣に（中略）
走る〳〵。

待つて居る人 （朝一・一六日）

オー待つ人よ、
君は果して君のお客が、
何時の汽車で來られるかを知つて居るか、
假りに君のお客が來られるとしよう、
然らば其の方はどんな恰好をして來られるかと云ふことを考へて見たか。

三一

三二

そうだ誰れでも皆馬鹿だと云ふだろう、
顏も知らないお客が、
何時來られるとも知らずに居る君を指して、
オー併し、愚だと云ふ君が、
夢にも見ない『智者』よりも、
寧ろ幾培も聰明なるを如何せん、
（天の與へた聰明である）
オー待つ人よ、僕は云ふ、
君のお客は來られることは來られる、
然らば今少しく氣を付けよ、
お迎する準備が無ければならん、
其の偉大なるお客が來られても、
其のまゝ歸られたら如何にしようと云ふ考へか。

鐘を鳴らす人 (朝一・一七日)

私は鐘を鳴らす人です、
夜通し此の地を包んで居た、
重い暗黒が收まるとき、
オヽ偉大なる、今は曉である、
私は貴方の爲めに鐘を鳴らします。
總ての人が起きなくても、
貴方だけは起きねばなりません、
全世界の人が安心して寢て居ても、
貴方だけは寢てはならない、
此の地の息子であります。
私は鐘を鳴らす人であります、
西天の棆で突かれた悽慘なる月が逐はれて倒れるとき、
オヽ此の國には、

偉大なる新光が湧き出ます、
私は貴方の爲めに鐘を鳴らします。
全世界の人が安心して寢て居ても
貴方だけは、×士の如くに、
偉大なる、彼の太陽の胸に抱かれる、
此の地の息子であります。

待つ人 (朝一・一八日)

田舍に行つても都に居ても、
如何に待つ人の多きことよ。
ボンヤリ遠くを眺めてばかり居るが、
向ふの其の下には誰れが居るのか、
向ふの灰色に曇つた天の下には何があるか、
無數な工場があり、會社があり、舖石がある。

終日黑煙を吐く工場では薄暗がりの内から職工が苦しめられるのである、
會社の見事な硝子窓はサラリーメンの眞青な溜息を囚へて居る、
舖石には現代兒の靴と短杖の亂打があるだけだ。
彼の青い〳〵天の下には誰れが住むか、
重疊たる山脈と、青い河と、そして田畑がある。
山には薪取男が鎌の上に屈んで居るだろう、
田畑では農夫が穀物の束と角力をして居る、
青い河の上に浮んだ帆船は美しいと云ひ得よう。
然らば人等は何を待つて居るか、
腰が拔けたか、氣が失せてか、
ボンヤリ遠くを計り眺めて居る、
險惡な雪風が吹いてからでなければ
花咲く春が來ないのに。

主を思ふ (朝一・一九日)

此處から主の居られる所まで何里であつたか、
豆滿江を越せば其處だろうが、
其の主の消息が何故此んなに聞けないだろうか、
江南に行つた燕も自ら萬里の道を
春が來たら古巢を尋ねて來る。
此の國、此の人民を救はふと云ふ、
大きな〳〵意思を持つて去つた主、
滿洲の野の冷風に如何にして暮すだろう、
東風が冷たく吹いて來ると、
骨の節々が痛んで來る。
毎日來る新聞を取り上げて、
或は我が主が捕へられなかつたかと、
詳しく何遍も讀んで見る、

併し其處にも主の消息なく、
待つて美しい顔が老ひて仕舞ふ。

汝の力 （朝一・二五日）

汝の力が足らないと云はずに、
百萬の軍兵の前路を塞いで見よ、
然る間には一人、又一人集まるであろう。
汝の力が足らないと云はずに、
戰場に飛び出して見よ、
然る間には一人、又一人集まるであろう。

も 一 度 （朝一・二五日）

もう一度飲んで見なさい、
壞れた瓶の藥だが、
もう一度飲んで見なさい、
其の藥が腸に流れて
新しい力が湧くことを何故分りませんか。
もう一度刺して見なさい、
折れた鍼ではあるが、
もう一度刺して見なさい、
其の鍼が血脈に流れて
新しい血が湧くことを何故分りませんか。

市 日 見 物 （朝一・二八日）

今日は市日で、人が戀しく、
白衣を着た人が戀しくて市場に行つた、
多い、多い、
オー生きんとする白衣を着た人が集まつて居る。

三七

三八

『五錢出しなさい』、『四錢にしなさい』、
賣さんとする人、買はんとする人、
オー生きようとして〱、
それでも生きようとして、
目に血走しり、咽喉が涸れる程、
聲を上げて叫んで居る。
私を生かして下さい、私に飯を與へて下さい、私に仕事を下さい、
オー白衣を着た人等は其れでも叫ぶか、
未だに白衣の底には赤い血管が跳り、
咽喉の涸れた聲には未だ生きんとする力が一杯に滿ちて居る。
そうだ〱、自分は既に此の地の若い青年である、
そうだ〱、自分は既に此の地の若い娘である、
我等は生きる爲めに戰はう、
自分の拳を力限り握つて歸つて來た、
白衣を着た醫藥の强い注射を受けて、

兄の買つて來た喇叭 （朝一・三〇日）

兄が儲けて買つて來た喇叭、
數萬名の同志と仕事場に行くとき、
眞先きに立つて勇敢にも、
トテットー〱と吹く喇叭。
今日も私一人喇叭を吹き、
天地を動搖させる演習をした、
ほんとに同志と仕事場に行くとき、
勇敢に〱吹いて行かうと。

俺 の 力 （朝二・二日）

俺の拳を握り締めて怒鳴つたら、
表の山も野もゴーと鳴り響いた。

三九

四〇

俺の手で砂を掘つて水を蹴つたら、
廣い海が波濤を起して怒り出した。
山でも海でも動かす力、
強くて元氣な此の俺の力は、
霜に會つて凋んだ秋の花に、
時ならぬ春を迎へしめる力である。

死ぬ前の手記（朝日 二・五）

崎嶇な事だ、
行かんとするか、止めんとするか、
野を走る「トロイカ」の笑も、
遂に此の一日を見ぬ振をせんとするか。
奴等の重さが如何程であろうか、
奴等よ、汝の歌が幾日繼續し得るだらうか、

熔かす樣に、呑む樣に、オー太陽よ、
遂に此の一日を見ぬ振をせんとするか、
併し友よ、汝の背後に、
糊を付けて歩く密使の影、
語らん、其れは少なくない。
君の生血よ、固まり固まつて見よ、
何れにしても行く此の身、行かねばならん此の身、
君の爲めに捧げる身、
丈夫らしくせよ。
（中略）の明日、
何れにしても君の爲めに我が身は行く、
行くが、行く此の身、少なしと云ふなかれ、
汝の胸に耳を當てて伏するならば、
海嘯の如く——左樣に、
暴風雨の如く——左樣に、

ドキ〱踊る血は何が故か。

街頭の若人（朝日 二・五）

サイレンを合圖に、大海に、
押寄せる滿潮の如く、
工場の門から押し出され、押し入る、
我等は今日此の地上の勞役軍である。
遠山の白む明方に、湧き出た赤い血が、
魔物のエンヂンに虐げられて、
銷びた黒い血となる程に、
凡てのエネルギーを捧げて、
己巳年の永い一年を一日の如くに、
勤勞を繼續して來り、
油に染まつた體を裸體となり、

回轉するモーターの前で踠き乍ら、
明ける日の新計劃を樹てて、
庚午の新しい年を迎へた。
此の一日の苦役を終り、
疲勞し切つた手足を曳きずり、
虚榮に流れた正月の四つ辻に、
集まり來たる若人等を見よ、
重々しい體でバタ〱、
鋪石を鳴らす、我等の歩み、
未來の固い信念に輝く目と目、
鋼鐵の如き沈默に、喰ひしばつた唇、
坩堝の中に流れ込む熔鑛の如くに沸く、
我等の胸は希望と經綸に固まるだけである。
四つ辻の若人等よ、
東方に黎明の光線が見える、

新世紀の合圖を力强く叫べ、
鳴る腕を自慢する、
若い勇士に向つて、
行進の喇叭を力强く鳴らせ、
（中略）
新世紀に向つて車を驅つて行かう。

止まつて居た時計 （朝二・七日）

止まつて居たが、生きる機能を有する、
机上の置時計を俺れが動かした所、
オー生の力よ—、隱れて居た彼の力、
繼續して進まんとする彼の彈力の氣勢。
時間と共に高くなる彼れの足音、
時間と共に固くなる彼れの偉大なる歩み、

止まつて居た時計の驅足する、
新しい生の音は高み行く。
遠くより聞えて來る正午の鐘、
工場の煙突を慄はして、
大地を搖かして消えるとき、
止まつて居た置時計は正午を打つた。

京城行進曲 （朝二・二三日）

昔を記憶する鍾路の大鐘は、
鳴り響くべき新しい日を待つて居る、
今日も若人等を捕へて行つたが、
享樂の市、大京城は不夜城である。
地下室の暗い所に人等が集まり、
千枚、萬枚、印刷して居る、

××××内で呉れたビラを、
主に送る手紙の内に入れて送つた。
講演會を聞こうか、劇場に行こうか、
漢江で舟に乘ろうか、
新堂里に新しく建てたトタン屋の上に、
赤い月の照らす時を期待する。

明りの使徒 （朝鮮日報 二・一三日）

横も縱も限りなき、
渺然たる海の向ふより、
幾萬の生命の光り、幾萬の生命の力である明りの使徒が、
來る〳〵と云ふ評判が高い、
海を渡つて此の地迄。

×

明りの使徒—
其の力は大きい、
豫告した一歩を踏み出さぬ前に、
宇宙を包んだ暗は追はれた、
—追ふ喜びと追はれる悲しみ
（然れども眞理の前には勝つもの誰ぞ）

×

明りの使徒—
其は今來た、
肝臟の如く赤き笑ひ？
其は何を指したるものなるか？
—喜びだ、力だ。
海の水は濤々と、
赤く〳〵渦卷いて、
倦怠に眠る凡の生靈は、

眞の生活を的として、
矢の如くに走る。

街頭に泣く者 （朝鮮日報 二・一四）

私は氣の狂つた男、
君等の云ふ通り氣の狂つた男、
然し私は街頭に泣く者、
暗くて悲しい、東方が明るくなる迄は、
咽喉のつまる聲で悲く泣く者だ。

×

私は氣の拔けた男！
君等が呼んで呉れる通り氣の拔けた男、
然し私は街頭に泣く者、
沈默に歸つた××の聲が歸つて來る迄は、
胸の痛む聲で悲しく泣く者だ。

×

私は眞面目を缺いた男！
君等が呼んで呉れる通り眞面目を缺いた男、
然し私は街頭に泣く者、
民衆の足が××に疲れる迄は、
××の聲に胸を皷つて泣く者だ。

×

あゝ私は街頭に泣く者だ、
無易に嘲笑する君等を呼び、
暗くつて悲しい東方の街頭で、
沈默を破つて聲高く泣く者だ。泣く者だ。

靜かな夜 （朝日 二・一五）

靜かな夜に眠が來ず、

各種の考が爭つて出るので、
起きて火を點け天井を見詰めたが、
散亂した心が靜まらないので、
傍の新聞を引き寄せて、
力なく手にして見詰めると、
惡刺なる社會相が眼前に露はれたので、
兩拳を握り締めてブル／＼慄はせて、
手にした紙に描いてある惡魔の社會を、
目茶苦茶に裂き、叩き、壞した音に、
此の夜寢て居た二千萬が驚ろき覺めたかの樣に、薩張りとした

君よ笑へ （朝日 二・二二）

憎らしい環境に虐げられ
　惜しい君は俺さへ見れば溜息をする、
併し君よ、
　明るい明日を眺め得る賢明なる君よ、
　　君の溜息は嫌やな凡てを吹き飛ばす、
　　　偉大なる暴風となり得るを信せよ。
他人と異つた境遇に縛られて、
大事な君は俺さへ見れば涙汲む、
　併し君よ、
　　明るい明日を眺め得る賢明な君よ、
　　　君の涙は寂寞なる庭を、
　　　　燦爛たる花園たらしむる、
　　　偉大なる春雨となることを信せよ。
オー君よ、
　明るい明日を眺め得る賢明な君よ、
　　溜息を止め、涙を拭け、
　　　強い兩腕を擧げ、

獅子吼して走り出せ、
　正義の花園たらしむる春雨を降せ、
オー君よ、君は遂には笑ふであろう。

此の夜が明けたら（朝鮮日報 三・四）

夜よ、夜よ、此の夜よ、早く明けよ、
暗い此の夜よ、早く明けよ、曉の鷄がコケコッコウと鳴き、
涼しい朝日が昇つたならば、
『略』兄様は眞前に立ち、
『略』御父様は後に隨ふて、
我々（略）連れて、
嬉しい新しい日を迎へよう。

◇

此の夜が過ぎて嬉い日が來るなれば、

五三

私は私は嫌な〱、
腹を突張つた太り屋は見なくなり、長烟管のバーサンも見なくて濟む、
我々の心の儘に遊ぶ日、
凡ての人の仕事をよくして生活する日となる。

五四

期　待（朝鮮日報 三・二三）

來なければならない其の日に、來なければならない其の人よ、
一秒、一分、待たすのは何故か、
欝憤に閉された此の胸を撫下して〱、
來なければならない其の日を、來なければならない其の人を、
俺れは今日も待ち疲れた〱。

×

來なければならない其の日を、知らせたものなく、
來なければならない其の人を私は嘗て見たことはないが、

勝手に待つて待ち疲れた。
マー來るだろうと思ふ此の心、あせる此の心で、
俺れは其の日〱を無言の期待で送つて居る。

×

日が月に變り、月が年に變り、一年、二年又一年、
去る此の日を、此の月を、此の年を送る此の心、
然も去る日は語らず、來る日のみ待つのは、
必ず來なければならない其の日、其の人が遠からん明日に――
嚴然たる威嚴を以て立つ、其の日の近づくのは明らかである……
漠然として私と共に待つ人よ。

×

我等を尋ねて來る其の日に、其の御客様を待つ人等よ、
我等の胸底に深く秘めてある「何か」
其の「何か」を我は見た、知つて居る、
待つ其の心は、きつと此の胸の其の「何か」を「御客様」として居る。

五五

新しい日を待ちつつ（朝日 二・二三）

我等は此の地の絶壁に立つ群、
　此の儘此處に住み、如何せん、
　　一歩二歩宛進んで見よう、
　　見える〱、新しい日が見える。
　遠い、遠い、萬里の外に新しい日が來る。
若人よ、老人よ、準備せよ、
　遠い遠い、千萬の外に新しい日が來る。

其の意思を（朝鮮日報 三・一九）

私は見た、荒廢した城址の下に、
貴い新いものが又生まれるを、
青い、柔い、

五六

然し其の淨い心に、
知り難き隱れたる悲みがあるを。
私は聞いた、
其して知つた、
其の悲みを、其の意思を、
城の石は散らされてあるも、
其の石でも更に拾つて築くものなきを、
築く力なきを、
可哀想な群衆よ、
アー壞れたる城を、
增して城址の敷石迄で掘り出さんする者がある、
友達よ出て來い、集れよ、
そして築けよ、
築き又築け、至誠と力の至る處に、
成らざるものなし。

人等よ、此の××群衆等よ、
深夜に雨風が襲來するも、
恐れず異常なる目を張り開けて、
四方を眺めよ、守れよ、
其して其の城を壞す者あらば、
先きに防げ、戰へ。

都市で田園で （朝日 三・三〇）

青い天の彼方に微かにチラ〳〵して居た春、春、春、春は來るか、
　オオ友よ、途は急ぐ萬里、
　　心は六月の太陽、併し仕事はただ一つ、
　　　春よ、早く來い、地軸を搖ぶり、强く〳〵。

我は笛を吹く人 （中外 一・一）

我は笛を吹く人、
　疲困に眠る大地の上に、
　　コンモリと籠つた青黑い霧を、
　　　押し除け樣と笛を吹きます。
日は旣に天上に昇つて泣いて居るが、
　未だ晴れずして大地を蔽ひ包んで居る此の霧、
　　笛を吹けば晴れると云ふので、
　　　休まず吹きます〳〵。
併し暫時でも私が吹く笛を休めば、
　此の恐ろしい霧は世を覆ふて、
　　一口に呑むのです。
我は專ら世の爲めに、
　霧を押し除け樣と笛を吹きます。

行進 （中外 二・四）

猛烈な暴風雨が部屋を吹き廻し、
　轟然たる雷聲が天を動かしても、
　　倒れる群衆の先頭に自分は行進しよう、
　　　我等を待つて居る新しい國に。
險しい狂風が矢石を吹き飛ばし、
　眞赤な火焰が天を衝いても、
　　血の流れる兩腕に旗を持つて自分は行進しよう、
　　　我等を待つて居る新しい國に。
豆の飛ぶ樣な大砲の彈が前途を塞ぎ、
　飛び着く銃劍が膚を刺しても、
　　群衆の前で喊聲を上げて自分は行進しよう、
　　　我等の古巢、新しい國に。
アルプスの雪山で手足が凍り、

サハラの砂漠で心臓が燒けても、
　破れた旗を振り廻して其の時も自分は行進しよう、
　　我等の古巣、新しい國に。

泣かない (中二・四外)

來て見れば世の中は木の葉散る日、
　緑の其の日も過ぎた昔、
　　遠からず冬の來る其の日は、
　　　山や野が北方を指す日、
曰く、此の地に集まつた人等、
　明日は何處で迎へようとするか。
併し友等は泣きはしない、
　眞赤な其の日も遠くない、
　　明日、明後日、冬の過ぎる日は、
　　　緑の其の日も再び來る日。

秋 (中二・一〇外)

見よ秋だ、
怠慢であつた夏の虚榮を燒き棄てて、秋は來た、
凡ゆる美しいと考へたもの、
富貴だと考へたもの等を、
躊躇なく叩き壞す、
意氣見、秋は來た、
刄の如く鋭利な征服者の背の下に、
廣い曠野の萎れ行く草木等、
山頂から落ち積んだ落葉等、
風の悲鳴と共に生存して居た、
萬物は消へ失せる〳〵。

オ[illegible]、流血淋漓たる此の天地を眺めよ、
天と地に飜流し、
洪水の如く押し寄せるもの、
凡てが正義の火焰である。
戰ふ力と、勝つ熱誠、破壞する快感である。
然り、見よ、
凡ゆるものは此の前に屈服して仕舞ふのである。

友よ (中二・一〇外)

友よ、
　朦朧たる月が西山に掛つた、
　　多くの抱負理想を懷いて、
　　　血の沸く狹い胸を焦がし、
　　　　限りなき彼の曠野を歩いた、
　　　　　其の時の事を忘れたか。
友よ、
　曉を報ずる鷄の聲が聞へる、
　　飢へた腹を抱へて、
　　　固い盟約を胸に懷き、
　　　　冷たい風の吹く廣い曠野を歩いた、
あの昔を忘れたか。

志を遂げない刀 (中二・一〇外)

十年間、刀、
　使はれる所なく、
　　刄さへ擦れると、
　　　音高く鳴る。
燒け、沸く

若人の胸、
志を遂げずして鳴る、
刄である。

泣いて濟むなら （中二・一一外）

泣いて濟むならば、
すつかり泣いても見ようが、
其れも仕様がない。
泣いて何にならう、
寧ろ此の身が、
千切れ〳〵に裂ける迄で、
戰つてでも見ようか。

六五

此の江山にも春が來ないでは居らぬ （中二・一一外）

春は來ないでは居ない此の江山にも、
此の江山の物寂しい廢墟にも、
暴風雨に慄へて居る此の町にも、
死んだ人の呼吸の如き、
唯だ力なき人のみ動いて居る此の町にも、
山の様に包まれた雪を解かし、
銑鐵よりも固い凍つた土地を解かさないでは居らない
火の様な力を持つて居る春は來ないでは居らん、
此の江山天地に春が來ないでは居らないのを、
誰れか否定し得よう。
見よ、友よ、
春の偉力を、生命の壯んなるを、
寒い冬、石よりも鐵よりも、より固く凍つた土中に、

六六

何時か一度は喊聲を上げ、
元氣を出さなくては止まない生命が潜んで居るのを見よ。
聞け、友よ、
道々に積んだ冷たい氷の中にも、
チョロ〳〵力強く流れる水の音を、
其の冷たい〳〵氷の中にも、
偉大なる生命が動いて居るではないか、
オー偉大なる生命の力。
見よ、友よ、
新年の朝、東天に昇る赤い日光を、
此の江山を照らす新しい春の氣分を、
オー其の力、偉大であり壯でないか。
オー友よ、見て居るか、聞いたか、
春の偉力、生命の壯んなる力を、
鐵塊の樣に凍つた土中にも、

六七

眞赤な生命が動いて居る、其の力を。
オー歴史の必然性、
流動しないでは止まない、
自然の法則、生命の法則、
此の法則が動いて居ることを、
唯れが否定し得よう。
オー春、
春は來なければ止まない、
此の江山にも。

兄よ弟よ （中二・二〇外）

兄よ、弟よ、
仕事場に行こう、
父母が涙を流して仕殘して置いた、

六八

其の仕事をしに、
生き血の跳る此の時、
道具を擔いで、
仕事場に行こう。
父母が最後に云ひ殘した、
骨が碎けても忘れられない、
其の仕事をしに、
生き血の跳る此の時、
道具を擔いて、
仕事場に行こう。

明日の爲めに（中二・外二）

空虛な胸だけか、
何もないか、何ものもないか、

六九

昔慕ふて居た金色の霞に眠つて居た愛の殿堂よ、
主の笑の中に咲いて居た南國の一房の蕾よ、
世に多くの愚かな人等に、
知り得ない香の如く―見ても撫で得ない主の影の如く、
偉らく偉大なる明日の爲めに、
劍を拔き、馬を驅して勇猛に戰ふ明日の爲めに、
今はより大きく廣く深く育てて置こう、
鐵の如意の如き此の我が腕、鋼鐵板の如き胸と筋を
明日の爲めに――そうだ、明日の爲めに今一度灼こう。

甦生の新年（中三・外三）

岩にも、
石の間にも、
甘雨に浸つた生命、

七〇

笑ひに滿ちて新しい芽が出る春、
火焚棒を逆樣に立てても、
芽の出る「しめやか」な春雨が降る、偉大なる甦生の春よ

○

四肢に血管の脹れた若き坑夫も、
肺臟に黴の生へる職工も、
血液の乾きつゝある農夫も、
街頭に立ち働く咽喉かわく勞働者も、
皆一緒に手を握つて、
此の春を喜んで迎へよ、
新しい春の薰りを嗅ぐ、
遠からぬ新しい春に勝つが爲めに力を養へ。

○

若者の腦を、
引き搖ぶり、
手を引いて呼び立てる、
アー偉大なる春の力よ！、
發狂せしむる美しい春の色。

七一

火を放て（中三・外八）

同志よ、溜息をして居た此の顔には骨ばかり殘つて居る、
丁度枯れ乾いた木の根の樣に、
此の胸を撫でて見よ、血までが氷の樣に冷いて居る
同志よ、胸を擴げて火を放て、
太陽よりも熱く、
そして火焰を尾に結んで驅け出せ、
此の大地の向の涯まで、
然らば黴の生いた地球は灰となるであろう。
同志よ、女の安價な愛と、

七二

運命の花束を夢想する此の天才を蠹して、
　土を掘つて種子を蒔け、
　　灰だけ殘つた此の地の新しい木に花が咲くであろう。

七三

春が來たら（中外 三・一一）

山に野に春が來たら氷が溶けるだろう、
　春の風に吹かれても溶けない筈がない、
山に野に春が來たら花が咲くだろう、
　蝶や蜂が飛び廻はるのに咲かない筈がない。

◇　◇

山に野に春が來たら私の方にも來るだろうか？
　寂寞な江山が何れも廻轉するのに來ない筈がない、
山に野に春が來たら悲しみは解けるだろうか？
　氷の河は皆溶けるのに解けない筈がない。

◇　◇

山に野に春が來たら氷は溶けるが、
　此の心の悲しい溜息は解ける道なく、
山に野に春が來たら花は咲くが、
　此の心の中の花は一つも咲かぬ、

七四

總督政治を呪咀し排日的のもの

落ちる太陽（東亞 一・一六）

赤い太陽が此の地を去る、
　白い顔に充血させて、
　　此の町を呪咀しつゝ。
永刼の恒星が落ちて行く、
　虚僞、〇〇、××が横行し、
　　鬪爭の交響樂が絶へ間ない、
　　　此の地塊が氣に喰はないで、
　　　　鼻で笑つて落ちて行く。
もう來ないと云ふ樣に、
　青黑い大地を睨んで、
　　灰色の天に告別の火を燃やし、
　　　今日の太陽は去つて行く、
　　　　彼の地平線の向ふへ。

七五

農村行進曲 （東亞一・二〇）

彼は種子の心配をした、
又喰ふ心配をした、
春に舍音の家から借りて來た借穀も、
皆無くなつたのである。
一族の田の登記を持つて、邑內の金融組合に行つた、
歸つて來るとき彼の袋には何か一荷の荷があつた、
其れは何程かの支那粟であつた。
麥を刈つてから久しくなつた、
彼れは賃草取りで僅かに延命して來た、
貯水池の御蔭で稻は醜くない程育つた。
豐年だと皆が云つた、
籾落しをする日であつた、
彼は其の日初めて妻子と白飯を共にした。

夕方であつた、彼れは
地主、農監、水税、肥料、
そして金貸等に、
其の年の總決算を皆濟ました。
手紙が澤山來た、
納入告知書、月謝金督促狀、公賣通知票。
犬がワン〳〵吠へた、
自轉車のリンがなつた、
洋服着た人が彼れを訪問した、
幾日か過ぎた、
村中に大きな評判が始まつた。

友に （東亞一・二四）

誰れか二十年を短かいと云はう、

代を繼いで來た重い荷を背に負ふて、
彷徨する道は苦勞である、
實に苦勞である。
山越へ水越へ行つても〳〵、
何時も遠い〳〵道、唯だ一つ、
苦勞どころか、身の置き場さへない。
苦勞どころか身の置き場のないことを知り、
友よ、胸傷む君が笑つて居るね、
涙、溜息を收めて向ひ合ひ、
差當り、歌一首一所に歌はう。

無限 （東亞一・二四）

葉の落ちた冬の木、枯れたとばかり思つて居たか、
酷惡な風の音が天地を呑んでも、
隱れて居る芽と芽は春の夢ばかり見て居る——に、
絲の様な泉でも十谷の水が合流して、
堤防で防いでも泰山で壓制しても……、
十重の麻繩で手足を縛られても、
眼玉を取られ、舌を切られても、
胸に沸く血は冷めも減りもしないのに……。

字を知らない母 （朝日一・三〇）

母と私とそれで二人、
行先分らん兄様を加へて三人、
銃に打たれてお父さんは死なれ、
我家の人數は二人のみだ、
二人のみだ。
封筒の口の破れた兄の手紙、

丈の高い配達夫が投げて行けば、
字を知らない母は、
賃仕事を棄てゝ、
縄を綯ふ仕事場に、
私を探しに來る〳〵。
カーキャコーキョーを習つたが、
學校から遂ひ出され、
1234を習つた、
夜學が潰れ、
勉强〳〵何れも出來ん、
私の知るのは、
愛する弟よ、母様に、
其の外は分らない、
兄様の手紙、涙の手紙。
お前の兄はまだ生きて居るな、

八〇

字を知らん母は涙を流し、
見ても貰へぬ文、
兄の手紙、譯の分らん手紙、
木綿に包んで、箪笥の底に、
藏つて置く〳〵。

母の涙 （二朝・二日）

我が母の涙の多きことよ、
吾れの幼稚園に通ひ、
兄が大きな學校に通つて居たとき、
父が監獄所に行つたとて、
母は頻りに〳〵泣き叫んだ。
泣かなかつた我が母は又泣かれた、
吾れの學校から遥く歸つた日に、

八一

兄が青年會から捕へられて行つたとて、
母は頻りに〳〵涙を流すよ。

農村序品 （二朝・二日）

昔此處に十二戸が暮して居たとき、
遊ぶものなく、喰へぬものもなかつた、
互に働き、互に喰つた、
笑と、愛で、村中を蔽つて居た、
自分のもの、他人のものゝ區別がないので盗坊も居なかつた。
昔の此處には塀も、圍もなかつた、
此れは昔の農村である。
今日の此處には唯だ三戸があるだけで、
向で米の飯を食つても、裏では粥も焚けず、
老爺が耕すに、若者は遊びに行き、

八二

隣に葬式が出ても知らぬ顔して踊る、
自他の區別が明らかで、利息を付して地代を取る、
此れは今日の農村である。
昔の農村は汽車を知らなかつた、
併し往來は自由であつた、
今日の農村には黄金が出入する、
併し月日と共に山に登るもの(山菜を取りに)が多くなる。
昔の此の農村は野蠻の農村であつた、
今日の農村は文明の農村である、
此れは農村の昔と今である。

正月 （二朝・五日）

赤い晴着を着飾つて、
友と肩を並べて跳り出で、

八三

近所隣の年寄を訪ぬれば、
甘い御菓子を呉れまする。
バタン／＼板飛の音が聞へて來、
爆竹は、ボーン、バーン、破裂すれば、
騎馬の巡査は、びつくりして、顧みる、
兄の新洋服も買つてあるが、
服着る兄は囚へられた、
慓へる兄を考へれば、
甘い菓子も苦々し。

憐れな身の上（二朝・五日）

庭の落葉を掻き集めた。
往き來の人の足に踐まれる、
汝も我も同じ運命なれば。
揺られる木を撫でてやつた。
冷たい／＼風に毆られる、
汝も、我も同じ運命なれば。

贈つて貰つた唇の赤い人形（二朝・九日）

日本に行かれた當時送つて下された贈物、
赤赤と塗り立てた日本の人形様、
表のお神様は私にヨボと云ふので、
唇の赤い日本人形私は嫌ひ。
何處へ棄て様かと考へ詰めて、
やい取れよと郵便函に入れた、
姉よ、私を惡く云ふな、
贈つた人形を投げ棄てたと。

表のお神様は私にヨボだと云ふから、
唇の赤い日本の人形は私は持たぬ。

彼れが（二朝・九日）

態とでも腹立を我慢しなかつた彼れが、
此の身を捨てゝ遠く發つたとき、
私は彼れの大志を繼いで此の村で、
畑も耕し、田の草も取る、
働き手である女人とはなつた。
思へば昔日彼れが、
汗水を流し土を掘るとき、
私は思ふ所あつて裏庭に出て、
桑の葉を、彼の着物となる桑の葉を、
人知れず摘む處女ではあつた。
勤勉な彼れが、
黄昏に星を戴いて歸るとき、
私は咽喉の渇いた彼れに水を與へる、
裏の井戸―、中道の後の井戸で、
嬉しそうに待つて居る私ではあつた。
あゝ男らしい彼が、
貧乏人の愛を歎息するとき、
私は力限り彼れを抱き締めて、
身まで、清い處女身まで、
惜氣なく捧げたのであつた
あゝ遠く發つてから久しい彼れが、
囚へられたと云ふ消息が世の中を騒がしたとき、
私は涙を收めて一層彼の爲めに、
ホミを手にし、鍬を擔いで叫ぶ、
女人となつたのである。

奪はれた本 （朝二・一三日）

お父さん今日私は學校から停學にされました。
太陽を唯一の時計として學校に通つて居たが朝曇つて居たので、
冷水に冷飯を、其れも滿腹する程に食へず、
駈走で校門迄で行つたとき鐘が鳴りました。
集まる數百名の友達の中に混じつて、
講堂に行つた所が黑い黑板に、
明らかに理由なき停學を書いてありました。
お父樣は息の切れる樣に喘ぎつゝある此の地を心配されて、
私一人を大なる闘士にせんと、
土を掘つて買つて下さつた彼の本を、
學校で讀んだのが罪になつたそうです。
お父さん私は斯かる學校へ通ふことが嫌です、
今日敎務室に行つて自ら　學して、
昨日取られた本を貰つて來ました。
お父樣犧牲の祭壇を覺悟して居る此の身は、
虎だとて恐れましようか、
お父樣が常に云はれる大人物には、
必ず〳〵成りますから何卒安心して下さい。

新しく作つた道路 （朝鮮日報三・八）

我等の郡に新しい道路を、
更に廣く作るのよ、
田も、畑も、家迄も、
皆擧つて潰して仕舞ふ。
さもなくとも貧しい世帶、
何を食べて生きて居れるか、
餘り〳〵怨めしいので、

其の心持を聞いて見れば、
貴公方の歩るくのに、
便利にすると云つて居る。
飢餓に陷らしめて便利ならしむると云ふ、
其の心持、俺れに分らない。

友達に （朝鮮日報三・二一）

朝鮮の幼き友達等よ！
我は此の民族の貴い花の蕾である、
墳墓の如き我民族の山を、
花田に改むべき望み多き蕾である、
如斯貴重なる我等であるが、
一度も人の如く笑ふて氣を伸すことが出來ない。
アー朝鮮の多數の男女の子供等よ！
悲しいことは嘸悲しいだろう、
けれども何卒〳〵氣の拔けた馬鹿もの顔はするな、
我等を見る親の胸の中は、
如何に、アー如何に、どき〳〵するだろうか、
笑へ、笑ふ方が好い、泣く唇を締めて、
春の雨に濡れる桃花の蕾。

春 （朝三・二二日）

青々と薺（ナヅナ）の新芽も出る、
野菜採りに娘等は野に出て往く、
美しい春よ此の國に何時來たか。
春の來たのは知つて居るが、
香の好い花と蝴蝶は用がない、
プロの春は何を呉れて往くだろう、

貧しいものは誰れしも辛いだろう、
監獄の春は如何に痛ましく、
日稼人の腹だとて飢じくはあるだろう。

變遷 (朝三・二二日)

暁の鳥、新芽の出る枝に鳴く時より、
田に畑に土を相手にして生活した我等は、
君等は知つて居たか、
不時の暴風雨が此の地を吹き散らし、
野にはトタン屋根、山には石杭のみ残ると云ふことを、
アー世間は斯く變る。
春から秋、汗血流した穂を、
トタン屋根の鐵門の中に我が背に負ふて積んだ、
高き丘を壊して此の腕が作つた穂を、

鳥を追ふ案山子の仆れた空野で、
此の土地の××は飢餓に逐はれて居る。
東海千里南北二千里を疎忽にして、
昔の主人は河向ふの地に鼻を穿ち繋れた牛となり、
母を失つた犢牛は聲を擧げて鳴き乍ら彼の栅を越した、
アー其處が此んなに變つた。
垣を越えて千名、河の向ふに萬名、追ひ出されても、
此の地の春は酣はに來た、新しい芽が出る、
仆れた案山子に着物を着せて立たせ、
空の野原を肥やすは、共れ何時であろう、
アー世間は斯く變つた。

籠の鳥 (朝三・二三日)

籠の中に囚へられた鳥は、

自由を得ようと泣き叫ぶが、
心を知らん人間は、
面白いとて喜ぶよ、
泣き又泣く程喜ぶよ。
自由を失つて泣き叫ぶ籠の鳥、
昨日より今日は餘計泣き、
氣を腐らして鎖を啄き出し、
溜息吐き、涙を流して泣き叫ぶ。

大豆飯 (朝鮮日報三・三〇)

我姉様の顔がなぜ彼んなに黒くなるか、
板部屋の大豆飯に血液が減つたのだ、
我姉様は大豆飯に血液は減つても、
益々心は生き〳〵して居る。

我が兄 (中外一・四)

青年會にだけ通ふ、
我が兄を何の罪があるとて、
捕へて行つたか、
知らん〳〵、俺は知らん、
内の兄さんが病氣に罹つても、
俺は知らん。

貧窮を歌ひ階級意識を挑發するもの

北間島（東亞一・二）

明日は北間島に出發する日、
　道具は皆賣つても旅費が足らず、
　　黑犬まで賣つて金を貰つた。
お父さんが前から云はれるには、
　北間島は好い所、白飯食ふ所、
　　薪取りもせず、學校に行く、
此んな善い所へ行くのに、
　お母さん、お父さん、荷造りし乍ら、
　　何故に終日泣かれるか。

春待（東亞一・一九）

春待に行こう〳〵、

此の地に來る春、春待に行こう、
　川の氷が解け、柳の新芽が出で、
霞む東山には雲雀が歌ふ、
　此の地に來る春、春待に行こう。
貴公子は馬を驅し、娘等は花見をする、
高臺に風流子、勝地を探ねる詩客あり、
　行樂の春、歡喜の春だ。
春待に行こう〳〵、
　此の地に來る春、春待に行こう。
牛馬は畑を耕やし、農夫は種子を蒔き、
罹災民はバカチ、飢じい腹は盜坊を作る、
　悲哀の春、〇〇の春だ、
春待に行こう〳〵、
　此の地に來る春、春待に行こう。

蠅一匹（東亞一・二八）

インキ瓶に落ちて死んだ蠅一匹、
　何時死んだか、
聲一つ上げ得ずして死んだ蠅一匹、
　生き樣、生かして呉れと、
　　ばた〳〵して死んだ蠅一匹、
恨深く死んだ蠅一匹、
　併し其の蠅の死を誰れも眺めもしない、
　　不憫だとも思はない。
×××××××　×××（以下略）

口笛（東亞二・八）

八月でも十五夜は月は明るいが、

姉の工場では夜業をして居る、
　工場の姉に夕飯を運んで、
　　口笛吹き〱歸り來る。

病氣の母（東亞二・九）

北から吹いて來る冷たい風は、
　破れ〱の戸の隙から、
　　スー〱寒く吹き込む、
二日も火を焚かぬ氷の如き室、
　病で臥て居る老いた母、
俺より餘計に寒かろう、
　ぶる〱慄へて居る。
一昨日山番にチゲを取られた、
　落ちた松毬を拾つたと、
　　命の様なチゲまで取られて仕舞つた。

一〇〇

貧者の歌（東亞二・二〇）

土地を賣つて去つた彼の運命は、
　語るに堪へないだろうが、
　　其れでも喰ひ付いて居る此の身の胸は、
　　　涙で滿ちて居る。
腰を拔かした水車の片付けた跡だけは殘つて居るが、
　搗かれた米粒は今は此の地に見えない。
空の牛小屋、腐り行く垣、冷風、
　餓死しそうな今、此の冬を如何に送ろう、
エヘヤテーヤ、此の身の運命を貰つて生れたのだから、
　イオッチヤ〱千丈も萬丈も、
　　此處の土でも掘らう。

一〇一

娘を賣つた彼の胸は裂ける程であろうが、
　餓死せんとする際には親の愛も何んにもならん、
　荒れた此の町に××の煉瓦建だけ殖へるが、
　　衰へる其の力は貧しい若人の悲みである、
一年二年重ねて血の涙で暮して來た此の生活に、
　飢じくて泣き叫ぶ餓鬼だけはどうして斯く多いか、
エヘヤテーヤ、此の身の運命を貰つて生れたのだから、
　イオッチヤ〱、千丈も萬丈も、
　　此處の土地でも掘らう。

風（東亞二・二一）

木の枝は踊りを踊り、
　垣根の窓は笛を吹く、
　　火を焚かない我が家は冷い計りだ、
　　　工場へ行つた母は何故歸らんか。

一〇二

花譜（東亞三・三）

今日より此の身は浮草である、
　往く先は何處か往く處はない、
流れるが儘に流れて往くよ、
　風の吹く方面に吹かれて往くよ、
昨日迄は故郷もあり、家も一間あつたけれども、
　今日より此の身は浮草である、
故郷もなく家は人のものになつた、
　昨日の朝の所有物を今日失つた、
思いも依らない驟雨は何事ぞ、
　張り堅めた根を拔き去つた。

一〇三

眠り覺めて　(東亞 三・五)

眠り覺めて捜すも姉が居ない、
　此の夜中に何處に往つた、
　　私を寢かして置いて、
彼方此方呼んでも返辭なく、
　夜風は竹藪に音を立てる、
　　遠くでコケッコーと鷄が鳴く、
酒屋の犬がワン〳〵吠える
　一里の路、邑内の工場へ朝の仕事に、
　　私の眠て居る間に出て往つたか。

溜　息　(朝 一・四)

燈の下で母は溜息をする、
　　襤褸の着物がすつかり破れて着られなければ、
　　　裸體で室に座つて居るのに、
　　　　母は濫りに溜息をする。
繩を作つて居た父が溜息をする、
　油がなくなり、燈が消へたなら、
　　眞暗な國、眠るに都合がよいのに、
　　　父は濫りに溜息をする。

貧村の夕方　(朝 一・一二)

矛盾と煩悶を一抱へにして、
　藻搔へて居る大地を見下ろして、
　　今日も一日走つて居た太陽が、
月尾島の彼方に赤く〳〵尾を隱さんとするとき、
　華麗な彼方の町には電燈がつき、

　　　貧乏な此の村には不安を包んだ夕方が來る。
陰欝な室內で飢寒に慄へて、
　襤褸を纏つて居た娘―妻、
　　勇氣を出して外に出廻るときである。
材料もない夕飯の準備をせんと、
　袖を卷き上げ、腰を結んで、
　　水を汲み、釜も洗ひ、
　暗に閉ざされた村の入口を眺めて、
　　働らきに行つた男等の歸りを待つ、
　　　オー貧乏な此の村の女等の胸の中よ。
老いた老婆等が孫を背に負ふて、
　村の入口近く行つて焦燥として徘徊するとき、
　　貧乏な此の村の夕は既に深くなる、
彼方の夕食の煙は既に收まり、
　ピカ〳〵輝やく電燈の光は、

　　　一層燦爛として居る、
　アー、働らきに行つた此の村の男等、
　　米袋を擔いで歸つて來るときは未だ〳〵であるか。

工場の煙突　(朝 一・一六)

ゴム工場の大煙突、
　虛言つき屋、
ブーと汽笛を鳴し乍ら、
　　お母さんは未だ歸さないで、
　　　そしらん顏して、
　　　　臭氣ばかり出す。

元日の朝　(朝 一・一七)

元日の朝新しい着物も着ることも出來ず、

草鞋の仕上げをして居た父に逐ひ出された、
表村の面長の家に年賀に行かないで、
お父さんに叱られて逐ひ出された、
昨年秋の収穫の時に収獲が悪いと、
お父さんの頬を殴つた年若い面長、
雪の降る冬の日、面長方の山で、
薪を取つたとチゲを取り上げた若い面長、
お父さん〳〵年賀に行かんよ、
此んな面長の家には年賀に行かんよ。

楢の飯　(朝一・二二日)

お母さん〳〵、
私は嫌やだ楢の飯、
も早や食べられない、
不味くて、澁くて、
食べられない。
お母さん〳〵、
お父樣が骨折つて作つた收穫は、
全部他人が持つて行き、
我等は不味い楢の飯を、
食はなくてはならんのか。

工場の笛　(朝一・二五日)

何時でも工場の笛は聞き辛い、
虎の鳴き聲の樣に胸が驚ろく、
憐れな我が兄、雪の朝も、
工場の笛が鳴れば泣き乍ら行く、
工場の笛が鳴ると、憐れな兄が、

来るかと待つて欺される。

チゲ軍お父様　(朝一・三一日)

お父様、チゲ擔いで傭はれに行く、
「チゲ軍」と父を呼べば、
「ハイ」と答へて隨いて行き、
一日斯うして日を送り、
チゲに積んだ買物は、
粟一升、薪一束、魚一尾、
薪一把で火を焚いて、
粟の飯を作り、魚一匹煮て、
美味い飯を食ふ。

冬の日　(朝一・三一日)

風が吹く、雪風が吹く、
道端の電信柱が、
寒い〳〵と泣く、
風が吹く、冷たい風が吹く、
工場主の息子は、
外套を着ても寒いと云ふ、
風が吹く、雪風が吹く、
百姓の息子は
チゲを擔いで薪取りに行く。

幼ない乞丐　(朝二・二日)

一匙二匙冷飯を貰ひ喰ひ、

終日犬に吠えられて、
　町では子供に脅やかされ、
　　逐ひ立てられ、毆られて、
大きな瓦屋の白壁の下の陽地で、
　日向ぼつこをしようとして又逐はれたよ。
洋服の旦那に金を呉れと云ふても、
　御辭儀だけ受けて一文も呉れぬ、
　　あてどはなし且つ飢じいが、
　　夕飯は又心配だ、
襤褸の中の凍つた身は慄へるが、
　今夜の寢場所が心配だ。

岐れ道　（二朝・四日）

山越え峠越した岐れ道は、
　何時行つて見ても涙が出る、
夜通し泣いて顔を泣き膨らし、
　死んでもいやだと行かなかつた道、
姉が泣き叫んで嫁に行つた道、
　青い其の道は狹まい道。
父が泣き乍ら出發された道、
　牡丹雪の降りしきる朝、
遠く北國に行かれた道は、
　行つても〳〵涯しない長い道。
山越え峠越した岐れ道は、
　何時行つて見ても涙が出るよ。

我が弟　（二朝・四日）

我が弟は外に出て、

　富者の子弟の馬遊を見て、
父の煙管を取り出して、
　はいどう〳〵とよく遊ぶ。
我が弟は外に出て、
　子等の人形遊を見て歸り、
我が家の弟は枕を負ふて、
　可愛いい子守歌、歌つて呉れる。

鼠　（二朝・五日）

チユー〳〵〳〵、
　ガザ〳〵、
何の鼠も此の鼠も、
　米を食ふな、
父が此れを知つたなら溜息され、

　母が此れを知つたなら涙を出されるよ。
父と母との汗と血を、
　何故にお前がガザ〳〵奪ひ取るか、
二斗五升の我が米だ、
　お前が食へば殘りは地主のもの、
　我れのものとてはない。

老いた父　（二朝・五日）

河向の面長の家の米倉で、
　朝から晩まで働く父、
　　年寄りだとて逐ひ出された。
仕事場から逐ひ出された老いた父、
　年老い、チゲも擔がれず、
　　北間島には金儲があるとて渡ります。

幼ない乞丐　（朝日二・六）

夕日が入つて日は暗い、
　急に風が非道く吹き、
垣の下に寢て居た乞丐驚ろいて覺め、
　一日食べない空腹を確と摑み、
風吹く此の夜は寢られぬと、
　母を呼んでは泣き乍ら、
風吹き寒いと、ぶる〳〵慄ふが、
　心なき其の風、何故吹くか。

我が御父様御母様　（朝鮮日報二・七）

頭の白い我が御父様は道路工夫様、
　東の白む曉に家を出られたら、
　　終日休みなく道路を修理する。

襤褸を着て居る我御母様は、
　機織工場の女工、
　　西の空の星を友として歸つて來る、
終日休みなく機を織る、
　其の機は織り集めて誰に着せる爲に、
　　襤褸を着て居る御母様は、
　　　機を織るのだらうか。

【童謠】板　飛　（朝鮮日報二・一一）

青い袴ひら〳〵、
赤い袴ひら〳〵、
甲紗の「リボン」ひら〳〵、
貢緞の「リボン」ひら〳〵、

力任せに飛べよばたん〳〵、
上つた下つたばたん〳〵、
垣の向ふが見える迄で上れ、
屋根上迄で上れ。
元日の朝も粟飯食べて、
着て居た古着を又着ても、
今日は元日嬉しい、
力任せに飛んで笑ふて遊ぶ。
腹一杯に雜煮を食べて、
新しい美しい着物を着た金持の子供は、
腹が膨れて着物の汚れるを氣遣つて、
板飛びも出來ない阿呆だ。
餘り腹が膨れては、
腹の皮が張り切つて飛べないよ、
餘り美しい着物を着たならば、

汚れを恐れて板飛出來ない。
それでも御前は羨しいか、
阿呆の金持が美しいか、
そんなに金持が羨しければ、
阿呆馬鹿になる氣なのか。
ばたん〳〵飛べよ、
力任せ心任に飛べよ、
我等の遊びを見て、
天の御日様も笑ふ、
嘆息して居る御父様は、
額の皺を伸ばされる、
今日も泣いて居る御母様は、
涙を拭いて笑はれる。
悲むものも怒るものも、
誰れも喜んで笑ふ、

もう少し飛べよ、
力任せにぱたん〱飛べよ、
天を衝く程飛べよ、
鳶を捕る程飛べよ。

燕の歌（朝日 二・一三）

暖い春を追ふて今年も亦、
慕はしい此の村に訪ねて來たが、
我が友燕が居た其の家は、
淋しい空家になつて居る。
我が友燕は何處に行つたか、
今年又會ふ約束を違へて。
訊さんにも隣りも憐れな空家、
此村、何故に斯く淋しいか。
さうだ〱、チク〱、此の村は、
今年恐ろしい凶年であつた、
燕の家も隣も食ふものなく、
定めなく何處かへ行つたんだ。

泣かして置いた（朝鮮日報 二・三一）

今日は元日、
雑煮食べて、
美しい着物を着て、
年始廻りに往く日、
けれども我は、
粟飯食べて、
破れ着物を其の儘着て居る、
朝から美しい着物と雑煮を呉れと、
母を目の腫れる程泣かして置いた。

草鞋（朝日 二・一四）

今日の朝、途に破れた草鞋、
遠く薪取りに行つた兄が、
繕ろひ繕ろつて又繕つても、
履くことが出來ないとて、
泣き叫んで棄てた。
薪取りに行つた兄に棄てられた草鞋、
朝飯を貰ひに行く幼ない乞食が、
繕ろひ繕ろつても、
履けない兄の草鞋を、
ばざ〱引き摺つて行つて、
喜んで居る。

休學日（朝鮮日報 二・一五）

休學の日、他の子供等は皆喜ぶけれども、
私は授業料を出し切れないので、
通信簿を私一人は受けることが出來ぬ、
私は此の休學は好かない。
金持の子供は勉强は出來なくとも、
御菓子を買へとて御金を與へるのに、
私は最優等生になつたが、
御父様は金がなくて授業料も呉れない。

毬投げに往かう（朝鮮日報 二・一六）

君等、我々は毬投げに往かう、
薪取の時毬投げに山に往かう、

美しい着物もなく雜煮も喰へないと、
啜り泣くものは阿呆だ、
古着着て粟飯食へてでも、
喜んで走り遊ぶ者は快男子だ。

金持の子供は雜煮を食べて、
美しい着物まで着ても飛び切らん、
食べ過ぎて腹が膨れ、美い着物を汚すかと、
氣遣ふて飛んで遊ぶことが出來ない、
御前は其れとも金持の子供の阿呆ものが羨しいか。

おい往かう〳〵山に往かう、
ラケット持つて走つて往かう、
我等は貧しいけれども金持の子供の樣に、
部屋の中に引込む馬鹿ものぢやないよ、
何時でも飛び跳ねて元氣よく遊ぶ、
父樣、母樣を笑はせる大將だ。

野菜籠　（朝 二・一八日）

野菜を採る娘等は歌を歌ふが、
野菜を採る我れは悲しくある。
他人等は鞄を抱へて學校に行くが、
野菜を入れられた籠は如何に悲しかろう。
他人等は雪の樣な白い飯を、
不味い、おかずがないと駄々捏ねるが、
一日に三度の粟飯もなくて野菜を採る、
其の身は嘸ぞ悲しかろう。
他人等は春が來たと喜ぶが、
野菜を採る元氣もなく涙を拭く。

泥棒に逢ふた　（朝鮮日報 二・一八）

昨夜我家に泥棒が入つた、
御父樣は警察署に往つたり來たり、
御母樣は一人で心配して居られる。
持つて往かれたものは、
米一石、着物二枚、
借金拂の金十圓。
御父樣、御母樣、
怨む勿かれ、
どんなにか苦しくて、
（中略）したのよ。
我等は其れでも、
喰へないのではないですよ、
考へる程、

（中略）可哀想ですよ。

石　（朝鮮日報 二・二〇）

蒜の畑に埋まつて居た石一つを、
御母樣と奇麗に洗つて、
兄樣と私は、
常に轉かして遊ぶのを、
殘念、殘念だ、取り返された。
昨年失ふた自分のものだと、
瓦葺家の次男坊が取返して行つた。

古い帽子　（朝鮮日報 二・二〇）

學校の板間の隅に掛けてある古い帽子、

縫ふて又縫ふてある破れ帽子、
　學校の友達の皆歸つた暗い夜には、
　　北間島に往つた昔の主人、嘸ぞ戀しかろう。
善き友壽男は山路一里を、
　毎朝ぶる／＼戰いながら學校に來たが、
　　授業料がなくて追ひ出された、
　　　此の帽子は其の儘置いて追ひ出された。
學校の板の間の隅に寂しい帽子、
　半月餘りも掛けてある帽子、
　　其の主人壽男は父樣に連られて、
　　　泣いて／＼北間島に家を離れて往つたのだ。

物寂しい我家（朝鮮日報 二・二〇）

電氣の皓々たる寒い夕方に、
　母と私と街道に出て往つて、
　　十二時が過ぎる迄飴店の番をした、
深夜の此の街に醉拂が通るとき、
　母は言葉なく默々と立つて、
　　在りし日の御父樣を思ひ出して尙ほ悲しがる。
ちん／＼と時計は十二時を打つ、
　居眠をする母は驚き起きて、
　　小さな草屋の我家に歸ろうと云ふ、
てく／＼提灯持つて家に歸ると、
　物寂しい家は暗い門を堅く閉めて、
　　主人なく物寂しく閉てある。

幼ない乞丐よ（朝 二・二三日）

暖い室で一晩寢た、

顏も手も皆白い、
　幼ない兒は昨日より、
　　より肥えた體を轉がして、
　　　衾の上で夢路を辿る。
竈の中で一晩寢た、
　顏も手も眞黑な、
　　幼ない乞丐は昨日より、
　　　より瘦せた身を慄はして、
　　　　空腹抱へて朝路に就くか。

我が家の悲み（朝 三・二日）

力强い御父樣、停車場へ行つて、
　重い荷物を積んで金は少し吳れ、
　　紳士に抵抗して頰を毆られた。

チゲ軍の御父樣（朝鮮日報 三・七）

仕事をよくするお母樣、
　金持の家で餠を搗いて一片喰べたとて、
　　賃金も貰はず逐ひ出された。
今日朝から父と母が、
　金儲に行つたが、
　　仕事がなく空手で歸つたよ。
曉の鷄が鳴く前に金稼ぎに往かれた、
　御父樣は未だ歸つて來られない、
　　無知なる幼い弟は腹減つて泣く、
　　　金稼ぎに往つた御父樣のみ待つて居る。
終日荷物運びを多くしても、
　凶作の年なれば賃金は僅か四十錢、

それでも不得止金稼ぎに往かれた、
　御父樣は何ふして此んなに遲いのか。

迷ひ子（朝鮮日報 三・一六）

四辻の道端で兄にはぐれた、
　迷ひ子が泣いて居る、
　　赤い手貫に荒草履を穿いて、
　　　山向ふの田舍子供が泣いて居る。
金貸おやぢに家を取られ、
　住む處なく北間島に旅立ち、
　　バカチを背負ふて風呂敷包を荷ふた、
　　　聾の兄にはぐれたと。
工場に往つた姉樣でも早く歸れば、
　道を迷ふた子を連れて往こう、
　　　父も母も兄も居ない、
　　　　孤獨な田舍坊やは我友だ。

工場の妹（朝鮮日報 三・一二）

曉毎に汽笛の音ブーブーと聞こえたら、
　姉樣は起きて冷飯食べて、
　　絲繰り工場に泣いて往く。
終日工場で仕事をするが、
　姉の年が若いとて、吝嗇坊にも、
　　賃金は僅か十錢呉れる。
日が暮れて眞暗やみになれば、
　空にある星を友にして、
　　一里もある路を歩いて歸る。

俺は工場へ（朝日 三・二三）

家の父樣が七年も通つた印刷所で、
　同盟罷業をしたとて逐ひ出され、
　　俺は學校で先生から三ケ月も、
　　　月謝を納めないとて逐ひ出された。
俺は學校には行かなくても、
　晝は工場で働いて、
　　晩は家で文字を習ふよ。

亂舞行進（朝鮮日報 三・二七）

東が白むで來る、
　北邙山一隅に、
　　足跡を隱した、
　　　昔人の墳墓にも、
　　　　東が白むで來る。
工場の煙突は口を開けて、
　黑き煙を噴き出す、
　　居眠りから覺めた電車が走る、
辨當持つ勞働者等が集つて來る、
　妓生樣は別世界か、
　　寢床に付く。
晝よ！、
　晝よ、眞晝よ！、
　　工場の汽笛が彼處此處で鳴る、
汽車が衝突したそうだ、
　其して人が死んだそうだ、
　　裸體のものが大路にて行進曲を奏する、
科學の恩澤なる各種機關は、

人生の交響樂を歌ふ、
　日の光は西へ西へ傾いて往く、
彼處では一人のもの
　塵箱を覆へして河豚の卵を索す、
　　此の世は何時頃より始まつたのか！、
　　　何時頃終るものか。
暗くなつて來る、暗くなつて來る、
　日の光が消えると暗は夜の色を載せて、
　　通りから横町に、
　　　横町から又通りに、
彼れ御覽！、
　人の波打つ其の中で、
　　男の手を額に當て、
　　　啜り泣く斷腸の哀別の曲、
警官の劒の音！、

　北間島に往かうと集つて居る停車場の隅々、
　　此の夜が明けると、
　　　此の夜が明けると、
　此んな行進曲は、
　　又如何なる交響樂を奏するだろうか。

犢　　牛　（朝鮮日報 三・二八）

泣いても仕方ない
賣られて往く犢牛、
三年間汗流して
主人の爲仕事したけれど、
金がなくつて賣るのか、
仕事が出來ないので捨てるのか、
モー〱と！涙流しても

何の役に立つか？
金のみ考へる人は、
憐れな犢牛の涙を知るものか。

工　　場　（朝鮮日報 三・二八）

かたん〱、
　工場の廻る機械の輪、
　　がたん〱、
　沸(ブツ)、沸(ブツ)、沸(ブツ)、
　　水沸く音。
三百名の勞働者が、
　頭を合せて仕事をする、
　　監督の光る眼、
　　　目を見張つて廻り歩く。

遊ぶ時間、
　群(むれ)〱に集り坐つて、
　　十時間の仕事は激くて遣り切れないと、
　　　互に〱に相談する。

鐵槌を打つ兒童の歌　（朝鮮日報 三・二八）

かちん〱、
大きい鐵槌、
終日上げたり下げたり、
パチリ〱、火がパチリ〱、
打つ鐵槌に火がパチリ〱、
骨ばかりになつた此の腕、
鐵槌打つのに痺れる。

月夜の低唱 （中一・一外）

饑しい腹を抱き乍ら今日の日も送つた、
幸にも、仕事が見付からないかと、
街を彷徨した身の疲勞もしようが、
月夜が惜しくて又街を彷徨する。
嫌な奴等に頭を下げて頼んだ思ひ出、
寢た所で眠が來ないだろうが、
月夜がよいので河岸に足を留めて、
笛でも吹こうとした處、
柳の葉を取らぬ先きに、
石に手が觸れた。

姉 （中一・二六外）

外は冬だか春の如き室内の姉、
赤くなつた暖爐の前で、
何が嬉しくて笑ふか、
毛の首巻を編む姉、
乞丐の泣く所、風の冷たい所、
此の町にも一寸出て見なさい。
燒き肴に熱い御膳を、
猫と一所に濟ます姉、
南側の窓には日光が照らし、
不味い食物を知らぬ姉、
粟飯の香のむつと出る所、
此んな家にも來て住んで見よ。
來年は嫁に行く姉、

華燭を點すことになる姉。

兄の歌 （中一・二八外）

ゴー／＼工場に車軸の音が、
朝日の出ぬ間に聞えて來れば、
私は獨りで工場に駈けて行きます。
夕方時計が七時打てば、
終日工場で仕事を終へて、
友と集まつて家に來ます。
一年中此んなに工場の内で、
一日も休まずに仕事をしても、
腹一杯に一度も食べて見た事がない。
工場監督は今日も出て行けと云つた、
俺れより少なく與へても、
仕事させる人夫が澤山あると。

此の地の冬は （中一・二八外）

此の地の冬は寒くもある、
襤褸着て飢えるも運命か、
二年、三年引き續いて凶年となり、
二十年の永い間胸ばかり打つ、
一年十二月血汗を流し、
秋に取入れたものは行先き知れず、
此冬此の寒さに食ふものなく、
生命のあるのが返つて恨めしい。
此の地の冬は酷くもある、
枯れた枝を一生懸命鳴らせる。
富裕であつた昔を思ひ出すな、

焚付一本も残りましたか。

冬 （中二・四外）

冬、
食ふものもない同胞、着物もなく、
行先を求めて荒野を發つ冬、
アー此の冬は悲哀の冬、
アー此の冬は涙の冬。

冬、
滿腹の富者、着物も暖かく着て、
客間に寢込んで收獲簿を見る冬、
アー此の冬は喜樂の冬、
アー此の冬は笑の冬。

洗ひなさい （中二・九外）

洗ひなさい〳〵、
衆怨の源泉である階級と、
萬惡の根本である金錢に、
染まつて汚れた我等の身を、
冷風に吹き捲かれる雪の如く、
岩の下に噴出する泉の如く、
澄んで白く、其して淸く、
洗ひ磨きなさい。
隱士の門前を親しそうに流れる、
赤子の腦裡の如き澄んだ其の川で、
洗ひなさい〳〵。
苦海の波濤である涙と、
貪利の戰雲である塵埃に、

暗く薄くなつた我等の目を、
秋夜に浮んだ月の如く、
春の朝に輝く太陽の如く、
明るく、からりと、而して力强く、
洗ひ磨きなさい。
哲人の門前を親しげに流れる、
赤子の腦裡の如き澄んだ其の川で、

鋪道を歩いて （中二・一四外）

セメントの鋪道を歩き乍ら自分は考へる、
細い其の生命でも生かしたいと、
汗と血で出來た彼等の果實であるのだもの、
掻き集められて都會の斯かる道に迄で擴がつて居るが、
アー、彼等は今日飢寒に泣いて居るではないか、

食なく、衣なくて泣き叫ぶ彼等の、
消息を我等は毎日聞いて居る、
口に入れる米粒までも、勞せずして、
食ふことが恐縮であるのに、
搾り搾つた其の脂で、
都市を塗り裝飾するとは、

若人の歌 （中二・一五外）

自分は母と幼ない弟の飢餓を思ふて、
北滿洲に行こうと云つたが、
お母様の云はれるには、
死んでも此處で死なう、
彼方に行けば無かつた錢が出來様か、
アー此の淋しい賴み

固い若人の決心、
北滿洲の金儲に、
亂れ泣く母の涙に、
丈夫の心は常に弱るかな
アー然らば、
飢へる母、幼ない弟と一所に、
此の母の子は、
跳る血を抑へて、ある力も用ひず、
餓死しなければならんのか。

哀れな乞丐 (中二・一六外)

冷たい風、ビュー〱吹く冬の日、
草葺尾の縁側に、
慄へ坐つて居る、
幼なく、哀れな、幼ない乞丐、
可愛想で〱仕様がない。
他人は奇麗な着物撰り着して、
喜び笑ふて跳び遊ぶが、
幼ない乞丐は、破れ着を引き掛けて、
ぶる〱慄へて泣き出した

大豆萠の粥 (中三・二九外)

モヤシの御粥を啜りながら、
御父様のことを考へて見た、
我が御父様、
歸つて來られたら。
御粥は食べないだろうと思ふて。

昭和五年六月十三日印刷
昭和五年六月十五日發行

朝鮮總督府警務局圖書課

京城府蓬萊町三丁目六十二番地
印刷所　朝鮮印刷株式會社

調査資料第二十二輯

㊙

昭和五年五月

天道教概論

朝鮮總督府警務局圖書課

宗教的運動乃至は思想的運動として最も根底あり最も實力あり、又最も民心に強く深く廣く喰ひ入つてゐるものは朝鮮に於いては先づ天道教に及ぶものはないであろう。

従つて天道教の體系概観を整備して當局者の閲讀に資するは決して徒事に非ずと信じてこゝに資料を提供する次第である

昭和五年五月　日

天道教概論目次

天道教概論

第一章 史的背景

第一節 事大黨と獨立黨

明治初年の朝鮮半島の空に於ける各國の政治的野心は益々多事を齎らした。即ち明治十五年頃に於ては袁世凱を策士とする清國の勢力は漸く加はり、明治十五年十二月の官制は全く清國のそれを模し、外政に對しては李鴻章の推薦による獨逸人メレンドルフ (P. G. von Möllendorff) が協辨となつて、その樞機を握り、税關は亦李鴻章の幕下たるロバート・ハート (Sir Robert Hart) の監督の下に處理せられた。

李鴻章はこれ等の政事上の干渉を以つて滿足せず、更らに日本の勢力の、半島を席卷せんことを恐れ朝鮮政府を慫慂して歐米諸國との交通を計つた。その結果朝鮮は

明治十五年五月（光緒八年四月）米國と條約を締結し翌年五月十九日批准を交換し。

明治十六年五月十八日　英・獨と通商を約し、翌十七年批准を交換し。

明治十五年九月　清國亦諸外國に倣つて通商條約の締結を爲したが其の內容は兩國の宗屬關係を一

一

層明白にするに過ぎなかつた。

然るに朝鮮が世界各國と交通を開いてから泰西の文化は滔々として、流入し開進の曙光を見んとする樣になつたので、清國は却つて狼狽の色を示し、干渉の羈絆を益々嚴にし、事大、保守の色彩を濃厚にしようと圖つた。

斯くの如き對外事情の下に育まれる朝鮮の政治家は自ら二派に分れざるを得なかつたのである。

其の一は　支那黨又は事大黨と稱して清國の後援を恃んで勢力を振つたもので要路の大官は過半之に屬した。

他の一は　日本黨又は獨立黨と稱して日本に倣つて政治及び社會の改善を圖ろうとするもので、洪英植、金玉均、朴泳敎、朴泳孝、申箕善、徐光範、徐載弼、尹雄烈等が其の重なるもので、就中、金玉均、朴泳孝等は日本に親しく渡り、日本の文物典章及び社會日新の狀況を視察して深く感ずる所あり、機會を得て事大黨を倒して政治の改革を行ひ清國の制御を脫せんとし、此の兩派の軋轢は益々激しくなつた。

然るに其の後清國の威勢益々加はり、朴泳孝日本に亡命し、金玉均亦上海に於いて洪鍾宇の爲に刺され、獨立黨の勢微々として振はず、事大黨の得意は其の頂天に達したが突如として東學黨の騷亂勃發し極東の政界に一大變革を促した。

二

第二節 東學黨の亂

文政七年慶州見谷面柯亭里に生れた崔濟愚は幼名を福述と稱し慶州蔚山の地方を徘徊して木綿の賣買を業として居つた。

當時朝鮮に於ては佛敎は其の荒廢の極に達し、儒敎は形式に流れて其の精神を失ふて共に振はなかつたが、一面天主敎は漸く半島に瀰蔓し哲宗の時禁壓の弛むに乘じて益々廣まるに至るの狀態であつた。

崔濟愚一日、致誠祭天の結果、上帝の神託を受けたりと稱して呪文を授け、我が敎を信ずる者は災禍を免がれ長生すると稱して、民衆に宣傳した。時は萬延元年庚申（哲宗十一年）であつて天道敎の布德元年である。翌哲宗の辛酉十二月（文久元年）には布德文を作つて之を四方に頒つて自己の立場を明にした。

彼は其布德文に於いて

「西敎即ち天主敎は朝鮮の古俗慣習を破壞するもので、之が流布するに從つて國を失ひ民を滅すに至るべし。然るに之を防遏するには儒敎は名節に拘はりて未だ妙の域に達せず、佛敎は寂滅に入りて倫常を絕ち、道敎は自然に悠遊して治平の術を缺く。

故に此の三敎の短所を捨て其の長所を採り之を無極の圈內に圓融して人をして誠・敬・心の三事を貫

三

悟せしむるに若かず」として其の敎を西學に對して自ら東學と稱した。

然るに其の說くところ平易簡明にして人心に入り易かつたので忽ちにして、此の敎へは四方に傳はり敎主を仰いで神師と稱した。

當時朝鮮の社會は兩班獨り、跋扈し、且つ政治の實權を握つて秕政甚だしく、常民は常に其の脚下に虐られて來たのであるから、之が反動として東學は下層民の間に流布せられた。

斯くて多年朝鮮の國敎として人心を支配し來つた儒敎が東學の爲に壓倒せらるの狀態を見て、時の政府は東學を目して異端邪說と認めて之を禁じ、崔濟愚は哲宗の末年（文久三年）官命によつて捕へられ翌李太王元年（元治元年）大邱の獄で刑死した。

濟愚の死後其の弟子崔時亨其の後を繼ぎ第二世敎主となつて竊かに布敎に從事し明治十三年には同敎經典「東經大全」を刊行した。

當時の李朝の政治は腐敗の極に達し、良民を苦しめ地方の有司は名を東學撲滅に假つて迫害を加へ財貨を侵漁した。

東學敎徒は今や南鮮地方一帶に廣まり益々其の結束を堅くして、敎祖水雲の雪寃と酷吏の迫害に對して、屢々上疏嘆願をなし所々に騷擾を起すに至つた。

政府は全羅監司金文鉉、慶尙監司李容直に命じ聚徒を解散せしめんとし更に魚允中を兩湖宣撫使とし

四

て忠北報恩郡に赴いて宣諭せしめたが其の效を奏しなかつた。

然るに恰も此の歲明治廿六年は穀類、不作の上に敎徒の上に加はる迫害は益々甚だしくなり、遂に明治二十七年三月下旬（李太王卅一年二月下旬）全羅北道古阜の人民は郡守趙秉甲の虐政に堪え得ずして亂を起した。

政府は長興府使李容泰を以つて按覈使として鎭撫せしめようとしたが、彼は病と稱して逡巡し、却つて民財を掠奪したので騷擾は更に激烈となり、古阜の一豪農家全琫準亦蹶然として起つて之に加擔し「除暴救民」を標榜したので各地の亂民は風を望んで暴動を起した。これ卽ち東學黨の亂であつて時の政府の力を以てしては到底之れを鎭撫することは不可能となつた。玆に於いて政府は當時朝鮮に駐剳して聲望隆々たりし淸國公使袁世凱に依賴し、其の斡旋に依り出兵を淸國に請ふ手段を執つた。

然るに淸國政府は明治十八年四月十八日締結日淸間の天津條約第三款

將來朝鮮國若シ變亂重大ノ事件アリテ日、中兩國或ハ一國兵ヲ派スルヲ要スル時ハ應ニ先ヅ互ニ行文知照スベシ。

事定マル時ニ及ビテハ仍卽チ撤回シ再ビ留防セズ。

の締約を無視して日本政府に何等の照會を爲さず、妄りに朝鮮に對して葉志超を將率とし聶士成を副將として三營一千五百餘の兵馬を進めた。斯くて其の先鋒は明治二十七年六月六日牙山に到達し然る後同

五

月七日附公文を以つて我國政府に照會し來つた。其の文意は

「屬邦朝鮮に內亂あり獨力を以つて之を討滅すること能はずして援兵を請ふたから兵を出して屬邦の難を救ふ。」と言ふのであつた。

之が爲に日本も隱忍寬恕するに由なく、遂に日淸戰爭を見るに至つたのである。

六

第三節　敎主崔時亨の態度

全琫準が全羅北道古阜に「除暴救民」の反旗を揭げて官軍に抗し破竹の勢を以つて湖南の地一帶を風靡せる時に當り、第二代敎主崔時亨の會下に參じて直接に其の敎化を受けたる者は多く其の群に參加しないし、崔時亨の如きも其の高弟の一人孫秉熙を派遣して全琫準等に敎主の意に從はずして不穩の擧に出で敎徒の本領を軼過するを責めしめた。

崔時亨が平常政治と宗敎とを混同しないといふ見地に立つを主義とする立場からは爲さざるを得なかつたのである。然しながら大廈の崩壞は一木を以つて支へ得べきでなく、暴政に虐げられた多くの敎徒は常に神聖なりと崇むる敎主の訓辭も、之に服從しないで明治廿八年鎭靜の時に至る迄には東學黨の頭目及び其の領袖に至る迄悉く參加者と見做される樣になつた。

斯くて騷擾の鎭靜に歸した後崔時亨は捕へられて明治卅一年六月二日　京城に於いて死刑に處せられた時に年七十二。

第四節　一進會と進步會

宋秉畯は明治廿七年日淸戰役の際、報聘使、義和宮の隨員中に加はつて日本に渡り流寓十餘年の後、日露戰爭の勃發を見るに至つて征露軍に從ひ、後歸韓して一つの政社を組織し大に爲す處あらむとした。

尹始炳は元、獨立協會の領袖であつたが同會離散後も團體の設立を企圖して徐ろに時機の到來を待つて居た。是に於いて共通の企劃を抱いてゐる宋秉畯と尹始炳は相會談するや直ちに意氣投合し尹始炳を會長とし宋秉畯を謀主とし廉仲模、尹孝定等と共に一進會を創立した。

然るに一面東學黨に於いては、崔時亨の刑死後は其の高弟孫秉熙が第三代敎主となりて明治三十三年（光武四年）其の就職式を擧げたが其の形勢日に非なるを以つて將來十年を期して外遊を試み敎務一切を李容九及び金演局に委任して明治三十四年（光武五年）先づ淸國に亡命し後姓名を李祥憲と變じて日本に渡つたが信徒等は敎主昇天せりと信じてゐた。

孫の親姻戚族にして其の高弟たる前記李容九も朝鮮に止らずして共に日本に亡命したが後歸國して信徒の結合に盡力し從來の東學黨を改めて進步會と稱し益々其の黨員吸收に努め且つ一方に於いては日本

七

に在る、孫秉熙に物資の供給を怠らず孫秉熙をして悠々自適其の身邊を裝ひ綽々として餘裕ある生活を營むことを得しめたのも實に李容九の努力大なるものがある。一進會も進步會も其の會勢共に旺盛となるに至らなかつたが、明治三十七年六月に至り宋秉畯と李容九と合議圓熟して進步會を擧げて一進會に合同した結果、其の會員約百萬と稱せられる樣になり、李容九は衆望により推されて之が會長となり、又同年八月に至り斷髮を以つて其の會員たるの標章となし日本の露國に對する軍事行動に直接の幇助者たる任務を負ふたのみでなく、京義線敷設には人夫供給の斡旋にも怠らず事志と違ふことなく諸事順調に運用の效を奏したのである。

そして明治卅八年に至り一進會は大に時局の進展について鑑みる所あり一つの宣言書を發表して。曰はく

「今や韓國は獨力を以つて獨立の名實を全うするに足らず、外交は宜しく友邦日本に信賴して國權を保持し、內治も亦日本の顧問を擇びて、弊政を釐革し民福を進めよ」と。

第五節　天道敎と孫秉熙の態度及び侍天敎の分立

明治三十八年（光武九年）に至り日本に在留してゐた東學第三世孫秉熙は東學の名が人耳の嚮應、人目の視眈共に妙ならずと考へて名を天道敎と改め且つ敎書を印刷して普ねく敎徒に頒つた。これが天道敎

八

の名ある始めであつて學理と行持作法の具備した教義の團體なることを明にした嚆矢であつた。

斯くて明治三十九年丙午の歲（光武十年）一月廿八日孫秉熙は日本より歸り數萬の教徒の歡迎を受けて京城に入り天道教中央總部を設け職員の分課分掌に至る迄夫々指揮した。

これより先、孫秉熙が日本滯留中明治三十七年（光武八年）二月日露の交渉が破裂するや其の勝敗の決何れにあるかは諸外國の人士の間の問題となつたもので孫秉熙は露國必ず勝つべしと豫測し且つ日本國信頼すべからずと斷じて、陰かに命を教徒に下し各種の事に就いて軍事上の妨げを爲さしめた形跡があつた。

在朝鮮の李容九及び有力なる志士は、日本の必勝を豫期し孫秉熙の態度は獨り東學の衰運を招來するのみで孫秉熙の生命をも危くするものと看取し、李容九は急遽日本に赴き切諫に努めた處其の效空しからずして、孫秉熙は遂に自我心を抂げ金壹萬圓を恤兵金として陸軍省に献納し以つて周圍の疑惑を解くを得たのである。

明治三十九年一月既に日露の兵戈納まつて孫秉熙が歸鮮するや李容九と宋秉畯の交情密なるを見、自己が在日本中の厚誼も省みず李容九、宋秉畯の離間を策した。卽ち

「教祖立教の旨趣は、政治と宗教とは決して混同すべからず。之を混同するは教祖及び二祖垂訓の旨に背く」。として。

九

斯くて李容九、金演局其の他の者を悉く除名し、自己は純然たる宗教團體の大道主たるの態度に隱れて其の目的を達したのである。

李容九、金演局は其の歸依の信者を率ひ別に一派を創立して侍天教と稱し、儼然として、弘教の門戸を張り李容九は推されて侍天教教主となつた。時これ明治卅九年九月十七日であつた侍天教は其の後周圍の迫害を恐れず平然として其の大目的に進み明治四十三年八月遂に日韓併合を實現せしめ侍天教の宿論、政治調和の實を示した。然るに一面孫秉熙は心中排日を藏するも表面排日皷吹の名を避けて一層汎き意味の排外主義の態度を持し。

「教祖がキリスト教の蔓延を防ぐ爲に本教を創めたる旨趣玆に在り」と稱したのである。

斯くして歲移り星變り歐洲大陸を席卷した彼の妖雲の、將に納まらんとするの時、識者の間に民族自決の議が往々話題に上るに至り。

孫秉熙を中心とする天道教は朝鮮獨立騷擾の中核となつたのである

政教分離を主張して恩誼厚き李容九一派を除名した孫秉熙が、後十數年にして獨立運動の中心となる實に其の矛盾の大なるを暴露するものである

一〇

第二章　天道教管見

史眼を以つて見た、天道教は上述の如きものであつたが今其の立場を變換して、教徒に說くところを記して見よう。

第一節　天道教の體系

（天道教發行の　天道教體系約覽を譯す。）

天道教體系約覽は同教が昭和二年九月三十日發行配布した小冊子であつて、其の系統・組織・實行宗旨、目的に亘りて略述したものである。

第一項　天道教の系統沿革

甲、崔水雲大師

崔水雲大師は天道を創明せし元祖であつて、名は濟恐、號は水雲齊である。先生は布德前三六年朝鮮開國四千一百五十七年（西紀一八二四年）甲申十月二十八日朝鮮慶州郡阿梈里に於て誕生す。先生の家系は新羅末葉崔孤雲の後裔であつて、近代は六代祖より山林學者であつた。父の名は鋈、母は韓氏である。崔鋈は文章道德が一道に著名であつた。

一一

先生の六歲の時に母親が死亡し、十六歲の時に父親が死亡せし後、社會の腐敗したことを大に慨歎し天下に周流しながら人心風俗を省み、濟世の大道を求めて居つた中に、三十二歲の時（乙卯）に天書を得、三十七歲の時（庚申）に天道の大眞理を發見し、保國、安民布德天下の大主義を宣布した。三十八歲の時（辛酉）に東經四篇と遺詞八篇を著述し、四十歲の時（癸亥）に其の道統を首弟崔時亨（海月）に傳へ、四十一歲甲子三月十日に異端の指目にて大邱將臺に於て死刑を受けた。當時の徒弟、數萬に達して居た。

乙、崔海月神師

崔海月神師は天道教第二世教祖である。名は時亨、號は海月堂、父の名は宗秀、母は裵氏である。布德前三十四年朝鮮開國四千一百六十年丁亥三月二十一日、慶州郡皇吾里にて誕生した。先生は布德二年辛酉六月に入道して、布德四年癸亥七月二十三日に北接大道主となり、同年八月十四日に道統を受け、布德十二年辛未に李弼の民衆運動があつた。布德十九年戊寅に「接法」を設け、布德二十六年乙酉に六任制を定め、布德二十九年戊子に內修道法を設け、布德三十三年壬辰に第一次、大神師の伸寃運動があり、布德三十四年癸巳に第二次大神御伸寃運動があつた布德三十五年甲申一月より東學革命が起つた、布德三十八年丁酉四月五日に「向我設位法」を設け、同年十二月二十四日に其の道統を道弟孫義菴に傳へ布德三十九年戊戌六月二日に京城監獄に於て絞刑を受けた。其の當時は徒弟が數十萬に

一二

達して居た。

丙、孫義菴聖師

孫義菴盛師の名は秉熙、號は義菴である。父の名は懿祖、母は崔氏で、布德二年辛酉四月八日、淸州郡大周里に於て誕生した。先生は布德二十三年壬午に入道して、布德三十五年甲午に東學革命運動の北接統領となり、布德三十八年丁酉十二月二十四日に道統を受け、布德四十一年庚子七月二十日に大道主となり、布德四十二年辛丑に海外に遊覽して、多數の學生を養ひ、布德四十五年甲辰に民衆革新運動があつた。布德四十六年乙巳に天道敎名を世界に宣布し、布德四十七年丙午二月に天道敎中央總部を設け同年八月に敎徒會の分立を斷行した、布德五十年よりは敎會擴張と社會敎育に努力し、布德五十五年甲寅四月二日に共同傳授心法を行ひ布德六十年己未に三一運動があつて、布德六十三年壬戌に京城監獄に於て病の爲還元した。其の當時に徒弟、數百萬に達して居た。

丁　衆　議　制

布德六十三年、孫義菴先生が還元せられた後、大道主制度を變更して、衆議制とし布德六十四年に總部制度を變更して、宗理院制にし、不文法を宣布し、布德六十五年に淵源制度を變更して布制度にし、布德六十六年に法會を設けた。

第二項　天道敎の組織沿革及其の事業

大神師と海月神師の時代は敎會が異端の指目の下に、秘密結社であつたから、特別に表現機關がなかつた。もつとも大神師の時代は敎會創立の始めであつたが爲めに敎化機關が、極く單純で（接）と云ふ名を以て敎會を統化せしめたのである。例へば海月神師を北接主人と云つたように、接主制を設けたのが我が敎の機關の嚆矢であつた。次に海月神師の時代には接主制度が具體的に組織されて、敎中の主要人物が接主職任を掌るやうになつた。大接主、首接主、該接主等の級次があつて、大接主は首接主を管理し、首接主は該接主を管理した。接主の上には便議長があつてそれを統管し、別に六任制度があつて敎中の重要任務を司るやうになつた。六任は敎長、敎授、都執、執綱、大正、中正がそれである。

義菴聖師の時代に至つて、今まで秘密團體であつた天道敎會が、世界の公認を得るやうになり、茲に始めて敎會組織が具體的に成るやうになつた。そうして敎會統化の方法を精神敎化機關と行政敎化機關に分立せしめて、行政敎化機關としては中央に中央總部を置き、總部内には大宗司、玄機關、共宣觀、金融觀、典制觀、監査院等があり、地方には郡に敎區、面に傳敎室がある。精神指導機關としては五千戶以上に道領一人、一千五百戶以上に道訓一人、三百戶以上に敎訓一人、三十戶以上に奉訓一人を置いて。敎化を司らせるやうにした。そして中央には道主、長老、道師が居つて機關の最高幹部となつて敎の行政及精神兩機關を統化せしめたのである。

道主制が衆議制に變更せらるゝに及んでは總部制を宗理院制に變更し、中央には中央宗理院があつて、布德課、庶務課、經理課を置いて、宗法師が中央の最高顧問となり、地方には郡に郡宗理院、面に面宗理院を置いた、精神敎化機關は三百戶を一布として一布每に主幹布德師一人が居り、三十戶每に布德師一人を置くやうになつた。議決機關としては法會があり、敎會の靑年機關としては靑年黨がある。女子に對しては內修團と靑年女子會があり、少年に少年會があり、學生には學生會と四月會があつて、間接機關になつて居る。社會運動としては、甲午革命運動甲辰革新運動、己未民衆運動があつた、社會事業としては專門、中學、小學、女學の敎育機關を設けたことがあり、開闢、新女性、別乾坤、オリニー、朝鮮農民、天道敎會月報、新人間等の雜誌を刊行するやうになつた。

第三項　天道敎の實行五款

天道敎人と爲るには其の標準として必ず五つの實行條件がある、之を稱して五款と云つて居る。

一、呪　文

呪文（至氣今至願爲大降、侍天主造化定、永世不忘萬事知）を恒に誦へば思慮を淸淨にし、空想を除去し、道氣を（根氣）を養ひ、心法を建て、至氣を體得して心和氣和を得る方法となるものである。（呪文の意義は水雲心法講議に明示す）。

二、淸　水

淸水は大神師――大邱將臺に於て斬刑を受ける時に、親う淸水を奉奠して還元せられた故に、淸水は卽ち大邱將臺の大神師の神血を代表した物であるから敎人となつた者は、每日午後九時に淸水を奉奠して大神師の主義を實現するやう心監しようとするのである。又淸水は天地萬物の本源を代表した象徵であるから一切の儀式に淸水を奉奠して、萬有の本源を心會せしむるものである。

三、侍　日

侍日は團體的敎化を得る方法である。故に、敎人となつたものは、每日曜に一齊に敎堂に參集して大神師の心法を心學するを目的とするものである。

四、誠　米

誠米は敎人となつた者、各個人が誰でも一匙宛の米を地上天國建設のために献誠するものである。故に誠米は敎會を護持する物質的血脈で、地上天國を建設する現實的犧牲たるものである。

五、祈　禱

祈禱は日常心告、每侍日定例祈禱、年中指定祈禱等にして精神修練を目的とするものである。

第四項　天道教の宗旨及目的

甲、宗旨は人乃天

人乃天は天道教の宗旨で原理上よりの人乃天と、應用上よりの人乃天の區別がある、「原理上の人乃天」とは

第一には宇宙萬有と人生との至氣的連結を言ふもので、此の意味は人と萬有は同じ大宇宙大生命の表顯にして、偉大なる「天」を現實に顯すに至つた理を示すものである。

第二には人間至上主義を高調したもので、人間は宇宙進化上最も高い位置、最も具體的の性格と素質とを持つた動物で、人の上に神の偶像を設けるとか、人以外の諸ての不自然なる偶像を假設する勿れと云ふ意味である、要するに人の性は、大宇宙の本性を具體的に表顯した者で、萬物の靈長と宇宙の主人公たるを意味したものである。（人乃天の意義は人乃天要義及水雲心法に明示す）

次に「應用上よりの人乃天とは、人と人の間、人と物の間、人と世の中の間の關係した制度を言ふたもので、人乃天主義に於ては、人と人との間の絶對に人格的平等を護持して、人の上に高位の人なく、人の下に下位の人なきことを言ふたものである。人と世の中の間には人以外に神的偶像を設けるとか、人以外に封建的偶像、物質的偶像を假設することなく、唯だ人の性、自然に基因した新制度と新倫理

の建設を意味するものである、要するに人乃天主義はその應用上に於て、絶對平等と自由を護得するものである。

乙、綱領は性身雙全

性は個性を云ひ、身は社會的生活を云ふものである、人乃天主義に於ける性身雙全とは、個性の完全解放と社會的生活の完全解放を云ふものである。人間至上主義より見て、人は歴史的過程に於て性的束縛と身的束縛を受けて來たことは事實であるが、人乃天主義はその兩的解放を目標となしたるものである。

丙、目的は地上天國

人乃天主義の最高目的を地上天國と云ふが、人乃天主義に於て、地上天國の目的を達せんとせば三大開闢が存在することを要する。而して其の三大開闢とは

一、精　神　開　闢

卽ち性身雙全の意味に於て性的害惡を除去するのを精神開闢と云ふ。天道に入る者は必ず精神の上に新革命が起さねばならぬのである。諸ての惡習舊慣を解脱し、人間性自然の本性に入つて、萬事萬理を正見正察するのが精神開闢である。而して惡習舊慣の種類を分類すれば、一々枚擧するに遑がないが、例へば種族的に生じた迷信及偶像、頑固なる習性より出た偏見、固執、我利、我慾より

出た時代盲の如きものを謂ふのである。故に大神師は天道を創明した劈頭に於て、先づ靈符心を描出し、靈符心の回復により精神的疾病を退治せしめたのである。靈符心なるものは卽ち、精神開闢を謂ふのである。

二、民　族　開　闢

性身雙全主義で、精神開闢が始まり、精神開闢を完成した「同德」が或程度までに達したならば玆に民族生活の開闢が起るのである。凡そ各民族は生活的統制の意味に於て全人類社會の集團的單位なるが故に、地上天國に達する過程として、各民族は其の民族的單位に對して現生活よりより以上の改造を斷行し、各自民族としての開闢をするのである。

三、社　會　開　闢

個性の開闢より民族開闢が起り、民族開闢より社會開闢卽ち世界開闢が起るやうになるのである社會開闢は人類の永久平和、「氣化」的生活の相互扶助を目的とした言葉で、大神師は此の社會開闢の究竟を指して、「地上神仙」と云ふたのである。

第五項　天道教の思想

甲、天道教と宗教

天道教を指して。或は宗教と云ひ、或は準宗教と云ひ、或は思想的意味の團體と云ふて未だ確定した斷案が無い。その原因は天道教は内的に於てはその教理たるや、他宗教の如き來世主義で無く、現世的理想を把持し、外的に於ては、その活動の歴史が純粹道德的意味の部分より、政治的意味の部分が多かつたが爲である。玆に於て天道教を宗教的に見る人と非宗教的に見る人に分れるやうになつたのである。

現今に於て宗教なるものは人間生活の全體を謂ふたものでなくて生活の一部たる感情的方面に屬する非現實的姿態であるから、宗教を諸ての他の文化卽ち道德倫理、政治經濟等より分離して見るやうになつたのである。卽ち諸ての他の文化を現實的だとすれば宗教は非現實的である。今宗教的生活を非現實的人間生活であると云ふ見地から天道教が宗教であるか、又は非宗教であるかと考察すれば、言ふまでもなく天道教は確實に非宗教的にならざるを得ないのである。卽天道教は宗教でなく一種朝鮮獨特の新思想團體だと云ふ外はないのである。

併し以上に言ふた所は、宗教の今日の現像を見た言葉であつて、宗教の原始現像を遡究して云爲したものでない。宗教の原始現像は今日の如く、諸ての他の文化と對峙して立つたものでなく、諸他の文化を包容してそれを革新しやうとしたもの（卽その時代の宗教）であつたのである。

凡そ今日の宗教は二千年以上の歴史を有するもので、二千年以前の社會現像は、政治と宗教或は道

德が今日のやうに絶然分立して立つたのでなく、宗敎そのものが卽政治であり、道德であり、倫理であり、その他の文化であつたのである。故にその時代の宗敎運動は卽諸他の文化の運動であつたと見ることが出來る。之の意味に於て耶蘇、釋迦、孔丘、馬合默の如き當時の新宗敎革命家は卽その當時の諸文化の革命家と見ることが出來る。卽ち今日吾々が言ふ諸宗敎に屬する敎祖等が、宗敎を創設する爲でなく、その當時の諸般の生活を革新せんが爲に起した運動が、卽宗敎になつたものであつて此の時代を僧侶制度時代と云ふのである。斯くて、歲月は流れ二千年と云ふ永い間に科學が發達し、道德が發達し、其の他の諸文化が各々その專門的に發達して、何時の間にか、二千年前の諸文化卽ち宗敎的運動と對立するやうになつたのである。而してこの後者に宗敎と云ふ別名を附して非現實的空想の方面に屬せしむるやうになつたのである。そこで今日に到つては我々が許多の諸事實及眞理を討究するに當り、是は宗敎的だとか、彼は非宗敎だとかと云ふ言葉を使ふやうになつたのである。宗敎なるものを斯樣に原始現像に歸納させた意味より、天道敎を考察して見れば、天道敎は今日の諸文化運動を包容し、それを革新せんが爲に起つた新宗敎と見る外はない。卽今日起つた新宗敎的運動と言ふ以上は、今日の新文化運動を包容し、それを革新せんが爲に起つたことが明かである。萬一さうでないとすれば、それは勢ひ此の世の中に存在すべき價値がないのである。卽舊宗敎がその當時の諸文化を革新せんが爲に起つた如く、天道敎は、今日の諸文化を革新せんが爲に、起つた眞理であるから

此の點に於て天道敎を新宗敎と名付けても過言ではないと思ふのである。要するに宗敎を今日のやうに諸文化と對立した點から見れば天道敎は純宗敎でなく、宗敎を其の原始現像の通りに諸文化を包容して、それを革新せんとして起つた運動として見れば、天道敎は確實に新時代の創造的宗敎運動だと言ふことが出來る。此の點に於て天道敎は、或は宗敎だと云ひ或は非宗敎だと云ふ議論には何等の關係もなく超然たる體系を有することは言ふに及ばないのである。

乙、天道敎と思想

茲に單に思想と云へば、甚だ廣博なる言葉であるから、一言にてその標準點を立て難いが、併し天道敎の思想と云へば卽水雲大神師の思想がそれであらう。大神師の思想は屢言したやうに、得道以前の心的動機から言へば、當時の朝鮮社會が極度に腐敗したのを痛歎して、それを救濟しやうとしたのであるから、その當初の思想は眞實なる愛國的思想であつた。故に曰く「保國安民の計は將に安に出でんとするか」と云ひ又「死地に陷り生に出でんとする者等よ、保國安民を如何にすべき」と言はれたのである。而して得道以後の思想は單に民族的のそれにのみ止らず、進んで後天開闢的思想に到達するやうになつたのであつて、上述した精神開闢、社會開闢がそれである。故に曰く「一天下の飜復の運ー更なる開闢ならずや」と云つた。而して後天開闢思想は、其の必然の結果として將來の世界に地上天國が建設せらるべしと斷案したのであつて、「來春消息應有知、地上神仙聞爲近」、「入道せし

世の中の人等よ、その日より君子となつて地上の神仙となるべし」と云つて居る。神仙は卽天國を意味するものである。同時に、地上天國の生活は法治でなく、必ずや德治たるべきを明言して「吾道無爲而化」と云ひ「造化無爲而化」、「化出於自然之中」と、一言〳〵引證して人の生活は當然に自然に合致せる「無爲而化」の德治にて生きねばならぬことを明示した。故に大神師の思想體系を一言にて要約すれば、主觀的には精神開闢であり、客觀的には民族開闢、社會開闢であつて、(此を總て後天開闢と言ふ。)後天開闢の生活は當然に德治たるべきを明言したのである。

丙、至 氣 一 元 論

大神師の思想が唯心論に屬するや、唯物論に屬するやは、我々が屢々質疑する所である。之に對して余は人乃天要義に說明したやうに、大神師は唯心唯物を言はず單に至氣一元論を唱導したと云ふことが出來る。呪文解釋に曰く「至者極焉之謂至、氣者虛靈蒼々、無事不涉無事不命、然而如形難狀、如聞難見、是亦渾元之一氣也」と云ふたことから見れば至氣と云ふのは卽唯物唯心を總化した大宇宙の一大生命體を表示したことが明かである。「氣」と云へば既に唯物を言ふたものであるに、更めて「氣者は虛靈蒼々にて涉らざる事なく、命せざる事無し」と云ふたのを見れば、是は唯心を言ふたものゝ樣である。故に至氣は唯物唯心を總合した大宇宙の實在體たるや明かである。卽ち至氣は唯物でもなければ唯心でもない一大實在體にして、その實在體が個性として表顯されるに及んで心的現像と物的

現像が現はれると解される。故に唯心唯物は全然對立した別物でなく、至氣と云ふ實在體の表顯が心的作用と物的作用に顯はれるに過ぎない。更に一步を進めて曰へば至氣自體にあつては唯物と見ることも出來ず唯心とも見ることの出來ない大宇宙、大生命の一元的實在であることが明かである。換言せば宇宙の根源には物でもなければで、心でもない處の一大或物が有つて、その物の表顯が卽天地となり萬有となり人間になるのだと云ふのであつて、人間に心的現像と物的現像が現はるゝのは、その一大或物が現像的個性を通じて表顯する時の本能的作用に過ぎないと言ふのである。而して、その一大或物を大神師は指して至氣と名附けたのである。本來の宇宙を心的一元に見るか、物的一元に見るか、又は物と心の二元に見るかは、その見る者の自由であらうが、併し宇宙を心的と物的或は心物兩元的に見るによつて、我等の生活に直接影響を與ふる點が多く、且つ劃然と違つた影響を及ぼすものである。例へば宇宙を純唯心に見る時には我々の生活は軈て靜的又は空想的に傾き易くなり、宇宙を純唯物に見る時には我々の生活は動的又は現實的孤立へ傾き易い樣になるものである。之の意味に於て宇宙を至氣一元と見る時の我等の生活の影響は如何になるべきやと云ふに、大神師は茲に氣化論を主張するやうになつたのである。「氣化」と云ふのは人間生活の組織を氣化でせねばならぬと云ふ意味である。卽ち、

人の間に諸ての階級を設けないで、人間を絕對平等線上に置いて「余が爾、爾が余」と云ふ同歸一

體の氣化方法にて生きねばならぬと云ふことである。氣化にて生きる生活の下には、人が心的空想にも傾かず、物的孤立にも傾かないで、人間一體主義の下に全的理想を實現し得らるのである。

第二節　天道敎理

天道敎の敎理は其の根本的のものは文書としては第二世海月が、先師の言行錄を蒐集し體系を附して明治十三年（李太王十七年）刊行した東經大全であろう。この東經大全を解明的に具體的に示したものは幾種類もある。前節の天道敎體系も其一つであろう。然し最も平凡に最も具體的に最近に記述したものは次に示す「天道敎理讀本」である。よし第一代・第二代の敎主の意味した趣旨と敎理讀本に於いて其の解釋した處とが異つてゐるとしても現時の天道敎として實行し、布敎してゐる眞精神はこの新解釋たる敎理讀本によつてゐることは明かである。

當局はこの讀本に大なる削除を加へたが、其の削除しない全部を東經大全と併せて掲載するとにする。

A　東經大全

第一　布德篇

蓋し上古より以來春秋迭に代り、四時の盛衰は遷らず易らず、是れ亦天主造化の跡、天下に昭然たる

二五

なり愚夫愚民は未だ雨露の澤を知らず其の無爲にして化するを知る。

五帝よりして後聖人以て生れ、日月星辰天地の度數を文卷に成出し、而して以て天道の常然を定め、一動一靜、一盛一敗、之を天命に付す。是れ天命を敬ひ而して天理に順ふものなり。

故に人は君子と成り、學は道德と成る、道は則ち天道、德は則ち天德、其の道を明にして其の德を修む故に乃ち君子と成り至聖に至る、豈に欽歎せざらむ哉。

又此の挽近以來、一世の人各自心を爲り天理に順はず、天命を顧みず、心常に悚然として向ふ所を知ること莫し。

庚申に至り、傳へ聞く西洋の人、以て天主の意と爲し、富貴を取らず攻て天下を取るに其の堂を立て其の道を行ふ。故に吾亦其れ然り豈に其れ然らむと之れ疑ふことあり。

意はざりき、四月心寒く身戰き疾ひ執症を得ず、言難狀を得ざるの際、何の仙語かありて忽ち耳中に入る。

驚き起て探問すれば、則ち曰く懼るる勿れ。恐るる勿れ。

世人我を上帝と謂ふ。汝上帝を知らず耶。

其の然る所を問へば、曰く余亦功なし、故に汝を世間に生みて人に此の法を敎へしむ。疑ふ勿れ。疑ふ勿れ。

二六

曰く然らば則ち西道以て人に敎ふべき乎。

曰く然らず。吾れに靈符あり其の名は仙藥、其の形は太極又形ち弓弓。我か此の符を受けて人の疾病を濟ひ、我が呪文を受けて人に敎て我が爲にするときは、汝亦長生して德を天下に布かむ。

吾亦其の言に感し、其の符書を受け、以て呑服すれば則ち身を潤し病差ゆ。方に乃ち仙藥なるを知る。

此に到りて病に用ゐるに、則ち或は差ね差えざるあり。故に其の端を知る莫くして其の然る所を察するときは、之を誠にし、又誠にして天主の爲にするに至る者は、每每、中るあり、道德に順はざる者は一一驗なし。此れ受くる人の誠敬に非ずや。是の故に我國惡疾世に滿ち、民四時の安きなし。是れ亦傷害の數なり。

西洋は戰へば勝ち、攻むれば取り、事として成らざるなし、而して天下盡く滅ぶ。亦唇亡の歎なくんばあらず。

國を輔け民を安んずるの計、將た安そ出てむ。惜い哉、今に於て世人未だ時運を知らず、我が斯の言を聞くときは、入りては則ち心に非とし、出ては則ち巷に議し、道德に順はず、甚だ畏るべきなり。

賢者之を聞き其れ或は然らずとす。而して吾將に慨歎し、世は則ち奈何ともするなしと、略を忘れて記出し諭して以て之を示す、敬て此の書を受け訓辭を欽めよや。

二七

第二、論學篇

夫れ天道は無形の如くにして迹あり。地理は廣大なる如くにして方あるものなり

故に天に九星あり、以て九州に應ず。地に八方あり以て八卦に應ず。而して盈虛迭代の數あり、動靜變易の理なし。陰陽相均しく百千萬物、其の中に化出すと雖も、獨り惟人は最も靈なるものなり。

故に三才の理を定め五行の數を出す。五行なるものは何ぞや。

天は五行の綱たり。

地は五行の質たり。

人は五行の氣たり。

天地人三才の數、斯に於て見るべし。

四時の盛衰、風露、霜雪、其の時を失はず、其の序を變せざるも露の如き蒼生は其の端を知る莫く。或は云ふ天主の恩と。或は云ふ化工の跡と。然り而して恩を以て之を言ふも惟不見の事たり。工を以て之を言ふも亦難狀の言たり。

何となれば、古より今に及ぶまで其の中は未だ必せざるものなり。

夫れ庚申の年建己の月天下紛亂し民心淆薄向ふ所の地を知る莫し。

又恠違の說ありて世間に崩騰す。西洋の人は道成り德立ち、其の造化に及て事として成さるなく、攻

二八

鬪干戈人前に在るなし。中國の燒滅、豈に唇亡の患なかるべけむや。
都て緣は他なし斯の人は、道は西道と稱し、學は天主と稱し敎は則ち聖敎。此れ天の時を知りて天の命を受くるに非ずや。
此れを擧ぐれば一一已まず。故に、吾亦悚然只生るるの晩きに恨みあるの際。
身戰寒多く、外に接靈の氣あり、內に降話の敎あり。
之を視れども見えず、之を聽けども聞えず。
心に尙ほ怪しみ訝かり、心を修め氣を正うして問て曰く、何爲そ然る若きや。
曰く吾心は卽ち汝の心なり。人何そ之を知らむ。天地を知りて而して鬼神を知るなし、鬼神は吾なり汝は無窮、無窮の道を及ぼす。修めて之を煉り、其の文を制して人を敎へ、其の法を正めて德を布くときは汝をして長生せしむること天下に昭然たらむ。
吾亦幾と一歲に至り修めて之を度れば、則ち亦自然の理なきにあらず。
故に一に以て呪文を作り。
一は以て降靈の法を作り。
一は以て不忘の詞を作り。道法を次第するに猶ほ二十一字と爲すのみ。
轉じて辛酉に至り四方の賢士我に進んで問ふて曰く、今天靈が先生に降臨せしとは何爲そ其れ然るや。

二九

曰く其れ無往無復の理を受く。
曰く然らば則ち何の道を以て之を名くる乎。
曰く天道なり。
曰く洋道と異なるものなき乎。
曰く洋學は斯の如くにして異なるあり。呪の如くにして實なし、然り而して運は則ち一なり。道は則ち同なり。理は則ち非なり。
曰く何爲そ其れ然るや。
曰く吾が道は無爲にして化す。
其の心を守り、其の氣を正し、其の性に率ひ、其の敎を受くれば化は自然の中に出るなり。
西人は言に次第なく、書に皂白なし。而して頓に天主の爲にする端なく。只自ら身の爲にする謀を祝り、身に氣化の神なく、學に天主の敎なし、形ちあるも迹なく、思ふが如くにして呪なし道は虛無に近く學は天主にあらず。豈に異なるもの無しと謂ふべけむ乎。
曰く同道は之を言はば、其れ西學と名くるや。
曰く然らず。吾れ亦東に生れ、東に受く。道は天道と雖も學は則ち東學　況んや地東西を分つ。西何そ東と謂ひ、東何そ西と謂はむ。

三〇

孔子は魯に生れて鄒に風す。鄒魯の風、斯の世に傳遺す。
吾が道は斯に受けて斯に布く。豈に西を以て之を名くる者と謂ふへけむ乎。
曰く呪文の意は何ぞや。
曰く至て天主の爲にするの字なるが故に呪を以て之を言ふ。今文にもあり古文にもあり。
曰く降靈の文は何爲ぞ其れ然るや。
曰く至とは之を極むるを至と爲す。
氣とは虛靈蒼々として事として涉らざるなく、事として命せざるなし。然り而して形の如くにして狀し難く聞くが如くにして見難し、是亦渾元の一氣なり。
今、至とは斯に道に入り、其の氣接を知るものなり。
願爲とは請祝の意なり。
大降とは氣化の願なり。
侍とは內に神靈あり、外に氣化あり、一世の人各知て移らざるものなり。
主とは其の尊きを稱し、而して父母と同じく事ふるものなり。
造化とは無爲にして化するなり。
定とは其の德に合し、其の心を定むるものなり。

三一

永世とは人の平生なり。
不忘とは想を存するの意なり。
萬事とは數の多きなり。
知とは其の道を知りて其の知を受くるものなり。
故に明明なる其の德を念々忘れざるときは至化も至氣も至聖に至る。
曰く天心は則ち人心なれば何ぞ善惡あらむや。
曰く其の人に貴賤の殊を命じ其の人に苦樂の理を定む。然り而して君子の德氣は正ありて而して心に定あり。故に天地と其の德を合しうす。小人の德氣は正しからずして心に移るあり、故に天地と其の命に違ふ。此れ盛衰の理に非ずや。
曰く一世の人何ぞ天主を敬せざらむや。
曰く死に臨て天を號するは人の常情。而して命は乃ち天に在り。天萬民を生するは古の聖人の謂ふ所にして尙ほ今に彌留す。然り而して然るに似て然るに非ざるの間、未だ詳かに之を然りとするの故を知らざるなり。
曰く道を毀しるものは何ぞや。
曰く猶或は可なり。

三二

曰く何を以てか可なるや。
曰く吾が道は今も聞かす古も聞かざるの事にして、今も比せず古も比せざるの法なり。
修る者は虚の如くにして實あり、聞く者は實の如くにして虚あるなり。
曰く道に反きて歸する者は何ぞや。
曰く斯る人は擧て論ずるに足らざるなり。
曰く胡ぞ擧て論せざるや。
曰く敬して之を遠ざく。
曰く前は何の心にして後は何の心ぞや。
曰く草上の風なり。
曰く然らば則ち何を以てか靈を降すや。
曰く善惡を擇ばざるなり。
曰く害なく德なきや。
曰く堯舜の世は民皆堯舜たり。斯の世の運は世と同じく歸す。有害有德は天主に在り我に在らざるなり。
一一心に究むるときは害其の身に及ふとは未だ詳かに之を知らず。然り而して斯の人福を享くるは他

人に聞かしむべからず。君の問ふ所に非らずして我の關する所に非ざるなり。
嗚呼噫々諸君の問道何ぞ是の若く明々なるや。我拙文未だ精義正宗に及ばずと雖も、然も其の人を矯め其の身を修め、其の才を養ひ其心を正うす。豈に岐貳の端あるべけむ乎。
凡そ天地無窮の數と道の無極の理は皆此の書に載す。惟我諸君敬て此の書を受け以て聖德を助くるを我之に比すれば悦として甘の和を受け、白の采を受くるが若し。
吾今道を樂み欽歎に勝へず。故に論じて之を言ひ諭して之を示す。明に之を察せば玄機を失はじ。

第三、修　德　篇

元亨利貞は天道の常にして惟一に中を執るは人事の察なり。
故に生れて之を知るは夫子の聖質にして學て之を知るは先儒の相傳なり。
困して之を得るに淺見薄識ありと雖も、皆吾師の盛德に由りて先王の古禮を失はず。
余は東方より出て無了にして日を度り、僅に家聲を保つも未だ寒士たるを免かれず。
先祖の忠義は節龍山に餘りあり。吾王の盛德は歲壬丙に復回す。
是の若き餘蔭は絕へす流るるが如し。
家君の出世は名一道に盖ふて士林の共に知らざるなく、德は六世に承く豈に子孫の餘慶に非ざらむ。
噫、學士の平生は光陰の春夢なり。年四十に至り工は芭籬の遺物たるを知り、心には青雲の大道なし。

一は以て歸去來の辭を作り、一は以て覺非是の句を詠す。
笻を携へ履を理め悦として處士の行の若し。
山高く水長く先生の風に非ざるなし。龜尾の奇峯恠石は月城金鰲の北にして、龍湫の淸潭寶溪は古都馬龍の西なり。
園中の桃花は漁子の舟の知るを恐れ、屋前の滄波は意ろ太公の釣に在り、檻の池塘に臨むは廉溪の志に違ふなし。亭を龍潭と號するは豈に葛を慕ふの心に非ずや。歲月流るるが如きを禁じ難し。哀ひかな一日の化仙に臨むを。
孤我の一命年二八に至る、何を以てか之を知る童子に異なるなし。
先考平生の事業は痕火中に無く、子孫不肖の餘恨は世間に落心す。豈に痛まざらむ哉。豈に惜まざらむ哉。
心は家庭の業にあり安そ稼穡の役を知らむ。
書は工課の篤きなく意は青雲の地に墜つ。
家產漸く衰へ未だ末梢の如何を知らず。年光漸く益し身勢の將に拙なきを歎すべし。
八字（運命）料り難し又寒飢の慮あり。念ひ來れば四十にして豈に不成の歎なからむや。巣穴未だ定らず誰が天地の廣大と云ふ。所業の交違自ら一身の藏し難きを憐む。

是より由來世間の紛撓を擺脫し、胸海の弸結を責去す。
龍潭の古舍は家嚴の丈席にして、東都の新府は惟我が故鄕なり。
妻子を率ゐて棲に還るの日は己未の十月にして、其の運に乘じ道を受くるの節は庚申の四月なり。
是れ亦夢寐の事にして難狀の言なり。
其の易卦大定の數を察し、審に三代敬天の理りを誦す。是に於て乎惟先儒の命に從ふを知り、自ら後學の忘却を歎し、修めて之を煉れは自然に非ざるはなし。
覺り來れば夫子の道は則ち一理の定むる所なり。其れ惟我の道を論ずるときは大同にして小異なり。
其の疑訝を去るときは事理の常然にして、其の古今を察するときは人事の所爲なり。德を布くの心を意はず、極めて誠を致する端を念ふ。
然り而して爾留更に辛酉に逢ふ。時維六月にして序は三夏に屬す。
良朋座に滿ち先づ其の法を定め、賢士我に問ふて又布德を勸む。
胸に不死の藥を藏す。弓乙は其の形ちにして口に長生の呪を誦す、三七其字なり。門を開て客を容れば其の數其れ然り。筵を肆めて法を設けば其の味其れ如り。
冠子進退悦として三千の班あるが如く、童子の拜拱は倚然として六七の咏あり。
年我に高きは是亦子貢の禮、歌咏して舞ふは豈に仲尼の蹈に非ずや。仁義禮智は先聖の敎ゆる所にし

て心を修め氣を正うするは惟我が更定するなり。

一番に祭を致すは永侍の重盟にして、萬惑を罷去するは誠を守るの故なり。

衣冠を正齊するは君子の行にして、路食手後は賤夫の事なり。

道家の食せざるは、一は、四足の惡肉にして陽身の害する所、又寒泉の急坐なり。有夫の女の防塞は國の大典の禁ずる所にして、臥して高聲の誦呪は我が誠道の太慢なり。

然り而して之を肆め是を之れ則と爲す。

美なるかな吾道の行や。筆を投ずれば字を成し人亦王義之の跡と疑ふ。口を開き韻を唱ふれば孰れの樵夫か前に服せざらむ。

懺谷したる斯人は慾を石氏の貲に及ぼさず。

誠を極めたる其の兒は更に師曠の聰を羨ます容貌の幻態は仙風の吹臨を意ひ、宿病の自効は盧醫の良名を忘る。

然りと雖も道成り德立つは誠に在り人に在り。」或は流言を聞て之を修め、或は流呪を聞て焉を誦す。豈に非ならず哉、敢て憫然とせず。

憧々たる我が思ひ日に切ならざる靡く、彬々たる聖德は或は誤りあるを恐る。是れ亦不面の致にして多數の故なり。

三七

遠方照應して亦相思の懷に堪えず。近く叙情を欲するも必ず指目の嫌なきにあらず。

三八

故に此の章を作り布て之を示す。賢なる我が諸君愼て吾が言を聽け。

大抵此の道は心信を誠と爲す。信を以て幻と爲せば人之を言ふ。

之を言ふ其の中に可と曰ひ否と曰ふ。可を取り否を退け再思して心定まる。

之を定めたる後、言を信せざるを信と曰ふ

斯の如く之を修めて乃ち其の誠を成す。誠と信とは其れ則ち遠からず。

人言以て成り、信を先にし誠を後にす。吾れ今明に喩す、豈に言を信せざらむや敬以て之を誠にし訓辭に違ふなかれ。

第四　不　然　其　然　篇

歌て曰く千古の萬物、各成るあり各形あり。

見る所にて之を論するときは其れ然り、而して然るに似て自ら之を度るときは其の遠くして甚だ遠し是れ亦杳然の事にして測り難きの言なり。

我れ我を思ふときは父母玆に在り。後、後を思ふときは子孫彼に存す。來世に之に比するときは理我が我を思に異なるなし。去世に之を尋ねるときは人の人たるを分ち難きに惑ふ。噫、斯の如く忖度し其の然るに由て之を看るときは、其れ然り其れ然るが如し。然らざるを探りて之を思ふときは然らず又然らず。

何となれば太古天皇氏は豈に人と爲り豈に王と爲りしや。斯れ人の根なし胡そ然らずと曰はざらむや。

世間孰か能く父母なきの人あらむ。其の先を考ふるときは其れ然り、其れ然り又其れ然るの故なり。

然り而して世の爲に之が君を作り之が師を作る。君は法を以て之を造し、師は禮を以て之を敎ふ。君は位を傳ふるの君なくして法綱を何ぞ受けむ。師は訓を受くるの師なくして禮義安ぞ效さむ。

不知や不知や生れながらにして之を知りて然るや。無爲の化にして然るや、知を以て之を言へば心は暗々の中に在り。化を以て之を言へば理は茫々の間に遠し。

夫れ是の如くなるときは、然らざるを知らざるが故に然らずと曰はず。乃ち其の然るを知るが故に乃ち其の然るを恃むなり。

是に於て其の末を揣り其の本を究むるときは、物は物たり理は理たるの大業幾と遠いかな。

況むや又斯の世の人胡ぞ無知胡ぞ無知か。

數を定めて幾年か運自ら來りて之を復す。古今の不變は豈に運と謂ひ豈に復と爲さむ。

於、萬物の不然、之を數て之を明にし、之を記して之を鑑む。

四時の序ある胡すれぞ然り胡すれぞ然らむ。

山上の水あるや其れ然るべく其れ然るべし。

三九

赤子の穉々たる言はざるも夫の父母を知る。

四〇

胡ぞ知るなく胡ぞ知るなからむ。

斯の世の人胡ぞ知るなからむ。

聖人の以て生るるや、河千年に一たび淸らかなり。運自ら來りて復する歟、水自ら知りて變する歟。

耕牛の言を聞くは心あるが如く知る有るが如し。力を以て足れりと爲さば何を以てか苦しみ何を以てか死する。

烏子の反哺は彼れも亦夫の孝悌を知り、玄鳥の主を知るは貧して亦歸り貧して亦歸る。

是の故に必し難きものは然らず、斷じ易きものは其れ然り。

之を其の遠を究むるに比するときは然らず然らず又然らざるの事。之を造物者に付するときは其れ然り。其れ然り又其れ然るの理ある哉。（了）

—(呪文譯文略)—

東經大全（原文）

布德篇

蓋自上古以來。春秋迭代四時盛衰。不遷不易。是亦天主造化之跡。昭然于天下也。愚夫愚民未知雨露之澤知其無爲而化矣。

自五帝之後聖人以生。日月星辰。天地度數。成出文卷。而以定天道之常然。一動一靜、一盛、一敗、付之於天命。是敬天命而順天理者也。

故人成君子。學成道德。道則天道。德則天德。明其道而修其德。故乃成君子至於至聖。豈不欽歎哉。

又此挽近以來。一世之人。各自爲心。不順天理。不顧天命。心常悚然。莫知所向矣。

至於庚申傳聞西洋之人以爲　天主之意不取富貴攻取天下立其堂行其道。故吾亦有其然豈其然之疑。

不意四月。心寒身戰。疾不得執症言不得難狀之際有何仙語忽入耳中。

驚起探問則曰勿懼勿恐。

世人謂我上帝汝不知上帝耶。

問其所然曰余亦無功故生汝世間敎人此法勿疑勿疑。

曰然則西道以敎人乎。

曰不然吾有靈符其名仙藥。其形太極。又形弓弓。受我此符濟人疾病受我呪文敎人爲我則汝亦長生布德天下矣。

吾亦感其言受其符書以呑服則潤身差病。方乃知仙藥矣。

到此用病則或有差不差故莫知其端察其所。然則誠之又誠至爲。天主者。每每有中不順道德者一一無驗。

此非受人之誠敬耶。

是故我國惡疾滿世民無四時之安。是亦傷害之數也。

西洋戰勝、攻取、無事不成。而天下盡滅。亦不無唇亡之歎。

輔國安民計將安出。

惜哉於今。世人未知時運。聞我斯言則入則心非。出則巷議、不順道德甚可畏也。

賢者聞之其或不然。而吾將慨歎。世則無奈。忘略記出。諭以示之。敬受此書欽哉訓辭。

論學篇

夫天道者如無形而有迹。地理者如廣大而有方者也。

故天有九星以應九州。地有八方以應八卦。而有盈虛迭代之數。無動靜變易之理。陰陽相均。雖百千萬物。化出於其中。獨惟人最靈者也。

故定三才之理。出五行之數。五行者何也。

天爲五行之綱。

地爲五行之質。

人爲五行之氣。

天地人三才之數。於斯可見矣。

四時盛衰。風露霜雪。不失其時。不變其序。如露蒼生莫知其端或云　天主之恩。或云化工之跡。然而以恩言之。惟爲不見之事以工言之亦爲難狀之言。何者於古及今其中未必者也。

夫庚申之年建己之月天下紛亂。民心淆薄。莫知所向之地。

又有恠違之說崩騰于世間。西洋之人道成立德及其造化無事不成攻鬪干戈無人在前。中國燒滅豈可無唇亡之患耶。

都緣無他斯人道稱西道學。稱　天主敎。則聖敎。此非知天時而受天命耶。

擧此一一不己故吾亦悚然。只有恨生晩之際。

身多戰寒外有接靈之氣。內有降話之敎。

視之不見。聽之不聞。

心尙恠訝。修心正氣。而問曰何爲若然也。

曰吾心卽汝心也。人何知之。知天地而無知鬼神。鬼神者吾也。

及汝无窮无窮之道。修而煉之。制其文敎人正其法。布德則令汝長生昭然于天下矣。

吾亦幾至一歲。修而度之則亦不無自然之理。

故一以作呪文。

一以作降靈之法。

一以作不忘之詞次第道法猶爲二十一字而己。

轉至辛酉四方賢士。進我而問曰今天靈降臨先生何爲其然也。

曰受其无往不復之理。

曰然則何道以名之。

曰天道也。

曰與洋道無異者乎。

曰洋學如斯而有異。如呪而無實。然而運則一也。道則同也。理則非也。

曰何爲其然也。

曰吾道無爲而化矣。

守其心正其氣。率其性受其敎。化出於自然之中也。西人言無次第。書無皂白而頓無爲天主之端。只祝自爲身之謀。身無氣化之神。學無天主之敎。有形無迹如思無呪。道近虛無。學非天主豈可謂無異者乎。

曰同道言之則名其西學也。
曰不然吾亦生於東。受於東。道雖天道。學則東學。况地分東西。西何謂東。東何謂西。
孔子生於魯。風於鄒。鄒魯之風。傳遺於斯世。
吾道受於斯。布於斯。豈可謂以西名之者乎。
曰呪文之意何也。
曰至爲天主之字、故以呪言之。今文有。古文有。
曰降靈之文。何爲其然也。
曰至者、極焉之爲至。
氣者虛靈蒼蒼無事不涉無事不命。然而如形而難狀如聞而難見。是亦渾元之一氣也。
今至者於斯入道知其氣接者也。
願爲者請祝之意也。
大降者氣化之願也。
侍者內有神靈。外有氣化。一世之人。各知不移者也。
主者稱其尊而與父母同事者也。
造化者無爲而化也。

四五

四六

定者合其德定其心也。
永世者人之平生也。
不忘者存想之意也。
萬事者數之多也。
知者知其道而受其知也。
故明明其德念念不忘。則至化至氣。至於至聖。
曰天心卽人心。則何有善惡也。
曰命其人貴賤之殊定其人苦樂之理。然而君子之德氣有正而心有定。故與天地合其德。小人之德、氣不正而心有移。故與天地違其命。此非盛衰之理耶。
曰一世之人何不敬天主也。
曰臨死號天。人之常情而命乃在天天生萬民。古之聖人之所謂而尙今彌留。然而似然非然之間。未知詳然之故也。
曰毁道者何也。
曰猶或可也。
曰何以可也。

曰吾道今不聞古不聞之事。今不比古不比之法也。
修者如虛而有實。聞者如實而有虛也。
曰反道而歸者何也。
曰斯人者不足擧論也。
曰胡不擧論也。
曰敬而遠之。
曰前何心而後何心也。
曰草上之風也。
曰然則何以降靈也。
曰不擇善惡也。
曰無害、無德耶。
曰堯舜之世。民皆爲堯舜。斯世之運、與世同歸有害有德在於天主不在於我也。
一一究心則害及其身。未詳知之。然而斯人享福不可使聞於他人。非君之所問也。非我之所關也。
嗚呼噫噫諸君之問道。何若是明明也。
雖我拙文。未及於精義正宗。然而矯其人修其身。養其才。正其心。豈可有歧貳之端乎。

四七

四八

凡天地无窮之數。道之无槪之理。皆載此書。惟我諸君敬受此書。以助聖德。於我比之則怳。若甘受和白受采。
吾今樂道不勝欽歎。故論而言之諭而示之。明而察之不失玄機。

修德篇

元亨利貞天道之常。惟一執中。人事之察。
故生而知之夫子之聖質。學而知之先儒之相傳。
雖有困而得之淺見薄識。皆由於吾師之聖德不失於先王之古禮。
余出自東方。無了度日。僅保家聲。未免寒士。
先祖之忠義節有餘於龍山。吾王之盛德。歲、回於壬丙。
若是餘蔭、不絕如流。
家君出世。名盖一道。無不士林之共知。德承六世豈非子孫之餘慶。
噫。學士之平生。光陰之春夢。年至四十。工知芭籬之邊物。心無靑雲之大道。
一以作歸去來之辭。一以詠覺非是之句。
携笻理履怳若處士之行。山高水長。莫非先生之風、龜尾之奇峯。恠石月城金鰲之北。龍湫之淸潭。寶溪古都馬龍之西。

園中桃花。恐知漁子之舟。屋前滄波。意在太公之釣檻臨池塘無違漸溪之志亭號龍潭豈非慕葛之心難禁歲
月之如流。哀臨一日之化仙。
孤我一命年至二八何以知之無異童子。
先考平生之事業。無痕於火中子孫不肖之餘恨。落心於世間。豈不痛哉豈不惜哉。
心有家庭之業。安知稼穡之役。書無工課之篤。意墜青雲之地。
家產漸衰。未知末梢之如何。年光漸益可歎身勢之將拙。
料難八字。又有寒飢之慮。念來四十豈無不成之歎巢穴未定。誰云天地之廣大。所業交違。自憐一身之難藏。
自是由來。擺脫世間之紛撓責去胸海之彌結。
龍潭古舍。家嚴之丈席。東都新府惟我之故鄉。
率妻子還棲之日。己未之十月。乘其運道受之節庚申之四月。
是亦夢寐之事。難狀之言。
察其易卦大定之數審誦三代敬天之理。於是乎惟知先儒之從命自歎後學之忘却修而煉之莫非自然。
覺來夫子之道則一理之所定也。論其惟我之道則大同而小異也。
去其疑訝則事理之常然。察其古今則人事之所爲。不意布德之心。極念致誠之端。
然而彌留更逢辛酉。時維六月序屬三夏。

四九

良朋滿座。先定其法。賢士問我又勸布德
胸藏不死之藥弓乙其形。口誦長生之呪。三七其字開門納客。其數其然。肆筵設法。其味其如。
冠子進退。怳若有三千之班。童子拜拱。倚然有六七之咏。
年高於我。是亦子貢之禮。歌咏而舞。豈非仲尼之蹈仁義禮智。先聖之所敎。修心正氣惟我之更定。
一番致祭永侍之重盟。萬惑罷去守誠之故也。
衣冠正齊君子之行。路食手後賤夫之事。
道家不食一四足之惡肉。陽身所害又寒泉之急坐。有夫女之防塞。國大典之所禁臥高聲之誦呪。我誠道之
太慢。
然而肆之、是爲之則。
美哉吾道之行。投筆成字。人亦疑王羲之跡。開口唱韻孰不服樵夫之前。
懺咎斯人慾不及石氏之貲。極誠其兒。更不羨師曠之聰。
容貌之幻態意仙風之吹臨。宿病之自効忘盧醫之良名。
雖然道成德立在誠在人。
或聞流言而修之。或聞流呪而誦焉。豈不非哉。敢不憫然。
憧憧我思靡日不切。彬彬聖德或恐有誤。是亦不面之致也。多數之故也。

五〇

遠方照應而亦不堪相思之懷。近欲叙情而必不無指目之嫌。
故作此章布而示之。賢我諸君。愼聽吾言。
大抵此道心信爲誠以信爲幻人而言之。
言之其中曰可曰否。取可退否再思心定。
定之後、言不信曰信。
如斯修之乃成其誠。誠與信兮。其則不遠。
人言以成、先信後誠。吾今明喩。豈非信言敬以誠之無違訓辭。

不然其然篇

歌曰而千古之萬物兮。各有成各有形。
所見而論之則其然而似然所自而度之則其遠而甚遠。是亦杳然之事。難測之言。
我思我則父母在玆。後思後則子孫存彼。來世而比之則理無異於我思我。去世而尋之則惑難分於人爲人。
噫如斯之忖度兮。由其然而看之則其然如其然。探不然而思之則不然又不然。
何者太古兮。天皇氏豈爲人豈爲王斯人之無根兮。胡不曰不然也。
世間孰能無父母之人考其先則其然其然。又其然之故也。
然而爲世。作之君作之師。君者以法造之。師者以禮敎之君無傳位之君而法綱何受。師無受訓之師而禮義

五一

安效。
不知也。不知也。生而知之而然耶。無爲化也。而然耶。以知而言之心在於暗暗之中以化而言之理遠於茫
茫之間。
夫如是則不知不然故不曰不然。乃知其然故乃恃其然者也。
於是而揣其末究其本則物爲物。理爲理之大業幾遠矣哉。
況又斯世之人兮。胡無知胡無知。
數定之幾年兮。運自來而復之。古今之。不變兮。豈謂運豈爲復。
於萬物之不然兮。數之而明之。記之而鑑之。
四時之有序兮。胡爲然。胡爲然。山上之有水兮。其可然。其可然。
赤子之穉穉兮。不言知夫父母。胡無知胡無知。
斯世人兮。胡無知。
聖人之以生兮。河一淸千年。運自來而復歟。水自知而變歟。
耕牛之聞言兮。如有心如有知。以力之足爲兮。何以苦。何以死。
烏子之反哺兮。彼亦知夫孝悌。玄鳥之知主兮。貧亦歸。貧亦歸。
是故難必者、不然易斷者其然。

五二

比之於究其遠則、不然不然又不然之事。付之於造物者則、其然其然又其然之理哉。

附祝文

生居朝鮮忝處人倫　叩感

天地盖載之恩荷蒙日月照臨之德未曉歸眞之路久沈苦海心忘失今玆　聖世道覺

先生懺悔從前之過願隨一切之善永　侍不忘道有心學幾至修煉今以吉朝良辰淨潔道場

謹以淸酌庶需奉請尙

饗

呪文

先生呪文

降靈呪文

至氣今至四月來

本呪文

侍　天主令我長生无窮无窮萬事知

弟子呪文

初學呪文

五三

爲　天主顧我情永世不忘萬事宜

降靈呪文

至氣今至願爲大　降

本呪文

侍　天主造化定永世不忘萬事知

五四

立春詩

道氣長存邪不入。世間衆人不同歸。

絶句

河淸鳳鳴孰能知。運自何方吾不知。平生受命千年運。聖德家承百世業。龍潭水流四海源。龜岳春回一世花。

降詩

圖來三七字。降盡世間魔。

座箴

吾道博而約。不用多言義。別無他道理。誠敬信三字。這裏做工夫。透後方可知。不怕塵念起。惟恐覺來知。

和訣詩

方方谷谷行行盡。水水山山箇箇知。松松栢栢靑靑立。枝枝葉葉萬萬節。老鶴生子布天下。飛來飛去慕仰極、運兮運兮得否。時云時云覺者。鳳兮鳳兮賢者。河兮河兮聖人。春宮桃李夭夭兮。智士男兒樂樂哉。萬壑千峯高高兮。一登二登小小吟。明明其運各各明。同同學味念念同。萬年枝上花千朶。四海雲中月一鑑。登樓人如鶴背仙。泛舟馬若天上龍。人無孔子意如同。書非萬卷志能大。

五五

片片飛飛兮。紅花之紅耶。枝枝發發兮。綠樹之綠耶。霏霏紛紛兮。白雪之白耶。浩浩茫茫兮。淸江之淸耶。泛泛桂棹兮。波不興沙十里。路遊閑談兮。月山東風北時。泰山之峙峙兮。夫子登臨何時。淸風之徐徐兮。五柳先生覺非。淸江之浩浩兮。蘇子與客風流。池塘之深深兮。是濂溪之所樂。綠竹之綠綠兮。爲君子之非俗。靑松之靑靑兮。洗耳處士爲友。明月之明明兮。曰太白之所抱。耳得爲聲目色。盡是閑談古今。

萬里白雪紛紛兮。千山歸鳥飛飛絶。東山欲登明明兮。西峰何事遮遮路。

五六

歎道儒心急

山河大運。盡歸此道。其源極深。其理甚遠。固我心柱。乃知道味。一念在玆。萬事如意。消除濁氣。兒養淑氣。非徒心至。惟在正心。隱隱聰明。仙出自然。來頭百事。同歸一理。他人細過。勿論我心。我心小慧。以施於人。如斯大道。勿誠小事。臨勳盡料。自然有助。風雲大手。隨其器局。玄機不露。勿爲心急。功成他日。好作仙緣。心兮本虛。應物無迹。心修來而知德德惟。明而是道。在德不在於人。在信不在於工。在近不在於遠。在誠不在於求。不然而其然。似遠而非遠。

訣

問道今日何所知。意在新元癸亥年。成功幾時又作時。莫爲恨晩其爲然。時有其時恨奈何。新朝唱韻待好風。去歲西北靈友尋。後知吾家此日期。春來消息應有知。地上神仙聞爲近。此日此時靈友會。大道其中不知心。

偶　吟

南辰圓滿北河回。大道如天脱刼灰。鏡投萬里眸先覺。月上三更意忽開。何人得雨能人活。一世從風任去來。百疊塵埃吾欲滌。飄然騎鶴向仙臺清霄月明無他意。好笑好言古來風。人生世間有何得。問道今日授與受。有理其中姑未覺。志在賢門必我同。天生萬民道又生。各有氣像吾不知。通于肺腑無違志。大小事間疑不在。馬上寒食非故地。欲歸吾家友昔事。義與信兮又禮智。凡作吾君一會中。來人去人又何時。同坐閑談願上才。世來消息又不知。其然非然聞欲先。雲捲西山諸益會。善不處下名不秀。何來此地好相見。談且書之意益深。不是心泛久不此又作他鄕賢友看。鹿失秦庭吾何群。鳳鳴周室爾應知。不見天下聞九州。空使兒心上遊。聽流覺非洞庭湖。坐榻疑在岳陽樓。吾心極思杳然間。疑隨太陽流照影。

八　節

不知明之所在。遠不求而修我。不知德之所在。料吾身之化生。不知命之所在。顧吾心之明明。不知道之所在。度吾信之一如。不知誠之所致。數吾心之不失。不知敬之所爲。暫不弛於慕仰。不知畏之所爲。念至公之無私不知心之得失。察用處之公私。

又

不知明之所在。迯余心於其地。不知德之所在。欲言浩而難言。不知命之所在。理杳然於授受。不知道之

五七

五八

所在。我爲我而非他。不知誠之所致。是自知而自怠。不知敬之所爲。恐吾心之寤寐。不知畏之所爲。無罪。地而如罪不知心之得失。在今思而昨非。

題　書

得難求難。實是非難。心和氣和。以待春和。

詠　宵

也羞俗娥翻覆態。一生高明廣漢殿。此心惟有清風知。迯白雲使藏玉面。蓮花倒水魚爲蝶。月色入海雲亦地。杜鵑花笑杜鵑啼。鳳凰臺役鳳凰遊。白鷺渡江乘影去。皓月欲逝鞭雲飛。魚變成龍潭有魚。風導林虎故從風。風來月跡去無跡。月前顧後每是前。烟遮去路踏無跡。雲加峯上尺不高。山在人多不曰仙。十爲皆丁未謂軍。月夜溪石去雲數。風庭花枝舞蝴尺。人入旁中風出外。舟行岸頭山來水。花扉自開春風來。竹籬輝踈秋月去。影沈綠水衣無濕。鏡對佳人語不和。勿水脱乘美利龍。問門犯虎那無樹。

半月山頭梳。傾蓮水面扇。

烟鎖池塘柳。燈增海棹鉤。

燈明水上無嫌隙。柱似枯形力有餘。

筆　法

修而成於筆法。其理在於一心。象吾國之木局。數不失於三絶。生於斯得於斯。故以爲先東方。愛人心之不同。無表。裏於作制。安心正氣始畫。萬法在於一點。前期柔於筆毫。磨墨數斗可也。擇紙厚而成字。法有違於大小。先始威而主正。形如泰山層巖。

於戯　先生布德當世。恐其聖德之有誤。及于癸亥親與時亨。常有鋟梓之　教。有志未就越明年。甲子不幸之後。歲沈、道微、迨將十八年之久矣。至於庚辰極念前日之　命敎謹與同志發論詢約以成剞劂之　功矣。文多漏闕之歎。故自木川接中燦然復刊以著無極之經編茲豈非慕　先生之　敎耶。敢以拙文妄錄于篇末。

歲在癸未仲春。道主月城崔時亨謹誌。

五九

六〇

B　天道教理讀本

一、無 極 之 運

此の世の中の幾多の宗教の中に天道教が新しく生まれた所以は何んであるか。之が卽ち運である。生まれなくてはならない必要のある宇宙の大なる運である。庚申（萬延元年）四月五日、大神師（崔濟愚）は天道を大に覺られ大聲で誦へて曰く、噫！世の中の人等よ、輪回する時運を見よ。天下の「虎列剌の樣な運」は之れ復開闢ではないか。噫！世の人等よ！無極の運が來たのを爾は如何にして知るか。萬古になき「無極大道」がこの世に創建され太平聖代を再び迎へて「地上神仙」となるべし。噫！此の世の人等よ、後天開闢を爾は如何にして知るか。奇壯なるかな時よ〱、再び來ないのは時である。萬世一丈夫にして五萬年、之れ時である。無極の運が歸つて來、「後天開闢」との運が廻つて來るのである。冬、去れば春が、來るやうに廻つて戻るべき運は歸つて來たのであると。

然らば吾々は無極の運が廻つて來たのを知る方法は何んであらうか。大神師の言葉の「陷之死地出生」と云ふことが之れである。卽ち死より生き返へつて此の世を見ねばならぬ。

或者が大神師に問ふて「此の世の幾多の宗教と道德の中に何が比較的に其の理、深大にして且つ此の世を敎へるに適當でありすせうか。」と、大神師答へて曰く「大いものも無く深いものも無い死骸には何

等問題がなからう。大きい人の死にせよ小さい犬の死にせよ、死は一緒である」と、此の言葉は先天時代に於ける總ての宗敎とか道德は死骸のやうで世を救ふべき力がないと云ふ意味のものである。恰も死んだ者には誰が強くて誰が弱いと云ふ餘地がないやうなものである。されば死んだとか生きたとか云ふ區別は何を以て標準を建てたであらうか。そこには一つの動かすべからざる答がある。卽ち此の時代の運（精神）に適合し、此の時代の運を指導し、此時代の運を創造すべき力があるかないかと云ふ問題がそれである。卽ち力の問題である。然らば力とは何んであらうか金錢の多いのが力でなく、權勢のあるのが力でなく、文の善く出來るのが力でなく、手腕のあるが力でなく、人の多いのが力ではない。唯死んだ死骸に生きた魂を起し得べき造化の力がなければならぬのである。一言で云はば萬人に活魂を起し、天地宇宙に活魂を起す大なる力がなければならないと云ふことである。

而して活魂のある人は、後天の運と開闢の運を見ることが出來るのである。更めて覺らねばならぬ事我々には金よりも、權勢よりも、文より、人よりも先づなければならないものは「活魂」の力であることである。活魂を得て後天の運を摑み、以て「地上天國」を建設するのが今日の人の大なる責任である。

天道敎は何を行ふものであらうか。曰はく人に活魂を起さしめ、聖靈として長生不死の道を得せしめるのが其の一であり、世の中の古く腐つた莖を切り取つて新芽を生えしめ以つて地上天國を建設するのが其の二である。此の二つの仕事をなす爲に天道敎が此の世の中に生れたのである。後天の運が歸つて

來、無極の運が戻つたのは、之れが皆五萬年の大運の始りである。

噫！道行ひ難し、世の多くの人は未だ盲目の眠りを耽り、死骸の惡嗅を出して居る、盲目が盲目を引いて丸木橋を渡り、死骸が死骸を抱いて角力を取る最中である。

天道敎の七十年の歷史は盲目が目を明け、死骸が活魂を起して三七字（呪文）を描き世の中の魔鬼を擊退する爲、分水嶺の險惡を越える眞最中の足跡である。併し運は旣に戻つて來たのである。弓乙の輝く光が東方より明るく照らされたのである。さうして此の書の精神は此の運と此の光を說くにあるのである。

二、後天始祖の來歴

大神師は後天開闢の始祖であつて、只今より百年前甲申十月二十八日朝鮮慶州佳井里に於て誕生せられたのである。大神師は新羅時代の「崔致遠」先生の後裔に當られ、代々文章道德に優れたのみでなく、殊に父親「崔玉」は儒道に名高く、仕官の途を棄て獨り山林處士として居られ、慶尙道儒林の範師であつた。

崔玉は四十を越しても息子がなかつたので何時も心配して居たが、或日のこと內室に這入ると或る顏の知らぬ婦人が居るので崔玉が其の譯を聞くと婦人曰く、「妾は本郡金川里に住む韓と云ふ寡婦でありまして二十の年に獨りとなつて、只今三十歲になるまで親の家に居りましたが、今朝起きますと精神が朦朧となり、日と月が落ちて妾の懷中に入つて來、又不思議な外氣が身を圍んで知らぬ間に此處に居るやうに

なりました。」と云ふので、崔玉が之を異樣に思つて夫婦になつたのである。所がその十月目に大神師を誕生したのである。此日は天氣明朗にして五色の瑞雲が家を圍み、異樣な香が天地に充滿し、家の後にある龜尾山は三日の間鳴動したのである。

又上帝の言葉として次の如く耳に聞へた。善い運が擴がり、胞胎之數定まり、小供の時より何事にせよ汝の知らないことはない。格致萬物の法と百千萬事を行ふに造化の中にてなした拔群の人物もあつたが、開闢後五萬年間に爾が如きは亦初めである。余も亦開闢後勞して功がなかつたが爾に逢つて成功したので、余も成功し爾も得意であり爾の家も大運であらう。」と（歌調中一節）

三、後天始祖の來歴（二）

大神師、生まれながらにして、知ること天に通じ、事理に明いこと日月に等しいく、顏容秀麗にして背高くもなく低くもなかつたので、村の人達が仙童と名付けた。又眼光は電の如く目を開けば清光傍の人を襲ふので、幼な友達は大神師の目を指して「逆臣の目だ」と嘲けたが、大神師は常に平然答へて「僕が逆臣になろうがなるまいが關係せずに爾等は順良なる百姓となれよ」と言はれた。

大神師の六つの歲に母が亡くなり、十六の歲に父が亡くなつてからは、心の中に此の世の中に對する不平が起り始めて、何時も「世將に亡ぶべし、世の人が互に喰殺し、互に猜忌し、君主にして君主のことをなさず、臣下にして臣下のことをなさず、父母にして父母らしからず、子にして子らしからず、男子が男

子らしくなく、婦人が婦人らしくないから、古い道德は亡び古い倫理は衰へ、世界に大變が一度起り、天地は新しく開闢すべし」と云つて、その一句一句皆過去の世の中を否認し、凡てのものを皆不平にのみ見るやうになつたのである。此の時の大神師の心中は恰も多數の死骸の中に挾まれた如くで、世の人のなすことが事每に見苦しく、時々叫んで曰く「此の世は堯舜の治を以てしても救はれず、孔孟の德を以てしても如何とも仕方がない。必らずや昔にも今にも無い大道がなければならぬ。『死骸には甘味い食物も好い衣物もつまらない、何物も必要がない、唯必要なのは活魂を吹入れて死骸をして生れ替へるやうにする一道である。此の世の中は無數の死骸が集つて居る墓地である。如何にせば彼の死骸をして生れ替へしめ得やうか。噫！余の一生涯なすべき責任は唯だ此處にあるのみである。」と。斯くて憤然として新思想を起したのであるが、時は十六歲の年の秋の或日の朝であつた。大神師はその日から祖先傳來の孔孟の聖經を一度繹いて見られた。其の所以はその聖經の中から世の中を救ふべき新しい理を得んが爲であつた。併し畢竟何等の所得がなかつたので總ての書籍を悉く燒却して仕舞つた爲に、崔氏一門から排斥されたので遂に家を離れて道を求むることに決し、今迄使役して居つた下僕等を解放してやつて獨りで漂然として家を出でて名山高刹を尋ねられたのである。

太白山、小白山、金剛山、ありとあらゆる所に往つて或は道僧に逢ふて佛道を論じ又、仙道も探つて見たのである。併し亦得る所がなかつたので「儒佛道千年の運亦衰へり」と自ら嘆き、終にはその時

に西洋から新しく傳はつた基督敎を研究して見られたけれども之れ亦「身に寄化し得るだけの神を持たぬ」と云ふ一言の下に否認したのである。

更らに大神師は躬ら弓術もやり、乘馬もやり、商人にもなり、陰陽術書も閱讀せられたのである。言はば世の中の事物は躬ら一度づゝなして見た譯であるが、その結果は此の世の中の總てのものを否認したのである。さうして十七年と云ふ長い歲月を送る中に祖先傳來の財產は餘す所なく費したのであるが、その初志は益々鞏固となつて動かざること泰山の如く、何時かは此の間違つた世の中を大神師の獨力で救ふべく大なる氣慨を建てられたのである。

四、後天始祖の來歷（三）

大神師は十六の年から十七箇年の間天下の周遊を終つて、乙卯の年の春、妻子を連れて慶州より蔚山に移られたのである。

時は三月の中旬、大神師只獨り座敷に靜坐して世の中の事物を考へて居た所が、忽然或る異樣な僧が顯はれて、小さい冊子一卷を大神師の前に出して曰く「私は金剛山楡岾寺に居るものであるが、百日間の祈禱を畢つた日にふと佛臺の上を見ると之の本があつたので、早速繹いて見ましたが、私のやうなものは到底その意味が分らんので、天下を廻つて其の文の意味を知り得べき人を尋ねましたが一人として之を知るものがなかつたのであります。今日偶然にも先生に逢ひました。願はくば先生の高見を聞きたう

御座います」と云ふので、大神師が其の本を貰つて暫らく見るに儒佛仙その他の何れの文の中にもない不思議な文であつたので僧に向つて「此の文は凡人の知るべき所でないから暫く置いて貰ひたい」と言ふや僧の姿は忽ち消えて仕舞ひ、本も亦見えなくなつたが本の中の文は頭の中に殘つたのであつた。大神師は、三日の間その文の意味を探究し、心を一層鞏められてその文の末に書いてあつた「四十九日間祈禱せよ」と云ふ句節に依つて之を斷行することに決心せられたのであるが、之の事實を指して「乙卯天書」と云ふのである。乙卯天書は大神師の熱烈に道を求めた誠より出來た精神作用であつて、之に由つて、觀れば人の心はその求むる所に依つて應ずる所、大なることを知り得るのである。

布德前四年、丙辰年の夏、大神師は天書の志に依つて四十九日の祈禱を行はんとして、梁山の天聖山に這入つて祈禱を行ふたが、四十七日目に、心に思ひ付くことがあり、昨夜はきつと叔父が亡くなられただらうと思つて祈禱を終へずしてそのまゝ家に歸つて見れば、果せるかな事實は適中したのである。

翌年丁巳の秋、大神師は更めて天聖山に這入つて祈禱を繼續したが、家、貧しくて、祈禱の費用を辨出することが出來ないので、己むを得ず香火田七斗落を六人に轉賣して天聖山に這入り、山の入口には店を張つて人目を避け、山の中に修道場を設けて、祈禱を圓滿に終つて後家に歸へられたが、先日香火田を買ふた六人が大神師に向つて盛んに惡口を言ふので大神師は「罪元より余にあり、己れ自ら此れに當るべし」と云ふて六人に各告訴狀を作つてやつて官に告訴せしめてから、官に自首して「私は自ら求むる

道があつて世の中の法待に觸れたのであるが、併し私の眞心から人の物を侵害しやうと思ふたのでなく又その罪になれるや否やも辨る暇もなく、唯だ大道を得た上此の世の中を救はふと云ふ大願から出たのであるから官は法に依つて處置して下さるやう希ふ」と述べた。すると官員も仕方なく一番先に買つた人にその畑を渡すことにしたのであつた。併しその六人の中の一人である隣の婆さんが息子と婿等と一緒に來て大神師に暴言を吐いたがその後數日にして婆さんが急病にかゝつて死んだので、復たその息子達がやつて來て母の死んだ原因は大神師の爲だと暴行をするので、大神師ー躬らその婆さんの家に往つて死體を撫でてやると暫くする中に不思議にも婆さんが蘇生したので、隣家の人達は之を見て大神師を不思議な人だと皆が恐懼の念をいだくやうになつた。

布德前一年己未十年、大神師大に感ずる所があつて、蔚山より慶州の龍潭に歸られた。此處は大神師の誕生せられた所である。大神師は四十餘生涯を感慨無量の中に天下を周遊し家產を蕩盡したけれども何等得る所なきを慨嘆せられ、斷然山門を出ざることに決心し、初めの號「濟善」を濟愚と改められた。濟愚とは愚な人を救濟すると云ふ意味である。門の上には「道氣生在、邪氣勿犯、與世人不同歸」と云ふ符を貼付けて山門に閑遊しながら默念しつゝ初志を貫徹するに努められたのである。

上述の如き大神師半生のことを考へて見るに、大神師は道を、求むる爲に十六才の年に家を離れて天下を跋涉し乙卯の年に天書を得、それでも尙足らずとして二年間祈禱を繼續して神通力を得られたので

ある。併しながら之でも尙滿足せられず復た五年間心の工夫を繼續し、何うしても後天無極大道を求むることに決心しつゝ龍潭に歸つて後、一心不亂に道を求められたことは昔の聖人と雖も之には及ばないだらう。

五、大神師大に覺らる

布德一年庚申四月五日、大神師沐浴齋戒の上座敷に靜坐せられた所忽ち體と心が慄へ、病氣とも何んとも形容の出來なかつた時分に、空中から叫ぶ聲あり、大神師、驚き立上がつて空中に向つて聞いて見た所空中より曰く「驚畏する勿れ、世の人が皆余を上帝と稱して崇拜するに爾獨り上帝を知らざるや」大神師精神込めて「上帝よ、何を敎へ賜はる積なりや」、上帝曰く「開闢後五萬年間余自身も亦何等の功なかりしなり。故に爾を此の世に出でしめて此の法を傳ふるなり。爾疑ふことなかれ」、大神師曰く「上帝は專ら西道にて敎へ賜ふ方と思ふ、さらば西道を以て敎へて宜しきや」上帝曰く「否々余に靈符あり名は仙藥、形は弓々なり。余の靈符を受けて世人の疾病を癒し、余の呪文を授けて人に傳へば爾亦長生して德を天下に施すべし」大神師此の言葉を聞く否や目の前に何物も見えなくなり、唯天と地の間に燦爛たる光ありて躍動して輝き、宇宙の一端と一端が互にくつついたやうに見へ天地萬物が其の下で或は現はれ或は消たりするので、大神師、之を靈符と覺り、目を開いて見ればその光はなくなり、空中に向つて聞いたが何にも聞えなくなつた。大神師はそこで此の言葉と靈符は肉體の目では見ることが出來ず

肉體の耳で聞くことが出來ないことを覺り靜坐して、氣を正しくした所、再び靈符の光澤が天地を貫き萬物の中央を通じて以て目の前に顯はれ空中から「爾、白紙を擴げて此の靈符を受けよ」と云ふので大神師は直に白紙を擴げた所、靈符白紙の上に照らし映されて躍動すること恰も太極の形態に似て見えた。大神師は息子を呼寄せて「お前は之を見よ」と云ふた所が、その子供には見えなくて父樣が病氣で斯んなことをおつしやると騷いだ。婦人もその光景を見て主人が氣違になつたとて周章て居た時に、空中より曰く「愚な人生が何んでそれを知るべきか、爾の手で靈符を紙の上に書き、そうしてそれを水に入れて飮めよ」と云ふので、大神師はその通りにして飮まれた。

上帝は尙ほ「靈符は人の病を癒し、死人の魂を生れ替へしめ、世の中の諸ての罪惡をなくする靈藥なり。爾試みに飮めよ」と云ふので、大神師は數百枚を書いて飮んだ。すると氣持が爽快になり、古腐つた心が雲のやうに消へ、新しい精神が湧いて來て、天と地の層までも透いて見え、天地萬物の本性が目前に明に顯はれるので、大神師はこれこそ仙藥なることを確かに認められたのである。その後多くの人に試みた所が、効能が顯れる人も居れば、顯はれない人も居るので不思議に思つて居たが、善く考へて見ると誠心のあるものには適中し、天德と天道に從はないものは一人として効能を見なかつた。そこで大神師始めて靈符は人の誠心より出ることを覺られ、そして人の活魂も、誠心を以て天の德に善く順應することに依つて顯はれることを知つたのである。之に由つて靈符なるものは天地萬物の生命で、人の活魂とな

り、世を活かす天の大魂なることを知つたのである。

六、大神師大に覺らる（二）

上帝と大神師との問答は庚辛四月五日より同年九月二十日迄のことで其の間色々な問答が多いが、中には上帝が大神師を試し見たものもある、卽ち「爾！只今の間違つた世の中を救ひ、苦に陷つた蒼生を生かさうとする志は大に嘉すべし、併しながら其のことを行はんとするならば、是非なければならぬ物がある、それは富力と權力である、金なくんば世を救ふ能はざるべく、權力なくんば亦此の世を治むる能はざるものなり。故に余ー爾に白衣宰相を與へて以て天下を救はしむべし」と。大神師曰く「此の世の中は金の爲に亡び、權勢の爲に亡ぶやうになつて居るのに、復た富と貴とを以て世を救へよと云はるゝは、惡を以て惡に易るもので、私は其を願はない所である」上帝又曰く「爾、若し富貴を願はざれば權謀で以て世を救へよ」大神師答へて曰く「此の世の中は權謀の爲に滅亡したのである。何んで人の小さな術策を以て民を欺して一時の平安を謀りましやうか、我は其を願はない」上帝又曰く「余に造化の術法あり、爾之を以て世を救へよ」大神師曰く「其は理に合はない事である。萬物が悉く自然に化し、自然に生長するのであるのに、何んで理に合はざる術法を以て世を救ひませうか、私は其を願はない」と云はれ、獨りで誓ふて「上帝も亦間違つた道を以て敎ふ、余は爾今上帝の言ふことも聞かざるべし」となし十一日の間斷食して靜坐のまゝ、ちつとも動かなかつた。それで上帝も褒めて「美しいかな爾の志よ。爾の修道既に其の

奥に達し、爾の行既に圓滿に至れるなり。余、今爾に無窮なる造化を授くべし」と云はれたので大神師が更めて守心正氣した上、其の理を問ふた所「靈符なるものは卽ち余の心であつて卽ち爾の心である。凡人は何んで之を知るべきか。天地は之を知るも鬼神は之を知らざるものである。爾は唯今無窮の道を受けたのであるから、爾自から之を修鍊し、後之を作つて人を敎へ、其の法を正しくして德を世に施すならば、爾亦長生して天下騷然たるべし」と云はれた。大神師之の言葉を聞かれた瞬間、俄に精神が新しくなつて今迄空中から聞えた上帝の言葉が、大神師の心の中から響き出て「降話」となり長い文書を成したのである。自ら問ひ自ら答へて無窮を誦らんじ、無窮を歌ふた時、天地、日月、星辰、草木、獸禽が一緒に其の歌を唄ひ、其の聲音を通じて靈の綱が、無窮より無窮へ通じて、億萬里の空間が、目の前に顯はれ億千萬年の多い時間が目の前にあつて遠い處もなければ近い處もなく、往つた時間もなければ來る時間もなく、百千萬億の、無量の時間と空間とが一片の心の中にあるやうになつた。大神師自ら喜んで降話を以て呪文を誦んじられた。曰く「侍天主永我長生、無窮〳〵萬事知」と。「天事問答」は之であつて、單純なる降話で以て無極大道の理を發表したものである。大神師は一ヶ年の間、獨り降話の敎へに依つて、躬ら修鍊し、躬ら修めて、將來の布德天下の大法を建てるやうになつたのである。

七、婦人が對坐して（敎訓歌中一節）

大神師は上帝の言葉を聞かれた後最初に夫婦對坐して夫人に向つて「吾々が夫婦になつてから二十年

餘りになるか私の爲に多くの辛苦を甞めたでせう。」又私が二十年の間、道を求むる爲め天下に周遊したので夫人は斯う云つたでせう「あなたは噓を、よう云ひますね、昨年も好くなることがあると云つたでせう、又一昨年も好くなることがあると妾を欺したぢやないですか、何時も〳〵欺されて、二十年にもなつた。今からは、噓をよしなさい、又二十年の間行つた惡戲もよしなさい、そして家のことでも整理して見やうぢやないですか」と。「併しながら、今御覽なさい、私が今日斯の如く無極大道を上帝より授かつて、吾家に好い運が來たのです、人の命は小さいが、此の世の無極大道は五萬に傳へて無窮に流るべきものである、なんと宏大なることでせうか、夫人も今日から之の無極大道に參與して、眞の人になり、長生不死の人となりなさい」と云はれた。夫人は之の言葉を聞いて「もし、あなた、上帝樣も情ない方ですね、吾家が今日斯樣に好くなる運があるならば前日の辛苦は阿故其んなに險惡であつたのでせうか。そんなであつたのに今日まで貴方に隨ふて來たのは他ではなく、あなたの行動が他の人と異つて居たからです。卽ち之のやうな貧しい世帶でありながらも、人に接する擧動が目立つて見えたし、又家人にも隨分親切であつたからです、それで好い運が來ることを豫期して居つたからです」と答へた。其の日より大神師は後天の初めての友を得て家中は和氣靄々となり一年三百六十日何の憂患もなく過したのである、これは大神師が修道後、初めて夫人に說法した大體であつて、我が敎が最も一般婦人に重きを置き、一般婦人修道に全力を注がねばならぬと云ふのも大神師より出た法である。

八、布德と道成德立（修德文一節）

辛酉年に至つて布德が日に擴がるので、大神師は修道の順序を定めた。卽ち入道式を行はしめた、之は永く道を守ると云ふ誓であつて、其時淸水を捧ぐることにしたのは、之は祈禱するに標準を定めたものである。又呪文を常に誦せしめた。之は長生の靈を得る方法で、又常に心告をなさしめた。之は守心正氣を行ふものである。又衣冠を正しくし、路を歩きながら喰ふことを禁じた。之は品行を正しくするものである。又惡肉（犬肉）を喰ふことを禁じた。又有夫女の姦淫を禁じ、臥して呪文を誦むことを禁じた。斯くて道の聲日に高くなり、門に入るもの毎日其の數夥しくなり、其の中には老人も居れば婦人も居り、小供も居れば長者も居る。而して修道中に無學な者が達筆となり或は文章家となり、又肉體容貌が變つて奇麗になり、或は長い病氣が自然に癒る等の異蹟があるので、大神師は喜ぶ一方又心配して曰く「美しいかな我が道の行はるゝことよ、爾の眞心がそのやうで、爾の道力が日に高くなるから、甚だ嬉しいが併し「道成德立」する爲めには斯かる異蹟を得るに止まらず、それよりも、一歩進まねばならぬのに、修道者の大概は只だ此の異蹟を求むるに努むるばかりで「道成德立」に這入らぬから遺憾である。「道成德立」は眞心にもあり又人にもあるのに、敎人を指導する者足らず、又は敎人となつたものも直接余の言ふことを聞いて居らぬ。故に流言を聞いた丈けで道を修むる者がある。斯くて何んで正しい道を探り得べきや、凡そ之の道

は心から信ずるのが眞心である。そも〳〵信の字を解體して見るならば人偏に言だから人の言ふことであつて、言ふことの中には正しいことと正しくないことの二つがあるのみである。正しいのを取り、正しく無いものを除くべく更めて心を定めよ。さうして一度定めた後は他の言ふことは信じないのが、眞の信である。斯の如くして道を修め以て誠心を致せ」と。此の言葉は「自在淵源」を意味した言葉で、道を修むるものが如何に上帝を信じ大神師を信じ、隨つて異蹟が多くあるとしても、大神師の心法を正しく解して信じなければ、「道成德立」に至らぬと云ふのである。大神師の心法を正しく知るには善い指導者に逢ふことが一番肝要である。故に我が敎に於て、大神師の時代より總ての敎人の道を修むる有樣を見るに、大概は善い指導者に逢へないのであつて、正しくない途に進むものが何程多く居るかわからぬ。大神師亡くなられて後、海月神師の言葉に從ふたものは正しい道人になり、義菴聖師の時代にも亦聖師の言葉を正しく聞いた者が今日まで正しい敎人になつたのである。故に敎人たるものは、敎會の時代が代る毎に、正しい途を探して往かねば、「道成德立」に遭はれぬのである。今後の敎人と雖も、正しい言葉と、正しくない言葉を分けて、正しくないのは退け、正しい途に進まなければ、大神師の「道成德立」に參與し得る人に成れないものと云はねばならんのである。

九、隱　寂　菴

「門を通開して來る者を敎ふ、賢人君子集まつて德を明にせり、之れ聖運聖德ならずや。世の人は己に

克つ者を厭ひ、無根の說を造出す。可憐なるかな、慶州の鄕中人無き有樣にあらずや。賢人在らば、安んぞ斯かる言葉あらん。鄕中風俗皆棄たり、余の門運も亦可憐なり。知らず兇言怪說、人より甚し。親戚何の罪なくて謀諂に陷る。若し此の運なかりせば、爭でか之を免れむ。無極なる余の道は、余之れを敎へずと雖へども、運ある人は次第に授けらるべし。余修道する爾等を離れるに忍びざるなり、乍併事こゝに至つては、致方なく一朝離れざるを得ざるなり」

右に述べたものは大神師が人目を避けて全南南原隱寂菴に往く時に弟子共と離れるに際して作つた歌である。大神師弟子等に離れて、獨り南へ〳〵と往く時、所々に寄つては人情風俗を詳に考察し、或は客に逢ふて詩を論じ、深山に寺を尋ねて佛理も討論したのである。時は壬戌六月のこと馬に乘つて洛東江の左に當る應川と云ふ村から其の江邊に沿つて道を急いたのであるが、馬に乘つてから一度も下りたことはないのに何時の間にか洛東江を渡つて居たので、大神師が始めて馬上で何か夢中になつて考へて居たことを覺られ又頗る不思議に考へられたのである。

其の翌日義城郡界に到るや日が暮れたので或家に入つて一晩泊らして貰い度と願つた。すると主人は何か心配さうな顏付でいや〳〵ながら應諾するので、大神師は其の譯を聞いた所「私の息子が病氣で死に掛つて居ます」と云つて大神師に何んとかして蘇生させる方法はないでせうかと懇に賴むので、大神師は之を快諾して其の病人の體を二三度撫てやつた。すると次第に血液の循環がよくなつて間もなく

病氣は全快したので、家族一同は驚き喜んで大神師を上座に奉つて、治病の方法を問ふので、大神師笑つて「世の中の大病を癒せば、人の些少な病氣も自然なくなつて仕舞ふのである。君が若し考へがあるならば、此の世の中の大病を癒す道を修めよ」と呪文を書いて主人に天道を授けた後、全州へ向つて途を急いたのである。幾日か經つて、全州の或村の書堂に這入つた。此の書堂には村の人達が大勢集つて、色々な世間話をして居つたが其の中に斯う云ふ問題が出た「此の世の中には何が一番恐しいか」。すると或者は虎だと云ひ或者は鬼だと云ひ、又官員、國法だと云ひ、或は兩班と金が恐しいと云ふ者又神樣が一番恐しいと云ふ等色々まち〳〵であつた。或者が大神師に向つて「貴公は何が一番恐しいですか」と云ふので、大神師笑つて曰く「私は罪のない所が一番恐しいのです」と云ふと、大勢の者が其の意味を解し兼ねて「罪のない所とは何んな所ですか」大神師曰く「心が卽ち罪のない所です、心の中では如何なる考へをした處で、誰れもそれを知らないから、罰せらるゝことはないでせう、故に世の中の人は肉體は罪にならんように愼むけれども、心では愼む者がない。故に其の實、諸種の罪は心から出來るものであるから、心が一番恐しいのです」と云ふと、大勢の者は「それぢや心にて罪を犯さない方法としては何が一番肝要ですか。」大神師曰く「重ねて生まれねばなりません死んだ魂を棄て、生きた魂を起さねばなりません。皆樣が只今、何が怖い〳〵と云はれたでせう。皆樣の言ふことも、左程惡くはない言葉です。此の世の中には果して恐しいものが澤山あるのです。言はば恐しいのが此の世の中です。恐しい中

に生まして、恐しい中に死ぬと云ふても過言ぢやないのです。併ながら、此の世の中が此んなに恐しくなつたのは、誰が造つたのでせう。人が自己の罪惡で以て作つたのではないでせうか。卽人の心で作つたのではないのですか。故に人が此の世の中の諸種の恐しいものを無くして樂しく暮らさうとするならば、先づ自分の心から「活魂」を起さねばなりません。恐しいものは死んだ魂で作つたものであつて、樂しいものは、活魂より出たものであります」と云はれると、大勢の者は大神師を不思議に思つて、其の方法を聞かして貰ひ度いと云ふので、大神師は言葉を續けて、此の世の中が塗炭に陷つた話と、衰運は往き將に盛運が來るべき話と天道の明理を說明せられた。すると皆の者が道に入り度いと願ふたので、大神師は其の中の七人に道を傳へた。大神師は到處で斯樣な有樣であつたが、其の後南原の西一里餘にある圓通菴と云ふ寺に到つて一間の部屋を借り、此の部屋を名付けて隱寂菴と稱し、そこで道を修めて居たが、此の寺に居られる間に修道詞と勸學歌を作つて故鄕に居る弟子に送つてやつたので始めて弟子等は先生の隱寂菴に居られることを知つたのである。

之のお寺の和尙が大神師の擧動の怪しいことを見て「先生は佛敎を御存じでせうか」と大神師に聞きますと、大神師曰く「佛道も好きです」「それぢや何故坊主になりませんか」「坊主にならないで佛道を覺るのが眞の佛誠であります」「それぢや公は儒道、仙道皆御存じですか」「儒道も知り仙道も判かるのです」と云はれた、和尙は一向譯が判らぬので、「それぢや何んと云ふのです、何にもすることなしに、只好く

とか判るとか云はれては要領を得ません。」大神師顏色を正して曰く「和尙は兩腕の中で何れを排斥し何れを愛しますか」と云はれた時、和尙は始めて分つたと見えて、「それぢや先生は體全體を愛すると云ふ言ですね」、大神師曰く「私は儒でも仙でも佛でもない其の全體を合せたものを愛するのです、天道はない所がないのです。故に其の全體を愛する外はないのです」「先生それぢや佛儒仙三の中に何が最も理に近いですか、そして何れが此の世の中を救ふに最も適切ですか」。大神師答へて曰く「深くもなく淺くもないのです。大きい人でも小さい人でも一度死ねば、大小を聞く必要もないのです。皆等しく屍體になるのみです。何んな理にした所で、其の時代の人に「活魂」を入れられず、又其の時代の精神を生かすことが出來なければ、それは死んだ屍體の道德であります。今の時代は佛法で救ふことも出來なければ儒道仙道で救ふことも出來ないのであります。死んだ屍骸の中に新しき活魂を喚び起さねばなりません。世の中を新に生かす道が、大きい道であり深い理である。世の中に新味を與へられぬものであれば、それは死物であります」と云つたが和尙は大に敬服したけれども、畢竟、天道が何なるか知らなかつたのである。後に弟子等が大神師に向つて「隱寂菴老僧に何故天道を傳へてやらなかつたのですか」と云ふと大神師曰く「既に色に染つた紙は新しい書を書くことは出來ない。老僧は既に色に染まつた紙である。永く水に漬つた紙である。その紙を掬ひ出さうとするならば、ばら〳〵に裂けるのみである」と云はれました。

大神師は其の翌年壬戌三月隱寂菴より歸へられて朴大汝と云ふ人の家に隱れて居られた所、意外にも崔京祥(海月神師)が來て伺ふので、大神師曰く「君は如何にして僕の戾れるを知つたか。」崔京祥曰く「今朝自然に心に感ずる所あつて來ました。」大神師曰く「君の心は實に熱烈である。」崔京祥曰く「小生は先月小瓶に半分も充たない油を以て二十一日の夜を明かしたが何う云ふ譯ですか。」大神師曰く「それは靈蹟である。君は今から布德したならば能く德を施し得らるだらう。運は既に君に歸へつた。力を盡せよ」と云はれて道を崔京祥に傳へられたのである。

一〇、種子の人と屍體の人

義菴聖師が曾て無化說を作つて、後天開闢のことに譬へて云つた所がある。卽ち「曾て夢を見た。洪水の爲に、總ての衆生が苦叫して居る有樣は丁度池の中の魚の群の動くやうであつて、それに太陽が落ちて四方八方が眞暗くなつた時分に、東方より青衣の童子が左手には炬火を擧げ、右手には弓乙旗を高く擧げて、海面を步いて來ながら口では呪文を誦じだ。すると太陽が新に創造され、洪水は退き全く世の中が新天地となつた」と「此の夢の意味は之の世の中は天道敎の眞理を以て救はるべきことに譬へたものであつて青衣の童子は大神師に譬へ、洪水と太陽の落ちたのは、之の世の中の總てのことが暗黑になつたことを意味し、蒼生が苦叫したと云ふのは、之の世の中の人が塗炭に陷つた證據を意味したもので、之れは卽ち後天開闢を明示し、古い世の中が變つて新しい世の中に成るのを意味するものである。大神師が

天道を覺られて、躬ら云はれるに「後世の人が余を後天天皇氏と呼ぶだらう」と云はれた。此の言葉は考へれば考へる程大いに譯のあるものである。「天皇氏と云ふのは、我が東洋人が天地開闢後一番初に生まれた始祖であつて、西洋人が人類の始祖を「アダム」と云ふたのと同じことである。然るに先天の始祖たる天皇氏は人の居ない中に一番初に生まれたから始祖と云ふけれども、大神師はそうでもないのに何うして始祖と云ふたかと云ふに、大神師は庚申（萬延元年）四月五日に天道を大に覺り、諸ての世の中の人が「活魂」で生きて居る人でなく死んだ魂で以て生きて居る死骸であるのを見てから庚申四月以前を指して先天と云ひ、其の以後を指して後天と云ふ。」庚申四月五日以後大神師は獨り多くの死骸の中から「活魂」を得て後天の人になられた。さうして大神師の心法を授かる人であれば一人づゝ後天の人になつて生きて居るものであるから、大神師が後天始祖である。從つて大神師を信ずる弟子の中、大神師の心法を正しく受けた弟子は卽種子の人になれるのだから誰でも後天始祖になれるものと斷言するのである。然るに玆に注意せねばならぬことは、何うして先天の人は死んだ死骸で、後天の人は種子の人になれるかと云ふことを深く考へて見るに、何れの時代を問はず其の時代には、其の時代を活かす精神があるから其の精神を正しくして其の時代を善く活かす人が、卽ち種子の人だと云ふのであつて、其の時代の社會はそう云ふ人の活動にて大きくなり、成長すること、恰も多くの穀物の中から種子を選んで、翌年の穀物を得ることゝ同じである。

後天の人と云ふのは天道敎を信ずる人を指すものであつて、彼等は後天の精神と後天の運を受けて後天社會を彼等の手で造上げるもので、其の社會內に於ける其の精神が永遠に長生すべきものであるから之を種子の人と云ふのである。」

一一、三人の信仰（自立の信仰）

大神師の時代に慶州黃五里に三人の天道敎人が居た。一人は李甲淳、一人は金大吉、一人は崔京祥で三人共等しく上帝と大神師を信仰して居たけれども、其の信ずる方法は各異なつて、李甲淳は上帝と大神師に每日祈禱をなしながら、自分の一家の安泰と世の中の諸ての人が皆な善く成れる樣にと願ふのであるが、併し自分は布德も何もなさず只上帝と大神師がそれを成して下さるものとのみ考へて信じて居た。又金大吉は大神師の言葉の中の、人が乃ち上帝なりと云ふことを聞いて、己れが卽ち上帝なれば祈る所もなく又依る所もない。凡ての幸福は上帝と大神師から與へられるものではなく何んでも自分に在りとなし、其の天性が漸次强くなつて、他を排斥し、甚しきは上帝と大神師までにも依賴しなくなり世の中には己れ獨りしか居らないものと自慢し、世の中の仕事は自分の獨りの力で以て成し得べしと云ふ確信を持つて居つた。しかし崔京祥は二人の信仰と全然違つて、上帝と大神師が此の世の中の幸福を與へらるものと信じて居るが、自分の力が無ければ上帝と大神師の力も並せて無くなるものと考へ、又人が乃ち上帝なりと云ふ言葉も信じては居たが、上帝と大神師が居られるから、自分も上帝になれると云ふことを確信し、之の世の中のことは自分獨り力にてのみ成るものでなく、又無形なる上帝と大神師の精靈のみにて成るものでもなく、自分の力と天使の精靈とが合致して始めて成るものと信じて居た。其の時、大神師は之の三人の信仰を批評して曰く、李甲淳は依賴の信仰にして、金大吉の信仰は孤立の信仰、崔京祥の信仰は自立の信仰であると云はれ、皆は崔京祥の信仰に從ふべしと云はれた。

昔の人の言葉の中に斯う云ふ譬がある。「人に道を傳へ難きこと、恰も酒醉を扶くるが如し」と此の言葉の意味は酒醉は眞直に立たないで、左に倒れ或は右に倒れて何んとも仕樣がないと云ふことである。修道することも斯の樣なもので正しい途に進み難いのである。例を擧げて云へば他を信せよと云へば、輒ち人にのみ依賴して己れを棄て易く、自分を信せよと云へば輒ち自慢に流れて人を排斥して孤立になるのである。只今我等の中にも依賴の信仰と、孤立の信仰と、自立の信仰との各異なる信仰の人が居るのである。

一二、大神師と弟子間の問答

辛酉の年に四方の賢士等が大神師に對して次のやうな問答をした。

問、聞けば只今天靈が先生に降臨せられたと云ふが、何う云ふ譯であるか。

答、無往不復の理を授けたのである。卽ち運は往つて戻らざる理が無い。昨年往つた春が今年又來、今年往つた春が明年復び來るが如く、大道の運も、盛り衰へる時があるので、衰ふべきものが衰へる丈け衰ふれば復び盛運が來るのである。只今は衰運其の極に達した世の中で、盛運が正に戻ろうとして居る。余は今戻つた其の運を授けられたに過ぎないのである。

問、それぢや道の名は何んですか。

答、「天道」である。上帝の道法其まゝを天道と云ふ。人爲と、諸ての偶像と、假飾を附けてない自然の天體である。

問、天道と云ひますが西道と異ならぬものですか。

答、西道は心から修むるものでないから、形式のみあつて、實質がない。併し、西道も亦天の運より生まれたもので天道の一部分であつて運や道から云へば皆等しい。譬へて云へば、春夏秋冬の四季が等しく天道より顯はれるものであるが、春と夏、秋と冬が互に異なるやうに、天道は全體であつて、西道は一部分であるから、其の理は違ふものである。儒佛も之の理から見れば、天道の一部分である。

問、何うしてさうでせうか。

答、我が道は元より人の品性を根本としたものであるから「無爲而化」より成れるもので、乃ち己れにある天の心を守り、天の氣分を授けられ、天の品性を領めて、天の敎を正しく受ければ、和氣自然の中より出て、天の運が己の運となり、己の運が天の運に成つて互に離るべからざる理を持たせるものであるが、西道は言ふことに矛盾多く、文に調和なく天と人を互に遠ざからじめたものであるから體には歸化する神靈なく、己れの心、天の心の敎を授けられぬやうになるから考はあつても、心に得る所が無い。實に無に近いものである。

問、道は皆一緖なりと云はれるが、それぢや學名を西學と云ひませうか。

答、そうでない。余東方に生れて、東方に於て授けられたのであるから、道は天道と雖へども學は東學と云ふのが適當である。

問、呪文は何んでせうか。

答、呪文は心にて祈る文である。上帝を奉る意味で、人をして天の心を持たしめて、地上に天國を建設しやうと心から祈る文である。

問、呪文の意味は何んなものですか（至氣今至願爲大降、侍天主造化定、永世不忘萬事知の意味を聞くのである）

答、至は卽ち極である。大きく云へば無限に大きく、小さく云へば無限に小さい所までに至るを（至）と云ひ、至氣と云ふのは、宇宙の間に充滿して居る虛靈である。何事にも干涉せざるなく、何事に命令せざる所なき、形容も出來なければ、目にも見えない、其の生きた氣分が天と地の底まで充滿して居て、萬物が其の至氣の中で生まれて又消ゆるものである。言はば至氣は天と地の根であり、萬物を出した母であつて、萬物が畢には復び其處に歸へる本家である。

(今至)と云ふのは天道に始めて這入る人が必ず至氣の氣分を受けねばならぬと云ふ意味。

(願爲)と云ふのは願ひ祈ると云ふ意味で、至氣に接せんが爲に怠けることなく道を修練して以て勵進すると云ふ意味。

(大降)と云ふのは、至氣が、體に在る己れの氣分と和合して心が和らかくならねばならぬと云ふ意味。

(侍)と云ふのは三つの意味がある「内には神靈が在る」と云ふ意味と「外には氣和が在る」と云ふ意味と「知れ」と云ふ意味であつて、

内には神靈が在ると云ふのは、人は元來天より生れたものであるから、心の中に天を奉つて居ると云ふ意味。

外には氣和が在ると云ふのは、人が人として生れた後には己れ獨りでは生きられぬ。人と人、人と天地日月星辰草木禽獸其他の諸てのものと、合致して以て生きられるものであるから、人は必ず己れの外の諸ての物と(氣和)を善くせねばならぬと云ふ意味。(人の心が散亂して居るのも、氣和が斷絕した證據であり、一家庭が散亂するのも、一國、全世界が散亂するのも氣和が斷絕された證據と見ることが出來る。故に之の世の中が善くなるか否かは專ら氣和の善くなるや否やに在るのであるから氣和は道を修める者の最も重要なるものである。)

「知れ」と云ふのは、人は己れの心に天あるのを知り、そうして氣和する道を善く知らねばならぬと云ふ意味である。

天主)とは乃ち神靈の有る上帝を云ふ。

(造化)とは「無爲而化」と云ふ意味で、人及萬物は皆「無爲而化」の力を自己の本能に持つて居るから、其の「無爲而化」の力に依つて心を修め働き、さうして世の中を化せしめよと云ふ意味であつて、例を擧げて云へば、天地萬物が悉く生途を探すとを知るが如く、人の手足の動靜、血の循環、飲食の消化するが如きであり、斯く何者も皆自分の自體に「無爲而化」の氣質があるものであつて、之の氣質に從つて道を修むれは卽造化になれると云ふ意味。

(定)とは道を修める人が「無爲而化」の氣質に違はず眞心を以て一直線に進むならば、心が天の心と合致し氣分が天の氣分と合致して、天と人が一つになれると云ふ意味。

(永世)とは一生涯と云ふこと。

(不忘)とは怠けず眞心にて祈り考へるを云ふ。

(萬事)とは多くの理を云ふ。

(知)とは上帝の道を知つて、上帝の智慧を授かれと云ふことである。

問、人の心が卽ち上帝の心であるのに何うして善惡がありますか。

答、人の心には二つの心がある、一は習慣の心であつて一は天より出る天心である。然るに善人は天心を守るから、其の德が天と共に合致し、惡人は習慣の心が發達して居るから、氣分が正しくなく心が頻りに變つて、天の命に違ふ。故に人に禍が在るやうになるものである。

問、之の世の中の人が何うして天主を奉らんのですか。

答、死に瀕して天主を叫ぶのは、人の常情であつて、人命天に在るとと、天が萬物を出したと云ふとは、昔聖人の言ふた所であり、又現今も語られる言葉であるが、併し、さうらしくもあり、又さうらしくもないようで、誰れも詳しい理を知らないのである。其れは、天が萬物を出したと云ふとと人命が天に在りと云ふ言葉は昔からあるのであるが、未だ其の理を人に詳しく敎へてないからである。天が萬物を出し、人命が天に在りとするならば、人は當然自分が授つて居る天命のまゝ生き、天命のまゝ死なねばならぬのに、之の世の中はさうでなくて、天命に違ふ生活をなし、天命のまゝに死なれぬのは、之れ未だ天道の理を正しく敎へられなかつたからである。故に世の中の人が天主を奉らんのである。

問、道を誇るものは何う云ふ心ですか。

答、成程、それは我が道は、今昔曾て聞いたことのない道であつて、昔に譬へることも出來なければ、今譬へることも、出來ない法であるからである。故に道を修めて見たものには、虛無であるやうであつて實地があり、道を聞いた丈けのものには實地があるやうであつて虛無である。天道は元より昔の道德でもなければ、又只今の世の中に流行するものでもない。今昔共にない所の無極大道であるから、舊習の考を持つた人とか、只今の習慣に馴れたものが、天道を誇るのも亦無理はない。

一三、大神師の戒め

尹先達と云ふ者が金史澤と云ふ敎徒より道を授けられて入敎三ヶ月の後、金史澤を官廳に密告した爲に、東學の嫌疑を受けるやうになつた。大神師は之れを聞いて嘆息して弟子等に「奸惡なる者よ、將に國を亡ぼすべし。奸惡なる者と沒理解なる者が世に充滿して亡びない世なく、亡びない國は無い。凡そ奸惡なる者が出づるに至つた原因は、上帝遠きに在りと敎へた所以である。昔の人の言葉に「天高聽卑」と云ふのがあるが此れは總ての奸惡なる者を出した大原因となつたものである。故に口では語らずして心では瞞まし、內は不良であつても外だけは飾つて、沒理漢を瞞まして惡事を敢行するのである。奸惡なる者の謀害は譬へて言はば、蚊が人の血を吸はうとする時に必ず聲を出して來るが如くである。人を害しやうとする奴が決して聲を出して來る筈がないのに、蚊はさうでなく、先づ聲を揚げた後に害するのである。奸惡なる者の謀害も亦之と同樣に、外を飾つて人を欺した後、人を謀害するのである。我が敎の將來の總ての禍端は奸惡なる者と、沒理漢とから起るであろう。諸君大に戒めよ」。と戒しめ

又、敎徒の中に反逆する者が居ると云ふ騷を聞かれて弟子等に、

「草の上に風が吹けば、强い草は倒れざるも弱い草は風に從つて倒れ易いのである。心の弱い者は丁度弱い草のやうで、心が變り易いのである。道を修むるのも旅人が遠方に往くが如くで、途に疲れ、又は

家が懐しくなつて、途中で戻るものがあるのである。道の運は遠いので世の中の誹謗が甚しくなれば、反逆し易いのである。反逆の弊なくして始めて君子となり得るのである。」と云はれた。

大神師は又敎徒の中に、心急がしく運の早く來らんとを待つ者が居ると云ふことを聞かれて、戒めて「腹の減つた者は急に穀物を成長させることが出來るか。又小供を急に大人にならせることが出來るか。穀物の生長、小供の成育が皆「無爲而化」の法則に依つて成れるものではないか。我が道は上帝の「無爲而化」の大法に依つて成れるものであつて、さうして山河大運が一緒に我が道に歸すべき大運に當つて居るのである。其の根源たるや深且つ大なるべきである。故に諸君は唯志を鞏固にして道の味を知れよ。一念自在にして始めて萬事意の如くなるべし。曇つた氣分を散らして、淸らかな氣分を養へよ。正しい心と淸らかな氣分を持たない人は、誠はあつても何等得る所はないであろう。隱れた聰明は慾心より出るものでなく、自然なる心に化して成るものである。さうして來るべき世の中の諸てのことは將來、同歸一體となるべき日があるだろう。諸君は、斯のやうな大道を小さく思ふ勿れ、余見るに、道を修むる者の大概は小さいことに努め、大きいことを忘れるようである。大運の中の奥妙なる機密は顯はれるものでない。諸君は氣を急ぐ勿れ、心急なれば大成功をなすことは出來ない。」と說かれた。

又金進士と云ふもの道に入つて、門閥、文筆を自慢し、修道を怠けるので戒めて我が道は門閥を云爲しない、門閥が何んで君子に譬へられやうか、門閥は人間が作つたものではない

八九

か。就中末世の人間が自分の慾を充さんが爲に作つて置いて、人民を壓迫する惡行ではないか。道德は人が作つたのではなく、上帝の正しい天性を領むるものであるから萬一貴賤を云ふなら、寧ろ門閥の方が賤しいのである。併し道德は貴い。我が道は文筆を崇ぶ道でない。文筆は人の小さい才能で、道は人の本然の天性を領むるものである。萬一德を失ひ、文筆を崇ぶならば之が爲に世を亡ぼす日があるべきである。諸君は小さい才能の爲に、大なる德を失ふこと勿れ。我が道は廣大無限のものであるが、其の修むる方法は簡單である。卽ち誠、敬、信のみである。余は道を唱へて人を敎へる時に只三七字の呪文を傳へるのは、呪文は短くても能く心を正しくすることが出來るからである。心を正しくするには三七字さへ其の極に至つたならば、萬卷の詩書の效に優るものである。と云はれた。

一四、地上の神仙

或日大神師の道場に多くの弟子等が集つて、各々將來の世の中の運が何うなるかと云ふことに就いて話が始まつた。其の問答は次ぎの通りである。朴大汝。「先生我等が先生の道を信仰するのは、死後の長生不死と現世に於ける歡樂を亨けるが爲ではないですか、然らば其の好い運は何時來るでせうか」大神師皆の者を顧みて「地に蒔いた穀物は何時か熟する時があるではないか。早く熟する穀物と、遲く熟する穀物の差はあるべきも、何れにせよ熟するとは皆一緒である。さうして穀物を喰ふ時にのみ面白味があるのでなく、蒔く時も發育する時も收穫する時も面白味があるものである。」崔京祥「先生此の世の中

九〇

の人が皆塗炭に陷つて居ながら、誰も自分が塗炭に陷つて居ることを知らないのは何う云ふ譯ですか。」

大神師「苦草の中で生長した虫が辛いことを知らないやうに、世の人等が皆な習慣の中に生れ、習慣の中に成長するので、習慣から脫がれて、此の世の中の間違つたとを覺ると云ふとは容易なことではない。もつとも之の世の普通の人等は自己の現在の世帶が苦しいと云ふことは知つて居りながら、それを順しく受けて過すのは、自分の運がそうだと斷念して仕舞つて、少しも世の中を改めやうとする考へを持たぬからである。」問「世の中の人等に易く、此の世の間違つたことを知らしめる方法が何んでありますか」答「それは唯だ「死生在天」と云ふ理を說いて聞かせる方法が宜い。世の中の人等は「死生在天」と云ふ意味を誤解して、非命橫死することさへも皆天命に歸して、少しもそれを後悔せず其の間違つた原因を探らうとするものも居ない。凡そ「死生在天」と云ふは人の命が元より天命で成つたものであるから、死ぬることも、天命にて死なねばならぬと云ふ意味である。譬へて言へば、茲に一本の木がある、其の木が何う云ふ風に死ねば、天命にて死するのであるかと云ふに、順々に生長して、老ゆる丈け老い、天然自然に死してこそ其の木の天命ではなからうか。若し其木が病に罹るとか、蟲に喰はれるとか、人の惡戯に依つて折られるとかするならば、それは天命でない。人の死も此と同じやうなもので天命にて生まれたから、天命にて死なねばならぬのに、只今の人の死はさうでない、殆んど非命橫死である。見よ、只今の人は歡樂の中に生きて居るか、又は恐怖と悲哀の中に生きて居るか。實に只今の

九一

人は皆な恐怖の中に生まれて悲哀の中に死ぬるのである。鬼神を怖がり、上帝を怖がり、國法を怖がり、兩班を怖がり、金を怖がり、年寄ることを怖がり、死ぬることを怖がるのではないか。其の所以は、此の世の中を、最初から恐しく拵へて置いて百姓を「恐しき」に由つて治めるからである。恐怖の中に生まれて、悲哀の中に生きるから內は氣が縮まり、外は饑困、壓迫、苦役に依つて、皆が天命に違ふて、非命橫死に陷るのである。故に人に其の間違つたことを知らせやうと思へば、先づ死生在天の理を善く說いて聞かせるが一番肝要である。」朴大汝「先生の何時も云はれる言葉の中に地上神仙と云ふのは如何なる生活を指すのでありますか」大神師暫く沈默せられた、軈て「君は未だ神仙が何んなものであるか知らぬか」朴大汝「神仙は長生不死のものと思ふのです。」大神師「さうだ神仙は死なぬ、此の世の中が地上天國になれば、人は皆死なぬ。靈魂の長生不死は勿論、肉身の死も死生在天の理に依つて死ぬのであるから死は死でなく、生の延長である。歡樂の中に生れ、歡樂の中に暮し歡樂の中に死ぬのであるから、死を死と思はない。小さい己れが大きい社會の己れと共に成長するものであるから、地上天國には死と云ふものがない。」朴大汝「神仙は喰はなくても生きられると云ふが、地上神仙も喰はずして生きられますか」大神師「喰ふに差別なく、誰でも喰ふ心配がなくなれば、之れ卽喰はずして生きると同樣ではないか。」朴大汝「神仙等には個人の闘ひなく、國の戰もない筈ですから、地上神仙の生活にも闘ひがない筈でせう。」大神師「衣食に心配なく、生死の關する所もなければ闘のある筈がなからう」

九二

問「神仙等は國なく法なくても生きられるでせう、地上神仙もそうであるでせうか」大神師「國は他我がある爲に存在するのであつて、法は闘があるから存在するのである。他我なく、闘のない所が地上神仙である」問「地上天國にも禍福の差別があるでせうか」大神師「地上天國の人は同歸一體の人で、同歸一體と云ふは全世界が一體となることであるから禍があつても一緒に受け、福があつても一緒に受ける故に禍も福も共になくなるものである。」

一五、大神師、聖靈にて出世せらる

布徳四年十二月のことであつた。大神師、各接を巡回せられて居た所に急報があつた。曰く「近日朝廷にて先生を西學なりと指目して、捕殺せんとす、先生は亡命せられよ」大神師笑つて曰く「道は自分より出てたるものなれば、余自ら之に當るべし、安んぞ身を隱して後患を諸君に及ぼすべきか、又余自ら思ふに時運然り、私心を以て大運に背くは不可なり」とて歸宅せられた。

十二月十一日大神師は海月神師外十餘人の弟子に、「余今夜は特別の用あり諸君は明日まで余の所に來るなかれ」と云はれて、獨りで其の夜を明かしたが、翌曉宣傳官鄭九龍が御命を以て大神師を逮捕した。

大神師は鄭九龍と共に京城に向つて立たれ、果川と云ふ所に到つて數日間宿泊することゝなつたが、或日のこと大神師が北に向つて痛哭せられるので、鄭九龍が其の譯を問ふた時に大神師曰く「久しからず

して知るべし」と云はれた。すると其の翌朝京城より、宣傳官が來て「今上陛下崩御遊ばさる、東學先生崔濟愚は大邱營に下囚して訊問上報せよ」。と云ふ命令を傳へた。

其翌年甲子正月六日大神師大邱に到られた。時の大邱監司は徐顯と云ふたが大神師を呼寄せて訊問するに際し、大神師の容貌が美麗にして、風乘偉大なので、心から嘆服する計りでなく、亦當時慶尙道に於て有名な學者崔玉の息子であることを知つて、若し改心さへすれば、出來る丈け助けようと內心決定の上怜悧なる吏屬をして夜中窃に獄中に往かして其の旨を知らせた。併しながら大神師は訊問場に這入つて、監司「爾は多くの群を集めて、百姓を欺すが、將何をなさんとするか」と言ふと、之に對して「余は無極大道を以て天下を濟はんとす、公は思ふまゝになせよ」と少しも後悔する氣が見えないので、監司之を不憫に思ひ、獄に入れて置いて、幾度となく改心を勸めたが大神師は終まで聞き入れず、二十二回の訊問に何時も相變らず前の通の答へたので、監司は怒つて刑杖で打つた。すると忽ち闢靂の音がして家は鳴動するので、左右の者は皆色を失ない、監司は又下獄を命じた。時に海月神師―大邱に到つて獄卒と交はつて兄弟の義を結び、獄卒の衣物を着換へて、獄中に這入つて窃かに大神師を伺ふた時、大神師は何にも言はず唯、煙管一個をくれるので、海月神師は取つて出て、其の煙管を割つて見れば、中に紙片に文字が書いてある。曰く「燈火水面に照らせり疑ふ隙なく、柱が乾ける狀なれども尙餘す力あるなり」と此の文の意味は、燈火は大神師の心法に譬へたもの、水は有形であつて海月神師に譬

へたもの、水の上は無形であつて大神師の靈魂に譬へたものであつて、余は死して無形となり、爾は生きて有形ならむが、余の心法は無形有形を通じて變らぬこと水の上に明を付けたと同樣だと云ふ意味である。又柱は大神師に譬へ、乾いた狀は大神師の靈に譬へたもの、力は心法に譬へたものであつて、余の肉身は死するも、余の心法の力の餘つて居ることは丁度大きい木が死んで、大きい柱になると同樣だと云ふ意味である。海月神師此の文を見、「遠く逃げよ」と云ふ敎訓に依つて太白山に這入つたのである。

甲子三月十一日、大神師、大邱將臺に於て刑罰を受ける時、刄で三度首を打つても少しも顏色を變へなかつたが、聽て獄卒に向つて「爾淸水を持つて來たれよ」と云ひ、淸水を前に置いて暫くの間何か祈禱をなされた後「余既に之の世の中の仕事を皆畢はれり、刄を擧げて余を切れよ」と云はれて靜に死の途に就かれたのである。之より大神師の肉體は永遠になくなつて心法と聖靈が世の中に傳はるやうになつたのである。

一六、天道敎の長生不死法

大神師亡くなられてから、大神師の靈魂が何處に往かれただらうかと云ふことに就いて弟子等は色々と考へたのである。或は大神師の靈魂は極樂世界に往かれたとか、或は大神師の肉體が其のまゝ存在するとか、と、各々自分の意見通りに云つたが、其中に其の理を正しく知つた人は海月神師のみであつた。

海月神師は曾て「向我設位」を創設せられて敎徒に言つて曰く「大神師の靈魂は我々にある。大神師を祀る法としては、各々自分の中に「位」を設けて、各々の心の中に大神師を奉り、自分の心の中にて大神師を探して見よ」と云はれたのである。義菴聖師曾て梁山の通度寺に於て修道なさるゝ時、以前大師が修道された所に往つて、斯う云ふ文を作つた。「昔日此の地に居つたが今日復び見る。昔の人も今の人も皆自分なり」と、此れは卽ち大神師の精靈が自分に在ると云ふ證明であつて、義菴が義菴として見だのでなく、義菴聖師の心の中にある大神師が復び昔の地を見ると云ふことを意味するのである。そうして義菴聖師は「大神師の聖靈出世說」を說かれたのである。

之に由つて見れば我々人類の靈魂は死後、他の所に往くのでなく、此の世の中に永遠に居ることが明かである。

凡そ我々の生命（靈魂）と云ふものは、我々や昔の人等の考へたやうに、各別々に離れて居る個體でない、靈魂は恰も限なく流れる長い江のやうなものである。靈魂は宇宙の中に充滿して居る生きた物である。斯くの如き靈魂が何うして我々の生命になつたかと云ふに、之は恰も電氣のやうなもので、電氣機械より生ずる電氣の力が電燈の光に變るやうなものと云ふべく、電氣全體は社會の大生命と等しきもので、電燈は個人の生命のやうなものである。又譬へて見れば社會は一つの樹の如く、我々個人は一枚の葉のやうなもので、木の葉が木の全體の生命力を受けて生きるが如く、我一個人の生命は社會の大な

る生命の力に依つて生きられるものである。そして我々が死ぬると云ふことは、電燈が壊れると電氣が電池に歸へるやうに、又葉が落れば其の葉にあつた生命の力が木の元體に歸へるが如く、我人類の死んだ生命の力は社會と云ふ大なる生命の海に歸へるものである。人が死ねば、自分の生命が肉體と共に地に落るものでなく、枯木から芽が生えるやうに人の小さい生命は宇宙の大なる生命より生まれたものであり、從つて社會の生命が無くならないやうに、個人の小さい生命も社會の大生命の中で永遠に死なないものである。

然るに玆に必然的に起る一つの疑問がある。若し生命が元より斯の如く無くならぬものであるとせば、大神師は何うして道を修める人だけが「長生不死」すると云はれただらうか。其の理由は、我が社會は人の生きた肉體のやうに生きて居るものであるから時代毎に成長することは丁度小供が大人になるやうなもので、社會には社會の大なる精神あり、社會の精神は結局我個人の精神の集りであるから、個人の精神が發達すれば社會の精神も大きくなるのである。恰も木一つの力は根と莖と葉が合はさつて成つたやうに、社會が成長するのは、其の時代毎に、個人の精神が成長するからである。

然して人にして若し社會の精神に符合し得べき道を得れば、其の人の精神は社會の精神「地上天國」の中にて永遠に生きられるのであるが、萬一そうでなければ、其の人は永遠に死ぬるのである。道のない人は枯れた葉か、又は岩の上にある種子のやうに何等來生がないのである。萬一こゝに腹の中で死んだ

胎兒があるとせば、それを誰もが、元から生まれてない人とするであろう。斯の樣に世の中に生まれても道を得なかつた人は卽ち腹の中で死んだ胎兒の如く、元から生まれない人のやうなものである。社會の精神から見れば其の人の有無は何等關係のないものであるから、そのやうな輩は既に社會の精神の中にて生途を得られないものであつて卽屍體の人である。

されば何の道を修める人でも皆「長生不死」するかと云ふに、それはそう云ふ譯にはゆかない。道の中にも死んだ道と生きた道の區別があるのである。死んだ道と云ふのは時代遲れの敎會を謂ふので、それは既に死だんものであるから、社會の精神に何等有益なるものがない。故に、其の樣な道を修めても殼ばかりである。生きた道と云ふのは、時代の精神に合するものを謂ふであつて、此の社會を育てる道、生きた道を行ふ者であつてこそ初めて長生することが出來るのである。故に之の時代には天道を信ずる人のみが長生することを得るのである。

一七、上帝の德

此の世の中の總ての物件は、一つとして永久に存ずるものは無い、水に泡が出來て消えるやうに天地萬物が、生長し老死するのであつて朝に生まれた蜉蝣が夕に死に、春に生えた草が秋に枯死し、我々の目には永久にあるやうに見える彼の山川も變る時がある。此の地球もなくなる時がある。斯樣に天地萬物は永久に存ずるものは無い。併しながら是は天地萬物を一部分づゝ、はなれ〱に見る陝い見地を言

ふのであつて、萬一天地全體を總括して見れば、生まれるものもなく、死ぬるものも無い。蜉蝣一匹は一日の間に死ぬるのであるが蜉蝣の全體は永遠に存在するものである。人一人は百年の内に死ぬが人全體は永遠に居るものである。之れは死ぬるだけ生れるものがある故である。故に死生を合して見れば生まれるものも死ぬるものもない譯になるのである。兎に角死ぬるだけ生まれるものがあるのが此の上帝の法則であり、又上帝の法則が流行する證據である。上帝は居られない所がない。其の證據には、天地萬物は各々不思議な本能を自然に持つて居るのである。總ての物が自ら生長し自ら種子を傳へることを知るのである。蜘蛛に綱を編む技能あり、蜂に密を作る技能があるやうに、總てのものが各技能を持つて居るのである。それは誰が敎へたでもなければ傳はつたこともないのに自ら知つて居るではないか。之れが萬物の自體に上帝が居る證據ではないだろうか。假令我人類にしても血が自から循環することを知り、喰物が自ら消化することを知り、目で見、耳で聽く如きは皆誰から敎はつたのだろうか、之が卽我が身に上帝が居る證據ではないか、故に大神師は道德辭に「人の手足の動靜は是れ亦鬼神であり、善惡の心遣ひは是れ亦氣運であり、言ひ笑ふは是亦造化である」と云はれた。此は卽ち我が身に上帝を奉つたと云ふ證據を擧げたものである。斯樣に上帝は天地萬物の中に居ない所が無い。故に天地萬物を總括して見れば是卽ち大なる上帝であり、自分一身を離して見れば、是れ小さい上帝であるのであつて小さい上帝が大きい上帝に賴るのが卽ち我が敎會の信仰である。

呪文に「至氣今至願爲大降」とは卽ち之を謂ふのである。至氣は卽ち大きい上帝の氣運であつて、小さい上帝が大きい上帝に賴つて生きるのは恰も魚が水に賴つて生きるのと同じことである。我々は上帝を信ずる故に小さい體が大きくなり、小さい心が大きくなるのである。今、上帝の德が何れだけ大きいかを述べて見よう。大神師は「德が何んだかを分らなければ、自分の身の化生した源を推察して見よ」と云はれた。然らば己れの身は何處から生まれたかと云ふに、父母からである、玆に於て父母の德が生するのである。併しながら人は父母が生んだのみでは生きられない。多くの人が集つて居る社會の德で生きられるのである。萬一社會がなければ、父母も生まれることが出來なければ己れも生れることが出來ない。玆に於てか社會の德が生ずるのである。社會の德がある故に父母の德があり得るのである。併しながら我等は社會の德のみにては生きられない。天地自然がある故に社會が出來たのであり、從つて自分が生きられるのである。天地自然の德は社會の德よりもつと大なるものであつて、天地自然がある故に社會があり、社會がある故に父母があり、父母がある故に自分があり得たのである。天地自然は如何なるものであるか云ふに皆合して上帝である。上帝の大道大德が天地萬物となつて現はれたのである。上帝の德が何れ程宏大であるか。さあ！己れの身と心を擧げて天の中に投げて見なさい、何れだけ心が安らかになるのでせう？玆に於てか天地萬物が上帝であることを能く知れるでしよう。

一八、人を上帝のやうに奉ること

我々は上帝の德の何んたるかを知つた。そして天地萬物が一體たることを知つた。して見れば天地萬物を己の身の如く奉ると同時に先づ己の同胞を上帝のやうに奉らねばならない。世の中の人は上帝を奉ることは知つて居るが人を奉ることは知らないのである。此れは大いに間違つた考へである。上帝が他にあらずして人の心の中にある以上は、人を棄てゝ何處に往つて上帝を奉ろうか。只今までの人等は上帝と人を別々のものと見たから上帝は貴いもので人は賤しいものだと云ふたのである。さうして人を見ること禽獸の如くにしたのである。如何に逆な考へであらう、南洋に居る或野蠻人等が、人を殺して神に祀ると云ふことを聞いたが、是卽ち人を賤しく思ひ、神を貴く思ふからである。所謂文明だと云ふ我等の中にも未だ斯る風習から脱しない者が居るのである。歷史を見れば宗敎戰爭と云ふものがある。宗敎戰爭は、爾が信ずる神が可であるか、余の信ずる神が可であるかとて、人を驅つて戰爭に死なしたものである。此れは如何に惡い風習であろうか、是は全く人が上帝たるを知らない所から出た行である。天道敎は之を改革したものであつて人を尊び人を奉る道が天道敎である。

海月神師が曾て淸州に往かれた際、徐澤淳と云ふ者の宅に到られると其の家の嫁の布を織る音がするので、徐氏に「君の婦が布を織るのか、上帝が布を織るのか」問ふと。徐氏は譯が分らんので「婦が布を織ります」と答へたので。海月神師は「君の婦が布を織るのは卽上帝が織るのである」と云はれた。又家

一〇一

に客が來れば上帝が來られたと云ひ、小供を毆ぐれば、上帝を毆つたと云つて大に戒しめたのである。人を奉ること上帝の如くする道には人を絕對に差別してはならんのである。尊い人、賤しい人、兩班、常人の別が既になくなつたのであるから、言ふにも及ばないが同じ人の中にも女子は賤しく、男子は尊いものとして男女の區別をするとか、小供を輕視し、長者を尊視するやうな考を一切なくさねばならない。父子、兄弟、夫妻の如き秩序は一つの名を付けたに過ぎない、人である以上は上帝であると互に敬まはねばならぬ。

人々は見たこともない神を奉ることを知つて居て、同じ同胞を互に喰ひ殺し、互に妨害するが、斯の如き道理が何處にあらう?。今「事人如天」の具體的條件を下に書くことにしよう。

一九、事人如天の實行條件(一)

問、「事人如天」せよと云ひますが小供等も上帝として奉られますか。

答、子供であればこそ上帝として奉らねばなりません。何故かと云ふに子供等の天性は大人の天性よりもつと上帝の天性に近いのであります。故に子供を指して天眞と云ふのではありませんか。大人等は各惡習に囚はれて上帝の天性を失ふて居りますが、子供等はさうでありません。何の子供を見ても笑ひ、泣き、戯れること、何時も一樣ではありませんか。之が卽ち上帝の天性に近い證據であります。

問、子供等に敬語を使はねばなりませんか。

一〇二

答、勿論敬語を使はねばなりません。我が朝鮮の人は子供等に敬語を使へと云へば、大人は賤しく見られ子供は尊くなるやうに考へるが、それは間違つた考へであります。子供等に敬語を使つても子供は子供であり、大人は大人であります。子供と大人の區別は年に關した區別であつて人其れ自體に關した言葉ではありません。敬語を使ふのは人の人格を高くするものであつて、敬語を使ふと云ふても大人が子供に服從するのではありません。

問、子供等を大人より、もつと敬まねばならんと云ふことをもう一度話して下さい。

答、大人はもう過ぎ去つた人でありまして、子供等は將來の人ではありませんか。過ぎ去つたことは宜かれ、惡しかれ、既に過ぎて仕舞つたのであるから言ふ必要もないが、將來のことは可成善くせねばなりません。將來のことを善くならしめるには、將來の人たる子供等を善くならしめる必要があるではありますまいか。然るに我が朝鮮の人等は、過ぎ去つた祖父のことについては族譜を作るとか、墓地を選擇するとか、祭祀を善くするとかして誠を盡して奉つて居ますが、子供に對しては少しも考へる所がないではありませんか。自分が造つた物のやうに、殺しても生かしても、又善くならしめやうが、惡くならしめやうが、自分の勝手だと考へる人まで居ります。子供は子供であつても、一度人と生まれて此の世の中に出て來た以上は同じ人、同じ上帝であり、國から見れば國民の一分子、社會から見れば社會の一分子ではありませんか。それが何んで自分の物でありませうか。此の點から見て祖父は

一〇三

過ぎ去つた祖先、子供は將來の祖先になるものでありますから、將來の祖先の爲に誠を盡して奉るのが道德の大本であつて上帝の理に適ふことではありませんか。それは子供を奉ると云ふよりも將來を敬ひ將來のことを善くならしめる天道敎の新道德であります。

問、子供を何んなに敎ふれば善く奉る印になるでせうか。

答、それは話が餘り長くなりますから、玆に云ひ盡されませんが、先づ天道敎を信ずるやうにせねばなりません。その所以は後天世界は天道敎の道德で以つて此の世の中を救ふべきであるからであります。

二〇、事人如天の實行條件(二)

問、天道敎に於ては婦人を男子のやうに、平等視せねばならぬと云ひますが、それは何う云ふ譯でありますか。

答、それは聞く必要もありません。人は男性女性が合して始めて完全なる人になれるのであつて男子を左の腕とすれば女子は右の腕のやうなものであります、左右の腕を等しく尊重するのが理に適ふことではありませんか。

問、天道敎は道を修むるについて婦人の責任が男子よりもつと重いと云ひますが、それは何う云ふ譯ですか。

答、天道敎は他の宗敎と異つて、婦人の誠心がなければ道になれないのであります。淸水を捧げること

一〇四

ゝか、誠米を取ることゝかは皆婦人に直接關係があるのであります。故に大神師も先づ夫人に入敎させたではありませんか。そうして海月神師は更らに婦人修道に關して努めて說かれたのであります。

問、海月神師が婦人に何んなことを話されたですか。

答、「夫婦和合するのが我が道の根本である。道に通ずるか否かは皆夫婦の和合の如何にあるのである。夫婦和合せぬ者が何うして人を化し、進んでは天下を化せしめやうか」と云はれ、又「夫婦の間に不順が出來れば互に諒解し、互に容れて成るべく和順に努めよ、萬一婦人が修道を怠れば、温順な言辭で以て之を改諭し、そうしてまだ聞かなければ拜め。一度拜んで聞かなければ何度でも拜め、さうすれば如何に惡い人でも感化されぬことはない。」と云はれ、又「婦人は一家の主人であるから、婦人が和でなかつたら、日に三頭の牛を屠つて上帝に祀るとしても到底福を享くることは出來ない。」と言はれました。

問、海月神師が作つた修道の意味は何んでありますか。

答(一)總ての人を皆上帝のやうに奉り、牛馬を虐待するなかれ。

(二)御飯米を出す時に必ず上帝に心告し飮食を淸潔にせよ。

(三)古いものを新しいものに混入するなかれ。

(四)汚ない水をみだりに棄てるな、鼻汁、唾液等をみだりに吐くな汚穢物は地に埋めよ。

一〇五

(五)寢る時、步く時、往くとき、來るとき等、一靜一動を心告せよ。

(六)客が來れば、上帝が來られたと云へ。子供を毆ぐるは上帝を毆ぐるのと同じことである。

(七)腹が立つ時分には呪文を考へよ。

(八)人を批難するなかれ、是は上帝を批難するものである。

(九)貪るなかれ、但し勤勉なれよ。

(十)受胎の時分は、一層謹身せよ。

一〇六

二一、「事人如天」の實行條件(二)

問、人を先に得させるのが道德でありますか、自分を先にするのが道德でありますか

答、社會を有利ならしめるのが道德である。社會を益せば自分も益し、他の人も益するからであります。

問、社會を益するには如何なる方法がありますか。

答、社會なるものは己れと人が互に團結して生活する所を謂ふのであるから、互に扶けねばなりません。故に互に難局があれば身を惜まず互に助け合ふのが社會を益する方法であつて、之れを社會奉仕と云ふのであります。

問、社會奉仕と云ふ意味は何でありますか。

答、社會は大きい「己れ」で、己れの家、己れの身は小さい己れである。社會奉仕は卽ち小さい己れが大きい己れの仕事をすることであります。そうしてこそ小さい己れが善く生きることが出來るのであります。假令ば村に何事かが出來たら裸足で出て、人より先に努めてやれば村の人心が次第に改良されて來て、己れの名譽と己れの仕事が順になるのと同じであります。

問、社會奉仕をするには憎い人、好きな人の區別がありませんか

答、勿論ありません、人は皆等しく上帝でありますから憎んではいけません。

問、然れば、惡い人も恭敬し、善い人も恭敬せよと云ふ意味ですか。

答、仕事にありては惡いことゝ、正しい事がありますが、人には惡い人とか正しい人とかはありません。故に惡いことだけは憎く思ふても人を憎く見てはなりません。

問、人を離れた仕事が別にあるものでないのに何うして仕事だけを憎く見ることが出來ませうか。

答、如何に惡い人でも過を改めれば善い人になれますから、その仕事の爲に過を改めた人をも憎く思ふなかれと云ふことであります。

問、過を改めない人であれば何うしましせうか。

答、惡いことを無くする爲に其う云ふ人は無くせばなりません、故に國にも法があつて人を罰することがあるではありませんか。

一〇七

問、人を罰するのが卽ち人を憎み、人を敬せざるものではありませんか。

答、多くの人を恭敬する爲に一人を罰することは、恰も體全體の爲に腫物を破つて腐つた肉を切取るやうなもので之れ卽ち社會と云ふ大きい己れを、恭敬する道德となるのであります。

問、貧しい者が富者を恭敬し、常人が兩班を恭敬し得られませうか。

答、其の人は恭敬することは出來ますが、其の制度は恭敬し難いのであります。

問、社會の惡い制度を改造するのが「事人如天」に適合するのでありますか。

答、聞く必要もないのです、天道は等しく人を上帝として奉る道德でありますから上帝の志に適はないことであれば何んでも努めて改めるのが卽ち道德であります。

問、然らば反抗も道德でありますか。

答、反抗にも二つの意味があります。正しい處に反抗するのは不道德で、正しくない所に反抗するのは眞實なる道德であります。昔は何でも服從するのを道德と云ふたのでありますが、天道敎の道德は、そう云ふ所に反抗することを道德の條件と爲して居るのであります。

一〇八

問、宗敎で以て世の中のことに參與するのが宜いですか。

答、昔の宗敎は世の中のことゝ遠く離れて死後に善くなることのみを云ふたのでありますが、大神師の宗敎はさうでなくして、世の中のことを正しくするのを道德だとなしたのであります。之が天道敎の他

の宗教と異なる點であります。

二二、事人如天の實行條件（四）

問、海月神師の言葉に上帝を恭敬し、人を恭敬し、其他の諸てのものも恭敬せよと言はれたのですが、動物も恭敬する方が善いのですか。

答、動物を恭敬せねばなりません。動物を恭敬する方法は先づ動物を虐待するなと云ふことであります。

問、動物を虐待するなと云ひながら、人は動物を屠つて喰ふのは何が爲ですか。

答、それは天地「無爲而化」の道がそう云ふやうになつて居るのであります。木とか草は空氣や土を喰つて生き、禽獸は草等を喰つて生き、人は其の總てのものを喰べて生きるやうになつて居るのが天主（上帝）の法則であります。天主の法則がそうなつて居るから我々が生きやうと思へば不得已その法則の通りに從ふ外はないのであります。

問、さればそれは惡ではありませんか。

答、その理は非常に深くつて一言で云ひ盡されませんが、今簡單にその意味を説明すれば斯うであります。元より大神師の「人乃天主義」は天地萬物を等しく天主（上帝）の表顯と見る故に、天地萬物は根本から互に助け合ふ理を持つたものであります。甲が乙を助け、乙が甲を助けてやるのは此れ即ち自己が自己を助けるものであります。何故かと云ふに天地萬物は根本が一體であるからであります。然るに天

地萬物が一體となつてその自體が進化せんとせば、不得已何んかの作用がなければならんのです。此の作用が即ち「以天食天」の作用であります。天で以て天を喰ふのは、即ち天で以て天を助ける作用であります。假令ば木が土を喰ふとせば木はその土を喰べて自體が大くなり、土は木を通じてその自體が進化するのであるから畢竟木と土が等しく宇宙の進化を助けるのであります。故に人が動物を喰ふのは、人自體が生きる爲だと云ふよりも、宇宙が進化せんとする大法則がそう云ふやうになつて居るものなのであります。

問、「以天食天」が宇宙の進化する作用なりとすれば人が人と闘ふのも、進化を助けることになりませんか。

答、此れは其の理と全然違ふのであります。人が人を害するのは左の腕が右の腕を害するのと同じことであつて、畢竟は人自體が亡びて仕舞ふのであります。人が人自族を喰ふことは善くないのみならず、動物も自己同類を喰へたらそれは自滅を招くものであるから、天地の法則が決してそのやうな行を許しません。そうして人が他のものを喰ふにしても其の種族を繁殖させながら喰はねばなりません。萬一そうでなくして其の種族を滅種するやうな行をなせば畢竟は人自體も死ぬる外はないのです。物を恭敬するのは實は自己を恭敬するものであります。

二三、心の上の地上天國（修身靜氣）

我々が毎日實地に經驗することが一つあるが、それは即ち理知と、感情が心の中で互に闘ふことである。理知から考へて見れば、そうしてはならんことも感情では頻りに爲したいのである。そうして畢竟は感情の方が勝つて理知の方が負けることが多くある。此れが人の「天地的」に持つて生まれた「苦痛」である。我々は何うしたら、此の苦痛を無くして、心を安らかに持ち得やうかと云ふことが大問題である。就中修道のことに至つては此の闘を仲裁せずには、心和氣和をなすことは出來ないから我々は可成此の闘を仲裁する道を探して見よう。

第一、心の中に感情の結ばれるのは、皆因緣からである。因緣なるものは、心と外部のものが互に好いて相愛するのである。酒を好くものは酒と因緣が出來るし、色を好くものは色と因緣が出來るし、金と名譽を好くものは金と名譽とに因緣が出來るのである。そうして一度因緣が出來た後は到底それを斷念し得られなくなるである。斷念せねばならんことを、斷念し得られないから、そこで苦痛が生ずるのである。されば我等の心の中に苦痛を無くするには因緣を結ばぬことを誓ひ、因緣を既に結んだ人は其の因緣を斷つことを誓はねばならない。斷ちさへすれば心の中の苦痛はなくなるのである。併しながら、言ふことは易くても實行することは隨分困難である。唯單に因緣と云ふもののみを斷たうとしても、到底出來ないものである。此れに就いて大方法が一つある。其の方法は大神師が既に說かれた

のである。即ち大神師の道は「心を守り氣を正しくする」のである。大神師は心を守る方法を次ぎの文に作られたのである。即ち「道氣長在邪氣不入」と言はれ、又「惡い考の起るのを除禦しやうとするに非ずして、唯だ覺りの遲れるを恐れよ」と言はれたのである。大神師の言はれた「邪氣」とか「惡い考へ」とかと云ふのは即ち心の中で感情より起る苦痛を云ふのであつて「覺り」と云ふのは「主義」を云ふものである。心中に大きい主義が立つたならば心の中にある諸ての因緣が無くなつて苦痛の起る筈がないのである。「主義」とは、正しくて大きい因緣を謂ふのであつて、苦痛とは惡くて小さい因緣を謂ふのである。心の中に大きい因緣（主義）がある人は小さい因緣（苦痛）が消えて仕舞ふのである。故に大神師は大邱死刑臺に於て首を斬られる時にも何等の苦痛なく泰然として死に就いたではないか。我が天道教人は大因緣を持つた人である。萬一何人でも眞實に天道教の大主義を心の中に樹てたとせば、その人は何等の苦痛なく、その大主義の爲に働く嬉しさ、闘ふ嬉しさに溢れて心和氣和が自らなり、修心靜氣が自ら殘るのである。言はばその人は何時の間にか獨で地上神仙となつて居るのである。自分が先づ地上神仙に成れば、地上神仙の味に嬉しさが溢れて人々に地上神仙に成る方法を敎へんとして努力し、世の中をして地上天國にならしめやうと活躍する人になれるのである。故にお互に大主義を持たう。そして主義の嬉しさを味はひましよう。

地上神仙に進む準備さして四つの禁止事項がある。是は我が教に於て「四大戒命」さ云ふのである。

第一は心を「飜覆する勿れ」さ云ふことである。心を飜覆するなかれさ云ふのは、心を移す勿れさ云ふ意味である。心の中に大主義を持つた人は金を以てしてもその主義を變へず權勢を以てしてもその主義を變へず。名譽を以てしてもその主義を變へず。凡ゆる壓迫を以てしてもその主義を變へず、終には自分の生命を亡くするにしても其の主義を失はないのである。大神師はその主義の爲には白衣宰相もやらず權謀術數の如き非常なる才幹もこれを受けず、畢竟は生命を投げてもその主義を變へなかつたのである。其の所以は、主義がなければ卽ち自己がないのみでなく世の中さ宇宙が皆無くなつたやうなものであるからである。

第二は「物慾に心を置く勿れ」、何物でも自分の物にしやうさする慾心を持つ勿れさ云ふ意味である。凡そ此の世の中が亡びるやうになつたさか、亂れたさかさ云ふのは、全く世の中の物を各自の所有さ爲す法が出來た爲である。自分の國さか、人の國さかさ云ふて人の國を侵犯するのも、自分の土地さか人の土地さ云ふて天然自然の地を所有するのも共に自分のもの、人のものさ云ふて、上帝の物件を盜む癖から出たのであるから、將來の地上天國の役者さなるべき人は物慾の心をなくせよさ言はれたのである。

第三は「噓を云ふて人を誘引するなかれ」さ言ふことである。「先天の世の中の事は總べて噓で人民を

欺したものであるさ云ふても過言でないのである。宗教が噓で人を誘引し、倫理、道德が噓を云ふて人の性情を誤らしめ、政治が噓を云ふて人を治めた如く皆そうである。大神師の道は之が爲に出來た道である。此の諸ての噓をなくして、正しくて善い天道の理を世の中に頒布して地上天國を作る方法であるから、天道教は一言も噓は無いのである。

第四は「內は不良でありながら外を飾る勿れ」さ云ふことで、此の言葉は人をして上帝たらしめよさ言ふ意味のものである。上帝さ人を各分離して信ずることなく、合して道を修むれば內外等しくなるべしさ言はれたのである。

二四、五　　款

地上神仙に進就するには五つの實行條件がある。是を五款さ云ふのである、義菴聖師ー曾て東經大全を見て。論學篇中にある「凡そ天地無窮の數さ、道の無極の理皆此の文にあり.」さ云ふ句節に對して、天地無窮の數さ道の無極の理は全く「五」にありさ云はれたのである。此の言葉は考へれば考へる程事實に適合する言葉である。道なるものは形體のないものであつて我々が、道を信ずるさか、道を修むるさか、道を得るさかさ云ふ言葉は何を意味したであろうか。道を修め道を得るさ云ふのは、卽實行を指して謂ふた言葉ではないだろうか、實行がなければ人さ道が何んな關係があるであろうか、實行があるから道が人に行はれるやうになり、人が道を使ふやうになるのではないか。

我が天道教に於て實行する條件は五つの規例があつて、此の規例に依り、無極が世の中に顯はれ、地上天國が世の中に建設されるやうになるのである。

第一は「呪文」である。呪文の意義は上に述べた通りであるが、呪文は呪文のまゝ棄て置いてはならないのである。呪文を誦まねばならない。呪文を何時も誦めば、心が開き心に力がつくのである。呪文を誦めば何うして力がつくかさ云ふに、心が統一されるからである。寶刀さ雖さも之を用ひて始めて効果が現はれるやうに、呪文は誦んで始めて効能を見るのである。

第二は「誠米」である。誠米さ云ふものは考ふれば考へる程天の理の驚くべき法則である。誠米さ云ふものは言ふまでもなく天道教を信ずる人が、一食事每に一匙を喰はない誓であつて、其の一匙の米を貯蓄して地上天國を建設する經費に充つるものである。その理由は我々人類は上に述べた如く全然天地自然の德を蒙つて生きるのであつて、人さして生れた以上は少くさも天地自然の德に酬ゆる責任さ義務を持つべきは當然なることである。そうして我々が天地自然の德に報ぜんさせば、我が人類社會を善くならしめるのが何によりも其の責任に適當なことではなかろうか、故に我が教にて言ふ地上天國さ云ふのは或意味から言へば天地自然の德に報ゆる一義務さ見ることが出來るのである。そうして我々が地上天國を建設するには經費がなくてはならないのである。その經費は富者の金でも可けないし國の金でも可けないし、唯上帝が我々に賜はつた「飯」を以てしてこそ理に適ひ、恩惠に酬ゆる印さなるのである。

故にこれを誠米さ名付けたのである。兎に角誠米は我が教さして此より以上の大なる實行がないのであるから、誠米の有無に由つて誠の有無を知るのである。

第三は「祈禱」である。祈禱は定例さして一週に一度づゝなし、又三七日、四十九日、百五日さ色々の形式で祈禱をなすのである。然るに我が天道教の祈禱は他の教の祈禱さ違つてその本色が心告を以て旨さするから、祈禱を善くしやうさせば心告する理を善く知らねばならない、心告は人の心さ上帝の心を互に合致させやうさする方法であるから、心告を不斷になせば心が和らかになり氣が和らかになつて上帝の感應を無限に享けるのである。

凡そ人には「願」があるのである。人は願に依つて諸てのことをするのであるから、願を絕つた人は卽ち死人である。大きい願のある人は大人であつて、小さい願のある人は小人である。大願、小願が互に合して世の中の仕事が進就されるのである。天道教人の大願を言はば「布德天下、廣濟蒼生」がそれである。そして小願は人に依つて各々異なるのであろうが、兎に角人は誰でも心中に各々願ひがあるのである。その願ふ所を成功しやうさ思へば必ず心告で願力を作らねばならない。願力が充滿した人は小さい心が大きくなり、死んだ心も活きることが出來るのである。そして上帝の無限なる感化を受けるやうになるのである。

第四は「侍日」である。我が教人は七日に一度づゝ教會堂に集つて、教理を聞くやうになつて居るの

である。そして上帝の智慧を授かるのである。上帝の智慧は世の中の智識とは異なるものであるから、特別に敎會堂に集つてその智慧を聞くやうにするのが侍日であつて、侍日は諸ての人が同じ場所に集つて團體的に氣化を得る方法である。氣化と云ふは己れの氣と人の氣が互に化することを云ふのであつて之は集りがなくては到底出來ないのである。故に大神師の呪文に曰く「外より氣化を得よ」と、氣化なくしては如何に眞心のある人でも修道に成功することは出來ないのである。

第五、「淸水」である。之は敎人の家庭では毎朝の九時に一族が淸水を捧げて心告式を行ひ、若干の敎理を家族同志、研究する誠であつて、修道の妙味が實に此こにあるのである。上述の五款は實行は實に重大なものであるから、地上天國を建設する人としては此の五つの誠がなければならぬのである。

二五、眞人は如何なるものか

皆一緒に靜に考へて見よう。人として生きるだけが人でなく、眞に生きるのが眞人である。人として生れて死ぬることは誰も一緒である、肉體は何時か死ぬるものである。考へて見よ。此の無限なる時間の上に我が肉體と云ふものは僅か七十年と云ふ短い時間を持つたのである。限界のない時間と七十年の時間を比較して見れば、恰も蜉蝣のやうな我が人生である。此の蜉蝣のやうな人生が何うして生れたり死んだりするのであるか、何が爲に生れ、何が爲に死ぬるのであるか、勸學歌に「無情の此の歲月何んで此う無情なのか。噫！世の人等よ、「人生七十古來稀也」は萬古の言傳ではないか、無情なる之の歲月、

考へて見れば實に情ない。蜉蝣のやうな人生に何んで人生七十を褒めて、稀の字を傳へたか」と云ふのがある。然れば我々として何う云ふ風に生き、又何う云ふ風に死ぬるのが最も我々の一生を値打のあるやうにする方法であらうか。

凡そ人の中には二つの區別があるのである。卽ち「半人」と「全人」の區別である。半人は不具者の如く半分の生活のみをする人であつて言はば「性」の生活と「食」の生活の二つのみをする人である。性と食の生活は人ばかりでなく諸ての動物もなす生活である。これでは人と動物を分別することが出來ないのである。然し人は概ね半分の生活のみをなすのである。全人の生活は殆んど稀であつて性と食と共に道德的生活の並進する人は全人である。道德的生活と云ふのは自分一人が生きる爲の生活でなく、自分が寄生する此の社會の爲の生活を云ふのである。

此の點に於て我が天道敎人は皆が全の生活をなす全人である。天道敎人は自分が生活すると同時に世の中を生かすことを並せてなしつゝあるのである。地上天國を建設する生活が卽ち道德的生活である。言はば全人と云ふものは一方からは個人の生活をなすと同時に、一方からは宇宙の公事をする人である。個人生活は一方便となり、宇宙の公事の目的とならねばならない。

萬一人は何んの爲に生れたかと問はば余は斯う答へたい「人は宇宙の公事をする爲に生れた動物なり」と。

天道敎理では、人と天が別物でなくて天が化して人になつたのである。天は無形で人は有形である。故に無形の天が有形の人に化生したのである。玆に於て、無窮の造化が起つて天地が善く整つて往くのである。故に此の世の中に人が居るやうになつた所以は人自身の爲に居ると云ふよりも宇宙の目的を達する爲に居ると云ふべきである。そうして人に七十年の壽命を持たせたのは此の宇宙公事の一場所を治めしむる爲に出來た時間と見ることが出來るのである。昔或お寺の小僧が掃除をして居つた時和尙がそれを見てひそかに言ふて曰く「小僧が宇宙の一隅を淸潔にする」と云ふて微笑したと云ふ話がある。果然其の通りである。人の小い仕事と雖も、その仕事が公の事に屬するものならば、それは眞に宇宙の公事を助ける驚くべき行である。人は本當に社會の爲に生きなければならない。こゝに於て其の生活の味を得ることが出來又長生不死の大法を得ることが出來るのであ。

人は動もすれば間違つた考を爲し易いのである。それは何故かと言ふに人は自分一身が天地萬物と何等關係もなく生まれ、又は生きて往くやうに思ふからである。是は餘りにも智識のない考へである。自分の一身が此の宇宙の間に生れ、又生きて往く所の理を深く考へたならば實に無量寛大なる境にまで到るものである。大神師の言葉に「己れの身の化生したことを考へて見るに、言はうとしても言はれぬ境まで到る」と言はれたのである。考へて見よ。先づ時間上から見れば己の一身の化生が、父母より出來たと云ふても父母は復父母の父母があつて天地無窮の以前まで到るやうになり、空間上から見れば、人と

人が塊になつて生きるのみでなく、人は諸ての自然に接しなくては到底生きられぬのである。空氣を吸ひ、諸の植物を喰ひ日光に照され、地を踏み天を冠つて生きるものであるから、是等と誠に密接なる關係があるのである。人は誰も天の一部分卽一分子であつて、そうして天の仕事を爲すために天より化生して人となつたのであるから「全人」となる方法は天の一部分である此の世の中の爲に身心を捧げて働くにあることは當然であり又天職であると云ふことが出來るのである。然して此の世の中は何時も成長しつゝあるのであつて、竹に節目が出來るやうに世の中も成長する節目があるのである。時代と云ふ言葉は世が成長する節目を云ふ言葉である。昔の時代には昔の節目があり、今の時代には今の節目が出來ることにきまつて居るのであるから、人は此の時代の節目を善く知らなければならない。萬一今日の人にして昔の節目だけを守つて居るならば是は時代の節目に遲れた人であるから全人になることは出來ないのである。全人は此の時代の節目を善く知つてその時代に適當なる仕事をなす人である。天道敎は此の時代の節目を建てる爲に出て來た無極大道である。

二六、人　心　風　俗

修道する人は先づ人心と風俗を善く知らねばならない。人心と風俗を善く知らねば、信仰心が堅固にならないのみでなく、世の中が何の方面に變遷するかを善く分らないのである。從つて布德を善くすることが出來ないのである。故に大神師は道を修むる前にも道を修めた後にも人心風俗を察することに力

を入れられたのである。

然らば今日の人心風俗は何うであるか。此は一言にては言ひ盡されないが、大神師の志に随つて二三の例を擧げて見よう。

第一各々自ら心に違反するのである。

父母と子、兄と弟、夫と妻の間も心が合はないで生活する世の中であるから人同志が闘ふことは言はなくとも知れたことである。それは何う云ふ譯かと云ふに時運が變らんとする兆候である。丁度秋になつて木と草が枯れ始めるやうに此の時代は衰運が充滿して、人心がさう變はるやうになつたのである。古い宗教と古い道德が無くならうとして、人心が亂れるやうになつたのである。

第二は悲哀と恐怖が多いのである。

此の世の中には果して恐怖が多いのである。弱者が强者から受ける悲しみ、女子が男子から受ける悲しみ下層に居る人が上層に居る人から受ける悲しみ、そうして年を取る悲しみ、病氣になる悲しみ、死の悲しみ、等が互に錯雜して涙で一生涯を送るやうになつて居るのが此の世の中である。

例へば今朝此處に生れた小供が居るとしよう。此の小供が世の中に生れてからの世間の味が如何樣であるかを一生涯に通じて豫算して見るとしたならば、その小供は必ず斯う考へるであらう。「此の世の中に自分を助けて呉れる人は幾人居るだらうか、朝鮮で言へば二千萬同胞もあり、世界で言へば十六

億萬もある人の中に本當に自分を愛して呉れる人は幾人居るだらうかと云ふに、僅か家族の數人の外にはないであろう。もつと適切に言はゞ母樣一人しかないであろう。其の外の人は自分と關係がないのみでなく殆んど私を害する爲に、互ひ喰ひ殺す群であらう」と考へるであらう、故に世の中は實に恐しい世の中である。生れながら喰ふ心配、着る心配長くなつては學ぶ心配、家族を養ふ心配等人は實に心配ばかりである。此の世の中が此んなに心配が多いやうになつたのは諸て人自身の罪惡から出た事である。人が人同志、氣化されずして別々に離れて生きるからである。人の物と自分の物を區別して、互に奪ふことのみをことゝするからである。恰も右の腕が左の腕を害するやうなものである。

世の中が同歸一體になれなかつたからである。我々の耳目口鼻四肢全體が合して一身となつたやうに我々の世の中も全世界の人が一身となつて生きなければならぬのに、そうでないやうに世の中を組織した爲に、悲みと恐怖が其所から湧くこととなつたのである。

世の中は斯樣に亂れたのである。從つて人の心も退廢して仕舞つたのである。

第三は人の誠が足らないのである。

衰運が充滿したので、人心浮薄となり人の根氣は薄弱に流れて、浮草の如く風の吹くまゝに流れて行く生活をなして居るのである。

大神師の言葉の中に「如何樣な人が雨を貰つて、能く世の旱魃を救ふべきか。一世が風に隨ふて往來するなり」と云ふのがあるが、是は人達の散亂した心を指した言葉であつて、人が主義で以て生きずして蜉蝣のやうに一日の生活をするからである。主義がないので心力なく、心力がないので誠がないのである。誠のない人と國は畢竟亂れた世の中となるのである。

第四、信念が足らないのである。

只今の人は信念で以て生きる人がないのである。諸て噓僞で生きて居るのである。噓で以て人を誘引し、惑世誣民をことゝし、國が人民を欺し、宗教と道德が人民を欺し、法と規則が人民を弄絡するをことゝするのである、さうして人民等は欺されて、欺されつゝ又自分等も欺すことを世の中と思ひ、欺すことを以て一生涯を暮して居るのである。そこで人が人を信せず天を信せず、眞理を信せざるやうになつたのである。人心風俗の亂れたのは此れに始まつたものである。

第五は恭敬がないのである。

誠のない世の中、信仰のない世の中には恭敬もないのである。人が人に對するに仇と思ひ、僞つて對するやうになつた世中であるから只今の人の心には互に恭敬がないのである、只今の人は皆が自分のみが豪いと思ふて生きるやうになつたのである。そして互に壓さへ付けあつて生きて居るのである。豪い人が愚かな人を壓さへ付け、富者が貧者を壓さへ付け、家長が家族を壓さへ付け、大人が小供を壓さへ付け、諸てが壓さへ付けあつて生きるのである。故に人と人との間に恭敬がなくなつたのである、

人を草芥とも思ひ、禽獸とも見るのであるから畢竟は互に喰殺す外はないやうになるのである。斯う考へて見れば世の中は實に可憐なものである。併し此れを一方から考へて見れば時運が正に大なる開闢となる兆候である。即ち只今の世の中が此んなに亂れたのは衰運去り、盛運の正に來るべき兆候である。此の世の中は恰も冬去りて陽春が廻つて來るやうに好い運が廻つて來るのである。之が即ち天道敎の無極の運と云ふものである。我々は此の人心風俗の善く變つて往くのを察して以て道を修めよう。

二七、此の世の中に一番不思議なものは何か

或日のこと大神師の道場に多くの弟子等が集つて世間話をする中に、此の世の中で何にが一番不思議であるかと云ふ問題が出て議論したことがあつた。或者は鬼が不思議だとか、天が不思議だとか言ふて居るとき、大神師は斯う言はれたのである。

「酒樽で酒の嗅がし、醬油樽で醬油の嗅がするやうに、不思議なのを考へ出す處が即ち不思議なことを蓄へた處ではなかろうか、故に此の世の中に一番不思議なのは人であると。然るに弟子等は其の譯が善く解らないので「人は鬼のやうに魔法も使へなければ、天のやうに雨、露、霜、雪を降すことも出來ないのに何うして人が一番不思議なものだろうか」と言ったので、大神師―は笑つて曰く爾は神の魔法を一番不思議だと云ふが元來神と云ふものは何う云ふものであるかを知つて居るか。神は即ち生きた人の

心の中から出るのである。山に住む人は山神を奉り、水に住む人は水神を奉るのは山と水に神が別に居るのでなく人の心が山に往けば山に應じ、水に往けば水に應じて或は喜び、或は怖がる所に於て神を自分自身が作つて、自ら拜み又は奉るのである。故に人の心は求むる所に隨つて應ずることが多いものである」と言はれると、金元甫と云ふ敎人が大神師に向つて「神を奉る法が何時から始まつたのですか」と問ふた。

大神師曰く「昔の人等は自然から生れて自然に死んだのであるから、此が卽天命のまゝ生き、天命のまゝ死んだものである。世が次第に天命と遠ざかり、漢の時代に誣女と云ふものが出來て人に神を奉る法を敎へるやうになつたのである。故に人は玆に天命に違反して邪惡にして虛無なる神を心の中で作るやうになつたのであつて、此れ卽ち、前にはなかつた神が出來、前になかつた禍端を態と拵へたものである」と言はれると弟子等は「然らば神はないとしても玉皇上帝は居る筈では無からうか。」と問へば、大神師曰く「上帝は居つても玉皇上帝はない」とて、

玉皇上帝とは、天上の君主のことで天の上にも人間界のやうな君主が居ると云ふのであるが、上帝(天主)は天地萬物の間を通じて居る天地萬物の精靈を指して言ふのであるから、前者は無く後者のあることは明らかな理である」と言はれると、弟子は「然らば玉皇上帝と云ふ言葉は誰が作つた言葉でせうか」と問ふた。大神師曰く「是亦人の心で作つたものである」と云はれ。「然らば人は誰が拵へたので

すか」と問ふた所、大神師曰く「人は天から生れたのである。故に人は心の中に天を奉つたのである、言はゞ人が天で、天が卽ち人である、天が化して人となり、人の心の中に復た天があるのである」と云はれ又「然らば天は何處から出たのであるか」と問ふたので、

大神師曰く「是亦人の心が考へたものである、それは卽ち天が人になつた後其の天の化身である人が始めて上帝のあることを知り、上帝を崇拜するやうになつて、上帝の無窮なる光が人の心を通じて出たのである、故に人の心が一番不思議なのである」と言はれた。「然らば人の心では何んでも出來ないことはないでせう」と云ふと、

大神師は「爾等は何を指して人の心と云ふのか、余の言ふ人の心と云ふのは君等の考へる習慣の心を指すものではない、習慣の心は、是は心でなくて、世の中の事物が映つて居る一つの影である。余の言ふ所の人の心と云ふのは、人の生命の底で天地萬物を作り上げた宇宙の根本の心を云ふのである。卽ち天地萬物の心とは天地萬物が成れるまゝになり、爲すまゝに爲される所の、卽ち此の心の「無爲而化」からなれるものなのであるから、人が此の心に從へば、天地のなすこと卽ち人のなすことであり、人のなすこと卽ち天主(上帝)のなすことであるが故に、その心にては爲されないことがないのである。人として萬一此の心に、背けば可憐な動物である。」と言ひ、弟子等にその理を更めて更に深く研究せよと言はれたのである。

二八、道通の初歩

大神師の時代に朴大汝と云ふ敎人が居つた。大神師は此の人を、道通の境に到つた人だと大に褒め

たのである。或人大神師に問ふて「道通の證據は何んでありますか。」と云つた。

大神師曰く「道通の證據は心の中の悲哀、恐怖、喜、怒の顯はれに依つて知るのである。」と云はれた。今朴大汝が直接經歷したことを一つ紹介すれば、朴大汝には一人の息子が居つて非常に之を愛して居つたのである。或年の夏急病に罹つて死んで仕舞つたので朴大汝の一家は勿論隣の人までも之を悲んだのである。然るに朴大汝一人だけは顏色も變へず泰然として居るので或人がその譯を聞いた所が、朴大汝答へて曰く「私も情のない者ではないが、悲んだ所で悲しむ自分だけ損であつて、死人が又生きて來る譯もないのです、故に斷念して仕舞つたのです斷念と云ふものは實行がなかく六ケ敷いものでありまして、私が先生の道を學んで以後大に覺つたことは、斷念が修道の根本だらうと考へたことであります」と云つた。

曾て大神師が、子を喪つて悲しむ人に對して言はれるに「君は天を知るのか。萬一天を知る人であれば自分の子と人の子が異なる所はない。然るに自分の子の死んだのには悲しみ、人の子の死んだのには悲まないと、云ふは是れ天の志ではない。又一日の中にも何千何萬と云ふ人の死を一々悲むとせば悲哀の絶え間はない。故に眞に天を知るものは人の死をそんなに悲しむ必要はない。唯斷念するのがよい。死人に對して悲しむ等の心力を費さないで、その心を生きた人の爲に盡せば之が卽ち死人の爲の哀悼なのである。」と言はれたことがある。

又或時朴大汝が急用があつて畓を賣つて金四百兩を家に隱して置いた。一人の强盜が此れを探知して

或夜更に朴大汝の家に侵入したのである。此の時朴大汝は呪文を誦んで居たが、ふと傍を見ると巨漢が大刀を擧げて「此奴畓を賣つた金四百兩を出せ」と脅喝するので、朴大汝靜坐したまゝ泰然自若として言ふに「君も嘸困つて斯う云ふことをするのだらう、併し僕も急用があつて畓を賣つたのだから四百兩の中の半分だけを持つて往け」と云ふて金の隱した所を敎へてやつた所が盜人はその通り二百兩だけを持去つたことがあつた。その後その盜人は朴大汝の言ふたことに大に感動して前非を改めて天道敎に入敎して篤實なる信者になつたと云ふ話がある。此れは朴大汝の心に恐怖がなくなつた證據である。

そうして朴大汝は元來兩班の後裔で、入敎の時には兩班達は大に反對してその一門から除籍されたのであつたが、朴大汝は少しも動かずして却つて着實なる心を以て修道したのである。故に大神師は朴大汝を道通した人だと褒めたのである。

「曾て義菴聖師、敎徒に言ふて曰く「爾等先づ道を修めた效果を知らうと思へば、先づ心から危險な所に這入つて見よ、鐵砲にも擊たれ、險峻な溝壑にも落ちて見、斷頭臺にも上がつて見て、それでも心が動かなければ道の效果が顯はれたと思へ」と言はれた、三世聖師は皆此の如き危い立場を經歷したのであつて、終には三世共生命を道に捧げながらも、その心を少しも動かさなかつたのである。是は心の中に泰山のやうな大きい主義があるからである。

兎に角心の中に何等苦痛なく、思慮なく、恐怖なく、悲哀なく心が何時も淸らかで事理に明らかなれば、

その人は確かに道通の境に達した人と見ることが出來るのである。

二九、大神師の心法が機觀に移された理由、機觀を神聖視すること（機觀は機關に等し）

大神師の時に或者が「只今先生の弟子の中に先生の心法を解る者が幾人位居りますか」と云ふので、大神師曰く「只今は道を解る者は稀である。が併し後世には多く出るだらう。」と言はれた、此の言葉は尋常のやうであるも、善く考へて見れば果然その通りである。大神師の時に大神師の言葉を直接に聞いた人は却つて大神師の心法を解し得ないで、後世の人等が、それを正しく知るべしと言はれたことは、凡そ大神師の心法を正しく知り或は知らないと云ふ原由は、人の思想が啓發せるや否なやに懸はれて居るからである。大神師の時代の人等は思想が未だ幼稚であるから大神師の言ふことが善く解らないのみでなく、大神師も亦言ふべきことを言ひ盡されずして、或は秘詞或は豫言で以つて遺したのである。故に大神師の時に大神師の心法を正しく知られた方は海月神師一人だけで、又海月神師の時に海月神師の心法を正しく知られた方は義菴聖師一人の外居ないのである。故にその時代には心法を一個人にのみ傳ふることゝなり、その殘餘の人は、心法を授けられた人の言葉を聞いて道を修めることになつたのである。尤も此の御二人の時代（大神師、海月神師）には我が敎が秘密結社であつたのであるから仕方なしに個人に心法を傳修させて、その環境に從つて、內所話で多くの人に敎へたのである。そう云ふ風であつたのが、義菴聖師の時代に到つては、我が敎運が大に開けて敎門を建つるやうになり、人の思想もづつと開け、時代も隨分進歩して、大神師の心法を機觀にて敎へるやうになつた。故に義菴聖師は心法を一人に傳修させず、全敎人に傳へて下されたのである。故に今日三世神聖を尊敬するが如く、天道敎の機觀を尊崇せねばならぬ。

機觀と云ふものは三つの要素からなつて居る。敎人敎法、位置が合して機觀になつたのである。天道敎人全體の意見で敎法を作り、機觀を設け、敎理を闡明し、諸を施設して進むやうになつたのであるから、天道敎の機觀は敎の師表であり、世の中を敎導する上帝の代表機觀である。恰も小さい石を集めて大い城を拵へるが如く、天道敎の機觀は天道敎の誠と力が合して天道敎と云ふ長い城と、大きい家を建て、その中に大勢の人が居るやうになつたのである。機觀に依つて造化が生じ、靈通が出來るやうになつたのである。

大神師曾て預言して曰く「我が敎に三絕の運があるべし」と。この豫言は適中したのである。大神師が慘刑を受けたことが一絕、海月神師が絞刑に處せられたのが二絕、義菴聖師が還元せられたのが三絕である。そうして此の三絕運を經過した今日の時代に至つて天道敎は機觀制度に成つたのである。機觀は死ぬることがないのである。個人は排斥することが出來るけれども機觀を排斥することは出來ないのである。機觀は五萬年の無窮までに傳はるものである。故に今日の敎人は誰でも機觀に依つて自分の德を布き、機觀によつて道を傳へ、機觀に依つて造化を得、機觀に依つて長生不死するを得らるゝのである。

故に機觀が萬事知の根源になるのである。

三〇、苦行と異蹟

天道敎七十年の間のことを一言で言ふて見れば、孤舟に乘つて大海を渡るが如く、風雨霜雪の間に過ぎたのである。三世の神聖が同じ斷頭臺の上にて生命を棄てられ、五十萬と云ふ敎徒が、甲午革命、甲辰革新、（獨立）運動に共に生命を棄てた程であるから、其の他の少々なる苦行は言ふにも及ばない。天道敎七十年の間の幾多の苦行の歷史を書かうとせば無限なる材料があるであらうが、大概は危險なる永い歲月の間に、或は大に燒かれ或は水に流されて、殆んどその材料を失つて仕舞ふたのである。玆には確實なる苦行の話の二三を擧げるに過ぎないのである。

(1) 大神師、道通以前、天下を周遊する時賊窟に這入つて苦まれた話

大神師の弟子の中に「崔義重」と云ふ人が居た。此の人は孤獨な身であり村の使人であつた。大神師が天下を周流される時分に手荷物を此の崔義重に持たせて同伴されたことがあつたが、之は崔義重が大神師に隨行した時の苦行談である。「私は（崔義重）大神師に隨行して約三十里程往つたやうでありました。或日のこと道を失つて、山の間の小路を三里程往きますと日は暮れて仕舞つたのであります。人家を尋ねやうと道を急いで峠に着いて左の側を見ますと、御飯を焚く煙が上がるので、早速飛んで往つて見ますれば、鐵

砲を擔いた人が、むりやりに大神師と私を引張つて或家に這入つたのであります。そうして庫の中に押込まれて仕舞つたのであります。その晩私は怖くて終夜寢ないで泣いてばかり居りましたが、大神師は泰然として私を慰めて言はれるに「泣くな。殺されることはない。余が居るから大丈夫だ。此んな所で殺される人の種類が別にあるのだ心配するな」と云はれるので、私はやゝ安心にはなるが、彼の、何んで殺されることを怖がらぬかと思ふと却つて癪にさわつたのであります。

其翌日大神師は賊の頭領の前に呼出されました。賊は大神師に向つて「お前は此處を何處と思ふか」大神師溫和な言葉で「同じ人の住む所と思ひます」と言ふと「それぢや我々の職業が何か知つて居るか。」大神師答へて「可憐な者を叩いて喰ふ人は兩班と官長であつて、兩班や官長のやうな金のある人を叩き喰ふのが公方の職業と思ひます」と云ふと賊は大に笑つて、その方は實に立派な方だと云つて、大神師を上席に坐らして暫らくの間問答が始まりました。その中に大神師が答へられたことで、今まで私の記憶に殘つて居るのがあります。卽ち賊が「公は此の世の中を可憐に思つて道を求めると云ふが、吾々のやうな賊をもつと憎く思ふでせう」と云ふと、大神師は「人が人を憎く思ふことは決して善くないことです。私は公等を憎むのでなく公等のやうな人が出來るやうにした此の世の中を憎むのです。此の世の中には、自分の物、人の物の區別があるから、富者があり貧者があるやうになつたのであります。故に人の物を盜むやうなことが出來たのではないですか。故に此の世の中を或一方から見れば、皆賊の世界と

も見られるのであります。大魚が小魚を喰ひ、兩班は常人を打ち喰ひ富者は貧者の物を奪食し、官長は百姓を叩き喰ふのである。言はば公等は公然とやる賊であつて、此の世の中の人は隱れて居る賊に過ぎぬのである。であるから私は世の中を惜み、公等を惜まぬのである」と云ふと賊等は大に感動して大神師と私を釋放したのであります。名前は言ひませんが、その後賊の頭領は大神師を尋ねて來て天道に入敎して大頭目になつたのであります。」

(2) 慶州領將の指目

辛酉年であるが、慶州の尹先達と云ふ者が、天道敎に這入つてから、慶州領將に密告して、大神師を指目（今で云へば要視察人）したことがある。此れは海月神師の記錄に遺つて居るものである。

或日慶州の領將が尹先達の云ふことを聞いて大神師を逮捕したので弟子等數十名も大神師に從つて慶州に行つたのである。そして西川と云ふ川邊に到ると洗濯して居つた數百人の女子が一齊に起上がつて、大神師の一行に向つて恭々しく禮して、大神師を頻に仰いで見るので、弟子等が「公等は何にをそんなに見るのですか」と云ふと、その女子が皆一緖に「彼の燦爛たる光彩を御覽なさい、公等の一行の上空には異樣な瑞氣があつて、遠い所から此處まで虹が立つて居るのです」と云ふので、弟子等も大神師の頭の上を仰いで見た所が果然燦爛たる光彩が頭の上を圍むこと恰も峰に五色の雲がかゝつて居るやうに見えたので弟子も不思議に考へたのである。

邑内に這入つて領將に會ふたとき、領將は「君が何んな術法を以つて、人を集めて世を騷亂させるのか」と云ふので大神師答へて「余は無極大道を以て世を救はうとする。領將は何か言ふことがあるか」と言ふて頭を上げて領將を見た所が、領將は大神師の眼光と威儀の嚴肅なるを見て一言も云はないで、歸らせたのである。

(3) 海月神師と天語

海月神師が初めて入道せられて、誠心を以て修道せられ、毎夜呪文を數千回讀まれ、又冬の寒い時にも冷水で沐浴せられたのである。或晩、忽ち空中から聲があつて「冷泉に俄かに坐ることは肉身に害を及すのである」と云ふので海月神師、不思議に思つてその翌朝、大神師に聞くと大神師笑つて曰く「君が天語を聞いて居つた時分は丁度余が、冷泉に俄かに坐ることは養身に善くないと云ふ文を作つて居つた時である」と云はれるので其の譯を聞くと、大神師曰く「天地萬物は一つの氣分で以つて出來たのであるから、誠さへあれば天地萬物の氣分を自分の身に受けることも出來、自分の氣分を天地萬物に授けることも出來る。今君が天語を聞いたのは、卽ち君の氣分と余の氣分が互に通じて居るから、余のなしたことが君に傳はつたのである」と言はれたのである。此の一つの證據に依つて天地萬物は、その靈性にありて同歸一體なることを知り得るし、又此の世の中は無極大道の無爲而化の氣分で以て正に同歸一體となるべきを知らせて下されたのである。

(4) 聞慶、李弼の亂

大神師大邱に於て慘刑に處せられた後、官吏等が東學軍を逮捕すること甚だ急にして且つ到る處に暴虐を極めるので、大神師の弟子李弼が憤慨に堪へ兼ねて、布德十二年辛未に民兵を聞慶に於て擧げて聞慶を陷落し、又隣郡の二ヶ所を擊滅してその勢が甚だ强く、此の亂の爲に官軍と民兵の死者數千名に達したのであるが、此の中で九死に一生を得た人の言葉に依れば、『私は曾て李弼より道を受けて數年の間善く修道したのであります、或日に李弼が人を遣はして言ふに「只今我が道の彰明する秋に至れり、我々が一齊に民兵を擧げよ」と言ふて來たので私は直に他の數人と竹槍を執つて、聞慶邑内に這入りました。聞慶邑は易く落したのでありますが、元より時期尙早にして、亦海月神師の命令もなく、民兵は少數にして官兵は多數であつたので、二ヶ月の後には戰に敗れて、仕舞つて仕方なく家に戻つて居つた所が、噂で聞くと、官軍が東學軍を片端から逮捕し、大神師の子弟も江原道の襄陽に於て逮捕されて殺されたと云ふことでありました。私も官軍に捕へられて、聞慶邑に這入り、幾日前から、百姓の捕へられて銃殺された數が何百名になると聞きました。私が捕へられて往つた日も三十名を一束にして銃殺すると云ふ時で、私もその一束の一人でありました。官軍等が我等を驅つて、或山の麓まで往つては一人づゝ引張り出して山の向ふに往つて、射殺するのでありました。銃砲の音がどんと鳴る度毎に精神を喪つて、世の中のことを分別出來なかつたが、私はそれでも、心の中で呪文を誦みながら氣をしつかりして居ると、何時の間にか私の番になつて、官軍に引張られて山の向ふに往つたのであります、私もその時は全く精神を喪つて居つたやうで、後からどんと鳴るのでその場に倒れた所が、何處からか「此奴早く往け」と云ふ聲がするので、私はそのまゝ山の中に逃げて、命を助かつたのであります。此は全く天使の感應と思ふのであります。』

此の言葉は敎徒李春成の話である。李弼の亂は、我が敎に於て始めて起つた民衆運動であつて、此の運動があつた爲に、官吏の虐待はもつと激しくなつて、畢竟は東學と云ふ大運動が起るやうになつたのである。

(5) 太白山の虎

李弼の亂があつた後、官軍が、東學の魁首は海月神師であることを探知して、各所に水も漏らさないやうに網を張つて隅々を片端から搜索したのである。

次に揭ぐるのは敎徒中の「黃在民」と云ふ者が海月神師に御共して禍端を避けて太白山中に逃げたと云ふ時の黃在民の話である。

「私は神師の御共して太白山に這入る時尙州郡高峙と云ふ所に往つて、敎人金日淑と云ふものの家に泊ることになりました。然るに神師は何處に往かれても少しも休まず、呪文を誦むことを怠らないことは勿論、草鞋とか、繩などを作つて居られたのであります。或日の晩、主人が遠方から犬の吠える聲を聞いて、周章しく人をやつて探知しました所が、我々を逮捕する巡校等が何時の間にか此の山にまで入り込んだのでありました、そこで私は海月神師を扶けて眞夜中に太白山上に向つて這ひ登り、山の中で、十四日の間、晝は木の皮と水を飲んで、やうやく命をつなぎ夜は木の下で寢て居たのでありますが、或日岩窟を見付けたのでそこで起居することになりましたが、何處からか虎がやつて來て夜毎岩窟の前で寢て居るので、此の光景に接した私は、氣が氣でなく他處に移らうと云ひましたが、神師は止めて言はれるに、「斯う云ふ時には虎の方が却つて人より善いのだ。何にも怖がることはない」とて神師自ら虎の傍で御休みになり、私は岩窟の中で寢で居りました。その後聞くと捕校等が此の山の隅々を搜索して居つた時分に虎に逢ふて屹驚して、歸つて仕舞つたと云ふことを聞いたのであります。此れが即ち天使の感應でなくて何んでありませうか。』

(6) 寧越の朴英傑

此の時に黃在民は神師と一緒に岩窟を離れて山を下つて寧越の朴英傑の家に到ると、朴英傑の父が出て、親切に迎へながら神師に向つて言ふに『私の亡父が平素から心の工夫をして居りましたが、臨終の時に家族に遺言して曰く、「某年某月某日に客が來るべし。爾等は眞心を以てその人を救へよ。そうしたならば我家に幸があるべし」と言はれたのでありますが、今日が丁度その年月日に當るのであつて、又御客の擧動を見ても凡人ではないやうに見受けられます願くば、互に兄弟の誼を結ばうぢやありませんか』

一三七

と云ふので、神師は老人の言葉に從つて淸水を捧げて兄弟の誼を結び、道を傳へて、四十九日の祈禱をその家で行つたのである。何ヶ月間か朴英傑の家で過す中に、此の噂が所々に擴つて、寧越の捕廳にまで聞えたので、寧越捕廳では東學魁首だと感づき、捕廳の頭領池達俊が逮捕の準備をして出發せんとする其の晚、一つの夢を見た。卽ち天から仙官が降りて來て言ふには「余の弟子が朴英傑の家に居るから爾は善く保護せよ必ずや幸福あるべし」。と池達俊が此のことを捕廳に話した爲に神師はやうやく禍端を免かれたのである。その翌年十月に神師は更めて太白山積助菴に這入つて四十九日祈禱をなし、その後からは、一層布德が擴がり始まつたのである。

(7) 壬辰の運動

昔の言葉に「道が一丈高くなれば魔も一丈高くなる」と云ふ言葉の如く、仕事が大きくなれば大きくなるだけ、大なる反動が生ずるものである。我が敎の海月神師の時代に至つては、布德が日に〳〵擴がるので、從つて「指目」もそれだけ酷くなつたのである。

各道各郡に東學の「指目」が起り始まつて、官吏の壓迫が激しくなつたので、敎徒等は一日も早く「道通」することを望むだけれども、時期尙遠く、從つて如何なる方法を講じてでも東學を國家に公認せしめようと決心して、遂に大神師の伸寃を條件として起されたのが壬辰運動である。

時は布德三十三年壬辰であつた。各地より天道敎の頭目等が海月神師の場席に集つて、神師に大神師

一三八

の伸寃をしたことを告げたのである。

神師は敎徒等の禀告する言葉を聞いて、暫らく默想して居られたが、徐ろに口を開いて「一般敎徒の志が皆さうであるか」と聞かれた。敎徒等は皆「ハイ」と答へたので、神師曰く「人の心は卽ち天の心であり、人の願は卽ち天の願である。諸君の心が皆さうであれば余も敢て辭せぬ」と言はれたので、弟子等が先づ地方長官たる全羅監司と忠淸監司に、その趣旨を擧げて訴狀を入れたのであつたが、その訴狀は何等の效果がなかつたのである。監司はその訴狀を受けて、各郡にそのことを傳令したので、各郡の守令等は却つて好いこととして、態々東學の有無を探知しては東學黨は勿論、他の百姓までも無理に罪に下して財物を討索したのである。此の訴狀の效果を得ることが出來なかつた敎徒等は復び壬辰十二月廿六日を期して忠淸道報恩の場内に敎人大會を開くことにしたのである。

此の時集つた敎人は無慮數萬人で各々接（隊）を作つて列を整へ、陣を作つたのである。そして敎人代表として義菴、龜菴、松菴の三人が海月の場席に至つてその理由を禀告し、今は仕方なく政府に上疏することに定めたのである。

松菴孫天民をして上疏文を作らしめ、一般敎徒等は願に依つて京城に於て示威運動をなすことになつたのである。此の時京城では人心が不安に圍まれ、俄かに彼方此方の横町から田舍の人達が出ては、何十人何百人づゝ群をなして何にか議論するのを見て魔術を使ふ東學黨が京城を攻め落さうとして來たも

一三九

のと思ひ、家毎に東學の語が擴がつたのである。

或日、皇城光化門前に頭巾を冠つた學者見たやうな人等が集つてその數實に萬餘名に達したのであるが、之は勿論東學黨の上疏を捧げんとする群であつた。而して光化門の前で恰も魚鱗のやうに、一齊に伏して上疏を捧げたのであつた。そして一齊に痛哭すること三晝夜を續けたけれども（國君）主からは何等の消息もなかたのであつたが、一日、魚允中と云ふ官員が勅令を奉じて、出て言ふには「爾等の願の通りにしてやるから各々家に歸つて業に安んぜよ」と言ふので、東學等は今こそ成功したとのみ思つて、各々故鄕に歸へつて、その消息を待つた所が、勅令は果たして各道に下つたのであつた。然し之れは何等の效果がなかつたのである。之れに憤慨した東學黨は癸巳年三月に復び報恩場内に集つて將に上疏することに決定したが此事が國中に擴がつて、宣諭使魚允中が又勅令を奉じて來て曰く「官吏の虐政は之を嚴罰するから、爾等は各々家に歸るべし」と言ふので、敎人等は皆家に歸つて下敎を待つたのである。併し又何等の効果がなかつたのである。大神師伸寃の事で前後四度集つたが。此の大運動も、結局東學の勢力の噂だけ世の中に宣傳されたのみであつて、官吏の虐政は少しも禁止することが出來なかつたのである。故に敎徒の心は、一層憤爵して畢竟は甲午革命運動が起るやうになつたのである。之を指して壬辰運動と云ふである。

(8) 甲午運動の大概

一四〇

壬辰運動で効果を得なかつた東學黨は漸次過激化して、無抵抗運動が抵抗運動に變はるやうになつたのである。さうして東學の目的「保國安民、廣濟蒼生」の大理想を武力を以つて一度で達しやうと決心したのである。此の運動の眞先に烽火を擧げた人は湖南の敎人全奉準、孫化中等であつた。

時は甲午正月であつて、全羅道の古阜郡に於て數千の敎人が集つて全奉準を頭領に民兵を擧げて古阜邑を一擧に陷落し、勢に乘じて進んで全州監營を陷落し、續いて湖南數十郡を陷落したのである。此の時に於て畿湖各郡に居る敎徒等も互に勢に應じて民兵を擧げたのであつたが、此處の首領は卽義菴聖師であつた。

此の時に民兵に加はつた者が數十萬であつて、郡を陷落させた所が百餘ヶ所、郡守と兩班階級を殺したのが數千名であつた。斯くて到る處で官軍を擊敗した噂が政府に達したので、政府に於ては天津に使者を送つて、淸國兵を援兵として招來し、日本政府は天津條約に名を藉つて朝鮮に出兵して、茲に東洋三國の兵が東學軍を擊退するやうになるや、之が原因となつて、日清戰爭まで起るやうになつたのである。甲午東學黨の革命は甲午一月一日に始つて其翌年の四月まで繼續したのであつて民衆運動とし、世界に稀なる大革命運動と云ふことが出來るのである。此の甲午革命が起るやうになつた內容の大概は三つの條件がある。

第一、政治革命であつて、上述の如く當時の無智なる官吏の壓迫は、東學黨をして當時の暗弱なる制度を改革して新しい政治を實現する爲めに立たしめた所の政治運動と云ふことが出來るのである。

第二、階級鬪爭であつて、政治運動を目的として起つた革命は終に階級鬪爭と變つて、民衆が兩班に、貧民が富者に對する鬪爭が起き、忠淸、全羅等に於ては、官吏、兩班、富者等を捕殺し、或はあらゆる刑罰を加へて自分の罪を自白せしむる等ありとあらゆる運動があつたのである。

第三、地上天國の建設であつて、當時の東學等は、其等が理想とした地上天國を建設せんが爲に立つたものであつた。

(9) 鐵砲の中から水の出た話

甲午運動に民兵が勝に乘じて長驅し、官兵が大敗した原因として茲に一つの面白い話がある。

東學軍に造化があると云ふ風說がそれである。

茂朱の接戰の時に東學軍は山の中に陣取つて居た所が、眞夜中に官軍がひそかにそこに這入つて、東學軍を圍み四方に大砲を掛けて置いて明方を待つて一時に東學黨を射擊することに決したのであつた。然るに官軍が陣營して居る村に、一人の婆さんが居たが、此の婆さんが此の光景を見て屹驚して、獨で考へるに、東學軍側には知人が多いのである。何うにかして此を救け出さうと思つて、夜更頃官軍の寢て居る隙間に乘じて、大砲の穴に、水を一杯づゝ入れて置いたそうである。然るに其翌朝官軍が起きて、一齊に大砲を擊つ積りで、照準を定めて、引金を引張つた所が、何うしても彈が出ないのみでなく、砲

身からは、水が流れるので、官軍等は「此りや大變だ、東學軍は造化があると云ふことを聞いたが果してさうだ」と云ふて其のまゝ皆のものが、逃げ出した時、東學軍に見付られて大敗したと云ふ話である。

(10) 衣物に彈丸が通らなかつた話

德山の接戰に官軍が東學軍を包圍して鐵砲を擊ち始めた所が、官軍は山の上に、東學軍は山の間に挾まれて非常に不利な地位に居る有樣であつた。此時の頭領は義菴聖師であつた。聖師は此の光景を見て軍中に號令して曰く「東學軍の身には彈が通らないから諸君は一齊に上帝に心告した後、山上へ登れよと」言はれたので、數千の東學軍は、聖師の言葉に從つて、心告した後に一齊に山上へ向つて突進した所が不思議にも、一人も彈に當つた者がなかつたもので、東學軍は一層氣勢が上がり、官軍は此の光景を見て、果して東學軍は造化があるとして一時に退却し始めたので此れを追擊して、九死から一生を得たと云ふ話である。

(11) 義菴聖師の豪氣

東學軍の中には本當の東學軍でない江原道の獵師等が多く居たのである。彼等は東學軍に造化があると云ふことを聞いて、或るとき義菴聖師に向つて云ふには、我々は造化を見てから行軍する積りであるから、接長（首領）は先づ我々にその造化を見せて吳れと云ふたので義菴聖師は萬軍の中から飛び出て、諸君が余を信じなければ、余を鐵砲で擊つて見よと言はれたので萬軍が一齊に大地に伏して拜み其の惡つたことを謝罪したさうである。斯樣なことは東學の革命の時に幾らもあつたのである。

第三節　天道敎の新舊の分裂

大正八年一月李太王薨去の報が朝鮮全土に傳はるや不安の氣分は四周を包んでゐたが、八年三月一日の李太王の葬儀に先だつて地方民の多數が儀式拜觀の爲入城したのを機會として天道敎第三代敎主孫秉熙を謀主として所謂萬歲騷動なる朝鮮獨立運動が勃發した。

斯くて京城を中心として全鮮に波及した騷擾の餘波は數ヶ月を經て漸く沈靜に歸し、孫秉熙以下內亂罪として禁錮に處せられ京城監獄に服役中孫秉熙は病を得て最早立つ能はざるに至つたので保釋を許され大正十一年死去した。

孫秉熙の死去に際して彼は敎主繼承者の任命を爲さなかつたので、其の繼承者として有力なる敎徒朴寅浩、崔麟等が衆望の的となつたが結局年齡の關係上朴寅浩が推されて第四代敎主として就任した。

然るに世界の形勢は歐洲大戰亂を一轉機として民主思想が澎湃としてみなぎり、其の思想の傾向はこの天道敎の廓內にも侵入し、反朴寅浩の敎徒及崔麟一派の者は相提携して敎主選擧制を提唱した。之れが所謂朴寅浩一派の舊派に對する所謂新派である。

新派は斯くて其主張を貫徹せしむべく舊派と分れて相對立し崔麟を敎主として選擧し敎主以下各部門を凡て代議制とし且つ時代の趨勢に伴ふ各種の機關を創設したのである。

天道敎青年黨も內修團及び青年女子會も少年會も學生も皆之の新派に屬するものであり各種刊行物も此の主旨によつたものである。

今天約（新派の敎憲）天道敎青年黨一覽及び天道敎青年黨憲及內修團規約を附記する。

天道敎青年黨一覽（譯文）

主義

地上天國建設

綱領

人の性自然に適ふ新制度の實現

事人如天の精神に適ふ新倫理の樹立

約束

黨の一切決議に絕對服從

布德六十四年九月二日

天道敎青年黨

沿革

一四五

天道敎理を硏究、宣傳し朝鮮文化を向上せしめんが爲に李敦化、鄭道俊、朴達成外多數青年の發起にて大正八年九月二日京城に於て天道青年敎理講硏部を創立して水雲主義の硏究と宣傳に關する事業を繼續して來たが、大正九年三月天道敎青年敎理講硏部は天道敎青年會とその名稱を改革し、事業の範圍を一層擴張して活動して來たが自體の成長と時勢の推移に依つて、更に大正十二年九月二日京城に於て新しき主義と綱領と約束を建て、李敦化、金起田、趙基栞等數十人が發起人となつて、天道敎青年黨として其の組織と名稱を變革したのであるが、その後今日に至るまでの間の重要決議事項と其他の狀況は大略左の如くである。

一、大正十二年九月八日本黨第一次總會に於て本黨の主義綱領、約束以外の一切事業進行とその他の規程は決議制とすることを決議す。

一、同年九月十六日本黨第二次總會に於て黨員の智識を向上せしめ規模を一致せんが爲に『每日一頁以上の讀書と染色衣を着(夏服例外)すること』に決議す。

一、大正十四年八月十七日本黨臨時總會を中央敎堂にて開き吳永昌中心の敎人大會（同年四月より分派した）と、吳世昌、權東鎭中心の統一期成會（同年八月宗理師總會に於て脫退分派した）の事件に鑑み敎會制度にありては天道敎會のことは天道敎人全體の意思を基礎とする現用の衆議制を擁護することに決定し同時にその態度を內外に聲明することに決議す。

一四六

一、同年八月十七日本黨臨時總會に於て少年及農民を啓蒙し集團的生活意識を訓練せんが爲に黨員の居る所每に少年及農民團體を作ることに決議す。

一、大正十五年五月二十一日、本黨委員會に於て黨員の智識向上と意識的敎養の爲に「新人間自學」の自條工夫を每年一回以上、期間を定めて實施することに決定す。

一、同年八月十三日、本黨委員會に於て全般の敎人に天道敎理闡明、敎史と敎政の究明、一般社會常識の普及を目的として侍日學校を敎會の在る所每に創立することに決す。

一、同上委員會の決議で十一月一日を「布德日」と定め、初めて、海內海外を通じて、ビラ、ポスター、講演等を利用して天道敎を大に宣傳す。

一、同上委員會で、黨勢を擴張し、事業を發展させる爲に幼年、少年、學生、女性、青年、農民、勞働の七箇部門を置き、各その部に關する諸ての方策を硏究し、進んでは部門團體を組織し訓練して各部門の運動を指導することに決定す。

一、昭和二年三月二十二日、本黨第四次定期總會に於て本黨最高機關が黨員總會であつたのを變更して全黨代表大會を本黨の最高機關とすることに決定す。

一、同年八月十五日第一次全黨代表大會の決議で十一月一日は永久に「布德日」と決定して年中行事の一つとして實施するやうになつた。

一四七

一、同上總會に於て黨員の年齡が滿十七歲より四十九歲までであつたのを改めて二十一歲より以上制限をなくすることに決定された。

一、本黨組織體の基本單位たる「接」制を、黨員を均一に訓練し、黨の機能を敏活にせんが爲に昭和二年五月二十六日、本黨第四次中央執行委員會にて決定されて實施するやうになつた。

一、本黨第一次全黨代表大會は昭和二年八月十五日京城に於て開催された。

一、本黨の憲則たる天道敎青年黨憲は第一次全黨代表大會に於て制定通過されて實施するやうになつた。

一、第一次全黨代表大會に於て、七部門中幼年部と少年部を合して幼少年部とし、新しく商民部を置いて、七部門とすることになつた。

一、第一次擴大中央執行委員會（黨憲第十七條に依つて）は昭和二年十二月二十六日京城に於て開催された。

一、昭和二年十二月二十六日本黨第一次擴大中央執行委員會に於て、朝鮮人は何よりも朝鮮の情形を善く知るのが必要だと云ふ意味の下に、朝鮮情形を硏究する機關として朝鮮情形硏究會を組織し黨の機關が在る所每に、その機關を置いて調查硏究することに決定す。

一、黨憲第二十九條に依る「道聯合會」は昭和二年十月二十三日、平北及咸南の道聯合會と、同二十四日、平南道聯合會の開催により始めて實施するやうになつた。

一四八

一、同年十月二十六日、第九次中央執行委員會に於て布德勵行方針として全敎人總出動にて毎年十一月一日より翌年三月末日までの農閑期を利用して布德に全力を盡すこと、全鮮的に均一ならしめ、又は規則的に努めんが爲に、特に「布德日」である十一月一日に、海內海外を論せず敎人の居る地方には「布德會」を組織することに決議されて實行されるやうになつた。

一、黨本部に於て地方黨部の黨務を督勵せんが爲に、第一次擴大中央執行委員會に於て黨巡閲規定が制定皆同じく通過された。

一、昭和三年四月三日本黨第二次全黨代表大會が京城に開催された。

一、第二次代表大會に於て黨の一般事務を督勵せんが爲に黨本部及地方部に監査委員若干人宛を置くことに決議されて實施するやうになつた。

附　考

一、大正九年六月より天道敎青年會の編輯部事業として言論機關「開闢社」を創立し同時に新聞紙法に依る政治、時事、雜誌「開闢」を月刊發行することゝなり、其の後發展擴張に從つて機關を獨立し、新しく女性の爲の月刊雜誌「新女性」と少年少女の爲の月刊雜誌「オリニー」の三大雜誌を發行して居た所、開闢は大正十五年八月まで七十三號を出したまゝ當局より發行を禁止された。其の母體機關たる開闢社は從前の通り事業を繼續して、只今は趣味雜誌「別乾坤（新女性と合併した

もの）」と「オリニー」を繼續刊行し、其の他有名なる書籍出版に努力して益々發展して居る。

一、小供の情緖を涵養し、倫理的待遇と社會的地位を人乃天主義に適ふやうに向上せしめる爲に、金起田、方定煥氏等の斡旋にて大正十四年四月に京城に於て始めて天道敎少年會を創立す。

一、天道敎の主義を意織し、內修道に努め、天道敎を發展させる爲に、大正十三年三月三十一日京城に於て、朱鈺卿、金友卿、孫廣嬅外諸氏の努力にて天道敎內修團が創立された。

一、天道敎學生會は田畯成、金東洙、裵正道外諸氏の努力にて大正十三年六月八日京城に於て天道敎在京學生親睦會が組織されたが、その後名稱を變更して天道敎學生會と改めた。

一、大正十四年九月二十九日京城に於て創立された朝鮮農民社を本黨にて支持することにした。

一、天道敎會機關紙兼本黨機關紙たる月刊雜誌「新人間」は大正十五年四月に創刊號を發行し、始めて月刊として繼續刊行するやうになつた。

布德會第一次聯合大會は昭和二年十二月二十二日京城中央敎堂にて開催された。

一、天道敎學生會第一次聯合大會は昭和二年十二月二十五日京城中央敎堂に於て開催された。

一、天道敎少年會第一次聯合大會は昭和二年十二月二十五日京城中央敎堂に於て開催された。

一、天道敎內修團第一次聯合大會は昭和三年四月四日京城中央敎堂に於て開催された。

一、天道敎青年團體たる天道敎四月會は第一次聯合大會を昭和三年四月四日京城中央敎堂に於て開催された。

以　上

（以下會の常任幹部、黨本部の現在幹部の列名及黨地方部一覽がある）

天約　附『附約』

天約

第一章　天道敎會

第一條　天道敎會ハ天道敎ヲ信奉スル道人ノ全體意思ヲ以テ此レヲ護持ス

第二章　道　人

第二條　道人ノ資格ハ呪文、清水、侍日、誠米、祈禱ノ五款ヲ實行スルニ依ツテ得ルモノトス

第三條　道人ハ十五才以上ヨリ敎憑ヲ持チ身分ハ敎憑ヲ以テ此レヲ證ス

敎憑ハ入道後五款實行ノ三個月繼續セル人ニ此レヲ附與ス

第四條　道人ハ敎會ノ指導ト保護ヲ均シク受クル權ヲ有ス

第五條　道人ハ天約ニ定ムル所ノ資格ニ依リ一般敎職ノ選擧及被選擧權ヲ有ス

第六條　道人ハ天約ニ依リ敎務ニ對スル意見ヲ陳述スル權ヲ有ス

第七條　道人ハ布德ニ從事シ天約ヲ遵守スル義務ヲ有ス

第八條　道人ハ天約第三條ニ依ル五款ノ實行ナキ時ハ道人ノ資格ヲ喪失ス

第九條　道人ニシテ敎會ノ事業ヲ目的トシテ結社スルトキハ必ズ中央宗理院ノ認可ヲ要ス

第三章　布

第十條　布ハ道人ノ自由意思ニ基ヅク三百戸以上ノ結合ニ依ツテ成立ス

第十一條　布ハ廣濟蒼生ノ大願ヲ完美ナラシムル爲メニ布德ヲ勵行シ敎化ヲ向上統一ス

第十二條　布ニハ主幹布德師一人ヲ置ク

第十三條　布ノ根本構成分子タル三十戸以上ノ自由結合體ヲ細布ト云ヒ細布ニハ布德師一人ヲ置ク

第十四條　布ニ對スル一切ノ事項ハ別ニ定ムル布制ニ依ル

第四章　法　會

第十五條　法會ハ主幹布德師、宗法師、觀正、院長及道領、副道領ヲ以テ組織ス

第十六條　法會ハ敎會ノ一般規約ヲ議定シ、敎職ヲ選擧シ、豫算決算及一切ノ重要事項ヲ議決ス

第十七條　法會ハ毎年四月ニ開キ其ノ召集ハ道領此レヲ行フ

但シ道領ガ必要ト認ムルトキ又ハ會員半數以上ノ要求アル時ハ臨時ニ召集スルコトヲ得

第十八條　法會ノ會期ハ五日間トス但シ場合ニ依リ會期ヲ伸縮スルコトヲ得

第十九條　典道、觀書ハ法會ニ於テ發言權ヲ有ス

第二十條　法會ニ對スル一切ノ事項ハ別ニ定ムル法會規約ニ依ル

第五章　中央宗理院

第二十一條　中央宗理院ハ天道敎會ヲ統管スル爲メニ此ヲ設ク

第二十二條　中央宗理院ハ道領司及誠道觀、敬道觀、信道觀、法道觀、知道觀ヲ以テ此ヲ組織ス

第二十三條　道領司ニハ道領一人、副道領一人、典道一人ヲ置ク

第二十四條　各觀ニハ左ノ職員ヲ置ク

一、誠道觀　觀正　一人　觀書　若干人
一、敬道觀　同　同
一、信道觀　同　同
一、法道觀　同　同
一、知道觀　同　同

第二十五條　中央宗理院ハ敎務上重要事項ノ顧問トシテ宗法室ヲ置ク

第二十六條　宗法室ハ宗法師ヲ以テ組織シ宗法師長一人常務宗法師若干人ヲ置ク

第二十七條　中央宗理院ハ敎務上ノ必要ニ依リ囑託ヲ置クコトヲ得

第六章　地方宗理院

一五三

第二十八條　地方宗理院ハ天道敎會ノ地方敎務ヲ管理スル爲メニ敎戸一百戸以上ヲ以テ一府郡ニ一宗理院ヲ設ク

但シ特殊ノ場合ニハ敎戸一百戸未滿ノ府郡ニモ宗理院ヲ設クルコトヲ得

第二十九條　地方宗理院ハ院務處理、敎務宣布ノ便宜ノ爲メニ面宗理院ヲ設ク

第三十條　地方宗理院ハ院長一人、誠道執、敬道執、信道執、法道執、知道執各一人ヲ以テ組織ス

但シ道執ハ必要ニ依リ兼任スルヲ得

第三十一條　面宗理院ニ宗理師一人ヲ置ク

第七章　職員

第三十二條　道領ハ天道敎會ヲ代表シ一般敎務ヲ總理ス

第三十三條　副道領ハ道領ヲ補佐シ道領事故アルトキハ道領ノ職務ヲ代行ス

第三十四條　觀正ハ一般敎務ヲ討議又ハ執行シ各其ノ觀ヲ代表又ハ總管ス

第三十五條　典道ハ道領司ノ一切ノ司務ニ從事ス

第三十六條　觀書ハ一切ノ觀務ニ從事ス

第三十七條　宗法師長及常務宗法師ハ中央宗理院ノ顧問トシテ其ノ意見ヲ開陳ス

第三十八條　院長ハ其ノ地方宗理院ヲ代表シ、其ノ院務ヲ總管ス

一五四

第三十九條　道執ハ一切ノ院務ニ從事ス

第四十條　宗理師ハ面宗理院務ヲ掌理ス

第四十一條　主幹布德師ハ其ノ布ヲ代表シ布務ヲ總管シ、細布布德師ハ各其ノ布務ニ從事ス

第八章　會計

第四十二條　中央宗理院ノ歲入歲出ハ毎年豫算ヲ以テ法會ノ議決ヲ經ルモノトス

第四十三條　中央宗理院ノ歲入ハ誠米、祈禱米代金ト喜捨金及其ノ他諸種ノ收入ヲ以テス

第四十四條　中央宗理院ノ歲出ハ經常費臨時費ノ二種トス

第四十五條　豫算ノ不足ヲ補ヒ豫算外ニ生ズル必要ナル費用ニ充當スル爲メ準備金ヲ設定ス

第四十六條　法會ニ於テ豫算決定セザルトキハ中央宗理院ハ前年度豫算ニ依リ施行ス

第四十七條　中央宗理院ハ歲入歲出豫算案ト歲入歲出決算案ヲ法會ニ提出ス

第四十八條　中央宗理院ハ敎務處理上緊急ノ需用アルトキハ必要ナル程度迄ノ財産ヲ處分シ次期法會ニ提出シテ其ノ承認ヲ受ク

第四十九條　會計年度ハ毎年四月一日ヨリ翌年三月三十一日迄トス

第五十條　豫算以外ノ或種ノ財政ハ特別會計トシテ此ヲ經理ス

第九章　勳賞及懲罰

一五五

第五十一條　天道敎會ニ功勞アル道人ニ對シテハ相當ナル勳賞ヲ與フ

第五十二條　勳賞ハ道師、道號、天勳章、特信章、褒賞章トス

第五十三條　天道敎ノ戒律ヲ犯ス人ニ對シテハ相當ナル懲罰ヲ行フ

第五十四條　懲罰ハ破道、懺愼、戒諭トス

第五十五條　一般職員ニシテ重大ナル過失アルトキハ各其ノ選擧機關ノ決議ヲ以テ免遞スルヲ得

第十章　敎職ノ資格及選擧

第五十六條　滿二十歲以上ノ道人ニシテ二個年以上ノ繼續誠信アル人ハ敎職ノ被選擧權ヲ有ス

但シ布德ニ依リ宗理院又ハ布ヲ新設スル場合ニハ此ノ限ニアラズ

第五十七條　道領副道領ハ法會ニテ選擧ス

第五十八條　觀正ハ道領ガ選定シ法會ノ同意ヲ要ス

第五十九條　典道ト觀書ハ司觀會ニテ選擧ス

第六十條　院長及道執ハ院會ニテ選擧ス

但シ特殊ノ事情ニ依リ中央宗理院ヨリ院長ヲ任免スルコトヲ得

第六十一條　宗理師ハ其ノ區域內ノ道人會ニテ選擧ス

第六十二條　主幹布德師ハ自布布德師會ニテ、布德師ハ細布道人會ニテ選擧ス

一五六

第六十三條　一切ノ教職ノ任期ハ三個年トス

但シ補缺ノ任期ハ前任者ノ殘期ニ限ル

第六十四條　宗法師及主幹布德師、布德師ハ任期ナシ

第六十五條　宗法師ハ天道教會ニ最高勳勞ト德望アル人ヲ司觀會ニテ選定ス

第六十六條　宗法師長、常務宗法師ハ宗法師會ニテ選定ス

第六十七條　本天約ニ備ハラザル事項ハ法會ノ議決ヲ以テ行フ

附約

第一條　誠道觀ノ職務ハ左ノ如シ

一、布德、修道ニ關スル事項

一、祈禱、侍日、紀念、說教、慈善ニ關スル事項

一、布ニ關スル事項

第二條　敬道觀ノ職務ハ左ノ如シ

一、庶務外交ニ關スル事項

一、宗理院設廢ニ關スル事項

一、動產不動產ニ關スル事項

一五七

一、教譜、教憑、地方宗理院職員選遞ニ關スル事項

第三條　信道觀ノ職務ハ左ノ如シ

一、金錢ニ關スル事項

一、會計ニ關スル事項

一、豫算決算ニ關スル事項

第四條　法道觀ノ職務左ノ如シ

一、勳賞懲罰ニ關スル事項

一、觀務及ビ地方院務ノ監察調査ニ關スル事項

一、儀節ニ關スル事項

第五條　知道觀ノ職務左ノ如シ

一、編纂、著述、刊行ニ關スル事項

一、宗學及一般教養ニ關スル事項

一、講演及講道會ニ關スル事項

第六條　各觀ノ職務ハ必ズ道領ノ承認ヲ經テ行フ

第七條　地方宗理院ハ附約第一條乃至五條ニ準シ誠米、祈禱米及喜捨金其ノ他ノ收納及獎勵ニ關スル事

一五八

項ヲ掌理ス

第八條　地方宗理院ハ誠米ヲ每月收合シ其ノ代金ノ半額ヲ每月十日以內ニ中央宗理院信道觀ニ納入ス

第九條　面宗理院ハ誠米（十分ノ一ヲ除ク）ヲ每月終ニ收合シ每月三日以內ニ郡宗理院ニ納入ス

第十條　地方宗理院ハ教譜ヲ作成シテ一部ハ其ノ宗理院ニ備置キ一部ハ中央宗理院敬道觀ニ送付ス

教譜ニハ三個月以上繼續誠信アル人ヲ編入シ教憑ヲ頒給ス

教戶增減アルトキハ隨時報告シテ教譜ヲ整理ス

第十一條　地方宗理院ハ各事務ノ性質ニ隨ヒ此レヲ中央宗理院各觀ニ報告ス

第十二條　地方宗理院ノ經費ハ其ノ區域內道人ノ誠米代金半額ト祈禱米代金ノ四分ノ一ト喜捨金其ノ他諸種ノ收入ヲ以テ充當シ每年豫算ヲ以テ院會ノ決議ヲ經タルモノトス

第十三條　面宗理院ノ經費ハ誠米代金ノ十分ノ一ト喜捨金其ノ他ノ諸種ノ收入ヲ以テ充當ス

第十四條　面宗理師ハ其ノ區域內ノ一切ノ教況ヲ院長ニ隨時報告ス

第十五條　布ハ祈禱米ヲ每年四月十月ノ二期ニ收合シテ其ノ代金ノ十分ノ一ヲ除キタル全額ヲ中央宗理院信道觀ニ納入ス

第十六條　布ノ經費ハ祈禱米代金ノ四分ノ一ト其ノ他ノ收入ヲ以テス

第十七條　道師ハ十五年以上繼續誠信シ教會ニ特殊ノ功勞アルモノニ授與ス

一五九

第十八條　道號ハ十年以上繼續誠信シ教會ニ特殊ノ功勞アル人ニ授與ス

第十九條　天勳章ハ十年以上繼續誠信セル人ニ授與ス

第二十條　特信章ハ五年以上繼續誠信セル人ニ授與ス

第二十一條　褒賞章ハ十戶以上布德シ其ノ他功勞アル人ニ授與ス

第二十二條　道師、道號ハ中央宗理院司觀會ニテ選定ス

第二十三條　天勳章、特信章、褒賞章ハ院長ノ薦報ニ依リ授與ス

第二十四條　附約第十七條乃至第二十三條ニ關スル手續ハ中央宗理院法道觀ニテ此レヲ行フ

第二十五條　勳賞授與式ハ侍日或ハ記念日ニ宗理院ニテ此レヲ行フ

第二十六條　道人ニシテ左記各項ノ犯行アルトキハ破道ニ處ス

一、宗門ヲ別ニ立テントスル行爲

一、公金詐取及公物私賣

一、宗門トシテ許シ難キ重大犯行

第二十七條　道人ニシテ左記各項ノ犯行アルトキハ其ノ輕重ニ依リ懺悔又ハ戒喩ニ處ス

一、宗門ノ體面汚損

一、教規ノ違反

一六〇

第二十八條　破道ハ中央宗理院法道觀ニ於テ直接又ハ院長ノ報告ニ依リ此レヲ決裁ス

第二十九條　懺愼戒喩ハ地方宗理院ニ於テ此ヲ決裁シ職員ニ限リテハ各其ノ所管主務者ガ此ヲ行フ

第三十條　破道ハ敎譜ヨリ除名シ懺愼ハ一個月以下ノ謹愼ニ處シ戒喩ハ曉諭又ハ警告ヲ爲ス

第三十一條　道人ノ結社ニ關スル手續ハ中央宗理院敬道觀ニテ此ヲ行ヒ宗旨ト敎規ニ違反スルト認ムルトキハ警告又ハ解散スルヲ得

第三十二條　道領副道領院長、道執宗理師、主幹布德師、布德師ノ選擧ハ記名投票トス

但シ投票ガ同數ナルトキハ年長者ガ當選ス

第三十三條　中央宗理院ハ敎務上重要事項ヲ協議スル爲メ道領副道領及ビ各觀正ヲ以テ司觀會ヲ組織ス

司觀會ノ議長ハ道領此レヲ兼ヌ

第三十四條　地方宗理院會ハ院長道執宗理師、宗法師、主幹布德師布德師ヲ以テ組織ス

第三十五條　面宗理院會ハ其ノ區域內ノ全體ノ道人ヲ以テ組織ス

第三十六條　宗法師會ハ一般ノ宗法師ヲ以テ組織ス

天道敎法會規程

第一條　本會ハ天道敎法會ト稱ス

第二條　本會ノ位置ハ中央宗理院トス

第三條　本會ハ敎會ノ一般規約ヲ議定シ敎職ヲ選擧シ豫算決算及一切ノ重要事項ヲ議決スルヲ以テ目的トス

第四條　本會ハ主幹布德師、宗理師、觀正、院長及道領副道領ヲ以テ組織ス

第五條　本會ハ會務ヲ處理スル爲メ左ノ役員ヲ置ク

一、議長一人

一、副議長二人

一、委員若干人

第六條　役員ノ職務ハ左ノ如シ

一、議長ハ本會ヲ代表ス

一、副議長ハ議長ニ協贊シ議長事故アルトキハ議長ヲ代理ス

一、委員ハ本會ノ書記、會計及庶務ヲ分擔處理ス

第七條　本會ノ定期總會及臨時總會ハ天約第十七條ニ依リ此レヲ行フ

第八條　本會ノ會期ハ五日トス

但シ場合ニ依リ會期ヲ伸縮スルヲ得

第九條　本會ノ開會ハ會員ノ三分ノ一以上ノ出席ヲ必要トシ議決ハ出席員ノ半數以上ヲ以テス

第十條　典道觀書及囑託ハ本會ニ於テ發言權ヲ有ス

第十一條　會員ノ委任狀アルトキハ其ノ代理ノ出席ヲ許ス

第十二條　會員ガ亂暴、失言其ノ他會規以外ニ脫走シ秩序ヲ紊亂スル行動アルトキハ決議ニ依リ相當懲戒ス

第十三條　議事進行及會場整頓ニ關シテハ議長ノ特權ヲ以テ此ヲ行フ

布　制

第一條　布ハ廣濟蒼生ノ大願ヲ完美ナラシムル爲メ敎戶三百戶以上ノ自由結合ヲ以テ此レヲ組織ス

但シ布號ハ中央宗理院ヨリ指定ス

第二條　布ハ天約第十二條、第十三條ニ依リ主幹布德師一人ヲ置キ細布ニハ布德師一人ヲ置ク

第三條　布ハ祈禱米ヲ毎年四月、十月二期ニ收合シ其ノ代金ノ十分ノ一ヲ除キタル全額ヲ中央宗理院信道觀ニ納入ス

第四條　主幹布德師ノ職務ハ其ノ布ヲ代表シ布務ヲ總管シ宗理院院務ニ對シテ極力協助ス

第五條　布德師ノ職務ハ布德ヲ勵行シ信仰ヲ統一シ規模ヲ一致スルヲ主トス

第六條　主幹布德師及ビ布德師ノ選擧ハ天約第六十二條ニ依リ行ナヒ、中央宗理院ノ承認ヲ受ク

第七條　一般ノ布德師ハ其ノ誠蹟ニ依リ褒賞又ハ免遞スルコトアルベシ

第八條　各布ハ吾人ノ崇嚴ナル天胞兄弟ノ神義ヲ體受シ尙救共榮ノ德蹟ヲ實現ス

第九條　主幹布德師ハ布錄ヲ作成シ一本ハ布ニ備置キ一本ハ中央宗理院誠道觀ニ送付ス

布錄ニハ毎敎戶戶主ノ氏名、年齡、住所ヲ詳記ス

第十條　主幹布德師ハ布內ノ巡回成蹟、道人ノ修道狀況ヲ隨時中央宗理院誠道觀ニ報告ス

第十一條　主幹布德師會ハ毎年一回以上中央宗理院ニテ開催ス

第十二條　細布布德師ノ任免ニ關スル手續ハ其ノ布內道人大會ノ議長ガ其ノ主幹布德師ニ報告シ主幹布德師ハ此レヲ中央宗理院誠道觀ニ報告ス

第十三條　主幹布德師ノ任免ニ關スル手續ハ布德師會ノ臨時議長ガ此レヲ中央宗理院誠道觀ニ報告ス

第十四條　各布間ニ互ニ提携シテ布規ヲ紊亂スルトキハ天約第五十三條ニ依リ相當ナル懲罰ヲ行フ

第十五條　主幹布德師ハ自布內布德師ノ任免アルトキハ其ノ布德師所在地院長ニ任免ニ關スル事實ヲ通報ス

第十六條　主幹布德師ハ其ノ布內ニ布德褒賞狀ヲ受クベキ人アルトキハ中央宗理院法道觀ニ此レヲ報告シ褒賞狀ハ便宜ニ隨ヒ受賞人所在地院長ニ委託分給スルヲ得

第十七條　主幹布德師ハ布務ニ關シ布會ヲ召集ス

布會ノ會員ハ其ノ布內ノ一般布德師トス

第十八條　敎戸無キ地方ニシテ新布德ニ依リ誠米敎戸百戸以上ニ達シタルトキハ場合ニ依リ豫備布ヲ組織スルコトヲ得

但シ豫備布ニシテ敎戸三百戸以上ニ達シタルトキハ完成布ニ昇格スルヲ得

部　制

第一條　部ハ機關ノ基本單位ナルガ故ニ一部ヲ五戸以上トナシ一洞里ニ一部或ハ二部以上ヲ置クコトトス

（但シ敎戸分布上ノ距離ノ狀況ニ隨ヒ甲洞ノ最近地タル乙洞ノ最遠地敎戸ヲ合セテ部ヲ組織スルコトヲ得）

第二條　部組織ハ洞道人大會ヲ開キ洞內道人分布ニ隨ヒ五戸以上ヲ以テ部ヲ組織シ部ニハ部領一人ヲ定メ其ノ方式ハ投票公選トス

第三條　部內敎戸ノ誠米收合ハ部集合場所トナシ部領ガ之レヲ取扱ヒ（領收放賣）面宗理院ニ納付ス

第四條　部ノ機能敎化ヲ統一增進スル爲メ郡宗理院又ハ面宗理院ノ指導ニ依リ部領會ヲ開クヲ要ス

第五條　部ハ自律自主ヲ目的トナシ部內敎戸ハ互ニ親睦扶助ヲ圖リ特ニ五款ノ實行ニ對シテハ互ニ勵行シ部ノ既成敎戸ヲ堅實ニナスト共ニ新布德ヲ勵行スベシ

第六條　部ハ第五條ノ目的ヲ徹底實行スル爲メ部會ヲ隨時開催スベク少ナクモ一週一回ハ必ス開催スベ

一六五

シ

第七條　部ハ自主自律ノ公共團體ニシテ天宗大團ノ基本的機關ナレバ一般道人ハ部自體ヲ神聖視スベキハ勿論ナリ隨ツテ部領ハ敎門ノ過去現在ヲ通ジテ如何ナル敎職ヲ經又ハ現ニ帶ビルモノタリトモ衆望ニ依リ選擧サルルヲ得

第八條　部領ニシテ部全體ノ意思ニ合セザル事實アルトキハ部會ニ於テ改選スルコトヲ得

第九條　部領ノ選遞手續ハ部會議長ノ名義ニテ直接中央宗理院敬道觀ニ報告スベク各部ハ該報告ヲ面宗理師ニ交附シ郡宗理院ヲ經由シテ上送ス

天道敎青年黨憲

第一章　黨

第一條　天道敎ノ主義、目的ヲ社會的ニ達成センガ爲ニ、之ヲ始終スベキ同德ヲ以テ一個ノ有機體ヲ組成シテソノ名稱ヲ天道敎青年黨トス

第二條　本黨ハ次ノ如キ主義、綱領ヲ標榜ス

主義、地上天國建設

綱領、人性自然ニ適フ新制度ノ實現

一六六

「事人如天」ノ精神ニ適フ新倫理ノ樹立

第三條　本黨ハ前條ノ主義、綱領ヲ實現センガ爲ニ精神開闢、民族開闢、社會開闢ヲ期ス。

第四條　黨ノ本部ハ朝鮮京城ニ置キ內外各地ニ地方部ヲ置ク

第二章　黨　員

第五條　天道敎ノ歷史的使命ヲ意識スル二十一歲以上ノ篤信男女ニシテ本黨ノ主義、綱領、黨憲ヲ絕對ニ實行スベキ自覺ト決心ヲ持スル者ハ何人ト雖モ黨員トナルコトヲ得

第六條　入黨志願者ハ請願書、履歷書ト黨員二人以上ノ連署シタル保證書ニ入黨金ヲ添ヘテ其ノ管轄地方部ニ提出シテ黨本部ノ許可ヲ受ケルヲ要ス

但シ入黨保證人中ノ一人ハ其ノ地方部ノ代表者ナルヲ要シ地方部ノ無キ所ニ於テハ諸テノ手續ヲ黨本部ニ直接ニスルコトヲ要ス

第七條　黨員ハ所屬黨部ヨリ黨員證ヲ收領スルト同時ニソノ黨部ノ指定スル「接」ニ配屬サルルヲ要ス。

第八第　黨員ガ移住スル時ニハ直ニ所屬黨部ニソノ事實ヲ報告シ、ソノ事實ガ移去黨部ニ轉報登記セラレタ時ニ於テソノ黨部ニ屬ス

第九條　黨員ハ黨ノ大業ヲ達成スル準備ト歡喜ヲ左記ニヨリ實行スルヲ要ス

イ、天道敎書籍ヲ中心トシテ毎日一頁以上ノ精讀

一六七

ロ、寢食、出入、動靜ニ、黨ノ爲メノ心告

ハ、夏服ヲ除キタル以外ハ染物ヲ着用スルコト

ニ、何時タリトモ黨ノ特定指命ニ服從スルコト

ホ、黨ノ經費ヲ負擔スルコト

ヘ、自己ノ意思ニ依リテ七部門中ノ一種乃至三種部門ニ加入スルコト

第三章　機關組織

第十條　本黨ハ黨本部ト地方部、接トノ三層形態ニテ組成セラルルト同時ニ、接ハ地方部ニ、地方部ハ黨本部ニ直屬スルモノトス

第十一條　黨本部ハ全黨代表大會及中央執行委員會ヲ以テ、地方部ハソノ部內黨員大會或ハ接代表大會ヲ以テ、「接」ハ接員會ヲ以テ各其ノ高級機關トナスモノニシテソノ組織系統次ノ如シ

イ、全黨代表大會、中央執行委員會、黨本部

ロ、地方黨員大會（或ハ接代表大會）地方執行委員會、地方部

ハ、接員會、接

第一節　全黨代表大會

第十二條　全黨代表大會ハ最高機關ニシテ黨務ノ一切ヲ處判ス

一六八

第十三條　全黨代表大會ハ地方部代表ト中央執行委員ヲ以テ組織ス

第十四條　全黨代表大會ハ左記ノ職權ヲ有ス

イ、中央執行委員ヲ選出シテ中央執行委員會ヲ組織セシムルコト

ロ、中央執行委員中ヨリ黨代表一人ヲ選出シテ本黨ヲ代表セシムルコト

ハ、黨憲ノ制定ト改修

ニ、中央執行委員會ノ報告ヲ受理スルコト

ホ、黨務進行ノ重要方策ヲ決定スルコト

ヘ、黨ノ豫算決算ヲ協定スルコト

第二節　中央執行委員會

第十五條　中央執行委員會ハ全黨代表大會ノ決議ニ則リテ代表大會ガ閉會セラレタル期間中ニ通常又ハ非常ノ黨務ヲ執行スル機關ニシテ左記ノ職權ヲ有ス

イ、常務執行委員ヲ選出シテ黨本部ヲ組織セシムルコト

ロ、各部門ノ委員ヲ任免スルコト

ハ、黨本部ノ黨務進行ト財政狀態ヲ聽取督勵スルコト

第十六條　中央執行委員會ハ必要ニ應ジテ特種委員會ヲ設クルコトヲ得

一六九

一七〇

第三節　擴大中央執行委員會

第十七條　中央委員會ハ必要ニ應ジテ地方部常務ノ全部或ハ一部ヲ加ヘテ擴大中央執行委員會ヲ開クコトヲ得

第四節　黨本部

第十八條　黨本部ハ中央執行委員會ノ常設機關ニシテ中央執行委員會ガ閉會セラレタル期間中ニ左記ノ任務ヲ遂行ス

イ、黨ノ教化、庶務、財務、宣傳、社交、調査、其他ニ對スル一般實務ヲ處理スルコト

ロ、女性部、幼少年部、學生部、青年部、農民部、勞働部、商民部ノ七部門ヲ置キ部門運動ノ一切ヲ攝行スルコト

ハ、內外各地ニ地方部ヲ組織シ又ハ指揮スルコト

第十九條　黨本部ニ於テハ毎年四月末、八月末、十二月末ニ一度ヅヽ黨全體ノ活動經過ヲ地方部ニ通告スルヲ要ス

第五節　地方部

第二十條　一地方（朝鮮ニ於テハ府、郡、島）ニ黨員十三人以上在ル時ニハ其ノ地方黨員大會ノ決議ヲ以テ地方部ヲ設クル爲メ黨本部ノ認準ヲ求ムルコトヲ得

但一地方ニ三名以上ノ黨員在リテ一個以上ノ接ヲ組織シタル時ニハ黨本部ノ認準ヲ經テ準地方部ヲ設置スルコトヽス

第二十一條　地方黨員大會（或ハ接代表大會）ハ左記ノ職權ヲ有ス

イ、執行委員ヲ選出シテ地方委員會ヲ組織セシムルコト

ロ、其ノ地方黨務ノ進行方策ヲ決定スルコト

ハ、特ニ代表一人ヲ選出シテソノ地方ノ領導者タラシメ全黨代表大會ニ出席セシムルコト

第二十二條　地方執行委員會ハ地方黨員大會ガ閉會セラレタル期間中左記ノ職權ヲ有ス

イ、常務執行委員ヲ選出シテ地方部ヲ組織セシムルコト

ロ、地方部ノ各部門委員ヲ任免スルコト

ハ、地方黨務進行上主要事項ヲ處決スルコト

第二十三條　地方部ハ地方執行委員會ガ閉會セラレタル期間中ニ左記ノ任務ヲ遂行ス

イ、黨ノ決議ト命令ヲ執行スルコト

ロ、管內各接ヲ領導スルコト

ハ、各部門運動ノ地方的機能ヲ發揮スルコト

ニ、黨員ノ義務金ヲ收納スルコト

一七一

一七二

第六節　（接）

第二十四條　接ハ黨ノ基本組織ニシテ三人以上五人以內ノ黨員ヲ以テ組織ス（三人ニ滿タザル時ハ最近地方部ニ屬ス）

第二十五條　接ハ黨地方部ノ領導下ニ於テ左記ノ任務ヲ遂行ス

イ、黨員間ハ所屬機關ニ對スル連絡

ロ、黨決議ト命令ヲ遂行スルコト

ハ、其ノ地域ニ於テ黨ヲ代表シテ活動スルコト

ニ、布德ト黨員募集

ホ、黨宣傳品其ノ他ヲ分傳シ接員ノ義務金ヲ精勵スルコト

第二十六條　接代表ハ毎年三月末、七月末、十二月初ニ接狀況ヲ該地方部代表ニ報告スルヲ要ス

第二十七條　接ニハ接員互選ニテ接代表人ヲ選出シテ日常「接」務ヲ執行セシメ接代表大會及接代表會ニ出席セシム

第四章　黨　的

第二十八條　黨員ニシテ黨以外ノ社會ニ於テ必要ニ應ジテ（緣）ヲ組織スルコトヲ得

但「緣」ハ該地方部ニ屬スルモノトス

第二十九條　各地方部ニ隨時道聯合會ヲ開キ其ノ道内ノ一般情形ト黨勢ヲ研究、批判シテ道別的活動機能ヲ發揮スルコトヲ得

第三十條　「接」ハ必要ニ依リテ接聯合會ヲ開キ其ノ地域ニ對スル「接」的機能ヲ發揮スルコトヲ得

第五章　財　政

第三十一條　本黨ノ經費ハ左記ノ方法ニ依ル收入ヲ以テ充用ス

イ、入黨金、五拾錢

ロ、年例金、七拾錢（黨本部ニ參拾錢、地方部ニ四拾錢）

ハ、年ニ一度ノ特別義捐金

ニ、ソノ他有志ノ賛助金

第三十二條　年例金該年度分ハ該年五月末日以内ニ納メルコトヲ要ス

第三十三條　黨ノ會計年度ハ四月一日ヨリ翌年ノ三月末日マデトス

第三十四條　黨本部ノ財政一切ニ對シテハ黨本部委員ノ連帶責任トス（地方部モ之ニ準ス）

第六章　集　會

第三十五條　本黨ノ各種集會ハ左ノ如シ

イ、接會ハ月二回以上

ロ、接代表會ハ年六回以上

ハ、地方黨員大會（或ハ接代表大會）ハ年一回以上

ニ、地方部黨員例會ハ年三回以上

ホ、地方部執行委員會ハ年六回　以上

ヘ、中央執行委員會ハ月一回

ト、全黨代表大會ハ年一回トシ四月中ニ開催ス

第三十六條　全黨代表大會及中央執行委員會ハ黨本部ニテ、地方黨員大會（或ハ接代表大會）接代表會、地方執行委員會ハ地方部ニテ召集スルコトトシ、召集機關ヨリ必要ト認ムル場合ト關係會員三分ノ一以上ノ請求アル場合ニハ前條ノ定期集會以外ニ臨時集會ヲ行フコトヲ得

第七章　任　期

第三十七條　本黨各機關ノ任員ノ任期ハ一個年トス（但臨時ノ決議ニテ例外ヲ作ルコトヲ得）

第三十八條　各機關ノ人員數ハソノ人員ヲ選出スル會議ニ於テ適宜ニ定ム。

第八章　紀　律

第三十九條　黨ハ同歸一體ノ精神ニテ規模ヲ統一ニシ、力量ヲ集中センガ爲ニ左記ノ紀律ヲ嚴守スルモノトス。

イ、黨員ハ黨ノ規約、決議、黨精神ニ絶對服從スルコト

ロ、本黨員ニシテ他團體ニ加入セントスル時ハ黨本部ノ許可ヲ得ルコト

第四十條　黨員ニシテ左記各項中ノ一ニ該當スル時ハ中央執行委員會ノ同意ヲ經テ黨本部ヨリ黨員ノ資格ヲ停止又ハ喪失セシム。

イ、黨ノ決議、規約、精神ニ違反シタル時

ロ、關係集會ニ故無ク三回以上連續缺席シタル時

ハ、黨義務金ヲ未納ノ時

ニ、天道敎人トシテ篤信者ノ資格ヲ喪失シタル時

第九章　附　則

第四十一條　本黨憲ノ解釋、運用ハ黨本部ニ一任ス。

第四十二條　本黨憲ニ顯レザル點ハ中央執行委員會ノ決議ニ依ル。

第四十三條　本黨憲ハ發布シタル日ヨリ施行ス。　（以　上）

入黨宣誓文

私は今日より私の最も敬慕する同德某氏の責任ある保證と黨本部の鄭重なる許可を得て、後天開闢を

直接目的とする天道敎青年黨の一員になつたことを、私の一生涯の限りなき歡喜と責任と存じ謹んで次の如く宣誓します。

一、地上に天國を建設するに、人性自然に適ふ所の新制度と「事人如天」の精神に適ふ所の新倫理を配布し、その階段として精神開闢、民族開闢、社會開闢を認定した吾が黨の主義と綱領と政策が、此の時代、此の地、此の民衆に對して最も正しいことを認識して之に始終する積りであります。

二、呪文、淸水、侍日、誠米、祈禱を實行し、誠米には月誠と年誠を並行して「天道敎篤信者」と云ふ黨員の基本資格を失はない積りであります。

三、黨地方部より指定する「接」に入つて黨の基本生活となる「接」生活を意義あり責任あるやうに實行致します。

四、幼少年、青年、學生、女性、商人、勞働、農民の七部門中一個所以上の部門に入つてその部門に對する研究と運動に努めます。

五、住所を變る時は直に接代表にその事實を報告して黨務處理又は黨員生活に外れるやうな點なきを期します。

六、關係集會には止むを得ざる事故のある外は必ず出席致しますし事故のある場合には此の旨を御知らせします。

七、天道敎書籍を中心となして毎日一頁以上讀んで、何時も私の頭と行動を新しくする助と致します。
八、寢食、出入、動靜に、黨の爲の心告をなして何時も黨に對する切なる念を棄てない積りであります。
九、夏服を除く外は染物を着、ヒモの代りにボタンを附けます。
十、年例金、特別義捐金を期限内に收めます、その外黨機關として必要なる經費を負擔します。
十一、何時でも黨の特定指命に服從します、又服從すべき準備をして置きます。
十二、萬一他の團體に加入せんとする時には先づ黨本部の許否を伺ひます。
十三、何時も人に接觸する機會を得て以て天道敎人を得、黨員を得るやうに努めます。
十四、他の團體に入つた時分にその中に一人以上の黨員を探した時は直に「線」を作ります。
十五、何時も黨の爲に黨外の情形を視察報告する者になります。
十六、何れの時、何れの地、何の場合に於ても「自分は天道敎青年黨」であることを自覺して、黨的態度と黨的活動を持續することを忘れません。
十七、黨の精神、憲則、決議に絶對服從します、同時に黨は私の全生命であつて、私は黨の部分生命たることを知り唯黨に殉するを以て私の全存在を認めやうと思ひます。

以　上

天道敎内修團規約

第一條　我ガ名稱ハ天道敎内修團ト稱ス
第二條　我ガ團ノ綱領ハ下ノ如シ
イ、天道敎ヲ信ズル女子ヲシテ天道敎ノ宗旨ニ適合セル世ヲ造ルニ當リテ一ツノ充實セル役軍タラシメントス
ロ、團結ヲ固クシ一般女子ノ地位ヲ向上セシム
第三條　我ガ團ニ入ルモノハ十七歳以上ノ天道敎ヲ信スル女子ニシテ團ノ規約ヲ能ク守ル者ニ限ル
第四條　團員ハ團ノ事務ニ關シテ自己ノ意思ヲ述ブルコトヲ得又團ノ委員ヲ選擧シ又ハ委員ニ選擧セラルノコトヲ得
第五條　團員ハ義務金トシテ入團金三十錢ト年例金六十錢ヲ支出スベシ
第六條　我ガ本部ヲ京城ニ置キ内外各地方ニ地方部ヲ置ク
第七條　團ノ任務ヲ盡ス爲メ左ノ部ヲ置ク
イ、布德部（敎養部ヲ指ス）
ロ、庶務部

ハ、財務部
第八條　各部ニハ委員數名ト常務委員一名宛ヲ置キ團ノ一切ノ任務ヲ執行ス
第九條　本部委員ハ全團代表會ニ於テ選擧シ各部委員ト常務委員ハ委員會ニ於テ互選決定ス
第十條　委員ノ任期ハ一ヶ年トシ若シ缺員アル場合ハ委員會ニ於テ補缺スルコトヲ得
第十一條　團ノ經費ハ團ノ入團金半額ト年例金三分ノ一及ビ有志ノ賛助金ヲ以テ充ツ
（入團金半額ハ地方部ニ於テ年例金三分ノ二ハ其地方面郡ニ於テ一分宛使用スルコトトス）
第十二條　團ノ集會ハ全團ノ代表大會ト委員會ノ二トス
イ、全團代表會ハ團本部ニ於テ組織シ、委員會常務委員會ニ於テ之ヲ召集シ、委員會ハ常務委員會ニ於テ召集ス（地方部モ之ニ準ス）
ロ、全團ノ代表大會ハ毎年四月初旬ニ開ク。但シ特別ナル事項アルトキハ委員會ノ決議ヲ以テ臨時代表大會ヲ開クコトヲ得
ハ、委員會ハ毎月第一土曜日ニ開キ更ニ事項アル毎ニ臨時委員會ヲ開クコトヲ得
第十三條　全團代表大會ハ地方部代表ト本部委員ノ半數以上出席スルニアラサレバ開クコトヲ得ズ
第十四條　團員ハ下ノ如キ場合ニ團員ノ資格ヲ失フ
イ、天道敎員ノ資格ヲ失ヒタルトキ

ロ、團ノ體面ヲ損傷スルトキ
ハ、義務金ヲ出サヽル時及ビ一切ノ團規ニ服從セサルトキ
第十五條　此ノ規約ハ全團代表大會ノ決議ヲ以テ改正スルコトヲ得
第十六條　此規約ニ現ハレサル事項ハ委員會ノ決議ヲ以テ爲スコトヲ得

地方部ニ關スル規約

第一條　十三人以上ノ團員アル地方ニ於テハ地方部ヲ置クコトヲ得若特別ナル事情ノアルトキハ十三人ニ至ラサルモ準地方部ヲ置クコトヲ得
第二條　地方部ノ名稱ハ天道敎内修團〇〇部ト稱ス
第三條　地方部ノ機關ハ本部ニ從ツテ組織ス
第四條　地方委員ハ團員大會ニ於テ選擧シ任期ハ一ヶ年トス
地方部ノ經費ハ團員ノ入團金半額ト年例金又ハ有志ノ賛助金ヲ以テ充ツ（入團金半額ト年例金三分ノ一ハ本部ニ送ル）
第五條　地方部ノ集會ハ團員大會及ビ委員會議ノ二トス
イ、團員大會ハ毎年二回以上トス
ロ、委員會ハ毎年六回以上トス　以　上

天徳誦

第一節

天徳かな／＼　偉大なる天徳かな
萬古になき無極大道　此の世に創建せられ
龜尾山に春來りて　全世間が花となる
庚辛四月五日に　後天開闢されたり
龍潭の水流れて　四海の根源となる

第二節

天徳かな／＼　偉大なる天徳かな
余が天、余が奉り　無爲而化(自然化)したり
天國の中に生きる人　人ごとに極樂なり
無極之運來れるを　世の人如何に知るべき
此の人が天にして　此の世が天國なり

第三節

天徳かな／＼　偉大なる天徳かな
その名は仙藥に　その形は弓乙なり
此の心善く守りて　長生不死して見よ
無窮造化その靈符　覺れば心なり
篤信せば世の惡疾　自ら效果顯はる

第四節

天徳かな／＼　偉大なる天徳かな
心の天化合せば　侍定地が此處なり
誠心にて誦へば　無爲而化されるなり
神靈なる呪文の聲　世の惡魔、なくなる
十三字を覺れば　萬物化生の根源なり

第五節

天徳かな／＼　偉大なる天徳かな
人の手足動靜は　之亦鬼神なり

言ひ笑ふは　之亦造化なり
無極大道明らかなる理　人乃ち天なり
善惡の心使ひ　之亦氣運なり

第六節

天徳かな／＼　偉大なる天徳かな
一つは聖靈　一つは肉身
世界の極樂何處ぞ　地上神仙此れならんや
上帝の理、運　我が人類となれるなり
性靈肉身雙方に　一致して進めよ

第七節

天徳かな／＼　偉大なる天徳かな
余が天、余が覺り　恭敬して奉らん
五萬年傳へる法度　一心にて守つて見よ
修めよ無極大道　眞心の外は復とない
余が身に奉れるを　忘れずに信じて見よ

第八節

天徳かな／＼　偉大なる天徳かな
類多しと雖も　天の中の同じ種類なり
同じ地に住む同胞　廣く愛して見よ
地廣しと雖も　天の中のその地なり
滿天下に德を擴げて　廣濟蒼生して見よ

第九節

天徳かな／＼　偉大なる天徳かな
神聖なる師の御言葉　覺つて見れば余なり
此の世に顯はれた物　靈の跡明かなるかな
後天開開天樣　聖靈にて顯はる
天の外の人なく　人の外の天なし

第十節

天徳かな／＼　偉大なる天徳かな
濁りたる世の中　清水にて洗ひ落し

新しき世に逢ふた我等　天德師恩是れならん
忘るな〱　天德師恩忘るるな
暗昧なる人を　明い途へ導く

第十一節

天德かな〱　偉大なる天德かな
天様に拜む眞心　心の平安第一なり
善い祥瑞、多くの福錄　和氣從つて這入る
家道和順の法　內修道が第一なり
春風和氣笑ひの中に　滿家和樂なり

第十二節

天德かな〱　偉大なる天德かな
その根源最も深く　その理致甚だ遠し
一天下の大運が　我が道に歸れり
萬年地上に花咲き　四海雲中に月顯はる

第十三節

一八五

天德かな〱　偉大なる天德かな
日月のやうに明るく　金石をも貫いて見よ
各自爲心(利己心)その人　同歸一體となれたり
道成り德立つ法は　一段精神の心なり
人毎に道成德立は　我が敎の目的なり

附誕生紀念誦

忘るな〱　天德師恩忘るるな
守心正氣偉い工夫　天人合德なり
世界極樂同胞等よ　忘るべからざる今日なり
無往不復後天運　我が師誕生せらる
各自爲心(利己心)その人を　同歸一體せしめらる

修道紀念誦

忘るな〱　天德師恩忘るるな
勞して功なき天様　今日こそ成功せり
五萬年無窮へ　忘るべからざる今日なり

一八六

萬古になき無極大道　億兆蒼生救ひ給ふ
人毎に天なれば　全世間が極樂なり

還元紀念誦

忘るな〱　天德師恩忘るるな
廣濟蒼生の御心は　大切なる命を捧げたり
天の中に住む人　忘るべからざる今日なり
布德天下の御心は　無極大道を創明せり
此の心を授けて　天德御恩に酬へよ

第三章　露西亞に紹介されたる天道敎

原文の執筆者は崔某なる朝鮮人共產主義者にしてモスクワ發行露文雜誌レヴオリウチオンヌイ、ワストークに掲載せられたものである。

本論說の內容は結局「天道敎は宗敎に非ず一種の社會團體なりとするも其の構成分子たる敎徒は大部分農村（主として北鮮及び西鮮地方の）に於ける富農階級なるを以て一つのブルヂョア傾向の團體なり。彼等は現在、農民、青年階級に向つて勢力擴張中なるもブルヂョア流の觀念に捕はれ居るを以て、革命戰鬪的の團體たる能はず。而して窮極は共產主義運動となつて出現すべし」と言ふに在る。

其の他の內容は天道敎の史的變遷發達、敎義、傳道方式等にして比較的詳細に露骨に論破し居れり。ソヴイエト聯邦に紹介されたる天道敎問題としては最新のものである。

一八七

天道敎の歷史と階級的本質の問題に就いて

一宗敎たる天道敎の人氣と、其の自ら形成する政治的組織の流行は、朝鮮民族大衆間に顯著たるものがある。十九世紀末より二十世紀始めの朝鮮に於ける總べての革命的事件の指導と組織の名譽とは天道敎に歸すべきである。天道敎の流行人氣は特に大正八年三月事件運動後に益々盛大となつた。一般的に朝鮮革命主義者の根本義として殊に、朝鮮人共產主義者は次の如く確信してゐる、卽ち「天道敎は——革命的大衆の組織である、而して天道敎は、表面宗敎に屬してはゐるが、朝鮮に於ける民族自由解放の偉大なる役割を演出することが出來る。」と

大正八年三月萬歲騷ぎ後十ヶ年間に於て天道敎は益々盛に人氣を博して流行した。大正八年三月事件は、日本帝國主義に反抗する一般朝鮮民衆の表現であつた。而して其の運動には朝鮮民衆の各階級が參加した。然し三月事件が更にその十年も昔に起つたとすれば、各階級は參加しなかつたであらう。而して三月事件後十ヶ年間に於て、國民運動戰線の階級的勢力は次の如く轉換した。卽ちブルヂョア階級は革命地位から分離して、全朝鮮民衆を自己の方に引き寄せんと試みた。然るに三月事件後、新なる社會的勢力——勞働階級が出現した。朝鮮に於ける階級的變化は、日本帝國主義に反抗する統一（單一）民族戰線となり革命運動の前衞に於て新なる內容と新なる形態を受け入れてゐる。其の根本的の階級を爲す

一八八

ものは、勞働階級と農民階級であり前者は後者を指導してゐる。將來の革命は單に反帝國主義のみならず反封建主義のものである。將來の革命は、ブルヂョア、デモクラット革命となり、勞働階級と農民とが其の主役を演ずるものである。其の革命の目的は、農地均分問題の解決であり、朝鮮に於ける封建制度遺物の撤廢であり、反日本帝國主義闘爭となり、又朝鮮人地主と其の聯盟に反對する闘爭であつて、最も殘酷なる爭闘を要するであらう。故に朝鮮に現存する各種の民族革命組織に對して、共産主義者の成就の必要がある。先づ第一に其の大衆的の數を有する天道敎に注目せねばならない。

又天道敎を研究するに當つて必要なことは、朝鮮人革命者中には、天道敎に關して統一されたる見解が無いといふことである。

本報告は、唯一つの目的を研究するものである。卽ちこれを時事問題として、其の周圍に東洋風のマルクス主義的見解を總動員せんとするものである

一、東學黨より天道敎繼承に關する問題

今日に至るまで、他の者は勿論であるが天道敎徒自身でさへも、天道敎は「東學黨」の名の下に十九世紀末に鮮内に勃發せる鮮農の暴亂の結果其の繼承者として出現したものであると一途に確信してゐる。然しこの見解は結局するに不當である。其の見解は、朝鮮歴史の各時代の各事件の混合に基礎を置いて

ゐるのである。吾人は「東學黨」は、十九世紀末に於ける右翼階級に反抗する農民の暴動であり觀念なりと考へるのである。

十九世紀末朝鮮に於ては特に外國資本が根を張り、其の勢力爭ひを行つてゐた。其の競爭場裡には、佛蘭西を初めとして、亞米利加合衆國に至るまで殆んど總べての列强國は朝鮮に手を着けてゐたのである。

西洋諸國は、當時、自國の勢力を直接鮮内に植えつけ樣とせず間接的に基督敎を擴張せんとしてゐた。然し當時、朝鮮に在りては、直接的競爭者として、日本と支那とがあつた。この二國は特に勢力があつた。この二國は、國境が隣接してゐた關係上、所謂朝鮮の「鎖國時代」から朝鮮と通商し、常規的の外交關係を有した。

朝鮮政府は、當時、外國の資本が鮮内に根を張つてゐる事實を眼の前に見て、之が對策を講せねばならず、朝鮮本國の資本が外國の資本に對抗して、其の競爭に勝つべき保證を與へねばならなかつた。此の問題を解決するには、朝鮮政府は、其の當時の右翼階級は此れを必要とするや否やに關せず當然、その對策を講せねばならなかつた。

如斯き歴史的使命を成功的に充實せしむるために、朝鮮國家に在りては次の如き二つの條件が、少なくとも豫想された。其の第一は、國内的動員のために將來に向つて資本を蓄積すること、交通を發展せ

しむることであつた。其の第二は外國資本の根を張ることに對抗して、朝鮮國家がその組織團體を作ることであつた。

然れども、十九世紀末に於ける朝鮮には、右の第一及び第二の如き完全なる意味に於ける條件は全然無かつた。

貴金主義（メルカンチーズム）の政策（國の繁榮は國内に貨幣の分量を增すに在りとする學說）は「鎖國主義」といふ名目で行はれた。（それは西洋强國に依つて門戸開放されるまで。）其の政策は資本蓄積の問題を解決しなかつたのである。時の朝鮮政府は此の貴金主義を商人階級をして可なり充實せしめ、政府自身としては朝鮮農民階級や商人ブルヂョアから苛歛誅求搾取到らざる處が無い程であつて、それが國家發展の方法手段であるからの觀を呈した。

又時の朝鮮政府と平行して、朝鮮の政界に於ては、宮城内裏の陰謀を盛に行ひ、右翼階級内に於て種々なる結社を組織し暗闘した。（少論（ソーロン）（東人）。老論（ノーロン）（西人）。北人（プクイン）。南人（ナムイン）。等の爭闘が卽ちこれだ）。

如斯くして、朝鮮政府は、この歴史的問題を解決すべき時に當つても其の準備が出來てゐなかつた。朝鮮政府は、既に外國の勢力が朝鮮内に根を張つて了つた後になつて始めて氣が付いて、その對策を講じたのであつた。

而して朝鮮政府は自國の商業を發達せしむるために外國債を借り入れなければならなかつた。例へば

二十萬弗を借りて稅關を作らねばならなかつた。支那は十九世紀末に京城——北京間の電信線を施設する權利を得た。

其の後朝鮮は諸外國列强と通商條約を結び、朝鮮の貿易は以前よりも盛になつた。而して、朝鮮の貿易額は次の如く發達して行つた。

朝鮮の外國貿易

一八八四年度	一、四二五、三三三弗
一八八九年度	四、六一一、六一五弗
一八九〇年度	八、二七八、三一七弗
一八九二年度	七、〇四二、二二四弗
一八九七年度	一九、〇四一、四〇九弗

朝鮮の輸出品の主なるものは米である。朝鮮の貿易の發達しないのは、朝鮮内の産米成績と米の需要國が少ないからであつた。

外國貿易に對して利益を受けたのは支配階級たる——封建時代の朝鮮貴族であつた。彼等は市場と聯盟して、農民と商人との開發を行つた。而して其の開發の最も鐵面皮なものは、農民と都會住民に對する稅金制度であつた。卽ち全く封建時代の遣り方で地方には觀察使や郡守などいふ官吏がゐて、出來得る限り人民から搾取したものである。彼等朝鮮官吏は地方に倉庫を持つてゐて、自分の利益のためのみ

人民からの年貢を納めてゐた。中央政府は、年々の農作狀況を地方官吏から聽取してゐた。而して地方官吏は勝手に自分の倉庫から農民に貸付を行つて、年貢を取り立て得る權利を有した。彼等の慣用手段として、農民からは出來るだけ澤山搾取して、甘い汁を吸つて、出來るだけ申譯的に中央政府に納入する樣にしてゐたのである。そんな譯で農民は規定の年貢の三倍位を納入してゐた。而も其の他各官省は特別税と稱して人民より徵税する權利を有してゐた。

尙ほ又地方官吏の私腹を肥やすための年貢があつた。其の年貢には二種類あつた。その一は「ヘーニャ」（內的徵税）で、その二は「ヘー、オイ」（外的徵税）であつて、前者は郡守間に於て、後者は觀察使用に於て分割されてゐたものである。

如斯き課税の重荷は農民の肩に懸けられてゐた。其の當時に於ては朝鮮人民の$\frac{1}{8}$は上流階級に屬し、彼等は納税の義務無く彼等の出身者は所謂御役人となり直接には農業に從事しなかつた。尙ほ彼等は、佛敎や儒敎などの寺院等に對する地所年貢も納めなくてもよいのだつた。

それから富豪商人階級も搾取されてゐた。遺憾ながら其の詳細の調査資料が無いが十九世紀末の狀況は次の如きものであつた。各種の商業は各々個々の官吏を專賣的に所有してゐた。貴族朝鮮人階級は當時商業に從事する能はずとの「法律」があつたので彼等は、個人に商業を營む權利を讓渡する形式を以つて、其の利益を搾取又は橫取りをやつてゐた。而も彼等は遠慮せずに强奪もやつた。彼等は自分の特

一九三

權を利用して何等の理由無しに富豪商人や有福生活者等を逮捕する。そして相當額の金錢を支拂はせて放免するといふ奸計を採つた。

右は其の一例に過ぎず、搾取壓迫は到らざる所は無かつた。一方一面に於ては、農民を搾取すること全く其の極に達し又他方面に於ては、右翼階級に對する商人富豪の反對があつたゝめ、やがては一般治安が亂れることは到底免れない數であつた。

實際十九世紀末に於ては、朝鮮內には頻々として百姓一揆が起つたが然し常に彼等は團結せず分離してゐた。又宗敎方面に於ては、基督敎徒が一派を形成した。而して一方に於て一八五九年に一宗敎派たる「東學黨」が發生したのであつた。

二、東學黨運動と一八八三年——一八九四年に於ける爭亂

一八九三年に於ける東學黨亂の直接原因は、一八九二年から一八九三年に亘る農業不作（饑饉）であつた。饑饉地方に於ては農民の動搖が始まつた。此の動搖を利用して、東學黨は南鮮地方に於て動亂を擡頭せしめた。當時朝鮮政府は此の動亂を淸算すべく、別して大なる努力を要しなかつた。韓國皇帝の一宣言と軍隊の小分遣隊とがあつたゞけで動搖せる人民は退散して了つた。斯の如く、一八九三年度の東學黨は全く不成功に終りを告げて了つた。

一九四

然るに一八九四年になつて再發せる東學黨は、前年のものよりも其の量に於ても質に於ても、有力なるものであつた。卽ち第二回の東學黨には、第一回一八九三年の如く單に農民だけの動亂に非ずして、都會地代表者も之に參加し、彼等は其の指導者となつた。

一八九四年度の東學黨の亂を吾人は單簡に述ぶれば、全琫準及び金孝男の二氏が南鮮の全羅、慶尙の二道に於ける動亂を指揮し、大院君の同意を受けて協同して、その事に當つたといふことが出來よう。

一八九四年の動亂は最後には東學黨となつたが、この最初は、東學黨としての何等の指揮をも有してゐなかつたのである。全琫準は南鮮に於ける農民の動搖を利用して、最初壓制的な官吏に對抗し、朝鮮國家に反旗を飜したのであつた。斯くの如くして、全羅及び慶尙の二道に勃發せる動亂は東學黨とは全く獨立して活動したのであつたが、最後になつてからは、民衆の要望に壓迫されて、東學黨に參加するの止むなきに至つたのである。又其の當時全琫準よりも有力なる孫秉熙なる指導者があつて、前記全羅慶尙二道の動亂の外に忠淸道にも動亂があり、孫秉熙は單に反亂を決心したるのみならず、全琫準に反抗する進軍の準備をしてゐた。孫秉熙が何故に暴動者に反對したか、その原因は不明である。

然し天道敎の歷史家に言はせると、孫秉熙が、この擧に出たのは、更に大なる陰謀を計る必要と、戰術を熟考する必要があつたからであるといふ。

然し是は我々にはどうも不確實である。第一に全琫準は東學の學徒同志ではなかつた、そして彼は動

一九五

亂以前に東學黨の首領と何も關係しなかつた。第二に、東學黨の首領は、全琫準の指揮した動亂に對して一致して反對もしなかつたのである。全羅、慶尙道に於ける動亂の白熱化せる當時、東學黨の首領は全琫準に對して次の如き手紙を送つた。

「父の復讐を爲さんと欲すれば、隱忍自重せねばならない、困窮の狀況を救出せんと欲すれば、善良でなければならない。隱忍自重は人類の關係を明かにする。慈善が擴張されゝば人民の權利を得ることが出來る。東學の福音は次の如し。『秘密の目論見を公言する勿れ、急ぐ勿れ』これが我々の敎の聖約である（卽ち東學の開祖。水雲（崔濟愚）である）我々のために未だその運命が來ない、未だその時が來ない。尙ほ更らによく眞理を研究せねばならない。そして、天の聲に反抗してはいけない」と。

手紙のこの部分は崔海月が、確信を以つて、東學黨の指導者が、公然と政府に反抗する傾向を拒絕したものである。卽ち彼等の意見に依れば公然たる進軍は秘密計畫の發表であり、革命的爭鬪に依らずに「天」の助力に依らうといふのである。

如斯き反動的傾向は偶然ではなかつた。それは東學敎の自然から流れてゐる、その反動は進軍の跡を示し、動亂の結果を示した。孫秉熙は非常な動亂の後、全琫準の許に赴いた。當時晋州に於ては、朝鮮政府が鮮民爭亂者鎭定のため支那兵を動員させたのであるが、亂民は支那兵と戰つて勝利を博したのであつた。孫秉熙は當時亂民が非常なる勢力を得た數ヶ月間も、指導者として參加しなかつた。孫秉熙は

一九六

全琫準の許に赴き單に背後に於て司令となり正面の指導者は全琫準であつた。

次の樣な問題が起きる、何故に孫秉煕は最初全琫準に反對し、次いで之に參加したか？その答は一つである。即ちその當時に於ける東學黨の指導者は一般的に、孫秉煕の如くであつたが大衆の壓迫力に依つて爭亂者と協同すべく餘儀なくされたといふことである。即ち農民大衆は、東學黨に統一するべく餘儀なくされたのである。

宗長たりし崔海月は大衆に對して壓迫を加へ、大衆が激成進出せざる樣大いに努めたが此處に於て次の如く言はねばならなかつた。「若し大衆諸君が余を神と仰ぐならば、余は諸君と行動を共にするであらう」と。其の當時の東學黨の首領は唯大衆農民を如何にして從屬せしむるか、東學黨を如何にして統一組織するかといふことのみを計畫してゐた。故に一八九四年の動亂は、それが東學黨員の大衆を參加せしめたりとするも、東學に依つて指揮されたと云ふことは出來ない。然しながら、其の當時の東學黨の首領が躊躇逡巡、不確定のものであつたとしても、朝鮮に於ける革命運動發達史の意義を縮少せず又は運動そのものを惡口誹謗することは出來ない。

全琫準に依つて指揮され開始された動亂は急速に擴大し、右翼派階級に對して大なる驚畏を與へた、朝鮮政府は其の動亂を鎮定するだけの實力がなかつたので先づ支那に對して援助を乞ひ、次いで日本にも願ひ出た。然し支那兵は亂民のために擊退されてしまつた。日本軍は其の後を襲ひ、完全に朝鮮亂

民を壓潰して了つた。斯くして一八九四年の動亂も成功はしなかつたが、一八九三年の動亂とは全く其の趣を異にした。即ち一八九四年の動亂の主張せる內容の第一はデモクラシーであつて、右翼階級に反抗し、外國の勢力が鮮內に根を張るのを驅逐するに在つた。次に其の動亂者の宣言を記載するが、よく這般の消息を證明してゐる。

『我々の現皇帝陛下は善良にして、民と苦樂を共にし愛に滿ちてゐられる事は神が之れを證明してゐる。若し陛下の側近者たる各大臣が眞面目であり正しきものであるなら、我々の祖先が幸福であつた如く我々も亦幸福たり得るであらう。我々は、現大臣連中が、どうして、現今の如き政治を行つてゐるのか諒解することが出來ない。彼等大臣諸公は、單に其の義務を等閑に附してゐるのみならず、官金を掠奪してゐるのだ。彼等は陛下の御慈悲を我々に與へず、又我々の希望を陛下に御傳えしてゐないのだ。我々の苦境貧困を彼等に訴へると、彼等は言ふ「それは貴樣達が惡いのだ、ォ前等が馬鹿だからだ、貴樣等は恥知らずだ」と答へて、我々の嘆願を顧みようともしないのだ。王座の側近には一人として眞面目な官吏無し。大臣に至つては、彼等自身が不名譽そのものである。斯くの如き情態の結果、人民は塗炭の苦しみをなしその苦難は日每に增加するのだ。每日我々の頭上では勝手氣儘に支配が行はれてゐる。そして我々の存在は全く認められず、生きてゐる空もないのだ』

『朝鮮の各方面から、復讐の要求が盛になつた。主從間の關係は破壞され初めた。上流階級と下流階級

との間に當然有るべき相互關係は無くなつた。人民は到る處、赤貧洗ふが如しである。生活は、その價値を失つた。生甲斐もない。管子（西歷紀元前四百年前の支那聖人）は敎へて曰く、「不平等の社會は自ら滅亡すべし」と。大臣連中は、國家危急存亡の秋に在つても、さつぱり心配しない。彼等は唯如何にすれば私利私腹を肥やすことが出來るかといふことのみを考へてゐる。官吏登用試驗は唯收入の源泉のために役立ち、義務は市場に賣られ、賄賂は公然行はれてゐる。彼等は國庫を充實する代りに自己のポケットを一杯にしてゐる』

『我々は單純な無學な農民ではあるが、この危險なる狀況を默視傍觀することは出來ない』

『我々は愛國主義の旗の下に統一されて爭鬪するものである。而して我々は、我が皇帝陛下を助け人民の幸福を計るために我々の生命と財產を犧牲に供することを誓つたものである』

『近き將來に於て我々は威嚇されるであらうが、吾人は諸君が平和的任務を繼續されることを願ふものである。吾人は諸君と戰鬪するものではない。吾人は諸君のために爭鬪し死するものである。吾人はこの擧が諸君に幸福を持ち來らすことを祈る。天皇陛下萬歲』

以上の宣言に依つて彼等民衆の叫びは明瞭になつたが更に全琫準が、大衆に示せる亂民の要求は、一層明かに之れを示してゐる。それは次の如きものであつた。

『我々は官吏の不正手段を總べての者に提示せんとするものである。我々は見る。彼等官吏は如何にして

人民を搾取するかを視る。彼等は未納稅金に利息を附して徵集するのだ。徵稅吏員は貧乏國民を創造した。それから檢査官が、その職務に反して人民を毒してゐる。又商人から金錢を捲き上げる。各海港の船舶から特別稅を徵集してゐる。到るところ鹽の專賣が行はれた。外國の密商が米の買ひ占めをやるので、生活必需品の相場が騰貴した。空地や荒地からも稅金を取る。不正手段は皆官吏がやるのだ。それは枚擧に遑が無い位だ。總べてのインテリゲントよ、農民よ、勞働者よ、商人よ、一致團結して其の團結力を以て、此の時代を確保し、滅亡せんとする民衆を救出しよう。これが果して幸福とはならないか？』

（韓國通史第四十九頁より）

右の如き宣言が十九世紀末の朝鮮の傾向であつた。又これは少なくとも、最近十年間に於けるブルヂヨア產出の政治的プログラムとして出現したのであつた。

朝鮮ブルヂヨアは朝鮮に於けるソーシャル、エコノミックの關係の餘地に積み重ねられた。而して別により大なるものを要求することは出來なかつた。それは、彼等は常に陛下に對して應援を求め、陛下には堅確なる政府があり、不正官吏を掃陶することが出來ると思つてゐるのである。

彼等爭亂民の主なる目的は不正官吏に對抗することであつた。又同時に彼等は地主や封建制度に反對した。それは彼等の爭亂當時に於ける手段が之れを證明してゐる。彼等は地方に於て活動せる時、地主の邸宅は一つも殘さず破壞し去つて、永久に地主貴族階級を崩壞せしめ、これを去勢せしめんとしたの

であつた。

右は、一八九四年度爭亂の特質的進步であつて、二つの社會的勢力が結合したる結果である。卽ち都會地住民と農民とが結合し、前者が後者を指導した。この事は、一八九三年度の爭亂と異つた特色である。

一八九四年度の東學黨が敗北したる原因は次の如し。

（一）あまり結構ならざる國際關係である。

東學黨亂の時代に於て日本は、朝鮮に於て政治的にも經濟的にも絕大なる勢力を有してゐた。日本は十九世紀末二十年間も反動的政策を執つてゐた。日本は、全く朝鮮の經濟的發達に努力してゐた。而して總べての改進的運動に反對した、――最初金玉均の作つた「改進黨」の自由運動を政治的に驅逐した。それは一八八四年の事であつた。次いで一八九四年の東學黨の動亂を武力を以つて平定した。其の時代に於ける日本の根本政策の內容は、朝鮮民族の革命やデモクラシーの朝鮮人運動を全廢せしむる事であつた。而して日本側はこの目的を以て朝鮮政府を通じ半改革の政治を施行せしめ、直接的な動亂の原因を廢除せんとした。

（二）威力のある自主的の富豪階級の缺如してゐたことであつた。故に、都會居住人民の亂民は小團體であつて、動亂に參加した大衆農民の上に自分等の勢力を示すことが出來なかつた。反對に彼は農民を海中に溺死せしめた。彼等は政府軍と戰爭するに際して、平易なる戰術の口號として極めて原始的な

二〇一

ものを用ひた。例へば指揮者は大いに宣傳をやつた。曰く、官軍政府軍の鐵砲からは水が流れ出る、我々味方の軍隊は天の意志に依つて決して負傷しないと。所が實際に戰爭をして見ると、その宣傳は、少しも效力がなかつた。

（三）動亂は必要ならざる所に行はれたことである。例へば彼等同志の一部分は京城（朝鮮の首府）に於て運動をやつたので、彼等は京城に於て右翼階級に壓迫され不利の立場に立ち受難に會つた。而して首領たりし全琫準は動亂の始めまで、まづ京城から運動を開始すべしとの事を大院君に提言したのであつたが、大院君が之に贊成する筈がなかつた。

一八九四年度の朝鮮爭亂の敗北は、東學黨の全敗を意味するものであつた。第一に一八九四年度に於て朝鮮政府に於て採用したる改革は、それは全般的に行はれたるものに非ずと雖も、一部分たりとも爭亂民の主張が滿足せられたのであつた。第二に、農民は政治敎訓を瞥見し得た。農民は東學なるものは非現實のものであり非組織的のものであるといふ事を確めた。一八九四年東學黨は全く擊破されて、其の結果、南鮮に於ける東學黨の繼承者は僅に數拾名に過ぎないといふ狀態であつた。

二〇二

三、天道敎の發生と其の時代。

一八九四年度の爭亂の鎭定後、其の爭亂の指導者の或る者は身を以て逃亡した。孫秉熙は僅かばかりの同志と共に日本に逃亡し一九〇五年（明治三十八年）まで、ずつと、日本に亡命してゐたのである。

日本は東學黨亂を鎭定し、武力を日本の手中に收め、朝鮮に於ける帝政露西亞の勢力に對抗すべしとの理想を準備せしめ、又朝鮮は日本に依つて合併せらるべきものであるとの汎亞細亞主義の觀念學を盛に發展せしめた。

汎亞細亞主義の理想は大いに擴張され成績を收めた。この主義に對しては曩の東學黨首領さへも共鳴したものもあつた。孫秉熙の如きは日本に滯在しつゝ一九〇三年の反露行動に對し日本と其行動を共にした。この事は天道敎の繼承者も秘密にしてはゐない。卽ち當時朝鮮政府は保守派にして親露主義者たりし李允用と其の配下の勢力下に在つた。彼等の政策は反日本であつた。當時日本は、露西亞が極東に於て大いに活動したのに業を煮やし、露西亞との戰爭を準備してゐた。先生（孫秉熙）は、これを理解してゐた。彼は日露の衝突は不可避のものであると知り、若し衝突が起つた時は、東洋亞細亞のため日本が勝利せねばならないと希望（協力）した。彼は日本が日露戰爭に勝つともそれは朝鮮の利益ではないとは知りながら、彼はその時には露西亞に反對して、日本と聯盟しようと決心した。彼は權東鎭と相談した。此の事は日本の參謀總長たりし田村將軍に報告され田村は孫秉熙と會見した。そして次の如く決定した。日本の軍隊を移動させること。私服を着用變裝させること。朝鮮の諸港を外國人のために閉鎖すること。而して朝鮮大衆と協力して京城に進出すること。露西亞の勢力を驅逐し、露西亞に對抗する軍隊を設置すること。日本は、右の方法手段は、朝鮮の利益のためではないことは確信してゐたが露西亞を恐る餘り、この擧に出たのであつた。これは「開闢」第二十四號第八十二頁より採用る。

二〇三

天道敎の歷史に依れば、日本が此の擧に出でたのは、結局露西亞を恐れたる餘り、餘儀なくされたものだと力說してゐる。

然しながら如斯き說明は正當ではない。何となれば第一に日本は朝鮮を聯盟國としては其の無力なる事を知つてゐたので其の必要がなかつた。第二に日本は其の當時同盟國として英國を有してゐたからである。

實際日本は朝鮮を一般的殖民地として必要とした、又朝鮮を軍略的の地方として必要とした、而して日本のために朝鮮人の同情を得ることが必要であつた。かるが故に日本は汎亞細亞主義といふ宣傳を以つて朝鮮大衆に巧に取り入れたのであつた。

如斯き見地から當時「進步會」なるものが出來た。これは、親日派と共力して組織され、その會長には東學黨の昔の首領が就任した。「進步會」は永續せずその後間も無く「一進會」なるものと交換された。これは日本側の手中に收められて、朝鮮政府に對して壓迫を與へてゐた。

一進會は益々盛に勢力を得て、一九〇五年日韓條約の結果、日本は朝鮮に統監府を置く事になつた。而して此の條約に依り、日本は朝鮮總督府を設置する樣になり、同時に朝鮮は獨立的に諸外國と關係を

二〇四

持つ權利を剝奪された。一進會は次いで日韓併合を準備した。一進會は其の後朝鮮皇帝に向つて、日韓合併の要求を爲した。

天道敎は一進會解散の後に出來たものである、或る一部のものは孫秉熙を頭首として天道敎を組織することになつた。一進會の缺裂の史的研究は不充分である。遺憾ながら此の問題を解決する資料が我々の手許にないのである。天道敎の繼承者は、一進會の崩壞について次の如く說明してゐる。「彼等は孫秉熙に反對してゐた。進步會と一進會とは其の政策を異にし互に干涉し不和を生じた」と。一九〇五年十月に我々の先生たる孫義菴（孫秉熙）は日本から朝鮮に歸來し世界に對して、天道敎を組織することを宣言した。

孫秉熙は言つた。「一進會は、我々の組織の存在に就いて世界に宣言せねばならなかつたのだ。今や其の必要は過ぎ去つた。故に一進會を解散して、宗敎の基礎に立ち、政治に參加することを廢止せねばならない」と。

當時、李容九なるものがあつて、この孫秉熙に反對してゐた。彼は政治に參加することを廢止しなかつた。我々の領袖は憤激して、李容九派から退去して了つた。それから一進會といふものは二つに分裂せる歷史を作つた。卽ち天道敎と侍天敎とが卽ちこれである。

右の如き次第で、結局天道敎は政治に參加せず宗敎として立つたのであるが、非常に精錬されてゐた。

二〇五

我々は、右の如き說明を爲したが、孫秉熙一黨は一進會解散後に於て朝鮮の政治に參加したと思ふのである。彼等は其の後「自强會」なるものを創設して一進會に對抗した。彼等は其の相談役として有名な汎亞細亞主義の傳道師たる大垣武雄を招聘したが、彼は亦、一進會の顧問も兼ねてゐた。

天道敎出生時代は朝鮮農民の恐るべき苦難時代であつた。朝鮮農民の上には新なる敵——外國の資本主義が活動してゐた。外資は朝鮮農村に根を張り、總べての農村の基礎を破壞し去り、朝鮮農村をして、貧困と、破壞と、飢餓と、寒貧の中に沈淪せしめたものであつた。

農民は非常なる急流を以て、大衆的に沒落して行つたが、彼等は此の非常な社會的貧困の原因を知らず、又如何にして此の悲境より脫出するかも知らなかつた。疑ひも無く農民大衆の沒落は、天道敎の反射を受けたのである。日本帝國主義に反抗する爭鬪と、封建制度階級に反抗する爭鬪とは政治否認となつた。又天道敎は其の敎義として大衆の革命的爭鬪をも否認してゐる。

天道敎は其の開始より諸種の宗敎的儀禮を定めた、卽ち每日清水を以て齋戒沐浴し、祈禱を行ふことであるが、全部の敎徒には徹底しないこともあつた、又誠米を徵集すること等であつた。

天道敎は其の組織に於て政治的の口號と目すべきものは、唯次の如く「保國安民。廣濟蒼生」と言ふのみである。又天道敎の經文の中には、農民には理解の出來ない何かしら農民が新しきものに驚かされてゐる樣な農民の氣分を表言してゐる。又天道敎は農民大衆が何か知ら眼に見えぬ貧困と崩壞の前に立

二〇六

ち、この悲慘から農民大衆が救出されなければならないといふ氣分を持つ。彼等敎徒には、只管に平和が必要であつた。其處から——悲觀主義と、惡に對しても反抗しないといふ樣な主義が生じた。

天道敎は宗敎であつて、政治は罪として取扱はなかつたので、これは朝鮮に於ける日本の支配に取つて非常に好都合であつた。朝鮮大衆を宗敎の中に閉ぢ込めることは日本帝國主義の手中に收められてゐた。

當時、日本は全力を以て朝鮮を戰鬪の方法に依り日本に併合すべく努力してゐた。孫秉熙は新なる宗敎天道敎を以つて之に對してゐた。

當時に於ける孫秉熙の宗敎的見解は、其の對照として、朝鮮農民大衆を痲痺せしめ、日本帝國主義に反抗する活動を阻止してゐた。孫秉熙は「惡に對して抵抗せず」「自制强力」「保國安民」を主張して朝鮮人大衆の革命的精神を消滅せんとした。一方日本は十ヶ年間も巧に之を操縱した。

天道敎は、日本が如何に鮮內に於て政治を行ふとも、全く不關焉といふ風であつた。天道敎は、一九一九年(大正八年)三月事件が勃發するまで、全く政治に關與せず、一宗敎として高踏してゐたのであつた。

故に、天道敎は朝鮮の併合時代に於て革命的組織團となつて出現したとか又は將來革命的團體となり得るであらうと斷定することは全く不當である。

二〇七

天道敎は其の開始以來、朝鮮に於ける日本の利益を妨害せざりしのみならず、反對に彼等は朝鮮農民を奴隷化すために奉仕したものだ。

天道敎は日本が朝鮮に統監府を設置したる後に於て發生したのであつた。天道敎が、若し彼等天道敎徒が稱する如く革命的の組織となつて出現したものであつたならば、天道敎は、其の他の朝鮮人社會團體と同樣に日本側に依つて解散され、追ひ散らされて了つたであらう。全く明かに天道敎は日韓併合時代前後に於ても革命的のものではなかつたのである。

第一回の朝鮮總督たりし寺內は朝鮮の領土に赴き次の如き宣言を爲した「朝鮮人は我が日本の法律に服從するか然らざれば朝鮮人は死すべきである」と。而して宗敎團體に關しては次の如く宣言した。『宗敎の主眼として、平和的な幸福なる宗敎手段を望む者に對しては一向差支はない、然しながら宗敎手段を以て安寧秩序を害し爭鬪し、又は宗敎の惡宣傳を爲し、又は政治に參與し、政治的陰謀を爲し、治安を害するものは、法律に依つて裁判に附し處罰する。明かに、宗敎たる佛敎にせよ儒敎(孔子敎)にせよ基督敎にせよ、人類の精神的物質的の進步を望むを目的としてゐる。故に宗敎は政治的事件爭亂を爲し得ざるものである。故に總べての宗敎に對しては同一關係に立ち、同一法律に依つて保護さるべきものである。」と。

卽ち朝鮮の獨裁官寺內の意見に依れば、天道敎は革命的のものでなかつた。何となれば若し天道敎

二〇八

が革命的のものであつたならば、寺内に不服從のものとして當然追ひ拂はれて了はねばならなかつたからである。然し寺内は自分の政治には極めて忠實であつた。彼の言葉は實行された。彼は一進會を除き其の他の總べての社會團體を解散せしめて了つた。

一九一三年度に到つて、基督敎徒の地方團體が朝鮮人革命主義者を隱匿してゐることが判明した。寺内は、彼等に對して、「武器を藏して動亂を爲さんとした」との理由で彼等を蹂躪した。この煽動は朝鮮人間に於て所謂「寺内事件」として有名である。又寺内は「檀君敎」の急進黨を擊破し去つた。この敎徒は日本帝國主義の傘下に在つて發展したが、それは日本憲兵に依つて破壞された。

日本は巧妙に天道敎の神秘を利用して、彼等敎徒が統一することや大衆の活動を痲痺せしめ、又其の半面に於ては、西洋諸國の勢力に對抗するため、基督敎に對抗して、天道敎を「朝鮮民族」の宗敎として尻押しをやつた。然しこの狀況は日韓併合後に於て天道敎内に其の反對要素を增大して行つた。

天道敎徒は日韓併合後益々多くなつた。天道敎には殆ど總べての社會階級の代表者及び農民を始めとして自由主義的な地主までが敎徒となつて入つた。其の敎徒增加の直接原因は社會經濟（ソーシャルエコノミック）的の根本原因の他に次の如き原因がある。

(一)　天道敎以外には朝鮮人統一團體が無かつたこと。

(二)　天道敎が一進會に反對してゐたこと。然しその反對と云つてもそれは別に顯著なるものではなかつた。

二〇九

(三)　朝鮮には有力なる都市階級が缺乏してゐた。都市階級があつたなら彼等は相當な團體を作ることも出來たのであつたがそれが無かつたこと。

四、三月事件當時の天道敎と其の後に就いて。

天道敎の歷史に於て最も重大なる事件としては、吾人は一九一九年（大正八年）三月運動を擧げねばならない。天道敎徒は、三月運動は、彼等天道敎徒に依つて組織され指導されたことを證明せんとしてゐる。この證明のために彼等は可なり疑問的な議論を戰はしてゐる。例へば……天道敎は一九一六年と一九一八年とに爭亂に關する集會を召集せるものを驅逐したと。然し天道敎は決して如斯きことはしなかつたのである。外國に使節代表として活動した。崔東熙(昨)氏の報告にさへ、それは誇大の言であつて、そんなことはないと云つてゐるのに視てもわかるのである。

三月事件には、天道敎徒のみならず、基督敎徒、佛敎徒等が共に一團となつて參加したのである。先づこの事を知らねばならないのである。又一九一四年までは朝鮮には、宗敎團體の他には何等の社會團體も無かつたのである。

三月事件の波濤は最初日本に留學せる朝鮮人學生間に起り、それから鮮内に波及したのであつた。其の示威運動のために各種の宗敎團體は武器を持たずに運動し、其れが合流して運動したのであつた。三月一日から三月二十五日までに逮捕されたものは九、〇五九人であつた。其の中三、五七三人が各宗敎徒であつた。其の中の一、三六三人で天道敎徒であり基督敎徒は一、五一八人であつて、其の他は各種の宗派團體であつた。

これを以つて觀ても、天道敎は三月事件には特別的な地步を占めてゐないことが判る、而して三月事件に參加したものは天道敎のみならず其の他の各種宗敎團體であつて其の數は二十五種位に達してゐる

天道敎の三月事件參加の他の原因は天道敎其のものゝ中に探求せねばならない。天道敎は農民の團體ではあるが、天道敎を圍る事件に反應せざるを得なかつた。天道敎の指導者は其の敎徒間に於ける傾向を度外視することは出來なかつた。其れは世界的帝國主義戰爭の後彼等が其の活路を探求したると同樣である。

朝鮮人團體の特色は三月事件運動の上に印付(シルシヅ)けられた。三月運動の指導者は宗敎團體の代表者であつた、その中に天道敎もあつたが、彼等は運動の課題を神秘的に考へた。三月事件運動の指導者の一つたりし天道敎は朝鮮の獨立を得るには、武力に依る叛亂でなくとも單なる示威運動で充分だと思つてゐた。彼等の見解に依れば、朝鮮人大衆の「自主的發達」の階級を示さねばならなかつた。即ち「我々は三十三人の宣言書に同意する希望を有しない――即ち日本が朝鮮の文化を輕蔑し、又は日本に誠意が無いと

二一一

特に之れを責めたくない。我々は自らを反省するものであつて、過去の事に屬する、他の過失を發見しようとして貴重な時間を空費する必要を認めない。我々の眞の必要は示されたる理性に從つて、希望せざる事件を避けて我々の將來を畫策するに在る。我々は何人と雖も過去の壓迫に對して復讐や慘劇を行はしめたくない」と。

「我々の目的は、粗野な權力を保持してゐる日本政府に反省を促すものである、日本政府は理性や一般的法律に反して政治を行つてゐる、日本政府は眞實に權利と眞理に從つて政治を行ふべきである」と。

彼等は三月事件運動に際して、次の三つのものを爭鬪の口號とした。

(一)　此の我々の任務は我々國民の要求に依る眞理と宗敎と生存の名に於て行ひ、自由を希望するものである。何人に對しても暴力を許さない。

(二)　我々に從ふものは常時この意義を表明するものである。

(三)　我々の行動が常に正しく公平であるために、總べてのものは秩序正しく遂行される。

右の如き「神秘的」な(天道敎の)指導者の見解は、從つて彼等をして平和的の示威運動を行はしめたに過ぎなかつた。

然し三月事件は京城に於て始められ次いで周圍に傳播されて行つた。然し革命的の性質を示さなかつた。所に依つては、武器を持つて衝突した所もあつた。運動は團結力が乏しかつた、それは皆宗敎的の

二一二

示威運動であつて、　根本的な農民運動の參加した革命的のものではなかつた。　天道敎も亦然りであつた。
　如斯き經路なりしが故に天道敎が三月事件を組織し又之れを指導したといふことは全く不合理なものである。
　三月事件後、天道敎は自由なる條件と擴大せる權威とを利用して、再び政治的團體を組織せんと試みた。この目的のために天道敎は宗敎的主義から分離して完成せんとした。天道敎は時々、朝鮮に於ける國民黨を作るとの議論を行つた。
「現代の極東には二つの團體組織があつて、國家的階級社會の大理想を以つて隱然たる爭鬪を行つてゐる。これは支那に於ける國民黨と朝鮮に於ける東學黨である」と。
　天道敎は自ら宗敎團體に非ずとなし、時々、他の宗敎團體に反對して、特に基督敎に反對して、朝鮮社會を激勵せんと試みた。一九二五年に朝鮮共產黨が反宗敎團體を指導した時、天道敎は次の如く宣言した「宗敎は或る根本義に於て警察と共立してゐる。現代の組織を維持するために、警察と宗敎とは協力して働いてゐる。然らば、全く警察は宗敎の保護を必要とすることは自然の勢である、而して反對に宗敎は——警察の保護に在るのだ」と。（開闢第五十九號、第四十頁）
　如斯き意見を有する天道敎の理論家に李東燁なるものが居る。彼は天道敎は宗敎團體に非ずとし次の

二一三

如く言つてゐる。
「天道敎が宗敎であるか否かとの問題であるが、それは勿論宗敎でないと答へることが出來る」と。
「天道敎は非宗敎團體であり、天道敎は專門的に朝鮮の生活條件に對しては召集された新なる統一理想の團體組織の一である」と。
　又之れと同時に、彼等は裏口に廻つて、自己の神秘的な存在を引きづつてゐる。一面に於て、彼等は宗敎は被壓迫大衆の精神的强迫なりとして宗敎を攻擊し、他面に於ては、體裁よく宗敎を引きづつてゐる。彼等は自分等の行動を正しきものとするために次の如く述べてゐる。
「宗敎の根本目的は總べての宗敎に出現してゐる樣な一般的のものではない、何となれば宗敎は文明に反してゐるからである。然し宗敎は新しき文化を自己に導き且つ古きものを改革する理想であるべきである、總べての宗敎は此の意味に於て存在すべきである」と。
　天道敎が政治的團體を組織せんとせる試みは最初朝鮮のインチエリゲンチャ間に反應した。彼等は一九一九年三月事件に失敗せる後に於て何か避難所を求めてゐたのであつた。彼等は天道敎に入り、其の目的に副ふ團體を組織した。卽ち、靑年同盟、學生同盟、婦人同盟其の他のものである。然しながら彼等は思ふ樣に政治的團體を組織するとに成功しなかつたので、インチエリゲンチャの急進派は天道敎から脫退した。三月事件の失敗と政治的團體組織の不成功とに依り天道敎は分裂した。而して二つのグールプを形成した。一つは新派（新黨）と呼び一つは舊派（舊黨）と呼ぶものである。
　天道敎分裂問題は一寸不明の點もあるが手許の資料に依つて、之れを說明することが出來る。その結論は次の樣なものである。

二一四

　天道敎が二つの團體に分裂したる主要なる問題は、結局天道敎の指導權を得んとせることがその分水界を爲したのである。舊派の方は天道敎指導權を保持せんとした、然るに新派の方は指導權の民衆化を主張し、地方團體のソヴイエト（委員會議）を創造せんとした。外界は新派の方に進んだ。卽ち如斯き社會的原因が二派に分裂したのであつた。而してこれを地方別にして視ると、舊派に屬するものは、南鮮方面のものが其の代表者として勢力を得　新派の方に屬するものは、朝鮮の中央部及び北鮮の代表者が之に當つてゐた。
　然し、南部朝鮮に於ける天道敎徒は沒落せる地主や貴族や官吏など多く、其の敎徒數も少なく（概して南鮮地方には大なる天道敎の勢力は無い）。然るに北鮮地方に在りては天道敎徒は主としてインチエリゲンチャ多く敎徒も非常に澤山ゐる。
　舊派に屬する天道敎徒は朝鮮民族主義を高調し政治的行動に出でんとするに對し、新派の方は文化、改進主義に立つて政治的に進出せんとしてゐる。如斯き情勢に於て共產主義者間に於ては、新派よりも舊派の方が急進的のものとして、共產主義者は舊派と聯盟せんと試みた。如斯き見解の誤謬なることに

二一五

就いては言ふまでもない、第一に。新派と言ひ舊派と言ひ、何れも大同小異で全く過去に於ても現在に於ても全く政治的プログラムを有せず、彼等は何れも天道敎の根抵に立脚してゐるのだ。第二に、朝鮮内に於ける勞働運動の發達と共產主義觀念學の發達は、新派も舊派も中央黨と稱するものゝ中に統一されつゝある事である。これが我々のためには特に重要性を有するものである。この事實は鮮内に於ける反動勢力を整理する表識を爲すものである。
　天道敎は鮮内に於ける勞働運動と共產主義觀念學の發達の事實に直面して、彼等は共產主義に反對してゐる。此の如き反對は到る處に現はれてゐるのである。
　最近「新人間」なる雜誌を見ると、天道敎の指導者の論說がよく散見されるが彼等は物質主義者社會主義者の傾向を示してゐる。彼等の代表者たる「朝鮮社會主義」に依れば、卽ち天道敎の敎義に依れば、學理的共產主義に讓步しないのである。而も彼等は同時にレーリン。マルクス盲目狂信者に宣言し共產主義者に向つて攻擊を試みてゐるのである。卽ち曰く
「唯物主義者は物質の奴隷となつてはならぬ。カール、マルクスを尊敬することは勿論よい事である。又クロポトキンを尊敬することも同樣に惡くはない。又同樣にレーニンの生徒になることも惡くはない然し、これとても彼等の奴隷にならねばならぬといふ意味ではない。これは、彼等を尊敬する根本的目的には副はない。これは唯物主義者たる可能性を奪ふものである」と、（一九二四年「開闢」十一月號第四頁）

二一六

天道敎の哲學は次の如く案內する。彼等の意見に依れば、物質も精神もその本源ではない。彼等に依れば、物質よりも精神よりも聖なる何物かゞ存在する、これが彼等の本源である。この見解から彼等は全組織を世界觀に置く。彼等の意見に依れば常に準備されたる形姿がなければならない。人類は現代の條件に於て最高の存在として認められ常住するものである。其處から出發して「人は神なり」との理想が結論される。天道敎の敎義に依れば、物質は總べての惡業の本源となつて現はれる。故に人類は物質と接觸する事に依つて罪を犯すことになる。愛欲も悲哀も結局其れは物質に對する反動に過ぎない。而して人類を惡業的物質から救出するには、人類其のはじめ、善も惡も知らなかつた時の最初の出發の狀態に歸依せしめねばならない。天道敎は速に此の眞理を可能ならしめ實施せねばならない。茲に於て公共善の存在の意味がある、といふのである。

これと共に所謂「孫秉熙の辯證法」と稱し、學術的の眞理價値として、敎徒間に擴張されてゐるものがある。それは次の如きものである。「一千年の間には一つの偉大なる改革が行はれ、一百年間には一つの中位の改革が行はれ、十年間には一つの小なる改革が行はれる」と。

上述のものは疑ひもなく彼等の哲學に反動を特質づけてゐる。

天道敎の見解のため吾人は次の事を闡明にせねばならない。

（一）　天道敎は朝鮮農民に對して何を提案するか

二一七

（二）　天道敎は資本主義に反對し如何にして鬪爭を爲さんとするか。といふことである。

朝鮮に於ける現代農村の狀況は、封建時代の遺物が其の特質として、優越の地位を占めてゐる。而して日本帝國主義は、其の封建時代の遺物を保持してゐるのである。現在朝鮮の農民は資本主義發達の時までよりも更に苦んでゐる。

これは明らかに朝鮮農村には資本主義の要素が無いとか、資本主義的關係が發達してゐないといふことを意味するもので無い。朝鮮農民の前には、日本帝國主義に反對する鬪爭と、國內に於ける封建制度遺物に反抗する鬪爭が嚴存してゐるのだ。

果して天道敎はこの農民の目的のために働くか？

茲に於て天道敎は、資本主義は農村經濟に於て發達することは出來ないとして農民間に自己の仕事を始める。朝鮮農民に取つては資本主義に反對して爭鬪する必要はない。朝鮮農民に取つては自己の貧困なる狀態を救出するために可なり澤山盡力されてゐる。

「產業と商業との發達と建設とは自ら堅固なる機關を要求するが、それがためには又澤山の資本を必要とする。然るに農村經濟に於てはこれがない、而して農村經濟に於てはこの法理は、自己の確實性を有してゐない。朝鮮の農村經濟は確實なる機關と資本を要求すべき根本的なる本質を有しない。朝鮮農村は衣食を十分に取るためには、單に自然の人力と自然力とを應用すればそれでよいといふのである。

二一八

「私は野原を耕作して、穀物を食つて生きる」
「私は井戸を堀つて、水を飮む」
「皇帝の當局者が、如何なる關係を私に向つて持つのか」

等々。（註。右は朝鮮農村民謠の一曲にして、鼓腹擊壤天下泰平の謳歌なりと）

若し全世界が、等しく右に述べた農謠の作者に贊成したら、農村は自己の力のみに依り自然の恩惠のみの原始的のものとなり、何も皇帝の政府の問題は起きず、銀行の必要の問題もなくるのだ……

而して反資本主義鬪爭の實際的應用の範疇に於て、購買組合や小作人聯盟や、社會相互組合が必要となる。

朝鮮農村に在りても右の如き組合が必要であるにも不拘、日本帝國主義は朝鮮の右の條件下に蟠居して、封建制度の遺物と合流して、朝鮮民衆を搾取强奪し、先づ第一に朝鮮農村開發を名として、之れを「セメント」式に封じ込み、朝鮮農村の社會的爭鬪に對しては、彈壓を加えてゐるのである。

又天道敎の特質として次の如きものがある。即ち天道敎は資本主義の基調に反抗する代りに、金錢や貨幣制度に反對して鬪爭し活動する。彼等の意見に依れば總べての貧乏と惡業の根本は——金錢であるといふのだ。彼等の意見に依れば、金錢の「威力を破廢することは、私有や資本主義を破廢せずに、これが出來る。又天道敎は「地上に於ける天國を」即位せしむることを保證するといふのである。天道敎

二一九

の稱道する「社會主義」の理想は次の如く新しい……即ちその理想といふのは、自己の發達の最高程度の上に人類を以つて達成し、其の理想は反動となり共產主義とは何等の關係をも持たないといふのである。

我々の先生崔海月は次の樣に言つた。

「萬事の認識の根源は一椀の粥の中に在る」と。これは人類の知識の基礎は、一椀の粥を正しく分配するに在るとの意味である。つまり人間萬事はこの中に安住するといふのである。而して現代に於ける最も重要なる問題も亦、一碗の米の正しき分配であると。いふ意味である。

「人類生存を觀察するに即ち人類は金錢ばかりでは生きて行けない。人間はパンを喰ひ衣服を着てこそ生きられるのだ」

「金錢は——偶像の類の一つである。金錢は總べての迷信的偶像の如く、何等利益も效力も有しない」

「我々は、少なくとも、何等かの方法を以て、金力の支配を破壞せねばならない。經濟的發達は……金錢の偉力を破壞する後に於てのみ可能性がある。同樣に神の前に於て平等なる時に可能性がある。又同樣に僧侶の勢力を破壞したる後に於て可能である。同時に又政治平等は封建制度社會の偶像を破壞したる後に於て可能性がある」等々

朝鮮に於ては、益々盛に資本主義關係が根を張り、階級の分化が力强く行はれてゐるが、一方天道敎

二二〇

の觀念學の反動は、それよりも盛に出現してゐることは明瞭である。
　三月事件運動は第一に不統一とブルヂョア(階級)の非革命を曝露した、第二に天道敎そのもの非革命を曝露した。朝鮮革命運動指導の地位には新なる階級……朝鮮人勞働階級が出現した。
　朝鮮に於ける共產主義觀念學と勞働運動との發達の過程に於て、總べての非プロレタリア組織團體は左翼分子を庇護して新なる協力に立つた。この關係に於て天道敎は御多聞に洩れなかつた。
　然しながら天道敎は勞働運動に對して自ら反對しないといふことを意味するものではない。反對に天道敎は、左翼分子を庇護し、實際に於て、青年聯盟や農民同盟等を組織して勞働運動に對抗してゐる。これは、明かに、どれだけ天道敎が革命的のものであるか、どれだけ我々の運動に近いものであるかといふことを特質付けるものである。
　天道敎の勞働者階級の觀念學と勞働階級組織とに反對するには、支那革命敗北後に於て特に盛になつたのである。
　勞働運動の發達は朝鮮ブルヂョアを改革の途上に向はしめ、朝鮮ブルヂョアは、現在勞働階級に對する反動的勢力を基金に入れようと試みてゐる。如斯き傾向は支那革命敗北後、及び元山同盟罷業の後、盛になつたのである。天道敎は朝鮮ブルヂョアの驥尾に附して進んでゐる。(吾人は玆に於ては朝鮮ブルヂョアが如何にして如斯く反動化したかその原因に就いて詳細なる説明を略すことにした)

二二一

若し天道敎が、支那革命發展の當初に於て、自主的な國民黨に就いて考究してゐたなら、今頃は全く別な方面の事を考究してゐるだらう。
　方今、天道敎は新なる舞臺――神秘敎へと移動しつゝある。この事は最近の會議に依つて見ても明らかである。
　若し彼等天道敎徒が早くから集團的指導の戰術に依つて活動してゐたならば、彼等は最近の集會に於ては、天道敎の集團的支配系統に向つて論じたであらう。然り彼等天道敎徒は、天道敎の頭首を道領(宗敎の頭首の意)と叫んでゐる――然し道領と叫んだ所で又は敎主と叫んだところで其の間幾許の差違かある。注意すべきは彼等天道敎徒は舊式の系統に復歸したといふことである。
　又、吾人は、天道敎は舊式から新しき團體を徹底的に統一しようとしてゐる傾向を見る。最後に吾人は天道敎の指揮の下に「農民團體」を有するに至つたことを見る。然るに天道敎は、農民聯盟組合には反對してゐるのである。その農民聯盟組合は共產主義者に依つて指導されてゐるからである。此の「農民團體」には總べての者が這入る……地主も農民も。彼等は小作人組合と爭鬪する場合には、必ず警察に御援助を願ひ出るのだ。
　次の事實を記述することは興味あることである。
　天道敎の首領である崔麟が西洋の旅行から歸鮮してから、天道敎は東亞日報社と興士團と接近親善の

二二二

傾向を示し始めた。而して當時、東亞日報社も興士團も反動運動を行つてゐたのである。(東亞日報社長宋鎭禹は、京都に於ける太平洋會議に參加して。)
　天道敎と東亞日報と興士團との接近親善は、更に又朝鮮ブルジョアが支配革命の試錬を研究し、勞働者及び農民の革命運動に驚き、而して、發展しつゝある勞働運動に反對して自己の勢力を整理し始めたことを示すものである。
　さて、吾人は次に吾人に取つて最も困難なる問題――天道敎徒の數量と社會主義的組織內容に就いて述べよう。
　我々はよく聞くことであるが、天道敎は大衆的の組織團體である、天道敎は農民から組織されてゐねばならぬ、何となれば朝鮮人口の八割は農民であるからである云と。成る程それは一般的には事實ではあるが、よく朝鮮の內情を調査して見ると、多少これと異つてゐる。今日まで天道敎徒は、敎徒三百萬人を包擁すると稱せられて來た。然しこれは事實ではない。何となれば天道敎の頭首たる崔麟が、現在の天道敎徒の數は三拾萬人を超過してゐないと證言してゐるのである。然しこの數字も多少誇大してゐると見ねばならない。
　天道敎徒の組織內容數は特殊な點がある。敎徒は成年のみではない、天道敎を信ずるものは、子供でも青年でも女子でも皆敎徒として、數えてゐるのである。つまり崔麟の發表した天道敎徒三十萬人とい

二二三

ふのは如斯き敎徒の總數である。吾人の見るところではその半數十五萬人と見ても差支ないと思ふ。卽ち吾人は天道敎徒數は十萬人乃至十五萬人と見る。然らば天道敎徒の分布狀況は如何といふ問題が起きる。
　南鮮地方は最も農民の多い所であるが、天道敎は全地方には餘りその敎徒がゐない。旣に前述せる如く南鮮地方は東學黨亂の時に失敗した故郷である。
　現在としては天道敎信者は主として北鮮地方と西鮮地方に最も其の數が多いのである。これは天道敎の社會的內容の特質である。
　今朝鮮を三大別して、貧乏人(朝鮮人)の數量を百分比例にして見ると次の如くなる。卽ち朝鮮を北鮮地方、南鮮地方、中央地方を三大別すると次の如き、面白い現象となる。

　朝鮮に於ける貧乏人(朝鮮人)のパーセンテージ

(一)朝鮮の中央地方……………一九%
(二)南鮮地方……………………七二%
(三)北鮮地方……………………九%
　　計　　　　　　　　　一〇〇%

　これは現在の所謂水飲百姓の狀態にある貧乏人の統計である。

二二四

天道教は貧乏農民七二%を占むる南鮮地方に其の教徒を少數しか有してゐないのに反し、貧乏農民が僅かに九%しかゐない北鮮地方に其の教徒を澤山持つてゐるのであつて、北鮮、西鮮地方が天道教徒が現在最も多く、所謂大黒柱を爲してゐるのである。如斯き狀態は何を物語るか？即ち天道教徒が農民を以つて組織され居るとするも、その農民は第一に戰鬪的な貧乏農民であると言ふことは出來ない。反對に天道教徒たる農民は富民階級であることが判る。何となれば北鮮地方は一般的に富農が多く、貧農は前表の如く僅かに九%しか無いのである。

天道教は如何にして教徒から基金を徵集してゐるかそれは次の如くである。天道教徒は一家族から（一家族五人と見て）一ヶ年二十七圓を天道教事務所に支拂はねばならない。然るにこの二十七圓は多額なもので、一九二六年度に於ける一家族の農村稅金は平均十五圓であつた。國稅よりも高いのである。つまり天道教徒は國家に對する稅金よりも多額に天道教に支拂せねばならないのだ。勿論總べての貧乏な天道教徒は、二十七圓を支拂は出來ない。この二十七圓は次の如くして構成される。教徒は毎日、家族一人に就き一匙の米を（誠米、聖米）別に蓄積せねばならない、斯くして一日には五掬位の米となり、一ヶ年間には其の米代が二十七圓と評價されて、これを支拂はねばならず、國稅十五圓に比しても十二圓の超過を有する多額のものである。

現在、天道教は、昔東學黨が爭亂を起した樣な根據地を有してゐない。天道教に就いて、も一つ面白

い事がある。天道教は目下農民へ向つて教徒を擴充せんとしてゐることである。一九二九年の「新人間」新年號に天道教徒の有力者が次の如き記事を載せてゐる。

「私は思ふに、我々は過去に於ては、農村地方よりも都市住民間により多く天道教の傳道と教化に努力した。農村民は非常によく我々の說教を信じ、天道教の信者が澤山出來た。故に今年度（一九二九年—昭和四年）から我々は農村民に向つて大いに天道教を廣めねばならない。天道教中央宗理院と青年同盟中央部とは地方組織團體に向つて努力せねばならない。この目的のために、農民間に特別的な說教と宣傳（煽動）を行ふことが必要である」云云（一九二九年「新人間」一月號第十一頁より第十二頁）

天道教の指導は農村民間に特別なる任務手段を講ずべき問題となつた。茲に於てかアンチヤンヒヨンは主張して曰く、過去に於て彼等は專心的に都市住民間に天道教を弘め、さまでその困難を感じなかつたのだと。又次の如き事實を見る。

天道教の指導に依つて、天道教の最も活動的なる最も戰鬪的なる所謂青年黨なるものが創造された。一九二七年の報告に依れば、未だ僅かに全鮮を通じて右の青年黨は次の七ヶ都市に組織されてゐるばかりである。

一、京　城

二、平　壤

三、安　州

四、鎭南浦

五、前　津

六、北　青

七、釜　山

目下の處、天道教青年黨は右七ヶ都市以外には無い。天道教は青年黨を有しながら農民青年聯盟を有さない。彼等は、それも欲しいのであらうが、未だその聯盟は無い。

天道教は、商人の特別組織部を有してゐるが、農村青年組織部を有しない。

吾人はこれから結論に入らう。

天道教を組織してゐるものは如何なる階級か？天道教の大部分を占むるものは、富有階級の農民である。其の次は有識中產階級であつて、其の中の大多數は朝鮮貴族や官吏の息子等である。而して天道教には、都市のブルヂョアの一部分が天道教徒として、入教してゐる。

天道教は全鮮に亘つては自己の聯絡者を持つて居ない。朝鮮に於ては今日に至るまで家族制度が存在してゐる。而もそれは口碑となつて連綿として存續してゐる。だから一家の家長たり戶主たるものが天道教の信者となる時は、同一家族たるものは、何等の反對も無く天道教に入教するのである。如斯くし

て他姓の者はいざ知らず同一農村に於ける同姓の者は自然と天道教に入黨するのである。而して、天道教の聯絡者、又は天道教に好意を有してゐるのは、南鮮地方より北鮮の方が遙かに多いのである。

我々は次の事が明瞭である、即ち若し天道教がブルヂョア者流の觀念として出現してゐるならば、天道教は革命的のものとは出來得ない。何となれば現今ブルヂョア者流は革命のものでないからである。

問題は次の中に存在する、即ち何人が將來の朝鮮に於ける革命の覇權統帥權（ヘゲモニー、ゲゲモン）を握るかといふことである。其れは全く結局、何人が朝鮮の農地均分問題と農民問題とを解決するかに儼存するのだ。農民及び農民組織に對する爭鬪は必ず革命戰線に對する逡巡と、朝鮮人の階級的本體の解剖に對する反動的理論とに對抗する最も辛酸を極めた鬪爭を相伴ふのだ。換言すれば我々は朝鮮農民に向つて自己の勢力を植え付けようと試みつゝある所の總べての反マルクス主義を排擊し、其の御袈裟を脫がさなければならないといふ事だ。

現在に於ける我々の任務は——天道教の反動的觀念學を排擊し、其の御袈裟を脫がす事だ。

現今我々の天道教は特に一九二八年後から、益々盛に自己の活動を强め政治に於ける反動的途上に就いた。天道教がいかほど農民大衆を統一したとて、天道教の民主主義的部分の分裂の可能性を除外することは出來ない。朝鮮にて民主々義的部分の分裂が、より速に完成されゝばされるほど天道教の政策は益々反動化され、朝鮮に於ける共產主義運動は益々擴大されるのである。而も其の背景たるや誠に近き將來に在るのである。

調査資料第二十五輯

昭和六年三月

出版物より觀たる朝鮮人學生の思想的傾向

朝鮮總督府警務局圖書課

序

學生思想は所謂尖端的であると共に感受性が非常に敏速であつて、反省、靜觀の餘地に乏しい。

現下朝鮮人學生の思想は如何なる傾向を示してゐるか。其れは多岐亡羊であると言へよう。然しながら其の大勢は一定方向に走りつゝあるとも解釋される。

今茲に朝鮮人學生の各機關雜誌から、大正十五年より昭和五年までに亘り其の代表的なるものを集收し、便宜之を分類して見た。

思想取締の任に在る諸官の參考に資せんとするものである。

昭和六年三月

目次の第一頁は、原本において欠落しています。（不二出版）

緒　言

朝鮮人學生の機關(校友)雜誌としては、培材、延禧、崇實、五山、桂友、京實、徽文、高敞、梨花等がある。

本書には是等の雜誌から大正十五年より昭和五年に亘つて、其の代表的なるものを集錄し、便宜之を分類して見た。

由來學生思想は尖端的に走る傾向を示してゐる。其れは生理的に觀察して見ても、二十歲前後の客氣にはやる學生の事であるから、感受性が非常に敏感であると同時に、批判とか、反省とか、靜思とかいふ理性に缺如たるものがあるのは勿論である。

物質の發展は思想の發展と常に一致する。換言すれば經濟的發展は必然的に思想の分野に於て、平行的に又は錯行的に發展することを隨伴すると言ふことが出來る。

とりわけても朝鮮人學生には特殊の事情がある。修學に專念すべき學生でありながら、常に此の特殊事情の暗示を受けてゐるのである。その特殊事情の最も大なるものは、言ふ迄もなく「民族的僻見」から出發する不平不滿である。彼等の文獻の中には「槿域」とか「錦繡江山三千里」とか「槿花」とか「無窮花」とかいふ愛國的精神の發露を示す言葉が非常に多い。

本書に集錄したものは全部で四十種であるが、便宜上之を第一章社會主義的思想に關するもの、第二章民族主義的思想に關するもの、第三章一般的思想に關するもの、第四章歌詞に關するものとして大別し、目次に示す如く各節に細別した。

茲に注意すべきことは、第三章一般的思想の部である。一般的思想と言つても、單に通俗的に所謂一般的思想としてゞなく、社會主義的、民族主義的思想の見地からの一般的思想として研究せられんことを望む次第である。

何となれば、第三章一般的思想の中にも、社會主義的、又は民族主義的思想が多分に暗示され諷刺されてゐるからである。唯、第一章、第二章に比較して露骨に表現されてゐないと言ふだけの相違である。

要するに朝鮮人學生の思想的傾向は、之を概觀する時、第一印象を與ふるものは、悲觀的であり暗示的であり諷刺的であるものが多いといふことである。勿論其の中には樂觀的な、明示的な、煽動的なものもある。又健全のものもある。

先覺的朝鮮人學生の頭腦を指導する尖端的思想は、社會主義的思想と民族主義的思想であると言ふことが出來る。而も其の思想的傾向は、今や空想的思想の領域を脫去して、科學的思想の新域に向はんとする前夜であるかの觀を呈してゐる。或は又更に進んで其の黎明期に入れるかの感を與へるものが無いでもないとも言へよう。

然しながら、**マルクス**は這般の消息を更に尖鋭的に觀察して、鋭利なる**メス**を下してゐる。卽ち曰く「……此の批評的空想社會主義及共産主義の意義は歷史的發展と正反對の關係に立つてゐる。階級闘爭が發達し具體化するに從つて、階級闘爭に對する之等の主義の空想超越と空想的攻擊とは、一切の實際的價値を失ひ、一切の理論的妥當性を失ふ。從つて、之等の學說の創始者等は多くの點に於て革命的であつたが、其の門弟等は常に反動的分派を立てゝ居る。彼等は其の師の舊說を墨守して、**プロレタリア**の歷史的發展に反對して居る。從つて彼等は要するに階級闘爭を去勢し、階級對立を調停しようとする」云々と。

マルクスによれば、共産主義が凡ての社會主義を代表する萬能の神である。**マルクス**は宗教的な、唯心哲學論的な、**サン・シモン**、**フーリエー**、**オーエン**等の社會主義學說は、**プロレタリア**、**ブルチヨア**間の闘爭が尙ほ未だ發展せざりし初期時代に現はれたものであり、從つて現今の如く**プロレタリア**、**ブルチヨア**間の闘爭が非常に發展した末期的時代に於ては、彼等の社會主義學說は價値無しと爲し、空想的社會主義なりとして之を排斥した。而して、自家の**マルクス**主義（共産主義）を科學的社會主義なりと稱するに至つた。

然し、前者が全く空想的であり空中樓閣的のものであつて、後者が物理化學の如く純然たる科學に

立脚してゐるといふ譯ではない。其れは**マルクス**の理想主義から出發する論斷である。**マルクス**社會主義以外の諸種の社會主義は空想であると言ふことは出來ない。唯空想的であると言ふに過ぎない。

要するに思想は世界的に發展する、而して其の發展の程度は世界經濟發展と正比例する。**マルクス**の唯物史觀は此の間の消息を遺憾なきまでに鮮明した。

朝鮮の思想的分野に於ては、民族主義思想が第一位を占めるものであると一般的に認められてゐるやうである。而して社會主義思想は第二位に在ると思はれる。然しながら一概にそうであるとは言ひ得ない。寧ろ如斯き傾向は過去の事に屬したとすべきであらう。今後に於ては社會主義思想が主體となつて、民族主義思想は之より派生的に展開されると思はれるのである。

彼等は單純なる傳統的民族主義思想だけでは滿足しない。彼等は世界的に發展しつゝある社會主義思想の强烈なる感化を受ける。此の意味に於てだけでも、彼等は思想運動の前衞である。

然しながら、彼等の思想は多岐亡羊である。彼等は其の去就に困惑する。茲に於て敎育の緊要問題が生ずる。敎育家の心勞は此の點に在る。

社會問題、民族問題、勞働問題、農民問題、敎育問題、政治、經濟、外交、軍備、交通、貿易等々……是等の諸問題に就いても彼等學生は覺醒しつゝあるのである。

要するに思想取締の任にあるものは、常に彼等に先行して、新興思想の尖端を理解し、良く之を指導せねばならない。

第一章　社會主義的思想

第一節　都會と農村

（鼎貨、第四號　大正十五年十一月）

祖　虛　是

マルクスが共産黨宣傳に主張した所と同じく全人類歷史を階級闘爭の歷史だとするならば世界歷史は都會對農村の歷史であらう。然し山中の百姓たちに曆が無いのと同樣農村の人民は世界歷史の圈外に孤立してゐるのである、農民は歷史喪失者であり都會人は歷史人となつてゐるのである。

世界の發達は都會の發達であり世界歷史は都會歷史であると同時に都會膨脹史であり都會の農村征服史である。

茲に於て都會と農村は對立する地位にあることが出來ずに農村は都會に從屬されて了つたのである。農村は疲弊して眞の存在を保持し得ぬ反而に都會は勝利の叫びを上げてゐる。此の叫びが現代文明の叫びである。文明の此の叫は世界の都會に於てのみである。現代は正に都會時代であり文明時代である。

古へ**アテネ**全盛時代に二十七萬の人口が**アテネ**市に集つてゐた。

文明に從ふ凡ての人民は大都會に集來し大都市に於ては野蠻人を文明人に變化させた。又羅馬帝國

の極盛時代には羅馬市の人口は六十萬もあつて世界的都會となつてゐたのである。從つて近代都會は羅馬の復活であらう。凡ゆる方面と意味に於て羅馬の復活であらう。それで羅馬帝國の全文明が羅馬に縮少された通り、近代文明は倫敦、紐育、伯林、維也納、巴里、東京、上海のやうな世界の都市に縮少されて了つたのである。

全世界を通じて歐羅巴に於ても亞米利加に於ても亞細亞、亞弗利加其の他何處を論せず農村に對する都會の人口の割合は近代文明と共に非常な勢力を以て增大しつゝあるのである。一八四五年の米國市俄古の人口は僅かに八千人に過ぎなかつたのであり、十七世紀の初め人口五十萬の都會であつた倫敦が現在では人口七百萬と謂ふ世界第一の都市となつて了つたのである。又歐羅巴を通じて十九世紀の初期には人口十萬以上の都會の數が十四にしかならなかつたが、十九世紀末に至つては百四十にもなつて一世紀の內に十倍になつたのである。或る國家に於ては全人口の二分の一が最早都會人であり、又或る國家に於ては全人口の四分の三が都市に生活してゐるのである。勿論現在だけでなく未來を通じて都市の人口は增加するであらう。近代文明と同一な步調に依つて世界各國は都市各國であるやうに世界は世界都市の世界であり、文明と謂ふ都市の獨占物に非ざる獨裁物である。都市があつて始めて文明があり、文明があつて始めて都市があるのである。そして農村には流行がなく、都市生活とは根本的對立關係を有してゐるのである。然し今日にあつて農村の原理を有してゐる農村は果して

世界に何れ程あらうか。邊鄙な山中にしても孤島にしても近代文明の普及されて居らぬ所は殆んどないのであつて、文明と謂ふものは國境を知らないのである。

現今吾等を支配してゐるものは何であらうか。日本の政黨であらうか。さもなければ英國**マンチエスター**の商人であらうか。倫敦、紐育、伯林、巴里、上海のやうな世界的都市であらうか、世界の爲替市場は如何なる人の手に依つて又は如何なる理由に依つて變動が生ずるものであるか。

又其の變動が吾等の日常生活を支配してゐるのは如何なる理由であるか、此は吾等自身とは遠く離れた或る偉大な力があつて外部から日常吾等を支配するものではなからうか。歐羅巴戰爭の宣戰布告が朝鮮内地に報導されるや商業界、工業界、都會、農村が莫大な影響を受けたことは文明の獨特な作用であることを吾等は直感し得ることではなからうか。此の戰爭の影響に依つて農村に居た力強い農民は都會の勞働者となつて行き、農民の農村生活には大なる不安を受けるやうになつたのであつた。或る意味に於て農民も今日では文明人となつて居り、都會は都會を超越して居り、都會の文明は農村生活を支配してゐて、從つて農村を都會化するものである。近日には又所謂田園都市だとか文化村だとか謂ふものを見ることが出來る。此は田園都市ではなく田園の都市化したものであり文化村ではなく文明村である。又此の文化村と謂ふ美名の下に愚鈍な農民達は文化村を自分等の有してゐる模範村

七

のやうに考へてゐるが實は農民の敵であり農村の搾取者である。

農村の都會化は都會の農村征服である。經濟的及び精神的に完全な征服である。卽ち農村の都會崇拜と都會の農村搾取は一時に並行して行はれるものである。勿論小作人を直接に搾取するものは地主であるが、地主だけが小作人の搾取者であるか。其の外に自作農民の搾取は如何なる者がやつてゐるか。農民の搾取は誰が敢てやつてゐるか。自作農民までも貧しくなつて農村に於ては毎年順調に行つてゐるけれども彼等の困境が極度に達してゐることは如何なる理由であるか。見よ、我等の農村に於て全部落の離散沒落したものが如何に多いかを。聞けよ我等の民族の叫ぶ「生きることが出來ぬ、死なねばならぬ」と謂ふ哀れな聲を。農村は饑えてゐる、田園に灌漑する水が不足になつて饑えてゐるのではない。收穫には勵んでゐるが農村は饑えてゐる。病に罹つて死んでゐるのである。到る處に於て命の朝夕に迫れる農村を見出すことが出來る。言ふ迄もなく是は現代文明である。文明は農村を饑餓線に陷入れて了つた。

都市は農村に對する吸血鬼である。世界都市は世界的吸血鬼である。國家都市は國家農村の血を吸收しなければ生きて行かれない。食物と原料を持たない都市は農民の汗と膏を吸はなければ生きて行かれない。

羅馬文明が羅馬農民の膏血に寄生してゐたやうに現在の都會文明は、機械、奢侈な薬品等の贈物を

八

以て農民を詐欺する手段を知つてゐる。其の反面に無邪氣な農民達も幾らかの金錢を受ければ金錢其のものを以て直に金持になれると考へてゐる。從つて謂ふに謂はれぬ程搾取を受けてゐるのである。

例へば煙草を農作する農民達は幾らかの錢と自分等の耕作した煙草と交換するやうになるのである。此の煙草は農村から都會に行き專賣局を經て再び農民の下に歸つて來るもので、此の時には卷煙草の名を以て農民の懷中を搾取するやうになるものである。原產の煙草は農民の汗と膏であり、卷煙草は都會に行つて來た搾取者である。又原產煙草を吸ふ者は野蠻であり、卷煙草を使用するものは文明人であらうが、今日に於ては農民も亦卷煙草を使用しなければならぬ運命にあるのである。それで農民も亦煙草を消費してゐるのである。それで農民も文明人であり、其の意味に於て農民も亦一種の都市人である。それよりも農村の都市化である。然し農村は農村であり、農民は農民なのである。一種の生產としては無產階級なのである。現今の都會に於て貧富兩者の社會的階級對抗があるやうに農村に於しも兩階級の對抗があることであるし、それのみでなく農村其のものと都會其のものとの間に社會的階級對抗の關係が嚴然として存在してゐるのである。卽ち都會が農村を搾取してゐるのである。煙草の提供が斯うであり、木綿が斯うであり、穀類が斯うであり、食料品が斯うである。

原產物が豐富になればなる程、農民の勞力が大なればなる程、都會は肥大し且つ文明になるであらう。

九

農村に於ても鐵道が縱橫に敷設されてゐて農民は鐵道を神同樣に崇拜してゐる。農民の弱點を最も善く知つてゐる都會人達は此の鐵道を以て自己の基礎を最も堅固にし、農村の財產をより獨占するやうになる。

鐵道に因つて都會は盛んとなり、農村は沒落し世間は文明になつて行くのである。前述の原產煙草を農民の懷から奪ひ取り、卷煙草を農民の懷中に送つてやるのには此の鐵道が最も迅速にして有効になるのである。

從つて都會が農村を搾取する最も有力な機關中の一種は鐵道である。

現今に於て鐵道、汽船、飛行機、電信、電話、郵便、科學、政治、法律等の農村搾取の機關は殆んど完全の域に達し、全世界は世界都會の獨舞臺となつて了つたのである。

現世界は都會の世界であり、都會文明の世界である。然らば朝鮮の都會と農村は如何であるか。五十萬以上の人口を有した都市は夢にも見出すことが出來ないのである。勿論世界的都會はないのである。然し全人口の九割は農民である。純粹な農民國である。一大農村である。あ！農村、聞くだけでも搾取と窮乏を無數に受けてゐることを直感するやうになる。殊に我が朝鮮農村に於ては、英國**マンチエスター**の商人が朝鮮農村を搾取して行き、大阪の資本家達が朝鮮の農土を沒收して行き、山東勞働者は農民勞働者を困難ならしめて、凡ゆるものが搾取され凡ゆるものが奪ひ去られるのである。發

一〇

だけとなつた朝鮮農村の末路は果して何處であり、膏を吸はれ汗を流してゐた朝鮮農民は果して如何に生きて行くべきか。農村は疲弊してゐる。極度に疲弊してゐる。朝鮮の農村の運命と末路は斯うである。

農村問題、全朝鮮人の生死問題である。現今の社會問題は都會を超越して考へなければならないと同様に農村問題は農村を超越しなければならない。再言する。地主が農村を搾取するのは事實餘り明かなことであるが、實は地主だけが農村を搾取するのではないのであつて地主は搾取し又搾取されるのである。勿論小作人を搾取しながら世界の都市商人には搾取されてゐるのである。それで農村問題を考へるに地主だけが此の農村の敵ではない。世界都市の商人も農村の敵となるのである。

假令小作人の手からなつた穀物は地主の搾取に依つて地主の倉庫に收められるが、地主の倉庫に堆積した穀物は穀物ではなく一種の商品である。

そして凡ゆる商品は世界市場に向つてゐるやうに世界市場は凡ての商品に向ふやうになるであらう。從つて穀物の一部は地主の懐中に、他の一部は世界市場の商人の懐中に入るであらう。それ故に農村問題を考察するのには世界的大勢、世界的市場も觀察しなければならない。

世界の都市が如何なる理由に依つて肥大して行くか、農村はどうして窮乏するのであるか。そして世界文明と謂ふものは如何なるものであるか。吾等は之を考へなければならない。當面の問題、全人

口の生死問題は急であり重大な問題である。

第二節　國境の雨降る夜

（塔村、第十號　大正十五年十二月）　孤　憶

夜明け方から降り出した雨は止むことを知らずに今も尚降り續いてゐる。

暗く陰鬱な雨の降る夜！宇宙の暗黑な幕は靜かに下りてゐる。今晩のやうに雨が降り風の吹く時、國境の夜は如何であるか？又國境を流れて行く鴨緑江の水の音は如何であるか？暗い夜の中を見物し、其の水の音に耳を傾け、其の水の靈に醉はうと此の雨を冒して私は家を出た。殊に私はお前と暫らく離れてゐたのである。朝鮮の北方の國境を守つてゐる長い鴨緑江よ！逆者だつたか？

夕飯を濟まして鴨緑江畔を探ぐるやうになつた。時は丁度夕暮れの七時四十分……

江岸を繞て來る鴨緑江の水の音！其の水の音に私の胸が何れ程躍つたことであらうか！— 私は江岸に一杯かゝつて其の中には點々と電燈が閃いてゐる。

江上の風は酔ふたやうに周圍をあらしてゐる。岸の上に獨り立つてゐる川柳はフラ〱と揺られ、蛙は雨が降るとて騒々しく鳴いてゐる。波打ちながら急に流れて來る青い流れ！漢江や大同江に於て見るやうな靜けさは少しも見られぬのである。

白頭山の涙の流れは二つに岐れて一つは東海に流れ豆滿江となり一つは西に流れ國境の險しい山の勢ひに從つて此處に至り、此から更に龍岩浦まで六十餘里の深山幽谷と絶壁の下を流れ朝鮮と支那との境を經て黄海に注ぎ込むのである。夜は段々と更けて行く。そして廣い江畔には只水の音と風の聲と雨の音が一つに調和されてサー〱と大地の骨を振動さしてゐる。江邊には數隻の蒸氣船と支那木船數十隻が繋がれ其の中には我が同胞の船も數隻あつた。霧で鎖された甲板上には船夫の影が電燈の光りに照らされて薄く閃いてゐた。

話の聲に耳を傾け暗い中に視線を投ずれば間違ひなくそれは白衣民の同胞であつた。船夫達の不平を呟いてゐる悲しい語調は私の胸を痛からしめた。

江岸を守る挑銃の巡査の瞳は往來する人を鋭く睨んでゐる。然し江岸一帶には嚴粛な夜色が彷ふてゐるばかりであつて何等異狀の現れるのは見受けられなかつた。あゝ！さうであらう。玆は他處と異つて國境ではないか？

月照り星輝く晩！此の江上にも金龍が尾を振り、銀の玉が流れることであらうが今晩のやうな漆のやうに暗い夜に何が見えやうか。只朦朧とした中に彼岸の支那村にはポツリ〱立つてゐる夜の林！七兄弟峯山脈！此等は皆霧に包まれて薄く輪廓を殘してゐるだけである。何處からか遠い處から犬の吠える聲が悲しく聞えて來る。江中に動いてゐるものは何んであらうか。それは水魂であり、ウーン

〱と聞えて來る聲は彼の水魂の聲ではなからうか。中國の對岸にある安東縣柴火會社の高く聳えてゐる煙突から出る灰黑色の煙は青黑い夜の空に飜つて雲を補ふてゐる。彼方の山の上にある鎭江山公園には白色の電氣燈が今晩のやうに曇つた晩には遊客を待つてゐるかのやうに凝むつてゐる。又彼方には獨り鴨緑江を征服してゐる鐵橋が架つてゐる。私は江畔の茂橋の上に一緒に出た弟と化物の樣に靜かに立つてゐた。同胞の一人が後をついて水の見物に出て來る。其の人と二三回言語を通じて踵をかへした。黏々する街路には人氣が稀れとなり時々「下駄」の音をたてゝ行く日本人の外には一寸人影がない。路傍のポプラは風雨にメロデイーを合せて今晩の神秘を歌つてゐる。

あゝ！青い流れの鴨緑江水よ！雄壯なお前の懐には白衣民の古い夢が滲み込んでゐることであらう。白衣民の涙は限りなく流れるであらう。彼方は支那であり此方は朝鮮である。唯其の間にお前を置いて生活する白衣民が如何なる苦痛と如何なる不自由とを受け如何に怨みの多い世を渡つてゐるかお前は知るであらう。然し鴨緑江よ！お前に若しも精神があるとするならばお前の胸には白衣民の怨みと涙が瘀いたであらう。然し多數の我が同胞が苦しい胸を抱き怨恨と悲哀の爲め流れる涙を最後にお前に殘して懐しい故國を離れて、山川共に異る滿洲の曠野に向ふ時お前はどうして何んとも謂はなかつたのか？それほど何んの感じもなかつたのか。

懐しい故郷の山川、親兄弟と別れて、冷い滿洲の曠野を當もなく彷ふであらうと思ふ時咎ふ者が何

處にあらうか？

一體どうして其處に集つて行くのであるか？

白頭山には無盡藏に材木があり年々鴨綠江を流れて來るものだけでも數千萬圓になると謂はれてゐる。それのみでなく無盡藏な鑛山もあり魚物と農產物がある。然し此のやうに天産を有した肥沃な我が朝鮮の地を捨てゝ異國に足を入れるやうになる。あ！此は何んと謂ふ矛盾した現象であらうか？

あ！鴨綠江よお前は朝鮮の北端である。お前さへ渡れば茫々たる滿洲の野は荒漠たる口を開けて同胞達の身を呑み込んで了ふのである。お前は永遠に朝鮮の魂と共に殘らうとするのか？追はれやうとするのか？鬪はうとするのか？滿洲の曠野には幾百萬の同胞があり其處には如何程多く白衣民の怨恨があるかお前は知つてゐるか？滿洲に漂浪する同胞達の悲しい歌を思はないのか？

あ！私は彼等のつらい事情を思ふことが出來る。霜降り風吹く時、瘠せた弱い體を以て凡ゆる恥辱と困難を受ける時、彼等の眼に淚がどうして流れないだらうか？あ！「天の無情」を訴へて泣くことであらう。

鴨綠江よ！お前は知つてゐるか？同胞達の淚を抱いてお前は何處へ流れて行くのか！白衣民の骨の解けるやうな淚がお前の流れの上に落ちる時、お前に若し心があつたとするならばお前も當然一掬の同情の淚を流して呉れたであらう。然しお前は其を知つてゐるのか知らぬのか只流れてゐるばかりじ

やないか……

白衣民よ！お前の淚が殘つてゐるならば全部此の江に來て思ふ存分流せ。そして青い流れの鴨綠江よ！お前は永遠に此の淚を大事に貯へて限りなく流れて呉れ……

淚が流れた後には何が流れやうか？「苦盡甘來」は古へから傳へられて來た文句じやないか？

そうだ！此處は國境である。都市計劃も非常に宏壯な模樣である。第二堤防が改築された後は、堤防外に追ひ出され我が同胞が日に增加するのである。かくして今は白衣民の土窟村落を作成した。

あ！憐れな彼等の不幸よ！何時になつたら幸福になれるか？雨が連日降つて見るに堪えない大洪水！これこそ彼等の運命を催促するものである。家も道具も皆流して仕方なく堤防の上に上つて泣き悲しむ聲に神も泣くことであらう。

あ！これがどうして慘劇でなからうか？雨の降るのにも拘らず家畜を堤防の上に移す光景は實に目も當てられぬのである。風吹き雨降る晚にも寒地に於て流離する者がどれほど多からうか？之は今晚も私が見た事實である。

然し長い歲月がたてば必ず變遷があるであらう。其の變遷は果して如何なる變遷であらうか？

同胞等よ是非とも見よ。一度冬になれば永遠に冬であり又晦日であれば永遠に晦日が繼續するであらうか？寒く寂しい世間が暖くなるのも事實であり、無情な世間が多情になるのも定理とするならば、

弱い瘠せた我等にも偉強い力がやつて來、且うんと肥えて暗黑な朝鮮にも明るい光りが照るであらう。白衣民の同胞よ！我等も強く生きて行かう。そして三千里もある無窮花の野に於て永遠に／＼他人に負けぬ生活をしよう！

雨は今も尙降り續いてゐる。ウン／＼と謂ふ不思議な聲は大地を振動させてゐる。鴨綠江の流れは相變らず急に勢ひよく流れ、暗黑は國境を取圍んでゐる。

第三節　自由競爭と大量生產

（「京實」京城實業專修學校校友會創刊號　昭和五年四月）

Y　K　生

現代資本主義經濟の特色を擧ぐれば、之を大別して私有財產制度、階級對立、自由競爭との三とすることが出來る。私有財產制度及階級對立に就いては紙數の都合上之は省略し、自由競爭と之に關連する大量生產に就きて論述せんとするものである。

…………（以下三十五字削除）

利己主義を社會生活の道德原理としたアダム、スミスが捉へた人間性は、各人が自己の利益を計らんとする性情である。此の自然の性情に基き、社會を組織せる各人が、自己の利益の爲めに活動すると言ふ事は、期せずして、社會全體の公益を增進するものである。社會を構成する各個人は賢愚の差は

あるけれども最もよく自己の利益を理解するものは其の人自身であつて、且つ合理的に活動する場合には人間は、先づ自己自身の利益を圖ることを目標とするものである。從つて個人の自己に有利なりと信ずる經濟活動を爲さしめる事が、結局に於ては社會自身の利益に合致するものである。之を富の生產と言ふ方面より觀れば最も良く社會全體の富を增進するの結果となり、富の分配上より言へば、最も公平に社會の富を分配することになると言つて、彼スミスは資本主義經濟を理論的に說明して居る。又之が資本主義經濟學者の重なる任務の一つであつた。

又マルサスは、人口原理に基いて、社會多數の人々が困窮に陷つて居るのは、人口原理と言ふ自然的法則の作用に基くものであつて、到底人爲に依りて避くる事の出來ない運命であり吾々は之を自然のまゝに放任するより外に致方のない事であるとして、資本主義經濟の一特色たる自由競爭を是認して居る。

其の後ベンタムに至り、彼は最大幸福の原理並びに自利擇の原理を根據として、自由競爭を高唱して居る。ベンタムは經濟的活動の場合及方法を分けて

Sponta Acta（個人の自發活動）

Agenda（國家のなすべき事）

Non Agenda（國家の干涉す可からざる事）

の三つとして、吾々の經濟活動の大部分は、個人の自發活動に俟つ可き事を原則とし、國家のなす可き事卽ち經濟政策上國家の爲す可き事としては、只各個人の經濟的活動の自由を保護し、且つ其の經濟的活動に依りて、得たる各個人の財產の安固を保護するに止るとして自由競爭を强調したのである。

以上の如く資本主義經濟學者に依りて、高唱强調された自由競爭制度は實に資本主義經濟の最大特色とする所である。

此の制度に先行する封建時代に於ては、如何に才能あり、如何に有爲の人物と雖も、其の階級に生れ、其の門閥に育ち其の家格に成長しない限りは、自ら其の秀たる腕を振ふ事は不可能であつた。又假に其等の階級、門閥、家格を具備したとしても、其の傳統と先例とに依りて、自由は束縛され、新たなる道に進む事は殆んど出來なかつた。之の時に當り、『一切の封建的階級制度及傳統の撤去』を標語として、『自由と平等』の鐘は高打され、漸次其の自由と平等とは一般大衆の前に投げ與へられ、資本主義經濟制度は溌剌として生れ出たのである。

自由と平等との獲得に依り又才能と努力とに依りて、經濟的のみならず政治的にも、匹夫も宰相になり得べく、乞食にても王者の富を得ることが、初期資本主義經濟制度に於て可能であつた。然るに其の後老衰したる資本主義制度卽ち現代資本主義經濟制度に於ては、私有財產世襲の結果として、自由競爭の新舞臺に於て、人類を束縛より解放し、社會を死より蘇らしめた溌剌たる資本主義は早や其

一九

の頂點を越え、宛も封建制度がその政治的產業的職業の世襲制度の固定せる結果、それ自身が人類を階級的に束縛したると同樣に、現代資本主義制度も早や硬化凝結して、無產者乃至中產者以下の子弟には多くの活動部門は鎖され初期に於ける自由競爭の溌剌たる意氣は現代經濟界に於ては早や見出し得難くなつて來たのである、以上は自由競爭の人的機能の退化に就いてであるが、物的機能に關しても同樣に末期的色彩を多分に含んで居るのである。

經濟界に於て最も重要なることは、物の需要と供給の均衡を保持する事である。經濟活動に於ける自由競爭は、之の需要と供給との均衡保持に今日まで大なる役割を爲して來た。最も良質のものを最も安く賣るものが市場の勝者となると言ふ自由競爭の公式、乃至は最も多く賣らんとするには社會が最も切實に慾求するものを最も安く供給しなければならないと云ふ公式に依りて、生產の場所、人、生產物の種類、質量と言ふが如きものが最も社會の慾求に有利に應じ得る樣に、間接に需要と供給とが調節されて來た。而して元の自由競爭に依りて、社會は一段の進步を爲して來たのである。然るに今日の經濟界卽ち末期の資本主義經濟制度に於ては、上の如き自由競爭の作用は、今日の經濟活動の根幹を爲す部門には見出すことが餘程困難となつて來たのである。

元來資本主義的自由競爭は營利を目的として、其を策動力として回轉するものである。資本主義初期に於ては、自由競爭の圓滑なる作用をなしたる結果として、市場に於て勝者となる爲には、最も良

二〇

質のものを最も安く而して最も多く賣ることに企業家は專心して來たのである。所が資本主義の爛熟と共に、**トラスト、カルテル、シンジケート**等に依りて、資本の大集中集積が行はれた。斯くして現れた大資本の力は、經濟的のみならず政治的權力を有し得て、原料なり、生產機關なり、販路なりを獨占し得るやうになつて來た。現代の經濟的自由競爭は、實に之の原料とか販路とかの獨占の無政府的な競爭である。この獨占運動は未だ資本主義經濟の凡ゆる部門に蔓延しては居ないけれども、之の獨占的色彩は益々濃厚となつて來て、單に國內交易のみならずに、國際貿易に渉つて益々激甚化して來たのである。之の益々激甚化する獨占運動は、勞働の垂直化、水平化及機械化に依りて不可避的に**大量生產**を惹起したのである。

前述したる如く資本主義經濟の下にありては、元來凡ての根本をなすものは營利、別言すれば現代經濟生活の目的は利潤である。その目的を達成する手段に關する指導原理が卽ち、合理主義である。現代企業家は之の合理主義に基いて、其の經營方法を計劃的に、合理的に計數的により多くの利潤を得ることに努力して居るのである。要するに生產の基礎は利潤である。故に生產力の分配は少しでも利潤の多い方面に振り向けられることは當然である。從つて、限りある社會の生產力は、利潤の多い金持ちに買はれる方面に振り向けられるのである。而して、從つて社會一般の生活必需品生產の方にはそれだけ生產力が減じられる譯である。併し乍ら機械の進步は必然的に大量生產をなさねばならな

二一

くなつて來た。大量生產である限り、嫌でも多數者の必要とする物を生產しなければならない。現代の多數者とは卽ち無產者である。其の無產者より利潤を得んとする所に、資本主義經濟組織の下に於ける機械使用の大量生產と、資本主義の根本概念たる利潤との間の大なる矛盾がある。

資本主義經濟が根本的に利潤を目的とするものである以上、消費が生產に伴はねば必然に行詰る時が到來するのである。そして大量生產が如何に安い生產費を以て、生產に努力した所で、利潤が加はらなければ資本主義經濟の下に於ては生產が行はれない以上、如何に大量生產に依りて、社會一般に安いものを多數者に供給した所で、斯くの如くして生產されたものは、社會の購買能力以上の價格にならざるを得ないのである。如何にぎり〳〵の所まで安く大量に生產された場合を考へて見た所で矢張り購買能力はその下位にある。これは只單純なる消費の過少でなくして、消費する事の出來ぬ絕對購買能力過少も免かることは得ないのである。

歐洲大戰を境として過去に比較すれば、勞銀は新しい標準を作り上げるまでに上騰したのは事實である。勞働時間は短縮され、過去に於ける如く工場に於て終日勞働した勞働者が疲れ果てて家に歸れば、何の餘裕もなく自由に時間を享樂することの出來ない狀態は全然改められた事も事實である。又勞働者の生活が向上した、而して購買力が上騰したのも亦事實である。併し如何に進步し、向上が行はれたとしても、凡ての商品は生產費の上に利潤が加算されて賣られる以上、勞銀の上騰は生產と同

二三

程度に之を消費するまでに上騰されるものではない。又機械の利用に依りて、生産費は低減され、貨價は安くなり、大量生産が可能となつたことは、科學的能率の上進に依るものであるが、併しこの科學的能率の上進卽ち機械利用は何と言つても勞働者の淘汰減少を伴はざるを得ない。機械は人力を奪ひ、安價なる生産を可能ならしめつゝ、生産品の購買能力を一面に於て退減させつゝあるのである。

要するに大量生産は免れ難く、大なる矛盾は購買力の過少である。而してその購買力の過少は絶對的である。この絶對的購買力の過少は生産を行詰らせる結果に導かざるを得ない。今日の大量生産の悩みは、別言すれば資本主義的生産の苦痛は、正に之の行詰の門戸に入つたことを示すものと見ても差支へないであらう。一九三〇、二、二三

第四節　朝鮮『消費者協同組合』

（崇實學生基督青年會發行第六號　昭和三年六月）

鄭　東　哲

運動の理論體系序論

人間は單純に衣食を以て其の生活の全體を爲すものではない。その生活を決定する種々の條件に隨つて衣食以外にも廣大な範圍の人間生活がある。然し人間は衣食と云ふ原始的目的―本能的欲求を充足出きずして分せしめなくては、一秒の生命でも維持せられぬ動物である。それ故に原始的欲求を充

二三

飢餓の威脅に戰慄する人達に於ては、價値的活動も藝術的表現も文化的生活も亦終極の目的をした凡ゆる努力もあるべき筈がない。斯の如く物質的生活の安定如何は人間生活の總ての價値的活動に過大なる影響を與へるのである。それ故單純に物質の豐足を得て、原始的欲求を充分せしめる處にのみ、幸福があり、又價値ある生活が展開され、何等苦痛も煩悩もないと斷言することは間違つた主張と云ふかも知らないが、然し此の原始的欲求を充足すべき處でなければ、幸福と快樂は云ふ迄もなく、窮迫の慘憺たる場面に立つて原始的本能の充足の爲め、奮鬪するやうになり、終極的目的の活動である價値生活とか、藝術的表現とか云々すべき精神的餘裕も興味も持つ能はざるものである。然らば現在朝鮮人の生活は何うであるのか？大部分の民衆が原始的欲求を充足せしめる爲め、飢餓を免かれる爲め、言ひ盡くされぬ奮鬪を繼けて行く有樣である。尙ほ現前に迫り來る衣食苦に追はれて、數多の乞人と失業の群が彼方此方に流離して終には凍死餓死の狀態を成し、又敗家亡身の機を以て南に日本、北に國境を越えて、西北間島の曠野に向つて離去する同胞が決して少くない狀態にある。

然し朝鮮の産業が發達しなかつたのでなく、朝鮮の經濟狀態が裕足でないのでもない。事實はその正反對に現代の朝鮮は凡ゆる産業方面に生氣が漲ぎり、黄金時代を成し得たと云へるであらう。

北漢山下の宏大な大理石建築を始めとして、大都市に煉瓦洋館が竝んであり、その内部には朝鮮産業を支配する大小赤白の血脈血管が縱横左右に延びて行つたのを見られるのである。

二四

「新市街」と呼ぶ整然たる街路、銀行、會社、鐵道網、貿易の振興、生産力の發展、産業政策、水利組合、開墾事業其の他朝鮮産業の發展は驚くべき勢力を爲したのである。斯かる現象は、住宅を放賣し、耕作すべき土地を抵當にして、依托する處なく、彷徨せねばならなくなつたその朝鮮人の現象に比して實に驚くべき**コントラスト**（對照）である。

斯の如き情況に見舞はれた朝鮮人には悲嘆と絶望と飢餓と苦痛があり、且つ種々なる**タイプ**の朝鮮人の生活がある。或る一部の群衆は抑壓された鬱情を解かせる爲め、性的愉樂に歸つて、蕩子、酒豪の生活をしながら、勢力ある者に良心を賣るのである。然し大部分の群衆は此の經濟的破滅の慘景より再生して、人間らしい生活を作るべきその目標に向つて凡ゆる絶望を勇敢に越えて行きつゝあると云へるであらう。勿論朝鮮の凡ゆる産業部門に亘つて見るに生産力の發展が朝鮮人のそれでない以上經濟的甦生の途を搜すことも實に困難なることである。故に種々なる積極消極の運動が提唱され、又實踐されて來たが、その結果は別に價値なき狀態である。積極的運動に對してはその性質上結果如何を云ふべき時機でないと云へるであらうが、消極的對策も是亦別に良結果を得られなかつたのである。然らば我が朝鮮人が取るべき持久的對策、消極的對策を何處に求むべきであらうか？

余は協同組合運動を以て朝鮮の現實狀態が要求する適切な消極的運動の一つであると考へる。前に述べたことであるが、朝鮮人が今日の如き深刻な破滅狀態の經濟生活に於て、救濟甦生されることは

二五

極めて困難であると云はざるを得ない。經濟的破滅の狀態並びに科學的知識の缺乏、團體的訓練の薄弱等は飢寒苦役に追はれた朝鮮人をして、一層慘酷痛酷な情景に落入らせしむるのであるから、朝鮮人の經濟的再生の如きが決して容易に出來ぬことは、誰も肯定する所である。然し我々が銘心すべきことはそれだとして、自暴自棄は決してすべきではない。

尙一層客觀的情勢の正確な、把握を失はずに積極的運動より、消極的運動に至る迄寸時も休まずに奮鬪すべきである。然かして、萬人の要求する合理的生活を實現せしむるべきである。故に經濟的甦生を得られることゝ信じて、余は消極的運動の一部として協同組合運動を提唱するのである。以下略

第五節　社會制度は不可變的でない

（培友中央高普第四號　昭和三年八月）

金　淳　熙

如何なる時代に於ても、其の時代に於ける社會制度が永久に不變的制度であると云ふ人が多い。過去の社會に於てもさうであり、現今社會に於てもさうである　然し斯の如き說は社會進化の法則を無視する亂說か或は社會進化の法則を全く知らぬ無識者の說に過ぎないのを過去の歷史が說明するのである。彼の封建社會に於ては、何時でも貴族と僧侶階級だけに支配權があつて他の農商工階級の人達は何時に於ても、貴族や僧侶達に絶對服從せねばならないと云ひ、その制度を不可變的制度だと定め

二六

て、沒落は想像もしなかつたのである。然し封建制度が崩壞されて、今日の資本主義制度に入つてからも、既に久しくなつたのではないか。斯の如く原始以來世上には、幾多の社會制度が崩壞され、又出現されたのである。即ち舊組織、舊制度が崩壞されて、其の時代の要求に一層適應せる新組織新制度に次第に代替されて來た。此れより原始時代以來の制度の變遷を充分ではないが簡單に書いて見ようと思ふのである。

原始共有制度と貧富の始初、遠き太古時代には人間社會は自然な共有制度であつた。土地、器具、食物等が皆共有であつた。その時代は器具其の他凡ゆるものが未だ幼稚な野蠻時代であつたから一般が如何に努力しても僅か自己一人の生活以外には生産出來ないので、生活の餘裕が別になかつたのである。一般が共同に家屋を所有し、共同に食べて共同に働いたのである。そうする間に漸次凡ゆる事物に分業が生じて、或る人は、狩獵が專門であり、或る人は、器具製造が專門であり、其の他種々と分業が成立された。此の時代を狩獵時代或は漁獵時代と云ふ。此の時迄も共同生活は何等變りがなかつた。其の後次第〳〵に人間の智慧が進歩するに隨つて、牧畜が始められ、新しき器具や機械が發明されて、生産力が增進し、生活の餘裕が出來るやうになつた。それで其の餘裕を一部少數の人が自己逹の所有にして、富者となり、その反面には多數の人逹が貧者となつた。これが即ち貧富の始めである。

奴隷制度　原始時代には部落と部落が互に戰爭して一部落が勝利すれば他部落の人逹を殺すか或は追出すかしたのであつたが、現今に至つては新しき器具や機械が發明されて、生産力が進歩されたのであるから一人の勞働の結果は一人が生活する外に餘裕があるやうになつた。故に部落と部落が互に戰爭して、一部落が勝利しても、他部落の人逹を殺すか追出すよりは捕へて置いて、勞働をやらせ餘裕を搾取する方が利益になるので、牛馬の如く働かせたのであつた。これが即ち奴隷である。其の當時には土地は幾程でもあつたので耕作することは問題がなかつた。故に奴隷を澤山所有した者だけが廣大なる土地を耕作して巨大なる富を蓄積するやうになつた。即ち奴隷が當時の主要財産であつた。

封建制度　時日が經過するに隨がつて、人口が益々增加し、土地は益々狹くなつて來るので、今度は土地が奴隷より主要財産となつた。前には土地は廣大にして人口が稀少なる故に、人間だけ居れば土地は容易に得られたのであつたが、今度はその反對に土地や器具機械だけあれば人間は容易に得られるやうになつた。それ故に奴隷制度がなくなつて、土地を多く所有した領主逹が各地に割據して、農商工階級の人逹に生殺與奪を思ふが儘にする領主の天下、貴族、僧侶の天下が出現したものである。此れが即ち封建制度天下である。この時に一般農民は領主の土地を耕作して、全收穫物の幾部分の收入を以て、自己や自己の妻子の生命を漸やく維持して行き、殘りの大部分は領主に納めなければならなかつたのである。此の點に於いては、當時の農民も一種の奴隷である。前日の奴隷の如く牛馬同樣に使用されてはゐないが、血や油を搾取される點に於ては前日の奴隷と相異がない。

資本制度　農民と領主の中間に新生産階級(商工階級)がだん〳〵頭を上げて憤起し、封建君主を打倒して、資本家の天下を建設すべく猛烈の戰を始めたのである。即ち領主と商人の對立、封建君主と資本家對立の階級戰爭が起つたのであつた。その商工階級が頭を上げて起きるやうになつたその當時には、既に蒸汽機關が發明され、其の他各種の器具機械が長足の進歩を爲して、生産力が非常なる急速度を以て發達して來る道程であつた。故に社會組織が變化せざるを得なかつたのである。從來の封建制度は生産力の發達に障碍となり、ために、そうした制度を保守せんとした封建君主及領主は敗北し、資本家の天下即ち今日の資本制度社會が產出したものである。(部分削除)

第六節　農夫の閑話

(徴文第二號　大正十三年六月)

金[illegible]烈

地の上に生まれ地から生ずるものを喰ひ、死んで土となる人間は即ち土の化物である。土の化物に最も適當なことは土の中で働かなければならぬことである。凡ゆる生活中最も趣味ある生活があるとするならば其は直ちに我が農夫の生活であらう。自然の懐の中で、自然の支配の下で自然の爲めに働く我等は人間化した自然である。神を地主とするならば我等は神の小作人である。主となりて掌る者

を神であるとすれば我等は神の直轄の下に生活してゐる人民である。見よ！

我等の家は豚小屋のやうであるが我等の活動する舞臺は靑天の下であり大地の上である。我等の手足は松の木の皮のやうであるが我等の筋肉は鋼鐵にも勝るのである。炎天の下で玉のやうな汗を流せば神は憐れに思ふて微風を吹かして呉れるのである。我等は常に粗い粟飯と玉蜀黍の粥を食ふてゐるが夜は快樂に過してゐるのである。假令不幸な風、旱、水、雹、霜の變災を受けるにしても土地は殘り、地球の公自轉は又我等に來年を與へるのである。近頃になつて見れば田地の無いのも大なる幸福のやうである。腹肥えのした靑年が煩悶とか妄想とか謂ふ所の苦痛は我等は夢にも知らぬものである。兎に角我等は虚飾のないものである。只我等は春になれば種子を播き夏には雜草を除き秋になれば收穫することの外は知らぬのである。

市井の投機兒たちよ！愚鈍な官吏逹よ！虚僞の學者等よ！君等は我等を愚鈍であると嘲けり笑ふであらう。然し我等は君等が羨しくないのである。只我等は無抵抗主義者を以て滿足する。然し世間には無抵抗主義者程徹底した偉大な人物は事實上稀れである。見よ、露西亞の**トルストイ**なり又印度の**ガンヂー**を。

土のやうに純潔に見える我等の顏を見れば思ふ存分蹂躙しても差支へないと謂ふ考へが出やう。然し其の無感覺のやうに見える土にも去般日本の震災の如き恐しい地變がある。斯くの如く我等の心底

には猛烈に燃える火があるのである。又其の中には沸く熱血もあり暖い同情の涙も流れてゐる。燃せば山河を動かすだけの原動力も潜在してゐる。撫く勿れ。竹槍席旗は古へから土のやうな無抵抗主義の小百姓の最後手段であつたことを。

最近の露西亜革命は是を意味するものでなからうか。我等の怒りは最後忍耐の怒りである。一度怒りを發しさへすれば是は即ち地盤の震動である。何人が其の震動する大地上に立ち得やうか。近頃社會主義とか共産主義とか謂ふ語が多く唱えてゐる。然し其は……あゝ！我等は日出でゝ作り、日入りて息す（日出而作、日入而息）といふ純粋な土の化物となることを望むのである。

第七節　團體力を養成しよう

（培材第十四號　昭和五年十二月）　張　乘　坤

單純な知識を以て團體精神を養成しようとする題目を掲げて論述しようとするのは餘りに非新らしいやうな感がするが兎に角此に對する所感を簡單に述べようとするのである。

大體團體精神の養成が我等人間社會生活にあつて、何故に必要であるか。若し團體力がなければ其の結果は何うであらうか。此に對する意義を考へて見るのも面白いことであらう。

我等が一箇の團體をなして他の團體と闘つて勝利を得れば誰も喜んでゐるが之から見れば如何なる

社會も勿論團體力が必要であることを認めなければならぬのである。

過去に於て團體力が凡ての運動に重大性を持つてゐたことは事實が證明してゐるのである。

一九〇四年日露戰爭當時、世人は此の戰爭を虎對猫の爭ひであるとし「虎必ず勝ち猫必ず敗る」と認めてゐたが、此に反し猫が勝ち虎は敗れたし、一九一七年露西亜革命の當時多年間帝國主義制度の下に壓迫を受けて食刀を毎日のやうに研いてゐた共産派が帝國主義制度を破壊して勝利を得たが之等は皆團體力の榮冠ではないかと思ふのである。自國の爲め、自派の爲め絶えざる努力を追求して肉骨砕くやうなことがあるにしても最後まで奮闘を繼續したのが勝利の原因であつて此は即ち團體力の偉大な力なのである。

英雄である所の佛蘭西の「ナポレオン」、露西亜の「レーニン」等も如何に鐵石のやうな意志を實現する爲め惡戰苦闘したとしても同志者がなかつたならば成功することは出來なかつたであらう。同志者があり團體力がある爲めに成功は永遠なものであつて、偉大な人物として今日まで殘つてゐるではないか。

米國、英國、日本、佛蘭西、伊太利等の各國が世界五大強國と謂ふ名稱を得たのも各民族的國民性に團體力の特性があつたからである。日本民族が支那民族に比較して日本人一人に對し支那人三四人の比例となるのは結局日本民族が古來より他國の持つことの出來ない團體力の特色を有してゐるか

らである。又日本國内にも共産派、無政府派、民族派等の各團體力の特色の區別があることであらう。

斯くの如く細別して見れば限りがないのである。一つの民族と謂ふ塊りを以て見れば民族主義者、社會主義者、彼等の熱心に叫んでゐる其の運動の成功は何處にあるのだらうか。空想家でない以上必ず團體力の必要を切に感ずるものであつて、此の運動から團體力を除いて了へば運動の徹底を期し得ぬことであらう。

それならば一寸眼を廻はして朝鮮の現狀を察して見よう。

朝鮮に於て世人の頭の中に今日まで殘つてゐる過去の三一運動と學生運動は運動中にも大運動であつた。此に對する朝鮮民族運動の團體力は何うであつたか。此は詳細に述べることを止めて諸君の推察に委して置くのである。

今茲に私が目撃した所の感想を述べて見るならば、先日朝鮮劇場から歸りに龍山行の電車に乘つたが、目的地が西大門だつた爲め鐵路で乘換へようとして下りたが、其の時丁度乞人二人が恵みを乞ふ爲めに私の前にやつて來たが、其の中一人は廻りを顧みて或る紳士の所に行つた。

私は之を見た時如何に無智な無産階級の兒とは謂へ、皆一樣に生きて行かうとする必然的團體力が其の頭腦の中にあると思ふたのである。そこで一寸考へて見よう。

培材と謂ふ名の下に絶えず踊つてゐる培材の八百名の健兒よ。

所謂將來に偉大な期待を有して或は數學、語學、地理、歴史、經濟、商業を勉強して事業家ともなり企業家ともなり大統領となり革命家とならうとする英雄心を有した者が、一年に二三回づゝ開會する組會も、團體力が足らない爲め或時には會場を修羅場と化して了ふのである。

若し各個人が慾望の儘になつて見よ。

其の人格から團體力を除いて了ふとすれば其の人格は無價値なものである。諸君よ、我等は大いに悟らなければならぬのである。そして自己と謂ふものを悟らなければならぬのである。前途遼遠な我等學生は重大な社會的任務を負擔してゐるものである。一日も早く團體精神を養成して我等の特色を世上に發揮することを望むのである。

第八節　大同江畔に於て

（崇實第四號　大正十五年十一月）　金　昶　濟

私が初めて此の平壌を見たのは今を去る十年前即ち千九百十六年七月上旬であつた。其は基督青年聯合會に參る機會があつたからである。其後數回往つたが今度が最も回顧の感を起したのである。何んとなれば十週年と謂ふ時間と夏令會と謂ふ名目があるからである。然らば此の十年と謂ふ久しい歳

月を經る間には自然にも多大な變動があるべきことは勿論である。第一大同橋の壯觀であり、街路には電車、自働車が左右に往來し、空中には飛行機の勇しい**プロペラ**の音が絶えぬのである。

公私の學校と多少の工場である。十年前の其ではなかつたのである。或る意味から見て平壤は實に高速度の大發展をしたと謂へる。大平壤だとか朝鮮第一の大都市（朝鮮人の都市から見て）だとか謂ふ稱揚を惜しまないのである。錦繡江山と謂ふ美しい名稱は嘘ではなかつた。彼の溶々と流れる長江を挾んでゐる岸壁一面は牧丹峯から練光亭まで勝區絶景が隨處に散在してゐる。其處では果して主人を待つてゐるのである。「**オスカーワイルド**」（Oscar Wilde）は藝術は自然を模倣すると謂ふた。眞にさうである。自然は藝術に依つて其の形態を變へるのである。藝術がなければ自然は只死塊だけである。「**ウイツスラー**」（Whitsler）があつて後倫敦に始めて霧があつたと謂ふのが何うして藝術讃美者の矯激な言辭であるとのみ謂へようか。此の意味から見て平壤には牧丹峯はなく、浮碧樓はなく、綾羅島も練光亭もないと謂へる。それのみでない。彼の電車、飛行機、大同橋が果して吾等のものであるか。よし、吾等にも金錢があれば電車に乘れるし、跛者でなければ大同橋上に歩いても行かれるのである。

それ等のものが果して我等の力に依つて出來たものであり、且我等の力に依つてそれ等を利用することが出來るか。換言すれば我等の生活經濟力が能くそれ等のものを咀嚼し消化し得るか。

然し私は物質的方面から感想を述べやうとするものではない。平壤に來て最も意義あるやうに我等の希望する方面を謂へと謂ふならば、屹度基督教であるとするであらう。果して力强いものである。教堂の列んだのと其集會の盛況と教會内の各種經營は我等朝鮮人としては之程の誇りがないのである。

然し其の内面として精神的方面を見やう。果して十年前に比し幾何の進歩があるか。私は今度餘りに慘酷な實話を聞いて驚かざるを得なかつた。然し此の頑固な腐朽した思想は何時までも持續される理由はない。私は現今平壤の青年達は甚だ陰鬱な空氣の中にあるのを見た。極めて低氣壓の中にあるのを見た。何時暴風雨があるか知れない。若し其を先覺した者があつて換氣すべき穴を一寸開けて置いて光線が入るやうに商窓を開けるならば漸進的に緩和し得るであらう。然し其儘默守しやうとする時には畢竟大破裂が生ずることを豫告して置くのである。青年諸君よ、諸君の前路は諸君の手を以て開拓せよ。老父を依頼せず又先進者を別に待つ必要もない。時代は青年のものである。世界の歴史を見よ。時代戰の陣頭に立つた勇士は常に青年であつた。**イエス・キリスト**がさうであり、**ルーテル**がさうであり、最近の世界大戰亂の起因もさうである。大智者となり得ぬものなら寧ろ大愚者となれ。虎穴に入らなければ虎の子は捕へられぬのである。さうであると謂ふて學生に**ストライキ**を煽動するものではない。何事でも信仰に依つてなさう。神の使命であると確信した以上は水火が前にあるとしても突進せよ。**イザツクの神であり、ヤコブの神であり、生きた者の神であつて死者の神に非ざる其**の神を信仰して前進しやう。大同江は最早椎舟と高句麗のそれではない。大同江は只黄海に入つて了ふのではない。大同江は**テームス**河と**ライン**河と**ヴオルガ**河と共に相通じてゐる。大西洋と太平洋の潮流を受けることが出來る。幾人かの**ブルジヨア**の江亭を築き、淫婦蕩子の畫舫を浮かす遊樂の巷と化するのには餘りにも廉價である。

青年諸君！諸君は彼の大同江中に沈澱してゐる汚穢物を發掘して黄海に流してしまへ。そして二十世紀の新大同江を築き上げよ。父老達は之を防げるのである。其の中を濁らせば表面まで濁るから其の儘にして置けと謂ふのである。よし、其は一時の糊塗策にはなる。然し畢竟は其中が引つくり返つて大濁りが生ずることは免れざることである。誰かゞ西洋の思想界は急な瀑布のやうであつて常に新鮮に流れてゐるが、東洋の思想界は大澤汚池のやうであつて常に沈滯して進歩發達しないと謂ふたが、此は何んと巻い喩へではないか。大同江よお前は何時までさう謂ふ風に靜かにぢーつとして居らうとするのであるか。お前が深く寢つてゐる間に、お前の腹には蒸汽船が往來し、お前の腰には鐵橋が懸り頭上には**プロペラ**の音が斯樣に騷がしく聞えてゐる。あー、**シオン**の處女のやうな大同江よ、お前は果して何人を待つてゐるのか。お前は油を準備してゐるか。お前の若き旦那は果して何處にお出てなさるのであるか。夜は深く其は近くないか。何うしてそんなに靜かであり、息は何うしてそんなに靜かであるのか。私はお前の閉じた唇と眼を見る時には殘念でならないよ。殊に其の若しも目を覺ましやしないかと心配してゐる者を見る時私の心臟は非常に鼓動するのである。

第九節　現代と我

（高敞高等普通學校學友會報第四號　昭和三年四月）

盧　乙　龍

此の廣い空間に於ける個々の物質は結合して自然を形成した。自然の形象は個々の物質が結合した時の所産である。物質は時と共に運動して止まないのである。從つて個々の物質は時の移るに從つて結合し、結合する時には個々の固有の形象はなくなり新形態を形成するのである。斯くの如く物質と物質との間には變化を起す法則があるのである。此の法則に依つて自然は時間の移るに從つて其の形象を間斷なく變化してゐるのである。誰が何時自然を創造したか知れない。自然を動植鑛の三界に分類すれば人間は動物に屬し地位から謂へば高等動物中の高等動物であると謂ふことが謂へる。それで人間も自然の一部分であつて、何も神が特に人間を創造して此の自然を統治するやうにしたとは考へられない。人間は自然と時間の遷移との所産であると考へるのである。人間の一生は生活力を有した物質の結晶であつて、時間の幾分間其の結晶體を組織した個々の物質が分離される前のことであると考へるのである。人間のことは凡て自然の中に包含されたものであると考へるのである。故に我等が

底本において1行欠落しています。（不二出版）

る。大別すれば自然科學と社會科學の二つであらう。自然科學は自然に關して研究するものであるが、社會學科は人類社會に關してのみ研究するものである。此を一言にして謂へば自然を理解しやうとするものに過ぎない。然し人間は何時も人間を忘れないのである。見よ！自然科學に於て何時も自然と人生との關係を攻究するのを。人間の幸福のみを圖るではないか。

又社會科學は何れ程人間の幸福を圖つてゐるか。今我等は冷靜に淸算して見やう。人間と謂ふものは生の慾が如何に多きかを！勿論全部がさうであると謂ふてはならないが、大體に於て生くるにしても他人より優つて生きやうとするではないか。今日の文明が極度に達したと謂ふのは何を意味するものであるか。自然を善く利用することのみではないか。野慾を持つて凡ゆるものゝ中に自己が第一番の偉い者にならうとする慾望の下に、自己の地位を優越するのにも自然を利用するではないか。人間の胸の中から湧き出づる道德も正義も前後はないのである。彼の自分達を生かさんが爲めに太平、太西兩洋を挾んで武裝の準備に沒頭してゐるのを見よ、斯る時には道德正義の代りに愛國思想が何れ程鼓吹されるかを見よ、世界分割を目的として一千萬人の戰死者と一千二百萬人の廢兵を出した一九一四—一八年の慘劇も劇でないと思ふらしい模樣である。米國を始めとし各列强の發狂してゐるのを見よ。海上陸上に於て何れ程の死傷者を出さうとするのであらうか。

斯うなるとすれば之は各國家の世界再分割戰ではなからうか。

斯る現代であるだけに禍の中に呻吟する羊は隨分多いことであらう。自分も除かれぬらしいのである—其の羊の群の中から。そして「時利あらず是を如何せん」と嘆いて居るべきものであるか、母校學友會報に於て、或る方が淘汰を絕對眞理であると是認したのを見た。さうだ、實に敎育機關までも其の局內にあると信ずる。靑樓に於いて幾十圓も幾百圓も惜し氣もなく費す者があるかと思へば其の裏面には其の日の食物をも有して居らぬ者があるのである。其の食へない者の大多數は怠惰な者ではない。それは一年を通じて勞働をなして漸く四拾圓の報酬にしかならないからである。彼等も小學校乃至大學校まで行き度くないのではない、食物がないから行かれぬのである。決して才能がなく、又能率が優良でないためではない。皮と骨とが一緖にくつ付くやうになつても淘汰する者は其儘淘汰しやうとするのである。淘汰される者は只ぢつとして淘汰されるべきものであるか。之でも淘汰は絕對的の眞理であらうか。我等は健全な思想を有して久遠の理想の社會に向つて、淘汰される時にはされるにしても終りまで鬪ひつゝ進まうじやないか。

第一〇節　印度詩聖タゴール翁の朝鮮に贈つた英詩

（徹新創刊號　昭和四年四月）

朝鮮に對する頼み　　　一九二九、三、二八

嘗ては亞細亞の黃金時代に
輝いた燈火の一であつた朝鮮
其の燈火が再び點ぜられ
お前は東洋に輝く光りとなるの日を待つ。

In the golden age of Asia,
Korea was one of its lamp bearers,
And that lamp is waiting,
to be lighted once again for the illumination in the East.

Rabindranath Tagore

第二章　民族主義的思想

第一節　社會の第一歩を踏みつゝ

（五山高普校友會第二號　昭和四年六月）

金　昌　坵

今日は今年の初雪が降り、寒風が吹いて來る。早や今年の一年も冷き涙の中に過ぎ去らんとしてゐる。私が小學校生活中五回目この冬を迎へたことを考へる時、言葉を以て云ひ盡くされぬ悲哀と堪へ切れぬ情懷を深く感ずるのである。

尙ほ、今年の私は中學生活の五箇年の最後であたから、もつと心が限なく、苦しき暗黑の途に彷徨してゐる樣である。學窓に身を投げたのが早や五箇年‼思ふに、この間は如何に長くあり、又、一生に比較して見る時如何に短く思はれるであらうか？

兎に角學窓生活五箇年を顧みて回想する時、長く思へば長くもあり、短く思へば短くもあるこの間、私の心は何うであつたのか？凡ゆる事が思つた通りに行かなくて、此の學校より退學されては彼の學校にと斯くして廻り乍ら、金も無く友もないため、異民族よりは賤待と虐待を受け、懺が痛くて悲哀も感じたこともあり、時々自分の立場を考へて泣いたことが一度や二度ではない。

倘更、人の悴、娘の如き環境も持たず、隨つて、人の悴、娘の如く、順調の政治的、經濟的、社會的、民族的背景も持たぬ。哀れな朝鮮に生れて私の目前に於て、飢餓に堪へず呻吟する同胞を見ながら、全朝鮮が共に味ふ樣に北風よりも、より以上冷く針に刺されたよりも以上の苦痛、私の血氣のあつた肉は自然と蒼白になり、私の口は荒れて自由に笑ふことも出來なくなつたのであつた。

私の苦しき腦の底より、悲哀の足跡を還したのみである。斯の如く過ぎ去つた昔日を回想する時、起つて來る悲哀と、又短かき喜びを順序よく書くだけの精神の落付きもないのである。兎に角今日迄中學生活五箇年を過ぎて、今日よりは實社會へ出て行く可き身となつた。これは免れようとしても免れざることである。倘更、倒れつゝ行く我が朝鮮は、力もなく、何にも知らぬ私にも如何に催促をしてゐるのか？今一度考へて見る時、破れた窓の間より吹いて來る冷き風の中にて、私を捜す聲が聞えて來る。

驅逐される君達が、飢餓に泣く君達が、凡ゆる壓迫に堪へず病席に呻吟する君達が、救援の信號燈を暗黑の中で電光の如く光り照らしてゐるのを見たのも長くなつた。然し私は今日迄一歩を進んで彼等を救ひ出すべく實際に進むことは出來なかつた。唯彼等を救ふべく小さき準備をしてゐたのが私の五箇年學窓生活であつたと思つた。只今の私には、より以上準備をすべく時間を與へて吳れないのである。

四三

四四

最後の叫びが今吹いて來る風に交つて聞え、最後の涙がこの聲の中に積つて來るのを、この燈火を照らして私は見てゐる。

私の凡ゆる力と精神は救援を期待するその信號燈に傾いたのである。私は再び力强くそれを見た。而して私の凡ゆる準備と力を戻して、考へて見ようと躊躇したのであつた。そうした瞬間、私は思はず、戰慄を感じた、それは私の力と準備が實際とは餘りに離れており、餘りに弱いことを私は直覺的に判斷したからである。而して私は今迄見てゐた、視線を廻して、自分の凡ゆる環境を呪咒したのであつた。

他國の幸福な靑年達が限なく羨しく思はれ、私の運命と環境を更らに考へる時、倒れて叫ぶ君達の信號燈は私の全身を照らしてゐる。而して私の小さき神經迄も動かしてゐる。私は弱き電氣に當つた樣な氣がすると同時に、何か叫んでゐる彼等の聲が隱々と聞えて來る。

それは如何なる聲であるか、私は既に或る本で讀んだ樣な聲である。その聲は確かに印度の詩聖**ラビンドラ、タゴール**の、西洋文明の侵略的、搾取的、物質的、機械的、粗惡な不調和が、調和の生活即ち印度の本能を抑壓する。それを悟る時、「私が歐羅巴に生れなかつたのを何よりも幸福に思ふ」と云つたその聲であつた。

私はその聲を聞いた瞬間に、私は君達を救ひ出すべく來た朝鮮人で無いと、現實を逃避せんとしたその考が無意識中に恥しく感じたのである。**タゴール**は歐羅巴に生れず、我等と同樣凡ゆる壓迫の中で東洋文明を誇らんとして、彼が歐羅巴に生れなかつたのを幸福に思つてゐると云つたではないか。私は茲に始めて學窓に居る「自我」を尋がし出さうともし、もう一歩を進んで全世界全人類中より「自我」を尋がし出さうともしたのであつた。而して、一歩を力强く踏んで、私の如き弱き者でも、彼等が期待して居る救援者になつたならば！と云つて一度喜ぶと同時に、私の力の不足なることを感ぜざるを得なかつたのであつた。これが私の一歩を催促もし、又一歩を止まらせるのである。私は未だ自分の準備の不足なることを練達せしめんとしたのである。學窓を離れて、自然の敎訓と萬人の敎訓を狹き學窓にてよりも多く受けることを以て、私の個性は、より以上光り、私の思想が强くなるべく信ずるのである。私の未來は展開された。人生の貴きことや、眞の苦痛、涙、自我を尋し得るであらう。

貴き生命は貴く死ぬるを以て始めて、求め得るものである。凡ゆる「**センチメンタル**」な考への中に理性の判斷を受けながら、凡ゆる悲觀の中で、より以上の樂を求めんとする。人生は不完全である。人間が萬一宗敎家が呼んでゐる「神樣」の如く全智全能であり、完全であつたならば、退步の滅亡のみがあるであらう。不完全より完全に、逆境より順境に前途を開拓するのが、人類の進步であり、向上であると私は思つた。而して此の中より、生命の力が何であり、人間の美さと貴さが何んであるかを

四五

四六

私は求めようとする。人間を離れて社會が無く、社會を離れて人間が無い。然らば私は人間である。故に私は社會の一人である。隨つて凡ゆる歷史を作つてゐる人間であり自然を征服せんとする人間である。然らば私の短き生命が亡くなる迄私はこの運命を持つて生れたのである。人生の行くべき途は實に險しいのである。全身を刺す針の途もあり、足先きに引掛かる石途もあり、冷き氷の途もあるのである。然し生より死に至る迄のその路程は一線であらう。凡ゆる人間が悉く私の如きこの直線の途を歩いてゐる。前途が險しければ險しい程、そこで失望せざるを得ず、悲觀せざるを得ないのである。各自の人生觀がこゝに生ずるものである。**シヨペン・ハウエル**は死を以て生の問題を解決しようとしたのであり、**ニーチエ**は超人となつて、この問題を解決しようとしたのであり、**トルストイ**は物慾を棄て動物的自我より神的自我に歸らうとしたのであり、**カーライル**は永遠の否定より永遠の肯定に歸つて仕舞つたのである。

斯の如く我々は過去の凡ゆる人達の經驗を土臺として、我等の進路を尋さなければならない。過去を顧みれば、それは何れを問はず完全にそれを我々に聞かせることは出來なかつた。唯一つの參考に過ぎないであらう。各自の環境は各自の時代に於て孵化されたものである。一國家を善く指導した者は誰れであり、全世界を善く指導した者は誰れであつたか？

米國を獨立せしめた者は**ワシントン**一人でなく白人の虐待より解放された黑人の恩人は**リンカーン**

のみでなく、赤露の成功は**レーニン**一人でなく唯その民衆を指導しただけである。然らば現代の凡ゆる文明發達を見て**ニュートン**が更に生き歸つて、これは私の手で出來たものであると云へないであらうし、現代文學の或る部分は**シエクスピア**のものであり、哲學の一部分を取り出して、これは**アリストテレス**のものであり、それは**プラトーン**のものであると云へないであらう。

此等凡ゆるものは既に死んだ無名の人類全體の協力の產出物である。斯の如く私が今進んで行く途も全民族、全人類との協力の途であることを私は知つてゐる。故に私は或る部分のみを取つて進むことは出來ないであらう。

唯全民族の協力を以て朝鮮を救はんとし、全人類の協力を以て、不合理、不平等、不自由なる此の人間社會をより善く完全平等にして、各自の自由なる個性を美しく發展せしめて、以て、私に與へられた個性の途のみを進んで行き、其の外の事は他人に任かせて安心しようとする。人類の協力の偉大なる魅力は茲にある。個人と個人の葛藤は、個人が個性を壓制する處にある。然かして、凡ゆる葛藤は人類の總力量を集中するのには、大害となることを私は知つてゐる。人類の進步は局部的より全面的に、排他的より協力的にと進む所に搜がし出すことが出來るのである。入つて來る凡ゆる新思想は私を動搖せしめんとする。然し私はその中から一つの途を踏んで行かうとする。私が進むべき思想の選擇は私一人で擇んだものでもなく又我が朝鮮に於てのみ搜がし出したものでもない。全民衆と全人

類の叫ぶ共通的苦痛を見たり聞いたりすることを以て、此の途を擇んで進む積りである。萬人が號令するその命令は私は聞くけれども、個人が呼ぶその命令は私は聞くことが出來ない。然らば萬人は個人の合成體であるのに何故個人の命令は聞かないかと云ふかも知らない。

そうだ。然し部分は全體より小さいと云ふ論理學の命題がある。然らば我が二千萬の全民族は私に何を求めるのであり、何を命令するのであるのか？

パンを與へよ‼着物を與へよ‼全人類の叫び聲も亦これであると私は聞いたのである。

茲に於て始めて、より以上美しい生命の花を咲かしめ、より以上美しい實を結ばしむるべく努力すべきである。斯の如く協力團結の精神を以て、社會の一步を出した足先きの指針にして進みながら、飢餓に倒れた君達の爲めには涙を惜します、壓迫に呻吟する君達を救ひ出す爲めには汗を惜します、正義の爲めには血を惜します、私にある血と汗と涙の三大偉力を以て、實社會に踏み出した一步を强く踏んで、一步二步と進む決心である。一九二八、一二、二〇（雪の降る晩）

（黑友第四號　大正十五年十一月）

申　正　煥

第二節　國民性と平和

國民の定義に對しては二種の理論があつて

一、獨逸人は政治的綜合に關せず同一の言語、風俗、文化を有してゐる人民は一國民であると論解し

二、英米人は一政府の下に組織された團體的人民は一國民であると論解する。

然し政治學上から解說した所に依れば、一團體の人民として同一の種族、言語、宗教、傳說、歷史等から聯結された者は一國民であるとした。此等の共通的因緣は各個人を一國民に結合して團體的に共存共榮を圖り發展、福利、自由、平等を共に圖るもので此は卽ち國民性である。一國家が數種の民族から成立されたものもある。卽ち英、米、佛、伊、西、日其の外にも例が多いのである。特に英帝國を例に擧げれば**アングロサクソン**、**ケルト**、**ボーア**、**エスキモ**、佛人、黑人、印度人、馬來人等の諸族を包含してゐる。然し之は合理的ではなく、暴力と壓迫の勢力によつてなされた集合體であるから、一國內に於ても民族と民族間に反目が屢々生じ、弱小民族は强民族に利權と自由を奪はれ、不平を漏らし反亂を起した。

弱小民族達は列强の惡手の中に陷り、非運の慘劇に至つた。征服された弱小國たちは勝者たちの兵力が强く暴虐が酷いにも拘らず致命的に外敵の壓迫に反抗するやうになり、從つて戰爭は絕えず發生するやうになるのである。

一民族の民族性は他民族の壓迫と暴力に依つて能く撲滅し得られぬのである。波蘭を露、獨、墺が三分して波蘭人の言語を壓制し、歷史の敎授を禁止して各々自己の國民に同化させようと暴力其の他の籠絡手段を使用したが、波蘭人の民族性を遂に撲滅することが出來ず、此國は獨立の成功を得たのである。

十一世紀から十八世紀に亘つて氣勢を振ふた土耳古は、無數の異民族を征服したが、彼の被征服民族たちは其の民族性の促醒を受けて一二度獨立戰爭を起し遂に自由を得てしまつた。

米國內にある黑人は自己固有の言語、風俗、文化は有して居らなかつたけれども、其天然の民族性は有してゐて米人の壓制及び偏狹心を怨んで自己民族の自由平等を唱へた。

民族自決主義の實行は未だ普及されぬので、一民族は他民族の蹂躪及び搾取の下に在つて絕えず反抗と自由運動を起してゐる。**シリヤ**、埃及、**モロッコ**、印度、等其の他被壓迫諸國は、皆一樣に獨立運動を繼續してゐるが、彼等の民族性は外界の暴力によつて能く抑制することは出來ぬものであつて、彼等の獨立運動は成功して始めて止むであらう。それで一民族が他民族を壓迫統治する惡政治制度が繼續され、民族と民族との間に利權平等、機會平等、法律平等が無ければ、世界平和は決して成功せぬであらう。

古来人類は戦争の悪なるを覚り平和の善なるを認めて、前者を排斥し後者を追求した。世界の平和を成立せしめる爲め**セント、オガスチン**と露帝**アレキサンダー**二世、米人**カーネギー**等の各人は大いに努力し、教會も其發生以後に於ては平和運動に沒頭し、數十年間に海牙に於て國際平和の召集が頻々に行はれた。國際聯盟が創立さるゝや之を以て唯一の平和機關であると絶叫し、社會主義派と種々の平和團體は全地球上に起つて「戰爭は罪惡である」「平和は幸福であり」「萬人皆兄弟である」等の説を唱へた。然し今日まで全世界は戰雲彈雨の下に悲劇の一幕を作つてゐるが、其の理由は何んであるか。不和の原因は勿論一や二ではなからうが、其の最大なものゝ中の一は、民族の國民性を善く諒解して滿足させることが出來なかつたからである。見よ。**ナポレオン**を敗滅させた後**ベルリン**に召集された列強會議は、各々自己の野心だけを充足させ、弱小民族には自決と自由を許さなかつたから其の結果は久しからずして歐洲戰亂を起したのである。露土戰爭後一八七八年に伯林に開催された列強會議も「**バルカン**」諸國の國民性を否認したから彼等の不平は未曾有の世界大戰を起す導火線となつた。

一九一九年巴里平和會議の時に思想の卓越した政治家たちは、以上の缺陷を察して永久な平和解決策として、民族自決主義を高唱するやうになつたのである。然し各列強國の侵略主義を領土的野心は相變らず膨脹して、數個の新設國を除いた外には、無數の被壓迫民族を解決することは出來なかつた。それ故に其の結果は何んであるか、自由を失つて機會均等を得られなかつた彼の弱小民族達は、天然固有

な民族性の促成の下に、不平を漏し、自由を唱へて蹶起するから、戰爭は從つて繼續發生するのである。

或者が謂ふのに、戰爭は主義衝突に因つて起るものである。佛蘭西革命は其の例である、と。然し主義衝突を戰爭の重大原因であるとするのは不可である。又或者は戰爭は階級衝突に因つて起るものであると謂ふて、勞働階級が資本階級に反抗して起つた露國革命は其の例であるとするけれども此の階級衝突も亦戰爭の重大原因あるとすることは困難である。人類世界が創立されて以來起つた無數の戰爭は、民族と民族との間、又は國家と國家との間の競爭と排斥に因つて發生したもので、野心と侵略主義と領土慾とは戰爭の重大原因であるとすることが出來るのである。商業主義から帝國主義に遂し、帝國主義から軍國主義に遂して、利權及び勢力競爭は熱烈となり、列強間に劒戟の爭が度々あつたことは勿論である。

又は列強國の此等の野慾は他民族の民族性を壓迫し、其利權と發展を妨害し、其自由と存在を威脅したから反抗と鬪爭が生じたのである。それで世界平和問題の解決策としては「民族性不可滅」の原則を認め、彼我の侵害を拋棄し、和互の利權を尊重して、共同の福利を圖るのが最も適してゐると筆者は主張する。

二、國民性と世界主義

人種が稀少であり文化が未開な時代には、各國は地球各面に散在して疎らな生活をなしたのであつた。然し今は科學發達によつて世界の交通が至便となり、思想と物質の交換が迅速になつて、各國は相互聯絡が密接になり、商業上からは彼此互に依賴をなすやうになつて、世界人類は世界的生活を營んでゐるから世界主義が自然振興されるのは吾人の周知する所である。人類文明が漸次發展するに從つて世界主義も漸次增進することであり、世界主義が擴張されて天下の萬民が或る政治機關の下に統治される時期は即ち人類の文明が最高點に達した時期であると看做すことが出來、人類の安寧秩序と平和福樂は世界主義の實行に在ると唱へられるのである。

世界主義を斯の如く尊重視するのには國民性間に如何なる關係があるかを論ずる必要がある。或者は國民性と世界主義とは矛盾するものであると說いてゐるが、筆者は之を否認する。國民性は世界主義の基礎である。個人が國民の分子となり、家庭が國家の單位となるやうに、國家は世界統一の基本である。各個人に自由平等利權を許しても其國家團體は成立されるものであつて、國家は特に個人の此等の特權を保護する爲めに成立されたものである。此の如く國際聯盟或は又世界統一組織體も各國と各民族の自由、平等利權を保護するに依つて全世界の共存共榮を圖る爲め成立されたものとするのが適當である。各個人の自由平等利權を迫害すれば其の國家は平和を失ふて混沌たる狀態に至ると同樣、各民族の自由平等利權を無視すれば國際聯盟や其他世界的聯合運動は無效に歸して了ひ、常に戰爭は止まずして永遠に平和を見難いのである。

それ故に世界主義の成功は、民族性を破壞するに在らずして之を諒解して利用するのに在るのである。今日社會主義運動は國民性を諒解して利用し、同主義の成功を期すべき一好策であると謂へるのである。現露國內に在る社會主義共和國聯盟は、其の內にある各民族の民族性を滿足せしめ、中國、印度其の他被壓迫國の民族性を助長したのである。此は勿論其の主義宣傳上一政策にもならうが、此は一先進思想と看做さゞるを得ぬのである。

各國各民族も亦其平和幸福は世界的共存共榮を圖るに在り、自己の欲望の爲め爭鬪するのに在らざることを覺悟しなければならない。それならば世界主義に民族性を諒解しなければならぬし、各民族は世界主義を服膺しなければならぬのである。

簡單に一言を以て結論するならば、民族が存在する日までは民族性は滅びないものである。戰亂は民族性を迫害するに因つて起され、一民族の領地を侵略し、經濟を搾取し、自由を壓制し、發展を妨止するのは即ち其の民族性を迫害するものである。國際平和の爲めには彼我の民族性を尊重し、民族主義と世界主義は其の相互間の矛盾を避け、各個民族の福利は世界共同の平和と發展に在り、世界の平和と進展とは各個民族の福利に關連されたものであることを理解すべきである。

第三章　一般的思想

第一節　人類史上より見た血と汗の價値

（五山第二號　昭和四年六月）

アンナパル

この宇宙に地球が創立されて數代を過ぎた後新生代第四紀初に人類の祖先が始めて頭角を出すやうになつたと云ふ。その時代に所謂人間達は洞穴か樹木の中に於て、生活を營んで、植物の果實か或は野獸の血肉を以て、食料としたと地質學は云つてゐる。

人類の生活様式が斯の如く簡單であり、自然の恩澤がそれ程豐富であつたその時代に於ては、生活の滿足を得る爲め汗を流す程の努力はしなかつたであらう。勞働の必要を全然感じなかつたであらう。然し人類がだん〱増殖するに隨がつて、一家庭、一部落を建設し、一國家を組織するやうになつた。斯の如く生活形式が複雜するに隨がつて、自然の恩澤だけては到底彼等の滿足を與へることは出來なくなつた。

そこで彼等は個體の安全を圖る爲め、汗を流し始めたのであり、種族を永遠に維持する爲め、身體に血を流さねばならなくなつた。然して、時代が經過するに隨がつて、生存競爭が益々甚だしくなる

につれ、物質方面よりの衣食住に對する慾望と、精神方面よりの智識に對する慾望が益々強くなり、汗と血の必要を痛切に感ずるやうになつた。

顧みて見よ！過去の人類歴史を、春の東山に花の樣に美しく色染まつてゐたのが、果して汗の結晶と汗の發露になつてしまつた、その人類史を！横暴無雙な或る階級のため、霜に木の葉の如く振はせしめたのが血の力でなくて何であらう？不合理な社會制度を改革し、時代に適合した制度を產せしめたのが何んで血の功でなからうか？果然人類の歴史は汗を以て美しく飾られたのである。汗が生ずる原因は大概二つに分けられるのである、第一は外部的衝動に起因するものであり、第二は内部的活動に起因するものである。

即ち外界に氣候が甚だしく暑い時か或は、暗い夜に或る恐ろしき刺戟を受ける時に汗の流れる時がある。此等は第一に屬し、農夫か職工が自己の筋肉を使用する時には額に眞の汗が流れるのであり、又科學家が學術研究をする時か、教育家が國民を教養しながら人類の文化事業に苦心する時や、自己の使命を果さんと努力する時には額に汗の流れることがある。此等は第二に屬するものである。茲に私が問題にせんとするのは第二に屬した内部的活動に起因した汗である。

（一）　汗は即ち生命である。汗は努力の結果である。精神的物質的の如何なる方面に拘らず、不斷の努力が無い處には汗がないであらう。

而して汗なき處には發展がないのであらう。

若しも、人類に汗が缺乏して居れば、否、汗を流すことを知らなかつたならば、我が人類社會は果して如何なる地位を占領するやうになつたであらうか？それは云ふ迄もなく自然陶汰の大法則の下に於て退化否滅亡の宣言を受けたであらう。斯かる見地に於て吾人は「汗は即ち人類の生命である」と云ふ。

（二）　汗は凡ゆる人類文化の創造者である。眞の汗を流す處に藝術があり、宗教の勃興があり、文學の建設があり、科學の發達があるのである。

見よ！彼の**ナイル**河上流にて、千年の風雨を凌揶し、依然と五千年前の埃及古代文明を今日迄崇拜せしめてゐるのが、果して埃及人の汗の結晶でなくて何んであらうか。我が慶州に於て、古代新羅文化を世界に誇としてゐる石窟庵瞻星臺佛國寺等や、高麗時代の美術品をして、物質文明が絶頂に達したと云ふ二十世紀の美術でも、その理を能く知らない高麗磁器の如きものが、皆んな我が祖先の汗の發露でなくて何んであらうか？

然らば汗は藝術の創造者と云へるであらう。東洋古代文化に少くない貢獻がある佛教は六億萬の信徒を持つて過去人類文化史上に大なる貢獻があつたのであり、現在にも是亦多大なる貢獻がある。基督教は人類の博愛を唱道した**イエス**の汗の權化である。のみならず凡ゆる宗教が皆んな崇高偉大な神の汗でないものがないから汗は宗教の創立者と云つても過言でないと思ふ。

支那文學の建設者であり、東洋道德の木鐸と稱する孔子が、天下に志を得ず四方に周遊しながら、

三千の弟子を教養する時に汗を如何に流したか、我が白衣族の光明とも云ひ、生命とも云ふ獨特な文學たる「諺文」の創作が何うして世宗大王の汗の發露でないか？果然世宗大王の生命と名譽は「諺文」の存在と共にするものであり、隨がつて白衣族の運命と共にすべきであらう。現代の科學が發達したと云ふ諸國又科學界の偉人と稱する**ニユートン**（Newton）**ダーウイン**（Darwin）等凡ゆる人達の足跡を見れば、何れのものも、努力の結果でないものはない。繰返して云へば汗の力でないものがなく、功でないものがない。文化の度は汗の分量に正比例する。汗と云ふものが文化發達史上に眞髓であり生命である。

生命の無い處に血がなく、血のない處に生命がない。血が我々の生命を支配し、又我々の活動力を與へる點から見て、我等に貴重なることは云ふ迄もない。然し血が我々の動脈と靜脈を絶間なく循環する時に限つて、生命を支配するものではないか。死んだ血が生きた血以上の價値があるものである。繰返して云へば我々はの體を離れた血が動脈靜脈を循環する血以上に生命を與へるものである。光明を與へるものである。それ故に吾人が茲に論述せんとすることは別問題にして、肉體を分離した血を問題の中心にしようとする。

肉體から分離した血を、是れ亦二つに分け得るのである。第一は義を以て流した血であり、第二は不義に依つて流した血である。故に第二は取るべき價値がない。義の爲め流した血が如何に美しいも

のであるのか。昔に孟子も、「生亦我欲也義亦我欲也二者不可得兼舍生而取義也」と云つた。これはが我身を犧牲にしても、國家と社會の爲めには働けと云ふことである。

(一) 義の爲め流した血はその有限の生命を無窮に延長せしむるものである。

高麗朝末葉歷史を讀む時や、松都善竹橋を踏む時には、圃隱鄭夢周先生の血が太陽の如く光り輝いてをり、近世に至り、支那上海に於て最後を遂つた金玉均先生の血は、我々が全く滅亡する迄には殘つてゐるべきであらうから、全く彼等の血は彼等の生命を無窮に延長するものと云へるであらう。

(二) 第二は救世主である。先きに述べた、**エース**、**クリスト**を全世界の人間逆が救世主、我等の父と云つて崇拜する樣になつた原因が何處にあるのか？それは**エース**が人類社會の爲め十字架上に於て一滴の血を流した處にある。のみならず、今日に在りて世界富强國だと云ふ亞米利加合衆國は第十八世紀末頃に、彼等の湧く血を以て英國の武器に對抗した結果である。故に彼等の血は亞米利加の將來を救つたものである。斯の如き点から見て、吾人は大膽にも「血は救世主なり」と告げるのである。

我々は弱者である。それ故に我々には血が必要である。犧牲が必要である。

我々が汗と血を流す時には、我等の前に曙光が照らすであらう。弱より强に！逆境より順境に！暗黑より文明に‼

あ！汗と血！汗と血は果して如何なる歷史を持つてゐるか？暗黑な社會と汗、弱者と血！

第二節　新秋の感

（梨花第一輯　昭和四年二月）　趙　賢　景

高い空から吹いて來る涼しい風が庭先の桐の葉を通して、故鄕の母の懷がなつかしくて歸つて來て、窓の前に默然と立つてゐる私の頰に當つた時、「あ！もう秋になつたか」と知らずの內に私の唇は動いたのである。

果して感ずることの多い秋、哀愁の秋は、淸い風を積んで遠い空から何時ともなく大地上に來始めたのである。從つて北方の消息は朝と夕に新らしくなつて來る。綠の丘と綠の野の上では、其の囁きが一層甚しいやうであつた。

私は見た。公平無私な大自然も喜びを與へる反面に或る者には苦しさを與へることを。

弱者は淚を流し强者は喜んで踊る。暖い衣で寒い風を遮り、暖かい湯氣のたつ食物で腹を脹らす者は笑ひ且踊るのである。又それにも飽き足らずして酒肉を貪り、賣笑婦を探るのに忙しい者もないのではない。

然し饑えを凌ぐべき一碗の飯も持たずして饑え且寒くて震えてゐる彼等は、思ふことさへも厭な華氏九十餘度もある其の夏の暑さを却つて惜しむのである。

饑えた腹を抱き締めて畑の手入れをし、汗を流しながら暑い太陽の下で苦しみ、不確定な秋の收穫

を見ながら其の日〳〵を送り、かの霖雨の爲め貧しい草屋までも流して了ひ、夢見てゐたかの收穫も驟雨の聲に空しくなつた今日彼等の胸の中は何うであらう。

今日のさら〳〵と吹く秋風、遠からずして吹雪となる其の風は、我等の姉や兄に喜びを與へるよりも苦しみを與へることであらう。紅葉や菊の美麗な色も、淚含ましい彼等には誇りとはならぬであらう。苦しい生活に泣いてゐる姉、生の煩悶から受ける傷も大きいのに、其の上二重三重の苦痛を受けてゐる我等の兄弟、其の中でも正義の鮮血が湧いてゐる兄に、何を以て慰安を與へようか。只私の赤心から流れ出る熱い淚を私は流したのである。そして去り行く此の涼い風の便に送つてやらうとするのである。其が何等の慰勢の材料にならうか。然し其の聲の中には、彼等が受けてゐる萬苦の僅かなりとも輕からしむる爲め、此の江山を懷に深く抱いて奮鬪しやうとする新秋の感が融解されてゐるのだが。……………………

第三節　兄よ！此の地に春は來た

（培材第十四號　昭和五年十二月）

親愛なるそして最も信望の高い兄は、嫉妬の溢れる此の地に於て生長したでしよう。

そして妖婦の化粧のやうに白粉を付けた僞りの此の地に、文化中心地と謂ふ所に、固い意志と氣概

を鍊磨すること凡そ二十年であつたらう。

お！高明なKの兄よ。

兄が苦しい北國生活をするまでには固い意志をより以上固くし、此の地の敎育運動線上に中堅人物として、厚い信望と多くの囑望を倂せ有してゐたことでしよう。然し

兄よ！敬慕する兄よ。

思ひがけない運命に浸されて今に至つては何んとも謂ふべき餘地がないことゝ思ふのである。

然し堅固な兄よ。

失望するなよ、何時までも永遠から永遠まで其の主義主張の爲めに闘はなければならぬのである。

闘爭のない所に進步がないと謂ふのは何人も知つてゐる所である。

兄よ！愛する兄よ。

鋼鐵でも鎔かすだけの意志を有した兄であることだけは否認することの出來ない事實であるから、勿論失望……今日の運命に失望しないことだらうと思ふのである。

兄よ、見よ、人生は限りなく無常である。

人は貴賤を論せず、此の苦海のやうな世間を履んで行く流浪の客である。其の旅の客が纜を下して着く處は死の他にないでしよう。死と謂ふものは人生の最後である。

兄よ！知己の兄よ！

生涯が長ければ七十、短かければ四五十、矢のやうな其の生涯に於て、何物の爲めに血汗を流して苦しむべきであるか。第一我等のやうな學窓に居る此の地の學徒は、正義に反した其の下に毎日〳〵貴重な時間を費して居る。街路をヒョロ〳〵しながら横行する彼等は、其も何ものゝ爲めに寒い此の冬にも苦痛を犯して血汗を流し、工場で鎚を持つて叩いてゐる彼等は又其も何を論ずるものであらうか。

兄よ！

生存競爭に熱中した人間達は、何故街頭で苦しい呼吸をしてゐるのか。彼等は謂ふのである。**パン**の問題であると。

兄よ、我等は茲に於て問題をより一層深く考へて見る必要があると思ふのである。血の湧いて來る兄よ。

我等には何よりも人と違つて固い意志がなければならないし、此の地の前途を探るべき明らかで且つ燦爛たる燈臺とならなければならぬのである。さうすれば我等は外方に彷徨してゐる幸福の巣を造ることであつて、此の天地は眞の民族生活をすることであらう。

高明で且眞實なKの兄よ。

六三

私はより以上深く語らうとしないのである。

兄よ、今は石のやうに冷い冬である。

地球は間斷なく廻つてゐることでしよう。そして其が有してゐる世間の文化も、走る車輪のやうに廻つてゐるではないか。

兄よ、世の中は斯ように變るのだ。一時盛んだつた羅馬も今日に於ては此の地の人間の見物する所に過ぎないのではないか。廢墟に茂つた青草だけが、其の昔の記憶を再び起さしむるものではないか。

斯樣に世間は變遷し—廻ぐり—盛衰の交替が頗る複雜ではないか。兄よ、謂はゞ此の地三千里も相變らず變つてはゐないか。

兄よ、おー敬ふ吾が兄よ。

然し青史は謂ふのである—萎れた運命で其儘消えて了ふべきではないと—眞にさうである。

何時かは我等に必ず春の日のやうな新らしい運命があるべきことは、此の地の人間である以上どうしても信じなければならぬことである。

兄よ、我等は未來に於て展開される希望だけを望んで、そして笑はなければならない。兄よ、苦しい此の不合理なことを—現今の人間等は呻吟してゐるではないか。

六四

制度は特別な制度で—彼の土窟と謂ふ人間地獄に於て痛い胸を叩いてゐる多くの友達の情狀が眼の前にアリ〳〵とするのである。

おー、兄よ、我等には希望の新春が訪れた。躍動の新春—新しい街路には此の地の若い者達が新しい一九三〇年の春の街路に解放の旗を擧げて出て來たのである。

兄よ、貴殿も出て來いよ、此の街路に—

蒼白い血は赤い血に改められ暗かつた精神は更に改められることであらう。

唯一の兄よ、我等の**グループ**には兄のやうな險はしい顔を有してゐるものがないことを思へば胸の中がどき〳〵し、乾いた眼には涙が出て涙ぐましい眼となつて了つたのである。

あゝ兄よ！兄よ!!兄よ!!!

北國に住んでゐる兄のブル〳〵震へてゐるのが、そして寒い部屋の中で永く苦められて骨だけとなつた兄の其の怖い骸骨のやうな顔が再び現はれたのである。それのみであるか。**ロシヤ**の曠野から吹いて來る猛風に雪の吹いて來る其の晩に寒い燈火の下で獨り呪ひの涙を流してゐるべきことを思へば何して凝む氣がして來ましようか。あの北極の空よりも酷い京城の或る部屋の中で薄暗い電燈の下に何かを書く其度毎に、冬は一日も早く去つて春が來ればと思ふたでしよう。歳月は間斷なく流れるのである。常なき人生は速力を盡して競爭してゐるのである。煩悶と苦痛を與へてゐた冬は遂に終りを告げたのである。

六五

兄よ、春は來たのである。

堅い意志を以て寒い風に普くも耐へることの出來た樹木には新しい春が訪れ、庭先の花草には當が出て、山にも春が來たのである。暗い私の部屋にまで子供の笛の聲が聞ねて來る。そして彼等にも春が來てゐる。哀調を帶びてゐた野にも黃色に芝が生え、前の山の綠の峰が最初に春を知らすやうである。

兄よ、理智のない弟のKも

一二月共に去り　　今は三月だよ
江南に行つた燕が　　歸つて來れば
此の地にも再び春が　　訪れて來るのだよ
ありらんありらん　ありりよ。ありらん　江南へ急いて行かう。

斯樣な歌を川邊に坐つて笛の聲と共に歌つてゐたのであるよ、そして此の地の人間にも春は訪れたのである。

兄よ、此の地の春は懐かしく再び訪れて來たのに、此の春一度去つた兄はどうして歸つて來ることを知らぬのであるか。

六六

兄よ、寒い北國の空で苦しい胸を抱いて涙を流す此の春は最早一度ではなかつたのである。

あゝ吾が兄よ！

ぺん軸を握つた儘窓を開けて見れば庭先の川柳には節毎に春が訪れ、廣い空には春の霧が一樣棚引いてゐる。

春！春、そして此の地の春

苦しい涙の又乾いてゐない此の地の人民の三千里江山廢墟である漢陽にも春は隱れる所なくやつて來たのである。自然は實に力あるものである。自然は約束はしないが常に人間世界を訪れて來るではないか。あゝ兄よ。

來る春を誰が迎へないだらうか。創造の新らしい力と復活の使命の此春を倦くまで迎へることであらう。

兄よ、生きた人間、死んでゐない我等は意味深長に迎へ、北國の空にも嘜い春の霧の起つてゐる其の中で兄の新らしい活躍を望むのである。

弟のKは祈り且望むのである。

柔い其の新らしい芽はずん〳〵と生長して盛んな夏を期待しながら鉦を抬くのである。

第四節　日　記　數　章

（培村第十四號　昭和五年十二月）　金　佃　根

十一月一日

私の心は急くので如何して善いか知らなかつた。R君が校內雄辯大會に於て失敗をしようが、成功をしようが。何うして私は急くのでしようか。

愚かな男ではないか。然し斯る糢糊たる辯明を以てはR君と私との關係を探り出すことが出來なかつた。兎に角私の心を斯樣に持つた効果はあつて、限りなく嬉しかつた。

他の多くの友逹が壇に登つて熱辯を吐いた時よりも、R君が登壇した時、熱辯を吐いた時、そして光榮の月桂冠を戴いた時、私が格別手が痛い程拍手をなしたのも、彼の手を固く握つて天井閣に行き晝飯を共にしたのも——

此は何んの力であるか知ることが出來なかつた。

然し無限な喜びを感じたのである。

十一月二日

今日は田舍のお父樣から次の樣な手紙が來た。

「收穫はしてゐるものゝ何の興味も持たない。米價が暴落して一石に僅か五圓でも買手はなく、金融の逼迫は極度に達して農家では非常困つてゐるのである。尤も稅金に於ては謂ふまでもない。斯うであつてはどうしても生きられないのである。籾四石を投賣した金十五圓を集めて送るのであるから節約して消費せよ。此の農村を一寸諒解して吳れよ。

とても苦しいのであるから」。

私の胸の冷えるのを覺つた。子供に哀願でもするやうにした父も父であらうが、米價の暴落した此の際十六圓づゝを要求する下宿の主人もあつてとても困つたものである。一箇月の學費と謂ふて食費にも足らなければ如何にしやう。それだからと謂ふて更に又請求することも出來ず—とても頭の痛いことである。

十一月三日

雪は紛々として降つてゐる。

獨立館の前を通り館橋を横にして初雪の溶けた泥の路を步いた。

私は頭を深く垂らして胸を窺き自分の心と話をしながら………

「心よ！」

「あゝどうしたんですか」

「お前は只今私を携れて何處へ行くのか」

「學校に行きますよ。來いと謂はれたから」

「そんならどうして「**カバン**」も持たずに何しに行くのか」

「祭日の式があるらしいのですよ」

「式？何んの式？」此の時私の心は如何にして善いか知らずにブル〳〵震ひ………

「いや、さうでないのです。出席調査があつて………後日操行點に關係があるからですよ」」

「出席調査？操行？あゝ氣狂ひ奴！」

然しどうすることも出來なかつた。私の肉體は私の心の爲めに捕虜となつて校庭に於てグヅ〳〵し其の儘歸つて了つた。

私の心と肉體はどうして此の樣に一致されないのであるか？

十一月四日

今日は非常に冷かつた。午後學校から歸つて來る途中のことであつた。西大門警察署前の電車停留場には三四人の所謂**モダーンガール**が愛嬌振りながら電車を待つてゐた。

彼女等の手には小い**ハンドバック**が握られてゐた。

不景氣の爲め朝鮮の人民は死ぬとか生きるとか謂ふて騷いてゐるが彼女等の有してゐる**ハンドバック**の中には何が入つてゐるだらうか？一度其の中を窺いて見度くて仕方がなかつた。

然し假面と謂ふ「假面」は斯る考へを進つて了つた。兎に角彼女等が持つてゐる其の**ハンドバック**の中には「錢」と「放逸な氣風」とが一杯入つてゐるやうだつた。皮相的觀察に過ぎないのだけれども。

晩には廳淳君が尋ねて來て具君の自炊屋で遊んだ。

十一月五日

數人の友達が集つてゐる時に、偶然臺灣生蕃の叛亂が話題になつて甲論乙駁したのは隨分面白かつた。

私は生蕃と謂ふものは野蠻族であると今日まで盲目的に信じて來た。初めて生蕃暴動説が新聞紙に報導された時、私は只生蕃を野蠻族であるとする輕蔑の眼を以て見たゞけである。

然し彼等の叛亂計劃は全然意識的行動に基いてゐるのを知つた時、私の其の錯覺は餘り私自身を恥かしめた。私は今日こそ始めて生蕃は絶對に蠻族でないと謂ふことを私は心深く誓つたのである。

そして文明民族であることゝ野蠻族であることゝは決して傳統的の生産物でないと思ふたのである。

第五節　自ら進んでやる役群とならう

（培材第十號　大正十五年十二月）　李　錫　巫

我等は彼方に追はれ此方に追はれて宛も燈臺のない岩礁の間を彷ふてゐる孤獨な船のやうな危期に

接してゐるのである。

それのみでなく我等の周圍には我等を惡魔の穴に陷れて了ふとする何者かゞ居ることを知らねばならぬのである。

トルストイは謂ふたのである。「或る旅行者が無邊な沙漠の中に於て獅子を避けて渴いた沼の中に入つて手足で固く兩方を支へて見れば頭上には何時の間にか獅子が追掛けて來て口を開けて躍りかゝり、下には飢えた大蛇が喰ひ付かうして居る。そして横側には一片の青草の葉に蜂蜜があつて、之が殊に當つた時其の環境の恐しいものを全部忘れて了ふやうに即ち精神を麻醉させる此の危期に於て、殊に彼の握つてゐる大薊即ち生命となる縄には黑と白の二匹の鼠が其に乘つて往來してゐるのである。瞬間毎に生命は漸次縮つて行くものである」と、あゝ！其の時彼は上に上ることも下に下りることも出來ない境遇、何秒か時刻が**カチ**〳〵としてゐる間に二匹の鼠は大薊の幹を嚙んで彼を大蛇に與へやうとする其の慘憺なる光景こそ何れ程の悲運であつたらうか。斯る運命は彼にのみあるのであるか。果して我等を考へて見れば、我等の頭上にも獅子があり足の下には大蛇があり横側には蜂蜜があり黑と白の鼠があるのである。我等は久しからずして生を終へられるやうになるから、此の危期であることを覺悟せよ。

あゝ！諸君！諸君此は何故であるかを覺悟せよ。そして他人に依賴せず他人を信賴せずに自ら進ん

でやる役群とならう。

純粹な白衣族を繼承すべき者も我等であり荒廢した權域を開拓すべき者も我等である。敏活なそして強い腕と脚を以て開拓の鍬を固く握り自作自給、自制自決、自助自强して決して既往の役群のやうに干渉者とか監督者を要せずに廢れた此の江山を輝かしめなければならぬのである。罪囚が獄吏に服從するやうに、乘客が停車場に於て雜沓するやうに、納税員が官廳に於てやるやうにしてはならぬのである。靜的には山岳のやうに、動的には江河のやうに、陽的には日月の光明のやうに、陰的には神の秘密のやうにすべきである。

庭園に一杯ある花の木は其の儘見ただけでは何等努力する所がないやうに見られるが、自ら秋の霜冬の雪を經て居り、春風秋雨に當つて花を咲かし實を結ばせて一寸も安らかに休む暇がないのである。然し春陽に先に當つた枝は先に咲き、遲れて當つた枝は後れて咲いて何等惡戰苦鬪することもなく安寧秩序を維持して、眞に永遠の平和があるのである。それで我等役群も煩悶、苦痛、悲哀凡ゆる障碍に痛く刺されて流した血の上に我等の「生きる」と謂ふ花の實が結ばれるのである。

他人が知らうが知るまいが、名があらうがなからうが我等は眞面目に根力よく努力して密接な關係と懐しい因緣を有する此の江山を麗はしくし此の空氣を我等は淸潔にせねばならぬのである。

自ら進んでやる役群とならう。さうすれば將來の幸福は我等のものとなるのである。

第六節　同盟ストライキ

（高敞高等普通學校學友會報第四號　昭和三年四月）　スリエス生

我が朝鮮は古來君師父一體と云つて師長を君や父と同様に敬愛して來た。師長にして其の弟子に可成り無理なことをしても、或る點まではそれを正當だと認めて服從したことは、世人周知の所で今更説くまでもない。處が今日は同盟**ストライキ**といふ名の下に、所謂師長たるものは、その地位を保つことが出來ないのは勿論、時としては一生の重傷を負はされることも珍しくないやうになつて來た。

同盟**ストライキ**は學生以外の團體にも、種々の形を以て現はれる樣だが、所謂朝鮮に於ける學生の同盟**ストライキ**は年を追うて頻繁に起り、今や北の果てから南の果てまで、洽く行はれて、殆んど全鮮的の流行病の樣になり、中學生に於て最も甚だしいのである。其の同盟**ストライキ**の理由に曰く「設備の不完全」、曰く「教授の不充分」、曰く「抑壓的態度」、曰く「民族的感情から來る不親切乃至侮辱」、曰く「人格乃至資格の不充分」等を揭げ、多數人の力を借りて學校に對して反旗を飜し師長を排斥するのである。さうして教師の辭職を迫り校長の自決を迫つて、遂に暴力を以て校門の外に追ひ出す程のことを平氣で決行するのである。而も社會の一部分の人々は學生のかゝる行動を是認し、甚だしいのはそれ

を益々煽動する一方、其の責任を所謂教育者にのみ負はせようとする氣勢まで見えて來たのである。

勿論我が朝鮮に於ける現在の學校教育其のものは、これを理想に照らして見た時に、色々の缺陷と不足とを見出すことも事實である。設備の不完全な處もあらう。教授の不充分な處もあらう。或は又在來の因習から抑壓的態度に出ることもあり、感情的衝突もあり、人格や資格に如何はしい所もあらう。しかし學校に於けるそれ位の缺陷不足は、朝鮮に於けるすべての處にも見出すので、寧ろ教育機關に於ては他の有らゆる機關に於けるよりも、總ての點が或る程度までは完全に近く理想に近くして缺陷不足の比較的に少ない事實を認めなくてはならない。それにも拘らず、偏狹固陋にして膚淺菲薄なる考へを以て、教育の如何なることをもよく知らず、事實の如何なるをも問はずして、學生の同盟**ストライキ**の原因及び責任を學校にのみ負はせようとする魍魎類の世間に横行するのは、實に言語道斷と云はねばならぬ。

眼を擧げて朝鮮の全野を眺めて見よ。何處に完全にして理想に合致するものを發見することが出來ようぞ。一年中完全にして合理的のものを求めようと思つて追つ驅け廻つても、結局現在の朝鮮を見出す外何物をも發見出來ないで草臥れて仕舞ふであらう。現在の我が朝鮮は苦しい乍らもすべての方面に於て、段々とより完全なる處により合理的の處に進みつゝある過渡時代にあるのだ。此の過渡時代に處した我々は只眞面目に最善の努力をなし實力を養つて、我々の目差す所に進むべきで、種々の

不便や苦痛は寧ろ我々に刺戟を與へ、我々を養ふ藥餌として喜んで受けなければならない。過渡時代に起る怒濤激波に漂はされて自分の進むべき道を失ひ、途に早瀨に身を沒するやうなことではならない。

不完全なものを完全にしようとする心掛や、不合理なものを合理的にしようとする努力は宜しいが、そこには廣い觀察と眞面目な方法とを要するのである。不完全不合理のものを破壞するのは宜しいが、その代り完全にして合理的のものを建設しなくてはならない。

朝鮮の學生よ、諸君は今朝鮮に於ける學校の不完全なるものを完全にしようとして、學校に反抗し師長を排斥し、暴力に訴へてこれを破壞しようとするのである。現在に於ける有らゆる惡い所を壞して、よりよいものにしようとするのである。しかし諸君よ、諸君は破壞した後に建設することを忘れてはならない、建設のない破壞は滅亡のみである。現在の學校を破壞すれば、それよりよい學校を建設し得るだけの力が諸君又は我が朝鮮人にあるか。現在の校長や教師を排斥して追放せば、その代りに立派な校長や教師を迎へ得るだけの力が、諸君又は我が朝鮮人にあるか。恐らく諸君は現在の學校よりも立派なる學校を建設しようと如何に藻掻いても、現在の校長よりも教師よりも立派なる校長や教師を求めようと如何に藻掻いても途に志を遂げることが出來ないで、悲嘆に暮れ道に徨ふことであらう。**その時に諸君は破壞せんが爲めの破壞者となり、將に萌え出さうとする朝鮮教育の苗を、殘忍**

狂亂、恐しい足を以て踩み躙つた大罪人たるを免れないのである。あゝ朝鮮學生よ、諸君は朝鮮の學校を棄て朝鮮の校長教師を追放し、斯る大罪を好んで負うた後に將た何處に學ばうとするか。

我が朝鮮は昔から師長を親や君と同樣に敬愛した。同盟**ストライキ**を以て排斥したり、追放したり、暴力を加へたりすることは絕對になかつた。

舊道德の或るものは弊履のやうに棄てゝ然るべしであるけれども、斯る美風は我々の誇りとして益々助長して亦然るべしである。有らゆる新思潮の源と云はれ、何もかも有頂天になつてかぶれ勝ちなる歐米諸國にも、學生の同盟**ストライキ**は絕對にないことを我々はよく知つて居る。學生の同盟**ストライキ**は東洋の惡風で、今から十餘年前に日本內地に其の風が起り、我が朝鮮の學生はそれを移入して今や同盟**ストライキ**に於て日本內地の學生を凌駕してゐると思ふ。有らゆる方面の事情を異にして居る朝鮮の學生が、よくもない日本の學生のやり方を眞似て、猿の人眞似同樣のことを演じ、一方それを助長し宣傳して一大手柄のやうに思ふ社會の一部分の人々の有樣は、寧ろ滑稽に見えて實に悲痛に堪へないことではないか。

朝鮮の學生よ、諸君は靜かに十分に實れ。さうして、より立派な種子を朝鮮に播き、より立派な種子を朝鮮に播き、より立派な學校を將來の諸君の手に依つて建てよ。諸君は今眞面目に敵の襲來を恐れつゝ實るべき時代にある。只實ることに努力せよ。粃のままで跳び出しても生命あり將來の種子に

ならないのみか、結局其仆れで亡びに至ることをよく記憶せよ。

第七節　卒業して行く諸兄に

（高敞高等普通學校學友會報第四號　昭和三年四月）

趙　舜　炎

自然の循環に依り一九二八年の新らしい軌道に身を乘せることに依つて我々は新生活に一歩を移すことになつた。出て行く諸兄等よ！現今の社會は險惡である。我等を鼓吹し我等に慰安を與へる者は一人も居ないのである。むせび泣き且嗚咽する君等を慰めて「何故に泣くや」と聞く者もない。甲午年に於ける改革亂とか、光武年間に幅を利かせて國士を自處した者の行爲は何んであつたか？然し現今我等が怨んでゐる先人も亦其の時に於ては先人を怨み且つ嘆いだであらう。

然らば諸兄は互に讓らず依賴せずに所謂赤手空拳を以ても、現下の我が朝鮮社會の爲めに努力せられよと、我等は祈るばかりである。

何かを經營しやうとするのには必ず空想が伴ふものである。理想と現實と言葉と實行の合はないのは世間では通常のことである。諸兄よ！時節の嘆きに捕らはれて悲觀するなよ。世間には信用すべき者もなく情誼を通ずべき所もないのである。我等の先進であり年長者である者も、善く察すれば皆何んでもないのである。見んとせば傷心され、見ざらんとせば兩眼があるのである。聞けば言ひ易く、

言へば口の早い者であると目されるのである。速かにやつて來る悲觀を歡笑師化せしめやうとベストを盡して學ぶ時に學ばなければならない。校門を出てゝも、覇氣あり活氣あり社會に對し威嚴性の多い校帽を脫いで、人間美を帶びたらしい青年帽を被るなよ。否、帽子を被つてはならぬと謂ふのではない。何時でも「學ぶ」と謂ふことを忘れてはならぬと謂ふのである。

朝鮮に於ける學問の程度は實に哀れではないか。鬼燐が起り鬼火が閃めく此の十三道の曠野には弱く且つ幼い者達が泣き叫んでゐるのみである。あゝ哀れではないか。斯ることから自然悲觀し且つ失望の爲めに溢れ出る悲哀は、畢竟彼等をして國外に漂浪させ、彼等を産み彼等を育てた故國山川を背にして熱涙を流しつゝ熱烈な心と肉體だけを持つて、國境を越え異域に入つて言ふに言はれぬ慘狀に遇ふてゐる者が、果して何れ程多いだらうか。「哀れな者は人から慰められる」と謂ふた。然し怖ろしいものである。劣弱な者は蹂躙されるものであり、優强な者は笑ひながら蹂躙するものである。

然らば成るだけ優勝に生きなければならないものである。我等が血涙を振ふて泣き叫ぶ時には、又之に同じい歡樂を感ずるものである。そして「赤心」を一所に集め希望の爲めに奮闘し且つ犧牲しなければならない。そうすれば我等は諸兄に依つて建てられた功德碑と、凱旋門の下に眞生命の樂しい歌を歌ふであらう。意氣ある勇敢な諸兄よ、我は祝ふ、前へ〳〵と重大な荷を負はされるのと同時に、烈々な諸兄の最初の鍬の音を以て大いに社會の開拓者となることを、奮鬪せよ、理想に眼を覺めよ。

終にはゝゝ何ゝものゝかゝがゝあゝるゝのゝでゝあゝるゝ。最後に母校は永遠の母校である。學窓を忘れるな。聖山の下に敎訓を養分として成長する後輩は、險惡な戰線を脫して、無窮花の活舞臺に地盤を固め、諸兄と共に相携へて前進せんとするのである。

第八節　農村問題と我等の覺悟

（培材高普學生基督青年會第十一號　昭和三年三月）

李　奕　植

人類が進化するに隨つて、其の生活方針にも絕えざる變遷があつた。原始的生活より遊牧生活に、遊牧生活より農業生活、農業生活より更に工業方面に、斯の如き順序を以て人智が發達され、生存競爭が猛烈なるに隨つて、その生活樣式も變遷したのである。

我が朝鮮は今尙ほ農業時代にあり、氣候風土も農業に適當して、國民の十分の八が農業に從事するのであるから、我々は農業國であると云はざるを得ないのである。それ故に國家の盛衰は農業の振興如何にあり、國家の生命は農村にある。然し昔より爲政者達が農村問題に對しては、餘りに等閑視したのであつた。唯、文藝方面、政治方面には努力した點があるが、根本問題たる農業に關しては別に奬勵した所がなかつたために、發展も出來ず、唯昔より今日に至る迄同一な狀態に繼續して來たのである。農業に對した觀念は、支配階級よりも智識階級よりも却つて被支配階級であり、無識階級たる農夫が優越なることは事實である。故に我が國の農業は改良も出來ず、發展も出來ず、唯原始的古代的狀態を以てその儘に繼續したものである。若しも政治的に之を奬勵せしめ、智識的に發展せしめ、科學的に研究したとすれば、我が國の農業は果然世界的農業界の師表となつて、今日の丁抹も今日の米國も却つて見學に來たかも知れないであらう。これだけではない。我ゝ々ゝがゝ國ゝ富ゝ民ゝ足ゝしゝてゝ、世ゝ界ゝ的ゝ强ゝ國ゝにゝなゝつゝたゝかゝもゝ知ゝれゝなゝいゝ。

古代にも「農は天下の大本」と主唱した人もあつた。然しそれは空論だけで、何等の奬勵もせず、事實に於ては言行一致の出來なかつたことは遺憾千萬であり、我々も此の點に於て當然覺悟せねばならない。歷史を見れば、文明が我ゝがゝ國ゝよ り進んでゐなかつた歐洲と、北米の諸國を觀察する時に、彼の諸國の現在は如何に長足の進步をしたのであらうか。我々は感嘆せざるを得ないのである。

彼國は果然富强を共にして、燦爛たる文化を世界に傳播してゐる。凡ゆる問題は生活を解決した後のことである。或る哲學者は「衣食足而知禮節」と云つた。彼諸國は文明の利器を利用して、農業を奬勵したのであるが、特に丁抹北米諸國は唯一なる例であると云はれるであらう。工業が盛んなことも根本問題たる生産資料が豐富なる譯である。卽ち農業機械がその樣に發達して食糧問題を解決した譯である。

我々も生存競爭裡に於て、勝利せんとすれば凡ゆるものが必要であり、完備せねばならない。工業

も商業も旺盛でなければならない。然し何よりも現在と將來の爲め、最も必要であり、土臺となるべきものは卽ち農業である。然らば我々が農業を研究し、經營するには、第一に現下の農村問題を解決せねばならない。農業の中堅は農村にある。農業の發展は農村より曙光が照るべきものであり、隨つて、諸問題は解決されるであらう。

現下朝鮮農村生活に就いて論ずれば、大概小作生活を經營して居るが、小作權も一定した民法に依つて永小作權か然らざれば或る國法保護の下にある完全なる小作權でなく、大概は地主が自由に取扱ふ小作權である。今年は朴某、明年は金某、斯の如く變更する現狀である。所謂風前燈火の如く危險な小作權である。

地主と小作人とは別に直接關係が少く、中間の者が弄絡し專横するのである。それがため一般小作人は何時でも×××生活をするやうになる。斯の如く困難中に漸やく借り得た土地の收入は、幾程になるのか？土地改良と產業奬勵が充分でない現下に於て、秋の收穫亦豐富なる譯がない。善く行けば一斗落に二石、惡く行けば一斗落に十斗乃至十五斗程になるが、地主に小作料を納め、税金を納め、費用全部を除き、債務を返へして見れば、寧ろ自己の實收入は得ず年々債務だけ增えるばかりである。代數式で云へば年々負數生活だけ繼續するのである。然らば借金は何處より借用するのか？高利貸金業者か金融組合其の外××銀行會社が勿論債權者である。借金を得るには必らず、擔保物がなければ

ならない。質屋の様に其の實價の三分の一か或は三分の二を取つて土地其の他を抵當に入れて金を借りて來れば此を報償すべき能力があらうか？否、年々負數生活をする人が賠償すべき餘裕の無いことは勿論である。畢竟するに其の財産全部を差押されて、男負女戴—四方に遊離して、生活の途を求むべく或は南に日本、或は北に滿洲、斯くして懷しき故國の山川草木を後にして遠く異域に向つて行く人逹は果して誰であるのか？血涙を流しながら「**アリランアリランアラリヨ、アリラン**峠ヲ越エテ行ク」と云ふ悲哀の歌を歌ひつゝ行く者は誰であるのか？あゝ！朝鮮よ！故鄕よ！私は行く、知らぬ運命×の國に私は行く。兄よ！弟よ！さらば御機嫌よう、私は生きようとしても生きられなくて、私は行く私は行く—斯の如く彼の×××同胞は遊離して每日〳〵×××に於て敗北者となつて仕舞ふのである。

昔より農村事業に意を留めて、彼等を敎育し產業を奬勵したならば、今日我が民族は勝利者になつて、勝戰鼓を叩きながら Victory を高唱したであらう。然かるに何うだ。それだけではない。

斯の如き危險な立場に於て、我々を救出すべき人は唯我等靑年である。猛鬪せよ！勇士逹よ！天は自から助くる者を助け、幸福は我々の手先きにある。

我々は此の問題に對して、非常に苦悶する所である。每年專門及大學中學小學を卒業する人が一萬人餘りに逹するのである。然し、その中の十分の一は就職して、十分の三は上級學校に入學するとし

ても尙ほ十分の六は殘るのである。事實は十分の四が皆んな就職或は上級學校に行くことも出來ない狀態である。然し、殘留十分の六に逹する約六千人の勇士逹は將來何をすべきであらうか？これが我々の共通の煩悶であり、彷徨する所である。生存競爭は益々甚だしくなつて行き「××××××……

……………………………略す」

然し我々は失望しては居られない。我々には成すべき義務が山の如くある。

煩悶に苦しむ同志よ！農村に行かう。

農村事業の爲め、彼等に一字でも敎へながら彼等と共に働かう。

これが民族の爲め當然すべき義務である。

諸君は智識階級でないのか？文盲の大衆を指導して農村の中堅にならねばならない。然かして產業を開發せしめ、大衆を敎育せねばならない。我が根本問題は農村にある。靑年逹よ！無益に浮華なる都會生活に憧憬せず、我々を期待してゐる彼の農村に行かう——

我等の第一急先務は**パン**を解決する所にある。我が國は未だ工業國でもなく商業國でもない。今尙ほ農業生活時代にあるから、**パン**の問題は農業に於て解決せねばならない。而も工業國、商業國に於ても、食糧問題は農業に於て解決するのである。我が國家は農民を以て組成されてゐる。大動力は農民卽ち農村にある。故に**パン**の問題も、其の他の根本問題も唯農村に於て解決すべきことを證明するのである。

我等の一大缺點は農民の敎育が普遍的でないことである。智識階級と無識階級との差が餘りに甚だしい、故に智識を普遍的に奬勵せねばならない。然るに、古より今日に至る迄、我が農民は大概無識階級にある。

我々の眞に爲すべき義務は農村事業にある。靑年逹よ！奮起せよ！我々には義務があり責任がある。

靑年逹よ！奮起せよ！我等には勇氣があり、熱血が沸いてゐる…………

我等の幸福は！我等の曙光は！

唯農村問題を完全に解決するにある。

あ！我等は猛省しよう…………

農村問題を解決しよう。

一九二八、二、一、北岳下にて

第九節　我等の急務は經濟？敎育？

（五山第二號　昭和四年六月）

李　基　南

人生の處世上何れのものも必要でないものはないが經濟と敎育はその骨子であると思ふ。經濟と敎

育！兩者中何れが急務であり何れが緩務であらうか！前者は生活維持の根本であつて、後者は智識啓發の根源なるが故にこの兩者に對して、緩急を論ずることは餘りにも愚のやうな感じがするのである。然し私の所感の一端を書いて見やうと思ふ。

天體の循環するに隨つて、我が人類社會は益々文化發逹を圖謀せんと不斷に努力してゐるのである。文化發逹には之を二つに分けられるのである。第一は精神文化であり、第二は物質文化卽ち經濟と見るべきであらう。この經濟と敎育は卽ち人生の最大要素とも云へるであらう。例へて見れば、車に二つの輪がある如く鳥類に二つの翼があるのと同樣に其の中一つが無くてもその効を盡せないものである。人生にも經濟と敎育が具備してゐなければ落伍者を免かれざるものであるから、何れが急であり何れが緩であると云へるであらうか！然し一般的に觀察すれば生命が貴重であると云へるであらう。然らば生命を保存するには經濟が第一條件となつて、敎育を無視し經濟のみを是認して地を掘り草を採つて腹を脹くらせ、人の目を僞つても自己だけ生活が出來得ればそれで滿足し、動物と何等變りなく槽櫪の間に死んでも、それでも經濟がよいであらうか？それだとて人間は萬物の靈と云つて、生活は顧みず智識方面だけに專心して道德のみを崇拜し自身は勿論、父母妻子に迄飢寒の狀態に至らしめてもそれでも經濟が緩であらうか。

古書に曰く『民事は緩なかるべし』と云ひ又曰く『安らかに居て、敎へざれば禽獸に近し』と。故

に民事は即ち經濟であるから緩ならざるものであり、教育も亦急ならざるを得ないものであるから、兩者中何れも後にするものはないであらう。然し經濟は古今同じからず、教育は文野が懸殊なことは事實である。而かして現下に於ては、原始的作農法と原始的賃業(工業等)だけでも經濟が圓滿とは云はれず、太古天皇氏の殘したる史學だけ讀み、孔子孟子曰くだけでも、完全な教育とは云はれないであらう。彼の歐洲諸國の富强發達した根源を遡つて見よ。西洋は國土が狹少なるため、領土を求めんと、航海術を研究したのであり、天產物が少ないため、商工業に苦勞した結果、機械の發明と海陸交通の發達を促がし、通信の頻繁を見られるやうになつたではないか。西洋は左樣であるが我が東半球を觀察して見よ。東洋は比較的領土が廣濶にして、天產物が豐富なるため、經濟方面には志を措かず、道德だけを崇拜し道德崇拜に中毒して、今日のこの狀態に臨んだではないか。過去は以上述べた所であるが、將來は如何になるべきかを、今一度考へて見よう。歐洲大戰後巴里講和會議に於て成立された、國際聯盟の主旨は何んであるか?「國際間紛爭に不和的解決、戰爭防止、人類共同の福祉增進」にあるのではないか、即ち國際間永久的平和を欲求する所にある。今日に至つては、此聯盟に加入した國が五十餘箇國に達してゐるにも拘らず、提唱國たる米國は未だ加入しないのは何んな理由であるか。今日米國の消息を傳ふる所に依れば、軍縮會議は先きになつて主唱し、平和を痛切に感じた如く叫んで居り乍ら、暗々裡に武器製造に急いてゐると傳へられてゐるが、これが所謂平和主唱者と

八七

して取るべき道であらうか。即ち科學の力でなければ勝てないと云ふことである。科學を研究するには何が必要であらうか。玆に於て、敢へて云ふのであるが教育必要を力說した所である。各個人が各自の一身を完全にして、各自の生活の內容を充實にし、隨つて、一社會を完全に維持すべき秩序と團結力と思想その他凡ゆるものが、教育より起つて來るものであるから、友人よ!學友よ!旣に學海に身を投げた以上は、有名無實に歸せしめず生活內容を充實して、可憐な我が朝鮮を救ふ爲め、今少し內的に充實することを硬く誓ふ。

八八

第一〇節　聞けよ！聲あり

（五山第二號　昭和四年六月發行）

崔　殷　剛

曠野に叫ぶ聲がある………「悔改せよ！天國が近づいて來た」と、云つた洗禮**ヨハン**の聲が現在迄も**クリスチヤン**達の耳に聞えて、彼等は死境より元氣を蘇生して孜々として社會を比較しつゝ働いて居るのではないか。彼等の耳に聞えるが如く我等の耳にも「聞けよ！聲あり」と云つて隱々と聞えて來る聲がある。あ！その聲は…………「煩悶に苦しむ者よ！苦痛に彷徨する者よ！悲哀に泣く者よ聞けよ！私の聲を……**セツクス**（Sex）に苦悶する青年達よ！煩悶、苦痛、悲哀に叫…呪！叫…呪！自殺…自殺を連呼する者達よ！無能無爲の中、究罪に一生を犧牲にする者よ！聞けよ！私の聲を……何んな聲であるか？否、煩悶、苦痛に彷徨する人のみならず總ての人は聞けよ！私の聲を………」と云つて我等の四圍より常に響いて來る聲がある。

然らば「聞けよ！聲あり…」と云つて響いて來る其の聲は果して何んな聲であらうか？玆に私は其の聲が何んな聲であつたかを尋ねて見やうと思ふ。

或る靜かな夜、萬物は悉く深い夢の世界に行つた頃、私は煩悶と苦痛の餘りに此の聲を聞いたのであつた。私は悲しい淚を流がし乍ら始めて此の聲を聞いたのであつた。私は私の生を叫…呪しつゝ始めて此の聲を聞いた。果然隱々として響いて來る聲を聞いた事は確かに聞いた。然し其の聲が何處より出て來て、何處に行くのかは知らなかつた。

諸君よ！然らば此の聲は果して何んな聲であらうか？

其の時私は其の不思議な聲を聞く可く心に耳を傾け、神通力を持つた神眼を以て深く研究して見たのであつた。

あゝ！此の聲は壯嚴に聞えて來る。その聲に曰く………「出て來い！出て來い！出て來て彼處に行けよ！何故其處にて彷徨してゐるのか？御前には鐵石の如き四肢があるのでないか。御前には熱き淚があるのではないか。御前には若き血が湧いてゐるのではないか？………

私は夢の樣な氣分で此の聲を聞いてから、精神がぼうとして其の後からは如何なる聲が聞えて來るのか記憶さえ出來なかつた。

八九

あゝ！其後に私は正に坐つて靜かに考へて見たのであつた。あ！私は自から恥しく感じたのであつた。私は今迄何うして泥の中より離れる事が出來なかつたのであらうか？あ！私は無意味に今日迄來たのではないか！此れが自から私の頭に火を燃す樣に思はれた。あ！始めて次ぎの話が考へられるのである。

「神樣は我々に堪へざる試錬は與れない」。あ！此れが眞理かと思ふ。

誠に人間の出來ないものが何んであらうか？決心さえ强くあれば出來ないのは何んでもなからう。故に**ナポレオン**は云つたではないか。「私の字典には「**イムポシブル**」不可能（Impossible）と云ふ字は探すことは出來ない」と…………

此の總べてのものが我々の標語ではないか。私は此の時全身に熱が高まるのを感ずると同時に恥しい考への湧いて來ることを感じたのであつた。

あ！果して造物主が我等人生を無意味に此の世に送つたであらうか？無意味に四肢を與へたであらうか？もつと責任感の重大なる事を感じたのである。**セーントポーロ**の云つたことが隱々の中に聞えて來る。「働きたくなければ食べるな」と云つた此の聲が如何に痛切に我等をして働かして與れるのか。成す事無く四肢を持つて全部、彼の卑劣な物性に同歸すべきか。あ！此れが早や失敗に於ふため

九〇

はでなからうか。私は此れを考へる時泣き度なつた。

私も一個性に生れて偉大なる意味と責任を持つて此の社會に生れたのではないのか。あ！此を思ふ時に骨が泌みる程痛かつた。私は自分自身も知らず斯の如く叫んだのであつた。

「私も出て行かう！私も出て行かう此處より離れて……

光明が輝く處に歸つて行かう！私にも足があり腕があるのではないか………誰れが私の行く可き道を妨げるであらうか？」

諸君よ！聞えるのではないか？彼の遠方より聞えて來る聲を聞けよ！始終我等の傍を離れず聞かせて呉れる聲を聞いて見よ。如何に壯嚴にして偉力のある聲か……耳が詰つて居れば耳を開けよ。目が見えなければ目を開けよ。而してその聲を聞いて元氣を蘇生せよ。あ！入つて來る！意味ある聲が聞えて來る。「明日の事は明日にして今日の苦痛は滿足である」。此れが現代の勞働を叫ぶ聲ではないか。此れが我等に四肢を動かして汗を流がせよと云ふことではないか。今日の事は今日やり、明日の事は明日すれば自然に總てのものが公平に進むべき事を意味したのではないか。あ！見よ口笛が聞えて來る。牧童が悠々として牛を引いて來るのが見えるのではないか？農民逹が田や畑より出て來て夕燒を浴びつゝ東の森より月光が多情に照らす頃、嬉々として歸つて來る農民の足音を聞けよ！あ！それだけか。彼の工場に於て鐵棒の音が一度上がつたり下がつたりする毎に隱

九一

々として響き空氣の波動を起して呉れる其の聲が「人生は眞實である」(Life is earnest)と云ふ神の聲ではないか。否、此等の現象が「勞働は神聖なり」と云ふ意味ではないか。あ！此の威大なる聲！意味深き誠訓ではなかつたか。あ！壯嚴なる聲！我等を如何に鼓吹するのか。汗を流さざる者何うして安樂に寢て食べることを期待するであらうか。聞けよ！此の聲を……この聲を聞かざる者ほど可憐な者が又何處にあらうか。御前逹は兩手に力を出せよ。而して汗を流がすことを喜べよ。汗を流がす者に喜びがあり、凡ゆる幸福があることを覺醒せよ。凡ての幸福と凡ての希望と期待が汗を流がす分量に正比例となることを覺醒せよ。現實的に表れる凡ての事實を見よ。一個人、一家庭、一國家、一社會が其の幸不幸は皆んな汗の結晶體が產出したものではないか。然し斯樣に響いて來る聲を聞かず、汗を流すことを躊躇する人逹が如何に多いか。これを理解出來ぬ個人は云ふ迄もないが、彼等を生んだ其の國の悲運は如何に大きく、其の民族の不幸は如何にすべきか!!何んなに可憐であるか。故に米人逹の嘲弄を免れぬ。布哇人なり比律賓人を見よ！彼等には三大缺點がある。娛樂—惰怠—奢侈等である。此れは即ち四肢を動かすことを嫌ふ惡習慣がそれである。汗を流すことを嫌ふがためである。故に汗を嫌ふ者は汗を好む者の奴隷になることを見せしめたものである。他人の植民地の百姓となつた原因！即ち征服者と被征服者の關係は汗(勞苦)の分量の大小だけが逆がつてゐる。これは實に火を見るよりも明かなる事實である。

九二

諸君！見よ！我等の環境、我等の立場が何を見せてゐるかを…………………李朝五百年間に人は目覺めて孜々として汗を流し始めたのであつたが、然し我々は此の聞えて來る聲に聾となり盲となつて、深い夢から目覺めることが出來なかつたではないか。賣官賣爵を以て業を爲し、南北派の爭議が終ることを知らなかつたのである。嗚呼！何うして此の聲に聾となつたか……これが終末に如何なる悚ろしき宣言を下したのであつたか。あ！悲慘な政治的破毀！あ！不治の經濟的破滅を生んだのではないか。あ！聞けよ！遲い。躊躇せずに此の聲を聞け。汗を流せ。

聞けよ！隱々と聞えて來る又一つの聲を聞けよ。此の時李朝五百年間に人々は濃厚な夢の中に居つたが、然し此の聲を聞いた人があつた。

あ！それは誰であつたか？それは不遇の志士古鈞金玉均先生ではなかつたか。彼は早やくもこの聲を聞いて、國家の爲め同胞の爲め働かうとしたのであつたが、あ！時勢の不遇か！人々は深い夢から目覺めてはゐなかつた……彼は何うなつたであらうか。三日天下を斷行して止むを得ぬ事情から、遠く日本に旅をする時、君臣の對泣に如何程熱い涙を流したのであつたか。あ！聞けよ此の血涙が今迄も我々に聞えるではないか。あ！人情の熱い涙！これが如何に偉大なる力を持つてゐるのか。價値ある熱い涙を流さう。あ！彼の聲が又聞えて來る。「……御前には熱い涙があるではないか……」と云つた聲が……。あ！この熱い涙を無意味に流す可きであらうか。あ！殘して置け。無意味に流すべき

九三

涙ではない。殘して置いてから風雲の志を遂せんとする時に當つて始めて流せ。

米國の第十六世大統領**リンカーン**は如何にしたのか。人情の熱い涙を流して、黑奴二百三十萬を死境より救つて呉れた大救主ではなかつたか。**クリスト**も**コンロン**山に上ぼつて**エルサレム**に向つて「雌鳥が卵を抱いてゐる樣に待つが汝等は來ないな……」と云ひ乍ら非常なる心配から、熱い涙を流したではないか。あ！此の熱い涙！力のある涙！流さう。民族の爲め……國家の爲め……全世界の爲め、正義と人道の爲め我々の熱い涙を流さう。同情の涙を流さう。此の涙に我々が豫期し得なかつた魔力が生じ愛の花東山が出來得るであらう。あ！此の力ある涙よ……。

後をついて汗と涙は文化的關係を結んでくれるのであるが終には我々に最後であり、第一貴き血！これは如何なる力があるのか。これが實に價値あり貴きものを作つて呉れるのである。

即ち政治と宗敎に密接な關係を結んでくれるのである。血を流さずして政治の安樂を取ることが出來ず、血を流さずして宗敎の永生を求めることは出來ないものである。あ！これが如何に貴きものであつたか。日本の日淸、日露兩役に何んなにか彼等の貴き血を流したのか。

これが即ち彼等に安樂を生んで呉れたものであり政治的活動の範圍を擴張せしめて呉れたものである。洋の東西と時の古今とを問はず、歷史の如何なる頁でも斯の如き事實は充分證明してゐる。あ！偉大なる血の價値よ……血の價値は何時でも表はれて來るものである。

九四

故に血を流すことを惜むなよ。「血を流せよ」と云ふのは何を意味したのであるか。自己の生命を捧げよ。犧牲の精神を涵養せよと云ふのではないか。此れは卽ち血は生命であるからである。**ビスマルク**は「弱者として自由を得んとすれば犧牲の精神を涵養せよ」と云つたのであるから、此は無意味に出來たのではない。生命を捧げて獻身的になる者には、如何なる力でもあり、如何なる決心でもあらう。善竹橋に凜々たる鮮血を流した鄭圃隱先生の血なり東和樓上に流した金玉均先生の血―此の總べてが現在でも我々の目前に於て我々の耳に何を聞かせてゐるのか？知らないか。聞けよ！此の意味深き聲を聞けよ。永遠の不朽を此の血が我々に云つてゐる聲を……。あ！此の悲切痛切なる聲が我々を動かしてゐるではないか。

生を咀呪する人達が此の聲を聞く時は必らず隅を尋がして顔を隱くすであらう。

あ！意味ある血！力ある血！價値ある血！此の立場に於て我々人生を見る時に我々は如何に强くなり、如何に貴くなり、如何に志が深くなつて行くのか。茲に於て我々人生が人生の眞の人間を獲得して、人生の最大價値を飛ばす樣なものでないか。弱いものが人生であり、卑怯なるものが人生であり、無意味なるものが人生であると云つてゐたのが（血を流す）と云ふ條件の下に於ては始めて突破されて仕舞ふのである。あ！强き血の力よ!!**クリスト**は全人類の爲め熱い血を流した。茲に御前は强き力を得て意味深き人間になれ。

九五

此等の總てを綜合して見ると、入つて來る聲は如何にも平凡の樣であつたがこれがもつと云ひ盡くされぬ威力を以て我々の神經を起こして呉れるのではないか。四肢―涙―血、此の三つは誰れでも皆んな持つてゐるものである。此れが我々をして眞の人間を作つて呉れるべき原動力！あ！然らば此の聲を聞いて、聞えない者達の運命は何うであるのか？あ！此の聲を聞く者には永遠に生きる道が來るが聞えない者には破滅の道が來るものである。それは―耶蘇が將に十字街に釘付けされる前日の夜に**ゲーセツマリ**山に於て、「お父樣！私より此の盃を除いて下さい。これが私には非常に苦痛です。」と云ひ乍ら血汗を流しつゝ祈禱したのであつたが、然し彼は隱々と聞えて來る聲を聞いて「然しお父さん！私の云つた通りにせず、あなたのお考の通りにして下さい」と云つた。此の時刻は短いけれども彼の全生涯の大部分であつたことは明らかな事實である。耶蘇自身も此の時に萬一自己の感情だけに走つて心の耳が遠くなつて隱々と聞えて來る聲を聞かなかつたとすれば、彼は只今の眞の耶蘇にはなれなかつたであらう。宗教改革の**マルチン、ルーテル**を見ても、彼が墨汁を投げて延壁外の魔鬼と戰つてゐた勇氣があつたと云へども、一度落心した時には何うすることも知らなかつたのであつたが、其の妻君の云ふ言葉に深く覺つて、自己の後には常に神の秘力が離れないことを見た以後からは、同志達の止めるのも聞かず、獅子の如く羅馬法王の目前に於ても堂々と獅子吼を吐いたではないか。實にこの聲だけを確實に聞き乍ら働く者には人間でありながら人間より以上の神秘力を持つやうになるのである。

九六

此れに由つて觀ればこの聲に永遠の生が包含されてゐる。この聲を聞かずに働いて破滅の道を踏むことは一々云はなくとも充分分ることである。

『結論』 斯の如く響いて來る聲を聞き乍ら我々の全力を盡くして最後の五分間迄働くとすれば、それが卽ち我々の成功であり、我々人間としての義務と責任を果したことゝ云へるであらう。成功と云ふものは必らずしも自己生前に現はれ來るものだけを論すべきではない。生前に現はれても現はれなくても、それは關係せずに隱々と聞えて來る聲を聞きながら働けば働いて泣いただけにそれは必らず成功したことゝ認められるのである。

彼のやつたことに對して生前には全く何等價値を與へられず返つて非難が多いが、死後幾らも經たずして、日が經てば經つほどその事業にもつと〳〵濃厚な價値の色彩が付くことは往々我々が目擊することである。故に我々は皆んな一緒にこの聲を聞きながら全力を盡くして突進すべく努力する事が、我々の成すべきことである。

此處に卽ち我々の生命があり、人間らしい價値があるのである。

故に聞けよ！聲あり。

九七

第一一節 生と死

（桂友中央高等普通學校第八號 昭和五年四月九日） 李 輪 成

人間は何うして世上に生れたのであり、何うして生きるのであるか？此れは疑問であらう。然し私は云ひ度い。人生の爲め生れたのであり、生の爲め生きるのであると！果してそうである。人間は生を要求する。而して生きる所には一層善く生きようとする。然し世間には善い生活をする者もあり、惡い生活をする者もある。然らば善い生活をする人は誰であり、惡い生活をする人は誰であるのか？それは云ふ迄もなく、善い生活をする者は勝利者であらう―惡い生活をする者は劣敗者であらう。換言すれば古今東西を問はず、この世界は勝利者の所有であると云ふことである。

人間達は二十世紀を指して、文明世界と云ふ。昔の寂寞だつた寒村は都市に變じ、地上には汽車、空中には飛行機が飛んでゐる。然し之は皆んな勝利者の所有であり、彼等の玩弄物である。而して人間誰しも憧憬する滿足や笑ひや樂しみも悉く彼等の所有である。

その反面に劣敗者は何を所有してゐるのか？涙と悲哀！苦痛と死があるだけである。其の他には何ものもない。若しあると云へば市街に走る自動車の埃か又高く聳えた工場煙突から出て來る黑い煙りだけであらう。然らば我々もその人の樣に生きるべきであらうか。善く生きることを願ふのか。然ら

九八

ば勝利者になれよ！勝利を願ふのか？然らば戰へよ！我々には劍がない。銃がない。然し我々には世間が知らぬ、否世間が恐ろしく思ふ武器がある。それは死である。世間の人達は人間を殺して勝利を得ようとしてゐるが、我々は我々自身を死して勝利を得よとするのである。人間は生を要求する反面に死を恐れるのである。而して、惡魔視する。それは唯生と死が正反對なるためである。然し暗黑がなければ光明は無價値なるべきであらう、雪降る冬がなければ花咲く春も無意味なる如く、人生にも死がなければ生は無價値であらう、人類社會には何等意義も元氣も無いであらう。この點に於て死は生の價値を發揮せしむる根本となるべきであり、人生には當然あるべきである。

我々は知つてゐる。佛蘭西の價値を……それは一四二九年百年戰爭の時に、祖國の爲め犧牲になつた一少女**チヤンヌ・ダーク**の死である。**チヤンヌ・ダーク**は死んだ。**ネルソン**も死んだ。然し佛蘭西は生きたのである。英國も生きてゐる。實に生の中の生を持つてゐる。此の點に於て見ても死は完全なる生の根本だと云へるであらう。人間が世上に何故生れたか？生きるために生れた。然し人間は死を免かれざるものである。何時死んでも一度は死ぬ。唯一度である。二度と逢ふことは出來ない。一度は避けることも出來ない。故に死と云ふものは、實に貴きものである。然し人生は死を恐れるのである。それは生きる爲めである。生——それは人生の絕對要求である。而して生きるためには善く生きようとする。然らば我々は生らしい生の爲め、價値ある死がなければならない。人間が世上に何

九九

故生れたのであり、何故生きるのであるか？

それは生きんが爲め生れたのであり、生きんが爲め生きるのである。然らば勝利者になれよ。勝利者にならうとすれば死を恐れずに戰へ。然らば生らしい生が來るであらう。

一九二九、十一、十九日作

一〇〇

第一二節　起きたからには進めよ

（培材　培材學生靑年會第二號　大正十二年二月）

世　鍾　譯

世界の風潮を迎へて、寂寞であつた山川に猛虎の聲の如く叫びつゝある各地靑年團體に對して要求するのは種々とあるだらう。諸君！諸君は果然－此の二十世紀の靑年であり、同一なる檻域に生れた靑年であるから、隨がつて精神も同じく希望も同一であらう。靑年は時代の花であり、社會の元氣である。民族の盛衰も、文化の隆替も、人類の禍福も、彼等の理想と彼等の活動如何にあると云ふことは二言を云ふ必要がない。

成程、世界改造の氣運を受けて生れ、朝鮮改造の責任を雙肩に擔着した大自覺があるべきことゝ信じてゐる。然し前途を經營する改造經路を如何に豫定して進行するのであらうか？勿論誰でもその經路には非常なる困難があるであらう。然し困難があればある程益々努力し百折不屈の意を以て、悠々行路に重疊の難山と險關を勇しく越え、縱橫した疑雲を打破して磊々落々として奮鬪し、困難を征服して今日に一歩を進み明日一層登つて始めて成功すべき日があらう。自動他動を問はず旣に動いたからには急進緩進は勿論、兎に角進まなければならないのである。進んで打破すべきことは打破し、改造すべきことは改造し、それが一二でない以上には何れを先きにし、何れを後にすべきか、その先後すべきことを累次考へて、一毫の差錯がないやうに順序的に着々執行してこそ將來が有望だらうと思ふ。

現今問題となる宗教、教育、實業等凡ゆる事業中何れが諸君靑年の責任でなからうか。然し此れを實現するには、相當なる時日を要すべきである故に、先づ至急な事情の幾つかの條件を要求する所である。

一、自己家庭の經濟を整理すべき事。
二、靑年の浮虛を去りて着實を崇尙する精神を敎へる事。
三、一般人民をして各々その子女の敎育を熱心にすると同時に書堂教育を漸次廢止せしめ學校教育に從事せしむる事。
四、勞働夜學を村々が設立して、學校に就學することが出來ない靑年及兒童を敎育して、各個人が一般普通敎育の常識があるやうに盡力すべき事。
五、飮酒喫煙の廢止を斷行すべき事。

一〇一

六、一般地方の不完全な習慣風俗を改良すべき事。
七、健全な男子をして必らず農商工何れかの正業に就職せしめて、遊衣遊食が人生の絕對罪惡となり恥となることを自覺せしむる事。
八、村々が新聞雜誌縱覽所を設立して一般縱覽に供し、其中縱覽の餘暇の能力が無い洞民には、閱讀した者をして往々夜間に農民の集り場に於て講話或は夏節になつたら庭で講話をすべき事。
九、左の機關を設立すべき事。

A　共同消費組合　B　共同理髮所　C　共同沐浴湯
D　共同衞生設備　E　患難救濟　F　貧民救助

一〇、農事改良、副業奬勵、治道、植林、灌水等に注意し平時染色の衣服を着て、勤儉の氣風を培養し、日用品を可能的範圍内に於て本土所產物を以て使用せしむる事。
一一、通俗講演會を隨時開催して智識を交換すべき事。
一二、相當な資本家の子弟は出來るだけ外地に遊學せしむるべく勉むべき事。

以上の要求を完全に實際實行すれば我々の立場は世界問題か社會問題を云々するより何によりも第一の要事であり最急の問題を解決することゝ信ずる。

私は未來の大統領を夢見るよりも事實の兵卒を願ふのである。私は將來に絹衣を着るよりも現在に

一〇二

布衣でも着なければならない。此が何うして私のみであらうか？天下誰れが事實を願はず現在を思はぬ者があらうか？然し人間は虚榮に浮動されて徒らに理想岸のみ徒望して、理想も事實も現在も將來も何にもならずに仕舞ふことが往々ある。

我が朝鮮の靑年諸君よ！徒らに理想岸のみ徒望せず、その基礎、その理想凡ゆるものを朝鮮と云ふ二字の上に沿いて、我が社會と民族の爲め立派な事業を完成し、又良心の同一指揮下に於て數十萬の朝鮮靑年を合せて一團を作つてこそ、朝鮮の將來が庶幾の境に進むべきであり、諸君の重大なる使命が始めて完全に履行したことゝ云へるであらう。

第一三節　十字街頭に彷徨する友達に

（『培材』培材學生靑年會第七號　大正十三年十二月）　李　俊　夏

私は柳牛全集に於て斯の如き句節を見たことがある『豚になつて喜ぶよりも寧ろ人間になつて悲しむのが增しだ』これは何時でも私の腦に懸いて一時も離れざる語である。

同じ生物に生きようとする本能的衝動があるのは皆んな一致してゐる。然し乍ら、人間に於ては普通生物の所有せざる一種の現狀がある、卽ち不滿に對する呼訴であり、創造に對する苦悶がこれである。換言すれば生に對する缺陷を意識―推理充實を企圖するものである。故に人類の歷史は進化し何

時もこの新しき色彩を帶びるやうになるのである。茲にその實例を擧ぐれば………（以下十三行削除）

以上の實例は兩者を問はず平常不滿に對した擴充であり、人間生活の不斷の創造である。故に人の凡ゆる活動は此の大法則に依つて運轉されるものであり又無限に進展するものである。

然らば我々は歷史的發達に鑑みて我々の境遇と進むべき途に對する卑見を述べて見よう。

我々は學生である。尙更社會とは沒交涉なる中學生である。それ故私が只今云ふべき範圍も無論それに制限されるであらう。…………（以下十五行削除）

十字街頭にて彷徨する友達よ！目があつたら見よ！耳があつたら彼等の叫聲を聞き、頭があつたら考へ、感情があつたらこれに對して義忿を出して見よ……。

諸君！諸君達は皆んな！如何なる家庭より生れたものか私は仔細には知らない。然し朝鮮人として中學校迄行くことは勿論中流以上の家庭に生れたと云ふことは無理な豫測でなからう。

諸君達は幾度自己の將來の爲め考へて見たのか？尙更空想の中に生きてゐると云ふ中學生たる諸君の頭で、幾度この宇宙を摑んで見たのか。今日は**ニユートン**になり、明日は**ワシントン**になり、**ガンヂー**にもなつて見たであらう。

あ！中學時代は全く好い時節である。希望と理想の中に生きる此の中學時代は實に好い時節である。然し我々は希望と理想だけては滿足出來ない。必らずそれを實現してこそ始めて希望と理想の意義が

あるのである。諸君！諸君はこれを實行すべく凡ゆる方面に目的を定めたことであらう。或は科學或は文學或は法律政治商業……等に。

私は只今種々なる方面に行くべき諸君に私の微衷を依托するのである。先づ醫學を學ばんとする諸君より始めよう。

醫學は多分朝鮮人としては第一多く行ける方向のやうである。諸君が先づ醫學を學ぶべく決心する時に、必らず諸君には湧く所の情があらう。私が如何にしたら病で呻吟する同胞の爲め仁術を施して人命救護をして見ようかと云ふ美しい人類愛に溢れる心を以てそれを選擇したことであらう。

然し諸君は現實社會を觀察して見よ！只今病氣になつた者が、病院が無くて、藥が無くて、その儘死ぬものと考へるのか。諸君は賢明な人であるから私が斯く云はなくもよく知つてゐることであらう。然し私の望む所は之れである。病の治療のみに主觀を置かず、一般の豫防に主力を置いて病者の數を少くすると同時に、萬一金の無い者で病氣になつた者があつたならば、金持以上の親切を以て同情し諸君の初めの志を忘れざることを衷心から望む所である。此れは私の觀察が不徹底であるかは知らないが私の目撃した範圍内に依れば、最近の醫者と云ふ者逹は餘りに營業的であり、仁術といふことを忘れてゐる。亦何をか言はんやである。

次ぎに法律を學ばんとする諸君に筆を轉じよう。

諸君逹は熱い愛他主義を以て不正不義に於て戰ふ者逹を正義の道に引導しようとして法律を學ばんとするであらう――成程我が社會に於ては不正と不義の中に彷徨して、他人の金を少し取つて見ようとしたり、又愚かそうな人を誤魔化して見ようと、それを職業的にして廻る者も少くない。のみならず强者が弱者を威脅して不正の契約を結び、私慾を脹らかさうとする者が多いが、諸君は必らず眞の正義の爲め潔く戰つて呉れ。然かして諸君の初志を最後迄變らないで呉れ。此れだけを私は諸君に賴む次第である。

文學に進まんとする諸君！本當に諸君の責任は重大である。朝鮮人を善くするか惡くするかは諸君にある。諸君の筆如何に依つて民衆の思想を支配するであらう。若しも諸君逹が我々を泣かしむるとすれば泣かせることも出來、笑はしむるとすれば笑はせることも出來、興奮せしめんとすれば興奮せしむることも出來るであらう。斯の如く諸君の能力が多くあると同時に諸君逹の責任も重大であらう。

故に諸君が貴族本位の藝術たる象牙の塔の中に於て鼻歌を歌ふならば、民衆は餘りに自體の生活と沒交涉であり無理解なるに怨むべきであらうし、諸君が一般大衆の悲慘なる生活と非人間的虐待に呻吟するものを寫出して社會義忿を起したならば、一般民衆は諸君に對して歡呼崇仰し、希望の目を轉ずるであらう。諸君！諸君は必ず民衆を本位にした適當なる思想に於て、眞個の藝術的價値を建てよ！而して我々の憧憬する所を成し遂げて呉れることを私は諸君に特別望む所である。

工業に進まんとする諸君よ！我が工業界は云ふに云はれぬ境遇に陥つてゐるにも拘はらず、茲に進まないことは如何なる譯であるのか？此れには種々なる事情があらう。然しそれを大略三類に分類して見ることが出來る。第一に我々には資本がない。故に工業を勉强しても他人の傭人しかなれないと云ふのである。第二に現在朝鮮に處して、日本關稅を撤廢したので、資本があると云へども日本の大資本家逹と競爭することは到底出來ないからである。第三は工業に基礎となるべき數學と科學を學ぶのに餘り複雜であり、困難なるからである。斯の如く大略三類に考へられるが、その中に第一、第二は實に工業を學ばんとする學生のみならず、一般社會に於ても同じく心配してゐる大問題である。然し斯樣なる事情であるからとて、工業を學ばなければ益々我々だけが破滅の途に落入るべきであらう。工業に志を立てる諸君よ！我々は最後迄戰つて見よう。彼等が服從する迄戰つて見よう。而して我々の中よりも世界的學者が出て、世界の耳目を驚かして見よう。而して彼の愚鈍なる朝鮮資本閥と戰つて見よう。彼等も、人間であつたらば、我等に同情すべきであらう。そして我等の望む所の總べてを實行して見よう。

茲に私は資本家諸君に望む所は、唯金そのものは何等の罪もないが、其の使用する方途に依つて、罪があると云ふことである。

よく記憶して置けよ！君等自身の爲め、社會の爲めその腐つた金を少し出して仕舞へよ。而して朝

鮮人も他人のやうに生きて見ようと云ふことである。朝鮮人が善く生きれば君等も安心して暮すべきてはないか？

教員にならんとする諸君に對して私は願ふ。其の中小學教員となるべき諸君に對して特に望む所である。

諸君は怜悧な人逹である。只今我々の教育制度が如何なることかを充分知つてゐることであらう。然かして諸君の大きな目を開けて觀察する時幾度となく歎くことであらう。………（以下五行削除）

諸君！此に對して何度も云はず諸君逹の良心に任かせると同時に、唯少年と云ふものは天眞であると云ふことを曉らしてやるのである。

諸君よ！何卒忘れないで呉れ。

最後に至り、將來人類の爲め一身を捧げんとする凡ゆる友逹に對して槪括的に書いて見ようとする。成程諸君逹の心の中には、溢れる希望と成功の曙光が諸君を包圍してゐるのを考へて樂しんだことであらう。諸君の同情心は不幾に泣いてゐる兄弟を救ひ出すべく心配することであり、諸君の護念は凡ゆる不合理を改革せんとすることであらう。然かして、諸君は民衆を支配するより先づ其の自身の實力を得べく民衆の中に入つて凡ゆる苦心を體驗すべきであり、又民衆を教へるより民衆の熱望する所に從ふべきであらう。

諸君よ！最後迄戰へよ。居住すべき處がなくて、海外に放浪する同胞の爲め、有色人種と云つて虐待を受ける可憐な民衆の爲め、生活難に追はれて、自殺する人の爲め！而かして、此の人類社會に眞の自由、平等、眞理の樂園を建設して諸君の希望する所を成し遂げると同時に、民衆の熱望する所を失望させないで呉れることを希望する。

第一四節　熱　叫（苦學の兄弟に捧ぐ）

（培材第十號　大正十五年十二月）

李　延　鎬

親愛なる兄弟よ！鐵をも熔かすやうな灼熱の夏は來た。熱い太陽は現今我等の頭上に迫つて來てゐるのである。息の詰るやうな風は靜まり、空に浮んでゐる雲は一粒の雨も降らさずに過ぎて了つて何人も異口同音に「あゝ！暑い！暑い！此のやうに暑くては生かれぬ」と叫んでゐるが、此は恐らく一時過ぎて行く夏の暑さであると思ふのである。

山は燃え海水は沸くやうな酷い暑さであつても、山野に生えてゐる草木は各々其の强い太陽の熱と光線を受けて生命の力を强く發揚してゐるのである。

特別に夏と謂ふ時節が來れば、力の哲學を明白に力說してゐるやうである。換言すれば力のない草木は熱するやうな太陽の爲めに燒けてしまひ、力のある草木であつて始めて生きてゐるのが私の現に

見てゐる實例である。

此のやうな一寸した例を見ても此世界は緊張された世界であり、莊嚴極りない世界であると謂はざるを得ぬのである。

私は私の血が自由に流れ、肉の力が增して躍動しやうとする度每に、此の偉大な夏を讚美するのである。私が夏を讚美するのも其の意味は他にあるのでなく唯夏の力が强烈であると謂ふにあるのである。卽ち夏は萬有の征服者であり勝利者であるからである。

然し無氣力な無産者である苦學界に投身した諸兄弟の爲めに、一滴の淚を禁じ難いのである。

其の理由は他でなく現下社會組織の下にあつて諸君は弱者であるからである。

生存競爭に敗れた將卒であるからである。あゝ見よ、敗戰した兵卒が毀はれた兵器を抱いて寂しい曠野に彷ふてゐる悲慘な環境を見る時、諸君は如何に考へてゐるか。私は力强い其の敵の勝利を賞讚したのである。そして此と反對に氣力の盡きた敗卒は呪ひたいのである。

されば諸君は果して勝利者であるか敗殘者であるかゞ私の一大疑問である。

諸君が强者であれば我等は生き、諸君が弱者であれば我等は死の路へ行くより他ないと謂ふことを實際に臨んで悟るに至つたのである。

愛する兄弟逹よ！私が强者を賞讚し弱者を呪ふたのである。然し一度深く考へて見れば斯うであ

る。我等は暗黒を呪ふよりも光明な火を點ずるのが最上策であると信ずるのである。斯くの如く弱者を呪ふよりも先づ強者となるやうに努力すべきではないか。弱者である諸君が強者となる、ならぬは兄弟の力に依るのである。

實際此の世界は力の世界であり、又我等の有してゐる歴史も力の歴史であるかと思ふのである。政治は權力の表現であり、其他骨肉の力、明哲な頭腦の力、豐富な財の力、此の多くの力を除いては歴史も政治も宗教もないだらうと思ふのである。善惡を論ぜず世界の流動體は唯力一つかと思ふのである。力は人間世界を支配し萬物流轉の根源となつてゐるのを深く悟つたのである。

ナポレオンは私の辭書には「不可能」と謂ふ文字がないと謂ふたではないか。之は恐らく彼のなした偉業が英雄の力を表現したものであり、**ビスマルク**は獨逸に横つてゐる難關を見る度毎に、鐵と血の二つを除いて解決し得ないと謂ふたではないか。國家を興さしめ回天の覇業をなさうとすれば力の他にないと思ふのである。

諸君よ！我等の前に横たはつてゐる難關は何を以て如何に解決すべきであるか。

今靜かに默想して見れば、我等は宇宙間に生を受けて出たから我等の存在は如何であるかと謂ふ考察が始まるのである。思へば我等の爲す凡てのことはことの大小を論ぜず驚かざるを得ぬのである。先づ肉體的に考へて見れば、我等人生と謂ふものは小い動物に過ぎないのである。五六尺の短身で、

五六十年の短い生命しか有してゐず、實に悠久な天地に比較すれば人生と謂ふものは斯くの如く無意味な動物ではないか。然し我等の靈魂の存在はかやうに瞬間的でないと思はれるのである。

我等の背後には幾千萬年の過去があり我等の前途には又幾千萬年の將來があるではないか。我等は過去と將來と連結させる一點の位にあると思ふのである。それ故に私の存在と謂ふのは過去になされた歴史を背に負ひ、將來は新しい歴史の酵母となるものである。明哲な諸君よ！されば我等は現在の此の瞬間に於て如何にすべきかと一問したいのである。

What shall I do? 此は我等靑年期に於て多く煩悶する問題であると思ふのである。我等は如何にすればいゝか？如何にすれば活路が展開されるべきであるか？此のやうな疑問に對して答へようとすれば極めて困難なのである。然し又極めて簡單なものでもあるのである。

諸君よ！私に答へと謂ふならば「勢出してことをなせ」と謂ふより他ないのである。換言すれば「お前の額に汗を流せ」「凡てのことに勇敢に且つ力強く闘へ」と謂ふ短句なのである。之は哲學界に身を入れた諸君には、二つとない彼岸の登攀の路であると信ずるのである。諸君は皆不遇兒であり不幸兒である。諸君の中には色々な悲劇の主人公が多いことは明白な事實であると信ずる所である。

幼くして父母を失ひ長じて家を離れ其の他功名をなして見やうと麗しい決心を持つて南船北馬、幾春秋を流浪し人の門前に立つて食物を乞ひながら學業を修めたいと都市にやつて來たのであるが、諸君

を懷しく迎へて與れる者がなかつたらうと思ふのである。故に諸君は必ず人生の孤獨を感じたであらうと思ふのである。

諸君の懷中に一文もないことは事實であらう。錢のない貧乏者とは交際をしない社會であるから諸君は隨分と寂しかつたであらうと聯想されるのでたる。兄弟よ！諸君は理想を求め幸福を求めやうとした時、諸君の豫想した所が實際に臨んで一朝一夕に水泡と化して却つて苦痛の暗所に陷つた時も一度でなかつたらうと思ふのである。凡ゆる世間の人間は安樂を取るにしても諸君は獨り險惡な路を履んで旅舘主人の食費催促に人知れず涙を流し旅館の閑窓に於て何れ程枕を濡らしことであらうか。雨降る朝、風吹く夕變ることなき涙を以て其の日〳〵を送つたことであり、花朝月夕の思鄕の愁、親兄弟又は親しい友人を何れ程憬れたことであらうか。あゝ諸君の過去の歴史は皆涙の歴史であつたでしよう。波瀾の多かつた諸君の過去を顧れば骨までも痛いやうな感がするのである。然し此の社會は冷淡であつて相變らず諸君に同情がなく餘りに冷遇してゐるやうに思はれるのである。（勿論全部がさうではないでしよう）それで私は今愛する諸君の眞なる友にならうとするのである。諸君よ！友愛は不變不朽なものである。それで不變不朽な友愛と崇高な幸福と享樂を永遠に共にしやうとするのである。此が私の胸に湧いてゐる聖愛の熱叫である。

諸君の幸福の爲め、否諸君のみでなく、我が民族の共存共榮の爲め、私は必ず「勢出してことをや

らう」と謂ふ貴い贈物を差上げたのである。見よ！此宇宙には惰怠原子と謂ふのはないのである。宇宙の法則があるとすれば其は休まず活動することである。太陽は毎日東から出て西に沒し其他天體の運行は規則的であつて自己の軌道から脫線しないのである。若し太陽が怠けるとするならば日月星辰は謂ふまでもなく此世界は渾沌たる世界となつて了ふであらう。實に大自然の努力は不休不息なものである。自然の不休不息のやうに我等人間も亦休息があつてはならぬのである。見よ！吾人の心臟は深く寢つてゐる時にも相變らず活動を繼續してゐるではないか。若し心臟の活動が休むとすれば此はもう世間の人ではなく、彼の世の人である死者であらう。愛する兄弟等よ！我等は一分一秒の間でも活動から離れぬやうにしよう。進歩向上の凡ゆる活路は休まずことをなすにあると謂ふのである。

即ち怠けることは進歩向上を遮り我等を死線に導くと謂ふことを悟らねばならぬ。瞬間の努力、瞬間活動が長成すれば大事業、大偉力と成就することが出來ると確信するのである。時の古今、洋の東西を問はず偉人傑士の行績を考察すれば皆此事業から脫してゐることはないと謂ふことを斷言するのである。

哲學する兄弟よ！諸君の現在は悲境から脫して居らぬのである。諸君の前には涙の谷、汗の河が横たはつてゐる。我等は斯る難關を突破すべき力を有しなければならぬのである。諸君は只今泣いて居るでしよう。然し此の涙は變じて笑ひの麗はしい花が咲くであらうと思ふのである。

怒つた波濤が笑ひを含んで靜かになる時が來ることを見、暴風雨が過ぎた後平和な海となつてゐるのを見てゐるではないか。岩石は平和らしい瞳を以て暴風雨を喜んで迎へ、岩石は愛戀の眼を以て無名の花を望めてゐるではないか、古語にも「興盡悲來、苦盡甘來」とあつて諸君の胸にも幸福の神が抱かれることであると信ずるのである。我等は互に胸襟を打開けて活路を開拓する爲めに血と汗を流して見やう。此は須らく短い一生の本職であらう。

諸君よ！此からは一層力強く叫んで見やう「**カルトク**饅頭の**ホヤ〳〵**」と高く叫んで見やう。「絶處逢生」とあるから智識の渇望せる諸君にも生命水が君等の唇を濡らして吳れることを待つてゐるであらうと豫言したいのである。

諸君よ！只今太陽は强烈な光線と熱を投げ出して萬物を曝してゐる。白熱の下に山は天を衝き海水は沸騰してゐるが碧空の彩雲は限りなく希望を見せて彼方此方流浪してゐるのである。又烈しい太陽の下で汗を流しながら鐵槌を以て働いてゐる火治屋や暑いのにも勉强をしてゐる學生を見受けるのである。

夏の自然は渾身の力を發揚し活躍してゐるのである。夏の高調された一大行進曲を聞いてゐる私の胸中に躍る高鳴を禁じ得ずして熱叫を以て壇を下りるのである。

第一五節　我等は如何に生くべきか

（培材第十號　大正十五年十二月）
李　昌　儀

國民發展上から現在各國の變遷を考察すれば我等は次の如く四期があることを發見するのである。

第一期は維新國民の文化程度は幼稚の域を脱し得ない時であつて曖昧な文化や鎖國狀態から自國を公開して新しい世界の文化潮流に入らうとせる努力の時代謂はゞ學ばうとする知識欲求時代であり、第二期は播いた種子から押し出る芽は繁茂し枝には蕾が結んで美しさを誇る靑年血氣時代であつて謂はゞ威信と權勢の夢の中で歌を歌ふ結實期時期であり、第三期は咲いた花は現實の雨と霜の爲に萎れてうつて自我を實現しやうと努力する壯年の事業時代であつて商工業の隆盛するのが其の特徵であり第四期は結んだ實は落ちて了ひ滅我の苦しい中に餘生の意義を求める衰落時代謂はゞ生と死、死後と生前に對し一貫した歸結を有しやうとする老年時代であつて靜思默考は其特徵であり哲學宗敎等の全盛する時期である。恰も人生六十の間に於て少年の夢の世界を續けて少年、壯年、老年時代を經るやうに國民の發展狀態も亦此に酷似してゐるものである。

然らば我等の社會は如何なる時期を迎へてゐるか、壯年時代であらうか、少年時代であらうか。或は老年時代であらうか。

否、我等には少年朝鮮を叫ぶだけの威信もなく權力もないのである。又壯年朝鮮を叫ぶ程の固い力もなく事業もないのである。謂ふまでもなく老年朝鮮でもないのである。唯今や活潑する血氣時代卽ち靑年朝鮮であるとする外はないのである。

それ故に我等は比較にならぬほど弱く且幼稚であつて失望せずに向上しなければならぬのである。我等にも花の園があるべきものであり、麗しい其のなにものかがあることであらう。久しからずして此は我等の誇りであり我等の生命であり且此は我等の存在自體である。

友よ、我が朝鮮の友よ、果して新生命新人生は我等の前に橫たはつてゐるではないか。新らしく生きてみやう。人間らしく生きて見やう。躍動する生命を直に發展させて見やう。そして創造の麗しい日を迎へやう。斯る叫びは我等の胸を突く革新軍ではないか。若い者に胸に湧く歡喜の噴水ではないか。踊る魄の絶叫ではないか。

おー新しい生命の創造ー斯る偉大な責任を負ふて進む友ー我等は決して爲すことなく結實を得ることを望ます、原因なく結果あることを望むべきものでないのである。又荒唐に短い杖を持つて天にある月を落とすことを望まないであらう。殊に我等は誘惑と刹那の享樂を求むべき我等でないじやないか。

時は絶えず變遷するのである。思想の流は岐れ〳〵て混沌としてゐる。我等は此の騷擾の中から來

る生活の爲めに設計圖を設けなければならぬのである。

深く考へて自己の眞實な力を以てー建設して行かうとする徹底な覺悟を有しなければならぬのである。米國とか英國とか謂ふて騷いた過去を悔いながら此世間には報酬なく努力して吳れる慈善家があるのには餘りに開けてゐると謂ふことを思はねばならぬのである。

絕對の努力ー是こそ未來の新しい朝鮮を建設ある爲め我等の麗しい生活を廣げる爲め心深く注射すべき延生液ではないか。一貫的信念ー此こそ我等の若い男性、女性の育てゝ行く生命をより强からしめ、より堅固ならしめる活命水ではないか。最高最善の生活は斯る覺悟から起る我等を懷しく思ふてゐるではないか。本能から流れ出づる愛の幹を强く握つて我等は眞の人間性を遺憾なく發揮して我等の生命を完全にしなければならぬのである。

次に我等は此のやうな疑問を起すであらう。卽ちされば如何にすべきであるか。如何にせよと謂ふのであるか。是は筆者の答へようとする所である。我等は第一「眞實な我等自身」を見出さねばならぬのである。我等と謂ふものは如何な環境に處してゐるか、又如何なる使命を帶びてゐるか、斯る自問を一二度發して見よ。そして確乎たる回答が自然頭の中に浮んだ時其の聲を止めよ。次には得た所の回答を轉々と反省して良心に照して見ることであつて、良心の同意を得た後には自己の責務と使命とを確實に肺腑に刻んで其の指示する方向に突進せよと謂ふのである。人間として自己は如何に生きる

べきであるか。男性として自己は如何に生きて行き、女性としての自己は？又人類の一員としての自己は如何に生きるべきであり、朝鮮人の自己は如何に生きるべきであるかを考へて見るべきである。さうすれば我等は「眞に吾は何んであるか」を知り得るであらう。眞の自己を見出した時から我等の生活は眞に意義ある第一ページを作り眞に躍動する生命の力を得るであらう。眞の人生と愛の關係を徹底に悟ることであり愛なき人生は考へて見ても悽慘な生活であることを知り得るであらう。そして愛の力は偉大なものであると謂ふ考へが益々固くなるであらう。斯る自覺、斯る啓示を得た瞬間から我等は確實な信念と確實な覺悟の下に於て我等の生命を創造して行くべきであらう。

「君等は決して失望の念を感ずる勿れ。慘憺な現在を呪ふ勿れ。限りなく見える君等の苦しい運命を悲しむ勿れ」と謂ふのである。果して我等が登るべき山路は見えない程離れてゐるかも知れぬのである。然し急ぐべきものではない。我等の登るべき山路は假令凸凹順ならずとしても決して失望すべきものではないのである。

只行くべき路に忠實であり愼重であるべきのみである。輕擧と妄動！ああ！此のやうに我等の生命を殺して了ひ且殺す毒藥はないのであらう。筆者は瑞西の登山案内者が登山客に謂ふた次のやうな忠告に隱れてゐる大眞理を見受けるのである。「徐々に休まず走らず躊躇せずにやれ」

友よ！久遠の生命を憧憬してゐる友よ！吾は次の如く叫びたいのである。

一一九

「急がず徐々に」「止めず始終一貫して」「散つたり集つたり」

遠い我等の行くべき路を斯る態度で行かうとするのである。そして久遠の生命は我等の前にあることであり。我等の憧憬する久遠の國は我等の根氣の下に表現されるであらう。

一二〇

第一六節　眞珠四個

（培材第十號　大正十五年十二月）　崔秉和

一

大理石で築造した華麗壯嚴な宮殿に於て慈歌蝶舞と親しむとしても其は一刹那の享樂であり、他人が創造した樂園である。

それで其處に於ては我が家に味ふ閑樂と安息は得られぬのである。

二

低く小さな疲弊した草屋に於て生の悲哀と苦しみの爲め困つてゐるにしても其は永續なものではなく、必然性なものでない以上其の草屋の主人公の悲壯な覺悟り努力如何によつて生の歡喜を創造する事が出來、生の特權を獲得することが出來るのである。

三

我等は朝鮮と謂ふ我等の家を離脱したり忘却しては其の家族の繁榮と生活の安定を得られぬのである。魚類は水中に遊泳し禽獸は山間に棲息するのと同樣我等は朝鮮と謂ふ大地の上に生活するのである。それで我等の家である朝鮮の隆盛を發展を慶賀し談笑すべき者も、朝鮮の滅亡と衰退を悲しみ且嘆いて血涙を流すべき者も我が朝鮮に住む我等であらう。

四

ホーム！ホーム！スウイトホーム！我が家！懷しい我が家！朝鮮！朝鮮！忘れることの出來ない朝鮮！我等は此意味深長な語を念頭に置いて現在我等の前に當來した局面を展開し、其進路を開拓するのに不斷の努力と最善の奮闘を以て進むべきである。

第一七節　卒業する友達に

（儆新創刊號　昭和四年四月）　韓最現

時節の變轉に從つて我が三千里大地に新春は來たのである。此の時に當つて誰が喜ばしく感じない者があらうか。此の際成功の月桂冠を戴いて校門を出づる卒業の友達を送る喜ばしさも亦時節に應じて起るものであらう。

果して我等は卒業と謂ふものが決して容易なものでなく偶然なものでないことを知るのである。友

一二一

一二二

達等は其の胸中に溢れる偉大な抱負と頭の中に潜む高尙な理想を發揮しようとして懷しい家庭と知舊を離れて此の校門に入つたものではないか。過去幾年間險しく怖しい峻嶺を越えるやうな感想が果して如何であり、殊に周圍と環境を異にする我等の經濟的逼迫は如何であり、解決困難な精神上の苦痛が多かつたのも事實である。百折不屈の意思と勇往邁進の精神に依つて此の凡ゆる障碍を退いて進んだゝめ今日に至つて斯る結果を得るやうになつたのではないか。此の意味に於て私は無限な敬意と祝賀の意を表するものであり又私の頭の中に直覺した幾つかの希望があつたから今其を語らうとするのである。

友達よ！友達は今學業を修了したから、此からは事業の春を迎へる分けではないか。凡ゆる事業の芽が生え、幹が延び、枝が生え、葉が生え、花が咲き實を結ぶ時も果して此の時からであらうと思ふのである。友達等も知つてゐることであるが、今日我等の此の貧弱な社會、缺陷の多い社會は友達の如き勇士が一日も早く出て來ることを非常に渴望してゐるではないか。友達等は此を思ふ時に一層其責任の重大なことを知るであらう。一度社會に足を履み入れた時には猛獸と洪水が前を遮るのと同樣且熱火と棘が横たはるのと同樣、艱難辛苦が口で謂へぬほどあるであらうことだから此の時に當つて躊躇し失望することがないのでもなからう。然し盤根錯節に會はなければ利器を知り得ないのと同樣に斯る機會があつてこそ眞に友達の抱負と技能と手段を充分表現し得ることであらう。それで東西古

を論せず風塵の鍛錬を受けなかつた英雄豪傑は誰であり試驗の逆境を經なかつた志士が何處にあらうか。新しい力ある固い決心を持つて渇望する社會に進む者等よ、我等の社會は眞に友達等が社會に對して企待する以上の何百倍の企待を持つて友達等を迎へてゐるのを友達等は頭に手に置いて意義あるやうに考へて見よ。

そして友達等は古來からやつて來る惡習の一つである僅かの月給だけに熱中した前例を一掃して校門に向つて入つて來た其の時自ら立てた抱負と理想を實現しなければならぬのである。

第一八節　我等は汗を流さう

(倣新創刊號　昭和四年四月)　張錫倫

我は元來武を崇び文を學び得なかつた者である。それで文に對する趣味は知らぬのである。從つて此のやうな雜誌に投稿することを望まぬのである。然し平素から我が倣新の健兒に一度告げて忘れぬやうにしたいものだと謂ふ希望だけは有してゐたのである。丁度同窓會で雜誌を發行すると謂ふので私は心から祝意を表し、私の平素有してゐた感想を一度發表すべき機會を得たことを光榮とする所である。

今語らうとするのは他でもなく題目の如く我等は今から汗の臭の眞價を覺醒した汗を多分に流さう

と謂ふのである。汗の臭と謂ふのは聞き馴れたことであつて別に變つたことでもなく平凡であつて其こそ汗の臭であると謂へようが、小さく考へれば一個人の**パン**の問題となりより大きく考へれば國家盛衰の問題であつて決して輕卒に思ふべき問題ではないのである。

先づ過去の歷史を顧みやう。我等の先祖達は今日此のやうな立場にならうとも知らずに木蔭で歌ふ蟬のやうに月を見ては詩を作り淸風北窓の下で昼寢をすることは知つても汗を流すことは嫌つたのである。そして互に他人の汗にのみ依頼したのである。自國の同族間に鬪ひが起つても他國兵士の汗を借りて自分の兄弟を蹂躙せしめて自己の一時的安逸な生活だけを取つて殊に外國の侵略を受けた時は謂ふに及ばぬのである。

斯くの如く他人の爭ひに乘じ勞せずして功を收める(坐受漁人之功)ことだけを希望するのが我が朝鮮民族に共通する一の大なる惡習性であると謂ふても過言ではなからう。我等が一般に痛歎する依賴心とか文弱の弊だとか忍耐性の不足だとか一々枚擧し難い。凡ゆる惡習性は皆自己の汗を惜しむ所に始つたものであると見られるのである。先祖は偖ておいて現代の我を靜かにして見やう。我等は如何程汗を流すことを好んでゐるかを。先づ案外民族の爲め社會の爲何かをやると謂ふ所謂有志紳士であると自稱する彼等を見よう。眞に自己の神聖な有形無形の汗を出して努力する者が幾人あるかを。又有志紳士は偖ておいて最も活氣あると自處する我が學生社會を顧みよう。汗を流すことを好む學生が

十餘萬の學生中に何**パーセント**位になるだらうか。殆んど全部が汗を流すことを嫌ふ所謂**モダンボーイ**ではないか。勿論人たる以上誰が安逸を嫌はうか、人は偖ておき下等動物に至つても安逸を取らぬものはなからう。それで所謂智識あると謂ふ人類は我より智識のない他の動物の流汗の力を利用して自己の汗と努力を少くしやうとし人類相互間にあつても自己は流汗を避け他人の流汗の功を奪取しやうとする現狀ではないか。

然し此と反對に流汗の勞を惜しまない者には其だけの報酬があるのである。卽ち健康な身體である。

それで文化の進步と健康の衰退する率は反比例するのである。都會に生活する人は農村に生活する人よりも弱いのは此の規則によるものであると思ふのである。それで我等より文化したと謂ふ先進國の民族達は早くから此の文化の弊を覺醒してわざ〳〵汗を流す爲めに**オリスピツク**大會だとか何んとか謂ふて國民體育の向上に努力してゐるではないか。斯る現代に於て我が民族は古來流汗の勞を嫌ふ習性があつた。然るに他の先進國の民族たちは流汗の勞によつて今日の文化をなし又文化の弊害を覺醒して流汗を奬勵してゐるのは覺醒せずに只文化の華麗そのものゝみを謳歌しやうとして昔日の我等の先祖に負けぬ程文弱に陷らうとするのであつて此はどうして歎はしいことではなからうか。少くも我等の苦海に沒した同胞を救助すべき使命を兩肩に背負ふてゐる我が學生諸君よ覺醒せよ覺醒せよ。

我等は我等の貴重な有形の汗を流して無形の汗を思ふ存分將來の我等の民族に播いて見よ。日本の

學生間にかう謂ふ語葉がある。「甘諸は學生の羊羹である」と。此は如何なる語葉であるかと謂へば卽ち修養時代にある我等學生は高價な羊羹や菓子を食ふことが出來ないから低價の甘諸を高價の菓子と思ふて食はうとする質素强健の氣風を意味する語葉である。それだから我等權域の健兒は他人が皆避け且嫌ふ汗の臭を麝香の香に思ふて今からもつと〳〵汗を多く流さう。

平素から我等學生諸君に告げやうとしたものは此を以て止め、只次のやうな標語一句を絕叫して筆を擱かうとする。

(汗は學生の麝香である」

第一九節　愚人の悲しみ

(梨花第一輯　昭和四年二月)　愚人

筆を取れば只茫として私の胸中に絡み付いてゐる鬱憤の糸口を何處から摑み出していゝか只胸は詰るだけである。誰が私の心中を覗いて私を理解して與れようか。可哀想に排斥を受けた者よ將に君の行くべき處は何處であらうか。暴らい獸は飮み込まうと叫び、怒つた波は容赦なく推し寄せて來る。それにしても光明な光りがあれば最後の一つの頼りとならうが、怖しい黑幕は四方から包圍してゐるではないか。腕力を以つて獸と爭しようか。奇才を以つて彼等を戰ふか。おゝ！お前は何を持つて

ゐるか。何を以て眼前に迫つてゐるお前の生命を延長させようとするのか。闘へ！猛獸と共に、力あり奇才あれば戰へ！有したものがないか。それなれば死ね！生きんが爲め戰ひ且嚙み付く此の世間に於てお前は生きる權利がないのである。

死ね！早く、闘爭の場である。生きんとする者は戰ひ、戰ふ者は勝たねばならぬ。敗れた者は生きて行かれぬのである。そして勝者の爲め犧牲となつて了ふのである。何から何まで勝てなかつたものは誰一人見上げもしないのである。敗れた者は敗れた者として泣かうが叫ばうが見ぬ振りをして走つて行く。生の競爭者たちよ！お前等を怨むより寧ろ敗れた者が千秋萬古の內で最も恐ろなものでなくして何であらうかと謂ふのである。

死なねばならぬ者は唯お前だけである。

× ×

お！神よ！古へに創造し愛して下さつた人間等の間に斯る矛盾を生ずるのはあなたの大なる劃策であつたのか、或る者は敗れるやうに創造し或る者は勝つやうに創造したのであるか。斯る不公平は何處に原因してゐるのか。神よ、人間は生かす爲めに出したでしよう。明かに生かす爲め出したのである。一つ御覧なさいよ、死なねばならぬ者があるではないか。此は何と謂ふ矛盾であるか。不憫にも私はあなたの答辯を待つてゐますよ。

神よ、赤身で出すにしても生きる爲め奮闘すべき技能と武器は各々與へてあると謂はれるでしようさうです！然し何の武器も持たずに生きやうとして來た者があるが之は何でしようか。戰場に武器なしで迯りながら勝利を得て善く生きよと謂はれるのであるか。死ぬやうに迯つたのと何が違ふでしようか。あ！神よ、苦しいのである。忍び得ぬ程苦しいのである。人知らずに流れる淚が何時も流れるのである。訴ふべき所一つないのである。訴へるにしても愚かであり無能な敗者の悲しみであるのに何人の同情を望ますうか。おゝ！神よ、早く數へて與れよ、敗れて死ぬべき者を何うして出したのであるか。生の戰線に活躍すべき力強い軍人だけを出して生かしめずに何うして敗者を出して短い一生に淚を流すやうにしたのであるが。おゝ！神よ一日も早く苦しい此の人間に此の問題を解決して與れ給へよ、私をして見せしめ悟らしめ給へよ。

私にも武器を與へたと最後まで力說しやうとせられるならば、光りを照らして私に見せ、あなたが出した人は皆生きる權利があると主唱しやうとせられるならば少くも私に生の開拓に必要な武器を得るやうにし給へよ。さうでなければ速かに微々たる此の生をなくして敗者の苦しさと其の苦しい淚を離れて魂だけでも此の勝利の中で元氣よく飛び廻はるやうにし給へ。

第二〇節　我等の立場

（梨花創刊號　昭和三年十月）

金　游　鎭

靑年と謂ふ語を聞けば血氣旺盛にして希望に滿ち將來を新らしくする人物であると謂ふことが何人の頭にも先づ浮んで來ることであり、そして彼等によつて新時代が創設されることを企待するやうになる。朝鮮も一社會を形成してゐる以上斯る靑年は多いのである。從つて彼等に對する社會の要求も多大なものであらう。

それならば彼等の成功を確信することが出來る程我等の社會は彼等を製造してやるのか。果して彼等の將來の成功を援け稱讚することはせぬとも妨害をしてはゐないか。實に彼等の人格を發揮しようとする本能を發達さすべき機關、人に優らうとする慾望を滿足さすべき機會、腦の中に收めてゐるものを實用さすべき經濟の自由、疲勞した精神を慰めるべき娛樂機關、何れか一つ完全なものが我等の家庭や社會にあらうか。恥しく且嘆はしいことではあるが、私は一つも見出すことが出來ぬと謂ふことを斷言する。我等は知つてゐることが多ければ多いほど、覺ることが增せば增すほど、我等の腦中には其と正比例に苦痛の數と煩悶の量が多くなるのである。千辛萬苦して中等學校を卒業すれば經濟問題が先づ前途を塞ぎ、若し經濟の餘裕を有する者であつても家庭の沒理解と上級學校の入學難に因

つて泣きもがいてゐる者が何れ程多いことであらうか。

專門學校や大學校を卒業して何んとかして成功でもしさうに兩腕を捲り上げて社會に第一步を履み入れようとする時誰が之を迎へて正しい道に導いて與れようか。只就職難と謂ふ奴にひどく鞭打たれるようになるのである。そして足には合はない靴、頭には棘の冠を口には砂を與へるのが我等の社會の獨特な現象なのである。實業界に手を出さうとすれば經濟界は振はず、敎育界に入らうとすれば沒理解が先立ち、宗敎界に身を捧げようとすれば意思の新舊衝突が多いのである。此方面に顏を出し彼の事業に携つても皆心苦るしく歎はしい現狀しか見えないのである。それで自己の到達しようとした目的を何遍となく變へるやうになる。

一定した目的を最後まで維持する者の數は百人の中で數名にもならないのである。そして着手した事業には誠意がなく心性は段々と暴くなるのである。日々潮のやうにやつて來る先進者達の主義思想を聞き且見てゐる活動的本能と前進性の滿溢した靑年達は之は改良し彼は持續しようとするが世間のことは不思議にもさう意の通り行くものではない。

自分等の意を遂することの出來なかつた靑年達の胸を抱きしめて天を叫び地を怨む聲は何か悟る所のある者の胸を苦しめることであらう。そして遂に失望して墮落のどん底に陷るやうになるのである。滅亡する道に行くことを知りつゝ少しなりとも精神上の苦痛と肉體上の苦痛を忘れようと酒屋と煙

草屋の出入をするやうになるのである。それで酒と煙草の負債は日増しに多くなつて行く。斯る辛さと痛さの爲め遂に川や山に於て自殺する者の數が如何に多いかを。然し老年や壯年たちは冷靜に彼等を罵詈してゐるが、然し斯る多數のものを滅亡に導いたのは誰の責任であるか。唯其青年逹の失策とのみすべきであるか。否、彼等にも多少責任はあるが社會と青年を指導する者等により大なる責任があると謂へるのである。何か仕事をやらうとする青年逹に何も仕事の材料を與へずに貴い生命をして死線に向はしめるのは餘りに殘酷ではないか。極端に謂へば殺人罪ではないか。何うして自己の手を以て殺すことだけを殺人としようか。

十中一つだけ過失があれば後の九つは善くても之等は顧みずにどこまでも其の過失を次から次へと傳へて其の小さい過失の範圍は段々と大きくなつて遂に人格を落し再び出世し得ぬほどになして了ふうとするのが此の社會の目的であるかのやうに見られるのである。それでも其の青年等に依つて新社會の建設されることを望むのは餘りに破廉恥な期待ではないか。

青年逹よ、君等は實際憐れな人間である。凡ゆる本能を全部發揮するやうに祝福して呉れる順境に生れなかつたことが如何ほど不幸であらうか。君等の立場は斯樣に險惡なのである。そして理解がないのである。

何かをやればやると謂ひ、やらねば出來ぬとして神經質と躊躇心だけを增加せしめるのである。君

一三一

等の哀願の聲は天に逹し呻吟する聲は地に響いたことであらう。然し失望せず不屈の精神を最後まで持たう。たとへ君等の顏には蒼白い色が浮いてゐるが倒れることだけを避けよう。失望するとか倒れるとかすれば餘りに弱者ではないか。君等が厭世して倒れば誰が我等の腐敗した家を建て更さうか。先づ個人〳〵が覺醒して前後左右を顧みながら常に歷史研究的の態度を持つて進まう。堅固な意思と明確な判斷によつて惡には近づかずに善には猶つて進まう。卽ち道德的意識を明かにしようとすることである。我等人生は何時も惡は行ひやすく善は行ひ難い性質を有してゐる。それで我等は惡戰苦鬪して善行を發達させ惡には盲とならう。此の時代は完全を要する時代である。君等は改良性を有してゐるから其の本能を絕えず活用して我等の心臟となるまでは高山深海を犯かしてやつて見よう。我等青年が作る儘に將來は作られるものである。將來を純善化させるのも惡化させるのも共に我等の手中にあるのである。それで我等は我等の先祖を怨み且つ後悔する嘆きの聲が我等の第二國民からは起らないやうにしなければならぬのである。他人と違つて斯る獨特な社會に呼吸してゐる我等は又他人と違つて責任が大きく、爲すべきことが多いのである。世間でなすべき仕事のないことほど無趣味なことはないのである。人類歷史に光明あらしめ識者に活氣を與へる凡ゆる事實の出發點は皆逆境に基づいてゐるのである。此の點に於て私は我が青年逹の環境を非常に誇りたいのである。一步進んで此の**時代此の社會に生れなかつたならば却つて遺憾であつたらう。と何ふ思ひさへもするのである。私一**

一三二

個人の過失によつて萬人が死の底に陷り、又私一人によつて數萬人が生きることであらう。故に我等の有ゆる能力、我等の有ゆる凡てを盡して些細な事業であつても我等の手に入つたならば、其が少しでも社會に有益なものであるならば腕を捲つて完成するまで努力して見よう。小い礎を善く置かなければ大きな柱は立たぬのである。それで完全な家を建てることは出來ぬのである。我等は不能と謂ふ語を我等の口から出さぬことにしよう。我等の前途を濁らしはしないかと心配するのである。世の中に不能なことはないと叫んで**アルプス**を越へた**ナポレオン**を考へて見やう。そして我等個人と個人との間に、社會と社會との間に「信」と謂ふ有力な媒介物を立て一致團結して何事に於ても始終一の如くして行かう。團結力は如何に偉大なものであらうか。禽獸の歷史を考察しても孤立的生活をなす動物は其の種族が絕えて後生を見ることが出來ぬのである。大きな牛でも最も小い蚊の團體がやつて來て害する時には敗して了ふが此は玆に好例を見せるものではなからうか。

現代科學的文明の極に逹してゐるのを見て或者は唯物論だけを、又或者は唯心論だけを主唱してゐるが私は**カント**の物心合致論を以て最も善いものとしたいのである。玆に於て人生の目的と生の價値を論ずるやうに至るであらう。肉眼に見ゐるものだけの爲めに此のあらい社會に於て苦痛だけを受けて遂に滿足を得ることが出來ずに亡くなつてしまふのは餘りに惜しいことではないか。又餘りに無價値な生活ではないか。此の低いものに屈するより我等は理想を高い所に從き常に向上の意を持たなけ

一三三

ればならない。世間には眞理と謂ふ永久不變な偉力があつて弱い者の手を携へ、不義な强者の脚は無力ならしめ、傲慢な者は之を引き下げ、謙遜な者は之を高めて呉れるのである。見よ、我等が聖人と信ずる**イエス・キリスト**が世間に生存して居られた時如何に無力なものであつたかを。實に卑賤な所に生まれ沒理解な所で一生を終へて了つたのである。然し惡を憎み善の爲め自己を犧牲にした時凡ゆるものゝ勝利者となつたのである。當時偉人であると尊敬を受けてゐた者は歷史上に名の一字も殘して居らぬのである。其の反對に一番惡人のやうであつた**イエス**は永遠に萬人の賞讃と數億人の尊敬を受ける救主（スクヒヌシ）となつたのである。**イエス**の犧牲となつたことだけが世を救ふ能力を有してゐるだらうか。否、何人も義の爲め生命を亡くせば永生を得ることが出來るのである。

病者が目前の苦痛を忘れる爲め病に有効な藥を苦いと謂ふて飲まずに阿片を吸へば何人が彼を愚かであると謂はないだらうか。

青年等よ、我等は常に世間と闘ふて敗戰せずに勝利者とならう、**イエス**とならう、**モーゼ**とならう。**ヂヤンヌダルク**とならう。そして**ワシントン**となり**ネルリン**とならう。今日の淚は君等を偉大なるものにし、今日の苦痛は將に君等の成功の凱旋冠に星の數を增すやうにするものである。泣きを笑ひに、嘆きを歌に變へて見やう。

一三四

第二一節　卒業して行く諸兄を送る

（梨花創刊號　昭和三年十月）　卅　○　○

陽炎の上ぼる野原には雲雀が空高く囀り黄金色の芝生には若き芽が萠え出してゐる。無覺な頭を上げて四方を顧れば時節は何時か變つて萬物が勢ひよく生を讃美する希望の春となつたのである。

あゝ、諸兄よ、肉と靈の共に躍る此の歡喜の春を迎へながら、春風秋雨五星霜の間を暖く抱かれてゐた校門を將に出てようとするが果して何處であらう。百花爛漫たる**エデン**の園であるか。吹雪のやつて來る荒野であるか、さもなければ狂波怒濤の苦海であるか。

諸先よ、私は先づ諸兄の前に其の知らざる世界の爲め限りない愛情から湧き出づる祝福をなして已まないのである。

卒業する諸兄よ、「苦盡甘來、興盡悲來」と謂ふ先哲の言葉は果して諸兄に對して謂ふものではなからうかと思ふのである。長かつた過去五個年間、諸兄の前には非常な波瀾と屈曲が重なつたことであらう。哀れな經濟の壓迫は如何程あり、制度の無理な壓迫は如何程諸兄の絶望を催促したことであり又三月月の下に痛ましい涙も如何程流したことであらうか。二重三重の不合理な教育制度の下に確か

一三五

に知り乍らも受ける侮辱を忍ぶ毎に諸兄の心臟の熱血は果して如何程激烈に踊つたことであらうか。且又諸兄には諸兄をして熱い涙を流さしめ、中途にして學業を廢せしめようとする障害物が絶えずあつたであらうことを私は信ずるのである。

然し諸兄よ、諸兄は此等に對し最後まで忍び且鬪ふ中に今日卒業と謂ふ光榮ある賞を受けるようになつたのである。

諸兄よ、諸兄は勇ましい勇士であつた。大膽な戰士であつた。逆境に居りながら惡戰苦鬪して勝利の卒業を得るまで落膽しなかつた。

祝ふ諸兄の成功を。讃美する諸兄の勝利を。

然し諸兄よ、誇る勿れ、誇るのは失敗の本である。滿足する勿れ、滿足は退歩の本である。そして「汝の有するものを賣りて貧しき者に與へよ」と謂はれた**キリスト**の教訓の通り、諸兄も諸兄の有するものを憐れな兄弟に與へよ。若し諸兄の五個年間の奮鬪努力が諸兄各自身の幸福なる生活と榮譽ある一生の爲めにのみ止まるとするならば、果して何れ程惜しいことであり價値のない勝利であらうか。諸兄が、若しも彼の北米や歐洲に生れたものなら、今それだけの修業をなしたのであるから各々安逸な生活を始め且幸福な夢を見るであらうし又さうやつて當然なものであると思ふのである。

然し諸兄よ、眼を大きく開けて廢れた寂しい我が家を見よ。荒野に於て疲れた憐と青ざめた顔を以

一三六

て渇望する請援の手を力なしに擧げてゐる我等の兄弟を、又暴れ狂ふ波の上で殆んど破船に迎ふやうになつて咽が裂ける程叫んで救ひを求める多數の我が姉妹を、そして亦四方から推寄せて來る猛火の中に生命の危くなつた憐れな兄弟達を。

あゝ、諸兄よ、我等の家は斯る慘憺な悲運に陷り危急な狀態に陷つてゐるのである。傾いてゐるのである。親愛なる諸兄よ、諸兄は人と違ふ運命により朝鮮に多い無學な女子達の中で、只諸兄だけは小學、中學を順次に了へ、所謂我等の最高學府の教育を修めたのである。最も多く武力を作つたのである。そして我等の家を復活させるのに最も大きい使命を有してゐるのである。諸兄よ、今諸兄は急いで救助船の梶を取つて行け、彼の狂波怒濤の中に、そして諸兄の勇ましい腕を見せよ、彼の暗の中に、又熱烈な愛を、高潔な正義を施せ、彼の猛烈な火の中に。そして彼の死に行く者を生かし、彼の孤獨な哀れな者に休所を與へ暖かい慰安を以て流す涙を拭いてやれよ。亦傾いて行く此の家を建て更して呉れよ。此は今日校門を出て行く諸兄の唯一な使命であると同時に二千萬の家族が一緒に企待する所である。

諸兄よ、諸兄は三階や四階の洋館で豪奢な生活をする代りに、荒い風に吹かれ汗水流す逆境の生活を爲すべきであり、自我の爲め幸福を求めるよりは他人の爲め苦勞をしなければならぬのである。

親愛なる諸兄よ、經驗もなく面識もない諸君を迎ふべき社會は斯くの如く險はしく且冷いのであ

一三七

る。山の如き心配が諸兄の軟弱な頭を無慘に毆る時もあり、海の如き悲しさが諸兄の胸の中で湧くこともあらう。時には水、時には火、時には冷い風、甘い誘惑等色々な試驗と障害が諸兄を弄ぶであらう。そして諸兄の重大な使命の任務を毀はしてしまはうとするであらう。あゝ、何れ程憐れなことであり、且何れ程血の涙を流して嘆くべきことであらうか。

諸兄よ、勇ましくあれ、そして失望せずに險はしい山を壯快に越えよ、高潔にあれ、そして不義と妥協し得ざる正義に生き、正義の爲めことをなせよ。此は將來の諸兄の喜びとなり滿足となるのである。

死んで行く兄弟の生命の爲めと傾いて行く家の復活の爲めには諸兄の血と汗を惜む勿れ。願はくば無窮花の輝かしい實の爲めに溢れる所の愛と犧牲的慈悲を施し給へよ。神學士**ヨネハ**が**キリスト**に依つて知つた默示「死ぬまで忠誠にあれ、すれば生命の冕旒冠(王冠)を汝に與へん」と謂ふ此のことを更に諸兄に與へるのである。諸兄よ、諸兄の事業に忠誠なれ。

そして生命の冕旒冠を戴く勝利者となれ。十字架の上で最後に、「皆なせり」と謂はれてなくなられた**キリスト**のやうに諸兄も「なすべきことを全部なせり」と壯快な最後の言葉を遺すやうにと衷心から希望して已まないのである。

最後に校門を出づる諸兄の健康と幸福を**イエス・キリスト**の前に祈るのである。

一三八

第三節　秋夜隨筆

（學友第四號　大正十五年十一月）　文　學　晧

永かりし日も短くなり、左程暑かつた氣候も涼しくなつたのを見れば恐らく秋の時節が來たらしい東海岸に於て足を洗ふてゐた間にやつて來た夏は今や永遠に去つて行つたらしい。屹度山と野には赤く且つ黄い紅葉が自然の美を裝飾してゐることであらう。

月の明るい晩に窓にもたれてゐれば寂しく落ちる落葉の消息と共に哀れな蟲の聲が聞えて來る。又近い内には江南からやつて來る雁の鳴き聲も聞えることであらう。斯る哀れな秋は旣に來てしまつたらしい。斯る秋になつても人達は落ちる落葉の聲と叫ぶ蟲の哀訴を何氣なく聞き流してしまふのである。然し愚かな兄弟達は殺られずに廣々とした曠野を何處と定めもなく嘆きの涙を殘して去つて行くことであらう。此の時は正に千の憂と萬の思ひに絡る胸を抱いて宇宙の萬端を懷疑すべき時節であるが、其の心を秋の水に淸く洗つて人間の全部を凝視すべき時節である。

そして金風に心身を銳くして人生の内部を解剖して見るべき時節である。

明らかに斯んな時節である。おー友達よ！斯る時節に胸中に潛む志は何んであるか。

◇　　◇

今晩は珍らしくもつらい夜である。水のやうに澄んだ空には三日月がかゝつて居り、吹いて來る秋風に吹き落される木の葉の音は寂しく聞ねてゐる。

斯る晩に寂しい野原を獨り步いて行く私の胸はどうして痛くなからうか。

何處に行つても私には孤獨があるばかりである。孤獨から生ずる辛さは遂に私の眼を迷はしてしまつた。孤獨な者だからと謂ふて誰も皆胸が痛くなり涙を流す理はないのである。涙は私のやうな劣夫弱者にだけに付いてゐる厄介物であるらしい。然らば涙は私から永遠に離れない厄介物ではないか。涙は人間から永遠に離れ得る徹底した理を認識してゐるやうになつてゐるのである。言はゞ今日の社會はそれ程不平悲哀の矛盾性を有してゐることを知ることが出來るのである。然らば斯る社會の一員である私に涙のないことを望むのは旨想である。一體涙は何であるか。涙は内心の不安から始めて來るものである。内心の不安は自己の凡ての志と發憤が思ふ存分表現されずして從つて自由の生活をなし得ぬ時に不滿を感じ、同時に不安の雲が振り卷いてゐるのである。換言すれば弱者が强者から壓迫を受ける時に生ずる消極的反抗が卽ち涙である。さうであれば弱者には涙が多く、涙が多ければ辛さが多いのではないか。

嗚呼！私の體は永遠に弱者の運命に因つて永遠に涙の淵に於て彷徨すべきであらうか。

◇　　◇

秋になれば金持の娘は箪笥から絹物を出して着ることを考へて喜ぶけれども、金のない小僧は破れた窓から吹いて來る冬の冷い風のことを思つて如何にその窶れた顏を蹙めることであらうか。自由狂となつた奴等は理想の花園に於て蝶と共に凡ゆる行樂を盡すことであらうが、不自由な腹せた體を以て異域の荒野に漂ふてゐる其の樣子こそは眞に見られぬのである。彼等の身分は本來さう謂ふ風に哀れなものでは勿論ない。少い力と汗に依つて造つた茅屋が一朝の火災に逢ふて着物も寶も皆燒けて了つて今は肉體だけが涙の洗禮を受けながら此方に推され彼方に推されして實に目も當てられぬやうな狀態となつたのである。あー彼等の涙は瞳を溶かし彼等の頰、胸終りには彼等の體まで全部溶かして了ふものであらうか。

彼等はやつて來る壓迫、苦痛、悲憤の生活を繼續して居つては堪へ切れずに其の貴い身を靑い江水の中に投げてしまふか、深山に隱れて了ふと謂ふ非常なことが起るのである。さうでなければ强者の魔醉劑にかゝつて跪くのである。謂ひ換れば家もなく金もない只肉體だけが何千尺と謂ふ凹地の中で跪いでゐる慘狀にしか見えぬのである。彼等の死、遁世―あゝ如何程哀れなことであらうか。

◇　　◇

八月三日、玄海灘に身を投げた尹心德孃と金祐鎭君の死は勿論斯る辛さから出たのではなからうが然し實際心の辛さ、精神の痛さを堪へることが出來ずして其の身をなくして了ふ哀れなことが如何程

あるか知れぬのである。

あゝ、哀れな民衆よ、其の身をかやうになくして了ふにしろ、左程心地のいゝことはないじやないか。實に心地のいゝことは少しもないのである。

又燒けてしまつた灰田に歸つて其の身を永遠に埋め、新しい家を建てる時一握りの土にならうとも決して其の貴い身をかやうになくして了ふなよ。

あゝそれなら一體どうしやうと謂ふのか、そして死なゝければどうして生きて行けとするのであるか。終ひには强者の懷中にでも入らなければ生きて行かれぬのである。それで遂に生活の途を求める爲め四方に散らばるやうになるのである。京城の仁王山の麓には大建築物が一つあるのである。

朝鮮では又と見られない大建築物である。口の有る者は何人も皆其の建物の外型を見て舌を卷くのである。舌を卷くのに何が過りがあらう、けれども其處に食物を乞ひに行く乞人の態度が見られぬと謂ふのである。我が友の吉男と謂ふ奴は先生に私の服付まで行つて知らしてゐる。たとへ學校には行かれぬとしても斯る野卑なことがどうして出來ようか。

又其の身を江水の中に投げやうとも自分の腹を肥やす爲めどうして父いことを法廷に訴へ得られようか。

中學校で一緒に勉强してゐたKと謂ふ友達はウラル山を越えて白熊の世界である其の地に行つてし

まつたよ。近頃は**ウラル**山を越えて行く友達が多いらしいのである。そして其の身を赤い泥り水の中に沈ましてしまふようである。屹度其の中でなくした生命を探り出さうとするらしい。

知覺の鈍い友達よ、顏の色の違ふ彼等に何かを望んで行くのは間違つてゐる。不可能なことである。假令共産にならうとも其の力は鴨綠江を渡れぬのである。又其の力が我等に生命を與へたにしろ其が何んで貴からう。もうずつと前から經驗してゐることではないか。我が子は我の作品であるが故に貴いのである。斯る眞理を覺ることが出來ずに押し掛けて行くのは木に攀つて魚を求めるのと同樣なのである。

◇　◇

換言すれば我等は死、不義の生、社會主義、此の凡ゆるものよりも先づ我等は我等の手を以て、我等の汗を以て、我等の家を建てねばならぬと謂ふことである。さうして見れば結局大きい問題は如何にすれば我等の家を更に建てることが出來るであらうかと謂ふことだけである。所謂新進流の彼等は先づ鐵棒を以て朝鮮を破壞して了はうと叫ぶのである。

然し朝鮮の現狀に於て破壞すべき何ものがあらうか。東に行つても西に行つても何處に行つても同じ苦痛と壓迫に依つて追はれてゐる現狀に於てどうして破壞すべき勇氣があらうか。散らばつてゐる盲想を全部棄てゝしまへ、友達よ今は秋の時節である。今から頭を淸らかにし精神を統一して速かに

家を建て始めよう。空虛な理想に迷はずに速かに實際の行動勞力の方に頭を向けよう。友達よ今は考へなければならぬ時節である。踊る血氣を無駄に使ふなよ。

◇　◇

金のある者が憐れな乞人を見ても見ぬ振りをすること、脂氣の多い腹を抱へて誇るのは勿論間違つたことであるが、さうだと謂ふて餘り過度に現在の有してゐる因襲、傳統、道德を無視しようとするのは非業の正體の爲めには間違つた手段である。彼此謂ふ必要なく我等は先づ團結しよう、**プロ**とか**ブル**とか謂ふて爭ふ時ではない。又社會主義とか民族主義とか謂ふて爭ふべき時節ではない。朝鮮全體の爲めでありさへすれば何が文句があらうか。

◇　◇

或る友達は集れば嘆きと心配ばかりをしてゐる。斯る低級な我等の社會の慘狀を見て心配するのは善いことである。涙を流さなければならない。然し我等は涙ばかりを流すのは上策でない。然し我等だからと謂ふて辛さだけがあるのではない。各學校を訪問して熱い血の沸いてゐる丈夫な友達等が猛獸のやうに跳び廻つてゐる樣子を見る時どうして喜ばしくなからうか、彼等は朝鮮の生命であるからである。彼等は我等の涙を拭いて呉れる**ハンカーチーフ**ではないか。然し彼等の中で自分の體が左程貴い體であることを徹底に感じてゐる者が何人あらうか。

友達よ、君等は今晩の彼の高い青空を仰いて見るべきではないか。

我等は指を以て廣い空に大きな圓を描かう。我等の心臟にも亦同じく大きな圓を描かう。

◇　◇

タゴール先生の胸は斯く廣いことであらう。それで印度の三億萬民は**タゴール**の呼吸に依つて生きてゐる模樣である。斯る大きな胸を持つてゐる詩人が印度の岡の上に出たから印度の東山には段々美麗な花が植えられることであらう。其の先生の乳房に從つて行く青年達は相違なく印度的青年であらう。して見れば問題になるのは只我等の體一つだけであらう。如何にすれば我等の體は斯る大きな胸を所有する者となり得るであらうか。如何にすれば斯る貴い玉となり得るのであるか。只之が大きな問題である。我等の體が斯くの如く發達して見れば家庭、社會、國家其のものは其の體によつて自然建設されるであらう。あゝどうして我等の體が貴くなからうか。

◇　◇

友達よ、涙を拭けよ、我等の體は決して弱いものではない。偉大な血の結晶が集つて出來たものが我等の體である。それで我等の涙と汗は最も偉大なものである。友達の體から流れ出る絕對の强力によつて麗はしい新しい家が造られることを思へばどうして嬉しくなかなうか。今から我等は我等の志

ざす所に從つて我等のなすべき事に一つ二つ順序的に汗を流さう。

そして最も丈夫な家を建てよう。友よ、秋夜に奏する大自然の偉大な呼吸を感じながら我等の生活すべき基を建てよう。今からは胸中の節(?)を一つづゝ釋いて行かう。そして心を一にして新家の基礎の爲めに汗を流さう!

第二三節　卷　頭　言

（第貳第四號　大正十五年十一月）

金　元　敬

淸い良心と公正を眼を以て此の地上に生きてゐる多くの人達の生活の內面と外面を察する時、誰が之を麗はしい信用すべき且つ人の生活すべき世間であると謂はうか。正義を叫び平和を標榜する其の人、其の國にも恐しい惡意、欺瞞、虛僞、暴行が未だ一杯に殘つてゐるのに、況して其殘りの人間に於いてをや、もう謂ふべき餘地もないではないか。

顧れば我等人類達が此の世間に於て麗はしい生活を味ひ、平和な享樂を永久に保さうとするのには一つのなくてはならぬ大道があるものであつて其を指して愛と謂ふのである。眞の愛のある處には眞黒な惡魔心、欺瞞、爭殺、虛僞等之等は容れられないのである。

眞の愛は正義の表現であり道德的終局の理想である。

愽愛の大王基督は曾て「人を愛すること汝自身が汝を愛する如くせよ」と謂ふた。果して眞の愛は自己を愛することを知つて後人を愛する其の愛こそ價値があると謂ふのである。自己を愛することを知らないから、人を愛し自己の民族を愛することも知らぬのである。況やどうして人類を愛することが出來やうか。兄弟よ、深く考へよ、吾等の中に自己を愛することを知る者が幾人あるかを。

自己の人格の尊嚴、自己の生命の無限な價値を認識する自我愛の主人！此人が直に自己の民族を眞に愛し人類を眞に愛し得る者である。

第二四節　反　復

（高敞高等普通學校學友會報第四號　昭和三年四月）　壬　人

茫茫たる曠野である。

地平線上には赤い日が燃えてゐる。西方の空は焔のやうに眞赤である。然し日も暮れて其は消えて行き暗黑が靜かに下りて來る。

彼はやつて來た路を顧みた。茫と見える險峻な山、猛獸の叫び、思へば思ふ程慘酷である、そして身の毛がよだつのである。

重い足どりで何時目的とする彼方に至るであらうかを考へながら彼は步いて行つた。其時丁度馬の

馳つて來る音がした。然し顧みる間もなく立派な騎士が風の如く走つて行つた。勇しい蹄の音、嚴肅で且つ血氣に溢れる其の姿態を疲弊した彼は憧憬の目を以てボーと眺めた。然し彼は、

「私には壯健な脚があるか折れて了ふまで步き續けやう」と固い決心を以て更に一步〱進んで行つた。

同行者達も險はしい山路を越える爲めに疲れたらしかつた。

然し彼等は其の險山を越ゆる爲め準備を固くしたから一寸した疲れしか受けなかつたが、唯其を怠つた彼は遂に病に罹つて了つたのである。彼等は大なる希望と抱負を以て各々其目的とする所に向つて走つて行つたが、彼だけは病氣の治るまで待つ他はなかつた。

日は暮れて四方はより暗くなつて來る。

落伍！

落伍！

同行の連中から遲れた彼を凡ゆるものが皆嘲笑してゐるやうだつた。

又騎士がやつて來た。落伍した彼の眼には一層渴望の色が光つてゐた。既成者に對する羨望と憧憬は一層彼の心を惱ました。

「私は可哀さうな落伍者である。何うすれば雪辱することが出來ましようか？」

其の騎士は不憫であると謂ふやうな態度で馬を止めて謂ふた。

可憐な兄弟よ？

君は先進の者にはどうしても追ひつけないが、然し目的とする所に至らうとするならば當然やつて來た路を引き返へして倍前の準備をなし、彼の山の彼方から着實な步調を以て來直しなさい。

「可憐な同胞よ、必ずそうやれよ！」

かう謂ふて矢の如く馳せて行つた。

反復！反復

[illegible]に打たれた桐の葉のやうに萎れた彼の心には「反復」を思へば思ふ程失望を感ずるだけであつた。

オー主よ、我等のものは泡沫に歸して了つたのである。唯我等の一縷の希望は共產主義となつて消へて行くのである。あゝ、主よ、吾には只「反復」の他に給ふ所がないのですか、果して彼の風は[illegible]から生じた。虛無に消えて行かうとすのである……

「反復？　あゝ反復！」

彼は其を疑つたが反復をしなければならなかつた。

第四章　歌　詞

第一節　先驅者の歌

（高敞高等普通學校學友會報第四號　昭和三年四月）　テイウ　サウ

――歷史は必然的に我等に新時代を齎らす。

(1)　東　雲　の　時

壯快な**リズム**である
彼の東雲に君臨する聲を聞け
一晚中我等の罪惡を見下して居た
群星の灕然と流れる音
東雲の大地にやつて來る音
壯快な**リズム**である。
聞ふ聲もある、泣き叫ぶ聲もある
破壞する聲もあり新に建設する聲もある

之は東雲の贈物である。
友よ！
お前の眼は涙に濡れてゐる
お前は今も尙夜であると思ふのか
さもなければ
彼の聲に驚いたのか？
いやいや今は泣くべき時でない
我等も矢を持つて
あの偉大なる戰場に馳せて行かう
此の共生の曉を
意義あるやうに迎へる爲め………。

(2) 此の世紀の春

宛も恐しい冬の氷を履んで
偉大な春の歩みが大地に來るやうに
古い罪惡から築き上げた多くの塔を破壞し

新しい生の春は
我等を訪れた。
吹雪吹く毎に
風の香強く響いた――
冬の嘲笑！ それを聞いたのは
過ぎ去つた歷史である。
見よ！今野に、山に、村に、都市に
新しい芽の萌える音
此は新生命の湧き出づる
春の歌である。
新時代の宣言である。
春、
我等が期待した春である。
我等も今や春の歌に足を合せ
旗を飜へし、聲を高めて、

蟻のやうに、鐵棒のやうに、固まつて
進まう！ 進まう！
見よ！
春は我等に行進を
催促してゐるではないか――

第二節 醉漢

（培材第十四號 昭和五年十二月）
鄭 啓 學

酒漢「**ボーイ！ ボーイ！**」
燒酒はいやだ、「**ブランデ**」もいやだ、持つて行く！
もつと強い………強い！
「社會酒」を早速持つて來い
早く「共產酒」を………持つて來い
私は「世界人」だ
此奴**ボーイ！ ボーイ！**

ボーイ「自由と平等を以て
生命とする奴等の行爲か！」

第三節 呼吸する白骨

（培材第十四號 昭和五年十一月）
姜 湖 岩

お！ 吾は見た！
呼吸する白骨を
「現代」なる衣を着せ
「制度」なる藥を塗り
「生活」なる棺に收めた、
白骨を吾は見た。
そして吾は
吾自身が既に
呼吸する白骨であることを
わ！ 吾は弔ふた。

第四節　集まれ

（培材第十四號　昭和五年十二月）
金鎰璿

襤褸（ボロ）を着たる友だちよ！
泣き叫ぶ　友だちよ！
衣物は何人が奪ひ
笞（むち）打つのは何人であるか？
此處に集まれ一人二人
賎しまれる　友だちよ！
血を流がす　友だちよ！
足で蹴るのは何人であるか
××で刺すのは何人がするか
速かに集まれ團結其の所に
饑える友だちに「**パン**」を
疲勞した友だちに休息を

一五五

集團其のものは
お前等の所望を實現さしてやるであらう。

一五六

第五節　少女の死

（梨花創刊號　昭和三年十月）
朱游元

少女よ、おゝ深き疑りに就ける少女よ
おどれよ、飛べよ、元氣よく
縛られてゐた凡ゆる束縛より
自由と平和の靜かな國へ

×　　　　×

少女よ、おゝ勝利を得た少女よ
歌へよ、自由の歌を
永生をなし得ざる人間等よ
悲哀の空氣中に胸を叩く時に

×　　　　×

少女よ、おゝ美しき少女よ
見よ、人間たちの僞りの所爲を
主（ヌシ）なき空家を裝飾し
花束を以て人の眼を迷はすよ

一五七

昭和六年五月二十七日印刷
昭和六年五月三十日發行

朝鮮總督府警務局圖書課

京城府觀水洞百三十五番地
印刷者　岩田龜太郎
京城府觀水洞百三十五番地
印刷所　大和商會印刷所

調査資料第三十七輯

昭和九年一月

不穩刊行物記事輯錄

朝鮮總督府警務局

序

本輯ハ日韓條約、日韓併合其ノ他總督政治ニ對シ反感ヲ抱キ不穩ノ行動ヲ敢行シ自殺或ハ死刑ニ處セラレタル者等ノ遺言狀、檄文又ハ彼等ヲ稱讃シタル祭文、墓表、輓詞等ノ中差押或ハ一部削除セラレタルモノヲ摘記シタルモノナリ

凡例

一、本輯ハ各人別ニ其ノ經歷ヲ略記シ次ニ不穩文ノ譯文或ハ本文ヲ記載シタリ

一、本文ノ出處ハ各文集、遺稿、傳記等ニシテ差押或ハ削除セラレタル稿本ヨリ求メタルヲ以テ資料ノ關係上比較的詳細ニ記シタルモノト然ラザルモノトアリ

昭和九年一月

警務局圖書課

目次

閔泳煥

明治三十八年(光武九年)十一月日韓條約(保護條約)成立スルヤ當時陸軍副將兼侍從武官長閔泳煥ハ激烈ナル遺言狀ヲ殘シ軍刀ヲ以テ割腹自殺シタ。同人ハ驪陽府院君維重ノ七世孫、輔國謙鎬ノ子ニシテ故閔妃ノ從姪ニ當リ門閥高ク現職ノ高官ナルヲ以テ之レガ死ハ一般民心ニ重大ナル衝動ヲ與ヘタルモノナリ。

遺書譯文

同胞ヘ警告ス

嗚呼國恥ト民辱ガ。茲ニ至ルヤ我人民ハ將ニ生存競爭ノ中ニ殄滅セン。茲ニ於テ生ヲ要スル者ハ死シ。死ヲ期スル者ハ生ヲ得ベシ。諸公豈諒トスベカラザランカ。惟ダ泳煥ハ死ヲ決シ以テ皇恩ニ報ヒ我二千萬同胞ニ謝セン。泳煥ハ死ストモ死ニアラズ期シテ諸君ヲ九泉ノ下デ助ケン。我同胞兄弟ヨ奮勵努力シ學問ヲ勵ミ決心戮力シ以テ我自由獨立ヲ恢復センカ死者ハ冥々ノ中ニテ笑フベシ。嗚呼失望スル勿レ。我大韓帝國二千萬同胞ニ訣告ス。(大東歷史)

各國公使ヘ函告ス

泳煥ハ國ノ爲メニ善處シ得ズ國勢民計茲ニ至ル。唯ダ一死ヲ以テ皇恩ニ報ヒ二千萬同胞ニ謝ス。死シタル者ハ已ミタリトハ云ヘドモ我二千萬人民ハ將ニ生存競爭ノ中ニ殄滅セン。貴公使ヨ豈日本ノ行爲ヲ諒トスベケンヤ。貴公使閣下ヨ、天下ノ公議ヲ以テ貴政府ヘ報ジ我人民ノ自由獨立ヲ助ケンカ死者ハ冥々ノ中ニテ感謝スベシ。

嗚呼閣下我大韓ヲ輕視シ我人民ノ赤心ヲ誤解スル勿レ。

閔忠貞追悼歌

一、天地ノ至强ノ精氣ハ。閔忠貞ノ一道ナリ。忘ル勿レ〳〵。國ノ爲メノ其ノ志。
二、血ガ流レテ竹トナル。大韓帝國ノ光榮ナリ。
三、何時ノ間ニカ光陰ハ流レテ夜トナリ。節ニ殉ゼル記念日ハ來タレリ。
四、全國同胞二千萬ガ。公ヲ偲ビ追悼スルハ等シ。
五、學徒ヨ〳〵。明カナル遺書ヲ忘ルベケンヤ。
六、忠愛ノ目的ヲ範トシ。獨立ノ精神ヲ高メヤウ。
七、忠ヲ竭シ國ニ報ズル我心。忠貞ト等シカラザランヤ。
八、年々ノ此ノ日ヲ記念シ。追悼歌ヲ高唱ショウ。

遺書

警告同胞

嗚呼國恥民辱乃至於此我人民行將殄滅於生存競爭之中矣夫要生者死期死者得生諸公豈不諒哉泳煥決以一死仰報皇恩以謝我二千萬同胞兄弟泳煥死而不死期助諸君於九泉之下幸我同胞兄弟千萬倍加奮勵堅乃志氣勉其學問決心戮力復我自由獨立則死者當喜笑於冥々之中矣嗚呼少勿失望訣告我大韓帝國二千萬同胞(大東歷史)

2 函告各國公使

泳煥爲國不善國勢民計乃至於此徒以一死報皇恩以謝死二千萬同胞死者已矣今我二千萬人民行當殄滅於生存競爭之中貴公使豈不諒日本之行爲耶貴公使閣下幸以天下公議爲重歸報貴政府人民以助我人民以助我人民之自由獨立死者當喜笑感荷於冥々之中矣嗚呼閣下幸勿輕視我大韓誤我人民之血心

上聞泳煥死震悼贈上相諡忠正且命旌閭(韓國痛史)

3 血竹贊(血痕ノ附着シタル軍服ヲ秘藏シタル室ニ竹ガ生タル由之レヲ血竹ヲ名付ケタ)

大韓光武九年十一月三十日忠正公泳煥殉于國其血衣及刀藏之夾室至明年七月四日開戶視之有竹四幹自生於紙罅板縫之際長僅三五尺耳而有千霄之勢異矣哉謂非精忠感可乎諸紳士咸咨嗟聳歎入梓鑱以作贊曰

不泯者忠、不散者精、磅礴鬱結、竹乃自生、勁幹直節、綠葉疎莖、如復見公、氣槩峥嶸、風義所感、寰宇同情、庶藉英烈、扶危支傾、圖以傳之、萬古芳名、南廷哲贊、閔忠正公血竹圖

聞閔忠正泳煥自刎殯生竹

高名萬國閔忠正。容易自裁庭淸身。孰知晚節能如許。曾謂當時一貴人。天於忠正爲心惻。點々殷紅化粉身。若使粉身可制梃。還能撻去楚秦人。直齋集(李晚燾)

趙秉世

(元老前議政大臣趙秉世ハ日韓保護條約ノ成立ニ憤慨シ明治三十八年(光武九年)十一月悲憤激烈ナル遺書ヲ殘シ自殺シタ)

趙秉世字稚顯號山齋故相文簡公觀彬之五世性樸直忠勁不修邊幅歷仕內外所在有績拜相以直見重甲午解職歸加平鄉第丙申袖箚陳時務十九條戊戌此復拜相固辭庚子入對極言宵小干政之弊因謝病歸至是聞日人勒締保護條約大痛曰國亡矣吾以世臣殉之固當疾驅入都請對哭奏曰國非一人一家之所有故有大事雖人主不得獨斷我祖宗成憲必博議于時原任大臣二品以上及在外儒臣方可決行今日使所請五條何等重大而一、二臣僚不體聖意不遵國典擅自可否以國與敵乎其蔑法賣國之罪萬戮猶輕自主務大臣朴齊純以及各大臣之書可者亟正邦刑以謝公論卽下詔勅繳消該案聲明于各國若未蒙兪允者臣寧碎首天陛而死上謝以喉症不見不得已退出私邸遂率百官聯疏伏闕乃被日兵拘詰旣而回至表勳院謂諸人曰余此行固決意殉國而況受辱至此乎卽草遺疏藏之衣帶中又有遺書之訣告國中士民及函告各國公使者遂仰藥而死

1 遺疏

伏以臣老而不死目見國家危亡迫在呼吸輿疾入城以奏以箚屢回觸忤而迷不知止者冀或有一半分救拔得來矣不料事變無窮竟至被押於外兵重怡羞辱於國家而猶且頑忍苟延者庶幾望陛下之感回復此胃羞包恥署名百僚聯章之列臣固知論者加之以一層罪案也現今宗社之亡匪朝伊夕而陛下只與四、五逆臣諸諏周旋雖欲不亡得乎臣旣不得辦一死於天陛之下乃至爲狡虜脅持以去辱國辱身自速大戾豈死期將至天奪其魄而然歟然則非徒爲陛下之罪人亦爲殉節臣閔泳煥之罪人矣臣以何顏復立覆載間乎臣罪深誠淺生無以感動天意逆臣不除而劫約未繳則不得不以一死報國故敢爲陛下永訣臣死之後誠宜奮發乾斷齊純、址鎔、根澤、完用、重顯五賊論以大逆不道而殄滅之以謝天地神人旋卽交涉各使繳滅僞約以復國命則臣雖死之日猶生之年如以臣爲妄卽醢臣身以賜諸賊裼臣精神迷亂不能罄所欲言懷痛窮天死不閉目瞻望宸極有淚徹泉而已伏惟聖明哀憐之

2 訣告國中士民

秉世臨死警告國人民嗚呼强鄰渝盟賊臣賣國五百年宗社危如綴旒二千萬生靈行將奴隷寧以國斃忍見今日如此羞辱乎此誠志士抹血飮泣之秋也秉世忠憤所激不揣力量封章叫閽席藁國外將欲扶國權於已移救生靈於將死而事不從心大勢已去惟以一死上報國家下謝人民然有餘恨者國勢未復主威未行也惟我全國同胞勿爲我死爲悲各自奮發益勉忠義左右邦家扶植我獨立基礎以雪會稽之恥則秉世雖九泉之下蹈舞悅豫矣其各勉之

3 函告各公使

秉世向以日使刼約事知照各館僉閣下而竟未得一次會辦憂憤撑中以死報國伏願僉尊秉念鄰誼矜惻弱小共同協議以復我獨立之權則秉世死當結草矣神昡氣促不知所云

訃聞上震悼賜諡忠正命旌閭(韓國痛史)

宋秉璿

(經筵官宋秉璿ハ尤庵宋時烈ノ九世孫ニシテ儒林殊ニ老論黨ニハ相當信望ト勢力ヲ有シタルモノナルヲ以テ之レガ日韓保護條約ニ不滿ヲ抱キ自殺スルヤ一般民心ニ抗日ノ禍根ヲ遺シタルコト多シ)

經筵官宋秉璿號淵齋先儒尤庵文正公時烈之九世孫承家庭之傳負儒林之望雖固守林樊不應徵召而每國有大事上必遣近臣諮詢此本朝禮遇儒臣之成例也至是聞日人勒締保護條約遂大慟曰此前古所無之變也不可膠守宿誡而不言也因上疏極言未遂兪允乃曰國亡道亡人類且滅吾之所處只一死字而已吾當以死諫吾君遂告訣先祠直抵都門外請對上有難色憫曰人有喀也遂直詣內院請對上驚動卽設法筵而接之縷數萬隆乃上袖箚十條懇々敷奏其大意以爲國存道存今陛下之國已亡而天下之道亦亡天陛咫尺卽臣死所不准不退上曰朕當准施姑就舍對曰以死自處不得請不敢退學禮卿南廷哲曰旣有准施之諭姑退宮內府以竢之恐宜乃退出

翌日警務使尹喆圭矯傳勅敎曰有入對之命信之出永成門詰卞此去漱玉軒頗遠老人不可徒行請乘轎乃有日憲兵巡査等俱以韓服圍立稱五賊欲害先生故保護耳閉轎摧疾驅出西門外日兵乃以日服圍住且稱有勅命奪其佩刀及衣襟中藥物終夜嚴守秉璘嘆曰吾爲豎子所紿翌朝舁載火車夜抵公州之太田驛日兵乃解歸遂入懷德之石村曰此吾祖尤庵舊居卽吾死所召門人曰我受辱於狡虜至此我一身固不足重其於士林何其吾道何遂以深衣幅巾北向四拜出其行槖中藥物吞下而稟質素厚兼資修養之故藥力不能逞再服辭色夷然曰此藥甚無靈如是者三遂卒訃聞上震悼賜諡忠正命旌閭有遺書及告國民示書社同志

1 遺 疏

臣以討賊廢約事以疏以劄恭俟處分者已有日而屢度請對以冀候鑾竢待命闕門矣警務使尹喆圭來而誘臣曰若欲進入闕門則藉衰筋力難可自強扶臣載轎、轎門下乘閃忽之頃已到城外則巡檢與巡査稱以勅命保護搜探臣身困辱萬端脅載火車直到公州之太田遂臣還鄕當其時求死不得臣受辱固不足惜而貽辱朝廷何貽辱士林何嗚呼諸賊未誅勒約未繳則五百年宗社今日而亡矣三千里疆土今日而無矣數千萬生靈今日而滅矣五千年道脈今日而絕矣臣於今日生亦何爲將歸侍我列聖祖暨先賢於地下而不負春秋大義伏乞陛下確定殉社之正意亟誅諸賊以伸王章亟廢僞約以復國權擇人任職保我黎民還宗祊於無疆扶道脈於垂絕則是臣之日猶生之年也

2 告全國人民書

秉璘草野人也杜門讀書分義是守若其世道隆替惟副手袖工是恃今當國家垂亡人民滅劉之日旣不爲萬世開泰之功亦無以救一世匍匐之赤子而忍見此慘禍之狀寧溘然無知之爲愈也只以一死以謝國民請各自思量夫當死而生々而死也當死而死而生也古語云衆心成城惟願國民奮發淬礪一心團合以忠君事長爲究竟法而百折不撓萬難不渝則天必悔禍得有保生之日矣若不能然而柔懦怠惰一向渙散吾將次第逆我國民於地下之日無幾矣其各念之哉

3 示書社同志書

不自量力以討凶逆扶綱常大義仰叫天陛矣竟値罔極之辱於犬羊之奴使吾儒種子及身而滅亡故只以一死謝諸君子噫上焉而千百年在前下焉而千百年在後俯仰窮壤今日何日默究義諦庶幾無愧於前後之人矣夫剝盡復生否極泰來自是天道之常也惟願諸君子勿之今日之喉塞謂永無生々之道而少屈其志氣壁立于千仞之砥柱忍辛苦用力下工只要舍死而前不要退後歇脚扶吾道於旣絕延國脈於已亡之地大多風霜必遽然而萬和方春矣然則不佞今日以身殉義乃爲諸君異日與道俱生之本也

崔 益 鉉

贊政崔益鉉ハ日韓條約ニ憤慨シ時ニハ韓國皇帝ニ上疏文ヲ呈シテ排日ヲ激勵シ或ハ國民ニ檄文ヲ飛シ排日思想ヲ鼓吹シ常ニ抗日態度ヲ持シ遂ニハ絕食自殺シタルモノニシテ儒林界ニ於ケル排日ノ巨頭ナリ

臨死上疏文抄譯

臣益鉉ハ日本對馬島警備隊ヘ囚禁中死ニ臨ミ謹ンデ皇帝陛下ニ上疏ス臣ハ捕虜トナリ潔ク死ヲ決ス伏シテ乞フ四千年ノ祖國ト二千萬ノ生命ハ將ニ丘墟トナリ魚肉ノ禍ガ目前ニ切迫ス陛下ハ宸慮ヲ煩シ因循ノ慣習ヲ棄テ依頼心ヲ去リ臥薪嘗膽ノ心ヲ堅クシ自ラ修メ國民ニ向ハレンカ國民ハ皆愛國心ニ燃ユル赤子ナリ豈陛下ノ爲メ一死ヲ惜マンヤ

檄 文

贊政崔益鉉頃被召登筵切論時事被日人以兵迫遂還定山鄕第至是聞保護約成乃以不計成敗倡義殉國決心而先發檄文告國士

民其略曰今日國事尙忍言哉古之亡國也只宗社滅而已今之亡國也並人種而滅古之滅國也以兵革今之滅國以契約以兵革則猶有勝敗之數以契約則自致趨亡之症嗚呼去十月二十一日之變是豈全世界古今所有之事乎有鄰國而不能自交使他人代交則是無國也我有土地人民而不能自監使他人代監則是無君也無國無君則凡我三千里人民皆奴隸耳臣妾耳夫爲人奴隸爲人臣妾而生已不如死況以彼狐欺狙詐之術施於我者觀之其不肯遺我人種於此邦之域者不啻較然矣然則雖欲求爲奴隸爲臣妾而生寧可得乎何以言之國之有財源猶人之有血脈也血脈竭絕則人死今我國之財源所出若大若小其有不爲彼攫者也若鐵路鑛山漁採蔘圃皆一國生財之源而彼之佔取已有年矣國之經用惟有賦稅而今皆奪入掌握至皇室費用亦不免乞憐於彼而得之海關出入之稅其數不些而我國不得有所問電郵兩司乃通信之機關而其關於國家者甚重且大而彼亦奪而據之矣以言乎土地則各港市停車場等縱之數千里橫之數千里皆爲彼所有而原野宵毁之地森林禁養之處爲彼所勒奪者不知爲幾處矣以言乎貨幣則白銅貨之弊固有大疾然其私鑄之惡貨是彼人之爲而及其釐整正也其新舊正惡色質輕重毫無差別而增倍其價格而已則只爲彼牟利之資而又以其紙片不能通行者強名之曰元位貨使我血脈枯竭百物不通其冤計誘手呼亦慘矣以言乎人民則各處鐵路之役夫與日露戰時擔負之軍皆牛鞭而豕驅之少不愜意輒砲殺之若刈草菅使吾民父子兄弟含寃抱痛而不得伸搢紳士庶之前後陳疏者皆爲國而進忠謨者而輒捕縛拘辱以至大臣重臣亦少不饒貌之則其凌蔑我無復餘地矣排置其私人於各部名曰顧問官自攬政權而其所爲者則皆弊我爲彼之事而已此等不法不道脅迫劫奪之大者擧其概而猶如此至其爲約不信守盟不固之罪則自馬關條約以至今日俄宣戰書皆聲言大韓之自主獨立者不啻丁寧保我領土者又不止一再而皆容易棄之不少留難始焉誘我賊者扯鑰而勒爲議定書終焉脅我逆臣齊純而爲今新條約至於置統監府於國中移外交於日本遂以三千里疆土二千萬人民爲彼之內地屬民非止爲世界所謂保護國而已然爲屬民則猶與其民爲平等對待使之仍其居而遂其生國雖亡而人種猶不滅矣試言以上所列諸不法不道之事者其果欲遺我人種於此邦之域者耶此其不盡抗吾民則必驅之於磽瘠不毛之地而移植其民焉則不止此西洋易人種之法今日本所以施於我者是也然則向所云求爲奴隸臣妾而生而不可得者其非恐動之語可知也況以我大韓堂々禮義自主之民區々屈膝於讎賊之下而欲丐一日生豈有愈於死者乎下陰之木枝葉不茂餘踐之草萌孳不長奴隸之種賢不生此非其性質有異也壓迫伏制之勢使之然也我國自高麗以來雖名爲中國之藩邦然土地也人民也政事也皆我自主而精兵百餘萬財貨充府庫百姓殷富戶口滋殖雖以隋煬帝唐太宗之威而未免敗衂而歸元世祖至入用兵而後取服當我太祖時倭人肯屢侵而屢敗壬辰之役雖有大明之援助而其回復全勝之功皆在我兵況沒倭艦數百艘於露梁丙子之亂若用林忠愍直擣巢穴之計則淸人當立蹙惟恨不用耳非眞力不足也由是觀之我國雖褊小而人民之性質强力必不讓於他國但今文治之餘民氣委靡不能振作而亦不能通知天下之大勢思有以合變之也由其不知天下之大勢故死在目前而不能知若人々知其必死則生之道乃在其中矣惟不知其必死而唯幸其或生故終死於不能生耳死之證如上所言則或生之道將何處見之乎計今獨有各奮氣力各勵心志使愛國勝於愛身惡爲人下甚於惡死能以萬人之心爲一心則庶乎其爲死中求生之道耳彼日本人者雖其輕躁狹詐無禮無義不合人道者然其強力獨勝之效則無他惟能合其心力愛國勝於愛身故也況吾邦士民素服習先王禮義之敎而人人腔膛中活潑之赤血與彼無異乎然則今日吾士民之最先急務在於察天下之大勢知必死之故而已蓋知其必死然後氣力自奮心志相勵愛國之誠自發而合心之功自見矣於是而去依賴仰望之心振頹惰委靡之習革因循姑息之弊有尺進而無寸退寧同死而不獨生則衆心所結天必佑之矣獨不見閔、趙兩忠正之死乎國家亡人民滅非獨此二人之責也然則以二人者能以國家人民爲己責捐生若鴻毛而不少顧者所以示民必死之義而無二心也苟吾三千里人民皆能以二公之心爲心持其必死之心而無二者則何逆賊之不能去國權之不能復哉益鉉誠才力薄不能竭忠告君以銷患於未萌又不能捐身殉國以激發其民氣俯仰愧恧生無以對我數千萬同胞死無以見二公於地下矣茲敢不揆卑陋謹以今日時局大勢之所聞所見者略爲此以佈告我全邦士民勿以益鉉老耄將死之言而忽棄之其各自

勉自勵毋令彼人果遂其易人種之計則幸甚既而與其門徒議曰吾儕今日之義惟以死報國而但自經溝瀆亦近於獨潔其身也今以吾儕之力抗彼强虜雖萬無幸焉而一次擧旗伸一義字死不亦可乎諸人慨然從之進募兵購械以作戰具發檄以告遠近日人偵之卽派兵馳至圍而攻之砲丸如雨益鉉神色自若卽挺身而出曰汝等之欲得我者也不必亂射以傷人遂與其門徒數十人被執至對馬島之日人餉之拒曰我豈食爾粟而求生者乎遂餓而死其日彩虹亘天日人亦義之弔以詩文者有焉喪還我民男女迎哭不絕於道日人相謂曰益鉉死韓國儒林吾無憾矣

十二月乙巳丙午入對漱玉軒筵陳五條補箚　上命進前　上曰意謂卿卽早々上來矣今始入來乎

先生曰臣八月自鄕離發中路以病委頓數朔近稍回甦俾爲入來矣仍奏曰臣通籍五十年匪分之職濫躋正卿之列而尙未識　天顏古人初登天陛有仰瞻天顏之請者臣亦願擧首矣　上曰仰瞻之先生曰臣於癸酉丙子妄陳狂瞽之說至被嶺海之典特蒙　陛下再造之恩生還故土一毛一髮莫非聖明之攸賜也自後國家之變故重疊　陛下屢遭千古所未有之厄而臣未能出一氣力爲涓埃之報臣之不忠實國人之所共知也今臣犬馬之齒已踰七旬百病侵凌餘日無多陛下未知臣無用屢降召命禮遇隆摯抑　陛下何所取於臣而有此非常之恩數乎臣本廢學且生長鄕曲所聞只臣祖與父之遺訓何足啓沃於聖心哉臣之愚騃之見已悉於戊戌疏中而未蒙採納臣之今行豈敢期採納所言亦豈敢望生還故土乎今日國勢岌嶪迫於朝夕　陛下如有翕受之聖意臣敢盡言無諱矣上曰卿本强直故不符於人朕所已知且年前疏辭雖多逆耳朕心則知其可而或疑於時勢有難變通矣然今此艱虞之劇待卿匡濟之策故玆特召之惟卿嘉猷嘉謨豈不採納乎先生曰臣言辭陋拙謹具一箚庸備乙覽仍跪進袖中箚子曰如蒙採用則實宗社之幸也秘書承李明翔讀箚訖先生曰陛下試觀今之事勢以爲將興乎抑以爲將衰亂之時乎上曰果衰亂之時也先生曰陛下如知爲衰亂之時則知所以致衰亂之由乎只以今日民會言之挾恃强隣敢肆凶獒其罪固不容誅然民心卽天心也民心渙散如此則天心從亦可知豈陛下事天之誠或有未盡歟抑有司之臣不能對揚　聖德而然歟上曰朕則自謂盡誠事天而天譴之不應如是此朕之不明不能董率臣工之所致也先生今日民心渙散皆由乙未以後無復讎之志無復讎之政故也如有復讎之志復讎之政則民心自固宜無今日擾亂矣臣近日屢伏見詔勅下者哀痛之旨溢於辭表王言如綸而未見實澤之下究此易故也此陛下徒事文具不以實心行實政之故也臣聞陛下不行太廟展謁禮久矣請亟動駕展謁太廟御望廟樓召會民使各俯伏于廟門外降哀痛詔引咎責躬如成湯萬方有罪在予一人之意然后招入其爲首者數人親加曉諭擇其言之可用者實施之而使各散歸則此亦化盲中物豈有終始拒逆之理乎上曰孝思殷練祀前展謁太廟拘於禮制矣先生曰如此則臣恐　陛下終無展謁太廟之日矣上曰何謂也先生曰聞陛下多拘忌故云矣上曰朕安有拘忌乎況祖宗安靈之地而豈有拘忌之理乎臣聞彼司令部有所告示者曰凡境內警察渠皆自擔云然我國之警廳法部皆爲無用矣噫誰知五百年宗社三千里疆土一朝爲日本所亡乎然人必自侮而後人侮之豈專歸於彼乎自乙未大變以來我君臣上下若能小知復讎之不可不爲而加憤勵焉則今日之國勢庶不至於此今擧國民皆爲俘虜矣魚肉之慘而莫之救嗚呼天乎時乎思之到此只有潸然無生之願而已因放聲大哭又奏曰今則國將亡矣雖有良策將安所施乎雖然與其坐而待亡孰若幡然一悟小試奮藥而更待天命乎臣之袖箚五條俱爲今日急務也而非有關於外人不求助於政府皆在　陛下轉移宜行之間伏望敢降處分

時奸賊誘引我國東匪餘黨使之薙髮爲其假鬼名曰一進會嘯聚詬罵君上凌辱宰相氣焰日熾中外惴惴先生進箚首言其犯上不道之罪以爲彼所謂民會者聚衆不平之徒糾結醞釀已非一日而外挾勢於强隣內構端於朝廷不有君父之嚴命不有政府之大官擅奪罪囚恣口詬罵甚至有闕門會哭之變噫紀綱絕矣名分亡矣國何以爲國人何以爲人哉斯民也是皆先王覆育之赤子禮義之遺黎初非有樂禍喜亂之性者也亦非無尊君愛上之心者也胡乃一朝易性換心至於此極也嗚呼此豈可不爲寒心而痛哭者哉此衆民者之罪固無可言而然雖倘未聞陛下之如何修省政府之如何變動臣固仰陛下臨急擧隅之盛德弘量而臣實未知今日所恃者果在何處乎欲恃天

乎則民心卽天心民心已如此天心亦可知矣欲恃政府乎則今之政府正彼之所覬覦者也蓋彼亂民之徒悖則悖矣逆則逆矣論其罪狀當誅何疑然獨不思乎政府所以自爲者有以所召之乎陛下試思之近日居政府者何如人耶縱未有鞠躬盡瘁死而後已如諸葛亮者猶有能心存國家與君同休戚者乎縱未有面折廷爭補過拾遺如汲黯者猶有能不爲巧言佞色以逢迎人主者乎縱未有宦官宮妾不知姓名如王素言者猶有能粗守雅操謹身知恥者乎縱言不如此則必皆貪權樂勢諂諛姦邪之徒耳必皆竊國害民謀利聚貨之徒耳必皆棄禮義捐廉恥患得患失之徒耳必皆販君賣國爲賊倀鬼之徒耳如此之類盤據進退數十餘年然則國何以不病民何以不疲人心何以不離散而禍祀何以不荐至乎然殷高不遇雊雉之災則不能致嘉靖邦國之効周宣不遭共和之亂則不能致周室中興之美句踐不遇會稽之恥則不能成沼吳之功燕昭不遇子噲之變則不能成報齊之績蓋多亂所以興邦亂極所以思治也陛下固知今日事勢之無可奈何矣然其變移轉動之機猶在乎陛下之一心耳陛下料今臣下之得罪最重爲民所切齒腐心者誰其甚者故政令之爲時巨弊使民疾首蹙額者誰其甚者臣誠愚昧固陋不可枚擧而歷言之然其在官貪鄙徇私滅公締結無賴之輩以賄賂挾雜者則可誅爲觀察守宰貪饕剝割以魚肉生民者則可誅專事聚斂損下益上以斂民怨而歸之上者則可誅挾邪術左道以惑君上者則可誅挾敵國外人以脅君父者則可誅或爲契券或爲條約以國權土地與人者則可誅滅棄綱常斁敗彝倫言必毁聖人者則可誅厭薄古道樂慕外俗好新星而尙奇功者又可誅又言擇賢才以任政府禁斂以保百姓興學校以養人材修信義以交隣國云々

壬子上疏陳情

外人之侵凌踏猶屬歇后而至於國內警察之擔任則上無朝廷矣下無人民矣如此而陛下猶不能奮發惕厲朝廷猶不能洗滌振刷五百年宗社三千里疆土生靈將付於何地乎臣言念及此痛哭欲死遂至於大發狂疾而罔所止也臣既膺命於屢召之下而至矣言而不見施則示當受罪而去矣豈有俛首伈俔只以一賜對爲榮而退哉伏乞陛下亟加雷霆之威治臣狂妄之罪以爲人臣者戒焉

戊辰再疏

伏覩今日國家事勢臣捨陛下而將安往哉以言乎　陛下之左右則諂諛巧佞之徒厭然媚於前而潛懷欺慢之心百方爲販君賣國之事矣以言乎陛下之朝廷則其小人者固皆內結姦細外挾强敵以爲盜權取祿之計矣其稍存體面者又皆惜臣避事果然卸後擧懷吾君不能之心矣以言乎陛下之百姓則樂禍思亂之類騷然橫於途而敢肆罔測之言不憚爲引寇導賊之倀矣以言乎陛下之隣國則狐媚狙詐敗盟負約專行並吞之術而自攬政法之權縶我手足箝我口舌不知又做出何樣禍變矣嗚呼主孤如此國危如此臣縱不能碎首刎頸以報陛下於萬一寧安忍捨陛下而去哉抑陛下旣以此時召臣寧復以此時遣臣哉蓋自古失國者有爲權臣僭竊而失者矣有與敵國戰不勝而失者矣未聞以言語文字作契券成條約擧全國與賊而不交一兵不發一矢而失者矣又曰以近日貨幣矯正事言之矯之誠是矣第未知矯之將如何也若必先借款於外國則必當有典物矣有典物則必當以土地矣以土地則陛下受先王疆土人民之托乃欲一朝擧以與人耶且臣未知借款將用於何處乎不向多少借款之日卽無國之秋也此聞比約已成臣於此尤不勝哀痛之極也然幸而姑未借來則臣願卽繳還其契券節財儉用徐族國力稍紓然后議之可也彼若以敗約責我則雖徐徵數月之息寧不愈於割肉而充腹者乎然苟求此禍敗之由皆依附二字爲之祟也臣願自聖心先斷依附他國之根株淸立聖志不撓不屈寧自主而亡不依附而存凡群臣之中依附外國者並皆肆諸市朝以號令一國然後務勤內修之方亟圖自强之策一如臣前箚所言者心心念念性在於安民而保國則彼雖無義亦當畏天下之公議而不敢遂吞我矣此臣之日夜伏地庶望於聖明者也

己亥上疏

臣且前後所陳雖無倫脊反以察之非全無一言可採者矣只以賢邪進退一事言之販君賣國之賊依舊盤據於陛下之朝廷聚斂貪虐之賊依舊出入於陛下之左右姦佞諂邪之賊依舊濁亂於陛下之政令而陛下一向不察信任庇護上以失皇天眷顧之心下以失萬受民

戴之意使先王神靈有殄享之悲而四方百姓興爲裘之歎陛下獨不見自古人君之惑於小人以自亡其國及其求爲匹夫而不可得然后悔之已無可及者乎況今强敵在傍喑舌如箕不知何樣變故起於一朝而臣爲不忍言而不忍聞之凶說以載於所謂新報之中臣一聞其語骨驚膽掉直欲一劍自刺而無生於世也誠能發自聖衷大加奮勵持一環刀斫案起立先取賣國亂政之五六賊臣磔之於市又取左右所列珍玩奇物盡行撞破示天下無私然後凡姦細佞行之徒各以其罪誅竄之進一國老成有德望者置諸政府之首次擢賢才列于庶位使之專任責成凡政令之病國害民者一一除罷夜以繼晝務行善政有雷厲風飛之勇而無因循姑息之弊則不過朞月之內整頓得五六分使民心復回而天意重得矣如此而彼隣國者猶行並呑之術而必欲逞惡則我同與天下列邦證約立盟通用公法矣豈不移照各國會合談辦以求天下之公論乎若我自無爲依舊是沁沁泄泄之態則彼隣敵者固視我如囊中物矣雖列邦者亦當以爲應然而無所發公憤矣天下豈有爲善而亡其國者乎嗚呼臣非不知陛下大厭臣言欲遂緘口而速去矣然臣一息一泯不忍忘君耳目所偏性情所激又不忍不言若夫觀察之任更在朝廷擇而授之臣不必煩言而辭矣云々

寧以國破不復讎則不已寧以身亡不復讎則不生爲務也哉夫彼賊之於我前有二陵之讎至於近年通和之後屢起大變無逆不助無逃不納此誠我國臣不共戴天之讎也雖夷艾其國都屠滅其種類亦不足以洩神人之憤但今我國兵卑勢弱雖不能遽興師旅以討其罪性可正辭明義使之縛送諸逆抽納三浦也以聲言于彼而又會同萬國照之以公法約條彼雖狡詐獨不畏天下之公議乎設使彼卽不許亦可以明吾大義而益激義士之憤有以待之而往討之也今乃亡國大讎而不知耻政壞民散而不知抗外患不測內潰日甚而恬君無事熟睡不醒此臣所以澘然而無知者也今之匪賊古之義兵又其死亡諸人雖皆草茅賤儒亦皆義烈殉國者也其在朝家培養民彝之道亦當有褒卹之典盍亦所以收拾人心激勸忠義以爲異日復讎之基者也

十二月乙巳 丙午入封對激玉軒僉陳五條袖箚

上命進前　上曰意謂卿卽早早上來矣今始入來乎先生曰臣八月自鄕離發中路以病委頓數朔近稍回甦僅爲入來矣仍奏曰臣通籍五十年匪分之職濫躋正卿之列而尙未識　天顔古人初登天陛有仰瞻天顔之請者臣亦願擧首矣上曰仰瞻之　先生曰臣於癸酉丙子妄陳狂瞽之疏至被嶺海之典特蒙　陛下再造之恩生還故土臣一毛一髮莫非　聖明之故賜也自後國家之變故重疊　陛下遭千古所未有之厄而臣未能出一氣力爲涓埃之報臣之不忠實國人之所共知也今臣犬馬之齒已踰七旬百病侵凌餘日無多　陛下未知臣無用屢降　召命禮遇隆摯抑　陛下何所取於臣而有此非常之恩數乎臣本蔑學且生長鄕曲所聞見只臣祖與父之遺訓何足啓沃於　聖心哉臣之愚蠢之見已悉於戊戌疏中而未蒙採納臣之今行豈敢期採納所言亦豈敢望生還故土乎今日國勢岌業迫於朝夕　陛下如有翕受之聖意臣敢盡言無諱矣　上曰卿本强直故不待於人朕所已知且年前疏辭雖多逆耳朕心則知其可而或疑於時勢有難變通矣然今此艱虞之劇待卿匡濟之策故玆特召之惟卿嘉猶嘉謨豈不採納乎先生曰臣言辭蹇拙逐其一箚肅備乙覽仍跪進袖中箚子曰如蒙採用則實　宗社之幸也秘書承李朝翔讀箚訖先生曰　陛下試觀今之事勢以爲將興乎抑以爲將衰亂之時乎　上曰果衰亂之時也先生曰　陛下如知爲衰亂之時則知所以致衰亂之由乎只以今日民會言之挾恃强隣敢肆猖獗其罪固不容誅然民心卽天心也民心渙散如此則天心從亦可知豈　陛下事天之誠或有未盡歟抑有司之臣不能對揚　聖德然而歟　上曰朕則自謂盡誠事天而天道之不應如是此朕之不明不能董率臣工之所致也先生曰今日民心渙散皆由乙未以後無復讎之志無復讎之政故也如有復讎之志復讎之政則民心自固宜無今日騷亂矣臣近日屢伏見　詔勅下者哀痛之旨溢於辭表王言如綸而未見實澤之下究此爲故也此　陛下徒事文具以實心行實政之故也臣聞陛下不行展謁太廟禮久矣請亟動鑾展謁　太廟御寢廟樓召會民使各俯伏于　廟門外降哀痛詔引咎責躬如成湯萬方有罪在予一人之意然后招入其爲首者數人親加曉諭擇其言之可用者實施之而使各散歸則此亦化育中物豈有終始拒逆之理乎　上曰　孝惠殿練祀前展謁　太廟拘於禮制矣先生曰如此則臣恐　陛下終無展謁　太廟之日矣　上曰何謂也先生曰聞　陛下多拘忌故云矣　上曰朕安有拘忌乎況　祖宗妥靈之地而豈有拘忌之理乎先生曰臣聞自彼人司令部有所告示者曰凡境內警察渠皆自擔云然則國之警廳法部皆無然用矣噫誰知五百年　宗社三千里疆土一朝爲他人所亡乎然人必自侮而後人侮之豈專歸咎於彼乎自乙未大變以來我君臣上下若能小知復讎之不可不爲而加憤勵焉則今日之國勢庶不至於此矣今擧國臣民皆作虜魚肉之慘而莫之救嗚呼天乎時乎思之到此只有流涕無生之願而已因放聲痛哭又奏曰今則國將亡矣雖有良策將安所施乎雖然與其坐而待亡孰若幡然一悟小試背藥而更待天命乎臣之袖箚五條俱爲今日急務也而非有關於外人不求助於政府皆在　陛下轉移宣行之間伏望亟降　處分　上覽箚畢仍教曰　哲廟憲廟未行追尊亦據古禮周公追王文王王季太王而不及傍尊矣周公祀先公以天子之禮故　太廟皆用天子之禮　文廟之祝稱徵祭者亦載大明輯禮矣廟主不書　大明賜謚亦有恭酌者矣至若　景孝殿　洪陵饋奠則春秋之義君讎未復則不書葬今雖　因山與下葬同故依葬前禮尙行饋奠純明妃服制則端懿嬪喪禮倣昭顯時禮而行之矣考諸大明典禮則懿文太子莊敬太子禮制有已行之例故據此行之俱有載冊在此矣先生曰　陛下豈無攷據而行之哉然不是不刊之典臣所奏者經禮也伏乞採納焉　上曰此非猝乍間斷行者第當商量焉是時　上常以日出後就寢午後起經百度廢弛先生以夙興夜寐奮發淬礪之意終又反覆陳勉而退　上仍賜食又使披隸扶護降階焉。時奸賊誘引我國東匪餘黨使之　髮爲其假鬼名曰一進會在在嘯聚、詬罵　君上凌辱宰相氣焰日熾、中外惴而、先生進箚、首言其犯上不道之罪、以爲彼所謂民會者、聚衆不平之徒、糾結醜類、已非一日、而外挾勢於强隣、內藉端於朝廷、不有君父之嚴命、不有政府之大官、擅奪罪囚、恣口詬罵、甚至有闕門會哭之變、噫紀綱絶矣名分亡矣國何以爲國人何以爲人哉斯民也是皆先王覆育之赤子禮義之遺黎初非有樂禍喜亂之性者也亦無尊君愛上之心者也胡乃一朝易性換心至於此極也嗚呼此豈可不爲寒心而痛哭者哉雖然此衆民者之罪固無可言而尙未聞　陛下之如何修省政府之如何變動臣竊仰　陛下臨危整暇之盛德弘量而臣未知今日所恃者果在何處乎欲恃天乎則民心卽天心民心已如此天心亦可知矣欲恃政府乎則今之政府正彼之所讎視者也蓋彼亂民之徒悖則悖矣逆則逆矣論其罪狀當誅何疑然獨不思乎政府所以自爲者有以所召之乎　陛下試思之近日居政府者果皆如人耶縱未有鞠躬盡瘁死而後已如諸葛亮者猶有能心存國家與君同休戚者乎縱未有面折廷爭補過拾遺如汲黯者猶有能不爲巧言佞色以逢迎人主者乎縱未有宦官宮妾不知姓名如王素所言者猶有能粗守雅操身雜謹身知耻者乎縱言不如此則必皆貪權樂勢諂諛姦邪之徒耳必皆蠹國害民謀利聚貨之徒耳必皆棄禮義損廉耻患得患失之徒耳必皆叛君賣國爲賊假鬼之徒耳如此之類盤據進退數十餘年然則國何以不病民何以不疲人心何以不離散而禍亂何以不荐至乎然殷高不遇雊雉之災則不能致嘉靖邦國之効周宣不遭共和之亂則不能致周室中興之美句踐不遇會稽之耻則不能成沼吳之功燕昭不遇子噲之變則不能成報齊之績蓋多亂所以興邦亂極所以思治也　陛下固知今日事勢之無可奈何英然其變移轉動之機猶在乎　陛下之一心耳　陛下料今臣下之得罪最重爲民所切齒腐心者誰其甚者政令之爲時巨弊使民疾首蹙額者誰其甚者臣誠愚昧固陋不可枚擧而歷言之然其在官賣爵循私滅公締結無賴之輩以納賂挾雜者則可誅爲觀察守宰貪婪剝割以魚肉生民者則可誅專事聚斂損下益上斂民怨而歸之上以者則可誅挾邪術左道以惑君上者則可誅挾敵國外人以脅君父者則可誅或爲契券或爲條約以國權土地與人者則可誅滅棄綱常廢敗彝倫言必毁聖人者則可誅厭薄古道樂慕外俗好新喜異而尙奇巧者則又可誅也又言採賢才以任政府禁聚斂以保百姓興學校以養人才修信義以交隣國正邦禮以救末失凡五事而邦禮之失卽　宗廟位版有明賜謚之削去也追尊四世時　眞廟憲廟　哲廟之闕而不擧也　景孝殿及　洪陵饋奠之不撤也　純明妃喪臣民服制之亦以朞年也文廟祝式不書　御諱也終又以正心二字爲興衰撥亂之要法前後凡屢萬言

待命于布德門外香祝課

先生一辭　天陛義不可悻悻而歸遂退伏香室夾房以俟一言之或蒙採納而　上終斬前晉時搢紳章甫之逐日來謁者甚衆都下人

民亦莫不延頸顒祝先生之言之實施矣　或者以爲當今國事之痼弊有非一朝一夕所可矯捄先生須受勅行公稍以歲月期於　聖心之稍稍回悟可也且旣已八域則肅拜　鑾輿閤祭名耆老社義無不可先生曰此所謂枉尺直尋之論也且當危急之日奚暇入耆社爲一己之榮寵

壬子上疏陳情

疏略曰臣伏念　陛下自今年六月以後特用殊禮以召臣於畎畝之中者豈不欲一見其面而止哉蓋意其有一得之愚以可裨補國家耳今臣待命　闕外已六日矣使臣言善也其採而用之當不俟終日矣如其不善也其斥而罪之亦當無所惜也善而不採不善而不斥是　陛下直以臣爲戲也臣雖無狀亦知羞恥何　陛下輕視臣下至此也且臣所言諸條雖不足槪於　聖心然其於目下切急之務亦不無少補而行之又無所甚難矣設使有難行者　陛下心中去一私字而沛然行其所無事矣　陛下心中之私與　陛下所居之位所臨之國其輕重何如也且臣未知今日是何等日也外人之侵侮凌踏猶屬緩后而至於國內弊瘼之擔任則上無朝廷矣下無人民矣如此而　陛下猶不能奮發惕厲朝廷猶不能洗滌振刷五百年　宗廟三千里疆土生靈將付於何地乎臣言念及此痛哭欲死遂至於大發狂疾而靡所止也臣旣膺　命於屢召之下而至矣言而不見施則亦當受罪而去矣豈有絶首生只以一賜對爲榮而退哉伏乞　陛下赫加雷霆之威治臣狂妄之罪以爲人民者戒焉　批曰　省疏具悉卿懇所言皆切實未始不警省而翕受今日國勢之不振如久病之病可期月而瘳有非可以一凡藥蘇完於一日方言之而求其効其或未之熟思於時措也念玆艱虞懋協贊共濟國事事遣府卽傳諭

戊辰再陳不可去之義兼言借款日貨依附外國之非

時　上悶先生之久伏　闕外連遣侍臣及掖隷諭以退竣私第兩先生而積誠意堅執不退益遠予所謂王庶幾改之予日望之之意也至是又上疏略曰伏覩今日國家事勢臣捨　陛下而將安往哉以言乎　陛下之左右則諂諛巧佞之徒厭然媚於前潛懷挾憸之心百方爲販君賣國之事矣以言乎　陛下之朝廷則其小人者固皆內結姦細外挾强敵以爲盜權取祿之計矣其稍存體面者又皆惜身避罪累然却後擧懷莫肯不能之心矣以言乎　陛下之百姓則樂禍思亂之類騷然橫於途而肆罔測之言不憚爲引寇導賊之張矣以言乎　陛下之隣國則狐媚狙詐敗盟負約專行幷吞之術而自攬政法之權勢我手足箝我口舌不知又做出何樣禍變矣嗚呼主孤如此國危如此臣縱不能碎首刎頸以報　陛下於萬一寧安忍捨　陛下而去哉抑　陛下旣以此時召臣寧復以此時遣臣哉蓋自古失國者有爲權臣僭竊而失者矣有與敵國戰不勝而失者矣未聞有以言語文字作契券成條約擧全國與賊而不交一兵不發一矢而失者矣又曰以近日貨幣矯正事言之矯之誠是矣第未知矯之將如何也若必先借款於外國則必當有典物矣有典物則必當以土地矣以土地則　陛下受先王疆土土人民之托乃欲一朝擧以與人耶且臣未知借款將用於何處乎不問多少借款之日卽無國之秋也此則此約已成臣於此左不勝哀痛之極也然幸而姑未借來則臣願卽繳還其契券節財儉用徐竣國力稍紓然后議之可也彼若以敗約責我則雖容徵數月之息寧不愈於割肉而充腹者乎然苟求此禍敗之由皆依附二字爲之祟也臣願自　聖心先斷依附他國之根株確立　聖志不撓不屈寧自主而亡不依附而存凡群臣之中依附外國者幷皆肆諸市朝以號令一國然后務勤內修之方亟圖自强之策一如臣前箚所言者心心念念惟在於安民而保國則彼雖無義亦當提天下之公議而不敢遂吞我矣此臣之日夜伏地庶幾望於　聖明者也　批曰省疏具悉卿懇知之非艱行之惟艱亦以時也前此所奏非不體念惟其可行而行之且卿之義雖有未可强策卽爲還第調理事遣府卽傳諭

己巳封還　批旨

封章後翌日　批旨始下先生承　批以爲老臣之前後進言非出於得已不已而自　上所答不當聽之藐藐若只以承順爲恭則雖有嘉謨良策將焉用哉遂用古人封還詔書之例還納　批旨

壬申三上疏待罪

疏略曰臣於日昨陳疏言不可去之義而尾陳借款之必亡國依外之必取禍言雖狂妄理實白直庶幾　陛下之感悟而朝廷之警省也及伏承批旨下者則不過是文具例式而似不全省疏意者臣憪惑憂嘆竊計以爲出納之官政府之臣能使少知事君之義則固當覆逆繳納使王言一出於誠實而不示臣下以厭言自是弛弛之色可也乃熟視無一言至使臣作爲推擧不受　批旨而亦不能斥罪致討以少扶國綱於此而可見朝廷紊亂之一端而今日禍敗之所由至也仍請被不從命之罪以爲人臣之戒　上批曰省疏具悉卿懇卿之所陳無非忠愛之至朕豈不體念而行之然不無商量者存至於貨幣矯正日政府妥宜措處矣卿其諒之退俟私第事遣府卽傳諭

弘文學士南廷哲上疏請用先生之言

疏略曰竊伏見　陛下於贊政臣崔益鉉致敬盡禮引而接之於筵席之上此蓋盛世之事而於今有之臣庶聳動欣欣然有望治之心然陛下所以召致崔益鉉者豈不欲進其身而用其言乎夫旣進之矣夫旣言之矣而側聽屢日未聞有採用之擧將使天下後世謂益鉉爲有直諫之誠謂　陛下爲無虛受之實臣竊惜之雖昇平無事之日尙不可以虛禮縻賢文具求言況凜凜然將危將亡如今日者乎孔子曰悅而不繹繹而不改吾末如之何學者之爲學猶尙如此況帝王之治天下乎　陛下何不以益鉉所陳箚疏下諸政府一付之公議使之爛商奏禀而　陛下躬親裁之擇其可行而行之不可行者而置之將見　陛下轉圜之擧與日月同其光明翕受之量與河海同其深廣轉危爲安傾否爲泰之機實在於此　陛下何憚而不爲乎雖其所言諸條之中或有一二未槪於　聖心不中於時宜而事係礙難禮涉愼重不可遽爾議及者其志則未嘗不忠其言則未嘗不直亦且容之以示　陛下恢弘之度在豈不爲聖德之光乎閔益鉉以年老篤病之人屛伏　闕下寒處冷食者已多日以死自居期期不退此亦古人尸諫之義也萬一言未及採而使益鉉遽先朝露其爲　聖朝之累當何如哉臣於益鉉於四十年前雖不無稠廣一面而未嘗有生平之契過從之歡今此所言非敢一毫爲益鉉地也斷斷爲　陛下地也爲天下國家地也伏乞　皇上淵然三思丞降處分容受直言而斷行之實宗社萬世之幸也時趙公秉鎬金公鶴鎭亦上疏言之不報。先生近一朔寒處冷食晝則酬應甚煩夜則耿耿不寐披閱九經衍義及周易等書子姪及門人安弼護權鳳韶侍相處崔銓九尹恒植李承會等始終侍側族孫萬植宗人碩嶺南人李承遠左右服勞至此歲色垂盡且北雨雪氣像愁慘先生自不禁百感交集除夕有詩一絶曰歲暮三韓國　王自聖明孤臣偏被眷積罪至今生

乙巳 先生七十三歲

正月甲戌　還納賜送錢米

上念先生之經歲旅次飢寒到極　命會計院特下三萬錢三石米以補客費先生再三固辭卽還納焉

丁亥除京畿道觀察使

己亥上疏辭職兼陳所懷

疏略曰嗚呼臣向伏承退去之　命今近一月矣臣非不知　陛下待臣之薄厭臣之甚然臣猶不能決退去徊徨躑躅於岐路之間者豈有他哉誠望　聖心之萬一回悟而庶幾復見天日之明矣迺伏見近日所下　恩命以臣爲京畿觀察使者臣於是益見　陛下無意於國家之興亡寧不容臣一个也雖然以　陛下始初召臣之勤望臣之厚而觀今日之所爲似不至出　陛下之本意而必有宵小輩之讒訾使　陛下過疑于臣也臣雖無狀豈忍以將死之年利一觀察使而來哉夫人君以雷霆之威乘萬斤之勢臣下有罪誅之可也賜之死可也竄逐之可也未聞以利誘之而使之去也　竄逐何不竄臣至此之甚也且臣前後所陳雖無倫脊反以察之非全無一言可採者矣且以賢邪進退一事言之販君賣國之賊依舊盤據於　陛下之朝廷聚斂貪虐之賊依舊出入於　陛下之左右姦佞諂邪之賊依舊濶

亂於　陛下之政令而　陛下一向不察信任庇護上以失皇天眷顧之心下以失萬民愛戴之意使　先王神靈有殄享之悲而四百姓興召裂之嘆　陛下獨不見自古人君之惑於小人以自亡其國及其求爲匹夫而不可得然后悔之已無可及者乎況今强敵在傍啗吞如箕不知何樣變故起於一朝而至爲不忍言不聞之凶說以載於所謂新報之中臣一聞其語骨驚膽掉直欲一劒自刺而無生於世也誠發自能　聖衷大加奮勵持一環刀斫案起立先取賣國亂政之五六賊臣磔之於市又取左右所列珍玩奇物盡行撞破示天下無私然后凡姦行之徒各以其罪誅竄之進一國老成有德賢者置諸政府之首次擢賢才列于庶位使之專任責成凡政令之病國害民者一一除罷夜以繼晝務行善政有雷厲風飛之勇而無因循姑息之弊則不過朞月之內驟頓得五六分可使民心復回而天意重得矣如此而彼隣國者猶行并吞之術而必欲逞惡則我固與天下列邦證約立盟通用公法矣豈不能移照各國會合談辦以求天下之公論乎若我自無爲依舊是沁沁泄泄之態則彼隣敵者固視我如囊中物矣雖列邦者亦當以爲應然而無所發公憤矣天下豈有爲善而亡內國者乎嗚呼臣非不知　陛下大厭臣言欲遂緘口而速去矣然臣一息未泯不忍忘君耳目所觸性情所激又不忍不言若夫觀察之任吏在朝廷擇而授之臣不必煩言而辭矣以此諒置之舉而司令官及其等力勸止之將以明日第一鐵路護送鄉第矣公意何如曰老親上疏後尚未承批　批來得還第乎高山曰此則勿慮我公使陛見時當奏達下批矣須明日早發也曰老人氣眩不能衷車雖無眩氣亦不欲乘車矣高山曰然則往抱川乎可議高山先探抱川定山洞名果數故也是日朝子姪賓客皆待于司令部門外而日兵六人擁轎而出至碑石峴停轎子姪賓客始得拜謁先生氣色如常顧謂左右曰彼欲擁我何往耶永祚當進曰往抱川也先生微笑曰亦慰我心算也今朝促我盥洗擁我乘轎意謂射移于別處矣乃徃抱川耶

戊午入京庚申出西江治疏

先生再入京師本非所欲而向既被押而還則義不可泯默且發向定山不可無一疏告歸而城裏則賓客熱鬧無暇操筆遂出城外爲封

章渡江之計疏略曰妄論時事大爲彼人所忤拘執數日不幸不死至被押還寄國學身伏念臣雖草莽以爵則一國之重臣　以齒則吾社之老物也設使也所言有忤於彼渠固當置之以理不當即其威脅前日夕小山三已遣人招先生長子永祚但問上疏與否及定山路程請以明朝押送余之意是日曉頭彼人二名保護先生出南門外乘之輪車李承旨載允及諸士友并流涕告別午抵余義芳耳洞宿女婿任進士明宰家翌日還第〇先生在內吟一絶曰萬事從今間有志成年　闕下置身輕寸丹未効俘先及更作何辭答　聖明

長子永祚與門人曹在學繪藏先生像

前此所有數三本而皆失真未愜意永祚與曹在學議方改繪令州人蔡龍臣以畫名適寄定山遂使門人趙泳善往邀寫出二本一本藏于家一本趙泳善奉去其後又移模二本一本奉于泰仁泰山祠一本門人吳鳳泳奉去

十一月 庚 年 壬申

前月二十一日惟我先考先妣兩大人生我劬勞之日也不勝風樹之悲而兼且遭罹運過殷墟麥秀峩峩之悲且將奈何欲涕然已矣時永祚方爲縣　殺即棄官而歸告其事先生不勝忿痛即陳請討之章略曰田初彼既爲此使新約成立而來則我政者必無不知之理矣既知之而不能賊辭更交仙之過爲數千言又尾附討殺[illegible]渠黨散在荒江斷港窮山僻水城裏或洗心省悟猶有爲而中外泄泄不齊歸於紙上空言其甚者至或有發告傳布之人俾受困辱焉

十二月 己亥 癸亥與同志諸士友會講于務城闕里祠爲文先聖又有誓告條

中明葩挾時在闕里祠掌教授當欲一邀先生設講會者久矣至是鄭艾山載圭開闕是與知舊其十餘人千里裏足來謁先生爲同去就共死生之計先生以爲若設闕里之會則必有遠近多士之收議而庶或有衆心成城之望遂冒雪登程剖氷渡江備經艱險得抵闕里會者殆數百人講畢爲文略敘今日痛迫之情告聖像又以扶吾道保華脈衛宗聖賢人之道著爲數三條以告會員以事正月二十二日齊

會振威拚死叫　闕之意立約而歸

勉菴先生文集附錄卷之四

年譜

丙午 先生七十四歲

二月 戊戌 戊午辭家廟訣家人從向湖南爲倡義之計昨多國變以後先生既爲所沮未得上京既兩聞淵齋宋公殉義之報設位痛哭曰諸公之扶植人紀誠爲國之光然人人徒死顛誰興復其未死者政宜并心合力汲汲如救焚極溺不可一刻安於衽席也於是遂決舉義之策致書于李判書容元金判書鶴鎭李觀察道宰李參判聖烈李參判南珪郭俛宇鍾錫田艮齋愚協以同赴國難而皆不相應先生嘆曰無可與計事者人心如此眞所謂我瞻四方蹙蹙靡所騁也高石鎭告曰泰仁林炳瓚曾於甲午有討匪功忠義可伏此人人可與共議也先生卽遣門人崔濟學致書諭意炳瓚上書願從湖西士人安炳瓚來告曰湖右儒紳行將舉義咸願推先生爲盟主請卽啓行先生許之已而聞閔參判宗植已建旗洪州止曰已有主者吾不必往矣今我士卒不鍊兵器不利必得各道各郡并勢同聲然后事可有濟吾當南下警動嶺湖與湖西相爲犄援不亦可乎適郭漢一南奎振共并偕來謁先生謂漢一曰湖西事吾托於君矣南奎振共勵衆志刻日旋城與嶺湖爲犄角之勢若不如意君遂南下與我同事可也遂刻姓名圖署以賜之凡號名東西南北散在同志皆用之又以大聖春秋亞聖綱目之大義付之漢一至振遂自往於湖西曰某雖不敏敢不佩服而書諸紳而事斯語乎當此誰不欣然於是先生又致書于門人李載允使之入北請援于門人吳在烈使之收拾同志若干守雲峰以待命令遂與崔濟學發行渡材川南塘津到泰仁鍾石山館炳瓚所炳瓚方稅母服居序先生命炳瓚盡發從我凡募軍峙糧鍊兵之事皆委焉。或問先生此舉果能有成乎先生曰吾亦知其不成能然國家養士五百年無一人能出氣力以永仁爲義者不亦恥乎吾雖年近八秩當盡臣子之職而已死生非所深較也。柳毅菴麟錫遣其門人李正圭上書問處義之方先生答書以南北相應并力討彼之意門人曹在學李養浩自嶺南來謁先生并命還嶺諭以激勵士民俾相應援又致書于嶺各右處時先生留鎭安村舍所居屋上有白氣亘天者再人皆異之

閏四月 丁卯 己卯次于泰仁謁武城書院率諸生講會仍上疏

疏略曰臣竊念古之人臣當國家將亡之時有去者商之微子是也有死者焉　皇明太學士范景文等四十餘人是也有志存復國余義討賊必其志不遂然後死者漢之翟義宋之文天祥是也臣不幸生到今日見此爲既無可去之地與義則惟有誓　闕陳疏碎首自斃於　陛下之前而已然明知　陛下之不能有所爲則空言煩瀆徒歸文具又見人心之猶志國家則自經溝瀆不亦近徑情是以隱忍偷活與若干同志謀所以爲翟義文天祥之舉者于今四五朔矣但臣素無才智加以老病瀕死且於謀議之際形格勢禁者十年八九是以未免遷延坐失歲月今茲計畫稍定人士稍集乃於今月十三日遣　樂安郡守前臣林炳瓚先建講會奬勵同志次第北上告招窮山僻水之側荒江斷港之涯潛形匿迹之類同心同德仁人君子之與我叢老殘喘同有秉彝者一二來會可逆覩然苟我一心爲國見死不見生則神天所佑何遽無成諸君從我遊者能皆與我同生死否諸生皆曰諾先生曰爲非常之事者必有非常之志且兵死地也不可易言諸君更加思量勿致後悔諸生齊聲曰敢不以死從命於是先生與會者八十餘人入校宮以將舉人討仁之由祭告先聖乃名郡中父老諭以大義郡中皆翕然響應興德士人高龍鎭率門下姜鍾會等三十餘人以助軍勢遂行收能于井邑淳昌谷城之間四五日之內遠近赴義者甚衆資糧器械亦略備乃命林炳瓚金鍾述柳種奎金在龜姜鍾會李東柱李容吉孫鍾弓鄭時海林相淳林炳仁宋允性林炳大李道淳崔鍾達辛仁求分署諸任

馳文列列郡

其文略曰操戈入室何代無有執有如此時讒遇狼禽何時不然孰如今日林下讀書種子不在多言惟我朝鮮箕聖舊疆崇封東藏日

太祖以來列聖相繼尙孔子之道群賢迭興君君臣臣彝倫攸敍尊賢貴禮文宣郞家仁義而戶孝孫莫非崇儒重道之心信甲胄義干櫓皆有親上死長示一度皆論令解散之意也先生祗受　勅旨顧謂左右曰此古人豈挾天子以令之手段也設使此眞　君命苟有安社稷利國家者古人有專之之義況此皆人臣蠶竊之僞命乎遂復李觀察書略曰某已上書陳達辭此之由蹤若登　徹必有　下批第

當宁　批進退有非封疆之臣所可指揮者也云云日未午有報彼兵自郡東北面圍來者先生欲自出戰左右交諫曰先生若一不幸今日國家人民竟誰賴也先生不聽曰吾豈怕死者耶士民皆牽衣泣涕擁護不得前先生不得已命林炳瓚設二哨兵而迎之已而又有告此日非也卽全州南原兩鎭衛隊也先生曰是若日也固當決一死戰然若是鎭衛隊軍則是以我伐我豈可忍乎遂招。林炳瓚勿戰遣人致書于還兩隊曰爾若日也當刻下死戰不者同胞相殺吾不忍爲可卽退去兩隊兵皆不聽全州兵先放砲丸下如雨義師千餘人皆鳥獸散已而鄭時海。中丸忽而死將死多先生曰時海未能殺一功而死死且不瞑當化惡鬼以助先生成功先生抱之大哭衆亦大哭先生知勢已去堅坐椽廳謂左右曰此吾死地也諸君皆去義士願從者有二十一人是時兩隊兵知先生不退又合軍圍向一齊放丸於是先生命林炳瓚曰今吾輩必盡死乃已然無表識相枕而死誰辨誰某不可草草要當明白死耳可錄姓名一通貼壁上各依錄序坐又曰古人有在圍城而行冠禮以見先人於地下者今諸君不可不整衣冠諸人各解行襞出穿廣袖衣更結纓拱手背壁疎坐時流丸亂入衆恐犯先生皆環而跪欲以障蔽先生丞止之曰君等不必如是各宜列坐得正而斃不亦可乎諸。復列坐人遂　忽暴風驟雨大雷以電（是日全州。希賢堂無故自俯伏。人皆爲先生異之云州）兩隊兵愕然皆棄銃伏地於是砲聲止而兩隊兵四面圍住時風雨不止夜黑無燭而尸在旁心涵血可踩衆和衣濺血而坐幕下士李道淳林相淳適在外作粥煖酒持燭檢來檢房中二十一人九人者已不知去處惟林炳瓚高石鎭金箕述文達煥林顯周柳鍾奎趙愚植趙泳善崔在學羅基德李容吉柳海瑢十二人在矣翌日柳鍾奎以治鄭時海喪出梁在海先以先生命出外偵探聞先生被圍馳還突入復成十二人之數（門人高濟萬始終効勞適以偵探在外未及。）自是隊兵嚴守群衆欄八夜則皷刀侵銃作聲甚惡先生自若日冊中大學獄中

尙書右有已例宜各誦一書遂復整坐先誦孟子浩然章諸生亦以次誦一篇（時有郡人林百變居者宗背排闥入言曰不勝大義忠義之感願執鞭死下風又中仁來老姬荷果各持肉饌酒麵）（與門者曰我則殺而比則獻爲門者義之）

而丑被押向京城

是日全州小隊長金哥來告　皇勅有押上之命先生高聲曰此是何人斯之指乎何人斯指此賊矯誣敢稱皇勅耶金哥若不聞然手犯先生解佩刀爽發隨身諸物於是彼兵十餘人與隊兵促發送先生及林炳瓚裹轎其餘十一人幷結縛而行時日晡三四觀者皆悲憤不勝自先生於路每夜誦離騷經出師表原道等篇及朗誦諸書又嘗曰余料此行彼必不敢殺似當有越海之行（時安義人李完發痛哭來於路從者亂仔之完發拒死不去至拘日全州五六日云耳）

癸巳被囚司令部

長子永祚從姪永尚閔淳昌報與崔銓九李命九及宗人永晴馳鍋子鎭以路上彼𤨏勸逐之俾不得近。至公州太田彼乃以輪車乘先生午暮抵崇禮門外而憲兵隊長小山三已帶百餘兵及通譯朴宗吉而來環圍先生請往司令部先生據地呼曰吾認以　皇勅來也彼何爲人者吾囚則當囚大韓法司大韓崔某寧不知大韓法司乎諸人曰宗吉扶腋上人力車十二人隨之直向司令部旣入門先生又坐地呼曰此是法耶軍部耶憲兵扶上廳上拘于北監房卽乙巳春被拘時所處也先生笑曰老去如燕重尋舊館彼迫十二人去其袍笠巾襪系之屬次第拘之又欲勒褫先生冠巾先生叱之亦不敢犯。時洪州義士八十餘爲人先拘于此憲兵持剃刀方欲勒剃聞先生至皆驚走曰崔大官來矣由是得免剃髮皆曰吾等保髮先生賜也是夕飯進先生又呼曰吾何。不食可我之食乎子姪在外供食被格不得進直至三日下進一勺水彼惧而許入子姪所供自是先生畫則着周夜必誦書聲聲不少衰臨訊場輒厲聲曰吾之所志所事雖在於暗與之外發覺之中稍或有柔弱之性者莫不知之又在衛當走卒看守皆知之矣或連擧椅卓撲碎之屋宇爲響在傍者誰不避匿如是交

際者前後凡三度十二人亦屢被杖楚備受毒刑無一人少屈者彼亦敬服先生時至戶外啓、鎖納凉或進茶或裝烟草進之每過先生所居處必拜而去憲兵有柯羅薛者作喜雨詩示諸人曰天感公諸忠不時降雨是天淚云時永尚亦被拘十餘日屢訊先生行止竟欲何爲永尚亦以其在疏辭爲對

七月丙申癸卯與林炳瓚被押渡海至對馬島嚴原拘於衛戍營警備隊內

先是六月二十五日午前良先生及林炳瓚等往泥峴司令部讀所謂宣告書者使譯者釋之曰崔某對馬島監禁三年林炳瓚二年高石鎭崔濟學加囚本署四個月金箕述文達煥梁在海顯周李容吉趙愚植趙泳善羅基德柳海瑢幷杖一百放送讀已皆速忙避去蓋服憚先生罵聲也先生時添眩暈不省所讀何文是日曉子姪及門生宿將七十人出南門外停車場日憲兵二人保護先生及林炳瓚已上車矣於是永祚永尚永學族孫貞植萬植崔銓九李承會崔濟泰林應喆陪行永稷安炳瓚朴在容尹泰善尹恒植李洛用崔鳳韶鄭瀚鎔趙泳嘉李光秀文達煥林顯周李容吉趙愚植趙泳善柳海瑢拜辭于車前皆痛哭失聲先生笑曰男子生有四方之月東山川想亦可觀但恨依舊樊籠不得窮我心目耳且吾當初之擧行常一分望倖哉國家養士五百年喪亂以來無人擔得仗義扶顚之策故妄觀支柱以盡吾職分廿心一死正是求仁得仁雖今日斬頭穴胸固當舍矣八地況未至死乎諸君愛我者當祈其速死不可相爲嗟勞以重吾愧也先生在車中端坐終日少不被倚觀者皆以爲定力彌堅行至中路先生所乘車軌忽火發移他車低東萊草梁則日已昏矣已而憲兵導先生乘船永祚等攀附欲隨去憲兵以無司令部文蹟不許遂皆痛哭拜辭于埠頭（時月色微明連港電燈照耀海上汽笛一聲船去如矢只見般燈光出沒心而已翌日登草梁後降泉對馬島雲乘一片山影頭若隱若現此時景像令人腸裂無落云）在船中憲兵柯羅薛頗盡誠扶護翌日辰時下船于對馬島憲兵曰此渡海患風浪今如是穩渡實賴天祐云館于嚴原監業敎師家卽其衛戍營警備隊權署也洪州義士九人已先來囚禁于此卽門人李李及柳濬根安恒植李相斗崔相集申輔均申錫斗南奎振文奭煥也

絕粒食仍口呼遺疏授林炳瓚

先生在車中與永尚商量八彼後處義一節永尚告曰蘇中卽洪忠宣遺矣以淸陰三學士言之無以不食彼食爲義者後賢亦無以致疵者則雖今日其處義亦奚以異且聞監禁人食料皆自本國政府劃下云雖未能的知而若果如此左無所嫌矣先生頷之永尚又與林炳瓚言其義及時警備隊長率兵丁四五名來列立諸囚曰何不徹禮於長官仍令脫冠諸人皆不肯蓋其以脫冠爲禮也隊長曰公等食日本之食令脫冠則脫冠令剃髮則剃髮惟令是從焉敢拒逆一人欲勒脫先生冠巾先生大聲呼之彼擧劒爲欲刺狀先生披胸大呼速刺隊長臨去又令先生起立先生故生不起彼手懦先生諸人急救之先生氣息奄奄顧謂林炳瓚曰吾與此人有三十年相持之嫌彼之辱我吾不足懼且吾國危而不能扶君辱而不能死吾罪當死然苟延于今日者徒死無益國於圖所以擊大仁於天下而事之不濟再昨之己知之今日之厄猶云晩矣寧斷而頭死斷髮而生此義已定於乙未多被逮今至此食其食而不從其令亦非義也從此以後只可斷食不食矣不死於鋒鏑之不而不食而死此亦命也吾死之後君收其骨以送我兒也然此亦何可必也又曰吾平生以匡君扶國爲心而誠意淺薄未能格回天心今吾死之後更無以忠言進吾　君者吾以短疏君君則生還必呈進焉仍口呼遺疏曰臨死臣崔某在日本對馬島警備隊內西向再拜上言于　皇帝陛下伏以臣之擧仁大略具已疏陳于今年閏四月始事之初原疏之登徹與否臣未可知也但臣舉仁無狀竟遭俘囚之辱以七月　八日被押到日本之初對馬島現囚於其所謂警備隊自分必死無生還望今此人始欲以勒剃加臣終復以交辭解說然人情叵測必欲殺之而後已且伏念臣入此以後一匙之米一呷之水皆從彼　年出則設使彼雖無殺臣亦不忍以口腹自累遂決。卻食以追古人意自靖獻先王之義臣生年七十四歲死何足惜生年七十四歲死何足惜臣生年七十四歲死何惜四千年華夏正道淪於糞境壤莫之扶三千里先甚赤子化爲魚肉而莫之救此臣雖死而目不能宜者也然臣窃料此人有必興之形而遠不過四五年之間但恐我之所以應之者未能盡其道耳今東西兩國日夜切齒於此人而英美諸國亦未必十分與此人

相好則早晚必有相攻且其國斂兵之餘民窮財竭衆怨其上夫外有伺釁之人而內有怨上之民其亡必可翹足以待也伏願　陛下勿遽以爲國事之。不可爲而奮發乾剛廓立　聖志振頹勵起因循勿忍其不可忍勿恃其不可恃勿過懾於虛威勿甘聽於誘說益固自主之謀而永斷依賴之心益堅薪中之志而克盡自修之方招約英俊撫養軍民以觀四方之便而於中取事焉則斯民也固皆有尊君愛國之心而又皆淪浹於　先王五百年盛德至善之澤者也豈無爲　陛下出死力以復大仁而伸我心者哉其機只在乎　陛下之一心耳伏願陛下勿以臣臨死之言而有少忽焉則臣於地下亦當攢手以待矣臣臨命神荒所欲言者不能陳其一二爲此付同囚人前郡守臣林炳瓚而死使之待時以呈伏乞　陛下哀憐而垂察焉臣無任涕泣永訣之至謹自疏以　聞呼畢案行中小紙命林炳瓚書而藏之曰吾四十年願忠之義止於此矣又曰吾在司令部時擬與同事諸君默會五絶詩十四首不拘彪格信心叙實者存焉吾當副之君還之日分贈各人可也仍呼小序曰書生無軍旅之責八十非從戎之年但値此非常之日上自朝廷下及草野除暗勢跛躄外其日在家不知者直是無人心者也第孽由自作累及諸君慚負多矣各贈五言一絶用備日後掌故云其一則自責也林炳瓚高石鎭十二人各有所贈又其一哀鄭時海也是夕從先生不食者林炳瓚李侙柳濬根安恒植南奎振其餘五人亦强進數匙翌日隊長來問曰而止老人何故不食炳瓚以日錄示之曰通辯來詳見此則可知矣隊長覽畢曰剃髮云云非指監禁人曰昔也緊言在日本則當從日本法律爲可云也不願剃髮者不强願安心進飯先生謂諸人曰吾在司令部時晳明曰徒食費自我政府擔當云故昨日兩時之食亦認以我政府徵來之物矣且古人處義有可據故耳今彼云食日本之食則當從日本之令吾何可貪生糊口以受食其食不從其令之譏乎吾事吾已斷定諸君則彼言旣如此豈可盡從我死乎諸人遂進勸諫皆不聽翌日步兵隊大將來問如隊長言炳瓚詳言先生處義之由大將曰剃髮變服者誤聞也監禁人食費皆自韓政府來吾等不過監視而已願安心而食爲邦家自愛於是炳瓚及諸人引右義陳喩萬端涕泣不已先生方纔回意曰君等之言亦似有理第爲君等更食以觀下回也大將去後隊長又來曰吾前日非要剃髮變服也惟言于房內脫冠也遂

辯誤聽而公等絶食至三日豈効夷齊古事耶吾決非要剃髮變服公心等安寬以陳達于崔氏老體最自愛焉云云○先生一日早起曰吾平生未有夢作今忽得之而不解其意仍誦曰乘桴先聖嘆蹈海連風海者同不同請詢日邊翁○同囚諸人或無冠露髻而處先生各製緇布冠戴之仍作一絶詩命各和之自是先生與諸人或誦書講論或作詩相和萬里殊域頗不寂寥云

九月乙未　戊戌長子永祚八覲門人吳鳳泳林應喆又偕行

永祚與應喆各以放還兩親代爲監禁之意請願于警備隊大將而無答

壬寅送永祚吳永鳳林應喆歸國

永祚欲留侍不歸先生以家有老人祭祀賓客無人句當命之歸有海色蒼茫曉氣寒此時去住兩情難之句

甲寅門人曺在學八謁

先生喜深贈詩曰契託蓬麻歲月深乘桴還後趂秋陰淵淵一水源頭活勉副當年授受心蓋在學兼爲宋淵齋門人故也留連數日而告歸

十月甲子　己卯移停于步兵警備隊內新造屋

自舊居停所約五里也

壬午有疾

卽十九日也初以外感際寥漸至沉重彼中苦無我藥探行囊有若干材料連進不換金散夫子散等無効隊長送軍醫診視具送藥物先生曰八十老病又兼不服水土異國不神之藥豈可責效只可以此自盡矣日本藥物一切勿用可也至二十九日漸有浮證及舌捲便秘等諸候神精大昏不復明所教矣

十一月甲午　戊戌永祚　門人魯炳熹高石鎭及崔濟學入來侍疾

林炳瓚見先生病勢日重電報于京使通本第高石鎭崔濟學適見放出魯炳熹亦在京皆與永祚同行因船路阻滯多日留連于津頭至初五日始入謁先生已不能省誰其矣炳熹以爲宜用小續命湯而無材料卽令石鎭濟學出海求藥以來然船便極難初九日始還釜山適逢永學及崔濟泰權鼎相姜甲秀行付藥入來連進解語湯及小續命數湯貼十四日朝先生神精稍醒侍坐者或相語以驗先生聽否則或微笑或皺眉林炳瓚日錄曰先生自始病至此凡二十餘日或平坐或跪坐或俯或倚一不委頓於是乎見先生所養大非餘人所可及也

庚戌寅時易簀于對馬島之囚館

前夕有大星隕於東南先躍耳大觀者莫不驚惧是曉易簀先是永祚備持襲斂諸具而入來隊長聞先生已裝以爲屍體不可久留此屋停還于屍室室在隊內一間板屋地鋪磚石中設屍床巳時奉還行襲禮時寒威甚酷不可露屍經夜遂以申時行小斂執事林炳瓚申輔均南奎振執禮李侙護喪魯炳熹司書玄碩煥司貨申鉉斗也是夜彼只許永祚永學在屍傍其餘在內者不許出在外者不許入是日以電報訃告于本第及京

辛亥入棺奉遷于修善寺

魯炳熹在外貿求松板召匠治棺隊長稱有政其府命令當自隊內造棺以來云而禁自我治棺是人之物兼且制度不稱不可一日苟用而不得自由遂含忍用之申時入棺奉柩及魂帛箱出警備隊後門往店主海老家在禁諸人咸加白巾環絰痛哭拜辭于隊門內惟林炳瓚陪行至店海老之子雄野前導停柩於修善寺法堂

癸丑奉柩登船甲寅下草梁津停于商務社

戌時奉柩登船魯炳熹招魂前導港口諸人執燭相隨莫不悲酸翌日辰時泊于草梁前港永高萬植崔銓九崔鳳韶自京來永福郭漢紹自定山來與高石鎭崔濟泰崔濟學權鼎相林應喆皆定館留待于商務社商務社者本州及嶺湖諸人合金成社安辦商務之所也先是先生東渡事在當日社員諸人皆未及知追見陪來諸人於路相握痛哭曰昊天胡忍使先生有此行也及是聞先生訃皆望哭哀痛撤市三日自請擔當治々事務長金永圭議新造停柩廳社員等皆曰吾欲作此屋來往過者無不留焉若得奉崔先生於此雖神靈亦爲吾社之光今必曰新造則此屋毁之可也永圭曰吾試諸君耳於是大書揭其門曰勉菴崔先生護喪所分定諸社員爲執事俞鎭珏李裕明權順度護喪朴苾彩宋在錫執禮李應庶張禹錫安舜克祝金敎文孫永斗朴鳳錫司書金永圭金道鉉鄭時源司貨尹明奎權爽熙造殯皆準備成服及返柩諸具是日朝子姪門人皆出津頭佇待社員千餘人且大輿靈車帛箱春秋大義日月高忠八字以高竿揭之出迎靈柩而八奉柩于一乃軒方奉柩下陸也金永圭權順度扶柩號哭曰先生此大韓船也此大韓地也津頭男女老少數萬人皆呼號先生震地執紼而從者哭聲連亘五里時陰雲沈冥細雨微濛雙虹橫貫東南光彩照耀及奉停靈柩後虹始銷天開雨霽無一點氛埃滿港觀者莫不歎異焉○自是日至發靷遠近士民持奠誄哭者晝夜不絶以至各學校生徒及女學校八九歲兒莫不來哭或輓辭或演說或吊歌皆拍地頓足如悲親戚本府妓名飛鳳玉桃月梅亦以諺文爲誄奠哭甚哀梵魚寺僧奉蓮率僧徒致奠于路傍草梁三妓婦自津頭陪輿哭從及至龜浦頭斂奠物徒步四十里而來曰大監祭需不可載於倭車器皿亦不敢用倭物云

乙卯成服

遠近士民男女來哭者數萬人外國人來觀者亦皆流淚被面云

丙辰發靷

大輿車擔夫皆自商務社專擔自草梁至龜浦凡四十里內翦而從者愈衆家家皆揷皆旛所過婦女皆哭迎祭路上者又相續是日僅行

十里次日行三十里至大龜浦此是東萊益境也商社諸人至此皆辭哭失聲然後歸俞鎭珏始終護喪至定山而返先生始喪嚴原警備隊長致賻錢二百緡永祚屢却之隊長怒有阻戲渡海之言不得已受而藏之至發靷日以鄕遞還送

十二月亥癸己巳。定山本第壬申大歛改棺至乙亥殯渡龍浦江歷金海昌原漆原昌寧玄風星州開寧金山黃澗永同沃川懷德公州首尾十五日始抵定山本第所過州郡持奠來哭者一如東萊（昌寧人朴芝林卽一農夫而猶墓先生致奠賻哭甚哀）雖平日異論之人亦莫不摧誠盡哀輓誄奠賻極致共意豈白靈柩渡海以來士女之奔走號哭如哭父母殆千古往牒之所未有也然士子之尊尙固也至於猶人孺子是孰使之而然哉抑可見天顯民彝有不隨時而墜者矣若其祭物器用絶不近倭物以至細徒賤妓皆稱先生使賊臣聞之哭氣眞可謂善慰先生矣行至昌原領兵十餘人自馬港來截路欲刼擄載送輪車從者正色拒之往復亦少叵倭亦無如之何盖靈輀到處士民駢闐念慮其或生他事也及到昌寧邑亦下陸停柩而食午飯

翌日庚午運柩亦出發

出柩發程男女老少皆哭餞于街路中與日兵終夜劇戰平野亦理屈自哉傍觀者謂此夜之戰强于十萬師興賦經營三十餘年始見不得意事云曰是警兵數十人替番常隨沿路吊奠者皆逐之至家見成殯然後始去及葬又來四方會葬者皆被驅逐惟着廣袖者不禁焉

丁未〇四月朔日辛酉葬于魯城月午洞面地境里舞鳶山下癸坐原

門人知舊加麻者三百餘人行士林葬禮

疏

討逆
請復衣制疏　乙未六月二十六日

去於甲申年間奸黨乘亂還故爲重臣承執朝權變制衣類爲挾袖黑衣又謀作薙髮而去曰是權稍後先生以爲多亂與邦此正上心悔悟之秋逆進疏々入竟以逆格還退

伏以臣蟻蝨卑微屢干國憲罪當死滅已久而賴　殿下再造得以假息乎覆載優遊乎歲月使終養先父教育子孫臣之一毛一髮皆非臣之有也乃　殿下之賜也臣亦有人心者竊其所以感激大恩欲圖其報萬一者寧日夜已乎但區々處義妄有所據不敢更與於朝廷之事向邇來十餘年國家多變　主上屢危臣雖再三奔問瞻望象魏然疎賤之蹤無路自達只自外痛哭而歸而已至甲午七月有人傳示朝紙其中有以臣爲多宮長者臣始惑終疑以爲方今彼已陷國其所存者虛號也賊徒逼　君其所制者僞命也揆之以前事參之以時變臣宜有禍而不宜有福況　君父方在危急而臣子不能忘身効力以救其亂乃反以匪分之官將自榮乎纔以甲申逆賊肆然出仕於朝々廷非惟不能捕而誅之顧乃惴々慄々惟其令之是從至欲終作因計又不成而逃之而其遺燼餘威猶足恐怖一國不能出一言爲討逆之請而使一遵其約束守而勿失如此而猶爲國有人乎方今三千里內凡有含生之類皆莫不欲食逆賊之肉而想聞朝廷之舉措此正轉危致安免歐爲人之會也所宜君臣上下奮發淬礪聲言討罪之不暇而反閱月餘寂々寥々有若太平無事者然噫在廷臣夫孰非　殿下之心膂乎是而豈皆恬視逆賊以爲游物細故微昔小過而然乎抑以爲恩讎兩忘子賊無別别自是開化之本色而然乎夫君臣者天經民彝亘古亘今不易之大義也一或有壞則天地有缺闕而人民不得安其生故易曰天尊地卑乾坤定矣卑高以陳貴賤位矣君臣之分如天地之高下截然不可踰也若爲人臣而容易犯君無難肆逆而猶不致法則亂賊之興將無日可止而天地不得爲天地矣其何以遂萬物之宜而保一日之存乎今之論逆者賊則曰彼方恃以爲援着末如之何後則曰此邊無與於再謀而時勢則已逃不可從也嗚呼此皆賊邊人之說也夫甲申之變雖逆賊之爲而非彼無以藉其力也事敗之後非亦無以逃其命也我旣與彼結爲兄弟信誓于卿則萬國之交皆當有公法矣亦當有約條矣臣雖固陋無所識然之法之約必無結二者已足以謂彼矣況十年朝育乘我有事戰後車而先刼以兵毁國辱君無所不

至而使之承權專制終始助謀再三係保匿今天下豈有如此悖兄弟乎夫天之視民固無厚此薄彼之別而爲善受福爲惡受殃此理之常而歷々可觀於古今者也彼雖蠻虜無知豈亦不聞夫天理之常而敢恃其稍强欺侮隣國如此之甚乎但彼亦瞰我無人故肆其凶惡而無忌耳行臣之計請明申義理詳陳曲直先數其違法背約侮隣助逆之罪諭諸同盟移彼政府使天下曉然知彼罪之無所容於覆載之間則以萬國公共之見聞豈不有同辭致討以共憤疾者乎乃辭我士民詰我甲兵問罪東海試奴僞則彼雖自稱富强以經年勞費之餘當自滅之不暇況何有於一賊數種哉如其不然此賊以屢敗之憤愈啓反噬之心不知幾年又復有何樣禍機忽發於一朝之間也　殿下將何以應之乎夫孝賊雖不可獲而數賊則偃然不逃揚々遂隊於縉紳之間豈獨賊獨非逆賊而抑有何恕之端耶假使此賊眞如　聖敎謂年淺慮短爲人誘陷而爲之分明是欲圖君父也分明是引冠反噬者也分明是逆賊之一也柰之何以年淺慮短而恕之哉且賊肇同一兇肚逆腸豈有一二謀事而豈不與之理設使不與其不可以此贖罪也況此則切齒於外而先通而應於內　殿下又何以待之也然此二賊之不可討舉世之所知也獨不知甲午諸凶之罪亦與此無異也乎挾彼圍宮刼迫君父宛是甲申諸賊之餘術而共變亂舊章壞滅禮義又幾個兇類之所不及爲也而兇諸皆踵爲之而少不動憂慮卄心同謀是豈人臣之所當爲哉皆身居首相卄與冠賊表裡同謀亂國又不討逆臣以爲此數兇者皆當用孝範之律而無疑也嗚呼臣以老病殘喘朝夕待盡今不得已爲討逆之請則固不當妄論他事以犯不討之罪也但日見綱常典禮淪於斁壞衣冠文物陷爲禽獸而亡國之慮迫在呼吸臣又不容不槩陳之也臣竊伏覩　殿下自近年以來勵精爲治夙夜靡懈奈奉行者不得人不能善有作爲以承　聖意徒以用夷變夏降人爲獸爲能事而名之曰開化此開化二字容易亡人國刼人之家或名爲自主而以國與彼一政一令必以咨稟或待君父如列國富公而倖錄大號或毁裂衣裳下從夷狄而强稱文明或自言富强而去軍制罷防戍使國日弱其餘凡百施措類不過如兒童之戲而一無長久遠大之規今雖可一々究覈而惟變服一事尤其害義之甚而不可不急先復舊者也夫衣服者先王所以辨別夷夏表章貴賤者也我國衣制雖非盡合於古然是中華文物之所寓東方風俗之攸觀　先王先正嘗講明而遵守之矣天下萬國皆仰慕而欽歎之矣此而棄之則堯舜文武相傳之華夏一脈無地可尋而殷師及我　祖宗用夏變夷之盛德大功亦無以發明於天下後世矣嗚呼是豈可忍也耶往在甲申　殿下曾爲狹袖之制矣旋覺其非而除之民庶上下莫不仰　大聖人遷善改過之量非此尋常萬々也至於今日一變而爲甲申二變而爲黑衣術是以往則又將駸々然爲斷髮之舉矣　殿下受　先王五百年　宗社之重任　先王三千里生民之衆固當奈其付託以獻于　先王可也柰何一從賊臣之謀變亂國家之章使堂中華從夷狄之俗而爲禽獸之類哉臣固知此皆非　殿下之本意而不得已爲是寫且姑息之計也然自古未有不亡之國亦未有不死之人則與其得罪於　先王受罵於後世也無寧守禮義之正存聲名之美乎往者雖不可諫而來者猶可追也今急渙發　德音嚴禁黑衣一復舊制而凡諸法度政令之近於夷狄禽獸之風者皆次第罷去不可頃刻留也今之憚於復舊而指是說爲不識時務者皆莫不藉彼爲辭以爲　方助我開化而致富强之業也夫富强之說其來遠矣縱橫乎辯士之口吻成敗乎戰國之交爭其已照之鑑已冷之灰固重禍人家國然世之人君徐々被其所誤而莫之悟者以其有近功小利猶足以惑之若行一事施一政而禍敗立至非惟時君不聽說之者亦必不爲是淺近之謀也　殿下試觀夫近日所以爲開化者其効果何如哉如上所陳殺逆賊毁衣服諸事亦豈皆有益於富强乎委國於彼而受其節制聽其頤指事々學彼件々學彼而終不聞錢穀加富人民加多甲兵加强而但見削弱日甚危亡日至此又何故也嗚呼是皆不難知也彼人者棄禮義但謀之虜也何苦而經年勞動兵費財爲隣國富强之謀而無所取其利哉必其兇謀奸計包藏已久藉名助我也實欲亡我也以甲申甲午之事觀之雖愚婦小兒亦皆知其心之所在矣固不待施諸政事之間而禍敗先至矣夫何舉朝卄隨其術嘻々然而莫之悟也假使得彼之助而致富亦且不爲況未必能富强而徒受侮弄我此愚臣所以謂逆賊不可不急討而衣服與凡諸變更不可不復舊也抑臣又聞之行故自身始人君先正其身而後百司庶僚六軍萬民可得以正矣伏願　殿下自今日始繼終天命人心去來之可畏奉三無私以爲天下先有善必身先行之有不善必身先去之非孔孟之書不觀非堯舜之政不行凡奇技淫巧玩好之物不接於日凡惰慢邪僻不正之氣不設於

身持之久勤之以禮　殿下之一念誠實如此則至誠而不動者未之有也上有好者下必有甚焉凡前日頑鈍嗜利無耻之輩安知不改頭革面精白一心以承休德而爲先病後瘳之地乎苟是也敎令不出宮門而如水民情孚感於千里之外矣因之而任賢使能修擧廢墜賞功罰罪恭行命討則彼亂臣賊子當自屛息退縮求死不暇而洋彼不足慮也此只在　殿下一心之如何耳伏願　殿下留神焉臣無任戰慄祈懇之至謹昧死以聞

疏成後又有一說玆敢尾附伏願　垂察焉臣居在窮巷未見　朝家文字有年于玆矣伏聞近日　朝廷行淸自主[illegible]　殿下爲大君主陛下若使　殿下繼述　孝廟志事掃淸中原鎭撫四夷則名正言順可以有辭於天下後世矣雖未必然若能眞箇自主制淸彼則道此皇號久絶之日自作以繼天立極或無所不可而今則不然　聖明孤立冠賊傍伺咫尺　殿庭威令不行而徒効彼奴之僭稱一朝受陛下之號則名實不副恐終爲　聖德之累也況大君主三字於禮無據於古未聞者乎區々妄見敢伏斧鉞不敢隨衆加陛下二字而依舊以　殿下之無禮不敬之誅實所難免臣不勝惶恐俟勘之地

宣諭大臣　命下後陳懷待罪疏 丙申正月十二日

伏以臣日者封章猥瀆罪當誅殛不可苟進之狀而附以芻蕘之言雖其愛　君憂國定出中情蠱惑猥犯理合萬戮而負罪屛伏俟鈇鉞乃者　聖上垂天地之德包含垢穢恕納狂妄　賜以溫批天語丁寧至　賜以終不面陪又　諭以朝夕左右展布所學臣拜受祗讀感淚橫孔子稱舜之德曰好察邇言孟則天下之人皆將輕千里來告之以善夫以臣言之淺近而　聖明猶察而納之天下之天下明　聖明之於臣如此其孰不彈冠于々樂告之以善言哉如此則天下之善皆將爲　聖明之德而太平萬世庶幾復見於今日臣雖無似竊不無須臾無死之願思見至治之盛也嗚呼有　君如此豈不欲策駑駘竭愚鈍以仰補聖化之萬一然臣犬馬之齒已六旬有六歲矣蒲柳之質老而便衰殿屎之狀只俟符到苟有一分可强之鐵則豈敢妄有避心以添逋慢之罪哉然臣耿々孤衷死猶未已每念　王室艱危宴安之流涕歷言時只有賈誼之痛哭而已所以於前疏引而不發者有焉特　寵綸溫言不諱則恐涉煩瀆反逆　君上之心欲循例緘默有懷不陳則復恐非事君無隱之義夫膳聽時病以速禍亂者前代末主之所爲非所以待吾　聖明然則臣何必輕犬旗而懷有陳以自負吾聖明哉然臣以獻曝之誠不識時宜兼且才短慮淺雖有所言亦何異於拾鬱補日但芹曝之誠自不勝野人之忠謹以前疏所未盡者添損敷衍爲十數條用備乙覽若蒙採擇臣死不朽如其不可臣當伏妄言之誅惟聖明裁察焉其一曰請開　經筵以補　聖學臣於前疏旣以　聖明之一心爲國家興亡盛衰之本而請先正之矣又以讀書窮理爲心之本而請講大學論語彼不知者必笑臣以爲迂然求古帝王政治之要蓋莫有先於此者矣是其爲說其在於朱子行宮奏劄之中矣若　命儒臣八講詳達可得其法臣不必更贅然有一說焉或者乃謂人主一日萬機奚暇讀書此有不然者人主一日之間接賢士大夫之時常小而接宦官宮妾之時常多聲色貨利之欲常勝而求道願治之心常功所以然者習於宴安而憚於振作明理之功未至而私欲之蔽未祛故也今夫移接宦官宮妾之暇招一儒臣而論義理移思聲色貨利之心讀經傳而廢見聞[illegible]中常不忘此事或日讀一章或歲讀一經不求多得而惟求眞知事記誦而惟事履踐一句必求可行之實一書必見白得之味如此習熟心安性成則雖不能盡讀經傳聖賢之學已成綱領其未讀者皆在其中矣何必如初學尋數章句之爲然後始可謂之讀書耶臣聞近日官方無常帶　經筵之職而又無儒賢招撲之禮如此則積學抱道之士何由進於　王庭而　上雖欲强勉學問將何所資益哉臣願自今日始復古　經筵之職選朝野博學正直之士常帶其任以輔導　君德且益勸　聖學期於成就千萬幸甚其二曰請愼飮食以保聖躬臣竊觀孔子沽酒市脯不食康子饋藥謂其未達而不嘗夫孔子豈謂市人之食必害于人康子之藥必害于己然孔子猶愼之者不以口腹之累忘養生之戒也今夫外國所具之饌雖珍味美饌旣非常饌所進之物而味旣不正且土產不同胃氣受損以與人之事觀之是豈可或下一箸耶不寧惟是以近日鴻陸之變觀之彼在逋之賊不止一鴻陸萬有一敢懷兇逆踵行其餘謀則　聖將何以察之也先朝之法凡飮食之自外至者皆不得進御所以防未然之禍也臣願自今始凡飮食菜果之自外國來者一切不御以保　聖躬千萬幸甚其三曰請屛私侍以肅宮禁臣觀先王之制雖宗戚近臣不由政院不得入覲則史官隨之諫臣從之凡上下之動作言語皆得以記之是以君臣

之間皆無私言公道行而朝體尊矣後世私覲之例漸煩而史官不從諫臣不入於是乎干謁成風賄賂爲柄巫卜風水之徒皆稱八侍也監牛稅之類皆傳　詔勅其屈辱　主威顚覆國體莫有甚於此者遂乃小人嬖夫操弄政柄甚至國有大事大臣不知政不者嗚呼是豈可使聞於隣國乎臣願自今日始凡有入覲者必有喉院知而令史官諫臣得從其後諫達以道者諫引必彈去之　詔勅之不合義者許令喉院覆逆其奸細無賴之輩勿令雜進千萬幸甚其四曰請審用捨以正朝廷臣竊惟人君莫不好治而惡亂樂福利而厭禍害至其用人則又遠君子而親小人厭忠直而好諛謏是豈有他哉君子只知有國而不知有身故多逆人君之意小人不知有國而只知有身故務順人君之意明君審察而辨之言之逆者必求諸道言之遜者必求諸非道親君子而遠小人故國常治暗君反是則國常不免於亂其幾可不審歟聖明卽位以來歷數諸臣其能直言無諱引君當道者誰哉迎合　上意順指聽從者誰哉聚斂掊克奉獻無數者誰哉今臣不敢指誰爲君子指誰爲小人而　聖明如以臣言試擇之乃可得也臣願自今日始令大臣卿將以下極陳過失無有所隱又令各擧忠直敢行之人苟可以輔國安民者導聞以　上文飭道臣終擧儒生之有才德文章者如漢孝廉法以爲需用朝廷之上凡聚斂掊克術默阿諛者與賢害能好說新奇者一幷斥之使諫諍行於上職事擧於下則千萬幸甚其五曰請董百官以務實事臣竊惟爲官擇人不人擇官　先王建官分職以理衆事各視其才之所能而任不强以其所不能又必久任其官以黜陟幽明今也不然不察其人之能否不問其任之久近朝授暮遷彼與此爲官者亦視官爲逆旅爲度支則漫不省錢穀出入之數爲法官則又不省法律科條之文因循玩愒苟竊料人有問之則曰吾不知也又詰之則曰吾將遷矣者如是來者復如是噫如是而職果擧乎政果理乎國家昇平日久百度懈弛上下恬嬉徒事文具虛僞日滋々成俗至于今屢經變故宜若小振然其遺風猶尙未殄一遇禍亂則又皆倉皇棄走任君國於顚沛而不顧此無他愛國不如愛家愛君不如愛身故也臣願自今日始行古三載考績法殿最能否久責成如有冗官費廩無益實事者及遊戲度日不修職事者幷皆汰去以振政綱千萬幸甚其六曰請正法律以立紀綱臣竊惟國之有刑律所以弼敎而納民於軌範者也太緩則民玩而不行太則民怨而無所措其手足惟得於緩急剛柔之中然後威幷行而民不煩矣臣未知近日所謂開化者其法何如而惟有罪不刑輕重同罰卽其致亂之道也而奸臣滿朝執權行政而尙未一淸其妖魔則其類益加放恣任身而不少慮焉之後倖行竄配兇奸甲午造亂之魁而又欲動搖國本藏不測之宜論以大逆而只曰謀作亂且逃不受勘而薄竄其黨與此有罪不刑之大者也李裕寅僞造詔勅賊陵謀害聖躬其輕重懸殊而處絞同律畢竟裕寅減死而逆陵無加律此其重失律之大者也盖聞論之刑罰之輕重隨其罪之大小耳非有好惡而高下之也黥劓而宮者不殺之刑而有輕重者也賜死處絞梟首腰斬車裂戮屍者殺之之刑而有輕重者也今之律則不然不問罪之大小冊一於絞而不能加盜斧殺人謀叛弑逆滾成一案而更無差等安有弑君父之讎與庶人相殺者同而罰之公平者乎夫罪人不孥周王之善政也然亦非所治極逆大憝者也此何以知之也書擊戮汝又曰無俾易種于茲新邑又曰殄殲之無遺育其不信乎向者賊陵擬律之時聞有二三臣僚之疏請加刑政合爲大小之論而旋爲民黨所沮云臣實痛之苟如此亂臣賊子無所懲而姦回不忠之接踵而起矣其將何以爲國亦將以治有萬齊不之衆乎臣願自今日始申明律文嚴立科條凡係惡逆大故者幷以舊法從事合斬首者斬之合收孥者收之雖嚴猛而存欽恤之意雖寬恕而杜僥倖之路必使賞罰分明號令整肅以一綱紀以厲頑頹千萬幸甚其七曰請罷民黨以遏亂階臣而惟古者有誹謗之木進言之鼓至於本　朝亦有儒生之伏　閤太學之捲堂固未嘗使無言也然皆有防限皆節制寧誹謗政事而無迫逐大臣之舉寧封章呼籲無脅制君上之事矣今之所謂民黨者則嘯聚市井無識之輩苟合徒衆借名愛國指大臣呼來呼去指斥君父凌辱國體夜朝結鳴呵作聲張威福氣燄可畏嗚呼自此而政柄勢權皆移於民朝廷將不得出一言行一事矣賈誼所謂足反居上首顧居下者不幸而近之矣如此不禁則國安有法綱哉臣聞外國有所謂自由議員民權之黨至有自選民主之例云今此黨人旣已迫逐大臣者屢矣則雖爲此進一層之事亦何憚而不行乎假令此輩眞箇是忠君愛國挾以道理漸不可長彼皆烏合之衆安能知經邦大道雖或有一二言之可合採用者亦何足贖其逼上之罪耶但政府諸臣不能觸躬衛國使衆民潰裂至此此則朝廷之所當自反而不可專責之于民也今聞聖上奮務乾斷方皆鋤治誠莫大之幸也然

不辭其後恐無以厭服衆心且莫若瓊降德音罪己責躬示以至誠惻怛十分改圖之意又論以孝弟忠信敬君親上之道使彼感服然後治其左右者幾人餘令法司隨道面急須其政刑力行教化使民心徒然知上之果不我欺而實心實政終始如一則彼海外蠻夷亦將欲來服矣夫何患於民之不靖乎如或不然則彼至愚之民共懷不服之心反蓄怨上之意欲遽加摧折則桃發禍機欲置而勿問則發成驕傲二者之間皆足以亡國矣唐太宗之言曰民猶水也君猶舟也水能載舟亦能覆舟此言深切有味臣願 聖明鑒此亟圖焉則千萬幸甚其八曰請禁起復以正風俗臣竊惟詩曰父兮生我母兮鞠我欲報之德昊天罔極蓋人子之生受父母莫大之恩雖生而日奉三牲沒而服喪終身猶不可報其萬分之一然先王之制喪不過三年而除之者非謂如是而足蓋就無限之中節之而有限也日月不可久住而先王制禮不敢過焉則孝子哀痛之情當無有極雖萬鍾之卿相有不暇念者矣此蓋出於天理人情之自然非苟爲是戚々之貌也臣聞近日官府有所謂復期者親喪未幾即脫衰麻靦然出仕無復愧容噫風俗之乖悖乃至此耶國有大事不得已而起復君子猶非之未知此號亦有父母之恩者耶古之時居喪飲酒食肉者人以爲傷風敗俗請擯諸西裔無令汚染華夏如見初不居喪者當復謂何哉且況不孝而能忠者臣未之聞也嗚呼此夷狄橫行邪學充滿之時爲人上者雖淳秉倫明禮義以導率百姓猶不能正教化況爲之滅倫敗常之法以自趍於夷狄禽獸之域哉臣願自今日始凡內外官職起復出仕者並皆斥退永革復期之例千萬幸甚其九曰請節浮費以紓國用臣竊惟財用之於國家猶人之有血氣々々竭則人死財用匱則國弊此不易之理也我國財政惟有賦稅而賦稅之出皆由農民夫農民終歲勤苦而不給數口一年之食猶責其半以供賦稅苟思其艱雖一粒穀一文錢豈可濫用無節耶臣聞近日度支之積常有不足以至借款外國夫今年不足而借款明年不足而借款求假報而國用愈而畢竟割地以與之矣此必然之勢也臣願自今日始停不急之役杜無功之賞去奢侈之心絶玩好之物經用之外一毫不入無以國庫爲私藏千萬幸甚其十曰請整軍法以修武備臣切惟國不可無兵也而我國無兵々將以有用也而我兵無用蓋兵在營則死於將臨陣則死於敵乃可用也今之兵則不然皆以親衛侍衛爲名而白 上及東宮皆有都元帥元帥之稱是以軍士

皆慢視其將也曰彼亦非大將也有罪而笞則必曰吾之身有親子侍子安敢笞我哉如是者能制命於將乎不能制命於將者其能致死於敵乎故曰我國無兵也而雖有之皆無用也必須賞罰分明恩威並行然後可以如臂之使指目之使首雖赴湯蹈火而不之辭矣臣願自今日始復古五營節度之制去親衛侍衛元帥之名使將領其軍專任生殺以教發以勸忠接義使緩急有用千萬幸甚其十一曰請討儲逆以明大義臣竊惟朱子嘗君父之讎萬世臣子之所必報而不忘者又曰春秋之法君弑賊不討則不書葬者正以復讎之大義爲重而掩葬之常禮爲輕以示萬臣子遭此非常之變則必能討賊復讎然後爲有以葬其君親者不則雖棺槨衣衾極於隆厚實與委之於壑爲狐狸所食蠅蚋所嘬無異嗚呼臣常讀此未嘗不痛哭流涕以爲今日臣子之罪上通于天而無所容於覆載之間也夫乙未八月之變其至寃極痛何如其血怨骨讎又何如而星霜三周尙未聞施一計發行一舉措以討復爲言者臣誠未知朝廷自有一副良算謀議密勿以待時可而外間不之聞耶抑視以爲薄物細故自居以含弘廣大而措之耶由前則政事施爲無一可稱於民々心不一何以圖事由後則父子之倫君臣之義自此永墜而人類無異於禽獸矣含生不如速死矣夫匹夫匹婦爲人所殺爲其子者皆欲思報其仇況我五百年 先王之宗婦三千里民生之慈母遭罔極之變曾不若匹夫匹婦之猶能償命者耶今所殺者僅得其數二賊而尙不明正其罪則亂賊之尙有餘孽維逃未獲而猶有其父兄妻子乃一遵逆豎自爲之法曲護而保存之至以允植之巨魁逆凶不能萬剮凌遲彼賊 作逆而不能移照道來是何以於逆賊而薄於 國母也耶見今 聖明悼念不已館殯過期不忍撤陵儀此古致加隆然極天之讎既未絲毫報復則以朱子之言觀此處文過禮適足爲隣人所笑而抑 聖後在天之靈必不以此少慰其寃恨之心矣且孰若勤一政事施一恩惠與百姓誓心矢志樂以國破不復讎則不已寧以身亡不復讎則不生爲務也哉夫彼賊之於我前行 二陵之禍至於近年通和之後屢起大變無道不助無逃不納此誠我國臣民不共戴天之讎也雖夷丈其國都屠滅其種類亦不足以洩神人之憤但今我國兵單勢弱雖不能遽興師旅以討其罪惟可正辭明義使之縛送諸逆捕納三浦也在春秋曰無俅姦又曰天下之惡一也袴桓之喪齊猶殺公子彭生若據此爲辭以聲言于彼而又會同萬國

照之以公法約條彼雖狡詐獨不畏天下之公議乎設使彼卽不許亦可以明吾大義而益激義士之憤有以待之而往討之也今乃忘國大讎而不知恥政壞民散而不知捍外患不測內潰日甚而恬若無事熟睡不醒此臣所以寧欲溘然而無知者也且臣又有所甘者乙未東南之民兵今之所謂匪徒而古之所謂義兵也臣謹按春秋之義亂臣賊子人人得以討之故洪翟義之討王莽關東之討董卓也綱目皆大書以與之推此義也國有亂賊大君不能討方伯不能討則雖布衣之賤亦無不可討之義方逆賊之盤據朝廷也聖明之身亦且朝夕不得保況敢爲討復之擧乎方伯之臣皆爲賊爪牙奉供如不及況肯有討復之心乎幸而天理民彝之賴不至墜而東南儒生之輩興擧義旅又有一二縉紳之起其間者使日月生色而後世之人得有以知三綱五常之道噫方天地晦塞之秋若無此輩之號令再東庶幾無辭於天下矣世之人徒見下流之使掠遂謂之匪徒而漫不分別此又可見人心陷溺之甚也何幸 聖上惕然獨念旣召還越境之臣其餘亦皆次第赦罪 聖德也然既召而不能用其言任其顚沛流離而不之顧則爲德之不終也又其死亡諸人雖皆草茅賤儒亦皆義烈殉國者也其在朝家培養民彝之道亦當有褒䘏之典矣蓋亦所以收拾人心激勸忠義以爲異日復讎之基者也惟 聖明之裁之則千萬幸甚其十二曰請嚴華夷以立大防臣竊惟鴻濛剖判升者爲天降者爲地南北爲樞東西爲維而人物生於其中固無孰華孰夷之分矣然天開於子子者北方之位也地闢於丑丑亦北方之位也北方既爲天地始生之位而陰陽二氣亦先生焉故正大淸秀之氣皆聚於是而聖人生焉如五帝三王是也卽今中原之地也然人之生莫不有仁義禮智性自然有惻隱羞惡恭敬是非之情矣莫不有父子君臣夫婦長幼朋友之倫而自然有親義序別信之則焉聖人見人莫不具此衆美之德而不知所以相接相親之道也於是乎制爲敎法以化天下以其親疎有間也爲之斬衰功緦之服而限之以其尊卑有等也爲之黼冕繪繡之差而明之以其內外有別也爲之宮闕墻籬而辨之爲之禮以交上下爲之樂以和神人爲之刑以治姦慝爲之政以出敎令學校以明人倫祭祀以報其先甲兵以禦亂士者明仁義道德以佐君者也農者出粟米布帛以供上者也工資器用商通有無以至衣服飲食起居動作之間若大若小若精若粗莫不有一定不易之規矩凡此皆聖人所以立萬世之大典

爲萬世之表準者也故謂之華夏華夏者文明也言其典章法度粲然文明也至於夷狄既處天地極偏之地山川風氣亦隨以不均是以其人之生少正大而多狎詐今試言其情狀則雖有仁義禮智之性而未能講明踐履擴充敷施如華夏聖賢之廣大而精微也雖有父子君臣長幼朋友之倫而未有親義序信如華夏聖賢之篤而周至矣雖能學問而尊尙氣器獰狼自恣無有所謂精一克復變化氣質之工矣雖能窮理而未嘗求諸天命人心性情之與人倫日用常行之間矣雖能敬天而未能知天人一理之妙而徒自禮拜求福淺近淫邪而已雖能衣冠而斷髮左衽未嘗有威儀文章貴賤上下之分矣至於不分男女不別內外昧陰陽健順之理棄剛柔尊卑之序則又無異於禽獸之行而居處之倨慢屋宇之恢奇皆棄於聖人者也故謂之夷狄也然亦具人形者也不能無一點明處如虎狼之仁蜂蟻之義者而其技藝之精則又不過如蠶之吐絲蜂之造蜜而已矣然自聖人之敎之不明人不能識大道之正而只見其末流之弊一朝猝然見新奇詭異之術類皆驚精換神脫然爭趍以爲此眞勝於堯舜三王之法遂目之以開化文明而不知反入於幽暗黑漆之中矣於是始之疑者終而信之前之稍有人心者今則蕩然無復忌憚侮辱聖賢棄蔑禮義反有甚於彼夷狄之人者嗚呼此何時運之乖悖一至是耶雖然天道無長往之理人心有必返之期此大易所以有剝復之理也夫剝之爲卦衆陽剝盡而上九一爻如碩果不食之象若並此而剝則爲坤矣當坤之時天下無陽狐狸鴟梟魑魅魍魎之屬何物不有何怪不生然地底之一陽其脉甚微而潛滋暗長於時日之間至於冬至子夜之半發出將來則天下之物莫有能禦之者矣此自然之理也故古之君子雖當極亂之時而其勤心忍性益勉德業者蓋莫不體夫天地之心而爲陽復之基者也臣請復得以陳之嗚呼自皇明屋社滿虜之汚穢中原今已二百有餘年矣天下極否之運蓋莫有甚於此者而于時我東獨保華夏之舊章衣冠禮樂庶幾有三代之風是以中原義士之致誠我國者至于今不衰是不啻如剝九碩果之象矣不幸一種彼洋之醜乘時騁恠欲大同宇內而當時主事之臣無深識遠慮既已開門而納之矣又不能明定約條使恣行其廣敎博學之計畢竟禍敗到頭變故層生至於弑 後剃髮而極矣討逆之義臣固已陳而惟剃髮之事則 聖明亦不過爲數三奸魁輩之所脅迫不得已而爲之耳非聖明之心本欲樂爲而爲之

也故乙未十二月二十八日之詔深示哀痛之意更令長髮而至於衣服亦有從便之　敎後又綾銷剃髮時僞勅然則　聖明之心何嘗不
如昔天下日者哉然軍人學徒之依舊削髮是又誰之所使哉濶袖衣之永廢不行是又誰之所禁哉率土之濱莫非王臣彼軍人學徒獨非
一王之臣乎臣於是乎始知奉命之臣不忠不義之大者也夫君無善猶當導而開之君有善乃抑而不行乎且　聖明旣不命矣而見其如
此又不能罪不奉行之臣使成風俗以啓小人之心是　聖明亦不能眞知其非必以爲無妨而置之矣然則乙未之剃髮非　聖明之過而
今日之剃髮則後之秉春秋筆者必當有辭矣　聖明將何以堪之也假使剃髮則存不剃則亡自古未有不亡之國寧爲華夏而亡不爲夷
狄而存況天下萬古本無此理又豈可甘爲夷狄以得罪於先聖先王乎臣願自今日始渙發　詔令凡軍人學徒之剃髮者並令皆可巾櫛
又巾衣濶袖之令以扶地底之微陽千萬幸甚嗚呼天下之務多矣今日之勢急矣苟求其當捄之資豈止此所陳十有餘條哉然能行之自
此推而至於凡百政事莫不用誠實做去又須識大本而先正之則凡臣所未言者皆當有繼言之者矣所謂大本者又不在乎他如言朝廷
之本則上之一心是也言一國之本則朝廷是也故人臣之進誠於君者必曰正心以正朝廷正朝廷以正百官萬民此數言者已爲千古相
襲之陳言非惟聽之不耳醒亦言之無新奇然天下之事未有不正其本而齊其末者雖使論極皇王識周治亂之士苦心竭慮而索言之亦
不能捨此而他求誠以心者萬化之原而眞妄邪正倏忽變化朝廷者出命之所而治亂興亡頃刻關繫皆不可以不先正之也故欲正其心
非勉學問不可欲正朝廷非用賢退不肖不可是豈可以陳言而忽之不復體行耶然則老臣所以畢義願忠於今日者固無有大於此者而
聖明所以興衰撥亂靖邦國之宏綱大旨恐亦無以加此矣伏乞　聖明留神澄省焉至如臣出處之道去就之宜筭之已熟萬無前進之
望瞻望　象魏只切飮泣而已若更蒙　聖主大德俾免刑戮則幸乞亟遞見職使之安意就盡焉臣無任戰兢惶懍拜手功視之至謹昧死
以　聞

日星錄附錄卷之二

彌積誠意堅執不退者孟子所謂庶幾改之予日望之之意也　批曰知之非艱行之惟艱亦以時也前此所奏非不體念惟其可行而
行之耳且卿之衰耗有未可强策卽爲還第調理事遺府卽傳諭
伏以臣於日昨祗伏承三度　聖諭使就安下處調病臣奉有　恩言伏地感泣雖卽日歸死溝壑無所憾恨但伏覩今日國家事勢臣捨
陛下而將安往哉以言乎　陛下之左右則諂諛而佞之徒厭然媚於前而潛懷欺慢之心百方爲販君賣國之事矣以言乎　陛下之朝廷
則其小人者固皆內結姦細外挾强敵以爲盜權取祿之計矣其稍存體面者又皆惜身避事累然却後與懷吝君不能之心矣以言乎　陛
下之百姓則樂禍亂之類騷然橫於途而敢肆罔測之言不憚爲引冦導賊之假矣以言乎　陛下之隣國則狐媚狙詐敗盟負約專行並吞
之術而自攬政法之權縶我手足箝我口舌不知又做出何樣禍變矣嗚呼　主孤如此國危如此臣縱不能碎首刎頸以報　陛下之萬一
寧安忍捨　陛下而去哉抑　陛下旣以此時召臣寧復以此時遣臣哉臣待　命闕下已浹朔矣前所陳諸條旣以方言求勅蒙　聖策則
臣固當緘口甲管以俟上蒼造化之如何而已夫何敢更挽他說重犯瀆擾之罪哉惟其哀痛之極情不暇擇中呼號之急聲不可擇節今臣
抱哀痛之極而齎呼號之急則奚暇論及於情之中不中聲之節不節哉蓋自古失國者有爲權臣僭竊而失者矣有與敵國戰不勝而失者
矣未聞有以言語文字作契券成條約舉全國與賊而不交一兵不發一矢而失者矣如以近日貨幣矯正事言之矯之誠是矣第未知矯之
將如何也若必先借款於外國則必當有典物矣有典物則必當以土地矣以土地則　陛下受先王疆土人民之托乃欲一朝舉以與人耶
且臣未知借款將用於何處乎蓋將稍收惡貨以爲交換之資也然　陛下料能以三百萬元若一千萬元盡可以換惡貨耶始換之而無資
以繼之則衰亂之興當不俟終日矣設使資眞有餘一開交換之門則無論內外國人其姦猾之徒之盜鑄愈惡難保其必無矣況初無可換
之資乎然則無問多少借款之日卽無國之秋也比聞此約已成臣於此尤不勝哀痛之極也然幸而姑未借來則臣願卽繳還其契券節材
儉用徐俟國力稍舒然後議之可也彼若以敗約責我則雖容徵數月之息寧不愈於割肉而充腹者乎然苟求此禍敗之由皆依附二字爲

之渠也自甲午以後群兇串指爲俄黨日黨者舉世皆知之矣然小人亦何常哉或朝俄而暮日或朝日而暮俄者皆是而又一邊附俄一邊
附日爲乘勢取利之計而已外人亦惡其無常故操縱綏急常有術以處之而於中取事焉則無論俄黨與日黨皆賣其術中而不自知而其
旨趣之同歸於賣國則一也試以近日以俄黨得罪於彼者觀之則今皆擠臂得意無復忌憚者是何也必皆爲趙之郭開者也然古之郭開
受賂於人而獻其國今之郭開納賂於人而獻其國嗚呼此豈非可痛者耶雖然　陛下不知而用之耶抑知之制漸於彼不得已而用之耶
若不知之則　陛下何不以其事觀之也若知之則彼雖挾勢亦我之臣子也何憚而不能卽誅也臣願自　聖心先斷依附他國之根株確
立　聖志不撓不屈寧自主而亡不依附而存凡群臣之中依附外國者並皆肆諸市朝以號令一國然後務勤內修之方亟圖自强之策一
如臣前後所言者心心念念惟在於安民而保國則彼雖無義亦當畏天下之公議而不敢遂吞我矣此臣之日夜伏地庶幾望於　聖明者
也　陛下若果不能則不必煩降　溫諭使臣退去願乞早　賜斧鉞之誅使臣得免爲俘虜之恥亦　陛下終始大恩也臣無任哀痛危迫
之至謹昧死以　聞

勉菴日星錄卷之三

擧義討賊柳麟錫起堤川李昭應起春川洪權李奭金福漢起洪州奇宇萬起長城春川近日兵盛京師大震逆賊懼始弛勒剃專意備禦而
李範晉得以其間做事奉　上及東宮播遷俄館下　密旨警務官安恒諭諸賊又降斷髮停止衣服從便之　綸音卽二十八日早朝也先
生槩天君屢備經苦楚數十餘日且當歲色乘孩子姪告當初被逮旣不由　朝令則宜速還鄕先生曰方今君父離宮雖在他鄕宜奔問之
不暇而乃反浩然歸耶因經歲以俟　大駕之還宮

嗽玉軒隨錄

十二月二日始承召入對　上命進前曰意謂卿早々入來矣今始入來乎先生曰臣八月自鄕離發中路以病委頓數朔近稍回甦僅爲入
來矣仍奏曰臣通籍五十年非分之職濫濟正卿之列尙未識　天顏古人初登　天陛有仰瞻　天顏之請者臣亦願舉首矣　上曰仰瞻
之先生曰臣於癸酉丙子妄陳狂瞽之說至被嶺海之典特蒙　陛下再造之恩生還故土臣一毛一髮莫非　聖明之攸賜也自後國家之
變故重疊　陛下屢遭千古所未有之厄而未能出一氣力爲涓埃之報臣之不忠實國人之所共知也今臣犬馬之齒已踰七旬百病侵凌
餘日無多　陛下未知臣無用屢降　召命禮遇隆摯抑　陛下何所取於臣而有此非常之恩數乎臣本蔑學且生長鄕曲所聞見只臣祖
與父之遺訓何足啓沃於　聖心哉臣愚駭之見已悉於戊戌疏中而未蒙採納臣之今行豈敢期採納所言亦豈敢望生還故土乎今日國
勢岌業迫於朝夕　陛下如有翕受之聖意臣敢盡言無諱矣　上曰卿本强直故不符於人　朕所已知几年前疏辭雖多逆耳　朕心則
知其可而或礙於時勢有難變通矣然今日艱虞之劇待卿匡濟之策故茲特　召之惟卿嘉猷嘉謨豈不採納乎先生曰臣言辭踈拙謹具
一箚捕備　乙覽仍跪進袖中箚子日始蒙採用則實宗社之幸也秘書承李明翔讀箚訖先生曰　陛下觀今之事勢以爲將興乎抑以爲
將衰亂之時乎　上曰果衰亂之時也先生曰　陛下如知爲衰亂之時則知所致衰亂之由乎只以今日民命言之狹恃强鄰敢肆凶暴其
罪固不容誅然民心卽天心也民心渙散如此則天心從亦可知豈　陛下事天之誠或有未盡歟抑有司之臣不能對揚　聖德而然歟
上曰朕則自謂盡誠事天而天道之不應如是此　朕之不明不能董率臣工之所致也先生曰今日民心渙散皆由乙未以後無復讐之
志無復讐之政故也如有復讐之志復讐之政則民心自固宜無今日騷亂矣臣近日屢伏見　詔勅下者哀痛之旨溢於辭表王言如綸而
未見實澤之下究此曷故也　陛下徒事文具不以實心行實政之故也臣聞　陛下不行　太廟展謁禮久矣請亟勤親展謁　太廟御望
廟樓召會民使各俯伏于　廟門外降哀痛之　詔引咎責躬如成湯萬方有罪在予一人之意然後招入其爲首者數人親加說諭擇其言
之可用者實施之而使各散歸則此亦化育中物豈有終始拒逆之理乎　上曰孝惠殿練祀前展謁　太廟拘取禮制矣先生曰如此則
臣恐　陛下終無展謁　太廟之日矣　上曰何謂也先生曰聞　陛下多拘忌故云矣上曰朕安有拘忌乎況　祖宗妥靈之地豈有拘忌
之理乎先生曰臣聞自彼賊司令部有所告示者凡境內警察渠皆自擔云然則我國之警務法部皆爲無用矣噫誰知五百年　宗社三千

里強土一朝爲他人所亡乎然人必自侮而後人侮之豈專歸咎於彼乎自乙未大變以來我君臣上下若能小知復讎之不可不爲而加憤勵焉則今日之國勢庶不至此矣今擧國臣民皆爲俘虜魚肉之慘而莫之救嗚乎天呼時乎思之到此只有溘然無生之願而已因放聲痛哭又奏曰今則國將亡矣雖有良策將安所施乎雖然與其坐而待亡孰若幡然一悟小試當藥而更待天命乎臣之補箚五條俱爲今日急務也而非有關於外人不求助於政府皆在 陛下轉移宣行之間伏望亟降處分 上覽箚半仍教曰 哲廟憲廟未行追尊亦據古禮周公追王文王王季太王而不及傍尊矣周公祀先公以天子之禮故 太禮皆用天子之禮文廟之祝稱敬祭者亦載大明輯禮矣 廟主不書大明賜謚亦有參酌者矣至若 景孝殿 洪陵饋奠則春秋之義君讎未復則不書葬今雖 因山與不葬同故依葬前禮尙行饋奠純明妣服例端毅嬪喪禮倣昭顯時禮而行之矣考 諸大明奠禮則 懿文太子 莊敬太子禮制有已行之例故據此行之俱有載冊在此矣先生曰 陛下豈無攷據據行之哉然不是不刊之典臣所奏者經禮也伏乞採納焉 上曰此非猝乍間斷行第當商量焉是時上常以口出後就縷午後起縷百度廢弛先生以夙興夜寐奮發淬礪之意縷又反復陳勉而退 上因賜食又使掖隷扶護降陛焉

魯祠隨錄

十二月二十日申明淑以抶魯城闕里祠享教授渠欲一邀先生設講會者久矣至是鄭艾山栽圭聞變與知舊數十人千里裹足來謁先生爲同去就兵生死之計先生以爲若設闕里之會則必有遠近多士之收議而庶或有衆心城成之望遂冒雪而剖氷渡江備經艱險得抵魯城闕里會者殆以數百人議其密講畢爲文而略干敍述今日痛迫難堪搖頭不忍之情以文告聖像之位扶正吾道係植華脉營衛宗國滅絕讐敵等數三條事著爲急務之目以告于會中僉座以來歲正月二十二日齊會于此一々設條立約振其威而服其勢同一勿爲各心無主齊聲同力拚死叫 闇之意立約而歸時鉉等先知其機置兵於振威郡以遏之竟未果焉云

淳馬隨錄

青蛇十月變後先生爲彼諸賊所阻未得上京不勝忿憤幾乎成疾忽聞淵齋宋公殉義之報設位痛哭曰諸公扶植人紀雖爲國死華人々徒死誰與申包胥請秦兵而存楚誰與田將軍却燕軍而復齊其未死者並心合力汲々救焚極溺不可時刻安於衽席也於是致書于金鶴鎭李容允李聚烈李南珪李道宰郭鍾錫田愚朴鳳陽等無一應乃嘆曰人心如此眞所謂我瞻西方煢々靡所騁也適泰仁人前郡守林炳瓚感服先生德義屢度上書同事故丙午四月日與門下十餘人遂決意擧事卽治倡義疏付納于閔泳奎使乃於閏四月十三日至泰仁謁武城院文昌侯影幀會諸生講畢先生中坐流涕曰彼賊禍國逆臣謀孚五百年 宗社三千里疆土已至於此余以舊臣誠不忍見不忍聞將不量力欲伸大義於天下成敗利鈍雖不可逆然視吾我一心愚國見死不見生則神天所祐何必其無成諸君從我遊者能皆與我同生死否諸生皆曰諾先生曰爲非常之事者必有非常之志且兵死地也不可易言諸君更加思量勿致後悔諸生應聲曰敢不以死從命於是先生與會者百餘人入校宮卽以擧義討賊之由祭告先聖乃召郡中父老諭以大義郡中翕然應聲乃命炳瓚金箕述柳鍾奎金在龜姜鍾會李東柱李容吉孫鍾弓鄭時海林相淳林炳大宋允性李道淳崔鍾達辛仁求分署諸任卽馳檄列郡寄書彼賊政府數棄信背義十六條件遂與德士人高龍鎭率炮士若干人以助軍勢十四日抵井邑郡守宋鍾畝來謁卽抵內藏寺宿十五日抵淳昌龜巖寺宿十六日抵本郡郡守李健璘來謁十七日抵谷城郡守宋振玉來謁十八日還到淳昌獜山村之六七老叟簞食壺醬來迎因宿十九日曉探吏來言彼賊十餘名方入郡衙與郡守健璘屛人密語云先生命炳瓚領一枝軍從間道欲襲之彼覘知之大驚出爬山而走炳瓚追之不及但得彼遺棄文書乃全州觀察使韓鎭昌與健璘導彼謀害我兵密書也先生大怒曰此輩眞犬彘不若者健璘適來謁卽命拿於堂下以書數之曰汝以何面目敢來見我我之此擧只欲爲國家報萬一而汝以宗室至親反欲害我汝乃再於彼賊者我今斬汝以勵忘君負國之類汝死無怨我健璘俯流涕曰暫時惶惑妄覬姑息致此負犯然健璘亦人耳若得大監矜而宥之當殫誠麾下折首無悔以保活命之恩先生許令就坐諭之曰君出天潢我處遺臣當各盡義分同殃 王室成則國家幸福敗亦不失爲忠義之鬼芳耀在國遺芳千秋不亦善乎其視搖尾辯虜苟

幸一時而竟遺淪胥之慘者所得孰多健璘收淚拱辭先生以健璘熟悉地方且認其投誠首推前部或諫而不聽健璘因請還駐本郡先生許之翌日曉光州觀察使李道宰遣人宣 皇勅發出告示一度皆諭令解散之意也先生祗受勅旨顧謂左右曰此五賊登挾令手段也設使眞 君命苟安社稷利國家者古人有專之之行況此賊臣輩矯竊之僞命乎遂復李觀察書曰某已上書陳達擧義之由疏若登徹必有下批矣進退有封疆之臣所可指揮者也云適有何許炮聲出於不遠乃偵探則本郡北三坊山炮士十三人也各以名牒來謁曰鄙等感大監忠義來備編於行伍否先生一一問其父母兄弟有無而命錄軍案曰此非彷彿於南齊婁車乎日未午有報彼兵自郡東北間來者云先生既欲出戰左右交諫曰先生若一不幸今日國家人民竟賴誰活先生不聽曰吾豈怕死者耶士民牽衣涕泣擁護不得前先生不得已而命炳瓚設二奇兵而迎之少頃有告者曰此非彼賊也卽全州南原兩鎭衛隊也先生曰是若賊也同當決死一戰然若是鎭衛隊軍則是以我伐我豈可忍乎遂招還炳瓚勿戰遣人致書于兩隊曰爾若賊也當刻下死戰不者同胞相殺吾不忍爲可卽退去彼曰大監退兵則吾兩隊當退兵云先生卽退兵須臾全州隊陣郡北錦山南原隊陣郡東大同山相應放炮也丸落如雨際此危急俄來十三炮士炮杖直入曰以若種大監麾下不一戰而敗於義當乎鄙等雖小彼則露身山山頂鄙則倚身城壁若放炮彼一一可殺此非一當百之數乎大監勿慮焉則欲一齊放炮先生曰不啻孤軍而已以我伐我斷々不忍也彼皆忍舍而退於是義士千餘人皆鳥獸散散而已鄭時海中丸將死呼先生曰時海未能殺一賊而死々且不瞑當化魔以助先生殺賊先生持之大哭衆亦大哭先生知勢已去堅坐椽廳謂左右曰此吾死地也諸君皆去只誓死陪從者二十一人而已是時兩隊兵知先生不退又一齊合軍放丸於是先生命炳瓚曰今吾輩必盡死乃已然無來識相枕而死誰辨誰謀不可草々要當明白死耳可錄姓名一通貼壁上依錄序坐如元中奉大夫閔本古事炳瓚應聲出紙書畢先生又曰古人有闕城而行冠禮以見先人於地下者今諸君不可不整衣冠諸人各解行橐出穿廣袖衣更結纓拱手背壁竦坐時流丸亂入衆恐犯先生皆環而跪欲以障蔽先生亟止之曰君等不必如是各宜列坐得而正斃不亦可乎諸人遂復列坐忽發風驟雨大雷以雹 時全州希賢堂無故自焚州人爲先生雍 兩隊兵

愕然謂曰彼吾以吾輩殺眞忠臣故而然歟皆棄銃伏地於是炮聲止而兩隊兵四面圍住時風雨不止夜黑無燭而尸在房心湍血可踩衆和衣濺血而坐幕下李道淳林相淳適在外作粥煖酒持燭而來檢房中人二十一人九人皆去惟林炳瓚高石鎭金箕術文達煥林顯周柳鍾奎趙愚植李容吉趙泳善羅基德柳海瑢十二人在焉翌日柳鍾奎以治時海喪出來在海先以先生命出外偵探聞先生被圍馳還突入復成十二人之數 門人高濟萬偵探未及趙秉憲趙璣燮李錫龜朴在湜張洪期欲矢死陪從爲被拘禁未果 自是隊兵嚴守郡賊攔人夜則拔刀豎銃作弊甚惡先生坐白若曰舟中大學獄中尙書古有已例宜各誦一書遂環坐先誦孟子浩然熊魚二章十二人亦次誦一篇時先生眩暈不省所讀何文翌日曉頭子任門生不期而會因被押向于南門外李錫龜鄭翰容趙泳燾李光秀丁寅燮姜永根孫永烈鄭永顯梁一默尹相龍丁鍾燮崔在舜金俊善金箕述文達煥梁在海林顯周趙愚植李容吉趙泳善羅基德柳海瑢七十餘人拜謝車前皆痛哭失聲如失怙恃先生各問其父母安否乃笑曰男子生有四方之志日東山川想亦可觀但恨依舊樊籠不得窮我心目矣且吾當初之擧何嘗一分望幸哉國家養士五百委亂以來無一人擔得杖義扶顚之策妄覬支柱以盡吾職分含笑入地況未至死乎諸君愛我者當祈其速死不可相爲嗟勞以重吾愧時京城每日新報有曰文信國之於北行也來餞者鄭所南王鼎翁數人而已蔡元定之於上道也送別者朱文公率門生數十人而止今勉翁崔公之於東行也哭餞者乃止八十餘人猗歟盛哉云先生在車端坐少不疲倦觀者以爲定力彌堅行至中路先生所乘車軌急火發移他車抵東萊草梁則日已昏矣憲兵導先生乘船永祚等攀附欲隨去憲兵以無司令部文蹟不許皆痛哭拜謝埠頭 時月色微明連港電燈照耀海上汽笛一聲船去如矢只見船頭燈光出沒波心而已翌日登草梁後峯望對馬島雲靄中一片山影若隱若現此時景像令人膽裂無餘云 在船中憲兵柯羅祥頗盡誠扶護翌日辰時下船于對馬島憲兵曰此渡風浪今如是穩渡實賴天祐云館于嚴原蠶業敎師卽其衛戍營守備隊欄署也洪州義士九人已來囚禁于此卽門人李侙及南奎振柳濬根安恒植李相斗崔相集申輔均申鉉斗文奭煥也少頃守備隊長率兵丁十餘名來列立曰諸囚何不敬禮於長官仍令脫冠諸人皆不肯蓋以脫冠爲禮也隊長曰公等食日本之食當令日本之令々脫冠則脫冠令剃髮則剃髮惟令是從其焉敢拒逆一彼兵欲勒脫先生冠巾先生大聲喝之彼舉劒爲欲

刺狀先生披胸大喝速刺隊長臨去又令先生起立先生故坐不起彼手劒先生諸人急救之先生氣息奄々顧謂炳瓚曰吾與彼有三十年相持之嫌彼之待我吾不足怪且吾國危而不能扶君學而不能死吾罪當死苟延于今日者徒死無益於國圖所以暢大義於天下而非之不濟舉義之日已知之今日之厄猶云晚矣學斷頭而死不斷髮而先此義已定於乙未冬被逮吉濟時今旣至此食其食而不從其令亦非義也從此以後只此斷食矣不死於鋒鏑之下而不食而死此亦命也吾死之後君其收骨以送我兒也然此亦何可必也又曰吾平生匡君扶國爲心而誠意淺薄未能格回天心今吾死之後更無以忠言進吾君者吾以短疏授君々生還則必量進焉口呼遺疏畢命炳瓚染行中小紙書而藏之曰吾四十年願忠之義止於此矣又曰吾在本邦可令部時擬與同事諸君賦命五絕詩十四首不拘聲格信心敍實者存焉付之於君若還之日分贈各人可也並呼小序焉其一自責也其次十二人所贈也又其次鄭時海輓誄也是夕從是夕不食者炳瓚李侙柳濟根定恒楠南奎鎭共餘五人亦雖進數匙而止翌日隊長來問曰老人何故不食炳瓚以日錄示之通辯未詳見此則可知隊長覽畢曰剃髮云々非爲監禁人而言也緊言在日本則當從日本法律爲可云也不顧剃髮者不强願安心進飯先生謂諸人曰吾在司令部時會問囚徒食費自我政府擔當云故昨日兩時之食費亦認以我政府徵來の物矣且古人處義有可據耳今彼云食日本之食則當從日本之令吾何可食生糊口以受食其食不從其令之義乎吾事吾已斷定諸君則彼言旣如此豈可盡從我死乎諸人迭進勸諫皆不聽翌日步兵隊大將來問如隊長言炳瓚詳言先生處義之由大將曰剃髮變服者誤聞也監禁人食費皆韓政府來吾等不過監示而已也願安心而食爲邦家自愛於是炳瓚及諸人引古義陳喩萬端涕泣不已先生方纔回意曰君等之言亦似有理第爲君等更食大將去後隊長又來曰吾前日非要剃髮變服也惟言于房內脫冠也通辯誤語而公等絕食至三日豈效夷齊古事耶吾決非要剃髮變服公等安心食以進達于崔氏老體最自愛焉云云先生一日早起曰吾平生未有夢作今忽得之而不解其意仍誦曰乘桴先聖嘆蹈海魯連風二者同不同請詢日邊翁又同囚人或無冠露髻而處先生命各製緇布冠戴之仍作一絕詩命各和之自是先生與諸人或酬唱講論或作詩相和萬里殊域頗不

寂寥云十月十六日移停子警備隊內新造屋十八日日兵伍長大浦茂太書進韓帝入島之說十九日先生正衣冠西行四拜曰天乎々々青城五國之行迫乎々々痛矣々々因疾不起而漸沉重彼中若無我藥探行護有若干材料連進不換散夫子散無效隊長遣醫診視且送藥物先生曰八十老病又兼不服水土異國不神之藥豈可責效只可以此自盡矣日本之藥一切勿用可也二十九日漸有浮症及舌捲便秘等諸候神精大昏不復聞所敎十一月五日高石鎭崔濟學適解放同永祚及予炳瓚來謁先生不能省雖某初九日永學崔濟泰崔鼎相姜甲秀入謁俾語禎命等湯藥一未見效十四日朝先生神精稍醒侍者或相語以先生聽否或微笑或皺肩蓋先生自始病至此凡二十餘日或平坐或跪坐或俯或倚一不委頓是夕有大星殞於東南光耀亘天觀者莫不驚懼十七日寅時易簀先是永祚備持襲斂諸具而入隊長聞先生已逝以爲屍不可久留此屋俾遷于屍室々在隊內一間板屋鋪磚石中設屍床巳時奉遷襲禮時衾威甚酷不可露屍經夜遂行小斂是夜隊長只許永祚永學在屍傍其餘在內者不許出在外者不許入焉方欲貿松板治棺隊長稱有其政府命令當自隊內造棺以來云而禁自治棺槨房之物兼制度不稱不可一日苟用而不得自由遂忍含用之巾時入棺奉柩及魂帛箱出警備隊後修善寺法堂其前導者店主海老之子雄野也諸禁人以白巾環経痛哭拜謝于隊門內惟林炳瓚俾得陪行寺十九日戌時奉柩發船爲炳瓚以護喪招魂前導港口諸日人執燭相隨莫不悲酸翌日辰時泊于草梁前港永尚萬植崔銓九崔鳳韶自京來永禧郭漢韶自定山來與高石鎭崔濟學及崔濟泰崔鼎相林應瓚定館留待于商務社々者本州及嶺湖諸人會金成社妥辦商務之所也社中諸人相持慟哭曰皇天胡忍使先生有此行也及是聞先生訃皆望哭哀痛撤市三日自請擔當治喪事々務長金永奎議新造停柩廳社員等皆曰吾聲作此屋來往過者無不館焉若得奉崔先生於此亦爲吾輩之光今必曰新造則此屋毀之可也永奎曰吾試諸君耳於是大書揭其門曰勉翁崔先生護喪所分定諸社員爲執事俞鎭珏李裕明權順度護喪朴苾彩宋在錫執事李應熙張禹錫安舜克祝金敎玟孫永斗朴鳳錫司貨金永奎金道湖鄭時源司貨尹明奎權爽熙造殯皆準備成服及返柩諸具是日子侄門人皆出港頭佇待社員千餘員具大輿靈車帛書春秋大義日月高忠八字以

高竿揭之出迎靈柩而入奉柩一乃軒方奉柩下陸也金永奎權順度扶柩痛哭呼先生曰此大韓地也此大韓地埠頭男女老少數萬皆哭呼先生聲振天地執紼而從者連亘五里時陰雲沉其細雨微灑雙虹橫貫光彩照耀及奉停靈柩虹始銷天開雨霽無一點氛埃自是日至發靷遠近士民持奠誄哭者晝夜不絕以至各學校生徒及女學校八九歲兒莫不來哭或輓辭或演說或弔歌皆拍地頓足如悲觀成本府妓名飛鳳玉桃月梅亦以誄文爲誄奠哭甚哀梵魚寺僧奉蓮率僧徒致奠于路奠十路傍草梁二妓婦自津頭陪轝哭從及至龜浦頭祗奠物徒步四十里而來日大監祭需不可載於彼車器皿亦不敢用彼物云翌日成服遠近男女來哭者數萬人外國來觀者亦皆流涕被面又翌日大輿靈車擔夫皆自商務社專擔自草梁至龜浦凡四十里內翣而從者無衆家々皆插白幡所過婦女皆哭迎祭路上者又相續是日偕行十里次日行三十里至龜浦是東萊境也商務諸員至此皆辭失聲歸俞鎭珏始終護喪至定山而返先生始喪嚴原警備隊長致賻錢二百緡侍者辭却之隊長怒有沮戲渡海之言不得已而受之至是以郵便還送渡龜浦歷金海昌原日兵十餘名自馬港來截路欲刼輿截送輪車從者正色拒之往復不少屈彼亦無如之何盖靈轝到處士民駢闐彼慮其或生他事也歷漆原昌寧諸郡而次第下來其中路或有彼兵有訊問等異事然所到丹郡入民滿山遍野蔽路而前進其威如山河從者拒之彼亦以忠義亦理屈自戢有一農夫朴芝林者猶慕先生致奠致賻哭甚哀歷玄風星州開寧金山黃澗永同懷德公州首尾十五日始抵定山本第乃十二月七日也所過州郡持奠來哭者一如東萊彼兵數十名替番相隨翌年丁未四月朔日葬于鎭城月午洞而鋪寬山下癸坐原加麻者三百餘人行士林葬禮前二日本第發靷時定山日兵十名隨渡錦江發店津至公州楮寺宗人戩昌家宿曉頭公州日兵數十名來隨發靷未五里定川商人五十餘人奉大轝輿以薦歡一面迎於中路而前導自此後先相行三十里菽露聲々震天震地抵葬所八域聚至遍山滿野指不勝屈彼懲其有事而一並撤遞惟加麻衽袖衣人不禁焉後己酉十一月十四日改葬于大輿鳳首山壬坐原去戊申春文集成而粧黃分秩之際爲彼所怍凡四十六冊中十六冊見收餘三十冊東閣自丙午後域內士林做田更齋叟之古義建祠奉眞像者有六曰泰仁泰山祠抱川苣山祠定山慕德祠海州復陽

祠咸平月岳谷城梧崗祠是也又有壇焉沃溝三賢壇公州兩賢智島頭流壇是也丙辰夏所奉祠宇又忤於當局眞像自谷城一例被撤獨祠宇谷之梧崗祠抱之苣山祠見毀後七年壬戌春儒林趙龍燮沈景澤金昌圭李炳勳丁時豪鄭永灝朴在萬等千餘人周旋當局六月十六日其遺像自谷城次第還安其毀祠亦一例復古焉

祭勉菴先生

重菴金平默

年痛哉人生不死有相見理昔公有書其言如此胡余之來公則不在孰使之死慭不少待大界浮漚玆生醯鷄瞭然四顧懷兮忽兮疇無師友疇無知已今古茫茫疇公之似箴我箚我孰抽已有亦復實我舌不容口抑不知公奚余之取氣來神往如水得亂中間一紀南北擾擾棗散則有醉心不照人亦有言今不逮昔嬌嬌如公古豈多覩豈其婆蘇貫其脊膂肩宇充體風節聞者心醉對者膝屈不謂衰世有此人物酒闌燈池短吁長歎業念宗國攬涕汎瀾于淙于寶風折霜摧刼火炎炎玉終不灰視官如瓣不割不止名落大微攬巧栽蟻一葦凌海匪躬伊榮淵需蠕再膽齧嬰時嫛々無臂窮山方擬命駕遽聞承環歸後一書千里同堂公銘我心字々琳琅孰謂此書於我絕筆不見六年常有後日從此天下相見惟夢造公在世如待麟鳳公歸于天如折鎭圭何人不逢官未台階何人不壽竟止于大我曰悲公々應失笑非曰無裳寶厥褒赴不朽則已何必者耆耆彼濆吁蛙閒跳躑浩蕩雲軒俯覿嘖々公則樂此其奈時艱鳳麇淪日益歎手難何修何施聞無不悲野慟蹊哭如各其私欲擠公者猶吝嗟矧余假々淚幾不阿踰山渡海甘犯霧露我寧不老哭公之故船浦烟收椒峰月出嗚呼公不聞天地爲白尙饗

祭勉菴崔先生文

維年月日長溪黃燈謹齋薄奠辭數行文敬告于勉菴先生靈几之下嗚呼天之於君子一何厄也其得君遇時安富尊榮克享升平之者閱窮宙不一二數而至於處板蕩喪亂之際困躓摧抑爲姦臣敵國所甘心而往々拚性命以殉之者踵相接豈所謂福善禍淫者不過虛語

之設耶竊嘗以古今已然之跡將之黨氣數所局天固不能使斯世無亂然方其亂也若化其綱淪法斁無人以扶植之則天道或幾乎熄故
必生若人者而當其衝百折不回九死靡悔其所樹立卒能使中國免於夷狄人類免於禽獸三光之岳之氣賴以不隳而還乎爲千百世源
標然則所以厄之於生存者不過數十寒暑而震耀之於身後者則無窮期若是者又烏可謂天之不愛君子也哉嗚呼惟家先生以正誼明
道之學抱忘身殉國之志覷嶺海如堂奥赴鼎鑊如飢渴半世之間曾不能一日安其身於朝廷及夫仗義興師於傾否之日不見強敵而只
見君父不見死生而只見綱常成仁取義早已含笑入地矣雖然世無復先生焉國將墟矣民將灰矣天之所使以扶植之者竟如此而止則
先生之死安得不悲或者以先生比諸重峰桐溪然重峰桐溪猶得際中興之盛而先生則闕焉夫本朝君子最窮最不遇者無如重峰桐溪
而先生殆過之嗚呼寧不重悲哉將以爲天之愛公者在乎準標百世不在乎成敗利鈍而不悲之乎哉孫騈半生未遂摳衣之願迨茲要謁
倘記容接之榮中間再以文字效薄孜者庶或表彰香於幽明而小子狂簡永無取裁之所矣按千秋之公言聚萬人之熱淚已已今古聽此
一觴尚饗

（黄梅泉集）

聞勉翁渡海次文山零丁洋詩示趙而慶

宗臣談笑植天經算定熊魚秤有星一鼓義聲憐勁草南冠行色感漂萍悲歌幸伴張同敞（指林炳瓚）快事難逢麥述丁擬寫孤帆浮海影千秋在
後補丹青

哭勉菴先生

英年抱負藥溪門救火人家位偶尊程氏三魂推趙閣考亭一脉賴希元文章不出經綸業名節原從道學原宰相儒林都結局海東千載有
公言

義鼓聲摧血雨斑孤臣判命笑談間腐心萬里南冠縶屈指三霜赤舄還海外光陰來雁少天涯消息落星寒招魂且莫登高望厭見青蒼馬
島山

扶桑忽倒海茫々雩霧虹騰萬丈長觀化正應期鬼救心遺胡不作靈光銅駝委地罡風勁華鶴冲缺月凉故國有山虛影碧可憐埋骨向何
方

風霜鍊白髮毵々劍樹刀山嗜苦甘宗社關情遺表在英雄齎恨過河三天寒大鳥來新壠月黯神蛟返故潭欲借蘭成詞賦妙千秋哀怨寫
江南

褁革沙場事已違殊方呼復尚儒衣情靈不散風途睹顏貌如生日月輝天定幸無柴市痛人憐死門冷山歸過年七十來千歲歷數如公命
好稀

魚龍鳴咽鬼神愁獵々紅旌海上浮巷哭相連三百郡國華滿戴一孤舟握拳豈待還丹力藏血翻驚化碧秋酒盞西臺來門弔謝翱泰軍亦雪
盈頭

（黄梅泉集）

安重根

安重根ハ日韓條約韓國皇帝ノ禪位及軍隊ノ解散等ニ憤慨シ明治四十二年（隆熙三年）十月二十五日ハルピン驛頭ニ於テ伊藤博文公ヲ狙撃シタル兇漢ナリ。排日分子ハ之レヲ義士ト名付ケ其ノ義侠忠烈ヲ紀念スベク謌頌及在外鮮人經營學校校舎ニ同者ノ寫眞ヲ揭ゲ毎朝禮拜セシムル等崇拜スル處アル由鮮内ニ於テモ壬辰役（文祿役）ノ李舜臣ト共ニ偉人トシテ贊美スルモノ多ク殊ニ其ノ實弟等ノ遺族ハ排日思想ヲ抱キ今尚奮勵シツツアルコトヲ注意セネバナラヌ。

安重根ノ遺言（二弟於後面會ノ時）譯文余ハ天國ニ於テモ亦國家恢復ノ爲メニ盡力スベシ重根ハ何等報ズルコトナク死

ス之レ慚愧ノ至リナリ但シ一死ヲ以テ赤誠ヲ表ス。

我同胞ヨ各責任ヲ重ンジ國民ノ義務ヲ盡シ以テ同心一力功業ヲ樹立シ大韓獨立ノ聲ガ天國ニ達セノカ之レ余ノ至願ナリ余死ストモ他ニ遺憾ナシ。

同胞ヨ深思セヨ我大韓國ノ獨立ガアツテ始メテ東洋ノ平和ハ期シ得ベシ。

安義士追悼歌

一、忠義烈々安義士ハ
大韓國民ノ代表ナリ
ハルピン市ノ朝日ニ
ピストルノ音ケタタマシク響イタ。

折返（後念）

英雄ダ英雄ダ
萬古英雄安義士ダ
國ノ爲メ捧ゲタ此ノ身ハ
死ストモ光榮ナリ

二、五條約ト七條約
强制ニ締結シタ
仇敵ノ日本人伊藤博文
孤魂トナルヲ誰ゾ知ル

三、兩國ノ兵士散リ亂シ
天下ノ耳目ヲ驚カス
國ノ恥ヲ雪ギタレバ
何ゾ偉大ナラズヤ

四、國權回復ハ今日ナリ
民族ノ保全ハ今ゾ
光輝アル此ノ名
永ヘニ殘ラン

五。俠士聶政ノ對ニアラズ
匹夫荊卿ノ比ニモアラズ
我等ノ爲メニ身ヲ捧グ
誰ゾ悲マザラン

六、悲イ涙、悲イ歌ヲ以テ
遙ニ忠魂ヲ追悼スル

義士ヨ〱安義士ヨ

希ハ瞑目セヨ

七、崔勉庵ト閔忠正ハ

天堂ニテ歡迎シ

生キタ我等ハ

半島ニテ後チ繼グ

八、他ノ伊藤又アルノカ

憂慮スル勿レ

我等ノ銳イ刀ハ

幾萬ノ伊藤ラモ切リ得ベシ

九、萬歲〱萬々歲

大萬國民萬々歲

萬歲〱萬々歲

安義士萬々歲　（愛國魂譯文）

重根ノ出世

安重根韓國黃海道海州人背負首陽山前臨大海爲一都會高麗時州人崔沖聰慧好學大倡儒教稱爲海東孔子本朝名儒李珥卜居於州西之石潭愛其山水地重根父泰勳進士幼時神童以詩名世慷慨有氣節甲午東學黨作亂募約兵討之重根生而胸有黑痣類棋子者七壯斗祖仁務異之名應七後因爲字泰勳常在京師遊學故重根育於其祖七歲時從居信川郡淸溪洞聰穎過人通經史工書藝而遊戲必挾弓矢弄鎗械習馳馬爲常以故射藝絕倫能於馬上落飛鳥也

重根之奔走國事

日俄之開戰㊀重根時年二十六慨然而歎曰是役也實關吾國存亡日勝則亡於日俄勝則亦然而我無實力奈何及聞日俄媾和即告其父曰勢急矣不幾日吾人必無措手地求諸域外惟中國可耳自古興亡之際互有關連今日亦然苟天授中國而振興者大局之平和可保吾國之將來亦有望也大江南北才俊必多遊覽其地交結其人共圖天下之事兒之願也遂以乙巳十月辭家航海遍歷煙台膠州威海上海等地以求其人而惜乎未有所遇也居數月聞父喪還國葬喪既畢欲率家族移住海外而勢難卽辦乃徙平安南道三和郡甑南浦而居之以其爲交通中國地也時則韓國既居日人保護之下一切軍務財務警務學校法務郵務皆由日人管理所謂韓官只見其汰而卽存者只供其奴役而已不敢過問其若森林漁採鑛山鐵路蔘圃墾荒屠獸等各種產業無不被其强奪而人民之家屋田土亦皆稱以軍用惟意佔之驅逐殺戮慘無天日是將不止墟我宗社而盡滅我民族乃已重根益欲捨身以救之而非開牖民智團合衆力則不可乃捐家財創辦三興學校廣募靑年而育之從二弟京師遊學亦爲邀結有志也每聚衆演說激昂悲憤刺入心骨聽者皆泣由是日警官大加注目或探其遊所或詰其激論重根不爲少動伉之愈硬家族親友皆爲之儆勸其稍戢辭鋒重根喟歎我平生以直爲生以義行事雖緣此隕身亦無所恨云

此時韓國西北道人士之在京城者組織西北學會開設學校及報館爲地方敎育之模範而重根會員也襄助甚力丙午秋西北學生在京城東門外三仙坪開運動會是日會員來者重根及李甲安昌浩柳東說盧伯麟李東輝李鍾浩諸人皆志士之錚々者也安昌浩者

平壤人理想家也雄辯家也亦事業家也早歲遊歷美洲吸收文明其還國也値伊藤統監韓國之日痛祖國之淪亡悲同族之將盡每對衆演說辭氣激烈心血滾出人之聽之如渴赴泉莫不流涕敎育人才結合團體皆以至誠出之故人信仰之與重根深契壯其志氣嘗謂友人某曰重根吾黨中烈々者至急進以爲今日之事舉義而已其成敗勿論必有偉大之樹立云

重根之去國

於是重根欲與同志興義旅而顧瞻全國網羅彌天撫腕無地民間武器盡被搜括寸鐵無存徒手搏虎無濟於事遂決意出洋以求活動方面而俄領爲韓人移住最繁之地且在日人勢力範圍之外可能行動自由擬乘京釜火車由釜山往瑞出南門外停車場二弟定根恭根餞之重根囑之曰此非吾儕顧念身家之日我則遠離家國奔走四方誓爲國事畢命而謀事在人成事在天事之濟否何可預期古來英雄豪傑未有必其成功而作業者惟其熱心毅力百折不屈不達其目的不止我亦如此而已吾國社會最缺和合由人鮮謙德虛驕用事好以上人而不肯下人故也爾其虛心受善卑己尊人勿貽害社會也三興學校力圖維持期有實効也天心悔禍復國有日則兄弟之團欒可能不爾則棄我骨於何地未可知也言已就車而去

及其到海港也韓人村落聶々相望喜可知也然孰知重根爲熱男子哉縱重根誠發其祖國思想而不信者衆有傲視不禮者有泛聽不省者亦有故意反對者而重根無愠意無難色惟恐誠之不至行之不力險阻艱難不足以動其毫末水火可蹈金石爲開於是得同志者十二人相與斷指血書大韓獨立四字告天立盟由是同志稍進遂分派各地警醒同胞不避風雨不辭勞瘁極言敎育爲救國之要務使老成者幹校事幼少者受學業强壯者編入義勇軍隊一歲之間得三百餘人

重根之勉勵國民團合

重根對吾同胞最所嘔血痛論口懇勸者團合主義者蓋國也者人群之最大團體也其民能以國家爲性命一其心力如手足之捍頭目者其國能立其民能存其民不擔國家之責任各自爲心如散沙之不粘者其國必滅此其理甚明無愚智皆知而世之國破民滅者往往而有何哉由其民德先壞也德者人心之所固有而因社會之汚習而失之因一己之私慾而失之所以不能相愛相保共享生存乃相殘相賊同歸敗亡故欲救國者先救人心重根固以激烈進行者而豈不研究乎救國之根本者哉至於寄書於大韓每日申報館以勉勵我國民其畧曰

修身齊家治國人之大本也身體相合而保其家族相合而保其國其理一也今我國家陷敗至此無他國民之不和合卽其一大原因不和合之病根於驕傲種々毒害皆由此而生優於己者猜弱己者侮與己埒者只要相上不能相下爲得以和合哉醫驕傲之病者謙遜是也卑己敬人悅人責己寬於責人又能以己功讓何患不和合哉昔某國王使其諸子折一條鞭個々立斷更與以一束鞭命之折乃不能焉王曰小子識之汝等若各自爲心必爲人所折苟合爲一心孰敢折之吾人當念此言也惟我民族各自爲心而不能一焉故國土國權爲人所奪而不惟不協力而抗之反有輸我內情樂爲彼犬借彼毒手陷我忠良者若此人類不亡何待思之乃此痛恨骨冷此皆驕傲之病爲其傳染也若袪此病根而篤守和合主義父詔其子兄勗其弟全國人民團結團體以圖復國高太極旗同我親厲相見於獨立館大唱大韓帝國獨立萬歲振動六大洲是吾願也貴社亦以此義鼓勵我國民區々之望也自此書傳播後重根之義膽俠骨傾人肝肺韓國人民咸相謂曰大丈夫必有驚天動之事業也

重根之舉義

重根以己酉六月集諸同志論以舉義之事曰吾輩蓄地死國久矣昔文天祥以八百鄉兵赴元敵趙憲以七百儒生抗倭虜忠義之士迫切之至豈逆覩成敗利鈍而動哉今吾雖糜爛之極而各地義師在在蠭起皆能奮袂奮臂自勿視死如歸是見我國民素富於忠義也今吾衆雖少能決死敢戰摧敵之鋒則全國義師爲之一振響應必多其齊則天也且夫今之滅人國者實行滅人之種吾輩雖欲爲奴而苟

活亦必不得與其爲奴而死寧擊賊而死死義有其能死者從我不能者止衆皆拍手遂自俄領首發渡豆滿江入慶興郡襲擊日人交戰三次鬪賊五十餘名遂進迫會寧郡此地與中俄領土對岸相望爲防禦之要衝且地勢險隘其氣勁得者在壬辰加藤清正至此爲韓義兵所擊敗會寧有七義士六捷碑甲辰之役日人爲義兵所襲被害亦多是以日人於此建築兵營守備嚴密至是見我兵突至大驚急電各地駐兵合至五千馳若風雨礮擊甚猛重根直犯其衝激戰半日多斃敵兵而我無後援敵勢益加天且陰雨士皆飢疲彈丸亦盡遂潰散隨重根者只有二人嶺路絕險雲霧晦塞而進兵甚急不得投宿人家潛伏於林夜經於山不食者五日一夕重根留二人山上欲求飯村落望見山中火光而下猝適兵相距直五步向敵礮三發急走得脫更進數十里而止宿從者疲甚無人色而重根意氣日若慰勵曰二人曰生於義死於義我輩爲國盡力而死於此義也何憾焉今以肉體爲人世作用者失其能力筋以靈魂求天國事業不亦可乎因投洗禮其行新禱是夕更欲前進而氣力乏之寸步難强重根獨行尋一草廬叩扉而入主人訝其爲盜有怖色重根徐述其歷以安其心求得一碗飯且問知俄領路程後回至山上三人共吃一碗遂向俄領而去凡十二日間飯止二次沐浴霖雨露宿霧露衣濕而寢身疥而骨殆人而鬼也然重根不以此少挫遍走各地糾合同志以爲後圖由是韓人之在海港各地者尤服其勇爭相稱誦咸以後日之偉業期望焉

伊藤廢陸軍部奪司法權

伊藤以統監行政五年呑倂之策日就圓滿若鎭海永興軍港之占領東洋拓殖會社之設立各營軍隊之解散一千萬元借款之自利最其大者也黜陟官吏大張威權押收報紙封閉言論改易教科消滅國性默認軍兵虐殺人民之類不可勝舉矣至是藉稱教育皇儲携往東京學習彌縫之助代爲統監各部顧問並解免改稱各部協判日次官盡以日人敍任十三道事務官皆用日人法韓人巡査二百五十名以日人代之既又將陸軍司法二部廢撤而伊藤復汲々渡韓招完用等締結條約韓國僅存之衛卒歸日本陸軍司令部節制司法權歸日人管理由統監署設立司法部凡韓國臣民遵守日本頒布之刑律廢韓國從來各國法官盡用日人

伊藤視察滿洲

己酉十月伊藤有視察之行皤々蒼髮役々疲骨觸冒風霜驅馳海陸不以爲勞何故此世界各國人之注意者也彼其行也宣言漫遊無政治性質者而據其國報紙日滿洲經營以公此行爲視察實行之端倪以世界諸國之眼觀之謂日人恐美國反對滿洲新條約故以伊藤此行調査爲辨護之資然猶非諳常其企業者也及觀伊藤死後世所轟傳者其宗旨在撤除關東都督擴張統監權力於滿洲之上且處分滿洲事變置中國內政之監督而主張統監中國監督財政事以此證之此行目的與俄國大臣商妥滿洲問題後與各國秘使邀集世界談判進行中國財政監督事與自任統監富矣哉其野心不饜於韓國統監更欲進而爲中國財政統監則中國之危機亦迫矣又其死後內閣總理大臣桂太郎宣言曰余必繼伊藤之志然則韓國最後之合倂及滿洲之進行皆伊藤之宿算也伊藤携其僚屬乘軍艦至大連由中長鐵亡者一夜月明登艦上眺望海色喟然而嘆曰余之今日成績固始願不及者功名之盛死無遺憾但我國人民性褊而驕恐不得合國人權心云於是約俄大臣於哈爾賓以爲協商之地韓國義士安重根聞之投袂而起曰此千載一時也

重根之活動

重根乃訪同志禹德淳曰今閱報紙聞伊藤有滿洲之行彼攘奪我三千里疆土殘虐我二千萬生民而且野心未已更欲進取大陸置四億萬人於死地是不特我人之不共戴天之仇即世界人道之大賊余欲殺此賊恨久而未得其便今忽至此今乃有此機會是天假吾手而除之也盍往圖之德淳躍然曰此余之夙志也因與之同行到吉林訪見劉東夏曹道先告以此事俱曰諾遂同行至哈爾賓旅館深宵殘燈耿々悲憤慷慨作歌而唱之曰

丈夫處世兮、其志大矣、時造英雄兮、英雄造時、雄視天下兮、大業可期、朔風其冷兮、我血則熱、慷慨一去兮、目的其達
對彼鼠賊兮、豈肯此命、同胞同胞兮、速成功業、萬歲萬歲兮、大韓獨立。

重根之狙擊伊藤

伊藤十月二十五日宿寬城子請朝由俄國鐵道局派特別火車而迎之上午九時抵哈爾賓驛俄兵警衛者數千各國領事團及觀光團以次羅列其他觀者如林軍樂迭奏花礮競發伊藤下車與俄大臣握手受軍隊敬禮徐步向各國領事所重根服洋裝持拳銃立俄軍之背而伺之相距十步突入舉銃一發中伊藤胸而花礮亂之各軍不覺再發中肋第三發及歡迎團始覺而刧走則重根突現伊藤指而罵之曰馬鹿三發中腹伊藤仆地更向日人總領事川上秘書官森鐵道總裁田中三人而射之皆倒拳銃之六發連中世所未有此重根之膽勇射藝天下無雙者也數千軍隊皆散走莫敢近憲兵及將官但持佩劍相鬪而已既而彈盡無他聲各軍始乃聚集取重根銃付之憲兵重根即以拉丁語三呼大韓獨立萬歲被縛重根拊掌大笑曰我豈逃者哉我欲逃我不入死地矣是於被拘入哈埠俄國裁判所

嗚呼此重根之所以爲世界偉人也其狙擊伊藤者血性男子激於愛國之熱或能偶一爲之其不可及者伊藤倒地後之大呼與俄兵捕縛之時大笑也擒賊擒王有條不紊至彈盡而後止大職既盡授者何妨其修養之功非經數十年斷不能如此從容或傳重根不獨覩此殊不足信也伊藤不逾十分即死日人載其尸火車發之大連瀉重根對俄檢事訊問而抗言曰我大韓國民也伊藤勒奪我獨立殺戮我民族余之此舉爲復我獨立保我民族報我徹天罔極之至冤深讎云々此事傳播天下之人莫不動色吐舌曰韓國有人韓國有人俄國寫眞師撮重根射伊藤狀供世界之奇觀日人出八千金購之去而日人數種報紙評謂重根此舉出於私嫌欲以一手掩天下耳目其可得乎

重根押至旅順監獄縛以鐵索虐甚重根叱之曰我大韓義兵將日與爾國大官等遇可也而加此蠻辱耶日檢事係日就獄欲以威屈氣若將撲殺者然重根不毫不撓抗辯甚厲鋒穎凜々奪人之氣重根條列伊藤十三罪而記之

一、大韓獨立破壞事
二、明成皇后弑逆事
三、太上皇帝廢位事
四、五條約勒締事
五、七條約勒締事
六、教科書燒抑事
七、新聞雜誌禁止事
八、司法權引渡事
九、軍隊解散事
十、無辜良民殺戮事
十一、世界耳目欺瞞事
十三、東洋平和擾亂事

將此各條解說甚長而日人恐其洩露取而藏之日人之欲累韓皇

韓皇自伊藤統監韓國以來政權盡去手足無措宮官多日人衛卒皆日兵皇室金累百萬盡被其奪又陰賂妃嬪覘察動靜細故瑣事無不監之四十餘年南面之君居然囚矣且或韓人潛在他國或義兵起地方輒指韓皇爲主謀散布謠言加以誣辱肆其恫嚇無日無之廢位之後宮內之凄涼尤甚而監之愈密斷絕內外父子兄弟不得面商臣僚之出入追可問乎今重根事發又欲以連累加諸韓皇日人境審明來見重根曰余知此事之所從出矣用君受太皇帝金四萬而圖殺伊藤此係詳探而得君諱之不能重根叱曰爾並縱囚狡之甚而

敢欲把此而誣我並欲害我太皇帝耶爾輩每以此種伎倆陷我國人於不測之禍網而欲加之於我則謬矣人有生命方要金錢余之殺伊藤非要生也決死也死後金錢有何所用乃爲金錢死乎爾休矣毋以此等醜說嚇我也彼雖巖然而蓋韓皇日默受鈴制而內未嘗無報仇之心故彼以韓皇爲排日之首憾之甚至行廢位而猶不釋慮每欲藉事端而誣害之如此

重根滯獄時之從容

哈爾賓一擊若霹靂大降萬衆披膽激烈之聲動天下及其在旅順獄中吟嘯自在自若忘死生而處無事之地者又何其夫生之有死如晝夜之必然原無可哀可懼而不過肉體之須臾苦痛得死得其所可以成仁則莫大之福也然人心至危苟蘊有差頃刻倏變一毀譽榮辱利害得失皆能動而移之況死生乎昔文天祥滯燕獄三年未死王炎午爲生祭文以勗之夫以文公之賢而處此尙有受之者之勗嗚呼其難矣先哲有訓曰忠臣義士亂臣賊子只在一念間苟其發之未精守之未確者由此一念舜乎蹠乎人乎獸乎未可定也且慷慨之流激於血憤判得一死於須臾之頃者容或可能而若其遲之又久外來之利誘浸潤不已則一念之微難保無差矣且急進者易速退尤可危也跡重根之行事出於激烈恐或勇往猛進之有餘而堅忍持久之不足也夫滯獄二百日之久日人之多方勸誘不第脉以切己之禍福而必以國家之利害巧說以餂之於此重根無一念之或差乎世有愛重根者恐亦有生祭文之矣嗚呼重根鐵石人也早已付死生於談笑彼之甘言巧舌何足動毫末乎於是激烈之聲從容之態全乎其成仁矣乃其公判宣告死刑而在獄復數十日遣思閒暇述東洋平和論數萬言以抒其所抱主義日人亦慕其義求其筆跡者矣重根應之不倦寫至數百餘幅或吟詩身壯有丈夫雖死心如鐵烈士當危氣似雲之句餘無傳者又得昔人心惟危道心惟微兩語以自省蓋其臨死生而危微愈堅其執之由是觀之仁人志士之大節日惟心所造而已

重根公判之狀況

日人旣服之不得矣法院長眞鍋渡東京就政府而商遂決以從死回旅順開公判而忌外國人之傍聽也不先期公佈遽行開議而外國人探之而至者數百矣法官問曰若何爲殺伊藤公也重根曰貴國與俄國開戰貴皇有詔宣天下曰保存韓國獨立我國人皆感而信之親日軍勝利曰日本此舉爲保東洋大局也豈有以皇帝之明白宣言而欺天下者哉乃克俄之後伊藤突以兵入國脅我君臣勒締保護條約自爲統監此豈貴皇宣布之意乎卽伊藤探功而爲之者探我內外政權吸我公私財源虐殺我無辜人民吾爲國家報仇爲同胞報仇安得不殺吾乃大韓義兵參謀將也大將關東人金斗星糾合義旅以備戰鬪且購兵艦從海港南下要於玄海之衝擊殺伊藤而復我獨立矣適聞伊藤來哈我先獨行育殺之則余於敵國卽一被虜者資格不當以刑事被告待我乃舉伊藤十三大罪痛駁數時雄辯滔々日光如電傍聽者莫不動色且曰伊藤者不獨於我國爲行廢位之大逆而亦貴國之逆臣也法官曰謂何重根曰貴國先皇孝明事法官等忽而如土色急揮手止傍聽旣而檢事滿淵論告曰被告不無政治思想者因大韓每日申報及安昌浩演說而有政治思想至行此事此事非被告自白而問於其二弟云二弟怒而詰之曰此言發於何時而聞之耶滿淵語塞而喝曰有如此言辭故有如此論告何敢質問此强制也非法也人豈服乎滿淵笑曰此非謂安昌浩教唆而行之只謂其因安昌浩演說而有政治思想出此結果云夫重根自十五歲時已以國事爲己任年雖少其思想豈必待他動而有政治思想者乎

重根之結終

最後公判之翌日宣告重根死刑重根神色自若曰有說明之未盡者法官等皆色動從後門出去使通譯傳之曰有陳述者控訴可重根笑曰若輪音向者已知之卽退庭日人報紙有云聞之通譯園木宣告時被告而無血色園木駁之曰余何時出此言乎記者不能答二弟及從弟明根安恭根俱至獄中而會重根謂恭根曰先生不避艱苦爲我辱此恩德之至死何敢忘更有一詞托諸生我死後慰我靈魂以好音者我同胞共望先生竭誠盡力勸我同胞回復國家獨立之消息達於天國則余其舞蹈呼萬歲矣我不過爲急激一著者何足道哉

惟是振興教育培養實力團合衆志爲回復獨立之基礎我同胞毋忽此死者之言而益加勉勵區々之望也嗚二弟曰我死後埋我骨於哈爾賓公園之傍待國權回復而返葬故土也二弟有悲慘色重根責之曰余則無一毫傷心者而乃有此耶

受刑之日二弟請最終面會重根遺言曰余往天國亦當爲我國家恢復盡力汝等爲我告同胞曰我同胞爲我努力而我則無報慚負實深但以一介生命表我誠心而已我同胞各擔國家之責任盡國家之義務同心一力建功樹業大韓獨立之聲達於天國余之至願也每見弟而會時注目嚴密不得發要言其最終遺言曰在獄所覽書籍中有密書云而日人取而藏之二弟屢請不得以庚戌二月十六日上午十時(陽曆三月二十六日)受刑重根欣然立刑場而言曰余爲大韓獨立而死爲東洋平和而死死何恨焉但遺憾者未見國家之結果耳諸君深思之我大韓獨立而後東洋可保平和日本亦免將來危機矣遂換着新製韓服從容就刑三十有二是日天陰而雨

追悼詩　聞哈爾賓消息

平安壯士目雙張。快殺邦讎似殺羊。未死得聞消息好。狂歌亂舞菊花傍。海參港裡鶻盤空。哈爾賓頭霹火紅。多少六洲豪健客。一時匙箸落秋風。從古何嘗國不亡。纖兒一例壞金湯。但令得此撑天手。却是亡時也有光。

李　儁

李太王(當時韓國ノ皇帝)殿下ノ密使トシテ李相卨ト共ニヘーグ平和會議ヘ列シ日韓條約ニ關スル不滿ヲ訴ヘントシタルモ之レヲ許サレズ遂ヒ同席上ニテ自決シタルモノナリ。

萬國平和會議之密使

紀元四二四〇年(一九〇七)六月五日萬國平和會議開設於和蘭海牙府各國委員之會洞者四十七人和蘭外部大臣陳拜祝之忱米國大統領羅福演世界平和主義致發頌之詞各國委員提出議案付之公決而時有韓國密使之突現卽前議政府參贊李相卨評理院檢事李儁主俄公使書記官李瑋鍾三人也

蓋日人干涉我內政攫奪我主權束縛我自由內則各部顧問主管政務細大不遺外則憲兵巡査布列各地羅織甚密至於皇室監制尤嚴大小臣僚宦官宮妾非有其照信者不得出入伊藤又敎宋秉畯陰結妃嬪偵伺帝之言動毫不遺漏調査皇室所有金銀田土盡行奪取則吾君爲囚吾民爲奴矣嗚呼斯世只有强權而無所謂公理公法者平和之內容爲競保護之實相爲吞併今日所稱平和會者亦爲有所謂恤小制暴興絶繼絶確據正義實行公法者乎然而病劇將死人禱於神秒以冀不可幸之幸亦由痛苦迫切之不得已此所以對於平和會而有密使之往訴者也

李相卨、李儁受帝密勅以四月二十日發京城至俄領海蔘威乘西伯利火車抵俄京彼得堡見李瑋鍾與之偕行至海牙府時俄國委員兼伊圖序伯爵爲平和會議長三人訪之而俄政府方以韓國密使事有訓電故得以接見然該會之認受與否非議長權限所及也相卨等逆歷訪英佛米各國委員及和蘭大臣懇請參會說明乙巳保護條約之無韓皇允准日本無奪取韓國外交之理由又聯合各國新聞開國際協會李瑋鍾發壇演說痛駁日人之强勒締約虐韓人之罪狀滔々數千言聲淚俱下聽者莫不悲之

七月一日相卨等提呈控詞於平和會其概曰　吾等秖承皇命泣告於於貴總統代表向者我韓以千八百四十八年自主獨立而貴各國公認與之修好乃千九百五年十一月十七日以後日人以兵威逼我韓國强奪各國々際交涉之權利今將日人對韓國破壞一切法律政權等事特別三條謹呈一、一切政事不待韓皇承諾擅恣施行二日人使陸海兵勢力壓迫韓國三日人破壞韓國一切法律風俗貴總統據公理處斷可見日人之違背公法韓國旣處自主之位奈何使日人干預我國際交涉致令數國皇命之全權使節不得參列於斯會乎望貴總統特施扶弱濟危之助力使敝使等參列於韓國平和會容收一切伸訴幸甚

於是該會委員電我皇帝向有派使之事而無如通信機關已爲日人所佔伊藤即將此電入闕直向大皇帝威喝上窘甚不知所以爲對伊
藤乃以無遣使之事報電海牙李儁遂憤劇自殺以謝各國委員相爲收殮訖仍渡米國

朴　勝　煥

侍衛第一聯第一大隊長朴勝煥ハ軍隊解散ノコトヲ聞クヤ大ニ憤慨シ自殺シタモノニシテ當時朝鮮匪徒ノ蜂起ハ之レガ爲
メナリトス。

軍隊解散參領朴勝煥殉國

先是日人稱以節省經費刷新兵制漸行縮少軍額矣至是因皇位廢而韓兵頗形不穩伊藤恐其爲患乃謀漸行解散時軍人之在京者
參將以下三百二十六人士卒九千六百四十餘人地方鎭衛隊將卒四千二百七十餘人伊藤招完用等密議決定七月三十日長谷川
及完用秉武等入昌德宮矜帝下軍隊解散詔曰
朕當國多多艱之時節省冗費應用利用厚生之業現我軍隊以傭兵組織者目今刷新軍制養成士官後徵兵令朕選置皇室侍衛之
必要者其他一時解散朕念汝等將卒之勞頒賜恩金汝等各歸其業
然此詔秘而不宣秉武恐生事變以完用名義照會伊藤預備鎭壓之策
先是各軍彈丸之收也自旅團軍司令部秘訓各軍偏尉官士卒曰以緊急戰時武裝彈丸加數務給防止出番云隊長以下頗形踊躍有
一日効忠之願矣乃自旅團部解武裝收彈丸之訓忽下又自軍部及侍從武官府連傳皇勅促收彈丸隊長等恐不敢頑乃令議尉官先
諭下次諭兵卒於是士卒憤怒齊聲大呼曰彈丸軍人之生命欲奪之何也寧死不從各大隊長曉諭萬端而狂呼大哭秩序甚亂至有擧
銃擬射隊長之衛卒者各隊長遂暫止其命以安其心此時宮中大被脅迫刻難暫緩特派侍從武官長李鍾健陪從武官長趙東潤傳勅
懇擎又諭以解裝收彈斷無他意至有皇帝親電各隊曰爾等果有忠愛之心速遵朕勅使免大禍云歷十餘日此事始行而侍衛第一聯
隊第三大隊之兵不勝憤慨有携機脫營者城中震動侍衛第一聯第二大隊長李基豹以不遵命令卽拿入陸軍法院先是各營有日本
士官教官爲軍士監督故一擧一動無不偵知矣
於是伊藤與長谷川議定解散方法第一次解散在京城之侍衛步兵五個大隊騎兵砲兵隊第二次解散地方鎭衛八個大隊第三次解
散憲兵隊旅團司令部研成學校其餘在留者軍部及衛生院等並近衛步兵一個隊而已八月一日伊藤令日本教官以上午十時集合
韓兵于訓練院乘其空營卽以日兵塡充而武器彈藥及糧秣各庫均令日本步哨領之
是日曉大雨如注自軍部派傳令騎兵急召各隊長刻卽來會于大觀亭日軍司令部各隊長驚怪異常日本教官率騎兵來促上午八時
頃旅團長梁性煥及侍衛各大隊長各部隊團長齊集于長谷川官邸秉武讀解散詔仍曰以上午十時赴訓練院擧行解散梁性煥大驚
失色不勝悲憤而處日軍監視之中若稍抗之禍立至不得已回營面色如土謂各隊曰今日行徒手練習于訓練院又有內外將官之演
說云
於是軍部協辦韓鎭昌及部員與日本武官等會訓練院日本步騎工兵等四列環圍至上午十一時各隊韓兵出營赴院皆徒手而至于
時飛騎四馳而促之獨侍衛聯隊之二大隊不來矣是日天陰微雨蕭々嗚呼訓練院者國家五百年講武之所現時軍人亦多年蹈躍習
藝之場遽從今日別矣其不弔日本武官不待二隊之至也遂將各隊解散命繳納佩劍脫肩章韓各隊長對其部下兵務訓稱以賞酬勤
勞頒給恩金下士八十圓兵役一年以上者五十圓未滿一年者二十五圓仍命自由解散時日人盛設兵排列大砲而監視之韓兵血忿
自激或揮涕號血或放聲大哭或扯恩賜紙幣而擲之地其歸也路傍人民皆忿罵之曰汝等身爲軍人徒餉國祿無一分報効而爲幾片

紙所賣甘作人奴耶兵卒愈忿忿痛多有走地方而爲義兵者
侍衛第一聯第一大隊長朴勝煥自乙未凶變以後骨懷報仇之志而日本之脈迫日甚國家之大命近止涕泣慷慨欲以一死報之當皇
位廢遣之日欲於宮中舉事恐禍及君上而止八月一日長谷川召集各隊長而稱疾不往使中隊長替行及聞解散軍隊詔忿極若發狂
蹴床打椅大聲痛哭慨猶志之未遂寧溘然而殉義遂引短銃自射而斃在傍衛卒大驚發哀苦聲時日本教官梁原方指揮該隊々中將
卒猝聞此聲傳相告語曰隊長死矣一時忿氣激發直破彈藥庫取出藥丸欲射殺梁原梁原驚逃第二聯第一大隊亦同聲響應日本教
官急逃得脫於是日本司令長官吹角呼軍聚數千馳若風雨環而攻之韓兵從營內窓隙發射殺大尉梶原及其卒百餘名日人忿怒據
南大門城壁發機關砲轟擊丸日人之在漢城各地者無論男女各持武器來助聲勢小尉太田將爆藥投營內韓兵遂離營突出與日兵
接戰三有殺傷韓兵以彈盡潰走日兵遂搜營佔之因搜索亂射尉官多慘死腥血狼藉吁其慘矣

李　晩　齋

李晩齋ハ日韓併合ニ憤慨シ當時絶食自殺シタルモノナリ本名ハ碩儒李退溪ノ後裔ニシテ文學ノ造詣深ク曾テ郡守ヲ歷任
シ慶北安東地方ニ於テハ相當信望ヲ有シタルヲ以テ之レガ死ハ內鮮融和ニ惡影響ヲ及ズコト多シ。

擬上封事甲午○以禁令不得上

伏以臣天地間一罪人也始以儒院疏通事爲人疏訴至動道查之　命終被直指之劾而厚蒙生成之　澤尙延一縷廿與草木同腐於丘
壑之中而歌謠耕鑿之洽於心喩於身也故雖有世外奇聞毋多瀆其耳而不欲與人樂樂而憂憂也近有鄕人之自日下來者始聞日本大
鳥圭介稱兵犯　闕逼我大陛有甚於向日北廟之變爲我國臣子者僕僕然爲其所指使以十二個目及十部改設講定於不共戴天之
讎人是可忍爲乎臣推[illegible]痛哭膽掉髮竪恨不早死一日而逢此不辰也臣竊伏睹節目中有曰雖平民苟有利國便民上書于機務會議云
云臣之罪戾謂之平民則平民也旣開上書之路如此　君父被辱之時不以一死而濺頸血於讎人則是負我五百年世祿之　恩也茲敢
依古人獄書之義陳今日平民之見伏願　聖明垂察焉嗚呼彼大鳥圭介何爲者也非日本之臣乎若是日本之臣則我　主上與其君謂
之敵體則敵體也君而敵體則凡爲其臣者皆有臣道焉入我境之日當以臣道事我　主上可也不此之爲肆然稱兵而犯　闕其於君臣
之分忠耶不忠耶不忠於我主上則是不忠於其君也臣而不忠將何以立於天下乎牛耳之執在我雖羞鷄血之歃渠口未乾起萬里無風
之浪而懷無限不忠之心必非其君之意也非其君之意而擅興師謀亂人國非春秋之亂臣賊子乎然家必自毀而後人毁之國必自伐而
後人伐之今日之變已漸於黑田花房之初來開市而外港幾處已是前無之規則於渠固當過望而必請心腹之地者其心所在可知也時
則人心猶未潰裂峙儲猶足可恃若示之以僞　宗社必爭之意而勵我忠義之氣則萬無不得之理而恬嬉成風姑息爲便直言之士貿之
創之而納讒釁於衣帶保蛇蝎於懷袖歲月滋久懦弱虛實渠㗳然欲其無反噬得乎然抗一葦之火帆而八金湯如無人者豈但有留倭之
爲內應乎淸將問情之時鶴舌如簧不可專信也然若專諉留倭則方其始入之時人人何不効死而數其敗盟之罪以麾退之乎況各營軍
兵養之何用軍兵中所謂別技之技與彼同乎居恬勢自稱散死而厭斁非不足如其不足則各坊各部大小人丁當十倍於彼兵相臣有如
裴度之贊成獨斷將臣有如冦準之贊成親征者一麾所指孰敢不從以逸制勞勢如拉朽又以淸將雄武時方與彼挑戰則在我只遵淸將
節制而應兵之不患無名旣克之後歸功於淸將又以一書列其罪而報其主公法所在宜亦以渠爲不忠之臣如此而更定爲約操縱與奪
在我而和可久保也旣失此一策遷延幾日之間避亂醞釀者醞釀　主勢孤於上而忠臣義士無用武之地則半夜犯　闕脅迫度難何足
地哉然　仲人劫兵春秋責之楚人衷甲州犂言不可大辱恇矣卑矣彼雖挾黜跳梁不過出於聳試之計惟我三千里命世之　君五百年宗
社之主么麼小酋敢不知其難犯乎觀於其程門講約之事極逆之中稍懸於順逆之分可知也凡爲我臣子者激勵忠憤裁度義理約之可

從者從之不可從者不從寄一身於鴻毛而扶　國勢於鼎呂是其宜也胡乃邅迴披拂爲彼驅使改其不當改之正朔改其不當改之衣服改其不當改之官名噫噫　宗社豈不痛哭痛哭乎何謂不當改之正朔也淸國之於我亦二百年服之國也匪風下泉非無志士之淚紀元頒朔猶爲中國之主近年北關之變作變者彼人也救我者淸師也此義又何可忘耶傳曰夷而進於中國則中國之未聞變於夷者也奈何變於夷而不從中國之紀年乎中國雖曰浸弱於上國也日本雖曰方强於我國也與國之言逆之不可也上國之命不可逆也況其所謂浸弱者視我國何如也苟有興師之舉將以彼人縶之而與彼人同歸乎我國地運中自甲午以後服事中土而未聞委質於他鄰也　殿下而背服事　之國則臣等殿下之人假令有一人背之者將何以罪之乎此臣之所以痛哭也何謂不當改之衣服也夫我國衣服　皇明舊制也紅羅天地舉八左衽於隅一片獨保縫掖淸祖革命之初猶因其制不改其俗而當服緇帛之倘有念於殷士者也一自毳裘卉服之交錯我邦也我邦之人樂見異服之奇恠厭薄我服之寬大軍兵則依倣異制朝士之搭𧞤反服軍兵所釋之服而人人窄服無事而含枚走敵之狀不祥甚矣士庶人之周衣世俗褻服中衣之別名也一世之人無故褻服又不祥莫大焉行之於甲申而不祥之兆爲奇中焉則何故循已褪之轍而莫之知避乎夫衣服安有無法象之衣服乎上衣下裳蓋取諸乾坤而五彩彰施焉不敢論至上下通用之服其源皆自有虞氏之深衣而今之章服涼衫道袍皆倘存十二幅以象十二月之數一衣之中袖爲之重故袂圓應規所以象日月而象輔弼也縫掖尺反屈及肘言袖幅之廣也袼之高下可以運肘言袖衣交際之尺長也長者不可短之也廣者不可狹之也今之章服爲窄袖則是彼去輔弼之意也以此陛見不亦傷乎所謂搭𧞤全無上衣下裳之體全無左袖右袖之　用則人而有不受乾坤十二月之氣而生者乎人而失左手右手而爲人者乎所謂周衣無圓袂則是無日月也無縫掖則是不縫續也是非服之不衷身之災者乎朝士私服有所謂氅衣者而始作於丙子其形北折故當時以爲北亂之兆況是搭𧞤北折則同於氅衣而斷其兩袖則使有識者觀之其應豈但丙子而甲申之變又安保其必無耶尚鳥厲風而折兩翼則不飛巨魚縱壑而斷雙鬣則不行未論衣之法象如何試使一人被古服一人被今服並立　殿陛之下則有袖者有短促

十八

之狀耶有袖者有威儀之可象乎旣曰朝士之等有九品焉其色皆同乎曰士曰庶人則士庶人亦有等次也庶人之中亦有在官之庶人有在野之庶人其服本自不同而今一例歸之於周衣而無有等次此非他我人之往來各國者平居每恨我國之名分甚嚴及見各國之或無名分者始乃喜詡風謠曰如使我國打破名分則人才將大用也故乃有此別著之令一其衣而不表貴賤也然著令之前已多不拘名而分超授則宜其人才之已出而堪當此一亂尙此奈何不下何有於人才乎何關於名分乎我國地方無足大也其甲無足恃也五百年措諸泰山磐石之安而民不好犯上不好作亂者以禮義名分維持鞏固之力也如使庶人僭朝士之服則其弊也奴殺其主吏殺其官者有之矣此所以痛哭也何謂不當改之官名也我朝官名　太祖太宗創業垂統時所定也　殿下有何不可於意而改之爲十部乎十數之極也陰之老曰極曰老恐非新天永命之道也夫設官分職豈易言哉周禮所職三公九卿二十七大夫八十一元士此萬古設官權輿而我　太祖太宗亦是仰法周禮而用三三九九之陽數安知非扶陽君子進小人退之義乎分職之幷成數曰內三千外八百此亦我國爲三八木旺之方故其三三之數參用地八成之之數也　大聖人錯綜經緯帝定治官皆有義意淵而又淵譬如作室旣竭心思旣竭目力大廈隆起閎閎當天萬戶千門各應圖象無一欠缺後人欲以目巧易一棟則爲敗宇矣撓一棟則爲敗屋矣唐之玄宗改神堯之官而不免劍閣之行拓跋魏不用漢魏官名改爲龍官鳥官而速其敗此已然之明鑑也書曰監于先王成憲其永無愆又曰事不師古而克永世非說攸聞變亂　先王之成憲以暢讎人之得志非永世之道此　所以痛哭也嗚呼正朔焉失事大之誠服色焉忘尊周之義官名焉不遵　祖宗之法恐　彝倫自此斁壞君君臣臣父父子子之道無地可講豈必左衽然後以爲夷狄也豈必羽毛然後以爲禽獸也伏願　天地父母廓揮乾斷將此三大件亟復舊典而條條之害於名教者次第反汗彼人如有矜持而執尼不行父子君臣當背城一戰以扶天地之綱常惟天惟　祖宗實有所默佑朝野之忠臣義士亦皆明目張膽不與此賊共生日登七日尙有智謀之臣前水使橋倘貢春火之情義理之所尤嚴何所憚而不勵斧鉞之嚴威他如以言爲不可先殺臣以謝讎人則臣於地下庶不爲王孫滿爲伸速之罪人也

十九

請斬五賊疏乙巳

伏以臣身被重劾退伏丘壑今二十年矣中間猥蒙拂之　恩猶不敢自齒於平人凡於　國家大事莫敢出位與論反伏聞今者五臣賣國神器有潛移之漸　宗社値危亡之會上自大僚下暨百執事相繼庭請　俞音尙閟或有自裁者或有被執者如臣滓穢餘喘亦有霽性何敢晏然自在惟是所患風濕偏脚成痿動引不得茲敢扶曳縣道遙陳血忱伏乞　聖明垂察焉廢蟄之中天下形便嗇然莫知而伏念我國與日本壬辰之後申修隣好堅立信誓毋相侵越殆至三百年而　二陵之讎必報之義未嘗一日敢忘逎者萬國開化之後彼乃渝其信誓先請開港而莫之遂次欲八居都城而莫之遂此不特昇平日久恬嬉成俗力勢之有所不敵而然也實有如五臣者類締結彼類攬作外援圖竊操柄之致也彼之嘗試旣久醞釀已熟至於乙未而有亘萬古所未有之大變凡爲臣子所宜臥薪嘗膽寢苫枕戈圖所以爲討復之計而全懷姑息一意媚悅使不共戴天之讎認之爲薄物細故馴致勢難或事與心違則必曰天運也時運也此已極寒心況今讎使之來也嗾彼齊純址鎔根澤重顯完用等五臣與定五條契約脅迫　天陛竟至調印是可忍也孰不可忍也蓋其約條眩幻非選外之所可詳知而以外部移置東京一條觀之我不復爲國於天下而土地人民財賦皆作彼之外府矣其所謂統監者職所可知我之　宗社竟將歸於何地也　皇室保全其可信乎於乎彼五賊者亦以喬木之世休戚之臣巧乘危機恣行脅迫者究厥肉腸反有甚於讎人也三千里彊土卽　祖宗之遺業也二千萬含生卽　祖宗之赤子也以我　陛下之遺大投艱不敢與人擧義嚴斥況彼五賊者何敢爲渠叨利而擅自許人乎此朱昇秦檜之所未嘗爲也雖以讎人言之覬覦多年一朝並吞其必曰得計而歷稽往牒上自羅麗以及　本朝其生並吞之心固非一再而卒不如意旋取旋沒者非他天之星分有別地之疆場有限人性之剛柔本自不同故也今逆天地之分限矯人性而掩取則覆轍昭昭安知非凡亡之日卽楚亡之日乎臣竊伏聞萬國公法毋干人內政毋取人財賦凡國之有事必從民願爲之約條之出於脅迫者雖國主親筆書押亦可廢之斯法也隱然有春秋誅書之遺意也近年許多條約皆出於脅迫而干我內政取我財賦此猶不足至有今日之約而以五賊之

八〇

脅　至尊之地以一進之私願者外欺天下各國五賊之私議何如百僚之爭執一進之私願何如八域生靈之皆所不願也以此脅迫之事百僚之爭執八域生靈之所不願者擧以質之于各國公使而裁之公法之中則約墨未乾尙得以推還也彼若又刼之以兵脅之以力使不得質諸公法則通行之公法彼旣先自違之我何獨受制於脅定之約而不得有違乎彼兵義仁形勢雖不相當我直彼曲建天地之義理自有殄滅他不得則八域生靈之忠憤激發將烈於火而沛於河終不任五賊之賣國而止已彼類苟非全然冥頑而有能知夬得之象興敗之機者豈不長慮却顧爲兩利俱全之道也哉伏願　陛下淵然深省廓揮乾斷先正五賊賣國之罪肆諸市朝次質萬國公行之法前後約條之脅定者一一還銷使　宗社旣危而復安倫綱旣絶而復明焉臣心寒骨顫言不知裁只願一死席藁以俟斧鉞之誅臣無任痛泣激切屛營祈懇之至

遺　疏　庚戌八月十四日

伏以臣嶺外螻蟻之賤也病廢丘壑蓋已多時頃在乙巳有五賊賣國之變臣病不起躬遙控短章以寓沐浴之義留中未蒙　俞音情蹤危蹙深八先隴之下喘喘殘息不散自同平人迺於丁未秋有　堯傳舜受之會猥陞嘉善之階乃以俟勘之身反蒙寵升之　恩惶隕震越寧欲糜身粉骨而及陳辭叩絶矣不意今日又有五賊餘孽與不共戴天之外人相爲表裏脅迫　宸嚴奪獨立之號而稱我　二聖爲宮下夫獨立之號本非我有勸之者卽奪之者則其心所在萬國所知也惟是　祖宗疆土人要　陛下何得以私與外人而自列爲安樂歸命等侯乎嗚呼痛矣此豈　陛下之所樂爲哉實想其當日禍色必有甚於乙巳之變矣言念至此豈可曰國有臣子乎臣伏竊山才聞此變已是欲死而又聞以臣爲資憲大夫者考其日子　除命在變前數日是　陛下豫度乘變垂念舊臣於未然之前而臣名亦猥參其中也臣是何人厚叨罔極之　恩於終始之間若是之盛也夫權臣爭柄挾外人禍家國之漸已在三十年前臣時忝侍從該以地微一不庭爭此臣之罪也乙巳之變臣偃臥床第不能碎首　玉階與奸賊爭死此臣之罪也今　陛下失位位號而臣獨腼靦戀秩此臣之罪也以世祿之臣甘作讎人

八一

之琪而曦然不知爲耻此臣之罪也臣有此四罪所不容於天地之間乃以是日不食自盡惟此未足以贊其罪而報 聖恩之萬一也伏願 陛下廓揮乾斷大行天討再 奠宗社承歡 重華茂膺萬世无彊之福焉

響山文集錄卷之二

家 傳

府君諱晩燾字觀必號響山又曰直齋姓李氏始祖諱碩麗末以眞寳縣吏中司馬生諱子脩登第討紅巾賊有功封松安君麗亡遜野罔僕二世諱禎蔭府使參北征原從勳生諱繼陽 端宗癸酉中進士 遜位後棄奉化訓導入禮安溫惠村每當 諱辰登峯望寧痛哭局亭曰老松以寓歲寒之操至孫文純公諱滉爲東方儒學之祖世稱退溪先生先生子諱寯蔭僉正孫諱詠道號東巖蔭牧使壬辰亂討賊錄勳亢海朝棄官歸 贈吏曹參判歷參奉諱岐察訪 贈吏曹參議諱希哲 贈吏曹參判諱欓參奉 贈吏曹判書諱守約至諱世師 英祖朝以修撰論蕩平之非眞 隆陵裒後不復仕以壽至知中樞入耆社於府君爲高祖曾祖諱龜書 正祖初元溪村李公道顯將辨 隆陵寃誣夜來商確疏旣入被極刑遂廢擧讀書求志後用薦除 慶基殿參奉不就祖諱家淳號霞溪官應敎有五子其仲諱彙濬號復齋官大司成 初娶晉州姜氏弼善 贈副提學根女无育繼娶冶城宋氏僉樞在憲女生三男其季諱彙澈通德郞娶海州崔氏鳳煥女早歿府君以復齋公仲子出爲其嗣 憲宗壬寅正月二十八日酉時府君生于順興府臥閣村 寓第未晬內寢中夜失火復齋公適出外太淑夫人獨救家産未及念府君老奴自其家驚慌來冒炎而入府君濃睡在襁褓裡抱出屋脊陷覆人皆異之癸卯冬通德郞公歿有遺腹子五歲而亡恭人決意下從飮毒致病復齋公以府君寬慰之曰此兒足以昌大吾門戶嫂其養而爲嗣以塞吾弟之寃召府君命之曰汝自今日母事汝季母府君承命泫然下淚復齋公撫頂曰爾能知天倫之重可尙恭人賢而有士行通古史習禮節其撫養之敎導之兼父道焉額上偶生瘯瘰醫云鍼以椒棘可已復齋公手鍼之同學羣童皆驚懼府君顏色不變羣童曰得無痛乎府君曰大丈夫死亦有所不避豈不能耐一椒棘耶旣上學口鈍艱讀又乏誦才外若遲滯而內實通悟善屬文其未能誦底皆歷引用未成童已解時文蹊逕結句運思雄渾有格力復齋公每批賞曰必做乙卯奉恭人先還溪庄侍學于叔父秋觀公丙辰復齋公釋褐始授寓還榜子來府君就僻處涕泣長上悵問之對曰情地有別故也自是益勵立揚之志遂屈左拇曰吾不成名不伸此指己未投室于杞泉權公之門公及李氏頤齋公諱璉夏文學行誼爲世所推復齋公道義深奬也府君專心師事文字體制義理性命之說以受於家庭者必就質而請益每春夏留門下做業丙寅八月參漢城進士試解額時西敎肆熾洋人逼江都昇平之餘朝野洶洶一夜之間城中盡空叔父將作公與杞泉公齊館備及嶺中擧子於太學門外論斥邪衛國之策文論入路府君在右使命盡子弟之職九月登庭試文科甲科第一人復齋公戒之曰少年登科古人謂之不幸況吾旣通顯汝又巍擢盛滿可懼也驕矜喪家知樞府君遺戒甚嚴汝宜體念之且士之許身於國者時平則致澤見危則授命今邊警方急 朝廷君以汝爲出身置諸可死之地則必死而歸乃可謂盡人臣之節其責任豈不重且大乎杞泉公又作詩以勉讀書斂藉之意翌日例付成均館典籍 上行視學禮復齋公時帶泮長府君以未放榜巾服參班人以父子同登一學榮之俄 除兵曹佐郞 朝廷特念府君貧甚艱於應榜故也十月放榜賜榮辭奉復齋公還鄕連 除司諫院正言丁卯二月復齋公還朝卒于丹陽府君時恩遊南鄕藏星而歸五月選入弘文館褒中被選蓋希有也讀禮之暇將論語庸學逐程作課又以復齋公遺命講質先集于族兄愼庵公晩慤已巳服闋五月拜副修撰以在外遞付龍驤衛副司果六月還朝八月復 除前職兼南學敎授十九日進講孟子自明日出弔止莫如我敬王 上曰是何是與言仁義一句與吾君不能爲之賊皆義相彷彿府君對曰孟子此等議論自後世名之似若太峻然當時人欲橫流術沈痼天下不知有仁義如使議論不如此無以勤得時人之聽而成遏欲存理之功也 上曰非堯舜之道不敢陳於王前是聖人語也對曰所謂堯舜之道不過仁與義蓋古之聖賢如伊傅周召幸逢盛世故能行堯舜之道於天下孔顏思孟不幸値衰世故只傳堯舜之道於後世今日臣等非敢曰有所受於其道而遭際昌明顯祝 聖學何讓在堯舜之下乎惟 聖明體念焉二十日入參賓對 啓曰 殿下以上智之姿躬下學之工緝熙典學而講論有度順流暑而

接親以禮與義俯詢每出凡衷逼言必響侵跡聖域如臣謭劣更又何贊也然古人云事君無隱又曰思不出位臣請得以近日 經筵事言之夫孟子一書聖人所以論王道也進講時宜忌貪多務要溫熟至若召對之通鑑則不過史氏記載之類也以故讀了一人事顚末然後始可斷其是非今日 筵對則不然上番讀一事未終又使下番讀之彼此兩人不究首尾或過奏疏之浩穰則今日讀上項明日讀下等臣項間値替番則新入者不省上項所論而敷奏有顚錯之弊伏願 殿下自今以後召對之際惟觀文勢不拘行數無或中撤必抵歸宿使彼成敗之蹟瞭然於心目之間而知所取舍則非但臣僚之幸抑亦 聖學緝熙光明之一助也 上答曰所陳甚好當留念矣果自翌日依所 啓行之府君作詩以志書感之忱時 上候有不安節是日之對纔問安之禮故節次與平時賓對有異金相國炳學熟察府君周旋之節旣出顧謂諸宰曰遐外新進初登對筵進退周旋一中規例所對又精當眞乃家人也九月拜文臣兼宣傳官二十七日進講自然安止是在世子 上曰上有好者下必有甚焉者非但喪禮爲然凡百做措無不皆然對曰傳不云乎上老老而民興孝上長長而民興弟此孝弟之上好下甚也又曰未有上好仁而下不好義者未有好義其事不終也此仁義之上好下甚也且夫堯舜之時民從之可也桀紂之時民亦從之何也惟在上之人愼其所好而好之此後世人君所宜深戒也再明日進講自民之爲道 助者藉也 上曰陽虎爲富不仁爲仁不富之說甚切當也對曰 聖敎至當然爲富而亦有仁者管子所謂倉廩實而知禮節孔子所謂富而好禮書所謂旣富方穀是也爲仁而亦有富者大舜武王之德之所以富有四海大學所謂仁者以財發身未有上好仁而下不好義未有府庫財非其財也者是也然陽虎之時爲政浸衰三家擅柄皆以聚斂爲富術則是可謂爲富不仁也旣用聚斂之臣以爲政則仁人君子自爾高翔遐擧而如顏子之簞瓢屢空曾子之三日不擧火子夏之懸鶉原憲之甕牖亦可謂爲仁不富也然陽虎之意只恐爲仁之害於富而其言偶中孟子之心只恐爲富之害於仁而亦不嫌於引喩君使聖人治天下而制民產則爲仁未嘗不富爲富亦未嘗不仁也伏願 聖明省念焉十月初一日進講自詩云雨我公田王者師耳 上曰詩云雨我公田云云孟子引之曰雖周亦助也然則助三代通行之法也對曰周禮王畿之內用夏之貢法邦國之外用殷之助法兼而通行故徹之稱生焉及夫孟子之時制度廢墜典籍無凭其所引用不過在於詩章瑣句之中亦可以觀世之變而時君之麥乎井制者無足怪也若乃設爲庠序學校則孟子只論其大槪而其詳則載在王制學記諸篇其曰上庠下庠東序西序左學右學東膠虞庠等許多名目是也其所以明人倫則五典六禮七敎八政三物之類是也以我東言之內有成均四學外有校院堂塾皆三代遺制而五百年右文之治寔由於此矣若其有王者起必來取法之訓則集註釋之曰滕國褊小雖行王政未必能興王業夫王業之興本不在地之大小湯以七十里文王以百里然湯文大聖也滕文則不過資稟過人者而又其地方不及湯文則何可準小國七年之數而能興王業也若乃必來取法之事則古蓋有之嬴秦之末魯地四側與滕無異猶其服習儒敎絃誦洋洋則漢祖一朝而致其禮義再過而祀以太牢畢竟徵招諸生取法憲章以際四百年基業此其取法之一證孟子豈虛語哉前年有毁撤書院之令故蓋寓諷諫之義也二十三日進講自陳良之徒止悪得賢 上曰陳相始學於陳良及見許行而又學許行之道爲此厲民之說則許行之學莫是異端否對曰然陳相所謂聞聖人之政而願爲聖人氓者有似乎陳良之悅周公仲尼之道矣然其所謂師事數十年猶有未純故一聞許行之道而輒議文公之非賢孟子不淬變之訓甚的確也大抵許行南蠻一種也先王之敎化未被上下之名分未定貿貿蚩蚩與楊墨之亂眞無別當時人情好新而喜異則陳相安得不隨而變哉以故先王之制刑辟雖有八議三宥之法而至於行違而堅學非而博則無所容貸道之極言其處左道亂正之患者可謂深且遠矣幸今 聖學日造高明而嚴斥邪敎屢行天討然深山荒徼之間醜類邪黨潛伏假息何時而更肆者未必無其慮矣伏願 殿下崇儒重道之政一復 先王舊典使元氣益張於內客邪無犯於外 上曰許行舍楚而之滕陳相去宋而從文公楚宋之君不能養民可知也對曰孟子曰爲湯武驅民者桀與紂也夫文公之仁雖不及湯武楚宋之君亦不必比於桀紂然人心向背自古已然斯可爲後世之鑑也是夜有雷雨之異聯翩陳戒十一月進講講官朴珪壽曰豪傑卽出類拔萃之謂陳良之北學中國不過匹夫之豪傑帝王之立身行己振紀綱正風俗亦可謂豪傑豪傑二字伏願留念焉 上曰不特留念貴在能行府君進曰知行二字自學問之大頭腦知一事則行一事如車輪鳥翼故曰

非知之艱行之惟艱乎今 聖學高明講論及此實 宗社生民之福也十二月移拜副校理仍兼南學庚午正月入參賓對 啓曰易曰天行健君子以自强不息程子曰天道不已文王純於天道亦不已然則不息不已即是天人合一之妙也方今三陽履元萬化鼎新天行之健可見於此未敢知我 殿下緝熙之學果能至誠無息純於天道否 經筵停罷雖云時乎然矣以聖人不息之道觀之亦不必限於程式矧乎所講孟子一書初非浩穰文字而踰時越歲尙此未了則古訓千萬將何以講究也博學於文然後約之以禮未有不博而能約禮者也雖然 太廟親祭例亦停講而前冬 臨御齋室尙能讀書致敬滿庭臣隣莫不咨嗟歎仰曰濬 王之好學其可謂須臾不離矣又有本館書冊目錄內入之 命其於幽獨得肆之地益勉戒愼之工亦可知矣然古人云心難持於盤水善難保於風燭伏願 殿下推是心之足爲擴善端之發見勿忘勿助勉勉孜孜焉則純亦不已之妙實不外此而未開講自是這樣學問已開講又是這樣學問豈不美哉豈不休哉至若以臣等賤劣言之晋接之時旣蔑絲毫之補如當停罷之後尤切尸素之罪謹按本館故事上下番於停講後妥有歷代美事名臣格訓爲呈之規如有所懷演出故事中條義者又許別單書入蓋此規模出於古人進金鑑錄無逸圖七月編之遺意而其陳善納誨之誠奚異於面陳口達哉此外又有本館講製文臣月課之法蓋講製則本館堂上主之每月一次考講三次命製月季 啓聞歲抄通考其等格居首人即命加階月課則文衡及春判主之弘文被錄人外並抄堂下有文名者每年分四等出九題以試之其 啓聞通考之法與講製畧同此古昔盛時所以 聖德隆於上人才蔚於下集賢之名誠不虛得矣今我 殿下應中興之運恢肯構之業迨此百度之惟貞兼是數者而亦復焉則文教大行俊乂揚庭孚呼謹甫之千古盛事豹變變身之一代風雲庶幾復見於今日矣 上嘉納之二月丁太淑夫人憂在直廬出又未臨終重哀纍痛毁幾滅性從兄生員公晚杰舉先訓慰譬之救治之賂以家傳趙月川先生所讀近思錄曰爲學要訣俱在此書不可不讀況事君治民者尤當熟講於出處治道臨政等篇也府君哀疚之中遂口課讀有箚疑自署曰直齋作記以求訂于愼菴公在昔恩遊甫出拜辭于復齋公頭偶俯而不直復齋公曰頭容何不直頭爲一身之元其元直百體從直府君覺得心亦要直如徐節孝之於胡安定先生而又以

八六

是訓出於末命更不承慈敎爲至痛乃署其齋而終身服膺焉壬申服闋五月陞司憲府掌令還朝七月擬忠淸道掌試都事八月 除持平九月移副修撰十月 除通禮院右通禮上狀辭遞旋拜中學敎授癸酉十月拜兵曹正郞仍兼中學試學製俄拜副應敎時崔勉菴益鉉上疏論時政大臣三司聯箚請治其罪鞫罷依例蒙遞尋復前職兼中學以泮長被譴承 命試陞補十二月 大闕災 上移御乾淸宮入參問安廳 旨聯箚陳戒俄呈親親疏還鄕蓋自崔疏後興宣大院君不干國政大臣館儒並被斥前正言朴遇賢上疏伸救 上大怒命遠竄三司將合 啓府君時爲長官而修撰李秀萬不使府君知之攙先發通格外也府君招詰館吏即投牍而出秀萬以爲立異陳疏構捏又自引請罪 上溫批解之曰李晚讓情勢予洞知之爾勿撕捱而祭職也翌年正月聞東壁雖遞而序銜尙在久曠爲未安遂還朝二月 除司諫院司諫以諫長在外攝管三月移校理五月又遷司諫尋還副應敎六月拜司憲府執義大憲有闕又攝管旋遞八月又拜前職時大院君出郊嶺儒發抗疏之論朝象多不佳之漸府君呈疏歸覲就道溶川入淸平山訪高麗隱士李資玄遺蹟登昭陽亭觀貊都作三退紀行乙亥五月拜應敎還朝十月移校理十二月入侍 法講俄遷執義丙子二月因大臣論啓被削職翌日以 東宮二度醮歲蒙蕩叙先是日本專權大臣黑田淸隆來請開港通商十三條 朝廷許其六崔勉菴持斧疏爭大忤 上旨兩司將合啓諫長李啓川無將不道等語府君以攝大憲手自抹改曰崔之今疏言實忠直語雖不能遂 旨伸救無將不道是何等惡名而勒加於直言之人乎首相李最應詆論曰日前聯 啓之草率停啓之遲延有失臺閣之體其時諸臺並施刊削之典 上允之公格所在一體被 譴而其意則實專在於府君也俄復執義上疏自引尾附右文足兵之策蒙 優批三月以式科一所臺試峻險主試不公人皆以是傍之多得人爲府君之力也閏五月拜成均館司成旋遷應敎八月拜掌樂院正九月乞便養 除梁山郡守是歲大饑本郡尤甚豫戒廚吏廢上官時例進茶啖朝夕之供亦令米麥相雜饌止一味日遇災減膳 至尊尙然況作分憂之責者日見飢民之顚隮其忍獨食粱肉乎捐廩一千金抄饑戶得二千金又以社米五百石親往各坊分等賑飢春結役五百金蕩減以官復戶三千金捐俵要出災結不足者雜技及犯酒者隨貧富收贖得九百金補民結不能約者

八七

出紙布寶席收稟餓莩漕稅米本五百石而一百石以留米除置二百石以本色收捧其餘則民無以辦納乃以營作價代捧付通度寺貿充之又念飢民之難任負戴使僧徒運抵勿禁倉槩量時所謂色落之例爲官用及吏料者還給稅民運泊三浪爲先發於各邑都差員密陽倅並責留米者國法漕邑待歲留本米五分一以備不虞而密倅不悅於先發以梁爲不饑謀于方伯期於必取府君牢執廛巾方伯方伯不聽至有論適府君即束歸裝會郡民告之曰吾若失留米不可更見吾要歷見密倅曰此非吾輩私倅之事當面質於方伯密倅從之府君入禮方伯極言其不可違國法而害安民方伯怒喝府君曰不才分憂上不能遵國法下不能救安民罪不可日擬且此米之留不留關於國法之行不行斷不可私取而私與遂解致印符叱啓書吏進疏紙曰吾當具由上稟以待朝廷處分方伯失色推謝曰此何擧措吾老悖失着公其寬恕前後關牒及論適即爲還銷府君亦避席謝方伯笑曰今日朝廷若有剛直如公者幾個人國可爲險還郡之日飢民羅拜馬前或歌或泣盡赴任後初禮方伯也陪吏竊曰營中之權多在幞佐願徇俗就見焉府君叱之曰吾知有方伯不知有幞屬吾以三司舊班屈首於幞屬其於貽 朝廷羞辱何幞屬大憾隨事掣撓至留米事而極矣自是吏不敢逞其奸計運餉及秩高諸隣皆聞風徹慓無得以非理相加嘗屬之撓政使民者亦相戒不敢入境翌年夏大水堤堰多壞決飢民力不給補築捐俸以助之親自董役不避炎澇自開元川至蘇溪十里長堤郡治水口也邑先生叔祖參判公蔡淳族叔參議公稟廷相繼植柳邑人號爲李氏林歲久濯濯汎濫是憂又捐俸種柳屢萬本立標禁護淹死人及屋舍漂圮者失火者亦捐恤之及秋大熟乃重修營宮瞽衛亭雙碧樓并同作社稷城隍厲祭壇龍堂齋室刑獄諸公廨徵養士齋宿逋蒔其頹圮選士居接修補邑誌方伯 繡史相繼褒 聞戊寅六月遞還執義十一月 除應敎人勸赴肅府君曰吾以非才爲飲甘進準品三司況今便養得遂薄田足以養親奉祭斗屋足以藏書庇身分願已畢何必更生希望之念也己卯五月 赴哲仁王后小祥哭班辛巳三月 除副修撰七月除執義並不赴十二月國有大獄將作公遞横罹之厄府君語 闕欲疏辨朝廷知其枉而即釋翌年正月 東宮冠禮以修撰從升蒙緊屏 頒賜二月參 嘉禮陳賀三月 上以 東宮稚兒 永禧殿府君牽執禮陞通政即拜工曹參議四月蒙遞

八八

還鄕時和義已成各國公使官造次入來日本使臣至有入 闕密議而人莫知其爲何事中外洶洶府君不樂從官及遞職與族兄承旨公晚耆決意同歸舊僚之在要路者挽之府君曰吾念絕名途甘伏田畝今爲訟寃而來 邦慶之故不敢遽歸然外陛秩報慶緣恐乘遞圖退是私分所安也六月各營軍兵以領料不均作亂犯 闕 坤聖避御忠州上下不知遽以大恤發喪擧國疑懼未幾日日本花房義質入據掌樂院以幾條難從者脅迫之淸將吳長慶等帥大軍出來守衛城 闕大院君被執遠外傳說罔極府君即治裝間之行將發因西來人聞上候平安而闕且息遂停罷俄 朝廷議因山儀節自 上有衣冠葬之命府君乃草疏言發喪之本不可因山之尤不可遽議未附時弊十餘條旋見禮曹還收服制而乘機射利者已多即焚稿十一月 除工曹參議十二月再 除承政院同副承旨癸未春又遞 授前職皆不赴冬至以 崇陵獻官赴都祭畢即歸丙戌十二月丁先恭人憂丁亥正月 繡使柳璜以武斷誣 啓三月就理往當遠竄在喪之故依例收贖蓋近年時望嶺中士論之不與拔其知名者相繼竄逐柑制衆口而尤不悅府君之久退不仕目爲異已困之以千里 香祝之役而猶斷斷欲擠陷又金晋祐李致淵嗾以府君持重陶山通任事構誣至有道岙而岙既從實誣莫得售乃與之合謀嗾柳璜柳璜舊僚也後遂言以謝曰以我論公豈本心哉公必原我不得已也庚寅春行鄕約於先齋推龍山族兄晚寅爲約正繼行鄕飮龍山公又速府君爲賓嘗與沈寂之餘威儀文采秩然可觀壬辰夏與金雅湖僑相柳西坡必永諸公設文會於洛川勸迪後生歲以爲常冬與麥內姊鍇遊太白山自汾川泝有洛之源遍探鹿門石浦穿川梨花洞諸勝癸巳就僉正公栢洞書堂遺址築數間精舍扁以舊號爲讀書養閒之所甲午六月日本大鳥圭介引兵犯 闕逼辱無紀賣國諸賊爲彼腹心恐動脅迫背淸獨立易服色改官方 先王典章一朝蕩然斁倫滅義自此始矣府君草封事屢千言大槩以爲我之於淸丙子城下之恥雖不可忘然今不可無自强之策而徒陷讎隣之詭謀而背之服色官方 皇明遺制先王舊典而皆有法象取義不可改易也竟以新式陳疏之禁不得上乙未八月賊臣等因日本兵作變宮內矜 上出廢黜傳旨不發喪府君聞變痛哭曰惟我 坤聖母臨三十年遭此千古所無之變所謂臣子不但不能舉義討復方襄之禮無地可行國之云亡何 一至於此

八九

遂具白布巾服入日月山下廣德墳菴謂男中業曰明年此月之前吾不出山朔望發菴後國思峯西向痛哭十月始復　國母位號發喪府君出縣班成服即日還入十一月賊臣等又脅　上剃髮禍機益甚湖嶺人士興討復之兵本鄕推府君爲將府君方患脚瘇强出視事纔八日安東觀察使金奭中以京兵解散之府君復入山及再擧以病辭之自是山居時多家居時少以時變日甚不欲聞也己亥八月　上追崇隆陵下百官收議議不一嶺中將治疏以對揚　正廟闡揮之教府君始出山往參豐山會席辛丑秋與李都事壽萬往拜　莊陵遊粤中山水乙巳春浴平海溫泉過白嵓山訪李騎牛遺墟到龜尾津拜金白嵓祭壇不覺下淚從者亦爲之掩抑竭十月日本大使突然帥兵入闕李址鎔朴齊純李完用李根澤權重顯五賊爲內應脅請五條約此約若許獨立之權奪而爲彼保護之國　上與議嚴斥五賊白下許之以至調印百官伏閤請正五賊賣國之罪未蒙　允大臣趙秉世重臣閔泳煥並自裁府君時病大瘇坐起須人不能赴　闕乃替送中業呈疏曰臣廢蟄之中天下形便嘗然莫知而竊伏念我國與日本壬辰之後申修隣好堅立信誓毋相侵越殆至三百年而　二陵之變必報之義未嘗一日敢忘矣迺者萬國開化之後彼乃渝其信誓先請開港而莫之遂次欲入居都城而莫之遂此不特昇平日久恬嬉成俗力勢之有所不敵而然實由如五賊者類締結彼類攬作外援圖竊操柄之致也彼之嘗試既久醞釀已熟至於乙未而有亘萬古所未有之大變凡爲臣子者所宜臥薪嘗膽寢苫枕戈圖所以爲討復之計而丕懷姑息一意媚悅使不共戴天之讎認之爲薄物細故馴致勢弊或事與心違則曰天運也時運也此已極寒心況今讎使之來也嚇彼址鎔齊純完用根澤重顯等五賊與定五條契約脅迫　天陛竟至調印是可忍也孰不可忍也盖其約條眩幻非遐外之所可詳知而外部移置東京一條觀之我不復爲國於天下而土地人民財賦皆作彼之外府矣其所謂統監者所職可知我之　宗社竟將歸於何地也　皇室保全其可信乎嗚呼彼五賊者亦以喬木之世休戚之臣巧乘危機恣行脅迫者究厥凶腸反有甚於讎人也三千里疆土卽　祖宗之遺業也二千萬含生卽　祖宗之赤子也以我　陛下之遺大投艱不敢與人擧義嚴斥況彼五賊者何敢爲渠叨利而擅自許人乎此朱昇秦檜之所未嘗爲也雖以讎人胥之覬覦多年一朝並吞其必曰得計而歷稽往牒

上自羅麗以及　本朝其生並吞之心固非一再而卒不如意旋取敗沒者非他天之星分有別地之疆域有限人性之剛柔本自不同故也今逆天地之分限矯人性而掩取則覆轍昭昭安知非凡亡之日卽楚亡之日乎臣竊伏聞萬國公法毋干人內政毋取人財賦凡國之有事必從民願爲之約條之出於脅迫者雖國主親筆署押亦可撤之斯法也隱然有春秋戰書之遺意也近年許多約條皆出於脅迫而干我內政取我財賦此猶不足至有今日之約而以五賊之私議者內脅　至尊之地以一進之私願者外欺天下各國五賊之私議何如百僚之爭執一進之私願何如八域生靈之皆所不願也以此脅迫之事百僚之爭執八域生靈之所不願者擧以質之于各國公使而裁之公法之中則約墨未乾尙得以推還也彼若又劫之以兵脅之以力使不得質諸公法則通行之公法彼既先自違之我獨受制於脅定之約而不得有違乎彼兵我仁形勢雖不相當我相彼曲建天地之義理自有殄滅他不得八域生靈之忠憤激發將烈於火而沛於河終不任五賊之賣國而止已彼類苟非全然冥頑而有能知失得之象與敗之機者豈不長慮却顧爲兩利俱全之道也哉伏願　陛下淵然深省廓揮乾斷先正五賊賣國之罪肆諸市朝次質萬國公行之法前後條約之脅定者一一還銷使　宗社既危而復安倫綱既絶而復明焉時疏爭者多而非大臣山林則皆未蒙　批府君痛哭曰國事至此病臣不得碎首　闕下僵蹇投章既無格天之誠則其未蒙　批宜也罪負極矣更何敢齒列生人息偃在家乎當生埋於先壠之下遂入日月山下明洞通德郞公墓下以罪廢自處惡衣惡食居又不恒其所流寓於廣德菴嵓思洞嵩林諸墳菴曰一處久留是爲便身之道非罪人所敢也丁未　當宁受禪八月上尊號于　太上皇陳賀時以百官加親授階嘉善先是族曾孫文求入直摛院　上從容問曰汝族中文官生存者誰某也文求首擧府君名以對　上曰晩叢學術通明學倫而十年經筵啓沃甚多汝族中文官雖不少予之初年親舊惟此一人多予十歲老今幾何倘無上來從宦意乎對曰乙巳五約時上疏斥之未蒙　恩批分義悚惕引罪入山養病讀書也　上默然良久曰山是何山書是何書對曰山卽日月山書卽易禮朱退等書也　上曰山居苦楚少壯之所難堪況考人乎其何以經過也甚示悶惻之意今此　恩命盖出於　軫念惻庚戌七月陞資憲二十五日日本寺內正毅與完用等作合邦之變

脅奪　二聖位號天地翻覆矣　宗社敗亡矣嗚呼痛哉尙忍言哉八月初一日府君在嵩林柳西坡來訪傳變報府君遂日上嶺痛哭十四日始絶食上嶺哭辭將往明洞歷入再從孫綱欽渠里寓所綱欽泣請進食府君曰吾受　國厚恩一不死於乙未再不死於乙巳入山苟延者猶有以也今已無望矣不死何待聞變有日而又尙此遲延者以未得自盡之方今得其方而志已定矣將就盡於明洞汝勿復言綱欽百端覓嚮又曰若入明洞則窮山客土從叔以終鮮之身何以爲計府君曰以吾罪負窮山客土固其死所也綱欽泣且懇曰此亦窮山也客土也如不可還溪庄願留此焉府君不得已停行翌日草遺疏曰臣嶺外螻蟻之賤也病癈丘壑蓋已多時頃在乙巳有五賊賣國之變臣病不起躬遂捨短章以寓沐浴之義而竟未蒙　俞音情蹤危蹙深入先塋之下喘喘脅息不敢自同平人迺於丁未秋有　堯傳舜受之會猥陞嘉善之堦乃以俟勘之身反蒙異升之　恩惶隕震越寧欲糜身粉骨而未及陳辭丐免矣不意今者又有五賊餘孽與不共戴天之外人相爲表裡脅迫　宸嚴奪獨立之號而稱我　二聖爲宮主夫獨立之號本非我有勸之者卽奪之者則其心所在萬國所知也惟我祖宗疆土人民　陛下何得以私與外人而自列爲安樂歸命等侯乎嗚呼痛矣此豈　陛下之所樂爲哉實想其當日禍色必有甚於乙巳之變矣言念至此豈可曰國有臣子乎臣伏窮山才聞此變已是欲死而又聞以爲資憲大夫者考其日子　除命在變前數日是　陛下豫度來變乖念舊臣於未然之前而臣名猥參其中也臣是何人厚叨罔極之　恩於終始之間若是之盛也夫權臣竊柄挾外人禍家國之漸已在三十年前臣時忝侍從諉以地微一不廷爭此臣之罪也乙巳之變臣偃臥床第不能碎首　玉堦與奸賊爭死此臣之罪也今　陛下失位號而臣獨膺濫秩此臣之罪也以世祿之臣甘作讎人之氓而晏然不知爲恥此臣之罪也內有此四罪所不容於天地之間乃以是日不食自盡惟此未足以贖其罪而恃　聖恩之萬一也伏願　陛下廓揮乾斷大行天討再奠　宗社承撫　重華茂膺萬世無疆之禱福十七日命弟晩燁來握手大哭曰自孤露以來兄之撫我如慈母弟之事兄如嚴父身兼四窮而賴以爲命者惟兄也兄今至此弟何獨生且以大義則弟與兄一般弟當從兄同殉府君曰君與我情地有別君未立嗣先祀無托君親雖一體當隨所處而裁度何可擬情直行苟欲求死此後亦有

其日姑勿爾也族孫康鎬曰古人遭此變故者多入山門靖命公則入山早在於變故之始兆秉執確然今何必更爲進於此之舉府君曰吾平日無工夫而今已入了幾日工夫於此勿壞了我工夫也中業自城谷寓所來謁罔知攸措俯伏涕泣府君曰見危授命吾有所受今得其時矣然死亦有分數吾非貴戚大臣非當日侍從之臣又非封疆之臣病廢山間聞變最晩則不必當下伏劍飲毒當從容就盡全歸遺體故不食已四日而神氣尙覩告無減異事也汝之情地雖迫切大義所在吾何可顧念也中業不敢告以他語請還家府君曰　君無國矣臣何敢有家兩親之喪不得臨終又何敢飯於牖下乎所以來此者將入明洞爲綱欽所擬此亦吾家誠過分也十八日以後宗族知舊候問塡門一一款接酬酢周詳各當內情侍者請少節之府君曰此非平時納客之比死生一訣焉可廢也客或有以處義爲言者輒正色曰吾天地間一罪人豈有心腹之疾近日添祇不能食君何作浮辭使此將死之身罪上添罪也柳西坡來訣語次擧文文山謝疊山事纔發端府君笑曰吾不解古事公其休矣金大洛紹洛兄弟柳淵學淵佑猷從昆弟金魯憲諸公來問止宿府君曰此時何時此等人相聚誠不易得正好一場談論與之講討經旨評騭文字間以雅謔至夜分而罷臨別或明揮淚者府君曰公輩皆衰老人不久相見何必作兒女之態也邇近文字未副者每構思於客間之際曰到此地頭尤不忍默情摯之未得見者皆手書致訣又小宗君及孫行諸幼皆勉戒之辭以貽之每朝出盥澗流夜必坐小堂曰古人所謂澹然虛明氣象於今始見其彷彿命侍者把筆呼四絶曰擧目山河異顧天那復晴却憐匹夫諒無計報涓埃吾蹤無所學所學驗於今後人宜勉勵本分更欽欽胸中常血盡此心更虛明明日生羽翰逍遙上玉京閑夜茅齋坐泉涼夜深萬理歸來淨學順自安心以知友之頻數來診爲未安使權君相翊榜客位曰自欺而欺人投天又投地尙貫一縷息彼哉閻羅吏惟願諸賢達無復枉窮谷柳西坡和送八絶府君笑曰此翁又好浮辭也九月初五日本邑駐在日本警察官安東駐在守備隊長率其卒徒來問曰令公之不食欲死果何意侍者曰合邦後憤痛無生意也警察曰速取米飲來吾當用强制飲食之府君時氣息奄奄臥起須人語音低微卽蹶起厲聲曰讎漢讎漢吾行吾志干爾甚事吾欲速死爾其砲我拓窓開胸連聲大呼響震山岳眼光如電警察慌遽遂閉聰下堂曰吾輩今行內上部之令爲

九四

說論來也府君又大叱曰我是堂堂朝鮮二品官何漢敢强制我何漢敢說論我又叱舌人曰汝獨非我國臣子乎獨無秉彝之心乎警察更無他語而去初六日曉扶起而坐謂中業曰符到知在不遠死後昇還溪庄斂以時服務從儉約葬勿用大夫之禮使此得罪 君親者安意而歸銘旌題主書以通政實履之階而銘旌則通政上加故朝鮮國世臣六字李公下書名葬地祔從與同穴隨宜爲之誌文已有託於權贇粹此友知我深者必不夸張無實矣朋友挽誄如有過當之語勿爲揭掛其他末俗浮文知舊設有云云汝須一切牢辭以稱我本分也初八日巳時正席恬然而終嗚乎不肖孤尙忍言哉晡時襲夜奉還本第自府君絕食內外國人無不竦動髮豎以至行販流丐亦往往感泣悲歎文山在栗里對岸之地而十數家婦孺相戒曰令公爲國而餓吾等盍爲令公餓不舉火者一日及襄出行者哭於道農者哭於野商者廢市訃音識路當日偏於鄉隣不多日之內聞於國中傳之異域士大夫不待告訃而來哭者至成服爲三數百人栢洞庭畔稚松一株一年再萎者爲黨行所折而折處脂合依舊生筍府君培壅之撫愛之有詩曰靈芝三秀昔人感今見寒松再擢枝上天偏費陶勻力報答宜何風雪時其茂鬱倍於他松不多年幾蔭全庭自七月晦間忽有枯黃色至是竟死人皆異之前正言李中彥又自是日絕食積二十七日而歿卽府君之從高祖姪也十月甲午葬于江亭山淑夫人墓左 壬子九月移祔通德郎公兆下子坐原 淑夫人權氏忠定公冲齋先生之后老講承宣生員卽杞泉公也孝友端淑生辛丑卒丙戌十二月十九日育二男一女男長中業次中執有才志女適全州柳淵鱗中業二男棟欽棕欽出後中執三女金龍煥蔡奉柳東著權埧中執一女金翰九柳淵鱗三男樹澤樹藻季幼三女金鍾九李準英季未行嗚乎府君資稟英特而儀容魁偉崒乎有嶽立之表性度峻整而宇量宏洪淵乎有泓淵之象拔出倫類絕無衰季之狀宛是邃古之風也加以志氣剛毅節操貞固確然如金石之莫開挺然如松柏之獨秀正孟子所謂富貴不能淫貧賤不能移威武不能屈者也以故其德業之崇義烈之卓皆從此中成就是豈無所本也哉昔老松亭府君以隱操有逸民稱 西宮之錮東嵩公棄官自靖知樞公綏卽公不仕於壬午之後霞溪公以直道厄窮而不聞復齋公當丙寅之亂入太學舉修攘之政府君生於是家其所服襲者儒術也講究者義理也自在齠齔已知當死不避之義復齋公又嘗

九五

戒之曰士貴立志譬如一鐵釘作吾胸中上徹頭貫天去下徹足貫地去一劉動撓不得可做事業府君承此懿訓專力於程課之上以立揚自期名行自礪飢寒切於身憂患惱於心而此志不容少懈身在阡陌而口誦經史手執樵採而心在筆研如有甚故而闕工必追後塡補故以日計之或有不及於無事專工者而以年計之每過之大被父兄之所獎與又出入乎鴻匠之門擩染益深聞見益博年才弱冠已嘐於晋偶間顯知內外輕重之分以朱子書近思錄等近裡諸書潛究而問質之其所尙蓋非俗下舉子類也及夫決科惕然自悟日湊的旣中著心更無所如在宕蕩蕩地區區外物得不得無甚重輕若不及時收拾則終爲沒頭緖之人乃更將四書趙程讀去又作雜文百餘篇以爲收心之方其在玉堂發秘府所藏多見其所未見多讀其所未讀末俗以入直讀書謂之求名同僚多以謔浪爲事相率以笑猶不恤若退息出洋則絕無閒追逐出纂中所藏霞溪公所抄節朱子大全先組集闕門課讀有詩曰人道旅京書讀惜吾閒閉勝於家被人指目何須恤恐負臨門詔戒多爲郡之日亦取校藏諸書夜必張燈披閱一日鷄鳴時門外有人跡覘之唱喏拱立問其故曰無退令府君笑曰吾耽讀而困汝及休官家居非疾病出入無釋卷之時而多用工於朱退書馬韓文達至中晩以爲若不專工於三經無以成文章不專工於四書無以爲學先取三經次取四書劇讀覃思如初上學者夜則必輪誦三十年如一日曰書須是誦不誦不爲己有吾少也無誦才首讀不能誦今以耗微精神不過幾遍可以成誦此必着工之久才亦隨進也家先遺規本不容標榜府君素性亦質淳不以學問自居嘗曰所謂道者元非高遠幽妙大而君臣父子小而耳目鼻口之則所謂學問亦非他要識其大小之則而已當隨事省檢默默加工何必擎拳曲跽以做貌樣也是故專務實踐只要躬行及其讀書如是之多着工如是之篤積累於平易明白之處致謹於庸言庸行之上硬澁者益就純熟厲凌者漸造和平變化氣質成就德器而卒乃判大節而明大義者可謂識夫大小之則則是驗其懋學之力也其口可見之行持心正大律身嚴苦發言處事一以悃愊議論忠厚而寬平寧或以疎識見疑而恥修邊幅施措縝密而經遠寧或以白直害成而不由曲逕故平生無回互依違苟且姑息底意態悖之誕之辭不出於口反道害理之事不接於心雖無妨害而若非其地沒緊要者亦不作於心而出於口不言人過惡不言朝政得失

九六

守令治忽不言平日居官從政事容止上皆無矜持之色而惰慢邪僻自不設於身體少時性氣彪猛而恩遊之路入奉化鄉校要打午飯校僕使酒多慢語儀從欲毆之府君曰吾無所失而彼乃爾褻心者無足怒移于他處明朝嘆悴知其狀將拿懲之僕已於夜間嘔血而死倅遣吏多致賀語酒量甚巨而必有節度雖於公私宴集觥籌交錯未嘗再飲待食不喜膏粱好啜蔬糲曰是吾本分歷踐內外處於紛華之中而服飾一如寒士朝衣之外不被文繡 內賜癸囊亦藏而不着異方之物一不近身縉符時不張蓋不乘轎御款段策竹杖行色蕭然人不知其爲太守淫聲美色必遠絕之常謂兒孫曰吾稟質無過人而到老無甚疾病者實少日節嗜慾善完養之力近見少壯無病云者少是何故也因誦程子忘生徇慾爲深恥之訓朱子梅溪館詩以戒之居處不苟要便適而如遇甚湫隘安之若性器物不尙華巧必要質朴其或切於日用世傳而愛重者一見遺失或撞破更不留心用財有度當用處不惜千金不當用處不與一介或見子孫有入者之漸則曰吾衣每食未嘗忘昔日凍餒時事也事親奉先誠孝篤至復齋公性嚴自幼承順無違忤其在峽寓太淑夫人已衰老先恭人素多疾病井臼之役府君兄弟替次代執甚勤貧無以別立屋兩府同居三十年事之如一人無間言復齋公多年滯職常恨其未得躬奉甘旨而捐館又在還朝之路襄旣畢上乙養之職而太淑夫人又不須前後喪俱不得臨終爲終天之痛兩葬井未安厝六年之內不計遠險徧求吉兆及後徐郡先恭人執手而泣曰昔汝登第先令公謂余曰兒當乞養吾夫婦老矣未必見嫂尙少當享專城之養今是言不幸而果符吾何忍獨享乎府子扶抱大痛告廟時府君俯伏號泣哀動傍人以其廩俸移葬復齋公始神情事厚置祭田祭器新建祭廳又增修高曾舊宅先收私居曾考及兩祖妣墓遂先志得地改窆伯叔父母墓亦殫心力而遷之祖稱以上世之阡皆立表碣日日必冠帶謁先祠風雨不廢高曾考宗子親盡後遷于將作公之房而以無祭土代辦十年便殖若干貲爲香火之資將作公孤寓遠峽薄廩分資比他優厚及基疾撤還迎養者亦數年外祖宋公乏祀納田以祭之崔公葬於客土出資以返之東嵩公廟食之論已出於先輩故先父老收貲立所幾至成績中間以時宜分管各派因沒收拾執徐硌甲欲舉紙牌之禮未果略聚分管之餘者復張舊規而又緣於時象太半遺失居常痛恨臨化前數日尙申戒不已焉六七歲時

九七

見伯氏公受棰而泣長上曰汝兒之棰汝何泣府君曰兒必痛故也伯氏公夙抱奇疾府君扶持之調護之殫誠竭智迎醫求藥屢冒艱危雖在落後之後凡居處飮食亦適其情而便其身清貧到極而澹薄之節鄙賤之事必代其勞著使之安坐讀書解紱之初先築室於祭廳旁俾居之遂日聯床趨逸博約之樂信是天倫知己而期以歲寒竟以其實學醇行未得表見於世中身奄忽以是爲至痛附身附棺之物不委諸孤姪曰此吾替伸之地也季氏公疎拙不能資生親歿後出後叔父而晩又鰥獨索然無人世悰況府君閔惻之心未嘗一日弛于懷凡於撫恤之方無所不用極自劉還溪也拔次兒之尾而翻其屋二十四日之內曠然無畏情者而惟於季氏乎不忍忘執手寄涕者數謂兒婦婦曰薄斂我以其餘者念季君生員公終鮮而獨府君一心衛護事之如父家人嘗請移居府君曰不忍使從兄無依及遘忌疾親自療治竟至不救兒輩請出避貲之曰不斂兒其誰斂之何可獨作嗣孫之事乎從弟公又狷介不諧時情府君隨事誘導撤寓後容置轉甚復床腴庄而爲之地閫門之內恩義井行和器相濟而未嘗施喣喣之愛故妻子僮僕不問不敢進閑話其有過差雖不假辭也而亦不加刻覈俄頃之間便廓然無容以開自新之路也凡環溪而居皆祖免之親而曾以家法人美見稱於世及夫吾次第吝謝而末俗漸至淪薄則府君大憂之思所以爲收回維持之道導率甚湊合焉一以式好無猶爲心隱惡而揚善納汙而吐柔容人之所不容爲之之難爲患難 也隨力救助篤實勁而先人過失也推誠規戒使感悟而徙義如是三數十年村風回淳民心歸厚皆知敬長慈幼之爲可而閱墻勃谿之爲恥庶保昔影響也其於一視之中最用力於衛宗尤加意於恤孤六使之歲小宗爲蕩析之計劃郡侪而奠安之補宗所伯父僉樞公所始設而中世消瀝者又申刱之獨彌綸一里之死者二三日之間多至數十餘人生者皆驚慌奔避府君募丁收瘞其未及斂殯者族男之孤貧者必求配以娶之庶族老之歿脫單袍以斂之臨化時念峽居宗人之失系而漏譜者命兒輩使之博攷而追附新譜又戒諸親曰太宰府君之廟尙在諸孫周旋於一堂之內依舊是當日四亂湛翕時事當各自體先無墜傳來家風也在童幼時來學於齋公者甚衆而待之若同氣於卑微尤加撫護至有終身感德之者從學西山之日慶然有老成風必從先進資益故朋儕不敢以弗床妙卽視之早科入仕聲望藉甚當世

之人無不願交府君必折節下之而其於有挾者反嚴視而慢待朝廷之上異趣之人如非同僚非公事則雖貴顯而爲衆所推者未嘗先接
語或以昧於涉世見笑終不改金相國炳學卒過於宮對曰吾於公爲座何不一顧也甚矣膠守古規也又不喜從年儕之馳騖者遊休沐輒
就先執如許齋傅李侍郎俊永李丞宣後李尚書廷斗姜尚書蘭馨諸公講論文字問質古事好規警人有以偏門肯忘本色而入
時限古家之淺舊學而要時譽者必面折之至於窮交及山野老治洽款款雖卑賤不直斥以暱稱各得其歡心江山文酒之席過案心人
話古談今論文評詩傾困倒廩較長角能風流動蕩藹然歛持依舊是棣棣之儀淡淡之容迨其晚年德熟應酬益煩而各隨其地委曲周徧
纍纍時診問者日以百數少無倦苦色塵談說以山中人所餽香茶置諸座側必手抽與作日此死生之情也教後進誠心誘掖而未嘗以束
拂拂標致師道自任故其所以教之者初不過蒙學句讀詞章蹊逕而講討指授之際要不失家庭遺旨記誦掇拾之外必使究聖賢意旨於
稍解方向者諄諄以先行誼而後文藝見窮裡營生廢業者必以自己所經歷言之又舉朱子答陳膚仲書先祖與趙月川書以勉之成均館
學席不暇暖中學則數年兼帶而俗之敝久矣所謂清衛便同冗官府君爲是之歎作文告諸生徒見惟笑而上治郡時勸諭一鄕每以朝望
讀法課試行之三年六有其效先齋洛社咨舉此規振作之風庶幾蔚然而府君遽入山矣入山之後遠近才志之士多負笈請業拜書質疑
而稱謂與禮數若近於夸飾必謝辭不受其以實心求之者乃以實心副之而其理氣之辨必謹守先訓而不惑新說經禮之疑亦據依先儒
而不立己見然常示難慎之意至於邪逕百出一線吾道凜然而垂絕則每仰慨俯唱纖之鳴咽以至取義之夕於門族知友之留意此事者
必書勉之而提之皆紹邊緒勸來之語則可見其憂道懇懇之心也至若其事君臨政之節府君生於世之家素有尊主庇民之高才志早擢
上第遭値昌明褒中論選實曠世殊遇也初登對筵　聖上採施大僚推獎此又踰外新進不易得之際會也感激　恩數忘身圖報而儒臣
之責不在於行政出治所職即勸講勉德陳善納誨則變隻侍因文獻奏者乃堯舜文武之治也仁義道德之說也于斯時也
上以有爲之姿雅好學之誠深究奧旨訪問治本故遇當警則勉之以盡實而風之瑞見撤院則證之以庠序學校之教其微諷縷規可謂深

切其他仁富之辨上下甚之證異端之必斥知行之相須皆格非閑邪之意退讀黎燭如見有至言格訓可以裨益乎修齊治平之道矣
事悖德是以鑑戒於治亂與機者以陳於　王前中心藏之積其誠意及朝進講啓沃懇至論說詳明則　天顏溫粹聽納如響府
君嘗曰在直邇審館人不仰者數然八對　前席如蒙　聽納之恩則克然若得終日感喜不食而忘飢也及其出與民社斯乃展布之
地則發政施爲不求赫赫之君一以實心做去嚴於束吏奸猾不敢售仁於撫民隱瘼無不救雖事係上司成就甚難者苟利於民則必固爭
得請雖事關故舊所爭無多者若違於理則必堅執不聽以故不計禍福不顧是非惟知民與國而已黃山復戶三十結前倅請於方伯而引
來矣新丞舊契也以新方伯指揮欲推還府君曰還復戶者爲名官失戶者爲不治吾三人俱是後來而事在前人則當依前遵去今何必誰
爲名官誰爲不治也方伯曰未如之何也七邑漕米自廟堂有除運之令他邑或已運發而府君屢受營促終不運曰此廟堂之大失也必有
反之令若終不反汗營與邑當聯疏爭之未幾果反汗水使管封山多藉而使魚梁民亦被因府君就見水使曰下官之邑多國罪人此
下官之罪請罷黜遂投辭狀水使推謝吏無此敝兵使要四邑倅來遊通度府君依例往迎即辭還曰飢民望哺不可曠官有一倅倖然攜兵
使捲去此皆世俗循良家不恆有之績也其出處也　太上初元公道大行賢能畢進日　御經筵屢承偏旨非可去之時無可去之義然府
君固守低退之規不生匪分之念故筮仕四年準品三司而所歷不過循例擬來嘗有躐進苟得也逮夫朝枰忽改傾軋是事則其羸其輸自
無關於局外之身而豪蹟之不逮時義者雖不念忠告然亦不可自我下石久則贖惜事因此可神而立異之彈乃發於同僚若非　則哲之
明照燭而恩覆則十年嶺海難免一網之厄是非人也乃天也備嘗又是出位爾衆不佳則此正知微君子色擧之秋而歷八靑半屛慨慨不
欲者非浮當遜勝比也若其直言之人被於惡名而歸之薄遇者循例之中可見伸叙之意宜乎見斥於納賊大臣而　甯澤旋降陳勉優納
此又非幸幸之時也從郡初招首吏責升錯錢一庫鞋藏之凡中侍者旋而賈之府君曰人生仕宦便若風頭浮萍來之曰非不念去之曰乎
及見遞以是推即日發程赴　國練將修坊外人事才到觀旅橋馬蹶而墜曰我有何求而作此行天既示戒譏峴是吾銕限遂旋轡異日還

節之到此亦必回歸隱資而歸舊要尼之以清衛　香硯之行當路嘗之以雄藩若果回心而拒庭容則花府就存之辱金吾待命之厄雖
可得免倫常之論何可以和應恭顯之徒何可以容接也故掛冠遺在於強仕之年急流中勇退豈特錢穩寄美於有宋也其秉義也壬午
決歸已是不欲處小朝廷之意而北兵猝危機區測則即謀赴難又稽遲暫還議禮不審則一言以爭　關倫當而　聾聵之
下媒進之淮接斯起在外正反在其後未免理欲同行之嫌故投諸烈火文亦無傳甲午府從賈今日亡之本而一篇變封竟以官
禁不進居常太息皆出於傷時憂國之切而更不以平常人鄕大夫自處穴小會集一切不參親臘之致亦辭不受及夫枕戈之義莫遂沐浴
之請　無聽則自引以窮天罪人深伏山間與世長辭朝還寡徒窮苦以自刑悲憤感歎一發於詩知者許其義不知者謂之迂僻然毀譽無
關於我而但當遂吾分以終餘日矣嗚呼皇天不弔五百年　祖宗舊物爲讎人所有十七賊獨立僞號反與安樂等列以當初決歸之意最
後長往之義不可與讎人共戴一天而地各不同死亦多方裁度分數論定緩急乃於自靖之中求全歸之道勇決之中爲至苦至難之事二
十四日之久從容靜暇神精陽陽含笑安安慷慨悽惋少不見幾微而著述論討自若平昔然草疏告訣使讀者　瞑滌　輿議叱退便讎卒遞
魂見侍從人間　宮事而下淚對　瞻派人誠　列聖朝而下淚夜坐處堂風露清冷微誦東坡永調歌而下淚聞人有怨讟語誠曰此病臣
之罪也無計報消埃寧顧自安心之句即與古人死有餘罪吾事矣之誠同一意也確然其執凜然其終者果克遵見危授命之訓而終始
無負　君親矣嗚呼痛哉少時嘗理會文章兼則故其文簡古不用世俗陳腐誠人戒以不入叢棄門法病之如有知舊集雖或應副而題其
稿曰出編常存易言之戒及贈齋西兩老既歿遠近幽誌題碣請謁填門每欲辭遜而不得既又熟讀經傳得力頗
多故高適之中有平實之味澹之中有雅潔之意詩亦初年甚者健無雕飾故京洛貴遊闊麗之場輒謝不往時與衆吾人唱和自中晚多
看老杜集故八山後諸作得可忍可興之體而六年是榛苓之思風泉之懷有足以令人悲感者文與詩皆比少時所作如出兩房也平生不
好著述在王讀宋鑑作讀論晚看麗史提綱作補斷其於倫彝之關邪正之分立論甚嚴正而精密然果里時謂不背日補斷未成　書　賈　論

無是觀也嘗欲集合國族文獻編貫安世稿至數三冊而未克成叔祖鼠翁所撰要存錄族兄延花公晚常所輯家禮補註俱在本篇第門
日未及整理嘗用歷月之工一一參攷使後生讀繕寫以藏每欲增補其未備處而無其暇所著雜文爲數十冊未收者亦多性好山水如遇
一丘一水之稍清幽處必發臨倘徉梁介江山結會處多奇玩異蹟春煖秋清每脫略簿領一一探訪選其可遊者四十餘處作詩令邑儒和
之淸心瀑曲江改本名不雅刻揭而葛坪先墓所在而溪山絶佳世稱爲松安君所卜之地文純公又於乙巳後還山時經由而觀音院避雨
詩有不隔思君一寸腸之句故嘗倡其鄕里士友合力建屋傍之曰思君亭又於使君嵓觀音院有結屋之志而力未及九曲及峯嵓繁遂處
有詩某嵓思洞皆以泉石奇號恒所愛居文山即高林後谷而亦取其幽深欲爲棲息之所擂澗邊著樓手書巷誓嵓勿山亭六字其不曰文
山者以有所遊避故也淵上所編退書節要以諸子錄詳略不同倘在中衍府君左右調停終得以倭行易自峰遭厄後無一間屋子乃倡論
立所此其尊衛可皆之蹟也嗚呼府君文學行治皆可爲後人之所師法而至若其捐生殉國之節固自有百世之公論恩無待不肖之私言
況府君以人之比擬過當謂之猥越而不受不肖尤何敢有云云也然自有臣以來當危亡之會能殺身伏節者何限其或有戰敗殉聚焉
不得回避而死者忿懣忧慨慨出於倉卒而死者府君則不然讀書之日利義取舍之分素明策名之始夷險一節之志已定而自壬午後
國家禍變月甚歲劇其秉彝也隨變而益精處變也隨義而益嚴若如學者用工之循序漸進故嘗有勿壞我工夫之語而然既用工矣及
至究竟致極之地更無所安排勉強而爲吾所當爲取吾所欲取不試不疑沛然由之謙虛之至而無高妙奇特底意辛苦之極而有平順快
活底象所學驗於今一句果是實際語也當日之見之者猶可知也未知百世之下聞其風而慕其義者其亦能想得也否嗚乎痛哉倘忍言
哉夫死生者晝夜之常理也爲人子而遭罔極之變者其疾病也食飲之供奉藥餌之療治雖得竭盡誠力以至稽尸而願代毀體而求延及
其遭變之地無不抱窮天之痛也哀我不肖尚亦人子也五六載崎嶇出豈不得供滌瀡之養二十四日之間亦不敢進一匙湯水束手以待
天遭人理所未有之極處抱人子所未有之至痛固宜澹然從殉更不敢擡頭於倫天之下而乃反忘讎忍痛飲啄如常偷此苟延俯仰穹壤

此何人斯不孝之罪可勝言哉嗚呼痛哉古今名公鉅卿佳行卓節可爲法於後世者往往以文獻之無徵見欺於尙論之家而在變亂之世尤多不肖既苟延矣以是本懼乃於號䧺之中抃撽已遐之精魄略敘平日行蹟本大如此似謁于乘筆之門竊伏惟仁人君子必不以中業之不孝而且我府君也邪念州光廟之守死善道東渓如史班固氏特筆書之惟我府君其將載籍國代何於何之手而爲天下後世勸也嗚呼是天其忍忘我 宗乎嗚人呼痛哉不肖孤中業泣血謹記

響山文集附錄卷之三

行狀

公諱晩燾字觀必號響山又曰近齋姓李氏眞城人麗末以縣吏中司馬諱碩其始祖六傳而至文純公諱滉爲東方儒學之祖世稱退溪先生卜居禮安時三世矣先生之孫諱詠道號東岩監牧使壬辰錄宣武勳光海朝棄官歸贈吏曹參判於公爲九世高祖諱世師 英廟朝以修撰論滿平之非罪壬午後不復仕以蔭除知中樞府祖諱龜書陵參議贈嘉善 贈兵曹參判祖諱家淳官應教號霞溪有五子仲諱彙濬官大司成號復齋季諱彙澈通德郎公以中之子繼于季海州崔氏進士鳳煥女其妣也晋州姜氏副正樗女冶城宋氏僉樞在憲女本生妣公宋出也公以 憲宗壬寅正月二十八日生雁興臥村寓舍幼有氣格見者咸稱其必成大器七歲復齋公與通德公皆歿惟恭人無依命公出繼日今日汝持事汝母也分命遂然復齋公撫頂曰能知天倫之重可尙也惟恭人賢有士行通古史習禮節撫養教導實兼父道公稚年課學得於慈教者爲多稍上偶生護挽楽云根剌可消復齋公取刺鹹之公祀痛頓不變傍人曰得無痛乎公曰大丈夫死有時不避况不能耐一根剌乎其氣宇確已見於此也始上學口鈍難讀外若遲鈍而內實通曉未成童已屬時文晩趺復齋公訪以必做批評乙卯遊溪庄受學于叔父秋觀公溫澤之竹作之先生內辰復齋公大闡興論謂積學必仕也公益勵立揚遂屈於場所以志也已未委贄于杞泉柳公及其弟陋齋公致又文學行誼冠冕當時公專心師事請質疑難二公敬重而愛不以東床之嫌而待以西林之徒文強門戶淺荆背誕業

告而不赧爲丙寅八月參漢城試大比解額時洋舶來逼江都外乎之徐朝野汹汹叔父將作公慫慂與杞泉公倡義及義士之赴試者論斥衛國之策而文議八路公左右周旋與聞而參焉爲九月舉擯庭試復齋公以父子同窗慫滿爲懼舉知禍公曬於我家之戒而中中爲且曰士之許身於國時平則致澤見危則授命今之邊警孰棘 朝廷若處汝於可死之地必死而無歸方是不負矣朝日例付成均館典籍 上行視學禮時復齋公爲洋長公以來唱榜中服參班人以爲非榮之尊 除兵曹佐郎 朝廷特念参贊甚艱於應援也十月奉復齋公還鄉遽除司諫院正言丁卯二月復齋公還朝遊率公時息遊與鄉議是面還五月遷八弘文館蓌中被選亦異數也讀禮之暇爲四書趣講作課又遺命講質先集于族兄慎庵公晩慈己巳服闋拜副修撰以外在外還付罷復榜副司果六月還朝復授前職兼南學教授逐日入侍 經筵時太上初服勵精學變要聞筵何若觀公自幸遭遇冀行所學豫將將講之書專思精究務欲敷對詳明遂夜欽欽積其誠意也進講孟子道德所陳文義例采 嘉納不貨解釋元宗旨義必推言外之意廣引論之辭贊使釋益 本學友咸稱善焉進講之際有所楔而嚴不敢竟者因賓對 啓曰孟子一書聖人所以論王道進講時切念資多務要精熟至若名對之通鑑史氏之記載也請了一人畢讀未然後可斷其是非今日名對上番讀一節未終又令下本讀之彼此兩人不究首尾或遇章疑之語樣則今日讀上頂明日讀下頂聞値椊番新八者不省上段所論而敢奏有顚錯之虞伏願自今以後名對惟觀文勢不拘行數以引歸宿則非但臣僚之幸抑亦 聖學緝熙之一助也上答曰所陳甚好翊日果依所啓行之公退而作詩以志喜感之懷 上候時値不安頃對劇間安甚篤次與當時有異而公進退折旋動中公禮金相國炳學熟察而心異之退謂諸宰曰還鄉新進初登對筵規例若素慣眞乃家人也九月拜文臣製宣傳官十二月移副校理仍兼南學庚午正月入參賓對 啓曰易曰天行健君子以自強不息程子曰天道不已文王純於天道亦不已然則不息不已卽是天人合道之也方今三陽回泰萬化鼎新天行之健可見於此未敢知我 殿下緝熙之學果能至誠無息純於天道否 經筵停廢經云時乎然矣以學人不息之道觀之亦不必限於程式劃乎所講孟子一書初非浩穰字而綸時越歲尙未了則古訓千萬將何以盡究也博於文然後約之

以禮未有不博而能約禮者也雖然 太廟親祭例亦講而前冬 臨御齋宮尙能讀書致敬滿庭臣僚莫不欽歎仰白昔 王之好學其須可謂曳不離矣又有本館書冊日錄內八之 命其於幽獨得肆之地益勉戒懼之工亦可知矣然古人云心難持於盤水尊難保於風燭伏願 殿下推是心之是爲擴善端之資見勿忘勿勉勉孜孜焉則緝亦不已之妙實不外於而來開講日是這樣學問已開講又是這樣學問豈不美哉豈不休哉又請復本館月課及文臣講製之規 上亦嘉納之公感激 恩眷左以一心精白引君當道自期焉二月丁太淑夫人憂在草遇制未得臨終柴毁幾滅性壬申服闋五月陞司憲府掌令七月擬忠淸道掌試都事八月 除持平移副修撰十月有雷變聯劄陳戒焉 除通禮院左通禮中學教授癸酉十月以軍色仍兼中學試學製假拜副應教時權益熟上疏論時政三司請鞠罷依例蒙遞尋復前職兼中學以泮長被 讀承 命試陞補十二月 大闕災入參問安廳 旨聯劄陳戒假是親臨鄉會自推陳之崇朝箸一疑而有投章作 旨者三司將合辭修撰李秀萬以下僚不便公知有自發避公辭謂館吏責以逆格投尉卽出秀萬以爲立異陳疏構捏 上賜溫批解之甲戌朋東學壓遞而舉衛尙在二月造朝七朔之間再入玉堂四帶兩司而朝象又不住呈歸覲取道春川八淸平山周覽名勝乙亥五月拜應教赴朝移校理八侍 法講使還執義丙子二月因大臣所啓被刊削之典先是日本黑田淸隆來請開港通商十三條朝廷許其六根盆嶽持拜抗疏大作 上旨兩司將合辭諫長章啓用無將不道請公以摘亢憲予日抹去日根之此疏首實關危無將不道是何等罪名而勒加於首言之人乎領相李最應過論啓辭草率其時諸宰請并施刊削 上允之諸宰雖一體被譴其意實專在於公也未幾敘復前職上疏自引尾陳有文是兵之道蒙 優批三月以式科一所豪試峻發主試之不公是務之多得賞材公之力也進拜成均館司成應教京樂院正九月乞養 除榮川郡守是歲大侵荣爲尤甚豫勸厨吏廢上官時例進茶啖朝夕之供命米麥相雜僅止一味日過定減饋至尊且然況任分憂之責而日見飢民之顚連者乎捐廩一千金又以社米五百石設賑各坊躬往檢視春稅五百金卽爲酬減以官役戶三千金捐依民間定結不足者又多方措劃以充民結之不能納者湖稅未作價代捧付通使寺貿充之輸納致先於諸邑其例有未盡者以備

不虞而都邑者貫不悅於公並責留米公不許屢申方伯方伯都榮公曰吾矣留米不可以更對吾民往見方伯方伯怒喝公辭氣彌厲欲其由陳疏方伯失色謝謝公亦以公體避席謝方伯笑曰朝廷若有剛直如公者幾個人國可爲矣初禮方伯陞吏前還日營權多在幕佐廟術俗就見公公叱之曰上官自有公體不可廢也幕鶻愕可鯉身措體也幕屬由此敦懽臨事汎接罪未欲貴亦此聚所爲而是後吏不敢以非理道奸翊年大水堤堰多坍損廢修築大堤之林藪灌灌者亦植柳萬餘株仲無汎濫之虞民戶漂燒者爲聞而優恤之及秋大稔重修校宮樓亭倉壇諸公廨並令一新又徵養士齋捐補修其頹圮聚土居業郡人之欲仗右頌聚錢合六百者禁其事而取其物以助養士富爲官用者多付於民積爲民瘼者例皆革罷 繡使方伯相繼褒聞戊寅遞還悉炎又 除東萊並不赴日再才且進猺歷清要便褒又得遂分願已睾更無希望之念矣己卯赴 哲仁王后小祥哭班辛巳進 除修撰執義又不赴翊年正月以修撰參東宮冠禮蒙類賜 三月參嘉禮賀班三月以 永禧殿酌獻時執禮參陞通政卽拜工曹參議四月蒙遞還鄉時和議已成各國公使迭次入來日本使臣出入 闕內而外人莫知爲何事亂兆已形現奕公不樂仕進決意南歸猶懷之在要地者或挽之而遐心終不可回也六月軍兵作亂犯 闕 坤殿踰御于外上下不知蹤以大慟痛布朝野聞沸淸兵又出來 闕門受兩傳聞邊警有朝夕不保之勢公卽治奔問之行將發聞 闕內間安通而亂已小定遂停止 朝廷議定因山節次公乃草疏言發喪之本不可因之尤不可議尾附時弊十條疏旋聞 還御之後將擧而乘機媒進者已多卽拱溪冬嶺 除工議同副承旨將不赴癸未又再 除前職不就冬至還 崇陵獻官祭畢卽歸自公之決歸時遊多不悅焉以 杏祝之事而如不赴則將揮之也因戊子先恭人憂丁亥正月 繡使柳璜以武斷罪三月就理以在器例拋蓋衆終蝎集柳是要蠻不得己也後盜言以謝曰以有傍論公豈本心哉公亦原我也庚寅行鄉約於先癒禮行鄉飮與族兄龍山公晩寅選爲賓主又設文會於洛川調迪後進歲以爲常沉寂之餘亦有振作之効也癸巳就十世祖僉正公桐洞書堂舊址築精舍數間爲養閑著書之所甲午六月日兵犯 闕違辱無紀宣國體賦爲其腹心稱以獨立與淸絶易服色改官方 先朝典章一朝蕩然公草封事累千言極言其不可以新式言事之禁不得上乙

未八月賊臣等又引日兵害　國母矜　上出廢黜傳旨不發喪公聞變痛八日月出下廣德墳聯謂叫中業日明年此月之前若不出山十
月始復位號發喪公出縣班成服卽日八出十一月賊臣又　脅上剃髮鶴機巨測嶺湖人士倡討復之而本縣推公爲將强病視事約束未
定安東觀察金奭中以京兵解散之計無所施遂罷山及再舉以病辭之自是山居多而家居少以時事不欲念也辛丑遊與中山水乙巳浴
乎海溫觀越松望洋諸勝臨暢自若蹈海之津有吊古不盡之悲益積懷憤鬱爲一番疎不計也十月日本大使突然帥兵入　闕脅請五條
自　上嚴斥不許而權積根澤齊純完用重顯五賊自下調印擅許公方下大痛不能赴參庭爭伸疏授中業投呈日臣廢蟄之中　天好形
便皆然莫知而竊伏念我國與日本壬辰之後申修隣誼堅立信誓毋相侵越殆三百年而　二陵之讎必報之義未八一日敢忘矣迺者萬
國開化之後彼乃渝其信誓先請開港而莫之遂次欲入居都城而莫之遂此不特爲平日久恬嬉成俗力勢之有所不敵而然實有如五賊
者類締結彼類攪作外援圖窃操柄之致也彼之肆試既久醞釀已熟至於乙未而有亘萬古所未有之大變凡爲臣子者所宜臥薪嘗膽綏
菁枕戈圖所以爲討復之計而佘懷姑息一意媚悅使不共戴天之讎認之爲薄物細故馴致勢孥或事與心違則曰天運也時運也此已極
寒心況今讎使之來也噫彼埴鎔齊純完用根澤重顯等五賊與定五條契約脅迫　天陛竟至調印是可忍也孰不可忍也蓋其約條眩幻
非還外之所可詳知而以外部移置東京一條觀之我不復爲國於天下而土地人民財賦皆作彼之外府矣其所謂統監者所職可知我
之　宗社竟將歸於何地也　皇室保全其可信乎於乎彼五賊者亦以喬木之世休戚之臣巧乘危機恣行脅迫究厥凶腸反有甚於讎人
也三千里疆土卽　祖宗之遺業也二千萬含生卽　祖宗之赤子也以我　陛下之遺大投艱不敢與人輕讓嚴斥況彼五賊者何敢爲梟
叨利而擅自許人乎此宋祚秦檜之所未嘗爲也雖以讎人言之覬覦多年一朝並呑其必日得計而歷稽往牒自羅麗以及　本朝其生
並呑之心固非一再而卒不如意旋取旋沒者非他天之星分有別地之區域有限人性之剛柔本自不同故也今逆天地之分限矯人性而
掩取則覆轍昭安知非凡亡之日卽楚亡之日乎臣竊伏聞萬國公法曰干人內政排取人財賦凡國之有事必從民願爲之約條之出於脅

迫者雖國主親錐書押亦可廢之斯法也隱然有春秋誅討之遺意也近年許多約條皆出於脅迫而干我內政取我財賦此猶不足至有今
日之約而以五賊之私議者內脅　至尊之地以一進之私願者外欺天下各國五賊之私議何如百僚之爭執一進之私願何如八域生靈
之皆所不願也以此脅迫之非百僚之爭執八域生靈之所不顧者舉而質之于各國公使而裁之公法之中則約章未乾倘得以推還也彼
若又劫之以兵脅之以力使不得質諸公法則通行之公法彼既先自遂之我獨受制於脅定之約而不得有違乎彼兵我仁形勢雖不相當
我直彼曲建天地之義理自有殄滅他不得八域生靈之忠憤激發將烈於火而沛於河終不任五賊之賣國而止已彼類窃非全然頑冥而
有能知夫得之象與敗之機者豈不長慮却顧爲兩利具全之道也哉伏願　陛下淵然深省廓揮乾斷先正五賊賣國之罪肆諸市朝次質
萬國公行之法前後約條之脅定者一一還銷使　宗社既危而復安倫綱既絶而復明焉時疏爭者多而非大臣山林則皆　留中不報公
痛泣曰國事至此而病臣不能碎首　闕下只疏空言亦由誠淺不報罪負極矣何敢自爾生人偃息在家乎當俟譴於先祖之下遂流寓於
明洞廣德某岩高林諸墳庵便身之方一切不爲曰罪廢之所不敢也丁未六月　當宁受禪上尊號于　太上皇陳賀時壁嘉善廣戌七月
陞資憲二十五日日本統監寺內正毅與完用等作合邦之變脅奪　兩殿位號宗社亡矣尙忍言哉八月一日公在高林始聞變報迺日上
廟痛哭十四日乃絶食將往明洞過再從孫綱欽果與寓舍曰吾之不死乙未不死乙巳尙有以也今則何俟而不死乎志已決矣綱欽泣請
日聞變之初固知有今日不飯闕下亦已素定還處本第雖不敢請此亦客土願爲留此公不得已許之翊日遺蹟曰臣猶外螻蟻之賤也
病廢臣蟄蓋已多時頃在乙巳有五賊賣國之變臣病不起躬詣援短章以寓沐浴之義而竟未蒙　俞音情跡危蹙深入先壟之下喘喘矜
息不敢自同乎人迺於丁未秋有　堯傳舜受之會猥陞嘉善之階乃以俟勘之身反蒙寵升之　恩惶隕震越寧欲糜身粉骨而未及陳辭
而兇矣不意今者又有五賊餘孼與不共戴天之外人相爲表裏脅迫　宸嚴奪獨立之號而稱我　二聖爲宮王夫獨立之號本非我有勸
之者卽奪之者則其心所在萬國所知也惟我　祖宗疆土人民　陛下何得以私與外人而自列爲安樂歸命等侯乎嗚呼痛矣此豈　陛

下之所樂爲哉寶想其當日顏色必有甚於乙巳之變矣言念至此豈可曰國有臣子乎臣伏窃才聞此變已是欲死而又聞以臣爲資憲大
夫者效其日子　除命在變前數日是　陛下豫度來變乖念舊臣於未然之前臣而名猥參其中也臣是何人猥叨罔極之　恩於終始之
間如是之盜也夫權臣爭柄挾外人禍家國之漸自已三十年前臣時忝侍從議以地微一不庭爭此臣之罪也乙巳之變臣偃臥床第不能
碎首　玉階與奸賊爭死此臣之罪也今　陛下失位號而臣獨臒濫秩此臣之罪也以世祿之臣甘作讎人之氓而昏然不知爲恥此臣之
罪也臣有此四罪所不容於天地之間乃以是日不食自盡惟此未足以贖其罪而報　聖恩之萬一也伏願　陛下廓揮乾斷大行天討再
發　宗社承歎　重華茂膺萬世無疆之福焉弟晚燒來握手大哭欲與同死公曰君與我處地不同不邇庭中業自城寓碎到不敢仰視伏
地號泣公曰見危授命吾有所受而死亦有分數若非貴戚之臣非當日侍從之臣又非封疆之臣而病廢山裡聞變亦晚不必當下伏劒仰
毒當從容就盡以全遺體而絶食累日神氣無減似費多日卽是罔意也中業泣請還家公曰　君無國矣臣何敢有家往死先是與吾業志
而爲綱欽所挽此亦吾家心所慊也自是侍側者不敢復請宗族知舊迺日塡門候謁款接如前或有說及處義者輒揮手止之間有留宿者
與之評騭文字講討經旨談笑陽陽夜分不倦遠近文字未副者皆呼草構成情摯之未來者皆手書與訣孫曾諸幼皆書訓辭以貽之門內
諸人之平日係役者皆以篤志懋學中申勉戒於大小宗子尤爲眷眷而作書是其絶筆也每朝出盥小淵夜坐小堂曰潛然虛明氣象於今
始見其彷彿矣曰吁四絶日舉目山河異顏天那復階却悲匹夫諒無計報消埃吾雖無所學所學驗於今後人宜勉勵本分更欽欽胸中靈
血盡此心更虛明明日生羽翰逍遙上玉京閑搜芽孫坐泉深夜深深萬理雖未淨寧順自安心使權君相翊書榜客位曰自欺而欺人提天
又提地倘貫一縷息彼哉閻羅吏惟願諸賢述無復枉窮谷以知友之數數來問爲未宗也枯二十餘日日人聞之謂其有死義立節之稱砲
兵十數名喧哮突來欲脅之以兵使之强食與戶外人酬答氣焰張甚公時奄奄委臥語音亦低微忽蹶起拍肉連聲大罵曰吾行吾志干爾
甚事聞爾言砲令我速死祖胸堅拳連擊戶闥聲震山谷眼彩如電日兵亦驚惶下堂俛首掉舌而去扶坐謂中業曰死後葬歸溪庄斂以時

服務從儉約葬勿用大夫之禮朋友挽誄如有過當之語勿爲揭竿末俗浮文知舊設有不諒者必一切牢辭以稱我本分也正席恬然而終
卽九月八日巳時也自公絶食瞻聞皆聳動雖籍外勢而桀驁者亦感泣歎息巷出之日巷哭相聞卷還之夜田野爇立迹且不絶訃書未到
士友之來會者屢百人踰月而葬于江亭山從遺命而不待禮月也（壬子九月移祔明洞先兆下子坐原）　配淑夫人安東權氏冲齋忠定公後考生員承夏卽
杞泉公也生辛丑卒丙戌十二月十九日墓在江亭山乾坐育二男一女男長中業次中執有才志夭女適全州柳淵鱗中業二男棟欽棕欽
出後中執三女金龍煥參奉柳東著權垠中執一女金翰九柳三男樹澤樹濬季幼三女金鍾九李準英季未行公儀狀魁梧望之嶽峙器量
寬弘淵之淵深殊無季世浮薄之態閒宛是近古淳眞之風也正直之操通明之見加之以執綱之性義理大關觀破分明自無他岐之惑而
勤懇有恆殆可以透金石而徹神明矣有期於心必準於事引彀走的之勢未嘗自弛而中輟故善之當行必要行得盡無憾而秋執之從直
前之勇非賁育之所能奪也一生云爲無論大大小小毅然由之無所愧怍而卒乃辦得大義成就得古烈士之所難扶彝倫於既絶聳人心
於盡死者定積累充養之所得來也從初立心以古人自期自爲舉子時已識內外輕重之分而早得成名無復妨奪之害則遂乃專心於此
事矣入直邇事之際從民鞠膝之日紛華之易染職務之多撓而公退之暇手不釋卷衙罷之後挑燈凡坐秘府珍藏極意紬閱多見其所未
見間有抄寫以備遺忘識解何由而不博門路何由而不正趍居發閑玩理崇深閒其宜矣崎嶇山谷顚沛栖屑之時亦爲之廢食與俱四子
輪讀殆如初學之程易詩書三經自是三十年夜曉恒誦也間値有事不得已而廢則必默念而盡帙或輿誦以補數舉大數殆過萬遍溪
書一部一生家計也負誦者淹貫微奧者遂徹宗廟百官之美已竊見得蓋而凡於經禮疑難必引先訓而斷之其初晚同異亦皆指曉然證
而知所從矣始或疑晦而未久曉析濯澀而漸至活絡殆左右逢原而澆灌者有鑛長之工叫嚼者得飽飫之趣自然義理濃熟知見正大處
死生而不貳取熊魚而無疑詎非文信國所謂讀聖賢書所學何事者耶其日可見則自少無子弟之過事復齋公承順無違忤凡所教詔必
服行而勿隳復齋公嘗有頭容直之戒公因念條節孝心亦要直之語惕然警省而此是末命故尤思奉持以著其齋太淑人已衰老先恭

人亦多病公多親鄰事服勤不懈貧無以立屋兩拵同居三十年事之如一復齋公多旅宦在京侍以甘旨未弱爲恨捐館又在旅舍除邑得倅太淑夫人又不滇而兩喪俱未臨終爲終身之恨故取義之日不還本第者以公義而亦兼私痛也替事諸父孝敬備至事必諮稟無或擅行將作公孤寓遠峽薄塵分貲比他尤厚嬰疾奉還迎養者屢年矣友于昆季和氣灝洽伯氏夙抱奇祟公殫誠調護迎醫求藥屢冒危險幸臻差復而居養之節亦使便適淸貧屢空而代幹家務使之安坐讀書解紛之初先爲藥室遂日聯床有講討之樂不幸不壽公乃無憾於終事曰此吾替神之地金善門外草成行錄盡慮世事之難測而遂蹟之或湮也季氏淸修苦節濟以學識爲天倫知己而命道多舛到老益畸索然無寄心之資公憐恤爲至使之從宅而同處觀化之際浩然無所娶懷獨於李氏執手累欷從氏公終鮮而獨公一心衛護以保舊日門闕及遭忌疾自擬至斂公必親之管有顚衰之所難及綱欽之世亦累爲之地綱欽之自謂受賜無極溢由感澤深也閨門之內肅如朝廷而威恩並行和嚴相濟過差雖或峻責能改卽止不復留滯嗃嗃之厲嘻嘻之吝兩皆爲戒其有得於易中者多矣環溪同閈俱是祖免也長德林立之曰以家法見稱而世降風渝灝不如前公乃憂之深而慮之遠圖所以管攝維持式好無猶爲第一義敎導責諭則嘉其善而矜不能救助撫恤則先其急而厚孤弱躬自行而勸於人由親逮疏自邇及遠積下一團誠信回淳而反朴耻薄而歸厚雍睦之風舉古家莫之先焉奉先重宗之道尊賢衛道之方尤其所致意也稍得代耕先祭後燕廟享時享使之蠲潔八世之阡並竪麗牲冠帶參謁風雨不廢推及外氏宋氏之祀割土以祭之損公容物出貲以返之東巖公廟食之議累世苦心而　禁令之後窮規緩懈以先志未可忘也首發紙牌之論亦謀續後之策終始眷眷爲小宗家計旁落難於獎援劉鄉倅以周之先賢祠院之謚成獎麥則亦議寓慕之道事關文不幸有撕換之端則務令調和公心所學人自信服也待人一從忠厚而先契所在尤加意焉嘗從學於復齋公者舉皆情若兄弟至有終身而感恩者與人酬酢各當當人有時峽老村叟班荊爭席閒樵談農樂不倦而交際特致詳焉下直居泮不喜與流輩追逐時從先執如許性齋傅李侍郎俊永李承宣後齋李尙書廷升姜尙書蘭馨諸公講究法服制度論說古事經訓外道行恠之類捷逕覓蹊之徒絕之若浼及對衆心人上下古今則亹

亹不窮間以雅謔以資讌暢而流出墳典餘味尤見德氣藹然情意藹然也誘掖後進循循有法而初不以師道自居故指授訓解者不過章句詞藻而必證家庭承授句讀音釋勿令放過稍知方向者漸次說及微奧而必使先行誼而後文藝或言妨奉廢工則每舉先訓而申申學文論雖見笑列郡校課試不無其效暮年居閑信從頗衆而公遽避世時象頗促異說橫流向來書社之會亦無繼行之勢斯時氣運所關然公則謂世事無窮而此箇學不可絕也每對年少有志者輒誦古而諄諄而戒苦勉尤多於二十四日之內一心炯炯尙可識也看文甚精眼如利錐字誤文誕一覽輒見目帙如朱節溪集訂訛多矣至於勘校人家文稿必存難慎之意曰作者意匠非僭覽可悉如或誤訂其失何如全篇點標猶可爲也句絕刪抹尤可慎也論事之際務要委曲周徧剖析是非較絜輕重無有偏倚有不愜意者時或嘖薄由其宅心公據理明故人亦始疑而終信先見之明尤多歎服於事過也性嗇儉素公服之外不衣綾羅外國之物一不近身在官之日亦備麻鞋接事之行無前擁後呵一馬二僮行李蕭然所過亭居人不知爲官行也支居巾髮偏然容顏數便不必檢神拘繩而威儀與與亦不高標自傍而儒範自成少日凌厲彪發之氣漸覺消化乎了個伉之或疑者慈良而周詳頗偏之或病者和厚而謙沖變化矯揉之方殆由成公之躬自厚矣雅好佳山水域內勝地多所遊覽先蹋所在如葛坪必欲點勝而藏修峽居時山水崖險殊無住趣而一泉一石少慊幽尙必玩賞忘歸嘗與內姪姜大卿鐸入太白山忽叫奇天笑曰天下無則仙則已有則必在此間脫去塵羈老此仙窟豈鍾鼎可換耶襟懷淸灑雖戲可見也至若顧嗣奉公之節公生世臣之家抱尊庇之志幼學壯行固所立也早擢高第久侍　經幄上而　隆恩眷注下而大僚推奬誠殊遇也幸會也庶幾古道之可回　聖學之日躋以陳善納誨爲己任因文敷奏者帝王之謨聖賢之言也遇當幣則勉之以婁星之瑞當撤院則進之以岸序之側顧規徵諷可謂深切其它仁富之辨上好下甚之證莫非格非之至誠若君不能謂之賊之義尤爲之反覆詳陳盡欲於一初淸明如水如鑑之際以蕭赫特之道冀臻緝熙之工者隱然眞侍講風焉仕于州縣亦行素志之地也惟務推誠而愛下未出違道而干譽故始至雖無赫赫之名嚴於東更奸猾不得售仁於撫民瘼無不揆事關於民則上司不許而固爭乃已有違訟體則知舊緊囑而堅執不聽責由復

戶前倅所引而勿許推還漕米陞遞　廟堂有勑而終待反汗處事堅確自然見重列郡之好生事下邑者獨於梁未敢焉官廚所用川井非有節在所當費雖夥不吝可以無與雖微不苟惠及枯骨悅施貧交而俗例之務多物種以媚權貴一切不爲也於乎公有可爲之才有爲之志如處得爲之地可展其所蘊而緣之去公宦久矣世之將危亂迫矣淸途華貫雖或歷敭而只是循資例遷進乎是則夔夔乎鑿枘難入蓋低退自晦自是由來家法公所切嗟而遵守者故遂隨隙行與世浮沈深以爲恥而其當朝局累變之會雖是無關於牛李外黨尤招嚴階相尋則危邦之戒亦可占也乃於强仕之年決意勇退不識錢淡成更何如也逍遙閑放無異於寒士然憂國一念不以處湖而少弭每聞時變輒爲之膽沸腸熱一番直發之氣謂得可死之地而賊臣蘿蔽守土汎撓勢逼形危控告無地則屛伏松楸不對外人質之天而誓乎心彷彿乎燮山之建陽桐老之栗里而公未嘗顯言志事故人亦不得測之蓋也逮夫僞約已成無復望焉則生行死歸又其志也然伏蒙　國下緣病未就替子是晒未承　命背孤忠危悃無路可籲而罪廢自處心所安也遂乃卓往不返鹿豕與友比之掛冠之初更覺一層進於一層矣草舍土爐薄暑而尤艱度山蔬澗菜少者之猶不堪而處之安如與人書尺必有速化之願寄人哀誄多致登仙之賀是其胸裡古得一死字已多而斷然決定更不費新商量也舍去逮去驟然悠然固其宜也處置周詳又何等定力也所學所養斯可見矣嗚呼公之死雖無補於已絕之國無救於將死之民而風聲所及自有奔勵扶竪之力婦孺或不舉火商賈亦爲罷市日計相傳未十日而及於海外猶可驗天理之當存而正氣之不死自上天視之由百世仰之有功於民彝物則顧不重且大歟公之終始成就以臻乎卓犖光明之域者亦本之則有大祖遺範的有傳授而設溪翁淸標直節儀表儒林復齋公高文達識負望朝野公胚光固異稟有素而出入乎鴻匠之門磨礲沉潤者已備矣又若後而講質弟雖而輔車成德乎何有稱人必本尤可信矣爲文章不事踏襲純用自家機軸間有生割句法而經放甚本在國於材具故典重而有體製贍密而有餘味非專尙藻華務爲𨱗艶者之可及也遺集若干卷將傳于世余嘗猥厠遊從雖習愚懸甚荷知獎厚矣每仰之以師表倚之以長城相對論辨皆是積疑之所未決而無用之辨一未及也七十年輸寫之情卒乃究竟於高林之訪栗里之訣而前期尙在

之日却有依戀者在各天訣永之地乃反沖曠恬和兩不形於辭色非强制實相契而到今已前嗚於痛日星之冥晦慨龍虎之亡逝則包羞苟活者尤不禁後死之悲哀亂君囑以狀行世自有其人而必於非人者以曾有二百字云云之故也始謂設戲者終成讖語雖朽淺文姿不堪表其可以負之乎謹因家傳而次第之間以躬閱深識者而點綴之間學之篤出處之正取義之勇累書不一書細行多略之以衆善俱該於大節也世之慕德欽風者當有採擇焉完山柳必永謹狀

墓誌銘 並序

隆熙四年庚戌之九月八日前通政大夫承政院同副承旨響山李先生秉義就謚於宣城之栗里東南士大夫暨婦孺僮庶咸奔走號哭克相終事旣踰月奉其柩車赴葬于江亭山枕亥之原壬子九月用治命改窆于明洞先兆下子坐原曰先生孤子中業撰次家傳屬其內兄水嘉權相翊俾述幽堂之銘相翊瞿然曰先生之盛德大節光日月而動夷夏者固無俟乎銘如銘之豈相翊末小子所敢聞中業曰册吾父之命也子其忍辭諸窃自惟章茅遺喘志業荒陋念平昔受誨之恩遺帖警勉之辭未嘗不慟恨忸怩而涕泗流迸也今以僭猥之筆而托名於先生之墓則於私分不亦此榮幸哉乃敢盥手而爲之敍曰先生諱晚燾字觀必大司成諱彙濬之子應敎諱家淳之孫李氏自松安君諱子脩勳節並著啓裕後人至退陶先生爲東方儒學之祖子孫大昌衍應敎公以文章直道益顯名當世號霞溪大成公又以達識淸望爲薦紳領袖號復齋世德之源深矣哉復齋公配曰晉州姜氏弼善欞女治城宋氏僉樞在憲女生三男先生其仲也系季父通德郎諱彙澈妣海州崔氏進士鳳煥女先生以　憲宗壬寅生于順興府蘭谷寓第在髫丱已聲隆有鉅人度長而强學嘗以立揚自勵丙寅擢庭試甲科卽付成均館典籍俄除兵曹佐郎及放榜　賜樂以寵之連拜司諫院正言丁卯居復齋公憂選入弘文館亦異數也服闋再授副修撰兼南學敎授尋拜文臣兼宣傳官自是至乙亥歷副校理掌令持平右通禮兵曹正郎擬忠淸掌試都事者一拜校理者二副應敎者三應敎者四司諫者二執義者三中學敎授者五所至棘棘有聲績其侍講及賓對或因文敷奏或進啓規勉務盡陳善格非之誠　上皆嘉納之丙子春執以義被

創先是日使黒田來請開港通商十三條朝廷許其六崔益鉉持斧疏爭兩司將合啓攻崔用無將不道語先生曰崔疏實直言豈合用此等
句語手自抹去大臣嫣之遂啓卽之旋蒙蕩敘復前職歷遷司成應敎掌樂正秋除梁山郡守是歲大饑梁尤甚赴任之日不御梁肉賑飢貧
賦俱有著績時方伯聽猾守言欲並取漕稅來例留者以濟私利公執不許且面爭之方伯怒喝甚公遂解致印綬欲疏陳其由方伯卽推謝
許留既又築堤堰恤渰死修學擧政民伐石頌惠卽取其貲爲養士之需賓戊夏遞還歎義建賤三司宿趼壬午春陞通政卽拜工曹參議尋
遞歸時和議已成世變日深公知進無可爲不復有就仕意冬又除工議俄拜同副承旨癸未又連除前職皆不赴當路者不悅塞 崇陵獻
官不赴則將中以法公遂赴京祭畢卽歸丁亥有猾㨿者諷御史論啓照遠竄時公適張恭人喪例得收贖自是益絶意當世惟以讀書求道
爲事就柏洞先隴構小齋日靜處其中讀課經籍至忘寢食甲午日兵犯 闕以詐謀矜行獨立之號改官方易服色公草封事屢千言極
言其不可尋以有禁令不果上乙未八月讎賊弑極逆 明成皇后崩逝因矜 上降廢黜僞旨不發公聞變痛哭具白布巾服八日月山先
兆下剃髮登國思峯西向哭十月復 國母位號行發喪公始出縣班成服卽日復入山十一月賊臣等又矜 上剃髮編擴益深湖南人
士倡義爲討復計公爲本縣義將糾畫未成爲京兵所罷乙巳十月賊使入 闕脅請五條約五賊臣調印私許之相臣趙秉世判書閔泳煥
死之公時病大瘳不克赴 闕卽裁疏投進六槩以爲亟正五賊賣國之罪肆諸市朝次質萬國公行之法前後矜約一併還鎖使宗社復安
綸綱復明云云疏入遂 留中公曰吾以世臣 國事至此其敢自齒於平人乎卽復入先兆下惡衣食罪廢自居丁未 當宁受禪以百官
加親授陞嘉善庚戌七月又陞資憲宋秉畯賊等大擧變賊擧 二聖位號矜取某文而布揭一國 祖宗社稷至是而永絶矣公適先瑩矣
發大哭製遺疏以告訣因絶食不御積二十四日而終蹈方先生之俟盡也坦然雍容神氣益淸知舊門人來訣者或哽咽流涕或以大義致
讚賀先生輒呵止之與之講論經禮如平昔令侍者拈韻有吟曰舉目山河異顩大鄉復陷部惟匹夫諒無計報涓埃又曰腦中寧血盡此心
更虛明明日生羽翰逍遙上玉京賊聞而惡之脅之以兵欲飲食之時公已委席不能語忽蹶起大罵聲震山岳賊失色并謝而去遺命薄葬

勿用大夫之禮因正席而終於乎偉哉公配安東權氏冲齋忠定公之後我祖考杞泉諱承夏女也貞淑有行識男長卽中業次中執女適柳
淵鱗中業男棟欽棕欽出爲中執後女適參奉金龍煥士人柳東著權根中執女適金翰九柳淵鱗男樹澤樹璨次幼女適金鍾九李準英李
未行於乎先生鍾河嶽之靈禀五氣之完大發喩正路早日滿發方早歲立心固已遠大自期而庭氣節亢爽居鄉立朝率剛直自遂作事應
務應大體而圖久遠凡世間曲譎小惠皎厲矯沽者咸瞭然無當於心不悅者或相訾謷而先生亦不之恤也及中晩以後閱變熟而持養固
讀書多而得力深淬礪變化德器成就易直而平實弘大而謙卑壁立千仞而折權貫而和氣旁流於與傑細人默運機彁恢办大事而容詢
周及於子弟後生至於困橫變成得失毀譽與凡宿介纖怨咸蕩爲和風灑爲甘雨而廓然無滓髒矣以故當弊平之日有朝政闕矣可爭執
者入惟曰李某可言之有林大議可否斜紛者亦惟某公當裁之論仗義旅討賊捍亂者亦惟曰李公及 宗社淪覆論殉忠義無所坦疑者
惟曰李先生在赴車既出哭且相賀曰先生果爾也舉一世翕然無異辭焉於乎非養之厚積之貫信服之深能若是哉蓋先生家學既正出
而遊杞翁昆季之門深有所啓發而其爲學也曰得爲多不事標榜而惟務實踐常體復齋公頭容直之戒揭直齋二字於座右以自警省前
後衷以麋職遂離爲平生成其在兄弟以道義爲知己和怡之中警勉交至於宗族鄕黨姻戚朋友推誠心府城府絶無姑息假借意家居日
冠服拜廟退而矜矜自持敎本而抑末崇儉而黜華布衣竹帶擧止婆如也於經旨禮疑恪守先訓而痛辨拗論方邪說肆行怪倡和先生
長慮而深斥之欽默之中實有大川喬岳之功焉斯豈口耳面學之所可窺議哉先生嘗曰士貴立志志之旣立如一箇鐵柱撐竪在腔子裡
上徹頭貫天去下徹足貫地去要一刻撓轉不得惟其秉志如是故平生施爲誠篤剛健光明俊偉遂之無金石擧之無嶺呂而成就得德學
義烈之盛卓然有以答 祖宗生民之心而立天下萬世之紀者先生者殆孟子所謂善養氣孔子所謂求仁得仁者歟先生於經傳劄讀淹
貫爲文章宏渾有格力類其人品云先生旣歿其族子臺端公中彥續殉之弟學士公晩煃又秉節门靖吁其盛矣哉銘
士林經談道德臨大節鮮竪脚敦含生益厥則觀夫先生之從容而卓洛斯其爲實體眞踐之學也四尺之崇宇宙綱常凡百有邦觀此銘

章　後學永嘉權相翊謹撰

墓表

公諱晩燾字觀必姓李退溪文純公後大司成堯濟娶朔寧姜樸女无育繼娶僉樞宋在憲女 憲宗壬寅生公序居仲也出嗣季考通德
郞彙澈祖曾高若妣碣公 上宗丙寅魁庭試丁卯入玉堂徧歷淸要丙子守梁山壬午陞工議見和議成屢除承旨不就乙未試弑 國母
不發喪公縞素入日月山朔望登國思峯哭乙巳僞約請斬五賊不報復入山曰國事至此吾何敢息偃在家遂惡衣食以罪廢自居丁未
庚戌連陞嘉善資憲俄聞大變痛哭草遺疏絶食遺戒葬勿用大夫禮撈客著書如平時日兵脅勸食大聲叱却積二十四日而終卽九月八
日祔葬考兆子坐亦治命也淑夫人生員權承夏女生辛丑卒丙戌十二月十九日葬江亭山乾坐子中業中執女柳淵鱗棟欽棕欽金龍煥
柳東著權根金翰九柳樹澤樹璨金鍾九李準英內外孫男女也於乎公氣禀剛毅性度嚴整篤志力學早歲立揚陳善納誨之誠載國乘賑
飢興學之澤在郡民文章行義見遺集貞忠卓節立人紀扶世敎之功足以垂之無窮學者尊之謂響山先生不肖苟延更何敢私容嵇莊誦
文文山白贊書之墓石贊其曰孔曰成仁孟曰取義惟其義盡所以仁至讀聖賢書所學何事而以今後庶幾無媿

弟晩煃泣識

墓碣銘 並序

惟我 國家逢盛退陶夫子以道學啓一治文明之運 國家將終響山先生以節義扶萬世綱常之重盖道學節義殊道而一致異時而
同功不可一日相無於天壤之間而使東土生民受其賜於無窮者乎公諱晩燾字觀必響山號也李氏系眞城退陶先生爲東方儒學之祖
從祀文廟僉正寯子也牧使詠道孫也壬辱錄勳乔朝宋義 贈吏曹參判世席先隴簪組相承至知中樞世師 英廟朝請罷蕩平之論定
公高祖曾祖龜書參奉不仕祖家淳號霞溪應敎考彙濬號復齋大司成皆以達識淸望爲薦紳領袖後大人治城宋氏生公於 憲宗壬寅
出爲同產弟通德郞彙澈後所後妣海州崔氏外大父進士鳳煥公風儀俊爽性度剛正有器局外若鈍滯內甚通悟文雖不成誦歷歷引用

成童文詞已雄渾有氣力嘗勵志立揚屈指自矢曰不成名此不伸丙寅選解額旋魁庭試文科復齋公戒之曰士之出身時乎則致澤見危
則授命汝其勉之例陞成均館典籍遷兵曹佐郞司諫院正言選入弘文館以副修撰直日進講啓沃弘多登對陳勉又劉功精當同參諸老
宰相與嘖嘖稱歎及他論事章奏皆爲 國家長遠慮有古大臣風速 除南中學教授文兼宣傳官校理副校理掌令持平通禮兵曹正郞
應敎副應敎司諫執義司成樂正爲便養授梁山郡守時值呼癸寬賦賑飢多所濟活其闕於上司去就爭之卒行其志郡民去思又爲竪
憲東壁壬午陞通政拜工曹參議時 朝廷有和議決退鄕第再授工議同副承旨並不赴婆娑丘林讀書求志導迪後進爲設鄕飮鄕約以
作新之甲午賊臣擅命引寇八 闕官方服色與章文物一朝蕩然公慨然草封事讜言不諱沮格不得徹乙未禍及 國後矜制不發喪聞
變痛哭曰惟我 坤殿母臨三十年遭此千古所無之變爲臣子者不能舉義討復方喪之禮亦無地可行國之云亡一何至此以白布巾帶
入日月山中每朔望登山望哭十月復位號八縣庭成服嶺人士擧義推公爲盟主視事才八日宣諭罷兵入山屏迹殆十年及五賊擅許五
條約公方病大瘳忿不自勝治疏使子中業投進請斬賊銷約 留中不服乃曰國計至此病臣不能碎首 闕下敢偷列生命息偃在家當
生埋先壟遂入明洞自處罪廢丁未陞嘉善 太上王尊號覃恩也公愈不平不樂生庚戌陞資憲旋有無國之變適墓痛哭遺疏告訣絶
食至二十四日而終卽九月八日也先未終子姪泣請進食却之曰吾受 國厚恩一不死於乙未再不死於乙巳入山苟延有待也吾已絶
矣不死何爲以詩示志曰舉目山河異顩大鄕復陷鄕匹夫諒無計報涓埃腦中寧血盡此心更虛明明日生羽翰逍遙上玉京賊徒刼欲
强食公已頹臥不能言蹶起大罵聲不敢强遺命薄葬勿以大夫禮下斯時也天象必爲之變動而恨無望氣者傳以爲故事也乎培衍松同
日枯死里巷婦孺不火擧數日氣義之感於物與人有如此葬再遷於明洞先兆子坐淑夫人權氏籍安東父承夏號杞泉卽復齋公道義交
而公所師事者也夫人貞淑有禮先公殉葬江亭山乾坐二男長卽中業次中執有才行不壽柳淵鱗婿也長房二男棟欽棕欽系次房三女
適金龍煥參奉柳東著權根次房一女適金翰九柳婿三男樹澤樹璨樹 三女金鍾九李準英李未行嗚乎方公處義之日岡不曰東方有人

罔不曰扶植萬世綱常天之生公於今日東方又生公於先生家夫豈偶然哉權公相翊誌有曰朝廷有闕失可争執者人惟曰李若儒門大議論可裁當者亦惟曰李公仗義討賊亦惟曰李公殉忠報國亦惟曰李公澮川當時公評語而公始終可謂悉備矣若其立心制行孝友嫻睦居家從政出處處義文章學術中業家傳罔有滲漏非片石可載姑舉其大者公一生大小大事業皆誠心上做得來蓋幼少而晉覺以晉得者誠也出而事君責難陳善聽納如響者誠也居家而家理居官而事治顧言顧行踐履篤實以至於輝光而畢竟舍生取義扶竪倫常皆所以成就一個誠而已惺化人之常情公辦此至苦至難之事從容和泰若平常其所學亦可驗也夫中業千里冑炎徵爲牲石之刻顧余苟且偷生宜爲公輕賤而任其身後事獨不媿於心乎銘曰

退爺有孫樂山克竹勤篤之學剛直之操致澤授命有受庭敎非堯不陳幾於王道道之不行抱貞入山木石與居若將終身時値無國苟生爲耻屏食就盡如赴樂地炳炳義烈窮天亘萬求仁得仁而又何怨明山之阡有崇四尺他日有死願埋其側

幸州奇宇萬謹撰

黃　玹

黃玹ハ號ヲ梅泉トシ文學ノ造詣深ク儒林界ニ相當名望ヲ有スルモノニシテ併合ニ不滿ヲ抱キ自殺シタルモノナリ。

黃玹字雲卿全羅南道求禮郡人文章氣節冠冕士林有梅泉集行于世梅泉其號也有絶命時四首授其門人飲藥而盡其詞曰

亂離滾到白頭年。幾合捐生却不然。今日眞成無可奈。輝々風燭照皇天。
楚氛掩翳帝星移。九闕沉々晝漏遲。詔勅從今無復有。淋浪一紙淚千絲。
鳥獸哀鳴海岳顰。槿花世界已沉淪。秋燈掩卷懷千古。難作人間識字人。
曾無支厦半椽功。只是成仁不是忠。止竟僅能追尹穀。當年愧未躡陳東。

（韓國痛史）

序　　　　婺源江　謙敬持

爲國有學無小大強弱興亡未嘗無人爲學而通無新舊文質未嘗無用苟死而爲國無間於事濟不濟未嘗無所感於後之人日韓併朝之明年老友韓金滄江携其故人黃烈士詩文二卷囑爲序且傳示烈士生平始末及併朝後仰藥殉國之節臨終絶命之詞余觀之徵信韓不國久矣而黃君者非其人乎於時中國方惴惴於世界強弱興亡之懼全國熱血志士不惜摩頂濺血以爲政治改革之爭發難武漢之間而風揚於全國雄傑之士虎跳鷹揚而文人學子亦復攘臂奮起於其間兩月以來北廷悔禍且願罷兵聽民決議大事之成有日矣夫韓封故箕子固吾羲炎黃帝之裔韓之學自中國而其學之久而不適用全國之上倣倣於文藝又與中國同韓亡而論之者曰無人焉故也無學焉故也學不適用焉故也韓亡而中國有焉懼其弊同而禍將及也前此數年十數年之間中國憂時之士憤國之不振亡之無日或以争政或以暗殺或以蹈海而死如黃烈士慷慨之爲者先後相屬皆以爲智窮事極無所復之也今者中國之事烈士則不及聞焉使其聞之其鼓躍奮發而悔其死歟夫士生淫昏專制之世國事無一可措而但肆於詩文以寄其志與其苟進而自貶也及夫國家不幸宗社淪亡內度權力之薄外傷同志之孤決一死以告後之人與其偷生以辱國也而覘國者猶或致不足焉嗚呼詩文之學誠不適用仰藥伏劍誠無濟於時而孰知其所處之不幸而其志之可悲乎哉抑聞之詩者情之事也死者志之終也國家之強弱興亡遇也遇之幸不幸時也幸而成不幸而不成者跡也而發之者情成之者志決之者死時無常居跡無常襲苟情與志之不滅時其成而用之其必有幸焉君其以情與志遺韓之人乎哉則君之死猶生而詩亦可以不朽焉滄江老於詩文謂君於詩有別才善學蘇陸淸警富健其有焉於其刊也中華民國婺源江謙序之辛亥十一月二十日

梅泉黃公墓表　　　　學海朴文鎬

梅泉黃公殉國之明年其弟季方狀梅泉行事遠涉江湖訪余于懷仁山中見託以墓文且曰是滄江意也滄江金于霖澤榮號也始余少時與梅泉於漢京中相識遂定爲忘形之交放浪文酒間者三四年旣而余以親老決歸不復應擧入京後六七年梅泉乃得小成見時事日非不復有意於進取杜門讀書以自娛與余不相見者且三十年是則余於梅泉其所相知者只是案遊孫秀才耳未及識泰山孫明復先生今何足以發揮其實而徵信於久遠哉雖然人生論定在蓋棺後且必觀其所以蓋棺而梅泉之成仁一節旣如彼卓卓借使三十年間其遊戲調諧出入百家無改於昔時皆不害爲實地之事有用之學始信此而爲之者梅泉諱玹字雲卿梅泉其別號也姓黃氏始祖諱瓊仕新羅敬順王女官侍中始籍南原之長水縣子孫因貫焉後有諱袞官政丞佐　世宗致太平謚翼成諱進官兵使　宣祖癸巳立節晋州謚武愍事俱在國史又再世而諱暐官正言號塘村　仁祖丁丑以布衣勤王定其八世祖也高祖諱銓曾祖諱逵曾祖諱檝號竹溪以行義有聲鄉里中考諱時默溫然粹人也妣豐川盧氏諱攢女聰明絶人剛決有男子風梅泉以　哲宗乙卯十一月十一日庚子生于湖南之光陽縣西石村村在文德峯下昔有精堪輿術者指其地曰異日當有文章名世者出論者謂梅泉可以當之云生而羸弱多病爲人短小精悍疎眉廣顙其聰明剛決酷類盧夫人數歲時常持炭片畫墻壁若習書狀旣入學凡一過耳一寓目者至終身不忘殆若自知十一歲能詩塾師王川社大驚異之曰異日必爲名家稍習擧子業才名大噪遂馳驚湖左右場屋所至人爭聚觀如慶雲景星雖街童市豎亦皆知光陽黃童弱冠後出遊京城遍交一世名士與姜古懽瑋李甯齋建昌及金滄江相師友尤以李金託爲神交自是文章大進聞于國中　太皇帝癸未特設保擧科道臣以梅泉應選旣赴三日連試連捷竟於　闕庭面試下第遂移居于求禮郡萬壽洞有廢擧之意以親不許黽勉復從事戊子應生員會試考官知其名擢寘一等壬辰遭外艱翌年遭內艱旣免喪猶絶迹城市名其室曰苟安以教育後進爲事壬寅又移居于郡之月谷里乙巳十月之變聞而痛哭不食者累日乃作五哀詩以傷時又爲十節同詩列爲屏謂之嚶嚶屏置坐隅以自況及隆熙庚戌八月聞七月二十五日之報驚號悲憤却食六日作絶命詩四首遂仰藥明日戊寅寅時乃卒得年五十六以其十月二十日葬郡府之乳山村後艮坐之原殉以世說一部從遺意也娶海州吳氏顯胄之女育二男一女男長巖顯次胄顯出後仲父璲女適安東蘭所著有梅泉集十卷尙未刊行始梅泉之少也嘗齋刺候隣鄕之儒林老師將請業見其展兩手夾挑爐火心竊以爲儒者雖貴賤率何至於是不委贄而退遂厭世者陳腐之學而不之求惟專力於文章之業傾家貲購書三千卷身處其中晝夜披閱手不日釋或達曉不寐聞人家有奇文異書不遠數百里必借讀乃已九流百氏靡不通貫長於歷史兵刑錢穀之書尤熟明淸人文集常曰詩文出於性人之習性古今殊異生乎後世而强效前古則決無能成之理爲詩法蘇陸文則逼魏禧侯方域平生尙氣節以經濟自任慕胡忠簡陳同甫方遜志之爲人雖隱處田野心不忘世愛君憂國溢於色辭頗留意時務兼講外國之事其志非徒然也見顯貴人則好以言侵之不能容人之過必面質責之處家嚴有法閨門斬斬如朝廷敦宗族仁隣里尤篤於朋交識必往見沒必赴哭不以千里爲遠在成童時土寇陷光陽家適一空梅泉取家中斧鉀之屬作刀鎗數十謀設計禦之寇尋平不果試其敢毅勇決自幼已然矣處獨人常語季方曰汝兄性剛峭好奇節若遇板蕩之世必殺身至是果驗噫爲士者不幸値社屋之世雖無所得之地而有所受之天是以人無必死之責而身有當死之義此則非惟士也自皂隸厮賤凡頂天足地之類莫不皆然然而能實踐其義如梅泉者能幾人哉顧余無狀旣不得先事至歸如寧齋之爲安又不果見幾避擧如滄江之爲高今並不能臨事自裁如梅泉之勇烈澳忍偷生自取困苦於此世而乃靦顏以爲此文是豈免乎能言之鸚鵡也哉可愧已

本傳　　　　花開金澤榮

黃玹字雲卿其先湖南長水人至　世宗時領議政喜爲漢京大族數世子孫或返居湖南有忠淸兵使進及司諫院正言諱有聲於　宣祖　仁祖時自後微焉父時默質直好義娶豐川盧氏生玹於光陽西石村方其娠也盧氏行胎敎法雖一割必以正焉玹聰穎絶人未成童已能作詩驚人弱冠患鄕里僻陋北遊京師時李校理建昌文章冠薦紳國中名士自姜瑋以下莫不從遊玹贄詩以見建昌見詩大稱之由是名聲日起　太皇二十年特設保擧及第試玹對初試初擢策試官韓章錫見其文大驚擢爲第一旣而知爲鄕人改置第二及會試殿庭

報龍數年自先陽從求禮居二年以鄉貢初試生赴成均會試二所生員試而鄭判書範朝爲試官範朝纔第主事萬朝秦因建昌識玹而甚重其才見範朝言曰黃玹不得居前列是試猶不試耳範朝納其言選置第一盖再擧成均而始諧矣當是時　國家外憂日重而政事日謬玹無意進取遂杜門不入京師潛心文辭京師親友或貽書責長往諷答曰子奈何欲使我入於鬼國狂人之中而同爲鬼狂耶一時文學大官申箕善李道宰鄭寅學願結識而皆拒不應焉光武九年日本因克俄之勢遣人統監韓國先是玹友開城金澤榮以時事危棄官走中國之淮南玹慨然有從隱之志數寄書以通意而貧無財貲不能遂決獨盡古之處亂世潔身者梅福管寧張翰陶潛司空圖梁鴻家鉉翁謝翶顧炎武魏禧等十人各繫以詩作屛以觀隆熙四年七月日人遂併韓八月玹聞之悲悯不能飮食一夕作絶命詩四章又爲遺子弟書曰吾無可死之義但　國家養士五百年國亡之日無一人死難者寧不哉吾上不負皇天秉彝之懿下不負平日所讀之書冥然長寢良覺痛快汝曹勿過悲書訖引藥下之明日家人始覺弟瑗奔視之間有所言玹曰吾何言但可視吾所書也因笑曰死其不易乎當飮藥時離口者三吾乃如此其痴乎說而氣絶年五十六始盧氏有知人鑑嘗謂瑗曰死國難者必汝兄乎至是果驗玹廣顙踈眉目視短而右拗爲人豪爽方剛嫉惡如讐氣傲兀不帖帖於人見驕貴蹶動而折之其於生平所好者之遷謫死喪徒步走千里存吊者爲多讀書遇忠臣志士困阨痛寃事未嘗不汪然泣下學主乎通不屑從時俗講學者遊好考觀歷代史籍所載治亂盛衰之跡以及兵刑錢穀之制亦嘗留心於泰西利用厚生之術思有以救時之艱焉所作爲文章於詩尤深有蘇子瞻陸務觀之風卒之明年同郡士醵金刊梅泉集以行之梅泉玹自號也凡韓亡時與玹先後立節者又有錦山郡守洪範植判書金奭鎭參判李晩燾正言鄭在楗承旨李載允議官宋益勉監役金智洙武人全州鄭東植儒生延山李學純金義輿劉灼洪州李根周泰仁金永相公州趙章夏及宦者潘姓等凡十餘人而玹最以文學著

金澤榮曰玹詩淸切瀏勁在　本朝藝苑中指不多屈而其所咏古今人伏節捐軀之事者甚多莫不傾肝倒腸極其悲痛然後乃已非天性篤好而能然哉加盖褒於錦衣之上雖三尺之童無不知其美也以玹之文章而加之以棒節其光垂百世奚疑焉

黃梅泉先生像贊　　前人

其貌癯而其氣也抗其昧朦而其中也朗其尙文詞而其終也與尹穀爲黨豈惟乎矜曼膚頹如渥丹者之愧也可以泚世之粉飾道德者之類

梅泉公像贊　　後學開城王粹煥

此一片之相有時而退彩其文章無時而湮文章有時而或湮而其忠烈之氣無時不焰焰而千靑旻乎

先兄梅泉公事行零錄　　季弟 瑗

公以　哲宗乙卯十二月十一日庚子乙酉時生

形貌精悍如秋鷹竦立額豊有光氣眉踈髯淸亮眼短視而右拗準直耳懸齒細唇豁鬚長數寸

七歲入塾便能嗜讀書塾在家山之背數里路有松林父母慮有歇忠不令夜往公每乘間潛往讀書而歸

幼不好戲毎伶人來村前皐技村人皆聚觀而公獨讀書曰如其在塾也未嘗與同隊作嬉

幼在塾文理早融能代師敎同隊兒讀史略時能敎通鑑讀通鑑時能敎孟子讀孟子時無書不能敎

十一歲陪鼎中長老之讌始作詩曰鴈聲初落遊人席長老皆爲之驚

十四五歲赴本道試落筆生風試場諸生聚觀如堵無不嘖嘖稱奇

始讀朱子綱目一歲再周閱眼字皆森森至佛法始入中國問師曰此大事也而不綱而但目之何也師不能答

乙巳十月之變痛哭不食者累日聞諸公殉節之報作詩讚之旣又作十節詩以自況

庚戌七月二十五日　韓亡八月三日皇帝讓國詔至本郡公讀未半氣塞而止將詔紙束懸柱上余自外來取詔讀之公曰吾不忍聞汝

可往他處讀之余愧汗止之間公云今日有人望可死節者爲誰又曰某公今日不死殊非平日所望公莞爾曰不能自死而責人不死何可哉宗社淪亡之日人人皆可死獨有時望者哉初五日公與客棋者五夜得皇城新聞之報燃松肪閱之時有隣叟來者欲留與公宿公出酒餉三杯曰吾今夕有事君可往宿吾兒之所叟遂退去時四更也公閉戶作絶命詩因作遺子弟書先書當死之義云云因曰欽川欄稧治喪從儉以志吾前後喪傷貧之痛拙著詩文散在箱篋者可細尋成書詩則按年文則分門然後托明眼人綜理也隆熙四年舊曆秋八月六日曉燈梅泉絶筆書又補書曰書冊是吾精力所在可善守護今日之事當告汝曹而恐汝曹敗壞之故已之知舊處亦不能徧訣殊爲忍情鴉烟一錢二三分可以了吾事否若不了事當又奈何東碓下水田三斗落劃與季方書旣畢則鷄再鳴矣遂引鴉烟和座隅沙蔘火酒一盃下之酒卽平日所治痛疾者也請朝公長子岩顯知其事奔告于余余就視之公臥在北壁下見余竊視余大呼再三不應疑其昏沈欲扶起之公拂手曰汝何作此吾精神如常少無痛處若藥無效將奈何進童尿叢汁公推倒之余泣曰願有所言公曰汝年踰四十粗有覺知何惘成至此世事如此士固當死且如今日不死將來必不堪日日所見聞之逆心而至於萎枯而死豈如速死之安乎又問家事公曰吾忘家事久矣如干小小之事吾已有所書可取見之因笑曰下藥時離口者三吾其痴乎金孫可念可携置隣舍見嫂在傍麾之使去曰男子不絶於婦人之手嫂旣入謂余曰他日可以汝嫂旣葬於成余扶坐曰見之詩文綜理可托李耕齋否公沈吟久之曰聽金滄江則遂無梯矣自午時精神漸昏至七日鷄再鳴而絶

孫 秉 熙

天道敎主孫秉熙ハ大正八年ノ萬歲騷擾ヲ起シ服役中病死シタルモノニシテ民族主義者中ノ巨頭ナリ。

獨立運動

紀元四千二百五十二年三月一日卽我二千萬韓族擧正義人道之旗幟以忠信爲甲冑以赤血代礟火開創前古未有之徒手革命特估世界活舞臺之日也然而其謀始也自本部極至慎密故其擧行之定期與集會之位置惟爲各國首領及各校代表之決定者而倂未告於多數學生及一切團員矣至二月二十八日之夜始派學生兩人爲之臨機通知約以一日午刻齊集于塔洞公園擧行示威運動及其至也學生之不期而會者千餘已千餘人於是九年間渺無形新之太極旗突現於漢城中央飄颺大空有天道敎一員挺身登壇朗讀獨立宣言書讀畢萬歲聲轟如雷霆嗚呼吾族其爲異族之奴邪

宣言書(崔南善所著)

吾等玆宣言我朝鮮之爲獨立國朝鮮人之自由民以此告於世界萬邦而闡明人類平等之大義以此誥於子孫萬代而永有民族自存之正權　仗我半萬年歷史之權威以宣告焉合我二千萬民衆之誠忠以布明焉爲我要族恒久如一之發展而至張焉基於人類良心之發露而爲順應並進乎世界改造之大機運而提起焉是天之明命也時代之大勢也全人類共存同生之權之正當發動也天下何物能阻止此抑制此耶

乃犧牲於舊時代遺物侵畧主義强權主義之下備嘗有史以來累千年未有之異族箝制之苦痛者已十年矣凡剝奪我生存權者幾何障礙我心靈上發展者幾何毁損我民族尊榮者幾何我以新銳獨創而得世界文化大潮流之寄與補裨之機者被其遺失幾何

噫欲宣暢我舊來之抑鬱擺脫我時下之苦痛芟除我將來之脅威與新伸張我民族的良心國家的廉義之壓縮消殘者遂我各個人々格之正當發達不以苦恥的財產遺與我可憐之子弟導迎我子々孫々永久完全之慶福者惟確實我民族的獨立爲最大急務二千萬各個人懷方寸之刀以人類通性及時代良心之正義軍與人道之干戈爲其護援今日吾人進而取之何强不挫退而作之何志不展

丙子修好條規以來時々種々食金石之盟約日本之無信固可罪也學生於講壇政治家於實際視我祖宗世業以植民地遇我文化民

族以土昧人徒征服者之貪慾而已無視我久遠之社會基礎卓越之民族心理日本之無義固可責也而吾人方急於策勵自己矣無暇怨尤他人急於綢繆現在無暇懲辦宿昔今日吾人之任但有自己之建設而決不在於破壞他人也以良心上嚴肅之命令開拓自家之新運命而決非以宿怨與一時感情嫉他排斥他也彼羈縻於舊思想舊勢力之日本爲政家爲功名的犧牲而有不自然不合理之錯誤者使之改善匡正歸還於自然與合理之正經大原也當初兩國合倂非出於民族的要求者故畢竟合倂之結果以姑息的威壓與差別的不平而統計數字上虛飾之下利害相反之兩民族間永遠不和怨溝益深乃今日之實蹟也誠能以勇明果敢廓正舊誤基眞正理解之同情打開友好之新局面豈非彼此間之遠禍召福之捷經乎且對二千萬含憤怨之民專以威力拘束者非止障碍東洋永久之和平而已因此而爲東洋安危之四億萬中華人對於日本而危懼猜疑赤益濃厚其結果必致東洋全局共倒同亡之悲運也明矣今日吾人之謀獨立使朝鮮人獲遂正當之尊榮也並使日本人救出於邪路全其支持東亞者之責也使中華人脫免於夢寐不安之恐怖也且世界平和人類幸福以東洋平和爲重要一部則朝鮮獨立爲必要之階段豈區々感情上問題已哉嗚呼新天地展開於眼前矣威力時代已去而道義時代斯屆矣過去全世界之所鍊磨長養之人道的精神方投射新文明之曙光於人類歷史上矣新春已來於六界催萬物之回蘇閉蟄呼吸於凍氷寒雪者彼一時也振舒氣脈於和風暖陽此一時也吾人際天地之復運乘世界之變潮固無所躊躇忌憚也護全我固有之自由權俾享我生旺之樂發揮我自足之獨創力結細我民族的精可也

吾等今茲奮起矣良心無我同存眞理與我並進無論男女老幼皆活發奮起於陰鬱之古巣與萬彙羣衆得遂欣快之復活千百世祖靈佑我於冥々全世界發運爲我外護着手卽成功也第向前頭之光明而驀進也哉

公　約

一、吾人今日此舉爲正義人道生存尊榮之民族的要求須要發揮自由之精神決毋逸走於排他之感情

一、以最後一人最後一刻爲限快々發表我民族之正當意思

一、一切行動務要尊重秩序使吾人主張之態度一出於光明正大貫徹始終

朝鮮民族代表孫秉熙吉善宙梁甸伯李昇薰梁漢默金昌俊李鍾一申錫九韓龍雲李弼柱白龍城金完圭金秉祚權東鎭權秉悳羅龍煥羅仁協劉如大李甲成李明龍李鍾勳林禮煥朴準承朴熙道朴東完申洪植吳世昌吳華英鄭春洙崔聖模崔麟洪秉箕洪基兆等三十三人同時倂以運動主謀被逮者白相奎安世桓林圭金智煥崔南善咸台永宋鎭禹鄭魯湜玄相允李景燮韓秉道金弘奎金道泰朴寅浩盧憲容金世煥康基德金元璧等十八人(獨立運動血史)

姜　宇　奎

總督政治ニ不滿ヲ抱キ大正八年九月一日南大門(現在城驛)驛頭ニ於テ新任齋藤總督一行ヲ狙擊シタル兇漢ニシテ幸ニ總督一行ニハ異狀ナカリシモ其ノ他ニ多數ノ死傷者ヲ出シ死刑ニ處セラレタルモノナリ。

姜老俠爆擊齋藤

彼殘忍暴惡之日人欲以虐殺政策鏟除吾族之文明舉動而吾族之抵抗愈烈世界之輿論激昂彼乃更試譎策聲言政治改良且日此韓人反對長谷川之個人而非反日本統治也欲以此爲解於輿論而倂欲緩和吾族之熱憤乃遞長谷川職而以齋藤實男代之則吾族於此有如何對付耶於是姜宇奎(燦九)之爆彈一聲代表吾族心理更震世界耳目矣若於此際無此一舉者彼必日韓人歡迎新總督而確信新政改善也若是則數月間全國民之流血光采幾被掩飾矣姜宇奎字燦九平安南道德川郡人長身豐貌氣字軒昂質直勁毅勇於爲義以貧故中歲移寓咸鏡南道洪原爲耶蘇敎傳道師倡設學校以敎育爲事國亡義不爲仇國臣僕乃移住中領之吉林延吉縣而往來西

伯利各地對我同胞鼓發祖國思想甚得青年之歡心乃被日人所忌再遷饒河縣設光東學校以敎子弟至四二五二年三月吾國民有獨立運動我父老之在俄領者組織老人同盟團而宇奎以六十五歲爲團員乃代表該團將入本國京城決計倭總督齋藤鑄鐵製爆彈置之懷中經元山以八月五日到京城新總督齋藤實以九月一日着南大門驛先是有暗殺黨入京之風說故彼之警戒十分嚴密日軍司令官各官吏衛以軍警齊出歡迎復有各國領事及吾國官民之觀光者擁擠左右于時齋藤夫妻出自貴室乘車宇奎突以爆彈擊之乃中其後車火着齊藤衣服幾危其命政務總監水野微傷慟走大阪每日新聞特派員山口滿鐵理事久保重傷其他傷者合三十餘名程是吾國人心爲之一振而日人大驚極力搜索此際宇奎圓眼默禱上帝待警官之來捕而彼詎意暗々老翁有此激烈行動哉宇奎乃回館從容自在數十日而無如青年男女以嫌疑被捕受惡形變死者衆宇奎慨然曰豈可以我之故而累及無辜多人耶乃自首就縛入獄受訊而舉其謀刺總督之理由侃々說明豪膽自若聲色俱厲滯獄多日嚴責日人之蠻行彼亦屈而從之我青年之因者莫不壯而歎之時復自作詩歌以花爲快至今年三月十四日自彼地方法院開第一回公判崔子南許炯吳泰泳三人以連累入庭宇奎以被告着席目光如焰叱獄吏日吾有腰痛不堪踞床更持椅子來因對審問而抗辯日日本以不義倂吾國爲世界人道之所不容而我以大韓臣民豈奴服於爾耶乃放浪海外從事於宗敎啓發人心養成人才以圖光復決心以死而後已日本無韓國統治之能力而所謂同化尤係癡夢長谷川亦知難而退矣齊藤不顧天意人心而貿然來韓爲擾亂東洋平和之戎首於我爲不共戴天之讎此余所以謀殺也至十八日第二回公判而宣告宇奎死刑崔子南處役二個年許炯處一年六個月吳泰泳處一年而日人俱不服至二十五日而宣告判決我人之傍聽者大激悲憤一時市民之集合者數千餘名疾呼獨立萬歲宇奎亦和而唱之聲振遠近殺氣滿城日兵乃號令解散先是十四日公判也平壤市民開示威運動自西門至南門及大同門群衆雲集呼萬歲爲宇奎表敬祝谷南戶皆撤市神學堂爲之罷課者兩日(獨立運動血史)

昭和九年四月二十日
昭和九年四月二十一日

朝鮮總督府警務局

印刷所　京城府觀水洞百三十四五番地　合資會社 大和商會印刷所
印刷者　京城府觀水洞百三十四五番地　江口寛治

大正十三年五月

本道青年會狀況

全羅南道

目次

青年會狀況

第一章　本道ニ於ケル青年會ノ由來

本道ニ於ケル青年會ハ大正四年頃早クモ其ノ發生ヲ見タルカ急速ニ增加ノ傾向ナク僅カニ一、二會ヲ算スルノミナリシモ大正九年ニ入ルヤ俄然トシテ其ノ設立增加シ漸次其ノ數ヲ加ヘ以テ今日ニ迨ヘリ

當時ニ於ケル青年會カ如何ナル動機ニ因リテ設立セラレタルカヲ考察スルニ大体ニ於テ時勢ノ進展ニ伴ヒ朝鮮ノ青年子弟カ智力向上ノ必要ヲ感シタルト又內地ニ於ケル青年團ノ實況ヲ目擊シ朝鮮ニ於テモ亦社會ノ進步發達上切ニ之カ必要ヲ感シタルニ由ラズンハアラス然シテ大正九年ニ至リ俄然其數ヲ增加セシハ大正八年ノ騷擾後ニ於テ朝鮮ノ官制改革ニ伴ナヒ統治ノ方針トシテ文化政治ヲ宣言セラレシト朝鮮人中新思想ヲ有スル青年者間ニアリテ文化向上實力養成ノ自覺心頓ニ勃興シ之カ組織ヲ促進シタルニ因ルモノト謂フヲ得ヘシ

右ノ如キ狀況ニテ大正十年迄ニ四十六團体ノ設立ヲ見タリシカ試ミニ其ノ動機如何ヲ調查スルニ

設立ノ動機	大正四年	仝五年	仝六年	仝七年	仝八年	仝九年	仝十年	計
教育ノ普及ヲ圖ラントスルモノ	—	—	—	—	—	一	二	三
社會ノ風紀ヲ改善セントスルモノ	—	—	—	—	—	八	二	一〇
青年會設立ノ風潮ニ動カサレタルモノ	—	—	—	—	—	九	六	一五
青年ノ修養ヲ圖ラントスルモノ	一	—	一	二	一	九	四	一八
合計	一	—	一	二	一	二七	一四	四六

備考　大正十一年以降ニ於テハ全部道ノ指導方針ニ基ツキ設立セラレツアヽリ

以上大正十年以前ニ於ケル各青年會カ其ノ目的トシテ標榜スルトコロヲ見ルニ大抵共通ニシテ智德ノ修養体育ノ奬勵風紀ノ改善等青年ノ修養上一トシテ適切ナラサルモノナキカ如キモ而モ實行之ニ伴ハサルニ至リ徒ラニ空理空論ニ走リテ時勢ニ不平ヲ鳴ラスカ如キ弊ヲ生セリ從テ當初ハ甚大ノ同情ヲ以テ應援シ費用ヲ寄付スル有志者ナト多カリシガ後ニハ却テ之ヲ厭ヒ前ニ好意ヲ以テ援助セシ者モ漸次之ト遠サカルノ結果トナレリ

爾後兩三年間ニ於ケル青年會ノ活動ヲ見ルニ自己修養ノ方法トシテハ運動競技（主トシ

テ庭球）演説討論會夜學會等ヲ開催シタルモ孰レモ其熱心ト費用トノ欠乏ニ因リ十分ナル活動ヲ為ス能ハス間ニハ青年間ニ於テ演劇ナトヲ仕組ミ巡回開演セル團体モアリシカ之カ收入ヲ以テ何等有益ナル事業ヲ企テタル事實ヲ見ス唯或ル團体ニ於テハ流行病豫防注射ノ際之カ説明勧誘ニ努メ或ハ又モルヒネ注射防止ノ為ニ警察官憲ニ助力シテ之カ撲滅ニ從事シタル等ノコトアリシノミ

尚大正八九年頃ニ於テハ内地ニ留學セル男女生等カ文化運動ナリト稱シ演説會或ハ音樂團等ヲ組織シテ各地方ヲ巡廻スルモノ尠ナカラス是等ニ對シテハ各青年會共極力之カ後援ヲ圖リ旅費ヲ給與スル等助力ヲ吝マサルノ風アリシカ大正十一年頃ヨリハカヽル學生團ノ巡遊シ來ルモノモ殆ント跡ヲ絶チ偶々來ルモノアリテモ青年會ニ於テ多クハ之ヲ顧ミサルノ状況ナリ　更ニ大正九年頃ヨリ漸次盛大トナレル教育熱ノ勃興ハ非常ナル勢ヲ以テ昂騰シ延イテ翌十年ニ入ルヤ其熱度ハ一層熾烈ノ度ヲ加ヘシカ時恰モ教育令ノ改正ニヨリテ普通學校ニ入學スヘキ學齢ヲ引下ケタル結果多數ノ入學不能者ヲ生シ來リ是等可憐ノ兒童ハ志アルモ教育ヲ受クル能ハズ資力アルモ學フ能ハサルノ不幸ニ陥リタリ依ツテ各青年會ニ於テハ是等兒童ヲ救濟スルノ意味ヲ以テ夜學會或ハ學術講習會等ヲ開催シ所謂救濟教育ニ着手シ或ハ又勞働夜學會ナト、稱シテ特ニ貧民ノ子弟ヲ收容シ或ハ又幼稚園類似ノ施設ヲナセシモノモアリシカ是等ニ對シテハ父兄モ頗ル同情ヲ寄セ援助ヲ

三

與フルモノモ尠カラサリキ　大正十二年ニ入ルヤ道施設トシテ是等年長兒童若クハ入學不能ノモノ、為ニ附設學校ノ經營ヲ見ルニ至リシ為メ青年會經營ノモノハ漸次減シ來リシモ今尚ホ依然トシテ繼續スルモノモ少ナカラス

如上傳染病豫防ニ或ハモルヒネ注射防止ニ或ハ救濟教育ニ少ナカラサル貢献ヲ為セシモ青年會トシテ第一ノ目的精神タル青年夫自体ノ修養ニ至リテハ之ニ着手スルモノ頗ル少ナク偶々之アリトスルモ多クハ運動遊戯ニ節制ナク時間ヲ浪費スルカ或ハ又多少新聞雑誌ヲ購讀セシ位ノモノニシテ會ノ經營ヲ目的トスル共同作業若クハ社會奉仕ノ為ニ汗ヲ吝マサル勤勞作業ノ如キハ極メテ寥々タリ

尚青年會員ノ年齢ニ就テハ大正八九年頃ニ於テハ年齢三十歳以上ノ人モ尠カラス會長若クハ幹部中ニハ四十歳乃至五十歳餘ノ者モアリシカ爾後次第ニ改善セラレ近來ニ至リテハ漸ク青年ノ青年會ヲ現出スルニ至レリ是レ實ニ青年ノ自覺ト進歩トヲ証スルモノト云ハサル可カラス是等幹部中ニ於テハ夙ニ内地ニ留學シテ新教育ヲ受ケタリシ人モ尠カラス從ツテ其ノ標榜スルトコロ極メテ高ク其ノ目的ハ會員自体ノ修養ニアラスシテ寧ロ民衆ノ指導一般ノ警告ト稱スヘキ態度ナリシカ其ノ言論ノ餘リニ空漠ニシテ世人ノ耳ニ入ラス從ツテ青年ヲシテ眞摯勤勉ナル實力アル青年タラシメ青年會ヲシテ眞ニ青年修養ノ機關タラシムルカ如キ實際ニ適切ナル思慮ト施設トヲ見ル能ハサリシハ當時ニ於ケル青

四

年ノ自覺心不十分ナリシト指導者タルヘキ中心人物ノ欠乏セシニ職由セスンハアラス

第二章　青年會ニ對スル本道ノ方針

本道ニ於ケル從來ノ青年會中ニハ其ノ設立ノ動機カ青年修養ノ機關タルヘキ青年會ノ目的ニ合致セサルモノナシトセサルモ道トシテ濫リニ抑壓的方針ニ出テンカ文化政治ノ根本義ト背馳スヘク又青年ノ元氣ヲ善導助長シテ之ヲ有用ニ活動セシメ文化ノ進展ニ貢献セシメントスルノ趣旨ニ反スルニ至ルヘシ然リト雖之ヲ放任シテ其趨クカマヽニ振舞ハシメンカ却テ不健全ナル状態ヲ助長シ其ノ元氣ヲ濫用スルノ結果放縱不羈ニ流レ其ノ前途ヲ謬マラシムルヤ必セリ故ニ本道ニ於テハ深ク此点ニ留意シ大正十一年二月管内府郡島ニ對シテ左ノ如キ通牒ヲ發シ之カ指導監督ニ關スル方針ヲ懇示セリ

（一）指導ニ關スル通牒

青年團体ノ指導監督ニ關スル件（第一次通牒）

大正九年以降各地ニ青年團体ノ設置セラルヽモノ多ク今ヤ道内ヲ通シ其數四十九、團体員實ニ四千八百有余名ヲ算スルノ状況ニ有之之カ指導監督宜シキヲ得各團体ノ健全ナル發達ヲ促スニ於テハ地方ノ開發上稗益スルトコロ多大ナルモノ可有之若シ反之其ノ指導

五

監督ヲ等閑ニ附シ其ノ嚮フ所ヲ誤ラシメ或ハ施設宜シキヲ得サルコトアランカ所期ノ目的ヲ達成シ得サルハ勿論其ノ弊ノ及フ所測リ知ル可カラサルヲ認メ本道ニ於テハ之カ善導ノ緊切ナルヲ感シ客年十一月青年修養講演會ヲ開催シ施政方針ノ周知徹底ヲ圖リ地方青年ノ責務ニ關シ詳細懇示スル所アリ將來ニ於テモ此ノ計劃ヲ續行スルノ外更ニ諸種ノ指導方法ヲ確立セントスル計劃ニ有之候條貴官ニ於テモ之ノ趣意ヲ体シ常ニ青年團体ト密接ナル接觸ヲ保チ左記ノ各項ノ指導方針ニ準據シ將來一層其ノ善導ニ努メ之カ完全圓滿ナル發達ヲ遂ケシメラレ以テ地方開發ノ先驅者タルノ使命ヲ完ウセシメラルヽ樣御留意相成度依命及通牒候也

追テ爾後既設團体ニ對シテハ毎年十二月末現在ニ依リ二月末日迄ニ前年内ニ於ケル

一、會員ノ異動數及役員氏名
二、財政經理ノ概要
三、實施事業ノ概況
四、指導監督ノ状況
五、右ニ對シ地方民ノ意嚮
六、其他參考トナルヘキ事項

新設團体ニ對シテハ設立ノ都度

六

一、設立年月日並設立ノ動機
二、會員數及役員氏名
三、既設團体ニ對スル毎年十二月末現在ニ依ル報告事項中二、三、四、五、六項該當ノ事項ヲ御報告相成度申添候

記

一、青年團体ハ青年修養ノ機關ナルヲ以テ其ノ本旨トスル所ハ青年ヲシテ健全且ツ善良ナル國民タルノ素質ヲ得セシムルニ在リ從テ團体員ヲシテ忠孝ノ本義ヲ体シ品性ノ向上ヲ圖リ體力ヲ增進シ實際生活ニ適切ナル智能ヲ研キ剛健勤勉克ク國家ノ進運ヲ扶持スルノ精神ト素質トヲ養成セシムルヲ要ス
二、近時一般思想界ハ世界大戰乱ノ彰響ヲ受ケ混乱ヲ來タシ一般民衆ニ於テモ其ノ適從スル所ヲ知ラサルノ狀況ナルモ特ニ青年ニ對シ其ノ彰響スル所深甚ナルモノアルヲ認ムルヲ以テ此ノ際其ノ嚮フ所ヲ誤ラシメンカ地方ノ開發並ニ朝鮮統治上由々敷惡影響ヲ及ホスモノ可有之ヲ以テ青年ニ對シテハ併合ノ精神ヲ闡明シ文化政治ノ本義ヲ說示シ其ノ適從スル所ヲ知ラシムルヲ要ス
三、青年團体ノ指導監督ニ當リテハ能ク青年ノ心理ヲ諒解シ理ヲ以テ之ヲ誨ヘ情ヲ以テ之ヲ掖ケ身ヲ以テ範ヲ示シ苟クモ其ノ歸趨スル所ヲ誤ラシメサルヲ要ス

四、青年團体ノ本旨ハ自主自立以テ其ノ力ヲ展ヘシムルニアリ隨ツテ其ノ組織ハ之レヲ自治的ナラシムルニ努メ團体ノ事ヲ統フル者ハ之ヲ團体員ノ中ヨリ推擧セシムルヲ要スヘク官公署ノ長學校長及地方有力者ハ顧問ノ地位ニアリテ互ニ連絡ヲ圖リ相提携シテ團体ノ後援者ト爲リ誘掖指導シ之カ發達ヲ助成スルヲ要ス

以上

次テ同年六月一層具体的ニ指導ノ方針ヲ確立シ設置ニ關スル趣旨ヲ明白ニスル爲左ノ通牒ヲ發セリ

青年會ノ指導竝ニ設置ニ關スル件（第二次通牒）

青年會ノ指導ニ關シテハ本年二月八日附地秘第四十號通牒ノ方針ニ御準據可相成ハ勿論更ニ左記ノ各項ニ御留意ノ上別紙設置要領ニ基ツキ積極的ニ指導後援相成度依命及通牒候也

記

一、青年會ニシテ政治上ノ目的ヲ有シ且ツ其運動ニ加ハルカ如キハ絕對ニ避ケシムヘシ
一、內鮮人共通ノ青年會組織ニ關シテハ內鮮融和ヲ阻害セサル樣特別ノ考慮ヲ要ス
一、既設ノ青年會ニシテ健實ナル發達ヲ爲スノ見込アルモノハ十分指導後援ヲ爲シ其ノ發達ヲ助長スル事
一、青年會ノ新設ハ適當ナル中堅人物ヲ得ル地方ニ限リ別紙設置要領ニ準據シ之ヲ援助スルコト
一、青年會ニ於テ私設學術講習會等ヲ設置スル場合ニハ相當ノ便宜ヲ與フル事
一、青年會ニ於テ總會ヲ開催スル場合ハ相當助力ヲ與ヘ之ニ出席スヘキハ勿論開會ノ期日ヲ道ニ豫報セラルヘキ事
一、道ニ於テハ活動寫眞ノ巡廻映寫及ヒ當務者ノ講演等相當後援ヲ爲ス事

青年會設置要領

一、青年會ノ目的
青年會ハ會員ノ修養機關ニシテ健全ナル國民タルヘキ素養ヲ得セシムルヲ以テ目的トス
一、青年會ノ組織
青年會ハ小學校公私立普通學校其ノ他ノ諸學校書堂等ヲ中心トシ其ノ出身者及ヒ之ト同年齡以上ノ者ヲ以テ組織シ會員ノ最高年齡ハ成ルヘク三十年迄トス
一、青年會ノ設置區域
青年會ハ土地ノ狀況ニヨリ小學校又ハ普通學校設置區域面又ハ洞里等ヲ區域トシ若クハ支部ヲ設クルモ差支ナシ

一、青年會ノ綱領
イ、道義ヲ重ンシ勤勞ヲ尙トヒ品性ノ向上ヲ圖ル事
ロ、學力ヲ補充シ處世上實地應用ノ智能ヲ研磨スル事
ハ、共同ノ精神ヲ重ンシ健全ナル國民タルノ性格ヲ陶治スル事
ニ、智織慾ヲ向上シ讀書趣味ノ增進ヲ圖ル事
ホ、身體ノ鍛錬ト衛生トニ注意シ體力ノ增進ヲ圖ル事
一、青年會ノ指導並ニ擁護
青年ノ修養ハ會員各自ノ自發的努力ヲ本トスルモ會ノ盛衰ハ一ニ之カ中心人物タル者ノ奮勵如何ニアルヲ以テ適切ナル方法ニ依リテ養成ト善導トニ力ヲ致シ更ニ又學校長官公吏其他地方名望家協力シ擧ツテ之カ擁護ヲ爲サシムル事
一、青年會ノ維持
青年會ノ維持ニ要スル經費ハ會員ノ勤勞ニ成ル收入ヲ以テ支辨スルヲ原則トス寄附金義捐金ノ如キハ成ルヘク之ヲ避ケシムヘキモ緊要已ムヲ得サル適切事業ニ資セントスルモノニアリテハ相當ノ援助ヲ與フル事

今本通牒ニ於ケル青年會設置要領ヲ説明シ以テ本道ノ指導方針ヲ明瞭ニス可シ

以上

(一)青年會ノ目的

青年會ハ會員ノ修養機關ニシテ健全ナル國民タルヘキ素養ヲ得シムルヲ以テ目的トス

皇太子殿下ハ大正九年十一月二十二日ヲ以テ全國青年會代表者ニ對シテ「國運ノ進展ハ青年ノ修養ニ須ツコト多シ」トノ令旨ヲ御下賜相成リ尚又大正十一年道知事會議ニ於テ朝鮮總督ハ「青年ノ指導啓發ハ社會教育上最モ重要ノ事ニ屬ス殊ニ完全ナル學校教育ノ恩惠ニ浴シタルコトナキ幾多ノ青年ヲ有スル朝鮮ニ於テ然リト為ス彼等ニ對シ何等教化ヲ行フノ施設ヲ為ササラムカ或ハ奇激ノ思想ニ感染シ其前途ヲ誤ルニ至ルナキヲ保シ難シ」ト示サレタリ之ニ依ツテ見ルモ青年會ナルモノ、目的カ青年ノ修養ニアリテ彼等ヲ善導シテ將來ニ於ケル良民タリ健全ナル國民タラシメントスルニアルハ何等疑ヲ挾ムノ餘地ヲ存セス惟フニ國家ノ進運ハ國民ノ元氣ヲ旺盛ナラシムルヲ以テ根本トセサルヘカラス然シテ國民元氣ノ大半ハ實ニ其體力ト心力ト共ニ旺盛ナル青年ノ意氣ニ俟ツモノ多シ萬一之ヲ等閑ニ附シ恣ニ其ノ為スカ儘ニ放任センカ貴重ナル青年元氣ヲ國家有益ノ方面ニ集注セスシテ或ハ酒食遊興ニ或ハ惡戯爭鬪等ノ方面ニ天與ノ元氣ヲ濫用シテ全ク價値ナキ醉生夢死ノ生活ヲ遂クルニ至リ所謂青年ノ使命タルヘキ

國運進展ノ扶翼得テ望ムヘカラサルニ至ルヘシ是實ニ青年時代ニ於ケル修養ノ一日モ等閑ニ附スヘカラサル所以ニシテ國家ノ勢力消長ニ關スル大問題ナリト云ハサル可カラス青年ノ元氣ヲ善良ナル方面ニ伸展セシムヘク訓練シ修養セシムヘキ機關ノ存在ヲ要スル理由實ニ此ニ存ス

更ニ約言スレハ青年會ナルモノハ現代國民ノ後繼者タル青年ヲシテ善良ニ且ツ有意義ニ社會的生活ヲ遂ケシムヘク之カ豫備練習ノ機關トシテ相互ノ會合ニヨリテ常識ヲ進メ社交ニヨリテ協調互助ノ精神ヲ發達セシメ學力ノ補充ニ或ハ社會奉仕ノ試練ニ實生活ニ適切ナル智能ヲ研磨セシメ誠實勤勉眞ニ國家社會ノ一員トシテ又人類トシテ價値アルヘキ文化的生活ヲ遂ケシムヘク教養セント欲スルトコロノ機關タルニ外ナラサルナリ

(二)青年會ノ組織

青年會ハ小學校公立普通學校若クハ實業學校書堂等ヲ中心トシ其ノ出身者及ヒ之ト同年齡以上ノ者ヲ以テ組織シ會員ノ最高年齡ヲ三十年迄トス

學力補充ニ常識向上ニ體力增進ニ或ハ社會奉仕ノ試練ニ成ルヘク其ノ智德ヲ實際的ニ練磨セシムルカ青年會ノ目的タル以上之カ組織ニ於テモ成ルヘク其目的ヲ實現セシムルニ都合ヨキ中心点ヲ求メサル可カラス卽チ小學校及公私立普通學校實業學校書堂

等ハ其ノ性質上最良ノ中心タラスンハアラス殊ニ各學校所在地ニアリテハ智識アル青年ノ大部分ハ學校ノ門ニ出入シタル者ニシテ從ツテ其ノ學校ハ實ニカヽル青年輩カ幾年間螢雪ノ苦ヲ共ニ母校タルノ緣故ヲ有シ多クハ校友會若クハ同窓會等ノ存在ヲ見ル故ニ新ニ青年會ヲ組織セントスル場合ニ在リテモ先ツ第一着手トシテ是等ノ諸會ヲ助長シテ之ヲ中堅トシ次第ニ同窓以外ノ青年ヲモ網羅セシメ其發達ヲ促スニ於テハ之カ指導者ヲ得ル点ヨリ見ルモ組織上最好都合ナルノミナラス學力補充ノ為メニ夜學會講習會等ヲ開催スル場合ニ於テモ利便極メテ多カルヘキヲ認ム由來補習教育ナルモノハ學校教育ノ延長ニシテ教育程度低キ朝鮮ニ於テハ一層ノ必要ヲ感セスンハアラス又學校ヨリ見ルモ卒業生ハ母校ノ胎內ヨリ社會ニ產出サレタル嬰兒ニシテ其發育ノ如何ハ親切ナル教師等カ無關心ニ看過シ能ハサルトコロナリ此事情ヨリ考察スルモ小學校普通學校等ヲ以テ青年會組織ノ中心トスルコトハ最其當ヲ得タルモノト認メサルヲ得ス

更ニ書堂ニ至リテハ既ニ洞里ニ於ケル青年カ農閑時期ニ於ケル學習場タリ又集合ノ會館タルモノニシテ是等書堂ノ青年等ハ現在ニ於テハ未タ青年會トシテノ自覺ヲ有シ居ラサルニセヨ將來ニ於テ是ヲ意義アル集團ト為スニハ最モ都合ヨキ事情ノ下ニアリト云ハサル可カラス殊ニ書堂學生ノ先達タル訓學生ナルモノハ確ニ其ノ集團中指導者中堅人物ト認メテ差支ナカルヘク是等ニ相當ノ援助ト自覺トヲ與フルニ於テハ必スヤ穩

健ナル發達ヲ遂ケ得ヘキ素質已ニ成レルモノト認ム尚會員ノ年齡ニ就キテハ初等教育ノ終了以後卽十四五才又初等教育ヲ受ケサル者ニアリテハ學齡滿了後ニ於テ入會セシムルコト、シ約三十歲ヲ以テ最高トシ修養實踐等ニ就キテハ成ルヘク其ノ年齡ニ應シテ適切ナル方案ヲ定ムル必要上二十歲以下ハ少年部以上ハ青年部ト云フカ如ク適當ナル部署ヲ定メ彼等ノ心力ト體力トニ適應セル事項ヲ考慮シテ應分ノ活動ヲ為サシメ彼等ヲシテ嫌怠ノ念ヲ起スコトナク愉快ナル趣味ヲ以テ活動スヘキ機會ヲ與フル樣注意スヘキハ勿論ナリ

(三)青年會ノ設置區域

青年會ハ小學校、普通學校設置區域ヲ區域トシテ設置ス但シ土地ノ狀況ニ依リ面又ハ洞里ヲ區域トシ若クハ支部ヲ設クルモ差支ナシ

青年會ナルモノハ所謂地方鄉黨子弟ノ集團ナルヲ以テ成ルヘク鄉土的感情ヲ同一ニセル者集リテ一團タルヘキ性質ヲ有スヘキモノタルヤ明カナリ又其ノ發達ノ道程ヨリ見ルモ且又其ノ活動スヘキ事業ノ關係上ヨリ見ルモ小學校普通學校等ノ設置區域ヲ以テ限ルカ或ハ面洞里等ニ限リ所謂同學同窓若クハ同鄉同部落等ノ鄉土的情誼ヲ基礎トシテ組織セシムルコト設置上最利便トス當初ヨリ意志感情ノ輯睦セサル多數ノ會員ヲ徒ニ尨大ナル團体ヲ組織シ訓練不徹底ノ為メニ節制行ハレス龍頭蛇尾ニ終ルカ如キハ

成ルヘク之ヲ避ケ寧ロ漸進主義ヲ執リ次第ニ健全ナル集團タラシメ着實ニシテ秩序アル活動ヲ為サシメンコトヲ要ス

（四）青年會綱領

イ、道義ヲ重ンシ勤勞ヲ尚トヒ品性ノ向上ヲ圖ル事

人ノ人タル價値ハ實ニ道義的觀念ノ厚薄如何ニ存ス故ニ當局ニ於テハ青年會員ヲシテ忠孝ノ本義ヲ體シ品性ノ向上ヲ圖ランメ或ハ又堅實ノ風俗ヲ興シ剛健ノ風ヲ養ヒ其ノ使命ニ副ハシメ或ハ又華美頽唐ノ風ニ染ムコトナク益々篤實剛健ノ氣風ヲ興サシメン事ヲ期セリ是實ニ青年ヲシテ益々道義的觀念ニ厚カラシメ併セテ勤勉力行ノ美風ヲ興サシメ淳良ナル郷風ヲ釀成セシメントスルニ外ナラス然ルニ近時ニ於ケル青年ノ思潮ヲ見ルニ往々ニシテ冷靜ノ思慮ヲ失ヒ殆ント盲目的ニ新奇ヲ喜ヒ是非ヲ究メスシテ舊風ヲ破壞セントスル者モ尠カラス其ノ主張ニ曰ク「吾等ハ解放セラレタリ吾等ハ自由ナリ平等ナリ改造ノ前ニハ破壞アリ舊思想ノ所有者ハ皆是吾人ノ敵ナリ」ト彼ノ文化運動ト稱シテ周遊演說スル男女學生ノ所說一トシテ右ノ如クナラサルハナシ然シテ世ノ多數青年中ニハ是等ノ言動ニ魅セラレ共鳴ヲナス者決シテ尠シトセス彼等ノ考慮ハ極メテ皮相的ニシテ如何ニシテ朝鮮ノ文化ヲ實際的ニ向上セシメントスルカニ關シテハ何等ノ具体的ノ考案ナク徒ラニ理解ナキ民衆ニ對シテ空論的ニ文化問題ヲ注入セ

ントスルカ如キ突飛無思慮ヲ敢テスル者尠カラス是等ノ青年ニ對シテモ決シテ之ヲ冷遇スルコトナク徐ニ世界ノ大勢ヲ洞察シ自己ノ活クヘキ途ヲ考慮セシメサル可カラス又一般ノ青年ニ對シテハカ、ル突飛奇激ノ思想ニ捉ヘラレサル以前ニ於テ青年トシテ立ツヘキノ途ヲ敎ヘ活クヘキカ為メノ道德活クヘキカ為メノ忠孝活クヘキカ為メノ社會組織ナルモノヲ充分ニ理解セシメ以テ文化生活ヘノ進路ヲ示ササル可カラス如何ニ高遠ノ理想ヲ說クモ生活ヲ離レテ人生ナシ「衣食足リテ禮節ヲ解シ倉稟充チテ榮辱ヲ知ル」ハ人世ノ常道ナリ故ニ勤儉以テ產ヲ興シ先ツ生活ノ安定ヲ得テ初メテ理想ヲ追フコトヲ得ヘシ自ラ產ヲ治メスシテ焉ンゾヨク社會ヲ指導シ得ンヤ故ニ如何ナル目的モ如何ナル理想モ之ニ到達スルノ第一着手ハ勤勞ノ一途ニアルコト明白ナリ之カ為ニハ會員ヲシテ左記ノ如キ事項ニ就キ為シ易キモノヨリ實行セシムルコト、セハ道義觀念ノ涵養ハ固ヨリ勤勞習慣ノ養成上極メテ價値アルモノト認ム

尙齒會　善行篤行表彰會　先賢紀念會　惜陰會　一日一善會

早婚禁止會　禮法講習會　舊習調査會　風致擁護會等

ロ、學力ヲ補充シ處世上實地應用ノ智能ヲ研磨スル事

青年等カ小學校普通學校若クハ書堂等ニ於テ受得タル智識ハ尙極メテ初歩ノモノニシテ國民トシテ卑近ナル處世上ノ常識ヲ取得セルニ過キスシテ上級學校ニ進マサル者

ニアリテハ學力補充ノ必要極メテ大ナリ故ニ青年會員タル者ハ業餘ニ於テ各自智德ノ研磨ニ力ヲ用フヘキハ勿論會員共同シテ夜學會若クハ講習會ヲ開催シテ學力ヲ補充シ或ハ又諸種ノ機會ニ於テ講演會ヲ開キ學科若クハ技能ニ關シ可成實際的ノ智能ヲ取得シ之ヲ處世上ニ應用スルノ途ヲ講セサル可カラス青年會ナル機關ハ修養方面ヨリ見テ學校敎育ノ延長タリ處世的ヨリ見テ社會生活ノ準備タルヘキハ異論ナキトコロ只此ノ道程ヲ成ルヘク有益ニ通過セシムルヤ否ヤニ依リテ青年會ナルモノ、効果ハ定メラルヘキモノナリ左記諸會ノ如キハ青年ノ學力補充上最利益アルモノナリ家庭敎育ノ不充分ナル朝鮮ニ於テハ特ニ然リトス

夜學會　講習會　講演會　研究會　調査會　報告會等

ハ、共同ノ精神ヲ尊重シ健全ナル國民タルヘキ品性格ヲ陶冶スル事

社會道德ノ精神ヲ陶冶シテ互讓協調ノ美德ヲ涵養セシメ四海同胞共存共榮ノ意義ヲ發揮セシメンニハ之カ訓練ニ對シ十分ノ力ヲ用ヒサル可カラス青年等カ一堂ニ會シ臂ヲ把テ談笑スル事已ニ社交ノ發端ニシテ社會生活ノ實地練習ナリト云ハサル可カラス初メヨリ餘リニ嚴肅ナル問題ヲ提供シテ成年ニ等シキ活動ト効果トヲ青年ニ要望スルカ如キハ甚深ノ注意ヲ要ス團体ノ結束未タ固カラサルニ當リテ一時ニ多大ノ事項ヲ實行セシメントシテ會員ノ意氣ヲ鈍クシ開會ノ當初ニ於テ會員ノ念頭已ニ厭忌ノ感ヲ萌

シ之カ為メニ會ノ發達ヲ阻止セルカ如キハ其例敢ヘテ珍トセス故ニ當初ニアリテハ餘リニ功ヲ急クコトナク修養ノ一面ニアリテハ弊害ナキ範圍ニ於テ運動遊戲ヲ為サシムルモ可ナリ娛樂モ亦不可ナラス可成便宜ノ方案ヲ設ケテ青年ノ集合ヲ促シ團体的心理ノ漸ク發生スルニ至ラハ茲ニ初メテ團体トシテ意義アル共同的活動ヲ起サシムルヲ得策トス會ニ於テ更ニ進ンテ社會奉仕トシテノ献身的活動ヲ起サントスルニ至ラハ青年會トシテノ社會的訓練ハ稍々成レリト稱ス可シ

共同植林　共同開墾　共同養蠶　共同貯金　共耘會　共同購買會等

ニ、智識慾ヲ向上シ讀書趣味ノ增進ヲ圖ル事

青年等カ小學校普通學校若クハ書堂等ニ於テ修得セル智識技能ナルモノハ將來處世上遭遇スルトコロノ諸問題ニ對シ之ヲ理解スヘキ基本的概念ヲ取得セルニ外ナラス故ニ青年ノ智德ヲシテ更ニ進展セシメンニハ彼等ノ環境ニ於テ時々刻々ニ生シ來ルヘキ幾多ノ實際問題ヲ雲煙過眼視セシメス常ニ周到ナル注意ト考察トヲ拂ハシムルコト青年指導上極メテ緊要ノ事ニ屬ス天文、地理、人事、動植物其他苟クモ吾人ノ耳目ニ觸ル、モノ一トシテ智識取得ノ材料タラサルナク一トシテ修養ノ問題タラサルハナシ故ニ是等諸問題ニ對シテハ誤リナキ觀察ノ下ニ充分ニ能ク之ヲ理解セシメ或ハ之ヲ利用シ或ハ之ニ順應スルノ途ヲ會得セシメサル可カラス特ニ學校敎育ヲ受ケサル青年ニ對

シテハ特ニ先輩ニ於テ懇切ニ指導ヲ加ヘ常識修養ノ途ヲ講セシメンコトヲ要ス更ニ青年ノ讀物トシテ適當ナル書籍或ハ雜誌等ノ購讀ニヨリテ知見ヲ開拓セシムルコトハ修養上効果頗ル多ク且ツ一朝讀書ニ興味ヲ生スル時ハ隨時隨處ニ於テ他人ヲ煩ハスコトナク自ラ智識ノ増進ヲ圖ルノミカ之ヲ自家職業上ニ應用シ得ルノミナラス處世上ニ於ケル常識ノ修養ニ於テモ至大ノ利益アルコト論ヲ待タス

讀　書　會　　新聞雜誌講讀會　　貸出文庫ノ設置

ホ、身体ノ鍛錬ト衛生トニ注意シ体力ノ増進ヲ圖ル事

一國文化ノ發達ハ國民智徳ノ向上ト一面其ノ根本タル体力ノ强弱如何ニ關スルコト至大ナリ故ニ青年會ニ於テハ常ニ此点ニ留意シ各種ノ方案ヲ講シテ体育ノ奬勵ヲ圖リ青年ノ身体ヲ鍛錬スルノ必要アリ彼ノ庭球或ハ野球等ノ如キ之ヲ理解セサル人ヨリ見ルトキハ或ハ贅澤用ノ遊戯無ナルカ如キモ青年ノ元氣惡用ヲ防キ又社交的生活ヲ爲サシムル点ヨリ見ルトキハ決シテ無効ナルノミナラス青年ノ集團ヲ圖ル点ヨリ見テモ頗ル有益ナリト云ハサル可カラスカヽル見地ヨリスル時ハ運動遊戯以外ノ娯樂ニ於テモ弊害ナキモノハ或程度迄之ヲ許容スルモ差支ナカルヘシ元來人類ノ本能ナルモノハ單ニ理智ノ生活ニノミ滿足シ得ヘキモノニアラス殊ニ幼青年時代ニ於テ最然リトス青年會ニ於テモ左記各種ノ運動遊戯等ハ會員ノ嗜好ニ滿足ヲ與ヘ集團ヲ愉快ナラシムルニ

於テ頗ル効果アルモノナリ

野球、庭球、體操、角力、運動會、遠足登山、體格表彰、衛生講話、漁獵會

(五)青年會ノ擁護並ニ指導

青年ノ修養ハ會員各自ノ自發的努力ヲ本トスルモ會ノ盛衰ハ一ニ之カ中心人物タル者ノ奮勵如何ニアルヲ以テ適切ナル方法ニヨリテ之カ養成ト善導トニ力ヲ致シ更ニ又學校長官公吏其他地方名望家等協力シ擧ツテ之レヲ擁護スル事

青年ハ人トシテハ未タ完成セルモノニアラス學校教育ヨリスレハ單ニ健全ナル國民タルヘキ初歩ノ教育ヲ受ケシ者多ク又社會生活ヨリ見レハ未タ複雜ナル人事的關係ヲ了解シ居ラス故ニ之ヲシテ青年タルノ目的ヲ達セシメンニハ特ニ指導者並ニ擁護者ノ必要ヲ感セスンハアラス更ニ又會員ノ中堅タルヘキ優良ノ青年アリテ卒先シテ事ニ當ルニアラサレハ會ノ發達容易ニ望ムヘカラス指導者ト中堅青年トハ實ニ會ノ棟梁ニシテ擁護者ハ即チ會ノ墻壁ナリ然シテ指導者タル者果シテ何人カ最適當ナルヘキカト云フニ成ルヘク青年ニ同情ヲ有シ青年ヲ理解シ社會モ亦之ニ信頼シ之ヲ崇敬スヘキ人ヲ以テ最理想的ノ人物トセサル可カラス如此考察シ來レハ小學校長普通學校長等ヲ以テ最適當ナル者ト認メサルヲ得ス知事會議ニ示サレタル總督訓示ニモ明ラカニ小學校長普通學校長等ヲ以テ指導者トシテ最適任ナルコトヲ訓示セラレタルハ事實上右ノ如キ

有力ナル理由ノ存在ニ基因スルモノト信ス或ハ又當該地方ニ於ケル名望アル官公吏若クハ有志者等其地方ノ狀况ニ應シテ指導者タラシムルコトハ會ノ發達上極メテ有効ナリトス然シテ一旦青年會ヲ設置セシメタル以上ハ官憲タルト有志タルトヲ問ハス直接若クハ間接ニ之ヲ擁護シ有力ナル國民トシテ自己ノ後繼者タラシムヘク提撕誘掖スヘキハ青年會ニ對スル社會的義務タルト同時ニ國家ノ進運ニ對スル最大奉仕タリト云ハサル可カラス

(六)青年會ノ維持

青年會ノ維持ニ要スル經費ハ會員ノ勤勞ニ因ル收入ヲ以テ支辨スルヲ原則トス寄附金義捐金ノ如キハ成ルヘク之ヲ避ケシムヘキモ緊要已ムヲ得サル適切事業ニ資セントスルモノニアリテハ相當ノ援助ヲ與フル事

自動自立ハ眞ニ青年團体ノ生命ナリ故ニ其ノ維持ニ要スル經費モ亦當然會員ノ自給ニ俟ツヘキハ論ヲ要セス青年ハ將來ニ於テ一家ノ主人トシテ一國ノ良民トシテ自ラ活キ又家族ヲ扶養スヘキ大責任ヲ有スルモノナリ故ニ青年ナル者ハ將來ニ於ケル社會生活ニ對スル豫備的ノ試練トシテ自己ノ勤勞ニヨリテ會費ヲ得基本財産ノ造成ヲ圖ルヘキハ青年修養上最有効ノ事ト云ハサル可カラス萬一青年ニシテ其ノ本領ヲ誤リ自己勤勞ノ神聖ヲ忘却シテ依賴卑屈ノ念ニ驅ラレ他ノ寄附義捐等ノミヲ要望スルカ如キハ全

ク青年ナルモノヽ本領ヲ沒却セルモノト云ハサル可カラス况ヤ會員ノ多數ヲ賴ミ地方官憲ナトニ對シ寄附ヲ强要スルカ如キハ實ニ恕ス可カラサルノ非擧ト云ハサルヲ得ス然レトモ社會奉仕上青年ノ事業トシテ最緊要適切ト認メラルヽ事項ニシテ青年會ノ資力ヲ以テハ到底之ヲ實現スルコト至難ナリト認ムヘキモノニアリテハ指導者タリ擁護者タル人々ノ了解ヲ得關係官廳ニ對シテ相當ノ手續ヲ了シ有志若クハ地方一般ニ向ツテ資力上ノ後援ヲ受ケ其ノ目的ヲ達成セントスルカ如キハ必スシモ不可ナリトセス

第三章　青年會指導ニ關スル本道ノ施設

本道ニ於テハ前章ニ記述セルカ如キ青年會ノ實況ニ鑑ミ地方ノ改良發達上之ヲ等閑ニ附カラサルヲ看取シ先ツ第一着手トシテ青年會ノ使命ノ如何ナルモノナルカヲ十分ニ理解セシメ青年會員ノ社會的地位ヲ自覺セシムルコトノ急務ナルヲ察シ大正十年ヨリ毎年一回管内府郡島ニ於ケル青年會中ヨリ中堅幹部タルヘキ者ヲ道ニ招致シ青年修養講演會ヲ開催シ道當局ノ意ノ存スル所ヲ十分ニ了解セシメ延イテ地方青年會ノ啓發ニ努メシムルコト、シ或ハ又指導員タル二名ノ囑託ヲ置キテ常ニ管內各地方ヲ巡回シテ直接指導ノ任ニ當ラシメ或ハ又內地視察團ヲ組織シテ內地ニ於ケル文化發達ノ狀况ヲ視察セシムル等指導ニ力ヲ用ヒツヽアリ今其ノ概况ヲ述フレハ左ノ如シ

(一)青年修養講演會

本講演會ハ大正十年初メテ實施シタルカ當時ノ計畫要領等次ノ如シ

大正十年青年修養講演會計劃要領

一、期間大正十年十一月十五日ヨリ十九日迄五日間

二、各府郡島青年會ノ幹部ト同スヘキモノヲ左ノ標準ニヨリ二名宛總計四十七名ヲ道ニ招致ス

イ　可成普通學校卒業以上ノモノ

ロ　國語ニ堪能ナルモノ

ハ　年齡三十歲以下

ニ　新政ヲ諒解シ健實ナル思想ヲ有スルモノ

三、招致シタル青年ニハ在住地ヨリ道迄ノ往復旅費及滯在中ノ宿泊料ヲ支給ス

四、講師ニハ道ノ幹部之ニ當リ現在青年ノ須知事項ニ付講演ス

尙又科外ノ催トシテハ道ノ地方改良活動寫眞ヲ映寫シ或ハ又慈惠醫院ノ見學ヲ爲サシメ最終日ノ夜ハ懇談會ヲ開催シタリ

右ノ施設ハ新政以來本道ニ於ケル靑年會ニ對シ道施設最初ノモノタリシヲ以テ之カ實施上極メテ愼重ナル考慮ヲ拂ヒタリ會同セル靑年ハ當初ハ多少疑懼ノ念ヲ以テ之ニ臨

ミタルノ風アリシモ極メテ温情アル講演者ノ態度ニ接觸シ且懇切ナル講演ノ趣旨ヲ克ク了解シ日々五時間ニ亘ル講演ニ對シ毫モ倦怠ノ色ナリ始終熱心ニ傾聽シ難解ノ事項ニ對シテハ質問ヲ發スル等頗ル緊張セル態度ヲ爲シ宣傳用活動寫眞ノ映寫並ニ慈惠醫院ニ於ケル╳光線ノ實驗及最終日ノ懇談會ノ開催等ハ會同者ノ衷心感謝セル所ナリキ要スルニ此ノ講演會ハ確カニ其ノ目的ヲ達成ヲ青年會ノ中堅タル人物ヲシテ初メテ青年會ナルモノ、社會ニ於ケル地位ト責任トヲ明瞭ニ理解セシメ得タリシハ地方改良ノ根本的事業トシテ極メテ有益ナルモノナリキ加之此ノ會同ニ於テ更ニ有益ナリシハ會同者カ是迄青年會ニ對シテ執リ來リシ本道當局ノ方針カ消極冷淡ナリシト云フ誤解ト僻見トヲ一掃セシメ得タル一事ナリ

而シテ爾來每年度引續キ之ヲ開催シツ、アリテ其ノ狀況ノ概要ヲ示セハ左ノ如シ

青年修養講演會一覽

要項	大正十年度	仝十一年度	仝十二年度
期間	十一月十五日ヨリ十九日迄五日間每日五時間	三月二十六日ヨリ仝三十日迄仝上	二月二十六日ヨリ三十日迄仝上
出席員數	四七	三九	五一
出席員資格	普通學校卒業以上ノ學力アリテ國語ヲ善クスルモノニシテ新政ヲ了解シ思想堅實ナルモノ青年會ノ中堅若クハ將來中堅タル見込アル者	仝上	仝上
會員ノ年齡	三十歲以下	仝上	仝上
講師	道ノ幹部	仝上	道ノ幹部並本府囑託
講演ノ題	○知事訓話 ○文化政治ノ根本義 ○民風振興ニ就テ ○內地青年會實況 ○農村ノ金融 ○輓近民心ノ傾向ト其ノ指導 ○地方青年ノ責務	○知事訓話 ○文化政治ノ根本義 ○文明ニ就テ ○警察ト民衆 ○地方青年ノ責務 ○政正敎育令ノ要旨 ○現下ノ面治 ○地方青年會員ノ使命	○知事訓話 ○我ノ說 ○經濟振興ト青年活動 ○青年會ト修養團 ○本道敎育施設ノ概況 ○面治ト青年 ○青年問題ニ就テ
會員出席ノ費用	現下ノ面治 地方費ヨリ支給	仝上	仝上

右ノ如ク引續キ施行シ來レルカ此ノ施設ハ一般青年ノ歡迎スルトコロトナリ大正十二年度ノ如キハ出席希望者超過ノ趨勢ヲ來タシ私費ヲ以テ聽講スル者ヲ生スルニ至レリ

然シテ道ニ於テハ之カ費用ヲ辨スル爲メ地方費中ヨリ年々千五百圓ヲ支出シツ、アリ

(二)地方改良指導員

本道ニ於ハ大正十一年度ニ於テ一名(內地人)仝十二年度ニ於テ更ニ一名(朝鮮人)ノ囑託ヲ置キ間斷ナク管內ヲ巡回セシメ或ハ講演ハ或ハ幹部接觸ニ力ヲ致サシメ會ノ發達ニ關スル諸般ノ施設ニ對シ直接間接ニ助力セシムル等出來得ル限リ温情主義ヲ以テ指導セシメツ、アリ

(三)青年內地視察團

更ニ本道ニ於テハ青年會員ノ知見ヲ廣メ思想ヲ啓發セシムル目的ヲ以テ各青年會幹部中ヨリ府郡島各一人宛ヲ選出セシメ內地ニ於ケル文物制度ヲ視察セシムルノ目的ヲ以テ青年視察團ヲ組織シ大正十一年第一回ヲ施行セシニ會員孰レモ非常ナル興味ヲ以テ內地ニ於ケル地理風俗並ニ文化發達ノ狀況ヲ目擊シ其ノ文化ノ因テ來ル所ヲ考ヘ更ニ之ヲ本道各地方ノ狀況ト比較シ一層努力改善ノ必要ヲ感シ大ニ地方改發ノ爲ニ力ヲ致サントスルノ傾向ヲ生シ來レリ爾來引續キ實施中ニシテ青年ノ思想向上ニ稗益スルトコロ少カラス大正十二年度及大正十三年度ニ於テハ其ノ視察方面ニ對シテモ單ニ都會地ノミニ限ラス併セテ農村地方ニ於ケル產業敎育其ノ他隣保輯睦ノ狀況等ヲ視察セシメタル結果一層ノ稗益ヲ與ヘタリ其ノ狀況ヲ示セハ左ノ如シ

青年視察團一覧

要項	大正十一年	仝十二年	仝十三年
旅行期間及期間	五月二日ヨリ向フ三週間	四月十六日ヨリ三週間	五月十日ヨリ三週間
視察個所	宮島、大阪、奈良、宇治、山田、名古屋、東京、日光	宮島、呉、廣島縣廣村、大阪、奈良、京都、滋賀縣小津村、東京、東京府下戸倉村、日光	京都、大阪、神戸、岡山縣中津井村、仝瀬戸村、宮島、福岡縣八幡製鐵所、田島村
團員ノ選定	地方青年中指導者タルヘキモノ嘗テ内地ニ渡航シタルコトナク新政ヲ解シ健實ナル思想ヲ有シ成ルヘク普通學校以上ノ卒業者ニシテ國語ヲ善クスルモノ教員郡屋員面職員等ノ公職ニアル者ハ推薦セサルコト地方青年會ノ幹部ト協議シ意見ヲ斟酌スルコト	仝上	仝上
員數	二三	二三	二三
引卒者	道府郡島職員	仝上	仝上
旅費	壹人二〇〇圓内百五十圓ハ地方費ヨリ補給	壹人一八〇圓内一五〇圓ハ地方費ヨリ補給	壹人一三〇圓内一〇〇圓ハ地方費補給

第四章 青年會ノ現況

本道ニ於ケル大正十三年一月末現在青年會數ハ一〇四團体ニシテ會員壹萬五千三百三八ヲ算シ其ノ事業トシテハ自己修養ニ或ハ社會奉仕ニ力ヲ致スモノ多數ナルモ或ハ設立後何等事業ヲ開始セサルモノナシトセス今左ニ其事業ノ性質ニヨリテ大別スレハ

夜學會、講演會、早起會、体育會等ヲ開催シ或ハ青年文庫、圖書閲覧所等自己ノ修養ヲ目的トシテ事業ヲ施設スルモノ　一八

自己修養ト併セテ基本財産若クハ會費造成等ノ為メニ貯蓄共同耕作共同植林等ヲ為スモノ　一〇

社會奉仕ノ為ニ學術講習所女子夜學會勞働夜學會等ノ經營ヲ為スモノ　二三

地方ニ於ケル風俗ノ改善ヲ圖ルモノ　二一

其ノ他約三十會ハ設立以來未タ事業ニ着手セス右ノ中ニ就キ道當局ニ於テ調査ノ結果成績佳良ト認ムルモノニ對シテハ地方費中ヨリ其ノ事業ノ状況ニ應シテ相當ノ補助ヲ給シ其ノ發達ヲ助長シツヽアリ今大正十一年度以降ニ於ケル補助状況ヲ示セハ左ノ如シ

年度	團体數	金額
十一年度	一五	六二五
十二年度	一五	一、一二〇

尚大正十三年度以降ニ於テモ引續キ補助ノ見込ナリ

如上本道ノ青年ハ或少數ノ一部分ヲ除クノ外其ノ思想概シテ穩健ニシテ漸次空論ヲ棄テ、實際的修養ニ赴キツヽアルモ尚概シテ農村青年タルノ自覺ヲ有セス甚タシキニ至リテハ青年會ヲ以テ一種ノ政活的團体ノ如ク誤解シ居ルモノモ無シトセス然レトモ之ヲ數年前ト比較スレハ次第ニ青年ノ青年會トナリ今ヤ年長者ノ背景若クハ夫等ノ機關トシテ弄ハルヽカ如キモノハ全ク其跡ヲ絶ツニ至リタリト雖モ尚自己修養ノ機關トシテノ事業未タ備ラズ且又會ノ經營若クハ農村ニ於ケル協同生活ノ改善向上ニ對シテ熱烈ナル努力ヲ為スモノ、寥々タルハ頗ル遺憾トスル所ナリ之カ為ニハ青年會ノ中心幹部タル者ノ奮勵ハ因ヨリ之カ指導者擁護者タル人々ニ於テモ更ニ一層ノ盡力ヲ要スルモノアルベシ

附錄

第一章 內地ニ於ケル青年會

第一節 青年會ノ沿革並ニ當局ノ指導方針

內地ニ於ケル青年團ノ起源ハ頗ル古ク早クモ德川時ニ代於テ之カ發生ヲ見タリト云フ卽チ當時ニ於ケル若者仲間ナルモノニ起原シ此ノ若者仲間ナルモノハ仲間親睦機關ニシテ村社祭典ノ世話ヲ為シ或ハ村內ノ弱者貧困者ヲ保護スルカ如キ事ヲ為シタリト云フ薩摩ニ於ケル健兒社各農村ニ於ケル若者組卽チ之ナリ

然ルニ維新後次第ニ小學校卒業者增加シ昔ノ若者組ハイツシカ今日ノ青年會ト變化シ特ニ日露戰役前後ニ於テハ其ノ性質モ一變シテ私的ノモノヨリ公的ノモノトナリ從軍者ノ為ニ種々ノ世話ヲ為シ或ハ又死者傷病者ノ為ニ弔慰ヲ為シ又ハ留守宅ノ世話ヲ為セルガ如キ著シキモノナリ而シテ是等戰時ニ於テ働キタルモノハ平時ニ於テモ村ノ公益ノ為ニ働キ今日ノ如ク勸業、土木、衛生、教育等ノ事業ニ手傳ヲ為スト同時ニ自己修養ノ為ニ夜學若クハ講演會等ヲ開催シテ智德ノ向上ヲ圖リ或ハ又体育運動ヲ勵ミテ体力ノ發達ヲ圖リ又當局ニ於テモ種々ノ方法ヲ設ケテ青年會ヲ擁護シ之カ善導ニ努メツヽ、アリ偖テ從前我國ニ於ケル青年會ハ多ク事業本位ニシテ會員ノ年齡モ統一セスソノ組織モ區々タリ

シガ大正四年九月内務文部兩大臣ノ訓令ニ依リ青年會ヲシテ純然タル自己修養機關トシ其會員ノ年齢ヲ制限シ一大改革ヲ斷行セリ此ノ訓令ニヨリ各地ニ於ケル青年會ハソノ組織ヲ變更シ團体ノ形式ハ充分整ヒタルモ未ダ内容貧弱ナルヲ以テ大正七年五月再ビ内務文部兩大臣ノ訓令ヲ以テ修養ノ實ヲ擧グルニ必要ナル要項ヲ示シタリソノ結果青年團ノ實績見ル可キモノアルニ至リシモ尚青年ノ青年團タルノ實ヲ備ヘスシテ老壯識者ノ支配下ニアリシヲ内務文部兩大臣ハ大正九年一月三度訓令ヲ發シテ團体ノ事ヲ統ブル者ハ之ヲ團体員中ヨリ推擧スルヲ本則トシ自主自立大ニ其ノ力ヲ展ブベキ旨諭サレタリ

而シテ大正九年十一月二十二日ニハ畏クモ　皇太子殿下ヨリ全國青年團員二百七十余萬人ヲ代表シテ明治神宮ヘ參拜シタル七百名ガ高輪御殿ニ奉伺セル際別項ノ令旨ヲ下賜セラレタリ越エテ十一月二十四日四度内務文部兩大臣ノ訓令アリタリ

(1) 青年團体ニ關スル第一回訓令

青年團体ノ設置ハ今ヤ漸ク全國ニ洽ネク其ノ振否ハ國運ノ伸暢地方ノ改發ニ影響スル所殊ニ大ナルモノアリ此ノ際一層青年團体ノ指導ニ努メ以テ完全ナル發達ヲ遂ケシムルハ内外現時ノ情勢ニ照ラシ最喫緊ノ一要務タルヘキヲ信ス

抑々青年團体ハ青年修養ノ機關タリ其ノ本旨トスル所ハ青年ヲシテ健全ナル國民善良ナル公民タルノ素養ヲ得セシムルニアリ隨テ團体員ヲシテ忠孝ノ本義ヲ体シ品性ノ向上ヲ圖リ体力ヲ増進シ實際生活ニ適切ナル知能ヲ研キ

剛健勤勉克ク國家ノ進運ヲ扶持スルノ精神ト素質トヲ養成セシムルハ刻下最モ緊切ノ事ニ屬ス其ノ之ヲシテ事業ニ當リ實務ニ從ヒ以テ練習ヲ積マシムルモノ亦固ヨリ修養ニ資セシムル所以ニ外ナラス若シ夫レ團体ニシテ其ノ嚮フ所ヲ誤リ施設其宜シキヲ得サルコトアランカ啻ニ所期ノ成績ヲ擧ケ得サルノミナラス其ノ弊ノ及フ所測リ知ルヘカラサルモノアラム故ニ地方當局者ハ須ク此ニ留意シ地方實際ノ情況ニ應シ最モ適切ナル指導ヲ與ヘ以テ團体ヲシテ健全ナル發達ヲ遂ケシメンコトヲ期スヘシ

大正四年九月十五日

内務大臣　法學博士　一木喜德郎
文部大臣　法學博士　高田早苗

(2) 内務文部兩次官通牒

青年團体ニ關シ今般内務文部兩大臣ヨリ訓令ノ次第モ有之候處右團体ノ組織設置區域其他ニ關シテハ大体左記標準ニ依リ指導相成候樣致度尤モ此ノ際強テ該標準ニ據ラシメントスル儀ニハ無之候ニ付其邊ニ就テハ十分御留意ノ上深ク地方實際ノ情況ニ鑑ミ其ノ宜シキヲ制セシムル樣御指導相成度此段及通牒候也

一、青年團体ノ組織　青年團体ハ市町村内ニ於ケル義務教育ヲ了ヘタル者若クハ之ト同年齢以上ノ者ヲ以テ組織シ其ノ最高年齢ハ二十年ヲ常例トスルコト

二、青年團体ノ設置區域　青年團体ハ市町村ヲ區域トシテ組織ス但シ土地ノ狀況ニヨリ部落又ハ小學校通學區域等ヲ區域トシテ組織シ若クハ支部ヲ置クコトヲ得ルコト

三、青年團体ノ指導者、援助者　青年團体ノ指導者ニハ小學校長又ハ市長村長其他名望アル者ノ中ニ就キ最モ適當ト認メタル者ヲシテ之ニ當ラシメ市町村吏員學校職員警察官在郷軍人神職僧侶其他篤志者中適當ト認ムル者ヲシテ協力指導ノ任ニ當ラシムルコト團体員ニシテ團体員タルノ年齢ヲ過キタル者ハ團体ノ援助者トシテ其ノ力ヲ竭サシムルコト

四、青年團体ノ維持、青年團体ニ要スル經費ハ努メテ團体員勤勞ニ依ル收入ヲ以テ之ヲ支辨スルコト

(3) 青年團体ニ關スル第二回訓令

青年團体ハ青年修養ノ機關タリ曩ニ其ノ本旨ノ存スル所ヲ訓令シ更ニ其ノ依遵スヘキ所ヲ通牒セシメタリ爾來時勢ノ進展ハ益々之カ振興ノ機運ヲ促進シ經營並ニ指導又漸ク眞摯ヲ加ヘタリト雖モ組織ノ井然タルモノアルニ比シ内容往々ニシテ之ニ伴ハス多クハ尚點睛ヲ欽クノ憾ナシトセス

今ヤ世界戰乱ノ衝動ハ汎ク精神上竝ニ經濟上ノ各方面ヲ振盪シ殊ニ國民思想上ノ刺激ニ至リテハ一層深甚ナルモノアラントス顧フニ此ノ曠古ノ變局ニ處シテ嚮フ所ヲ誤ラス更ニ戰後激甚ナラントスル國際ノ競爭ニ應シテ帝國ノ基礎ヲ堅實ニシ毅然トシテ其ノ重キヲ中外ニ爲サシムルモノ國家活力ノ源泉タル青年ノ努力ニ待ツ所多シ之ヲシテ益々團体ノ精華ヲ尊重シ心身ヲ研磨シテ將來更ニ規模ノ大ヲ加フヘキ實務ノ負擔ニ堪フルノ力ヲ涵養セシムルハ刻下最要ノ先務タリ青年團体ノ指導ヲ以テ任トナス者ハ宜シク立國ノ本義ト世界ノ大勢トニ徴シテ其ノ適順スル所ヲ闡明シ能ク青年ノ心理ヲ諒解シテ理之ヲ誨ヘ情之ヲ掖ケ身ヲ以テ範ヲ示シ苟モ其ノ歸趨ヲ誤ラシメサランコトヲ期スヘシ若シ夫レ經濟ノ變調ニ伴ヒ華美頽唐漸ク其ノ風ヲ成スカ如キニ至リテハ國家ノ健全ナル進運ヲ荼毒スルコト尠シトセス青年ノ敎養亦宜シク此ニ留意シテ其ノ操守ヲ堅ウセシメ益々篤實剛健ノ氣風ヲ興サシムルニ努ムヘシ

今青年團体ノ現狀ニ顧ミ之カ健全ナル發達ニ資スヘキ當今ノ要項ヲ左ニ條擧シ以テ地方ノ實況ニ照ラシ參酌其他ノ宜シキヲ制セシメムコトヲ期ス

一、青年ヲシテ實地活用ノ智德ヲ進メシムルハ補習敎育ニ待ツモノ多シ之カ施設ニ勉メ相率ヰテ學ニ就カシメ以

テ其ノ普及ト徹底トヲ圖ラムコトヲ要ス

一、公共ノ精神ヲ養ヒ公民タルノ性格ヲ陶冶スルハ青年ノ敎養ニ於テ闕クヘカラサル要綱タリ補習敎育ノ施設其ノ他適切ナル方法ヲ講シ以テ其ノ目的ヲ達成セムコトヲ要ス

一、方今圖書ノ刊行セラルヽモノ多ク伴ウテ青年ノ讀書趣味ヲ増進スルモノ尠シトセス能ク其ノ選擇ヲ愼ミ青年ヲシテ健全ナル識見ヲ廣クセシメンコトヲ要ス

一、青年ノ身心ヲ鍛練シテ其ノ体力ヲ増進スルハ國家ノ活力ヲ養フノ要素タリ心身共ニ堅實ナル素質ヲ大成セシメ平時竝有事ノ秋ニ處シ其ノ本分ヲ盡スニ於テ遺憾ナカラシメンコトヲ要ス

一、青年ノ修養ハ各自ノ自覺ヲ以テ本トス而モ之カ指導ノ任ニ當ル者並其ノ中心タル者ノ力ニ待ツ所殊ニ大ナルモノアルヲ以テ適切ナル方法ニ依リ之カ善導ト養成トニ勉メンコトヲ要ス

方今内外ノ情勢ヲ稽フルニ根抵アリ活力アル青年團体ハ帝國ノ殊ニ要求シテ已マサル所ナリ地方當局者ハ深ク此ニ顧ミ今後一段ノ精采ヲ加ヘテ之カ啓發策進ニ努力シ各團体ヲシテ其ノ目標ヲ齊シクシ其ノ歩調ヲ一ニシ相互ニ督勵シテ能ク其ノ形体實質共ニ一貫セル鍛成ノ美ヲ濟サシムヘシ

大正七年五月三日

内務大臣　法學博士　水野錬太郎
文部大臣　岡田良平

(4) 青年團体ニ關スル第三回訓令

青年團体ノ實績近來漸ク見ルヘキモノアルハ邦家ノ爲メ洵ニ喜フヘキ所ナリ然レトモ益々其ノ内容ヲ整理シ實質ヲ改善シテ健全ナル發達ヲ遂ケシムルニハ今後尚施設スヘキ事項尠シトセス特ニ自主自立以テ大ニ其ノ力ヲ展ヘシムルノ團体ノ本旨ニ顧ミテ頗ル緊要ノ事ニ屬ス隨テ其ノ組織ハ之ヲ自治的ナラシムルニ努メ團体ノ事ヲ統フル

者ハ之ヲ團体員ノ中ヨリ推擧セシムルヲ本則トスヘク其ノ官公署學校等トノ關係ニ至リテハ互ニ氣脉ヲ通シ絡ヲ圖リ相提携シテ之カ發達ヲ助成センコトヲ要ス今ヤ平和克復シテ大詔渙發セラル國家正ニ重要ノ時期ナリ此時ニ際シテ國民ノ奮勵努力ヲ要スル殊ニ切ナルモノアリ青年團体ハ思ヲ茲ニ致シ益々緊縮ノ俗ヲ興シ剛健ノ風ヲ養ヒ其ノ使命ノ重キニ副ハンコトヲ期スヘシ各位能ク此ノ趣旨ヲ體シ地方ノ實情ニ鑑ミテ策勵宜シキヲ制シ以テ其ノ貫徹ヲ期センコトヲ望ム

大正九年一月十六日

内務大臣　床次竹二郎
文部大臣　中橋德五郎

(5) **内務文部兩次官ノ通牒**

青年團体ノ件ニ關シ今回内務文部兩大臣訓令ノ次第モ有之候處右ハ現時ノ時勢益々鞏實剛健ノ風ヲ作興スルノ要アルノミナラス此ノ際自主自衛ノ風ヲ奨メテ自治的經營ノ下ニ其ノ力ヲ展ヘシムルハ特ニ最モ緊切ノコト、被認候ニ付團体ノ首腦トシテ直接其ノ衝ニ當ル者ハ成ルヘキ適材ヲ團体員ノ裡ニ求メシムルコト、シ小學校長市町村長其ノ他官公ノ職司ニ在ル者並ニ地方郷黨ノ間ニ重望ヲ有スル篤志者有力家等ハ今後顧問等ノ地位ニ在リテ専ラ之カ指導ニ竭シ若クハ外ニ在リテ之カ援助ニ勉ムル等内外力ヲ併セテ其ノ健全ナル發達ヲ促進スル樣致度尤モ地方ノ事情ニ依リ急激ナル變更ノ爲却テ團体ニ動搖ヲ來スカ如キコトハ勉メテ之レヲ避クルヲ要スヘキニ付其ノ邊ニ就テハ團体ノ事情等ニ鑑ミ可然御措置相成度尙會員ノ最高年齢ニ付テ從來二十歳ヲ以テ常例トセルモ之ヲ二十五歳ニ進ムルハ別ニ妨無之候ニ付地方ノ實情ニ依リ宜シキニ從ハシメ候樣致度

(6) **大正九年十一月全國青年團ニ賜リタル皇太子殿下ノ御令旨**

三五

三六

國運進展ノ基礎ハ青年修養ニ須ツコト多シ諸子ヨク内外ノ情勢ニ顧ミ恒ニ其本分ヲ盡クシ奮勵協力以テ所期ノ目的ヲ達成スルニ勉メンコトヲ望ム

(7) **青年團体ニ對スル第四回訓令**

全國青年團代表者ノ明治神宮ヲ參拜スルニ方リ畏クモ東宮殿下ニハ特ニ青年團員ニ對シ優渥ナル令旨ヲ賜ヒ青年ノ嚮ク所ヲ示サセラル盛意深遠洵ニ感激ニ堪ヘズ顧フニ青年團ノ發達近時見ルヘキモノアリト雖内外ノ情勢ニ稽ヘ更ニ一段ノ精采ヲ加ヘシムルノ要アリ團員ヲシテ愈々深ク其ノ責任ヲ自覺シテ將來國運ヲ扶翼スルノ意氣ヲ旺ニシ明ニ立國ノ本義ヲ体得シテ忠亮堅實其ノ歸嚮ニ惑フコトナク固ク自主自立ノ精神ヲ把持シテ勇猛策進其ノ修養ニ勵ミ益々健全ナル國民善良ナル公民タルノ素質ヲ充實シ克ク協力一致團体ノ美ヲ遂ゲシメ以テ令旨ヲ奉体スルニ萬遺憾ナカラシメラレンコトヲ望ム

大正九年十一月二十四日

内務大臣　床次竹二郎
文部大臣　中橋德五郎

第二節　青年會ノ現況

地方ニ於ケル青年會ノ組織ハ前述ノ通リナルガ近時町村青年團ヲ聯合シテ郡市及府縣青年團ヲ組織スル氣運トナリ尙全國ノ青年團ノ統一連絡ヲ圖リ其ノ指導改善ニ盡ス目的ヲ以テ大正五年一月青年團中央部創設セラレタリ中央部ハ朝野ノ名士ヲ名擧贊助負トナシ中央ニ理事、議員及幹事ヲ、府縣ニ理事長、理事、幹事ヲ、郡市ニ理事、幹事ヲ置キ事業遂行機關トス中央部ノ事業トシテハ青年團指導者講習會、府縣青年會代表者協議會全國青年會聯合大會、講演會等ノ開催講師ノ派遣又ハ斡旋、機關雜誌、帝國青年及青年讀物ノ出版等トシ今後中央會館ノ完成ト相俟チテ大ニソノ機能ヲ發輝スルニ至ル可シ而シテ大正十年四月内務者調査ニヨル内地道府縣ニ存スル青年團數ハ一方四千六百二十ニシテ團員數ハ三百〇二萬二千七百六十九人ソノ一ヶ年所要經費豫算二百四十三萬七千八百二十九圓ニシテソノ資產ハ四百六十余萬圓ニ達セルノ狀況ナリ

次ニ内地ニ於ケル各青年會ノ實況ヲ見ルニ各府縣共種々ノ方法ニヨリ青年會ヲ擁護シ又青年會ニハ概ネ中堅トナル人物アリテ兩々相俟チテ時勢ノ進運ニ伴ヒ各地方〳〵ノ事情ニ適應シテ夫々意義アル施設ヲナシツツアルガ今大正九年五月内務省社會局ニ於テ調査サレシモノニツキテ見ルニ次ノ如シ

(1) 補習敎育ノ狀況

補習敎育ハ一般ニ最モ力ヲ注ケルトコロニシテ實業補習學校ハ各地ニ設ケラレタリ其レト共ニ修養會、夜學會、講演會、講習會、例月會、研究會、通信敎授等各種名稱ノ下ニ此種ノ會合ヲ催フシ居ラサル所ハ殆ント之レナキノ狀況ナリ

(2) 修養ニ關スル事項

人格ノ向上地方弊風ノ矯正

三七

三八

社會奉仕トシテハ自治機關ニ對スル各種ノ勞力幇助國家社會ニ對スル犧牲心ノ涵養敬神崇祖ノ觀念ハ報恩謝德ノ精神等國民的性格ノ訓練

自治共勵、神社墓地ノ掃除共同作業、道路橋梁ノ修理、風紀取締、夜警防水、慈善救濟規約、貯金尙齒會、郷土愛護、一日一善ノ實行、灌漑排水路ノ浚渫、御神田ノ耕植勅語捧讀例會、非常召集、難破船救濟等ハ其ノ主ナルモノナリ之ニ依リテ矯風改俗ノ效果ヲ擧クヘク努力シ居ルハ洵ニ喜フヘキ狀態ナリ

(3) 體育ニ關スル事項

各種各樣ノ方法ヲ以テ体育ヲ奬勵シ居レリ而シテ其ノ一般的ノモノハ体操、角力、劍道、柔道、遠足登山、運動會、体格表彰、手ノ掌共進會冷水浴寒稽古、身体檢査勵行夜間体操等アリテ孰レモ青年ノ体格ヲ强壯ニスヘク努力シツ、アリ

(4) 娯樂ニ關スル事項

青年ニ對シテハ適當ナル娯藥ヲ與ヘ高尙ナル趣味ヲ涵養シ精神ト物質トノ兩方面ヨリ生活ヲ向上セシムルコトハ文化發達上最モ望マシキコトナリ今日迄ハ未タ理想的ノ施設ニ乏シキハ遺憾ナリト云ハサルヘカラス今一般ニ行ハレツ、アルトコロノモノハ音樂會謠曲會學藝會詩文會雄辨會幻燈會活動寫眞園碁將棋踊演劇等トス

以上各團体ニ通シ各々孰レ力ヲ實施シ居リ多少ノ差異ハアルモ大同小異ニシテ格段ニ變

リタルモノナキモ左ニ記載セルモノハ幾分其ノ趣ヲ異ニセルモノト認ム

(5) 特殊施設ノ實例

イ　活動寫眞、村内大運動會、村民經濟調査　東京府西多摩郡戸倉村青年會

ロ　空地利用法ノ研究　千葉縣長生郡日吉村青年團、東京府西多摩郡吉野村青年團、滋賀縣甲賀郡宮村青年團

ハ　婦人會ノ援助　香川縣三豊郡高室村青年團、京都府北桑田面知井村青年團

ニ　青物市場ノ經營　大阪府東成郡田邊青年會

ホ　禁煙勵行　兵庫縣揖保郡太市村青年會丸山支部、大阪府北郡内郡川越村青年會、宮城縣伊具郡筆甫村青年會

ヘ　兒童保護義會處女會後援會ニ對スル接助　基本金並ニ會費トシテ春秋二期米麥若干宛ヲ會員ヨリ徴收ス其ノ手數ハ會員ニ於テ無報酬ニテ分担ス、神奈川縣鎌倉郡中和田村青年會

ト　合宿所設定　神奈川縣足柄下郡吉濱村青年會

チ　學校林手入　兵庫縣佐用郡德久村青年團

リ　貸出文庫常設　新潟縣中魚沼郡上郷村青年團、愛媛縣上浮穴郡神村青年團

ヌ　早婚禁止　千葉縣安房郡丸村青年團

ル　堆肥舎設立　規約ヲ結ヒテ醵金ヲナシ毎月抽籤シテ交互ニ設立シ全員完了セリ其數二〇〇餘、茨城縣結城郡三妻村青年會

オ　貧困兒童ニ學用品給與　三重縣安濃郡片田村青年會

ワ　同眠會　愛知縣丹羽郡池野村青年會

カ　競書、競算會　愛知縣碧海郡大濱町青年會

ヨ　禮法講習會　宮城縣黑川郡吉田青年會

タ　村内生產物共同販賣　富山縣氷見郡女良村青年會平澤支部

レ　河川掃除　鳥取縣岩美郡田浚村大和町青年會

ソ　孤兒救助、貧兒保護　鳥取縣西伯郡大和町青年會

ツ　耕牛比較會　和歌山縣那賀郡西貴志村青年會

ネ　同齡會、團員ノ横的訓練ヲ行ヒ各自ノ活動奮發ヲ促シ同年齡ニ適シタル指導ヲナス爲メ毎年一回召集研究協議講話体操ヲナス、德山縣三好郡三縄村青年團

右ノ外少年團保護家庭体操ノ實行、床屋文庫植物園經營神前誓約等種々ノ施設ヲ爲スモノ等アリ

第二章　歐米各國ニ於ケル青年團

歐米各國ニ於テモ我國ニ於ケル青年會ニ相當スルモノナキニシモアラザルモ同下國民運動ノ中心トナレルモノハ所謂少年團ニシテ青年少年等ニ國民的素養ヲ與ヘ以テ國民ノ能率ヲ增進シ國運ノ隆昌ヲ圖リツ、アリ少年團ハボーイスカウト(英)ト云ヒ先驅者若クハ嚮導者ノ意義ニシテ青年若クハ少年等ヲシテ精密ナル觀察力ト緊張セル精神力ト健全ナル体力トヲ養成セシメテ人間トシテ精神的ニモ肉体的ニモ社會生活ニ進ムベキ準備卽チ自己ノ人格ヲ完成セシムルガ其ノ根本觀念タルハ各國共通ノ目的ナリ

右ノ如キ理想ノ下ニ於テ將來國家忠良ノ臣民タラシメントスルハ各國共ニ其ノ目的ヲ同一ニスルモ其等團体設立ノ趣旨ニ至リテハ國情ニヨリテハ自ラ多少ノ相違アルハ事實ノ示ストコロナリ卽チ

英國ニ於テハ健全ナル市民ヲ養成スルヲ以テ大目的トシ米國ニ於テハ正義ヲ重ンズル良市民ノ養成ヲ目的トシ獨逸ニ於テハ將來ニ於ケル國家ノ良民タルヘキ一般的訓育タリ補習敎育タルヲ主トシ佛國ニ於テハ壯丁不足ノ關係上軍隊ノ補充タラシメントシテ訓練ヲ與フルモノ、如シ

今其綱領規約ナルモノヲ對照スルニ大体ニ於テハ殆ト同一ニシテ多ク英國ノモノヲ範トセルガ如シ

英國ニ於テハ其三綱領トシテ

第一、神及國王ヲ尊崇スルコト

第二、他人ヲ助クルコト

第三、義勇團ノ規則ニ服從スルコト

又米國ニ於テハ

第一、神及自國ニ對シテハ義務ヲ盡クシ且ツ團ノ規約ニ服從スルコト

第二、常ニ他人ヲ助クヘキコト

第三、自己ノ身体ヲ强健ニシ自覺的精神ヲ以テ正義ヲ遂行スル爲ニ自己ノ最善ヲ盡スコト

又佛國ニ於テハ

第一、如何ナル場合ニアリテモ良心アル男子トシテ已レノ義務ヲ盡クシ忠實勇敢ニ行動スルコト

第二、自國ヲ愛シ其ノ戰時ト平時トヲ問ハス常ニ忠誠ヲ盡スコト

第三、團ノ規約ヲ遵守スルコト

獨逸其他ノ國ニ於テハ別ニ三綱領ト稱スヘキモノハ存在セサルモ其ノ根本主義ノ同一ナルハ言ヲ俟タス

然シテ其ノ三綱領ニ基ツキ眞實、忠義、奉公、親切、叮寧、友愛、服從、快活、儉約、清潔、勇敢

敬虔等ノ徳目ヲ擧ケテ極力之カ實行ヲ奬勵ス

第一、英國ニ於ケル少年義勇團ノ趣旨及組織

少年義勇團ハ南阿戰爭（一八九九年―一九〇〇）ノ際英領マフエキング市ノ防備ニ當リ驍名ヲ馳セタル、ロバート、バーデンホウエル將軍ガ防禦力減退ニ困却シ參謀長エドワードセシル卿ト謀リテ同市ノ英國少年ヲ訓練シテ偵察傳令等ノ任ニ當ラシメタルヲ其濫觴トス此ノ少年團ハ驚クベキ速度ヲ以テ英國ハ勿論世界各國ニ普及シ一九二〇年ニハ英國少年團ノ主催ニテ倫敦ニ萬國少年團大會開カレ二十二ケ國ヨリ六萬ノ少年及指導者集マリ世界各國少年團ノ親善ヲ計リ以テ世界平和ノ確保ニ貢献センコトヲ約シタリ、今同將軍ガ全英國民ニ對シテ其ノ設立ノ趣旨ヲ詳細ニ發表セルトコロヲ約言スレハ少年團ノ目的ハ少年ノ品性ヲ陶治スルニヨリ個人トシテハ云フ迄モナク將來ニ於ケル最良ノ國民タラシムヘキ品性ヲ作ルニアリ

イ、少年訓練ノ主眼点

1 少年ノ個人的品性ヲ發達セシムルコト

2 少年ニ手工能力ヲ發達セシムルコト

3 他人ノ爲ニ務ムルコト

4 忠義ノ心ヲ鼓吹スルコト

尙卿ハソノ精神ヲ說イテ曰ク「多クノ兩親ハ其子供ニ戰鬪及血ヲ流スヲ敎ヘルコトニ反對ス吾人ハ少年ノ訓練ヲ以テ軍國主義者ノ如ク少年ヲ以テ機械ノ一部ト爲サントスルモノニアラス吾人ハ少年ヲシテ若干器用ナル森林居住者タラシメントスルモノナリ」ト

ロ、入團資格、小學校ニ通學セサル士歲ヨリ十八歲迄ノ者ニシテ簡單ナル試驗ニ合格セルモノ

入團宣誓、吾カ名譽ニカケ全力ヲ擧ケテ神ト君主トニ義務ヲ盡クシ何時ニテモ他人ヲ助ケ團則ニ臣フ爲ニ吾カ最善ヲ盡スコトヲ誓フ

ハ、規約

1 名譽ヲ重ンスルコト

2 君主ニ忠ニ父母ニ孝ニ國家並ニ主人ニ忠實ナルヘキコト

3 自已ノ快樂ヲ捨テ、他人ノ爲メニ盡スヲ以テ義務ト心得ヘキコト

4 萬人ノ友トナリ又他ノ團員トモ總テ友ヲ以テ交ルコト

5 禮讓ヲ重ンスルコト

6 動物ヲ愛護スルコト

7 長上ノ命令ニハ絕對ニ服從スヘキコト

8 如何ナル困難ナル塲合ニ於テモ愉快ト歡善トヲ以テ事ニ當ルコト

9 節儉ナルコト

ニ、團ノ組織

本營（團長及實行委員會ヲ有スル評議員）―（郡委員會及郡義勇團會議）地方委員會―小地方團体―小隊―分隊

分隊ハ六名乃至八名ヨリ成ル小隊ハ二以上ノ分隊ヨリ成ル小隊ニハ隊長ヲ置ク小隊ハ小地方團体ノ評議ニヨリ認可セラルノ皇帝ハ本團ノ保護者ニシテバウエル卿ヲ總長トス

第二、佛國ニ於ケル少年義勇團

起原　一九一〇年ガリエンヌ牧師ガ英國ノ義勇團ニ倣ヒ巴里ニ於テ發起セル所ナリ其翌年四月ニ至リ海軍中尉ブノワ氏カ英國ヨリ歸來シテ少年義勇團ノ趣旨ヲ宣傳シタル結果漸ク世人ヲ動カシ宗敎團体若ハ敎育會等ニ於テ軍隊豫備敎育的ノ義勇團ヲ組織セリ

イ、規約

1 言語ハ神聖ナリ　生命ヲ賭スルトモ輕卒ノ言ヲ發シ自己ノ名譽ヲ汚ササルコトヲ期セヨ

2 服從ヲ知ルコト　殊ニ軍規ハ一般ノ利益ノ爲メニ必要ナルコトヲ了知スルコト

3 進取的ナルヘキコト

4 萬事ニ處シ責任ヲ負フコト

5 何人ニ對シテモ懇切忠實ナルコト

6 他ノ團員ヲ親愛シ貴賤貧富ノ差別ヲ設ケサルコト

7 義勇ニ富ミ常ニ弱者ヲ憐ミ之カ爲ニ自己ノ生命ヲ顧ミサルコト

8 必ス一日一善ヲ爲スコト

9 動物ヲ愛護スルコト

10 常ニ快活熱心ニシテ善ニ與ミスルコト

11 勤儉ナルコト

12 常ニ自己ノ品位ヲ保持スルコト

ロ、組織

1 普通團員敎官及團兒ハ團費トシテ年額一法ヲ納ム

2 賛助員

普通賛助員ハ年額五法ヲ納ム

特別賛助員ハ年額二十法ヲ納ム

終身賛助員ハ五百法以上ノ寄附ヲ爲スモノ

3 年齢十一歳以上十八歳迄ニシテ中小學校ノ生徒タルト否トヲ問ハス兩親ノ許可ヲ受ケシ者

四人乃至八人ヲ一小隊トシ四小隊ヲ一中隊トシ三中隊以上六中隊ヲ以テ一大隊ト爲ス

第三、米國ニ於ケル少年義勇團

イ、起原及團ノ組織

英佛等ニ於ケル少年義勇團ノ主張ハ直チニ米國ニモ歡迎セラレ各地方ニ於テ設立セラレ殊ニトロントハ義勇團ノ都市トナリソノ郊外ニハ常ニ二十乃至三十ノ義勇團ノ野營ヲ見ルコト珍ラシカラスト云フ

義勇團体部ヲニユーヨーク市ニ置キ常務書記及ヒ野外書記ヲ使用シ委員團体アリテ事務ヲ執ル年齢十二歳以上ノ男兒隊長ハ廿一歳以上副隊長ハ十八歳以上タルコト

ロ、入團宣誓

1 神及ヒ我國ニ對シテ義務ヲ果シ團則ニ服從ス

2 常ニ他人ヲ扶ク

3 自己ノ身体ト精神トヲ健全ニシ德性ヲ涵養スルコトニ全力ヲ盡クス

ハ、團ノ規則

1 團員ハ虛言ヲ吐キ又ハ命セラレタコトヲ遂行セスシテ自己ノ名譽ヲ毀損スル樣ノコトカアレハ團員ハ徽章ヲ沒收セラレ再ヒ之ヲ着用スルコト能ハス又團ヨリ除名サル

2 團員ハ國ニ對シ兩親ニ對シ將校ニ對シ又傭主ニ對シ忠實ナルコト

3 團員ハ常ニ人命ヲ救助シ又傷ケル者ヲ助クル覺悟ヲ要シ又毎日他人ノ爲ニ盡クスコトヲ心カケサル可カラス

4 團員ハ如何ナル階級ノ人ニ對シテモ同樣ニ親切ナルヲ要ス又他ノ團員ニ對シ兄弟ト同シク信愛ナルコト

5 團員ハ他人殊ニ婦人小兒、老人廢兵不具者等ニ對シテ禮義ヲ厚クシ或ハ助ケル人ヨリ報酬ヲ受クヘカラス

6 團員ハ動物ヲ苦シメ又無益ナル殺生ヲナスヘカラス尤モ食用トスルモノハ殺スモ差支ナシ

7 團員ハ兩親ハ固ヨリ隊長ノ命令ニ從ハサル可カラス假令自分ノ好マサル命令ナリトテモ絕對ニ服從セサル可カラス若シ不服ナルコトアラハ命令ヲ成シ了ヘタル後ニ之ヲ申出ルヘシ

8 團員ハ命令ヲ受ケタル時ニハ喜ンテ之ニ從事セサル可カラス困難ニ遭フテ愚痴ヲコボシ泣言ヲ云ヒ或ハ立腹シテ惡口ヲ云フ可カラス若シ之レニ反スル者ハ其罰トシテ其都度他ノ團員ヨリ冷水ヲ一杯宛其ノ頭ニカケラル、モノトス

9 團員ハ常ニ儉約ヲ守リ一錢タリトモ餘分ノ金ハ之ヲ銀行ニ預ケ置キ自分ノ仕事ハ自分カ其ノ費用ヲ支辨シ人ニ迷惑ヲカケヌ樣又他人ニ金ヲ與ヘ得ル樣準備シ置カサル可カラス

10 團員ハ危險ヲ恐レス又友人ノ甘言ヤ敵ノ嘲弄脅迫ニ屈スルコトナク失敗ニ遭フトモ之ニ卑屈ス可カラス

11 團員ハ清潔ヲ尙トヒ第一自己ノ身体精神ヲ清潔ニシ清潔ナル言語、清潔ナル遊戲ヲ爲シ清潔ノ習慣ヲ養ヒ清潔ナル人々ト旅行ス可シ

12 團員ハ常ニ敬ト愛ノ念ヲ有シ他人ノ信念ヲ尊重シ神ヲ敬フヘシ

ニ、團ノ組織

團員ハ三階級ニ分チ最下級ヲ弱足ト稱シソノ上ヲ第二級員其上ヲ第一級員ト云フ

年齢滿十二歳以上ノ男子ハ團員タルコトヲ得然レトモ最初弱足トナリ三ケ月後一定ノ試驗ヲ經テ次第ニ二級ヨリ一級ニ進ムコトヲ得、少年義勇團ハ分隊及小隊ヨリ成ル分隊ハ八人ノ男子ヨリ成リ其一人ハ分隊長トナリ他ノ一人ハ副分隊長トナル

小隊ハ四分隊以上ヨリ成ル然レトモ三分隊ヨリ成レルモノモ尠カラス小隊ニハ隊長ト稱スル指導者アリ隊長ハ米國少年義勇團中央參事會ヨリ任命ス

ホ、訓練事項

1 實際的知識ノ敎授常識ノ訓練ノ野外生活、追跡及ヒ信號方法

2 應急手當及ヒ人命救助法ノ敎授

3 身体及ヒ耐忍力ノ鍛練

4 武士的精神ノ訓練

5 愛國心及國民義務ノ養成

6 遊戲

第四、獨逸ニ於ケル青少年義勇團

獨逸ニ於テハ千九百十一年フオンデルゴルツ元帥ノ唱導ニヨリテ其ノ設立ヲ見ルニ至レリ範ヲ英國ニ求メシハ勿論ナリ

イ、入團ノ誓約

1 神及國家ニ對スル義務ヲ果シ

2 常ニ他人ヲ扶ケ

3 自己ノ身体及精神ヲ健全ニシ德性ヲ涵養スルコトニ全力ヲ盡サンコトヲ期ス

ロ、規約

1 名譽ヲ重ンスルコト
2 國ニ對シ將校ニ對シ兩親ニ對シ又傭主ニ對シ忠實ナルコト
3 他人ヲ助クルコト
4 他人ニ對シ親切ナルコト
5 禮儀ヲ重ンスルコト
6 動物ヲ愛護スルコト
7 從順ナルコト
8 常ニ快活ナル精神ヲ有スルコト
9 儉約ナルコト
10 勇氣アルコト
11 清潔ヲ重ンスルコト
12 敬虔ナルコト

ハ、訓練

体操旅行遊戯等ニヨリテ身心ヲ訓練ス

ニ、組織

年齡十二歲以上ノ者ヲ以テシ八人ヲ以テ一分隊トシ二分隊ヲ以テ一小隊トス分隊ニハ書記小隊ニハ小隊長ヲ置ク小隊長ハ中央部ヨリ任命ス尙指導監督機關トシテ地方ニハ實業家敎育家等有力ナル名望家ヨリ成ル地方評議員會中央ニハ大統領各州知事ヲ網羅セル中央評議員會アリ

右ノ外露國伊國等ニ於テモ青年若クハ少年ノ義勇團アリ其ノ趣旨ハ前諸國ト大同小異ナルヲ以テ之ヲ略ス

（光州木山印刷所納）

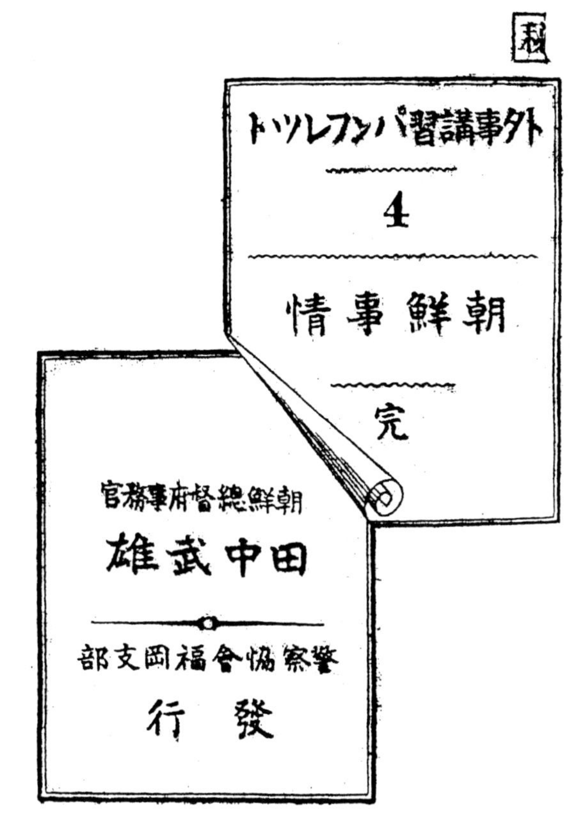
秘

外事講習パンフレット

4

朝鮮事情

完

朝鮮總督府事務官

田中武雄

警察協會福岡支部

發行

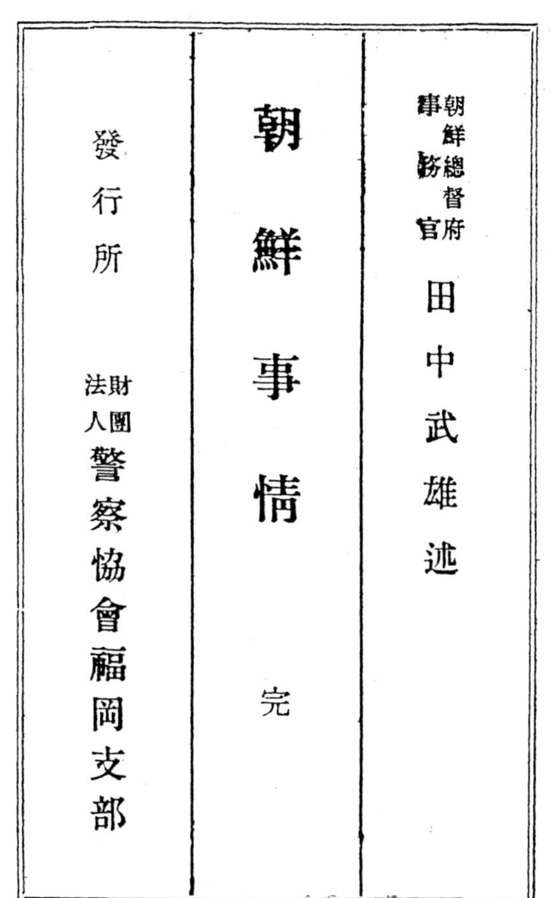
朝鮮總督府事務官 田中武雄述

朝鮮事情

完

發行所 財團法人 警察協會福岡支部

今夏福岡縣にて開催の内務省主催第三回外事講習會に於ける專門大家の講演は警察上特に有益なりと考へ今般當支部は各講師の許諾を受けると共に諸賢の賛同を得てこのパンフレットを出版することに致しました

財團法人 警察協會福岡支部

朝鮮事情

田中事務官述

總論

今回內務省の主催に依りまして當福岡縣に於て、九州、中國、四國、遠きは臺灣、朝鮮の方面から多數の警察官諸君が會同せられて、外事警察講習を開かれました機會に於て、貴重な時間を割いて頂いて、朝鮮問題の一般に就てお話しする機會を得ましたことは、朝鮮の爲に非常に愉快に存ずる次第であります。

朝鮮統治の問題は我か日本帝國の重大な問題であると云ふことは何人も異存のない處であります。それでありますから內鮮兩民族が一大融合いたしまして大日本帝國の使命を果して行かなければならぬと云ふことは申すまでもないことであります。

近來朝鮮に對する問題は內地の方でも稍注目するやうになりまして、朝鮮に關する各種の團体、機關と云ふものが出來てゐるやうであり、又朝鮮の問題に對する各種の議論を耳にするやうになつて參りました。然し乍らまだ〳〵國民の大多數は極めて無關心であると思ひます、朝鮮の問題を自分達の問題として考へて居りません、朝鮮の問題は全く朝鮮に在住して居る官民がやるものとして放任せられてゐるやうな狀態でないかと云ふことを常に遺憾に感じてゐるものであります。成程先程申上げました通り此頃―震災後内地に於ても種々な團体やら、施設やらが出來て居りますし、又朝鮮の統治と云ふことに對して心配されてゐる處の人もないではありませんけれども、極めて少數の政治家、官吏、其他特殊の人に限定せられてゐるやうでありまして、多くの人は頗る無關心であると云ふことは事實であります。其例枚擧に遑ありませんが早い話が朝鮮の大きさや又は道の名稱等を知らないのは勿論のこと統治組織が怎う云ふ具合になつてゐるかと云ふやうなことさへも知らない人が多いのぢやあるまいかと思ひ

ます。

尤も私共も内地に居りました時には朝鮮の問題と云ふ事に對して割合に無關心で居つたのでありましたが、事實吾々が朝鮮に來て、朝鮮統治の末班に加つて研究して見ますると、今迄の吾々の態度の無關心であつたと云ふことに對して甚だ慚愧に堪えないものがあるのであります。若し朝鮮の問題が、朝鮮總督以下少數の役人と、朝鮮に在住して居ります處の内地人だけの研究、活動にのみ任かせて宜いものであるならば、それで結構であるけれども、事實は決して左樣に簡單に參らぬのであります。

現に内鮮兩民族の感情の疎隔は何を物語るものでありませうか、又大正十二年の震災當時の出來事は何に基づくものでありませうか。尙又獨り我國のみならず、異民族統治に古い經驗を有つてゐる處の歐米各國の過去の歷史は何を吾々に敎へて居りませうか、スペイン、ポルトガル、フランス、アメリカ、ドイツ

等皆斯う云ふ問題に對する貴い敎訓を吾々に與へてゐると思ふのであります。

卽ち新領土の統治と云ふことを、全く特殊の範圍のものだけに限定して政治をやつてゐる國は孰れも失敗して、之を國民全体の努力として努めてゐる國は孰れも成功してゐるやうに考へられるのであります。敢て例を遠く外國に採るまでもなく、又やれ殖民政策であるとか、異民族統治であるとか云ふやうな難かしい問題として考へるまでもなく、吾々お互の間に於ても、立場を異にしてゐる間に於きましては、互に相手の立場を諒解して、可成衝突を避けると云ふ事が親みを緊密にする所以であらうと思ふのであります。それでありますからして朝鮮を治めむとするには先づ朝鮮と云ふものを研究し、朝鮮人と云ふものを理解して、然る後甫めて適當なる政治を行ふことが出來るのではあるまいかと思ふのであります。

然らば朝鮮は之を如何にして治むべきかと云ふことは明治四十三年八月二十

五日の併合御詔書及大正八年八月十九日の官制改正の際の御詔書に炳として瞭かになつてゐるのであります。卽ち内鮮兩民族は一視同仁であり、共存共榮であると云ふことは朝鮮統治の根本眼目であります。吾々國民は此の聖旨を奉戴して進むで行くべきものであらうと思ふのであります。又是れより外には朝鮮を統治して行くべき途はないと云ふことを確信いたしてゐる次第であります。それでなければ、若し此の根本精神以外の方針があるといたしましたならば、現在の如き統治と云ふものは悉く是れ僞りの政治となり、心にもないことをやつてゐると謂はなければならぬのであります。左樣な心裡留保をして眞劍な統治が出來るものであるか怎うかと云ふことは、這は多く說明する必要はないかと思ふのであります。

然るに一視同仁、共存共榮を以て、表面は縱し贊成してゐるとしても、内心之れに對して疑懼の念を懷いてゐるものが絕無ではないかと思ふのであります

總ての誤解は是れから發足して居りますのでありまして、根本問題に對する見解の相違でありますからして、其他の點が悉く相違して來る譯になるのであります。よく朝鮮の問題に對して非常に謬つた議論を吾々は新聞雜誌其他の言論の上に見聞するのでありますが、此等は多く此の根本の問題に對する誤解から出てゐるやうに思はれるのであります。私共の見解を以てしますれば朝鮮の問題を眞に理解するならば、區々たる事柄の爲めに悲觀する必要は無いと思ふのであります、と云つて徒らに樂觀をして無關心で居つて宜いと云ふ譯ではありませんが、只問題の焦點が判つて居りますると日々彙蒐して來る事件の爲めに、朝鮮の問題に對する根本の觀念を謬られるやうなことはないと思ふのであります。

然し本當に朝鮮問題の眞髓が解つて居りませぬと、一つ爆彈が飛んだり、或は國境に於ける不逞鮮人の武力運動などが現はれたりいたしますると、今にも

—(6)—

朝鮮がヒックリ返つて了ひそうに思つたり、又朝鮮人が參政權であるとか或は自治運動であるとか云ふやうな政治的の運動をするのを見て、人心が實に險惡になつたと云つて驚くやうなことになるのだらうと思ふのであります。そこで現在朝鮮に關する種々の議論が行はれて居りまする中に、朝鮮の時局を以て極めて險惡であるものと見て居る人が尠くないやうに見受けられるのであります。それで私は此處に朝鮮問題に對する謬まれる批判を二、三御紹介をして、然る後に現在の實情をお話して見たいと思ふのであります。

第一は人心險惡論でありまするが、先程申上げたやうに朝鮮の時局は各種の危險な暗流が人心の奧を流れて居つて、可成り危險に瀕してゐるものであると云ふやうな叫びは、內地に於てのみならず、朝鮮に在住して居りまする內地人の口からも可成り聞く處であります。而して是等の人の所謂險惡である、危險であると云ふ根據を聞いて見ますると云ふと、朝鮮人が段々增長して不遜な態

—(7)—

度になつてゐる。表面平靜を保つてゐるやうであるけれども、事實はさうでなくして隨分排日を唱へ獨立を論じてゐるのである。昔は內地人と道で行き合つた場合などには、朝鮮人は必ず道を讓り、又內地人が少々無理なことを言ふても朝鮮人は從順に之に服從して居つたのである。

然るに今日では道で會つても對等の顏付をして居るし、又多少朝鮮人の方に理屈があることであるならば遠慮なく內地人に向つて理屈を主張すると云ふやうな狀況になつて來てゐる。理屈を言ふだけならば未だしもとして、其の程度を越えて反抗するやうな傾向があるのである。這は卽ち人心が如何に增長し、如何に險惡であるかと云ふことを物語るものである。斯う云ふのが所謂人心惡化論、人心險惡論の主張する根據であります。而して其等の人は朝鮮總督府當局が、人心が平靜である、時局は安定してゐると稱してゐるけれども、其れは實情ではなくして當局の宣傳であると云つてゐるのであります。

—(8)—

然し乍ら吾々は今靜かに考へて見ますると云ふと成程論者の言ふ如く、之を併合當時暫くの間と比較いたしまするど、さう云ふ事實は確かに認められるのであります。事實朝鮮の人が內地人の温情に狎れてゐる點もあります。それ程眞劍になつて反抗しなければならぬ事柄でないに拘らず、殊更に民族觀念を以て內地人に向つて來ると云ふ傾向があることは事實であります。吾々はさう云ふ事實は之を認めるのでありまするけれども然しながら公平に內地人の全体と朝鮮人の全体との態度を較べて見ますると云ふと、未だ以て朝鮮の人達が必ずしも不當に增長してゐるとのみは斷する譯には行かない點も多々あるのであります。假りに不遜になつてゐるとした處が、之を以て必しも民心が惡化してゐるとは考へないのであります。若しも吾々が朝鮮は既に一旦併合せられたのだから何時迄も併合當時の狀態で續いて行くものと思つたならば、這は大なる謬りではあるまいかと思ふのであります。弱者が優者に對して多少宛理屈をこねる

—(9)—

のは獨り内地人と朝鮮人との關係のみに限られたことではありません、之を内地の狀況に見ましても、さう云ふ現象は到る處に充滿されてゐると思ふであります。例へば長幼關係親子の關係、或は主從の關係等或は又資本主對勞働者の關係に於きましても、昔の狀態とは全で一變いたして居ります。それであるからと云ふて必ずしも國民が不穩になつたと言ふことは出來まいと思ふのでありまず。勿論内地に於ける是等の現象は甚だ感服の出來ない點も多々ありますけれども、大体に於て是等の思潮の動きと云ふものは、或る程度までは必至の現象であつて洵に已むを得ないことではなからうかと思ふのであります。唯だ日本の國情を壞さないやうに善導することが肝要なことではないかと思ふのであります。朝鮮に於ても是れと同樣でありまして朝鮮人が理窟を揑る樣な態度の中には勿論之をたしなめる幾分の點があるけれども、其の傾向全部を目して朝鮮人が不逞になつた、或は人心が險惡になつたと云つて一概に斷定する譯には行くまいかと思ふのであります。

御承知の如く朝鮮は内地の本州と同じ廣さの領土と五千年の歷史とを有ち千七百萬の民衆を包容してゐる處の、兎にも角にも獨立の國家であつたのであります。それを併合して漸く十五年ソコ〳〵であります。是れだけの歷史を有ち是れだけの民衆を有つて居りまする朝鮮と一緒になつたのでありまするからして、互に相手の立場を理解して本當に心から和衷協同をすると云ふ迄には隨分長い時を要することゝ思ふのであります。又長い時を要するものと覺悟しなければならぬのであります。それを僅か二十年や三十年の今日に於て、兩民族の間に多少のことがあるからと云つて今にも朝鮮がヒツクリ返るやうな考へを有つと云ふことは大和民族として實に卑怯なことではあるまいか、洵に赤面の至りではなからうかと思ふのであります。極く卑近な例を採つて考へて見ても判るのでありまするが、同じ日本人同志で結婚をしても、二年や三年の間は多少

の例外はあるかも知れませんが、却々甘い具合にシツクリと往かないのが普通であります。子供の一人か二人でも出來るまでは喧嘩もすれば氣拙づい思ひもしたりして、其の内に段々とお互に相手を理解し合つて、畢に所謂偕老同穴の實質を備へて來るのではないかと思ふのであります。風俗人情を均うしてゐる内地人同志の結婚にして尙且然りである。況や先程申した通りお互に固有の人情風俗を有つてゐる處の兩民族が一緒になつたのでありまするからして、兩者の間に種々の事柄が發ると云ふことは洵に已むを得ないことゝ思ふのであります斯樣な譯でありまするからして吾々内地人は先輩として彼等を指導して行く上に於て赦すべき事と赦すべからざる事とを考へて、苟も我が日本帝國の國民として赦すべからざる行ひあるに於ては斷乎として之を懲戒し誡める必要のあることは申す迄もありませんが、否らざることに就ては出來るだけ寬容な態度を以て彼等を指導して行くと云ふことが最も喫緊なことではなからうかと思ふのであります。更に言ひ換へれば内地人なるものは何時までも征服者としての優越觀念を滿足せしめて行かうと云ふやうなことは根本の間違ひであるからして『吾れは征服民族である。汝は被征服民族である。故に汝は飽迄も吾れに絕對從順であれ』と云つたやうな偏狹な優越感と云ふものは出來るだけ棄てゝ『吾れは飽迄も汝の親であり、兄である』と云ふ慈愛を根底として彼等に對さなければならぬと思ひます。

然るに今日多くの内地人の朝鮮人に對する態度は『汝は劣敗者なり。汝は背恩忘德の民なり。汝は怠惰な民なり。汝は恩に狎るゝの民なり。故に吾れは汝を慈むこと能はず』と云つたやうな態度が誠に多いやうな感じがするのであります。卽ち賢兄が愚弟の愚を嘲笑することは賞めた話ではありません、如何にして之を賢にすべきか、如何にして之を指導すべきかと云ふことを考へてやらなければ兄弟としての義務を盡したと云ふことは云へないのであります。成る程

朝鮮人は怠惰な處もありませう。又能力の足りない處もありませう。又増長する處もありませう或は非常に僻むでゐる處もありませう。然し乍ら朝鮮が昔から國運非にして、民は常に苛斂誅求に苦しむで居つた歴史を考察いたしますると云ふと、又彼等の境遇は同情に堪えないものもあるのであります。寧ろ彼等が叙上の如き缺點を有つてゐると云ふことは、時代がさう云ふ具合に彼等を作つたものであるとも謂へるのでありまするから、吾々は其の身上に一掬同情の念を寄せて徒らに其の愚を嘲笑すると云ふことを止めて、温かく之を抱擁してやることを心懸けなければなりません。

次ぎは朝鮮人驅逐論でありまするが、這は朝鮮人を漸次滿洲の方に追ひ遣つて、其の後へ内地人をドシ〳〵移住せしめなければならぬと云ふのでありまするが、此の論は可成り多くの人から聽くのであります。私共もシベリヤ、滿洲方面の寶庫に向つて、内地人と言はず、朝鮮人と言はずドシ〳〵發展して行く

と云ふことは最も必要なことであらうと思ふのであります。又朝鮮人だけの問題として考へて見ても、朝鮮人が是等の地方に行つて土地を耕やして安定して行くことが出來るならば洵に結構なことであらうと思ひます。然し乍ら是は滿洲の事情と民族問題とに關聯して頗るデリケートな事情が其の間に横はつて居りまするから、只圖面や調査書の上から見て朝鮮や滿洲が空いて居るからドシ〳〵移民を送つたならば双方好都合だ等と、アッサリ片付けて了ふ譯には行かないのであります同時に又深い考へも無くして之を高調することは非常な障害になるのでありす、要するに朝鮮の開發に就ても内地人を充實せしめて内地人のみを本位とする處の開發策を圖ると云ふことは非常に考慮を要することであります。

然るに動もすれば内地人の朝鮮開發論を聽くと云ふと恁う云ふ議論が大變多いのでありまして、爲めに朝鮮人は此の點に對して非常に神經を鋭敏にしてゐ

ると云ふことは事實であります。兎に角先刻申した通り内地人であれ、朝鮮人であれ、シベリヤ、滿洲方面に發展して行くと云ふことは取も直さず我が國力の發展になるのでありまするからして、洵に望ましいことであるけれども、是等の地方に遣る爲めには、行くことが出來るやうな狀況にしてやらなければならぬ。行く先を詰らして置いて、出て行け行けではなか〳〵出て行くものではありません卽ち滿洲には朝鮮人に對して土地商租の問題等がありまして、卽ち土地に關する權利の獲得が甚だ不確實であるが爲めに、又僻遠の地にゐるものに對する日本政府の保護が行き渡らない爲めに常に支那人地主や支那官憲の苛斂誅求に苦しめられて、又一面馬賊なり、不逞鮮人なりの脅迫を受けて、全く安定した生活を送ることが出來ないやうな狀況でありまするからして、所謂滿洲に於ける墾民は内外兩方面から壓迫を受けてゐると云ふやうな狀況であります。諸君が一度びシベリヤ、滿洲の地方に行かれて、朝鮮の農民が實に窶すぼ

らしい處の生活をしてゐる狀況を見られたならば確かに同情せられる處があるだらうと思ふのであります。それでありますから私は驅逐と云ふことは甚だ名前は惡いけれども、朝鮮人が不景氣な朝鮮内地に於て苦しむでゐるよりも、無限の寶庫である處の滿洲方面に出稼すると云ふことは決して惡いことではないが、それに對する吾々の持掛けやう如何に依つては却つて弊害があるのであります故に此の點に對する内地人の言論は大に愼む必要があらうと思ふのであります。

次ぎに朝鮮人の排日的言動及獨立運動を唱へることに就て一言いたしたいと思ふのでありまするが、朝鮮人が自ら揣らずして、日本を排斥したり、又は絶對獨立を主張するが如きことは實に思はざるの甚だしきものでありまして、這は朝鮮民族自体の爲めに吾々は甚だ遺憾に思ふてゐる次第であります。それでありますからして私は前にも述べました通り、日本の國民として赦すべからざ

る處の言動に對しては斷乎として抑壓しなければならぬと云ふことを申しましたのでありまするが、然し世間一般に謂はれてゐる處の排日論の中には朝鮮人が日本の政治を謳歌しないと云ふ理由を以て直に之を排日であり、又或は危險思想であると云つて騷ぐ。斯の如きことを以て騷いで居つたならば恐らく大多數の者は危險な民と謂はなければならぬだらうと思ふのであります。若し吾々が朝鮮人に向つてお前は獨立をしたいかと云ふことを聞いて見たならば、恐らく大部分の人は出來ることならば獨立をして見たいと答へるでありませう。又情に於ては此希望も無理のないことであると思ふのでありまするが、然し多くの人は縱令獨立を希望してゐるにした處が現在の狀況では到底獨立は出來ないと云ふことは、是又一般に認識してゐる處であります。唯だ彼等は出來ないことではあるけれども、若し事情が許すならばさう云ふ境遇を再び實現して見たいと云ふことを希望してゐるに過ぎないのである。であるからして斯の如き事實を以て直に朝鮮の時局が險惡なものと速斷する必要はありません、表面口には何と云つても朝鮮人の理性は獨立は不可能であると云ふことを明かに認識して居ります、故に少しばかり獨立の問題を云爲すると云ふ理由を捉へて吃驚する必要はなからうかと思ひます。無論吾々は獨立と云ふやうなことは一人も口にすることのないやうに努めて行かなければならないのであるけれども、先刻來種々お話した通りの事情でありまして、今朝鮮は方に其の過度の時期でありますからして、多少獨立問題等に對して種々の議論をするものゝあると云ふことは洵に已むを得ないことではなからうかと思ふのであります。唯だ是れが爲めに吾々が獨立論と云ふものを許してゐる、獨立の主張と云ふことを當然認めてゐると誤解されては甚だ困るのである。

それから次ぎには諺文新聞に對する態度でありまするが、現在朝鮮で許して居りまする處の諺文新聞は四つあります。即ち每日新報、東亞日報、朝鮮日報

時代日報、此の四つが朝鮮に於ける日刊新聞であります。其の他にも一部諺文を混へた新聞はありますけれども、全部諺文を以て發行してゐるものは是れだけであります。此の四つの新聞の中で、每日新報のみは官廳の機關新聞で、其の經營も內地人がやつてゐるのでありまするから先づ純粹なる朝鮮の代表新聞としては其れ以外の三新聞であります。而して是等の新聞は大正八年制度改正直後に(時代日報のみは大正十二年に許可せられたものである)許されたものでありまするが、それ以來今日まで終始一貫排日論や、獨立論や又は總督政治に對する攻擊論やらを以て充たされてゐる狀況でありまして、內容は極めて不穩なものでありまするから屢々差押處分に遭ふてゐる狀況であります。其の內容を系統的に分類して見ると大要次ぎのやうなものであります。

諺文新聞紙差押事項

一、朝鮮民族獨立思想を鼓吹宣傳し又は朝鮮民族獨立運動を煽動する虞ある記事

例一、朝鮮獨立の必要又は可能を論したる記事

イ、米國其他の列國は民族自決主義を認容せさるへからす而して朝鮮は此の際ワシントン會議に對し朝鮮に民族自決主義の原則を適用せむ事を要求す　朝鮮は日本の壓迫を受けたり米國は朝鮮に同情す故に朝鮮の獨立を願ひ又は米國と同しく共和國たらむ事を願ふものなり　云々

(大正十年八月二十三日東亞日報)

ロ、在上海排日鮮人は太平洋會議に對し朝鮮獨立案を提議せり之に關して李承晩曰く　日本は朝鮮問題を國內問題なりと主張すれとも實は是れ國際問題なり朝鮮か諸國と締結したる諸條約は何國も之を破棄したるものなし然るに日本は之を無視して諸國の保證したる朝鮮の獨立を侵害せり　朝鮮の自由獨立と門戶開放は東亞のために爲されさるへか

らす　云々（大正十年九月四日朝鮮日報）

ハ、吾人今日の敗は團結なかりし爲めなり　團結心は强大なる軍隊よりも强し　吾人は自由を求めさるへからす戰はすして自由は求められす吾人は筆と舌とを以て彼の劍と彈とに抗して戰はさるへからす　云々（大正十三年四月二十三日東亞日報）

例二、獨立運動を賞讃又は煽動したる記事

イ、人の死にして最も貴きは我民族の爲めに事業を爲して銃砲に死するを最上とす之に死なは毫も苦痛を感せす群衆に贈與する處ありて死を快取するを得　民族の爲めに刑に觸れて血を流すを次とす　電光の來る刹那亦群衆に遺贈する處あり下を壘の上の死とす　云々（大正九年五月三十日朝鮮日報）

ロ、觀よ錦繡の江山三千里の半島は荒廢に歸し二千萬の民衆は自由なし

されは志士は自ら犧牲となりて國家社會を救はむとし鐵窓に呻吟するにあらずや然るに何ぞや妓生と戯むるゝとは時乎時乎再ひ來らす時を失はゞ悔ゆとも及はす祖國の慘狀を觀察せさるか　云々（大正九年六月一日朝鮮日報）

ハ、噫―最後の戰線に立ちたる諸君―力ある拳固はありや　熱き民族愛はありや吾人は吾人の失ひたる總てのものを求めむか爲めに吾人の生存の爲めに吾人民族の復興の爲めに戰へ諸君の持ち居れる力と熱とを絞り出して前に出せ最後の戰線に立てた諸君は

吾人は危機一髮にあり吾人の背後には凡ての被征服者等の無言の中の應援あるなり加之吾人は人間力を超越せる正義の偉大なる力附き居れり吾人も生きむとするには斯かる力ありとは言ふなり斷然として起て―（大正十三年六月十三日東亞日報）

ニ、金融變は嚴然として起ちて

六年前の獨立運動は日本に對する宣戰布告なり敵に捕へられたる余としては決して降服を爲さす正義を考ふれは放免せよ然らされは死刑より外なしと云ひ日本魂を嘲笑し朝鮮民族と朝鮮魂を叫ひ敵の求刑は當然なりと少しも死を恐るゝ色なし　云々（大正十三年十月十八日朝鮮日報）

二、排日思想を宣傳し又は排日運動を煽動する虞ある記事

例一、日本の朝鮮統治政策を批難する記事

イ、君等は恆に同化主義内地延長主義何主義と云ふも之は朝鮮人を侮辱するも甚しきものにして又君等の誤も甚しきものなり

君等如何に破廉恥なりとは言へ四千年の歷史を持てる文明人をは他國の文化に同化せよとは無禮なり　云々（大正十一年四月一日東亞日報）

ロ、目下の政治制度社會制度經濟制度は一も朝鮮人本位ならす朝鮮人は個人個人に罵詈侮辱體面を汚さる　されと朝鮮人の反感反抗は心中にのみ持ち居りて外に表はして死力を以て義憤勇猛の反抗を貫徹する事なし（大正十一年八月四日東亞日報）

例二、排日的直接行動を煽動したる記事

イ、獨立萬歲の聲は何時にても發し得られさるにあらさるも之れか十年目に朝鮮人は日本人の統御に甘伏せすてふ眞情として發したるものにして五臟六腑四肢ある以上何人と雖他人の奴隸となるを欲せさるを以てなり（大正九年七月三日朝鮮日報）

ロ、吾人の苦痛は其の極に達し積りに積れる怨恨は九天に到着したり禽獸すらも死する時には最後の決死あり地に這ふ微物も踏めは踵を嚙み付かされは死なす況んや人に於てをや　噫―時は來れり吾人か三思す

る時は來れり（大正十三年五月六日時代日報）

例三、日本を呪咀したる記事

イ、兎に角日本は危險なる島國なり何時か一度は顚覆して了ふたらうと考へらる九月一日より八日迄に餘震一千一百三十一回の多きに達したり（大正十二年十月二日朝鮮日報）

ロ、日本は震災により一朝にして多大のものを烏有に歸せしめたり而して默然として佇立する日本民族の悲痛なる心事に對しては深く同情を寄する處なりされど今や國際政局の風雲逐日激甚なる今日に在りて如何に不可抗力の天災なりとは言へ深刻なる打擊を受けたるは竊かに日本國運の消長に對して關係なしと云ひ得す吾人は盛衰の常無きを驚嘆するのみなり（大正十二年九月四日東亞日報）

三、社會主義を宣傳し又は社會革命を煽動する虞ある記事

例一、資本家の搾取を呪咀し階級爭鬪を煽動したる記事

イ、今や軍國主義と資本主義との野合か生みたる斷末魔的最後に到着せり之に革命的勞働者と社會主義者とか意氣と氣勢とを揚けて彼の最後に止めを刺さむとするなり（大正十三年四月一日開闢）

ロ、他國にありては中產階級沒落して資本階級發生するとも其は國內的現象に過きす卽ち朝鮮の如く外來の資本階級に產業權か移動するものにあらす他國に於ては產業革命ありて後に產業の增殖あるも朝鮮には二重に搾取せらる　卽ち民族的搾取の地位に陷れる朝鮮の大衆は朝鮮資本階級に搾取せられ且つ又外來の資本階級に搾取せらる　之か爲めに朝鮮民族は滅亡しつゝあり之を覺らは奮起して此の現象を排除し朝鮮人の產業權を回復せさるへからす（大正十三年九月五日時代日報）

例二、社會革命を諷刺したる記事

イ、社會關係國家秩序を維持せむか爲めに一層其の生活苦深く其の困窮切なるときは如何てか其の法律其の秩序を愛敬せむや茲に法律破壞の運動生し秩序を亂す直接行動出つるなり此の場合に單に其の舊法律舊秩序論を以てしては其の直接行動の倫理的道德的觀念を打破し難く殊に批難は爲し能はさるなり　これは其の舊社會舊法律に對しては實に敵對的行爲にして反逆行爲となるも其の將來の新社會隨ひて人類生活の進展發達の爲めには一種崇高の犧牲土臺となるものなり（大正十二年三月十七日東亞日報）

ロ、曰く產業—曰く交通—曰く教育曰く警察—皆昔日の批政時代より面目一新せりと誇張するも之か果して吾人に對し誠意ある施設なりや否な否な其れは吾人を窮迫に陷し入れたる日本人の爲めにせる施設なり人心の離散せる處には政治は偶像的にして屈從は强壓的征服に過きす

吾人は力弱く殊に武力に抗拒する何物も無し　されと吾人の淚は吾人の寃恨を拭ふの日あるへく吾人の血は吾人の後裔に傳はるなり此の二千萬の民衆の呪咀には如何なる應報あらむやも知れす自由を失ひ生命の保證なき二千萬民衆には殘り居れるまのは寃恨と呪咀のみなり赤裸々に言はむ冷靜に冷靜を加へて言はむ「是の日曷んそ表はさる」の聲二千萬民衆の口々より出つる事を知るや否や（大正十三年八月八日時代日報）

四、其他治安を紊す虞ある記事

例一、時事に關し無稽の風說を流布し人心を動搖せしむる虞ある記事

イ、震災に乘し鮮人虐殺せらる云々（震災當時各新聞）

ロ、メルラン總督を狙ふ安南革命黨員入鮮せり云々（大正十三年五月二十日東亞日報）

例二、國家に對する義務を否認する如き記事

イ、納税は人民か國家より享くる利益の代價なり故に國家より利益を享けす保護を受けさるときは納税を拒絶するを得るなり

然らは朝鮮人は總督政治によりて利益保護を受け居れりや今日の朝鮮人の悲境は皆日本より利益保護を享けさりしのみならす却りて經濟上に破滅せしめられたり故に問はんとす朝鮮人に果して納税の義務に對する保護は何々ありや（大正十三年十月三十一日時代日報）

五、風俗を壞亂する虞ある記事

例無し

斯様な譯でありますからして、諺文新聞は益々朝鮮人の民心を險惡ならしむるものであるから斯う云ふものは止めてしまつた方が良いと云ふ議論が可成り強いのであります、然し又之に對する反對論もあります。兎に角朝鮮現下の

情勢に於て朝鮮人に言論の自由を與ふべきか、或は與ふべからざるかと云ふ問題は隨分大きい問題であるだけ之に就ては可成り議論の餘地もあることゝ思ふのでありますが、今日の時代に於て朝鮮人に全然議論の自由を與へない、卽ち全く言論を壓迫すると云ふことは、是れは到底爲し得ないことであらうと思ふのであります。或は不可能でないかも知れませぬが、朝鮮統治を圓滑にやる上から言つて到底認めることの出來ない暴論であらうと思ふのであります。既に自由を與へるものとするならば或る程度の言論は之を認容して行かなければならぬのではあるまいかと思ひます。既に言論の自由を與へて置いて、之を極端に壓迫することは洵に矛盾したことでないかと思ふのであります。言論を認める以上は或る程度の彼等の不平なり不滿なりを聞いてやる處に甫めて意義があるだらうと思ふのであります。尤も私が先に申述べました朝鮮の絕對獨立なり、其他國体を毀けるやうな言論は勿論之を認める譯には行かぬのであります

るが、其他の議論は成可く寛容な態度を以て聽いてやるのが至當でないかと思ふのであります。それでありますから現在は著く不穩なものに對しては差押處分をいたして居りますけれども、多少不穩と認めても根本問題に觸れない事柄であるならば、餘程の點まで大目に見てゐるのであります。先にも御話した通り朝鮮人は多年壓迫の逆政に苦しむで來た民族であり又併合後と雖も內地人の方でも隨分專恣横暴なる行爲があつたことも事實でありますからして、多年斯の如き壓迫の反動と、世界的思潮の影響等に因つて多少不平又は反抗がましいことを言ふと云ふことも亦已むを得ない處ではないかと思ふのであります。それで吾々は必ずしも諺文新聞を悅んでゐる譯ではありませんけれども、去りとて又言論の自由を絕對に壓迫して了はなければならぬと云ふやうな悲觀論でもないのであります。或る程度の不平や不滿は言はして見て、惡い處は差押をやり、又聽く可き點は誠意を以て聽いてやると云ふことが良いと考へてゐるのであります。

斯様な次第でありまして種々の批評は必ずしも間違ではありませんけれども各々一面の眞理を含むでゐることは事實でありますが、孰れも其の一班を見て全豹を律する弊に陷つてゐると思ふのであります。恰も群盲象を撫し、或者は材木と稱し、或者は石像と稱し、或者は樽と稱し、而して或者は龍の如しと稱したのと同じやうな類へのものと言へるだらうと思ひます。それでありますからして吾々は宜しく朝鮮問題の全体を一貫いたしまして、其の全体の動きが如何に動いてゐるかと云ふことを正視することが必要であらうと思ふ。猶ほ之れを例へて申しますれば太洋の中に大きな氷塊が動いてゐるやうなものであつて吾々は此の氷塊を如何なる方向に導いて行くかと云ふことが問題の焦點であります。其の氷塊の內の一部の破れてゐる內に於て、小さい氷の塊が西に動き或は東に動きしてゐる處の狀態は必ずしも之れを氣にする必要はないのでありま

す。是等の小さい氷塊が何れに動いた處が全体としては、之れを包容する處の大氷塊の行手に附いて行くことは疑ひのない事實であります。故に吾人は小さい氷塊を眺めずして、大きな氷塊に眼を着けて行くやうにしなければならぬ。然らば朝鮮の現在に於ける實狀如何と云ふことを是れからお話したいと思ひます。

以上叙べました處の大体の狀況、卽ち之れを朝鮮問題の概論といたしますれば次ぎに述べんとする處のものは各論と云ふことになりますので、先づ第一に鮮内の狀況をお話して、次ぎに鮮外の狀況を申上げて結論に及ばんとするものであります。

鮮内の狀況

一　民族運動

朝鮮内の狀況は之れを二つの方面からお話しいたしたいと思ひます。先づ第一は民族運動でありまして、第二は思想運動であります。朝鮮の民族運動は併合以來幾多の變遷を經て今日の情勢を馴致したのでありまするが、此の經過を此處で詳細にお話し申上げると云ふことは時間もありませんので、今日までの傾向に就て極く大要をお話したいと思ふのであります。で之れを今解りよいやうに分類をしてお話いたしまするど、先づ第一には獨立に焦慮した時代で日韓併合の事が發表せらるゝと世論が囂然として人心安定いたしません。而して各處に暴民が蜂起いたしまして、併合に對する不平を愬へたのであります。又有識階級に於ては時局を憤慨して外國に逃走したものもありまするし、又自殺し

た者などもありまして、獨立を失ひたる半面、言ひ換へれば併合と云ふ事實に對して煩悶焦慮を極めたものであります。這は洵に無理からぬ話でありまして當然起つて來る現象かと思ふのであります。抑も朝鮮が今日の狀態に立到りましたのは、世界の大勢が然らしめたのであつて、一朝一夕に左樣な大事が成し遂げられたのではないのでありますけれども、併合直後に於ては多少ジタバタしたことは已むを得ない處であらうと思ふのであります。然るに段々と時間が經つにつれて時勢に目覺めて來るし、從つて其處に或る程度の落付きを有つて來るやうになりまして、唯だ煩悶焦慮することに由つては到底駄目である、反抗するならばそれだけの準備を整へて掛らなければ駄目である、と云ふことの自覺が段々出て參つたのであります。是れが第二期の諦めの時代であります。それで此の時代では最も時勢に目覺めたものは怎うしても實力を養成して健全なる國民を造ると云ふことに氣が付いて來まして、過激な運動を止めて專ら實

力の充實と云ふことに努力するやうになりました。然し時勢に目覺めない頑迷者流は矢張り第一期の如き焦慮の時代を繰返してゐるのでありまして、飽迄も不平を愬へ、又は過激兇暴なる計畫を以て日本に反抗すると云ふことを是れ事としてゐるのであります。卽ち爆彈や拳銃の偉力に由つて、或は官公署を破壞したり、或は又大官を暗殺して世の中に向つて日本統治の不平を愬へたり、又或は武力運動に依つて朝鮮に侵入して、親日者なり又は官憲なりを襲擊して不平不滿を天下に愬へると云ふやうなことを計畫してゐる譯であります。

然し乍ら是等は極めて一部少數の人でありまして、全体は既に是等の行爲が朝鮮民族の進展に何等寄與するものでないと云ふことを十分知り拔いてゐる譯でありまして、矢張り徐ろに實力を養成して他日に資せんとすることが大多數の者の態度であります。それで現在は確かに諦めの時代となつてゐるのであります。昔と著しく異つて來た點は所謂親日派に屬する連中も、排日派に屬する

連中も當分同じ軌道を進んでゐると云ふことが出來るであらうと思ひます。昔は親日派と云へば何でも乎でも役所のやることを謳歌して是れ以上何ものも要求する處はないと云ふ態度を執つて居つたやうに思ふのでありますが、現在に於ては親日派と雖も朝鮮人は現狀の儘で結構である、總督府の施設に對して是れ以上何等の要求もないと云ふやうな考へを有つてゐる者は一人もないのでありまして、出來るだけ朝鮮人の政治的及經濟的の希望を現在以上に進展せしめたいと云ふことは彼等が痛切に考へてゐる處であります。それであればこそ或は國民協會の如きも專ら參政權獲得の運動に努めて居ると云ふ樣な次第であります又同光會の如きも內政獨立運動（此意味はよく判らないけれども）に盡力して居る次第であります。是れと同時に所謂排日派と稱する者でも、先程お話したやうな爆彈、拳銃の偉力に依つて、卽ち直接行動に依つて獨立の目的を遂成しやうとするやうな手段方法は極めて愚劣なことである。斯樣な事柄が朝鮮

民族の健全なる發達を阻害しこそすれ決して有效なるものでないと云ふことは百も二百も承知してゐるのであります。それで吾々は飽迄も實力の養成に努めて、今少しく立派な國民を造り上げた上に於て祖國のことを談ずべきものであると云ふ主張が非常に多くなつて參つたのであります。それでありますからして所謂親日派も、亦排日派も倶に實力を養成すると云ふことに就ては全く一致して居る譯であります。是れは一見獨立運動が衰微したやうに見えるのでありまするけれども決してさうではないので、寧ろ朝鮮の運動としては常軌に這入つて來たものと見ることが出來ると思ひます。それで現在に於ける獨立運動の種類を列擧して見ると云ふと大体次ぎのやうになると思ひます。

獨立運動の種類

第一　馬車馬的獨立運動

時代の趨勢も知らず、四圍の狀勢をも顧みずに獨り自ら盲動するもの。

一、直接行動派　例へば義烈團等の如く爆彈の偉力に依つて獨立運動を企圖せんとするもの。

二、武力行動派　現在平安北道の對岸に於て活動してゐる處の所謂武力不逞運動等である。

第二　漸進的獨立運動

實力養成に依つて他日獨立を圖らんとする運動である。

一、第三者の援助を得て獨立の目的を達成せんとするもの。

二、日本の諒解に依つて獨立の目的を達成せんとするもの。

三、獨立の前提としての參政權獲得又は自治運動を爲すもの。

大体以上の如く分類することが出來るが尙ほ第三の運動に附隨した運動として鮮人本位の產業施設を要求したり、又は鮮人本位の教育施設を要求したり、其他經濟的に又は智識的に總て朝鮮人を本位とする處の施設を要求する運動も可成りあるのであります。次ぎに思想運動の狀況をお話いたそうと思ひます。

二　思想運動狀況

由來朝鮮人は結社などを造つて陰謀をめぐらすと云ふやうなことは餘り嫌ひでない民族であります。今日までの長い間の歷史を見ましても、さう云ふ現象が明かに表はれて居ります、近來の思想上の運動に就ても、どれ程までの深さと眞劍味とを有つてゐるかと云ふことは姑く別問題としまして、隨分大くの團体結社を造つて、此頃流行りのヤレ共產主義だの、ヤレ社會主義だのと云ふやうな看板を押立てゝ種々な運動をやつてゐることは事實であります。大体から言ひますると云ふと朝鮮の主義運動は开歷に根深いものでないと思ひまするが、玆に見逃がし難い傾向が一つあるやうに思ふのであります。それは朝鮮人が政治的にも經濟的にも苦しんで來たと云ふことゝ、現在の有樣では結局吾々は破滅であるとの切實な感じを有つて來たと云ふことであります。多年逆政に

苦しめられて來た結果は動もすれば時の權力と謂はふか、政府と謂はふかお上の力に對して兎角反抗せんとするやうな氣分がありまするし、又現在の境遇に不滿である處からして唯だ無暗に解放とか自由とか云ふことに憬れる傾向が非常に濃厚であります。それでありまするから朝鮮に於て少し教育でも受けてゐるやうなもの丶間には、言換へれば青年智識階級の間には一般に解放であるとか改造であるとか云ふやうな、總てのものを根本から建直して行かうと云ふことに對する餘程强い憬れを有つてゐることは事實であります。それでありまするから共產主義なり社會主義なり、但しは又無政府主義なりと云ふやうなものは怎う云ふものであつて、是れが吾々人類に如何なる反響を齎らすものであるかと云ふやうなことを精細に研究せず、唯だ何んでも根本から破壊して建直しをやると云ふことに對して、非常に共鳴性を有つてゐるのであります。是れは恰も薪を抱いて火中に投ずるやうなものでありまして、勞働者にしても、其他

の階級の者にしても、民度が進んで居ない處へ徒らに解放、改造の欲求が熾烈でありまするからして、過激な思想は直に朝鮮全道に喰入る危險性が大變多いやうに思ふのであります。それでありまするからして、朝鮮に於ける思想運動は之を其深さの方面から見まするど到底內地の比ではありません。極めて單調でありまするが然し今お話申したやうに、特種の事情を持つて居ますから過激思想の取締は寸時も忽かせにして置く譯には行かないのであります。殊に況や朝鮮に於ては此の思想運動は一面民族運動と結び付きまして、此の兩方面の運動が互に手を携へて進んで行つてゐる譯であります。然らば朝鮮に於ける思想運動として怎う云ふものがあるかと申しますると、先づ第一は勞働運動であります。第二は小作爭議であります。第三は衡平運動であります。是れから此の三つの運動に就てお話をして、終りに朝鮮に於ける主義運動とロシア共產黨及日本社會主義者との關係に就てお話をしたいと思ひます。

第一　勞　働　運　動

勞働運動と申しましても御承知の通り朝鮮では科學工業が發達して居りませんからして、此の方面は割合に運動も單純であり、又其の運動の經過も小規模のものが多いのであります。私共朝鮮に來ました大正八年以來今日迄の處では本年の一月京城に於て起りました電車從業員のストライキでありまするが、是れが約五百人の乘務員が結束いたしまして、會社に對抗したので、其の全員の罷業日數は一日罷業人員は五百十人でありまして、是れが最も大きい罷業でありました。ですから朝鮮では勞働運動と云つて見てもそんな大した騷ぎは餘りないのであります。勞働運動の種類原因を檢討いたして見まするど、是れは內地と無論同じことでありまして、孰れも勞働條件の維持改善と云ふことを目的としてゐるやうであります。稀には民族の感情から內地人資本家又は雇主に對してストライキをすると云ふやうなことも絕無ではありませんが極めて僅少で

あります。即ち之れを分類してお話しするならば、第一爭議の原因としては勞働條件の維持改良と云ふことである。爭議の種類としてはストライキでありまして、是れ以上の程度を越えないのであります。爭議を解決する爲めに又資本家、工場主に對抗する爲めに、暴力其他の直接行動に出づると云ふことは先づ絕無と云つて宜からうかと思ひます。朝鮮に於ても其の職業別に依つて各種の勞働組合式のものを造つて居りまするが、即ち印刷工組合、鐵工組合、淨襪職工組合、土工組合、大工組合等の如く事實上の職業組合に似た樣なものを造つて居りまするから、爭議等の場合に於ては組合の力に依つて比較的統一的の行動を執つて居りまするが、孰れも今お話したやうに高々ストライキ位が關の山でありまして、それ以上の危險な程度に逸出すると云ふことは朝鮮の現在に於ては殆どないのであります。

第二に勞働運動に從事してゐるもの丶種類を分類すると云ふと (1)實際共產

主義何程か研究して是を全く良いものと確信して其理想境を實現しやうとして努力してゐる者も絶無ではありませんが極めて少いのであります。御承知の如く朝鮮現下の文化の程度はマダ／＼低いのでありまして、教育を受けて居りまする所謂智識階級に屬する人は極めて少い。此の少い有識階級の中の極く一部分の人が先程お話したやうな民族的及經濟的の悩みから常に社會主義、共産主義の社會を憧憬して遂に之れに深入りするやうになつたのであります。其の他の運動者は皆唯だ境遇上勢ひ是等の思想に共鳴するやうになつたと云ふ丈のことであつて、從つて平素の彼等の行動も多くは學者的態度ではないので、全く年百年中主義運動を煽動教唆して是れに由つて糊口を凌いで行く所謂社會主義又は共産主義ブローカーのやうなものであります。

(2)獨立運動に挫折した結果已むを得ず主義運動に從事してゐるものがあります。既に總論並に民族運動の處で説明したやうに、多くの朝鮮人は併合以來朝

鮮の獨立を希望して居つたのでありまして、（恐らく今も尙さうでありませう）多くの人が朝鮮の國權恢復運動の爲めに奔走して居つたのでありまするが、所謂上海假政府の活動も段々怪しいものになつて來るし、當てにして居つた外國はそれ程自分達を助けて呉れないし、一般の民心は漸次安定して來るし、從つて今迄獨立運動に從事して居つた連中も段々時勢に目覺むると共に、斯樣な運動に狂奔すると云ふことが段々莫迦らしいと云ふことを自覺して參りまして、結局朝鮮の光復運動と云ふやうなことは到底喚つても出來るものではない。さう云ふことよりは先づ實力を養成して健全な國民を造り上げると云ふことは先決の問題と云ふことに目覺めて來たのは何んと云つても動かすべからざる事實であります。然し乍ら從來所謂獨立運動などをやつて居つたものは、假し其の運動を止めたにした處が何處かに不平不滿を漏らさなければならないのでありまするから、結局其の不平不滿を現代の社會制度に持つて行つて、而して共産

主義だの社會主義だのと云ふやうな如何にも弱者に都合の好いやうな運動に走り込むと云ふやうな順序になるのであつて、寧ろ是れは當然の現象ではあるまいかと思ふのであります。

(3)は唯だ時流を追ふてホンの表面の見得を張つてゐるものであります、朝鮮では一寸勉强でもすれば主義運動にでも加擔するか、それでなければ獨立論の一つもやらなければ何んだか仲間に對して肩身が狭いやうな考へを有つてゐるものが多數あるのでありますが、唯だ譯もなくさう云ふやうな『時の流れ』又は『空氣』に浸つてゐるだけのことであつて、之を以て我れ時流に掉せりとなして自ら任じてゐるまでのことであります。是等のものは勿論社會主義の何んであるかをさへ知らずに、唯だ自由を叫び解放を唱へれば何等か幸福でも得られるかの如く感じて引摺られてやつてゐると云ふに過ぎないのであります。

以上述べました三つの種類の中で(1)に屬するものは極めて少數でありまして

主として(2)、(3)に屬する人物が多いやうに思ふのであります。現に私共が言論出版の取締等に就て、所謂是等の主義者と稱する者と膝を突合はして話をして見ましても、主義運動自体を多少なりとも學問的に研究してゐるものは極めて稀れであつて、隨分彼等の仲間で有名な人物でも、イザ會つて話をして見ると云ふと案外何んにも知つて居らんのに驚されるのであります。唯だ其の言ふ處は當局が壓迫するとか、總督政治は吾々の自由を認めないとか云ふやうな不平を並べるのは彼等の病であつて、主義者としては物足らざること夥だしいのであります。斯樣に朝鮮に於ける社會運動に從事するものは甚だ權威がないやうでありますけれども、戰線に起つ同志としては必ずしも莫迦には出來ないと思ふ。此處が警察取締の上に非常に注意をしなければならぬ點であります。警察取締の方面から見た社會主義運動は、必ずしも社會主義の理論や學問を研究してゐる人物が怖ろしいと云ふ譯ではないのでありまして、學問や理屈は知らなくて

も或る事柄を確信して、それを一圖に信じ切つてゐる者の力と云ふものは偉大なるものであります。卽ち社會主義や、共產主義の運動と云ふものが自分達の進むべき途であると云ふことを確信してゐるものは卽ち一種の信仰の境涯に這入つてゐるものでありまして、是れ程强いものはなからうかと思ふのであります從つて其の運動に對する戰鬪力は極めて猛烈に發揮の出來る素質を有つて居りまするからして、縱しむば朝鮮に於ける主義運動が貧弱であり、內容が空疎であるにした處が、之れをやる者の心理狀態は先刻來お話するやうに世の中の建直しと云ふことを總て前提とし、之れに對する信仰の境涯に這入つて居りまするから此の運動には烈しい戰鬪力が含まれてゐるものと見なければならぬのであります。情報に依りますると國際共產黨に於ては朝鮮の同志を可成り利用しやうとしてゐると云ふことは洵に所以あることと思ふのであります。

殊に朝鮮はロシアと陸接國境を有つて居りまする關係上、又鮮內自体の運動の

性質が今お話したやうな關係でありまするから、是等運動の警察上の取締に就ては可成り注意しなければならぬと考へてゐる次第であります。

次ぎに朝鮮に於ける既設思想團体の運動の模樣を一言お話したいと思ひまするが、朝鮮全鮮に亘つて勞働問題並に小作問題に關係してゐる處の團体は數百（概數を書くこと）ありまするが、昨年の春是等數百の團体は表面二つの團体に統一された形になつて居ります。其の一は朝鮮勞農總同盟と云ふのでありまして、他の一は朝鮮青年總同盟と云ふのであります。此の兩總同盟は各々鮮內に於ける自派に屬する數百の團体を集めて、そして一個の總同盟を造つて居るのでありまして、お互に數百の細胞團体を有つてゐるのであります。此の二つの總同盟に依つて大体統一された形になつて居りまするが、此の內容に立到つて見ると又緊乎りとした統一が取れてゐないのでありまして內部には紛擾の絕え間がないのであります。それで此の兩總同盟が出來てからでも之れに加入しな

い團体や、又之れから分離した團体も少くはないのでありまして、今日では此の兩總同盟の外にも多數の團体が出來るやうになつたのであります。團体を標準として說明すると斯樣な譯でありまするが、勢力を標準としてお話をすると朝鮮の思想團体は北星會の勢力とソール青年會の勢力との二大勢力の對立であると云ふことが出來ます。京城を始めとして全鮮に散在して居ります處の各種の團体は、勞農總同盟又は青年總同盟の孰れかに加入をして居ると居ないとに拘らず、必ず北星會なり又はソール青年會の勢力外のものはないのである。孰れかの一方に屬してゐる譯である。北星會系統は勞農總同盟の方に主として其の勢力を扶植して居るし、ソール青年會の系統は朝鮮青年總同盟の方に主として勢力を扶植してゐる狀況であります。それで朝鮮現下の各種團体は勞農總同盟と青年總同盟の二つ及此の孰れにも加入して居ない團体も幾らかある譯でありますが、是等の全体を通じて北星會の系統か又はソール青年會の系統か孰れ

かに屬しないものはないと云ふ狀況であります。

茲で一寸北星會とソール青年會の起原をお話して置きたいと思ひますが、北星會と云ふのは東京の留學生の中で最も濃厚なる社會主義者及無政府主義者の團体でありまして大正十年東京で組織せられた黑濤會と云ふものが其の前身であります。處が此の會は大正十一年の十月に主義の衝突からして內訌を起して無政府主義者の方は黑友會を組織して、遂に二派に分裂したのであります。此の北星會が後に京城に根據を据えて金鍾範、金燦、徐延禧、宋奉瑀、金章鉉、鄭雲海等の連中が幹部となつて活動して居るのであります。而して昨年朝鮮勞農總同盟が組織せらるゝに及んで其の勢力を自派の手に收めたのであります。それから「ソール」青年會は大正九年頃に張德秀、吳祥根等が組織したのでありまするが、現在では李英とか張採極、韓愼敎、鄭栢等の者等が采配を揮つてゐるのでありまして、是れも昨年青年總同盟が出來るに及んで之れを自派勢力の下に

収めたのであります。

以上お話しするやうに朝鮮では此の北星會とソール青年會の二大勢力の對立であつて、其の孰れの系統にも屬しないと云ふ會は極めて少ないのであります從つて團体の數は澤山あつても牛耳を執つてゐる連中は北星會並にソール青年會の者等に定まつてゐるのであります。

然らば之等の團体は如何なることを行つて居るかと云ふに何分勢力が未だ微弱である爲めに是等の團体自体として目立つた運動としては別にやつて居りません。卽ち言ひ換れば勞働運動に對する煽動行爲と云ふものは別にやつては居らぬのであります。各地に於て發生する勞働爭議等に對して委員を派遣して運動の調査等をやることはありますが、當局の取締が嚴重である爲めに、是等の運動の渦中に投じて煽動すると云ふ行爲は殆どないと云ふても宜いのであります。而して之等の運動に對する當局の取締方針としましては勞働者自体の自

覺に依つて起る爭議は或る程度までは寛大にして居りますけれども、純勞働者でもない全くの第三者が是等の運動に介在すると云ふことに對しては最も峻嚴なる取締をやつてゐるのであります。それで彼等は各地に起る勞働爭議を種に目覺ましい活動をすると云ふことも出來ませんからして、現在では自ら勞農露國との關係を付けることに腐心いたして居ります。從來ロシア共產黨の手から多少宛の宣傳費を貰つたのでありますが、何分鮮內の此種の團体が互に相排擠して內訌の絕間がない爲めに、ロシア共產黨の方でも當分の間朝鮮の團体は見込のないものと諦めて、物質的の援助等は一切中絕した形になつてゐるのであります。それで現在では何んとかして其の關係を復活したい、それが爲めには自派の手で朝鮮の總有勞働團体を纒めて、朝鮮に於ける代表的團体であると云ふことの實質を備へると云ふことが必要であるが爲めに、此の內部の結束に非常に努力をいたして居ります。從つて北星會系統に於て民衆運動大會を開い

て全鮮の勞働運動者の統一を圖らうとすれば、今度はソール青年會系統の方では社會運動者大會を開いて之れに對抗しやうとするし、北星會系統の方では北風會とか火曜會と云ふやうな團体を組織すれば、ソール青年會系統の方では赤雹團とか社會主義同盟とか云ふものを造つて之れに對抗しやうとするし、總ての運動が皆此の兩系統が對立し競爭してゐるやうな形になつて居ります。

それでありますから亦諺文新聞の方でも東亞日報はソール青年會系統を援助すれば、朝鮮日報は北星會系統を援助すると云ふ具合に、言論機關も二派に分れて對抗してゐるのであります。斯樣に內訌を續けてゐると云ふことが、ロシア共產黨との提携を防害してゐると云ふことは事實でありまして、目下の處ロシアとの間に餘り密接なる關係は有つてゐないと考へて居ります。情報に依りますると云ふと第三インターナショナルでは京城を初め鮮內の有力な土地に夫々聯絡機關を設置してゐると云ふことを屢々耳にして居りますけれども、未だ

それらしい樣子は今の處見えないのであります。然し强ひて申しますれば北星會系統の方が露西亞浦潮在住の李東輝の一派と稍や聯絡を取つてゐるのでありまして、之に依つて更に國際共產黨との關係を促進したいと努力してゐる狀況であります。

次ぎは勞働運動に對する小作運動に就てお話いたしたいと思ひます。

第二小作運動　前にお話しましたやうに朝鮮に於ける勞働運動は科學工業の進步して居ない爲めに割合に幼稚でありますが、小作運動に關しては可成り問題の種になるやうな素因が多く含まれてゐるやうに考へるのであります。小作人と地主との關係は朝鮮に於ては長い間平靜な狀態を維持して來ましたけれども朝鮮も段々民度が進むに從つて、如何に無智な朝鮮の農民と雖も次第に覺醒して參りまして、小作條件に對して兎角の紛議が多くなつて參つたのであります先づ第一には小作爭議の原因をお話しますと云ふと、先づ小作權移動の問題

と小作料の問題との二點に皈着するのでなからうかと思ひます。

然しながら運動の方法といたしましては暴行其他の直接行動の如きことはないのであります。唯だ稀に地主側の小作料納入の督促、其他土地の調査を爲すものに對して拳銃を發射し、其他暴行を加へると云ふやうな事例は多少あつたのでありますが極めて僅少な事例であります。朝鮮の小作人は多年地主に忍從して來たのでありまするが、最近多少反抗的態度を執るにしましても、そんなに狂暴なことをやる程民心は荒んでは居ないのであります。其の運動方法の如きも普通の勞働運動に比して尙ほ訓練されて居ないやうな遣方であります。それでありますから朝鮮に於ける現在の小作運動に對しては農政上の問題として、又社會的問題として確かに攻究すべき幾多の點があると思ふのでありまするが警察上の立場から見た所の此の運動は今の處極めて平穩であると云つて宜からうと思ふのであります。是れに對して動もすれば第三者が介入して種々な煽動

をする惧れがありまするので、此の點は先程も申した通り嚴重な取締をしてゐるのであります。

是れで勞働運動と小作運動の概況をお話いたしましたから、又前講で民族運動の狀況も一通りお話しいたしましたから、玆で朝鮮に於ける民族運動なり或は思想運動に關する重要團体を列記して置きます。

重要團体一覧表

○勞働又は小作問題を目的とするもの

朝鮮勞農總同盟　勞農會
無産者同盟會　朝鮮勞働共濟會
京城勞働會　朝鮮小作人相助會
黑勞會　朝鮮勞農大會
釜山勞働共濟會　大邱勞働共濟會

○社會主義的色彩あるもの

朝鮮青年總同盟　同友社
民衆運動者同盟　火曜會
京城青年會　赤雹團
新興青年同盟　建設社
ソウル青年會　朝鮮勞働教育會
京城女子青年同盟　無名會
北風會　朝鮮女子同友會
解放運動社　第一線同盟

○民族主義的色彩あるもの

民友會　朝鮮教育協會
朝鮮物産奬勵會　大東斯文會
民立大學期成會　朝鮮經濟會
土産愛用婦人會

○參政權獲得又は同化を目的とするもの

大正親睦會　各派有志聯盟
維民會　朝鮮革新黨
國民協會　甲子俱樂部
大東同志會

○其の他

儒林聯合大會　衡平聯盟總本部
儒林總部　衡平社中央總本部
苦學生갈돕會　女子苦學生相助會
儒道振興會

第三　朝鮮に於ける主義運動とロシア共産黨及日本社會主義者との關係

ロシアに於ける共産黨の關係に就ては、革命以來最近國交が恢復されるまでの間は、一般の國情は混沌として居つて明瞭でなかつた爲めに、共産黨の關係

に就ても情報は色々ありましたけれども、孰れも極めて不明確なものであつたが、最近漸く內部の事情が稍々明瞭になつて來たのであります。殊に又御承知の樣にロシアの政情は種々變更して居りまして、今日までも組織其他の點に於て種々變更を來したのであります、現在に於ては大体東洋方面には專ら第三國際共產黨が之れを司つてゐて、極東方面に對してはロシア共產黨と第三國際共產黨の二の系統から之れを支配してゐるのであります。卽ち此の二の機關に依つて支那、朝鮮、日本に對する主義宣傳の計畫をしてゐるのであります。殊に第三國際共產黨の本部には、其の東洋部に日本人片山潛が部長となつて各種の采配を揮つてゐるのでありまして、片山潛が其の長となつて若干の日本人、朝鮮人を使つて東洋方面の仕事を總括してゐるのであります。今其の極東方面に於ける仕事に就て、ロシア共產黨と第三國際共產黨との關係を說明すれば次の樣な次第であります。

浦潮に於ても從來共產主義運動に從事してをつた朝鮮人は多少居るのでありまするが、是れも革命當時から今日まで朝鮮人仲間の間にも非常に軋轢內訌を繰返して來て、彼等の離合集散は全く常ならないのでありまするが、大体から言へば浦潮附近に於ける朝鮮人共產黨關係は、上海系統に屬しまする李東輝一派とイルクツク派に屬する金夏錫、崔高麗等の一派と、其れから後に上海の創造派に屬する尹海一派等の、此の三つの黨派が鮮人仲間の黨派としては相爭つて居たやうな譯であります。其間には是等黨派間には色々複雜した關係がありましたけれども、現在では先づ李東輝一派の者が、露領に於ける代表的な朝鮮人共產黨であると云つて差支ないのであります。前の標題の處でお話して置いたやうに、朝鮮內の主義運動と云ふものが、從來多少ロシア共產黨と聯絡を取つてゐたことは、全く此の李東輝を通じての仕事であらうと思ふのであります。で今日の處では先刻お話した通り、朝鮮內の主義運動と云ふものは、極めて統制

のない支離滅裂な狀況になつてゐるが爲めに、ロシア共產黨との關係は非常に影の薄いものになつてゐるので、唯だ將來此の朝鮮內の運動者、ロシア共產黨と益々密接にクッ附いて行かうとして、朝鮮內の同志が猛烈に運動してゐると云ふ狀況であります。

次ぎに然らば朝鮮の社會主義運動は、內地の主義運動と怎麼關係を結んで居るかと云ふと、是れも現在の處では縱し關係があるにしても極めて微かな關係に過ぎないだらうと思ふ。私の觀た處では朝鮮內の運動と日本內地の主義運動との聯絡は、殆どまだないと云つて宜からうと思ふ。唯だ僅に東京に於ける鮮人左傾團体である處の、例へば無產青年會とか、或は一月會とか、或は螢雪會と云ふやうな團体を通じて、又は是等の團体に關係してゐる處の人物を通じて僅かに內地の一部の主義者と關係を保つてゐると云ふ程度に過ぎないのであつて、唯だ高津正道は朝鮮に何程か秋波を送つて居るのは事實であります。是れ

とても然し東京に於ける朝鮮人が、間に介在してゐるとも言ひ得るのであります。何んでも最近には高津正道は內地主義者の二三の者を朝鮮に引張つて來ると云ふやうな噂も耳にしてゐるのであります。

先づ直接の關係と云ふのは是れ位のもので、他に朝鮮の團体と內地の團体と直接に聯絡を取つてゐるやうな傾向はないのであります。唯だ內地に於ける社會主義者が、上海に於ける朝鮮の社會主義者、又は獨立運動者と多少の聯絡を有つてゐると云ふことも事實であります。けれども是れも餘り具体的の證據としては少ないのであります。唯だ先年近藤榮藏事件に依り、彼等が上海と聯絡を取つてゐたと云ふことが、端なくも世上に曝露せられたやうな譯でありますが今日では兩者の關係は餘り明瞭でありません玆に參考の爲內地に於ける左傾的思想團体を擧げて見ますれば、

一、東京に於ては

イ、東京朝鮮基督教青年會
ロ、朝鮮留學生學友會
ハ、朝鮮聯合耶蘇教會
ニ、東京天道教青年會
ホ、無産青年會
ヘ、一月會
ト、螢雪會
チ、女子學興會

二、大阪に於ては
イ、朝鮮留學生大阪學友會
ロ、朝鮮無産者社會聯盟
ハ、大阪朝鮮勞働同盟會

ニ、城東勞働同盟會
ホ、關西朝鮮人三一青年會

等其の主なるものであります。

第四　衡平運動

朝鮮に於ける衡平運動は内地に於ける水平運動と同じものであります。白丁と云ふ特殊の階級に屬して居ります人物が、常民と同じ樣に社會的待遇を受けたいと云ふことの運動でありまして、内地の水平運動と全然其の性質を同じうしてゐるのであります。白丁なるものゝ由來に就ては色々の説があるのでありますが、今茲に一々是等の由來から詳しくお話してゐる譯には行きませんが、何れ詳細なる衡平運動に關する調査書を本縣下の各警察署に配布する積りでありますからして、詳細はそれに依つて御承知を願ひたいと思ふのであります。

抑も朝鮮に於ける衡平運動として運動らしいものゝ始つたのは大正十二年四月からであります。而して其の運動を開始するに至つた動機は今お話したやうな、代々社會の賤民として、常民から壓迫を受けて來たと云ふことの傳統的反應に因ることは無論の話でありますが、特に其の近因とも云ふべきは白丁の子弟の學校教育の問題が其の發端を成したのであります。是れは内地でも同じ樣な徑路をとつてゐるやうに思ひまするが、白丁の子弟が學校で教育を受けると云ふことは、常民の壓迫に依り殆ど不可能な狀況であつたのであります。けれども從來の隋勢に依り、さう云ふ壓迫に對して忍從を續けて來たのでありますが然し世の中が段々進歩して個人の覺醒と云ふことが明瞭になつて、或は旺盛になつて來るに從つて平等の權利を主張するやうになつて來たのであります。斯くして彼等の權利の主張は先づ教育に對する機會均等問題から始つたのであります。今運動の經過を少しお話しますれば、慶尙南道の晋洲で、李學贊と云ふ

白丁の資産家があつたのでありますが此の人が自分の子弟を教育する爲めに、幾度か普通學校に入學せしめやうとしたけれども、白丁と云ふ身分であるが爲めに、支障が多くて實現することが出來なかつたのであります。其後大正十一年の春、夜學校に金を百圓寄附して入學させて貰つたのでありまするが、矢張り其後にも學校並に生徒の冷遇に堪えずして、遂に半途退學の已むない事情に立到つたのであります。其後更に京城の某私立學校に入學したのでありまするが、是亦白丁であると云ふことが判つた爲めに半途退學しなければならぬやうになつたのであります。其後色々な方法を講じたけれども獨り李學贊のみならず、其他の多くの白丁の子弟も、同樣に學校教育を受けると云ふことが非常に困難な事情が度重つて來た爲めに、心中甚だ平かでない折柄、恰度大正十二年の初め頃、内地關西各地で水平運動と云ふものが、段々熾烈になつて來たことを新聞紙上で見て、それで李學贊は自分の同志數名と共に、一二の普通常民の

援助を得て、玆に衡平運動の烽火を揚げるやうになつたのであります。故に朝鮮に於ける衡平運動の遠因は從來の非道な壓迫、差別待遇と云ふことであるが其の近因は敎育の機會均等を得ないと云ふ學校の問題に因るものでありまして偶々内地に於ける水平運動の勃發に刺戟され、之れが動機となつて衡平運動なるものが南鮮の一角に狼煙を揚げたのであります。

それは大正十二年の四月でありました。衡平社期成會と云ふものを組織して玆に衡平運動の基礎を固めたのであります。其後各地の白丁に檄を飛ばして、各地で衡平社の分社を造つて、差別待遇の撤廢と云ふことに對する要望をして來たのであります。そして彼等同志間に於ても今日までの間に、色々勢力の爭奪がありまして、現在では前記の晋州と今一つは京城との二つに分れて、双方各々本部を置いて運動に從事してゐるのであります。

其處で此の衡平運動に關して特に注意を要すべき點に就て一言私の所感をお

話したいと思ふのであります。

元來水平運動と云ひ衡平運動と云ひ特殊の階級にある人が、普通人の待遇をして貰ひたい、卽ち待遇の衡平を保つて貰ひたい、自分等を水平線上に引揚げて貰ひたい、と云ふことの運動の如きは、是れは本然的に平等であるべき人類としては寧ろ當然の要求でありまして、内地は勿論のこと、如何に階級觀念が古來發達して居つた處の朝鮮と雖も、今日の時勢になつては、さう云ふ階級を存續して行くことの間違つてゐると云ふことは當然の事である。であるからして吾々は言ふまでもなく四民平等の人生觀に立脚して自他共に皆同樣な社會的地位に並存すると云ふことは尤も至極なことであらうと思ふてゐるのであります。其の代り衡平社なり水平社なりの人々も、矢張り自ら改善すべきことは須らく改善して行つて、自らの地位を高めて行くと云ふことにしなければならぬのでありますが、さう云ふ具合に自ら改善して行く以上は之れを平等の地位

に置くと云ふことは當然なことであらうと思ふ。此の點に就ては恐らくは天下一人の異存を挾むものはあるまいと思ふ。然し乍ら若し是等運動が自分達を衡平の地位に置け、又水平線に引上げよと云ふ要求を超越して、多衆の力を賴むで其れ以上の專恣橫暴なる行動をとると云ふことになつては、是れは容赦をすべきものではなからうと思ふ。私は忌憚なく申しますると、内地に於ける水平運動の如きは餘りに突き進み過ぎたやうに思ふのであります。卽ち水平線上に出ると云ふ運動以外に、些細な事柄を理由として、常民との鬪爭を是れ事とし何かあれば直に兇器を持つて暴行脅迫の態度に出ると云ふことは甚だ不都合な行動と思ふのであります。故に是等の點に對しては國家は嚴重なる取締を加ふ可きものであらうと思ひます。卑近の例を引いてお話しすれば、兄弟に菓子を分けてやつて、一人だけ一番少く貰つてゐると云ふことを不公平であると云ふので、之れを他の兄弟と同じ數だけやつた。處が、それでも尙ほ少いから、そ

れよりまだ餘計寄來せと云つて駄々を捏ねるのと同じやうな譯でありまして、さう云ふ行動に對しては吾々は無論社會的の制裁を加へる必要があらうと思ひます。

朝鮮に於ける衡平運動は内地の水平社のそれの如く酷いことはありませんけれども、矢張り動もすれば程度を越えて眞の衡平運動の目的以上に出過ぎると云ふ傾向が遺憾乍ら多いやうに思ふのであります。吾々は正當なる運動に對しては極力後援もし援助も吝まないものでありますが、然し乍ら此の我儘な出過ぎた點に對しては斷乎として取締を加へてゐるやうな次第であります。朝鮮に於ける衡平運動が出過ぎた傾向を帶びてゐると云ふ一例をお話しすれば、常民に對して喧嘩の種がなくなると云ふと、白丁の子供が自分で白丁と云ふ文字を書いて、之れを常民の子供に何んと讀むかと質問をして、常民の子供が『それは白丁と讀むのである』と答へると云ふと直ぐに附近の自分の同志を呼んで來

て、此の子供は今自分のことを白丁と罵つたと云ふやうなことを言つて喧嘩を吹つかけたり、又今まで牛や豚の屠殺をしてゐた人間が、此頃常民から其の屠殺を頼まれると、屠殺を頼むだと云ふことを以て自分を侮辱したもんであると云ふやうな反抗的姿勢に出るやうな例があるのであります。

要之、常民對白丁の紛爭と云ふことは、長年の壓迫に對する反抗であつて無理からぬのであります。けれども、孰れかと云ふと白丁の理不盡な反抗心に依つて殊更に誘發せられると云ふ場合の多いと云ふことを私は大變遺憾に思ふてゐる次第であります。

尙ほ朝鮮に於ける白丁の運動は先程お話したやうに、晋州と京城の二箇所に本部を置いて、其他全鮮各地に分社を組織して居ります。けれども、何分朝鮮全体に於ける白丁の數は僅に十萬を越えないと云ふやうな狀態でありまするから（普通四十萬程あると云ふけれども、實際に調査すれば五、六萬乃至十萬位

であらうと思ひます）其の結社の力も割合に薄弱でありまするし、從つて又其の勢力も貧弱でありまするから、別に是れと云ふ運動はやつては居りません。

唯だ何處か一ヶ所で常民との喧嘩でもあつた時には、直に全鮮各地に檄を飛ばして互に聯絡を取ると云ふ位のものであります。幸ひ衡平社自体が特殊の運動を平生やつてゐないのみならず、社會主義者等との聯絡も比較的今日の處では少いのであります。先づ殆ど聯絡はないと云つても差支ない程微かなものであります。又朝鮮の衡平運動が內地の水平運動と聯絡を取つてゐると云ふやうな場合も隨分あるさうでありまするが、私共の觀る處では內地の水平社と聯絡を取りたいと云ふ希望は或はあるかも知れませんが、現在の處では聯絡はないと思ふて居ります。近は或は寧ろ內地の水平社本部に於て、朝鮮の衡平運動と聯絡すると云ふことの希望を有つてゐるのではなからうかと思はれるのであります。勿論水平社員なりと稱して色々の人が渡鮮をして參つて、盤踞してゐる

者も澤山ありますけれども、是等は本當の水平社の使命を帶びて來てゐると認められるものは絕無であります。大抵無賴の徒がパンを獲んが爲めに徘徊してゐるに過ぎないやうな實際の狀況であります。

要するに朝鮮に於ける衡平運動は多少出過ぎた點もないではありませんけれども、今申しましたやうな狀況でありまするからして、大体に於て先づ運動は特殊の刺戟のない限りは平穩であると云ふことは言ひやうと思ひます。

第五　宗　教　類　似　團　体

朝鮮には御承知でもありませうが、色々な宗教類似の團体が澤山あります。天道教を筆頭にいたしまして、侍天教、大極教、大倧教、檀君教、靑林教、普天教、仙道教等、其他數へ來れば隨分澤山の團体があるのであります。是等の團体は多くは迷信を說いて、常に荒唐無稽の說を流布して愚民を迷はすものが多いのであります。特に此の內でも天道教、侍天教、普天教の如きは相當の教

徒を有つて居りまするから、之れが指導如何に依つては隨分禍根を遺すことになるのであります。大正八年の朝鮮騷擾事件は天道教徒に依つて采配を振られたものであります。それで是等の宗教類似團体は、昔は迷信の部類に屬する程度が極めて濃厚であつたのでありまして、殊に又普天教の如きものは從來全く迷信のみを以て固まつて居つた處の團体であります。當局の方では是等の團体を取扱ふ上に於て、餘程細心の注意を拂つてゐるのでありまするが、警察取締の上に於ても單に宗教類似團体なるの故を以て、頭から嚴重に取締を行ふ必要もないのであつて、要は實際に彼等が布教する處の行爲に依つて取締を行つて行けば宜いのであります。宗教と公認せられた團体であつても、其の手段方法が惡ければ無論取締を爲すべきものである。宗教と公認せられて居らないからと云つて、其の手段方法さへ不穩當のものでなければ、強ち頭から之れを壓迫する必要はないのであります。又是等の團体は壓迫に依つて決して取締の目的

を達することは出來ないのであります。殊に況や今日內地に於ても隨分迷信に亘るやうな宗敎類似のものも少くないのでありますから況や民度の低い朝鮮に於て多少迷信に駛ることがあるとしても、之れを餘り峻烈に叩き付けると云ふことは如何がなものかと考へられるのであります。斯樣な方針で取締をやつて居ります爲めに、朝鮮に於ける各種の宗敎類似團体は、漸次明るみへ出て堂々と布敎すると云ふ傾向が段々濃厚になつて來たやうに思ふのであります。這は一個人の意見でありまするが、當分此の方針を以て進んで行くことが、現下の朝鮮としては必要なことではなからうかと考へて居るのであります。

各宗敎類似團体の宗旨と云ふやうなものは、私も專門家ではありませんから勿論熟く內容は知りませんが天道敎、侍天敎、大極敎等は東學の流れを汲んで居るものでありまして、卽ち天道敎は今から約六十三年程前から（日本の文久元年頃）慶尙北道の人で崔濟愚と云ふものが居つたのでありますが、此者が

『道を天に享け』たと稱して儒、佛、仙の三敎を折衷して、そして一家の學を樹て、其の學問を東學と謂ひ、其の道を天道と稱した譯であります。是れが卽ち天道敎の初まりでありまして、第一世敎主崔濟愚は迷世惑民の罪名で死刑に處せられ、第二世の崔時亨も是れ又同じく死刑に處せられ、第三世の孫秉熙が大正八年の朝鮮獨立運動の主謀者となつて、處刑せられた其刑の執行中に死んだ樣な譯であります。此の天道敎が東學の代表的なもので、侍天敎以下上帝敎青林敎、濟世敎は皆此の流れを汲んでゐるのでありまして、他の類似團体は孰れも儒敎若くは道敎―の流れを汲んで居るのであります。鮮內に於ける運動狀況は是れ位にして置きまして、次ぎは鮮外狀況をお話したいと思ひます

鮮外の狀況

鮮外に於ける狀況は大正八九年頃相當の勢ひを以て進んで居つたやうでありまするが、現在では段々衰微いたしまして、吾々が力瘤を入れなければならぬやうな運動と云ふものは殆どないのであります。けれども、各方面共前からの墮勢に依りまして、今日尙ほ多少の行動を繼續して居りまするし、又將來とても是れに資金を供給し、新たなる力を賦與すれば、更に大同する傾向がないでもありません。のみならず共產主義的運動も多少はありまするからして、玆に一通り說明いたして置きたいと思ふのであります。國外の運動も煎じ詰めて申しますれば、先づ第一は所謂上海の假政府の狀況、次ぎは爆彈等に依つて破壞暗殺を目的としてゐる暴力團体の狀況、次ぎは滿洲に於ける所謂武力不逞團の狀況、其の次ぎは露領及支那に於ける不逞鮮人並に主義運動の狀況、次ぎはア

メリカ、ハワイ、其他歐羅巴に於ける不逞運動の狀況と云ふやうな範圍になるだらうと思ふのであります。

第一　上海假政府

彼の所謂臨時政府と稱するものが上海に出來て居りまするが、此の抑もの起りは上海が歐羅巴方面に參りまする中繼の場所であると云ふ關係上、又上海と云ふ土地柄が彼等の陰謀を企む上に於て適當の場所であると云ふやうな關係からして、大正四年頃から朝鮮人の陰謀團体が出來て居つたのであります。即ち大正四年に大同輔國團と云ふものが出來上つて申奎植、朴殷植と云ふやうなものが首領になつて、佛蘭西租界に本部を置いて、國事に就て色々奔走をして居つたのであります。大正六年の八月に瑞典ストックホルムに於て萬國社會黨大會と云ふものが開かれましたが、此の大會に朝鮮社會黨の名前を以て委員を上海から派遣したのでありますが是等も今申上げた大同輔國團と云ふ團体が其

の原であらうと思ふのであります。それから越えて大正七年に歐洲戰亂が終結を告げまして、巴里で講和會議が開かれるやうになり、上海から代表者を派遣して、朝鮮の獨立問題に對して色々奔走したのであります。勿論此の運動は失敗に終つたのでありますけれども、兎に角斯樣な運動をやつたのは事實であります。それから大正八年の三月に高麗共產黨と云ふものを組織して、機關雜誌として『我等の消息』と云ふものを發行して、專ら朝鮮獨立運動の爲めに氣焰を揚げて居つたのであります。そして其の當時は鮮內では三月一日に、例の萬歲騷擾が勃發いたしまして間もなく、五月頃になつて、上海で所謂臨時政府と云ふものゝ組織が企てられたのであります。そして彼等は李承晩を首班にして假政府の組織を定めて、形式だけは日本の內閣を眞似したやうな組織が出來上がつたのであります。爾來今日まで所謂假政府の首腦者が度々變りまして、最近大統領李承晩を排斥して朴殷植と云ふのが大統領になつたと云ふことを聲言

してゐるのであります。成程、名前だけは大統領であるとか、或は內務總長であるとか、交通總長であるとか云ふやうな仰山らしい名前をつけて名聲ばかり如何にも國家の政府のやうな感じもし、體裁だけは極めて好いやうでありますけれども、由來朝鮮人は言語文章の民でありまして、其の口にすることは洵に立派なことを言つて居りますけれども、一度此の假政府なるものゝ正體を覗ますると實に憫然たるものであります。佛蘭西租界で僅に天井裏のやうな處に住ひをして、月に三十弗の家賃も拂ひ兼ねてゐると云ふやうな狀況であります。殊に又朝鮮人は非常に勢力爭ひ、內訌などを起すことの好きな民族でありまして、總ての團体、總ての會合に於ても、悉く是れ嫉視排擠すると云ふ現象は、如何なる場合にも現はれてゐるのであります。此の上海假政府に於ても、此の排擠內訌の爲めに常に紛亂を極めてゐるのであります。

最初、所謂假政府の成立後一二年の間は、鮮內の人心も、又ハワイ、アメリ

カ、其他に於ける朝鮮人も、何んとか朝鮮の爲めに大なる活動をするのではあるまいかと云ふことを考へて居つたのでありまするが、度々彼等に奪はれる處の所謂軍資金なるものは、彼等の暗鬪や、又は酒食の資に費されて了ふと云ふことが段々明瞭に解つてゐるし、又彼等が聲明して居つた獨立と云ふやうなことは、一向實現しそうもない。茲に於て段々鮮內外の信用を失つて、如何に朝鮮人の智識の程度が低いと云つても、左樣な詐欺、僞計に何時までも關はつてゐると云ふ程愚かではないのでありまするから、段々彼等の箔が剝げて、遂に一般から相手にせられないやうな狀況に立到つたのであります。今日では僅に國外の方から多少の金を貰つて、表面の維持はしてゐるけれども、彼等の財政の窮迫と云ふことは、殆ど其の極度に達してゐるし、加ふるに內訌は頻發して到底收拾の出來ないやうな狀況に立到つて居るのであります。故に過去の經路を考へて見ると云ふと、將來と雖も無論大した働きが出來ないのみならず、就

れ寂滅する日も遠くはなからうと思はれるのであります。

第二　暴力團体

茲に謂ふ暴力團体と云ふのは、爆弾又は拳銃等に依つて官公衙を破壊したり大官を暗殺することを主たる目的とする團体であります。第一に指を屈するのは先づ義烈團であらうと思ひます。一体大正八年上海に所謂假政府なるものが出來上つた當時から、救國冒險團とか、又は鉄血團とか云ふやうなものが引續いて存在して居つて、専ら暴力運動に耽つてゐたのであります。然し是等は孰れも一年間位で消滅いたしまして、大正十一年(?)頃から所謂義烈團なるものが現はれたのであります。義烈團と云ふのは諸君が既に情報でも熟く御承知の通りに、金元鳳と云ふものに依つて率ひられて居る、約五六十名の團体でありますが、其の組織などは極めて秘密にしてゐる爲め、團員などの數も明確な處は判り苦いのであります。此の義烈團が出來上つてから此の方、朝鮮内外に

亘つて盛んに活動して爆弾を投擲した額も随分少くないのであります。朝鮮内に於ても總督府を初めとして、或は平安南道の警察部であるとか、或は密陽の警察署であるとか、釜山の警察署であるとか、其他數ヶ所に爆弾を投擲しました。又豫てから内地に侵入すると云ふ風説があつたんでありますが、遂に大正十三年になつて不幸にも之れが實現して、即ち金祉燮が二重橋に爆弾を投擲したと云ふやうな不祥な事件も發生したのであります。一体此の義烈團の頭目である處の金元鳳は、元吉林方面の獨立團に加入して、専ら爆弾に關する仕事を擔任して居つたのでありまして、當時此の不逞團の中に金元鳳と、今一人同志の者が居りまして、此の二人が相携へて朝鮮獨立運動の爲めに盡力すると云ふことを誓つて、それから金元鳳は北京に行つて、義烈團と云ふものを起し、今一人の彼と契りを交はした友人は専ら主義運動の方面に驅つたのであります其の一人の友人と云ふのは即ち今京城で北星會系の主義者として活躍して居り

ます金若水であります。金元鳳は別名金若山と云つて、此の二人は共に山、水の一字宛を自分の名につけてお互に誓をして居るのであります。それで金元鳳は最初北京に根據を置いたのでありますけれども、其後上海に移つて、今では上海を根據といたして居るのであります。此の義烈團の組織は、四、五名の幹部を置いて

團長	金元鳳	慶南密陽	別名　金若山
幹部	韓鳳根	仝	別名　なし
仝	金相潤	仝	別名　金玉
仝	李鐘淳	慶北大邱	別名　梁建浩、梁達浩、楊根浩、梁權鎬
仝	尹滋英	慶北青松	別名　尹蘇野、本人は後に分離して青年同盟會を組織す

其の下に五六十名の黨員を置いてゐるのであります。團の仕事は専ら此の幹部の手に依つて實行されてゐるのでありまして、其の下の團員に於ては、お互

に團員たることすらも知らないと云ふ位、秘密に保たれてゐるのであります。處が昨年四月頃から此の義烈團の幹部の中に内訌が起りまして、即ち尹滋英一派のものが、金元鳳の無能であると云ふことに愛憎を盡かして、彼等の團体から獨立して分離するやうになつたのであります。それが後に説明する青年同盟と云ふものであつて、さしも横暴を極めて居つた處の義烈團も、此の仲間割れの爲めに漸く衰微いたしまして、今では殆ど金元鳳だけが殘つて、纔かに其の殘壘を守つてゐると云ふやうな狀況であつて、眞に孤城落日の感がするのであります。

次ぎは青年同盟でありますが、是れは今お話したやうに金元鳳の參謀格であつた尹滋英が、團長金元鳳に反旗を飜して、自分で別に青年同盟と云ふ一の團体を造つたのでありまして、其の目的は勿論義烈團と全然同じで、破壊暗殺を目的としてゐるのでありますから先づ義烈團の延長とも云ふべきものであ

ります。是れも目下の處、運動資金に缺乏してゐる爲めに、花々しい活動はしてゐないのでありまするが、是れも將來金でも手に入るやうになれば多少頭でも擡げて來やしないかと思ふのであります。

其の次ぎは雷聲團と云ふのでありますが、是れも義烈團と同じやうな目的を有つてゐる團体でありまして、其の根據が南京であると云ふことは、殆ど確實であらうと思ふのでありまするが、其の內容に至つては全然不明であります。

其の次ぎはタームル團と云ふものでありますが、是れも其の根據地は北京であるか、或は又西間島方面であるかは明瞭でないのでありまするが、私共今の處では其の根據は西間島であつて、北京、上海方面に其の支部と謂はうか、兎に角團員の一部の者を窃かに派遣して活動してゐるやうに思はれます。其の目的は親日派を掃蕩すると云ふことが主眼になつてゐるのであります。卽ち暗殺を目的としてゐる點に於て義烈團等と同じやうな性質のものであります。

第三　滿洲に於ける武力不逞團

次ぎに滿洲に於ける武力不逞團の狀況をお話いたします。新聞雜誌などに屢々出て參りまする所謂不逞鮮人とか、或は武力不逞團とか謂ふことは、滿洲方面殊に鴨綠江對岸に於て、朝鮮人の團体が武力に依つて朝鮮に侵入を企て、或は親日鮮人を殺し、或は日本の官公署を襲擊して、又は軍資金と稱して金を强奪して行くと云ふやうな行動をする團体のことを總稱してゐる言葉でありまする今武力不逞團の運動をお話しするに就て、先づ順序として此の武力運動の起原に就て少しくお話して見やうと思ひます。此の起原と申しましても日韓併合前後の極く遠いことは暫く措いて、私は主として大正八年朝鮮制度改正前後の事からお話しをしたいと思ふのであります。

恰度私が朝鮮に參りましたのは大正八年十月十七日でありまして私はやはり警務局に勤務して居りましたが其の當時は不逞鮮人が武力を以て朝鮮の國境に

侵入して來ると云ふやうな情報が頻々として到つたのであります。そこで、今にも來るかと思つて居つた處が一向來なくて、大正八年はさう云ふ情報ばかりで終つて了つたのであります。越えて大正九年になりまして、三月十五日に恰かも日を同じうして平安北道と咸鏡北道の二ヶ所に不逞團の襲擊が行はれたのであります。國境二道が同じ日に恁う云ふ襲擊事件のあつたと云ふことも奇妙な話であります。その事件は咸鏡北道の最も北端に穩城郡と云ふ郡がありまするが、其處の穩城警察署の管內で、署から約三里東北の方に當つて居りまする豐利洞と云ふ駐在所に、武裝した不逞團が約三十名ばかり襲擊して來て、駐在所に向つて發砲したのであります。すると我が警察官は直に之れに應戰しまして賊を擊退して我れに何等の損傷は無かつたのであります。處が平安北道に於ては恰も此の日、宣川郡對山面と云ふ所に、武裝をした處の約十名ばかりの匪賊が侵入して參りまして、其の面長を銃殺し、面の公金を强奪して逃走した事件

があつたのであります。此の事件を最初として平安北道並に咸鏡北道の兩道に又其の後咸鏡南道の方にも現はれて參つて、兎に角國境三道と云ふものは頻に彼等が出沒いたすやうになつたのであります。此の形勢が暫く續いて居りましたが、大正九年の九月に咸鏡北道對岸の琿春と云ふ領事館が、朝鮮人混入の馬賊の襲擊を受けたことがありましたので、其の際朝鮮側の方では咸鏡北道對岸一帶に亘つて、卽ち間島、琿春の平野一帶に亘つて出兵をいたしまして、警察隊も之れに參加して、共同して匪賊の討伐に從事したのであります。其の結果琿春、間島方面に散在して居つた處の不逞團は全部討伐せられたか、左もなければ東支沿線地方、又は西間島方面に全部遁竄をして終ひまして、爾來間島方面に少しも賊影を見出さないやうな狀態になつたのであります。咸鏡北道對岸は斯樣な次第で大變に平穩になつたのでありまするが、鴨綠江對岸は依然として匪賊の蠢動は行はれて、每年相當の人命と財產を犧牲にしてゐるやうな次第

であります。

處で茲で此の不逞鮮人の討伐に就ての困難な狀況を一言お話したいと思ふのでありますが、是等の武力不逞團と云ふものは、ズット以前から國事に不平を懷いて海外に飛出した者とか、又は日韓併合の際に不平を懷いて滿洲に飛出した者等が相集つて斯の如き武裝團を組織したのであります。彼等蠢動の場所が日本の領土であるならば恁麼ものを討伐することは實に尋常茶飯事でありますけれども、何分彼等の巢喰つてゐる所は、江を隔てゝ支那の領土であります。卽ち外國の領土であります。而も支那官憲の力は自分の國に仇なす馬賊でさへも討伐することの出來ないやうな狀況でありますから、殊に況や支那人に何等の危害を加へない處の、而して又支那側から云はせればあれは政治犯であると云ふ理窟の付け得る彼等の運動に對して、人命の犧牲を拂つて迄眞劍な取締をやらないと云ふことは寧ろ當然な話でありまして何も不思議はありません。而し

て朝鮮側としては江を越えて支那地に侵入して不逞團を討伐すると云ふことはなか〳〵至難であります、一体支那と云ふ國は形式論のやかましい處で。やれ主權侵害だの、內政干涉だのと言つて理窟を謂ひたがるのでありますが特に近頃の支那は反帝國主義運動等に依つて隨分鼻息が荒く、事每に利權回收と云ふ態度に出るのでありますから此頃では特に吾警察官が武裝して越境進擊をやることに對して氣狂の樣に抗議を申込んで來る實況であります、それでありまするから朝鮮の國境守備の警察官と云ふものは、進んで越境進擊をすると云ふことは出來ずして、敵が鮮內に侵入して來るのを待つて、之れを擊滅しなければならぬやうな非常に不利益な守成の立場に立つてゐるのであります。之れが討伐の上に於て最も困難な點である。同時に不逞團に取つては最も活動のし易い事情にあるのであります。けれども朝鮮側に於ても所謂背に腹は代へられない爲め、必要已むを得ざる場合に於ては、越境して討伐すると云ふことも絕無で

はないのであります。

恁う云ふ具合でありまして、日本官憲の方で思ひ切つて討伐をやると云ふことも出來ないし、去りとて支那側をして之れを討伐せしむることは之亦到底出來ない事であるとすれば、彼等が思ふ存分支那側で蔓つて機會をねらつては江を越えて朝鮮內に涉つて來ると云ふことは、恁うも當分の間已むを得ない狀況ではあるまいかと思ひます。恁う云ふ狀況でありますからして、國境警察官の警備の苦心も實に一通りではないのであります。

話は復た元へ戾りまして、大正十二年以後咸鏡南道の方も全く靜穩になりまして、現在では鴨綠江對岸の中でも主として平安北道の對岸だけが、斯樣な情勢を示してゐるのであります。是れが爲めに大正九年以來今日まで彼等の兇手に懸つて身命を亡くした者が、人民側に於て一年平均三三人强、警察側に於て平均八人と云ふやうな數字を示して居るのであります。然し乍ら對岸の不逞團

の力は、何れ程の實力を有つて居りまするかと云ふと、彼等の最も旺盛であつた大正九年頃には、北間島、西間島、並に琿春方面にかけて三百人乃至四百人多きは五六百人を一團とする處の不逞團が各地に散在して居つたのであります或は大韓軍政署だとか、又は光復團とか或は大韓獨立團とか、或は光淸團とか云ふやうな色々の團体の名前を附けて、盛んに活動して居つたのでありまするが、段々財政の窮乏を告ぐるし、一方又漸次時勢に目覺めて來るに從つて、是等の團体は何時とはなしに自然に解散をし、又は當局に皈順を願つて來て、現在に於ては唯だ鴨綠江對岸に正義府と新民府と駐滿參議府と云ふ三つの團体があるだけでありまして、他は悉く無くなつて終つたのであります。でよく情報なんかに出て來る大韓統義府と云ふのは、今では正義府に依つて併合せられたのであります。其の團員は全体で七、八百餘りであつて、銃器は人員の約八割位行渡つてゐるやうに思ふのであります。彼等の採用してゐる處の銃器は比較的

精鋭なものであつて、原則としてモーゼル拳銃を有ち、我が日本の四〇年又は四四年式の騎銃を有つてゐるものもあります。又外國製の長銃等も相等有つて居るのであります。而して彼等の組織は全く軍隊式でありまして、我が日本の制度を其儘摸倣してゐるのであります。其の訓練の方法も全く日本の遣方を摸倣してゐるのであります。彼等も今では自分達の姿を眺めて衷心では井底の痴蛙たることを慙愧に思つて居ることは事實であります（彼等が其子及近親等に寄する便りに依り）が今迄の行懸り上今更オメ〳〵と朝鮮に歸られないと云ふのが全くの眞情であります。

第四　國境警備の狀況

次ぎに國境警備の狀況をお話いたします。滿洲、朝鮮の國境には御承知の通り白頭山と云ふのが其の中央に屹立してゐます。其處から源を發して西に流れて黃海に注ぐものを鴨綠江と謂ひ、東に流れて日本海に注ぐものを圖們江と申

します。此の白頭山を中心として鴨綠、圖們、兩江を以て支那と朝鮮との境界となつて居ります。而して此の二つの江の延長は八一三哩でありまして、之れを內地に比較して見まするに、下の關から栃木縣の黑磯までより尙ほ少しく長いのであります。そして接壤地帶としては露、支兩國に境して居ります。之れに對する警備機關としては、警察官が先づ第一線に立つて警備を引受けてゐるのでありまするが、之れに配置してゐる處の警察署の數が、第一線、第二線を通じて二十九、駐在所出張所の數が三一〇ヶ所、警視が四人、警部が三十七人、警部補が九十三人、巡査が二千四百三十七人、之れが一哩に對する巡査の數は三人弱と云ふ割合になるのでありまして、此の巡査の中には第二線の者も這入つて居りまするし、又內勤に從事してゐるものも這入つて居りまするし、又警察署所在地に勤務してゐるものも這入つて居りまするから、實際江岸に立つて勤務に從事してゐる巡査の數は、一哩に就て一人餘り、一人半位の勘定に

なるのであります。河を隔てゝ對岸が何分支那領土であつて、其の支那官憲の取締程度は先程お話したやうな譯であります。而して朝鮮內に於ける警察官の配置が斯の如き狀態でありまする上に河幅も上流の方では非常に狹いのみならず、殊に冬季結氷すれば何處でも人馬の交通容易でありまするから國境警備と云ふことに對しては、實に言ひ知れない苦心が其處に存して居るのであります。

私も大正十一年の六月から大正十二年の六月まで約一ヶ年間咸鏡北道の警察部長として國境警備の重責を擔ふたのでありまするが、實際現地に臨んで吾々の僚友が警備をして居ります其の勤務の狀況を視る時に、唯だ々々感謝の外はありません、而してお上の方で彼等に酬ゆる處がまだ〳〵足りないと云ふことを痛感する次第であります。話は少し餘談に亘りますが、此の點は吾々お互に御奉公をしてゐるものとして、勤務の如何に酷いかと云ふことに就て、何程か內地の同僚諸君に御參考にして頂ければ非常に幸ひであると思ふのであります

が私も內地では比較的寒いと謂はれてゐる處の長野縣に約六年警察の勤務をいたしたのでありまするが、內地では朝鮮の國境に較べれば、怎んなに寒い所でも知れたものであります。朝鮮の國境地方では、嚴寒の候は、零下四〇度に降ります。盛夏の候は百度近くに昇るやうな有樣でありまして、それに宿舍も極めてお粗末千万なもので、朝鮮人の『温突』を借受けてゐると云ふやうな有樣であります。（尤も駐在所並に宿舍は漸次改善せられて居りますけれども）其處に我が警察官は妻子と共に暮してゐるのであります。そして殆ど夜中不逞鮮人の襲擊と云ふことに氣を配つて、常に銃を枕にして假眠を結ぶと云ふやうな有樣でありまして安き夢を結ぶことは出來ないのであります、そして婦人の如きも大抵は拳銃位を傍に置いて寢てゐるのであります。現に平安北道の舊邑駐在所に於ては、大正十二年一月不逞鮮人の襲擊を受けました際に、主人は銃を執つて應戰いたしますし、細君も拳銃を執つて匪賊の擊退に努めて居りました、

處が賊一名を斃した後に、其の細君は遂に賊彈の爲めに頭を射抜かれて其場に即死いたしました。子供三人を遺して國家の爲めに斃れたと云ふやうな悲慘な事例はあるのであります。

　又平安北道の秦川警察署長の本多と云ふ警部は、自分の管內に匪賊の被害が非常に多い爲めに、晝夜其の捜査に從事して居つたのでありまするが、或る晩數里先きに、武裝してゐる賊團が三名ばかり徘徊してゐると云ふ報告に接して恰度其時自分は健康を害して居つたのでありまするが、連日連夜部下を酷使してゐる爲め、今晩は先づ部下を出來るだけ休養せしめて置いて、自分が出て行くと云ふ決心をいたしまして、鮮人巡査一名を伴れて捜査に向ひました處が、途中で賊と出會つて直に銃火を交へました處が、不幸にして署長は賊彈に中つて斃れたのであります。

　斯樣な話は朝鮮國境に於ては枚擧に遑ないのでありまして、吾々は斯樣な人

の英雄的の行動を觀るにつけ、又主人の爲めとは言ひ乍ら、彼の僻陬な沙胡吹き荒ぶ江岸で、內地人などには殆ど行き會ふこともないと云ふやうな所で、夫君を輔けてゐる處の家族のものを視た時には、全く感激の涙に咽びます、そうして乃公達は勿体ないと云ふ感じが腦一杯起るのであります、又私が居りました咸鏡北道邊では、醫療機關が少ない爲め、病氣に罹つても醫者の藥を飲むと云ふことは出來ません。それで或る巡査の如きは病氣になつて、愈々死ぬる間際まで、一度で宜いから是非醫者に手を握つて貰つて死にたいと云ふことを言ひ續けて、到頭瞑目したと云ふやうな實際の例もあるのであります。勿論年々是等國境勤務の警察官に對して、優遇の方法は講ぜられて居りますけれども、未だ以て其の勞苦に酬ゆるには甚だ遠いことを思ふのであります。而して彼等が純眞な心を以て國境警備の第一線に立つて、奮鬪してゐると云ふ態度は洵に立派なものであります。私は確かに人生に於ける偉業であらうかと思ふのであり

ます。多少我田引水のやうになりましたけれども、確かに辛苦困難な程度は到底內地に於ては想像することも出來まいかと思ふのであります。吾々の同僚が朝鮮の國境に於て奮鬪して居りまする今申上げた狀況が幾らかでも、後進の敎育の上に御參考になるやうなことがあれば大變仕合はせだと思ふのであります。

　一寸茲で序でゞありますから國境の事件と朝鮮の治安の問題との關係に就て一言お話して置きたいと思ふのであります。或は前にも少し述べて置いたかも知れませんが、近來內地に於ても朝鮮の問題特に治安の問題に關して相當議論を新聞又は雜誌等に散見するのでありまするが、是等の議論の中で朝鮮の治安の狀態を非常に險惡であると云つて悲觀してゐるやうな議論がありまするが、『朝鮮總督府が朝鮮の治安狀態が良好であると云ふことが如何にも總督府自体の宣傳であつて、實際に於ては甚だ憂慮すべき狀態である。現に國境に於ては

不逞鮮人の爲めに良民が殺されて、又官公署等が襲撃せられてゐるやうな狀況であつて、朝鮮治安の狀態は當局が宣傳するが如く而く平靜なるものではないのである云々』と云ふ議論でありまするが、是れは內地に居つて地圖の上で朝鮮を見、又は朝鮮に所謂視察をやつて汽車の上から觀た位の智識で、朝鮮治安の問題を論議すると云ふことは非常に謬りであり、又有害なことであらうと思ふのであります。成程先程申上げたやうに、國境に於て多少の事件のあると云ふことは事實であります。良民が殺され、官公署が襲はれたと云ふことも事實であります。然し乍ら不逞鮮人が蠢動して居ります處の領土は對岸支那地である。是れが最も是等の黴菌を培養するには絕好の場所であります。そして圖們江、鴨綠江は大きいと云つても上流になると河幅も極めて狹いものであつて、舟なり筏に依つて自由に活動が出來まするし、若夫れ冬季結氷するに及んでは人馬の行通全く自由であります。斯樣な譯でありまするから對岸支那地に巣を

喰つてゐる處の不逞團が、暗夜に乘じて朝鮮內に潛入すると云ふことは無論容易に出來る事柄であります。故に斯樣な特殊の情勢に在る國境に於て、少しばかり匪賊の被害があるからと云つて、之れを以て朝鮮全道の治安の問題と混同せらるゝことは甚だ迷惑であるのみならず、極めて暴論であらうかと思ふのであります。勿論警察事故としては決して輕々に看過することの出來ない事柄である。出來得れば斯樣な匪賊の被害と云ふものを一件もないやうにしたいと云ふことは吾々の望みであります、けれども是れは經費に關係を及ぼすことであつて、現在の經費を以てしては如何なる手段方法を用ゐても、是れ以上のことは出來まいと思ふのであります。又朝鮮の一角に於て多少の事件のあると云ふことは遺憾乍ら已むを得ないことでありまして、是れ位のことは或る點まで覺悟しなければならぬものではなからうかと思ひます。乍然、之れを以て如何にも朝鮮全体の治安が紊されてゐると云ふやうなことは、實に滑稽の議論であると

謂はざるを得ないのであります。よく內地の人が、而も官吏又は相當の軍人で京城などに來て、拳銃でも持つて居なければ一歩も歩かれないかのやうな質問をする人も少くないし、甚だしきに至つては下の關に着いたら早速ピストルを飢身に着けて釜山に渡つて來たが、サテ來て見ると情勢の意外なのに驚いて、私かに拳銃を鞄の內に仕舞ひ込んで澄まして居つたと云ふやうな事例もあるのでありまして、所謂朝鮮不穩論なるものは、恁う云ふ人の口から出てゐることであらうと思はれますが、何分冒頭にお話して置いたやうに朝鮮問題に對する理解が、日本人全体に少ないことを憾みとする。批評は人の自由でありまするが、然し乍ら斯の如き的外れの妄評は治鮮策の上に於て時に或は意外な支障を來すことがないではないと思ひますから、茲に一言說明をして置く次第であります。國境警備狀況は是れ位にして置きまして、是れから在外鮮人の行動に就てお話して見たいと思ひます。

第五　アメリカ並にハワイ方面に於ける狀況

アメリカ方面に於てはズット以前からワシントンに歐米委員部なるものがあつて、少數の朝鮮人が其處に獨立運動の奔走をして居つたのでありますが、現在に於ても引續き多少の運動をやつて居ります。怎んなことをやつてゐるかと云へば先づ、パンフレット等に依つて朝鮮の獨立運動を海外に紹介したり、又は何か國際的の會合でもある際には、外國人の後援に依つて、極力朝鮮の問題を解決することに努力してゐるのであります。從來開かれた平和會議でも、又講和會議でも、或は國際聯盟會議でも、總ての機會に猛烈な運動をやつたのであります。是等は孰れも不成功に終つたのでありますけれども、活動だけは常にやつてゐるのであります。アメリカにゐる朝鮮人は鄭煥景（Henley chung）徐載弼（Philip Jason）と云ふ兩人を指導者としてゐるのであります。殊に徐載弼の如きは相當の學問もあるので、アメリカ人などゝ聯絡をとつて、年中獨立

運動の爲めに奔走してゐるのであります。多分今度ハワイに於て開かれる汎太平洋會議に、世界の基督敎關係の人達が集つて會議をすると云ふことになつてゐるのでありますが、此の會議にも、何か朝鮮人が活動するんではあるまいかと想像されるのであります。ハワイには朝鮮人が五三〇〇名程在住して居りまして、ハワイ居留團と、ハワイ獨立團との二つの團体があつて、孰れも獨立運動費として會員から金を徵集してゐるのであります。彼等の活動の狀況は矢張り米本土にゐるものと同じであつて、專ら宣傳等に依つて獨立運動の目的を達成しやうと努めてゐるのであります。此處にゐる朝鮮人の獨立運動は、斯樣な次第で兇暴ではないけれども、相當根を有つてゐる處の運動と見ることが出來るだらうと思ひます。

第六　歐羅巴に於ける朝鮮人の狀況

歐洲各國に在住してゐる朝鮮人の數は大正十三年六月外務省の調査に依ると

ロンドン一、ハンブルグ二一、パリー四、スイッツル二、オーストリア二、計三〇名と云ふことであります。けれども最近ドイツから皈つた朝鮮人の談に依ると、ドイツで五二・三、スイッツル二、イタリー二、フランス一五〇、オランダ約四〇、イギリス一〇、合計二五〇名位であると云ふことであります。けれども這は勿論正確の數字と云ふことは出來ません。それでは歐洲にゐる朝鮮人の運動の狀況はと云ふと矢張り米國方面と同じやうな狀況であつて、今日までの間に色々のことをやつては居りますけれども要之、各種の團体的會議、又は團体等に、出來得るだけの機會を利用して、朝鮮獨立の意志のある處を愬へると云ふことに努めてゐるのであります。乍然、それ等の運動は今日まで何一つとして成功してゐるものはないのであります。唯だ歐米に於て、外國人で此の朝鮮人の運動に同情してゐる人に、カナダ出身の英人で、元ロンドンのデリー・メールの記者をして居つたマッケンジーと云ふ人があるが、此の人が非常

に朝鮮人の境遇に同情しまして、自分で自ら『韓國の慘狀』及『朝鮮人の自由観』と云ふ本を發行したり、又英國下院に於て『朝鮮親友團』― The League of The Friends of korea ―と云ふ團体を組織したやうなことがあるのであります。そして非常に朝鮮人の境遇に同情して居りましたけれども、是れも何等の効果はなかつたのであります。のみならずマッケンジーは、大正十一年アメリカに於ける太平洋會議の狀況を、大統領李承晩に對して手紙を送つて『華府會議は、朝鮮が永久に日本の一部分であると云ふことを決定した。故に將來は偏に日本帝國に依頼して、其の日本の諒解に依つて朝鮮の前途を決定しなければ不可ない』と云ふ意味の書面を送つたと云ふことであります。恐らく從來やつて居つた運動が謬りであると云ふことを覺つて、而して彼が李承晩に之れを注告したもんであると思ふのであります。

次ぎにフランスでは大正八年の終り頃に、朝鮮人がパリーに集つて『在佛韓國

民會』と云ふものを組織したが、是れが歐洲に於ける朝鮮人團体の初めであると云ふことであります。是れも現在に於ては殆ど有名無實なものになつてゐるのだらうと思はれます。又獨逸では『留獨高麗學生會』なる團体があつて、大正九年頃に組織せられたものでありますが、今では會員も減少して、現在では僅々二〇名内外のものであると云ふことである。それから又ベルリンの郊外ポツダムでは朝鮮人倶樂部と云ふものがあつて、是れも相當排日宣傳に努めてゐると云ふことである。殊に最近上海の義烈團員も多少潜入してゐると云ふことである。其處で金元鳳が屢々ドイツに行きたいと云ふことを漏すことから考へ合はして見て、今私の言つた朝鮮人倶樂部の中に、義烈團員の這入つてゐると云ふことも嘘ではないかと思ふのであります。

第七　在外鮮人の共産主義運動

其の次ぎに鮮外に於ける共産主義運動の狀況をお話しいたします。鮮外に於

ける朝鮮人の共産主義運動と謂ひましても、主としてロシアに於ける狀況と、其他は間島、滿洲等の朝鮮接壤地帯の狀況でありまして、それ以外には朝鮮人の共産主義運動と云ふものは殆どないと云つても宜からうと思ひます。ロシアには可成り多くの朝鮮人が歐露の方面にも居つたと云ふことは事實でありますそれで勞農政府の方では朝鮮の獨立運動者を利用して朝鮮赤化の急先鋒たらしめんとして、専ら不逞鮮人の吸收と其の煽動に努めたものであります。現に大正九年四月にモスコーで鮮人等の第一回の會合が開かれた際に、鮮人勞働者の多數の團体の代表者が出席して、其他にレーニンとトロツキーと、日本社會主義者片山潜、米國社會主義者ドックス等を名譽會員に選んで極東に於ける革命運動を速成すると云ふことを可決したことがあるのであります。それで當時モスコーに於ける人民委員會が發表した處の宣傳文を見ても、勞農ロシアが當時朝鮮人と云ふものに非常に期待して居つたと云ふことが窺はれるのであります

現に大正九年頃には盛んに武器の供給をロシアから受けた事實があるし、又李東輝は大正十年頃に勞農ロシアから共産主義宣傳の條件に於て六十萬圓を受領したと云ふ噂もあり、又此の金を受領したが爲めに李東輝の秘書金立が仲間の爲めに殺されたと云ふ事實もある。さう云ふ關係であるからして、朝鮮人が金を貰ふが爲めに頻りにモスコーに往復をしてゐるやうな狀況であります。又最近レーニングラードに於て、朝鮮人が雜誌『言葉と劍』と云ふものを發行してゐることを發見したのであります。是れは全部諺文を以て記載して居つて、其の內容は全部共産主義の宣傳並に軍事敎練に關する事柄であります。斯の如く從來ロシアは革命以來鎖國主義を採つて、外國人の入露を非常に禁止して居つた狀況であるに拘らず、朝鮮人が比較的多數ロシアに這入つて、斯の如き運動に從事してゐると云ふことは兩者の關係が如何に緊密であるかと云ふことを物語つてゐるのであります。尙ほ聞く處に據るとモスコーに於ける第三インター

ナショナルの本部に於ても、東洋部長片山潛の下に相當の朝鮮人が居つて、朝鮮赤化に對する計畫を擴らしてゐると云ふことである。

次ぎは浦潮の狀況でありますが、浦潮では從來上海派の李東輝と、イルクツク派の韓明瑞とが互に軋轢をして居つたのでありますが、昨年の春高麗共産黨は第三國際共産黨から解散を命せられたけれども、尙ほ彼等は浦潮に於てロシア共産黨又は國際共産黨の孰れかに這入つて、國際共産黨本部の指揮の下に專ら朝鮮、上海方面に於ける共産主義の宣傳及び、共産黨の聯絡と云ふことに努力してゐると云ふやうな次第であります。尙上海の義烈團其他の各不逞團体なり、又は間島方面に於ける赤旗團等の各種の團体は、各々夫々モスコーの第三國際共産黨本部と聯絡をとつてゐると云ふことも事實であります。現に最近皈つて來た者の報ずる處に據ると、上海間島に於ける不逞團の模樣に就ては、國際共産黨本部に於て詳細に其の情報を知つてゐると云ふことであります。要す

るにロシア以外の國に於ける共産主義運動も、結局は國際共産黨本部の指揮に依つて動いてゐると云ふことが言ひ得るだらうと思ふのであります。唯だモスコーの本部と、是等の地方團体との間の聯絡に就ては色々の機關を通して行くことゝ思はれるのであるけれども、比較的斯の如き緊密な聯絡を保つてゐると云ふことは事實のやうに思はれるのであります。

第八　在外發行諺文雜誌

最後に總督府の方で今日まで發見しました海外に於ける獨立運動又は共産主義運動に關する不穩雜誌の諺文を以て發行せられてゐるものを示せば左の通りであります。內容は各々特色はありますけれども、此處に一々說明することは出來ませんからして、單に表にして此處に示して置くだけに留めて置きたいと思ひます。

(完)

繼續不穩新聞雜誌

題號	種別	發行地	題號	種別	發行地
韓美報	諺	ホノルル	民言	諺文	支那
國民報	仝	仝	新韓青年	仝	仝
太平洋時事	仝	仝	天鼓	漢文	上海
新韓民報	仝	桑港	東亞青年	諺漢文	仝
獨立新聞	仝	上海	新生活	仝	仝
新大韓	仝	仝	吾산(共產)	諺文	仝
大韓獨立報	仝	仝	大韓臨時政府公報	諺漢文	仝
震壇	仝	仝	勞働申報	仝	チタ
自由報	仝	露領	東亞共產新聞	仝	仝
赤旗	仝	仝	赤星	仝	ブラゴエ 鮮人共產黨
新世界	仝	仝	晨光	漢文	天津
新韓公報	仝	支那	愛國申報	諺文	間島

題號	種別	發行地
동무（友）	諺文	桑港
Korea Benieu	仝	仝
韓人敎會報	英文	米國
獨立論報	諺文	露領サハリン
自由	仝	上海
獨立公報	仝	北京
大同	仝	天津
正理報	仝	仝
太平洋雜誌	仝	華府
新韓公論	仝	支那
上海庸言	仝	上海
선봉（先鋒）	仝	浦潮
學友通信	仝	支那
倍達公論	仝	仝
群聲	仝	露領松田灣
年賀新聞	諺文	露領松田灣
鬪報	仝	天津佛界
正報	仝	上海天津
火曜報	仝	上海又ハ天津
先驅	仝	支那
勞働者	仝	チタ
華工醒時報	漢文	仝
青年會報	諺漢文	露領香山洞
新光	仝	北京大學
共產	仝	上海
勞働運動	仝	吉林
曉鐘	仝	天津佛界
文化	仝	浦潮
極光	仝	上海
愛世	漢文	仝

題號	種別	發行地
埜皷	諺漢文	吉林
平平	仝	上海
Young Korea	英文	ホノルル
警鐘	諺文	支那興京縣
新人物	諺漢文	北京
荒野	仝	燕京
正義公報	諺漢文	南京
同友	仝	吉林
上海少年	仝	上海
革命	仝	北京
上海評論	仝	上海
ヒルロ時事	仝	布哇
旬刊勞働報	仝	吉林
嚮導	漢文	北京
導報	諺漢文	仝
海外旬報	諺漢文	北京
炬火	諺文	廣東
四民報	漢文	上海
中外大事彙報	仝	仝
宣傳	諺漢文	仝
不得已	仝	天津
韓民報	仝	上海
韓論報	仝	黑河
旬刊新民報	諺文	北滿
赤色青年	露文	浦潮
馬ト劍	諺漢文	レーニングラード
大震	漢文	寧安縣寧古塔
農民益計	諺漢文	寧安縣
勞働新報	諺文	チタ
一世報	諺漢文	敦化

題號	種別	發行地
警鐘報	諺漢文	寬甸
光明	漢文	廣東
勞働世界	諺漢文	ハバロフスク
勞働報	英文	米國
工人の路	漢文	浦潮
少年ハレーニンノ部下	露文	モスコー
霹靂	諺漢文	天津
歐米委員部公報	仝	桑港

不穩印刷物

題號	種別	發行地
朝鮮留學生會報	諺漢文	シカゴ
義烈團概文	仝	上海
韓國歷代小史正謬	仝	浙江
革命宣言	仝	上海
虐殺	仝	仝
九九社宣言	仝	仝
歐米委員部通信	英文諺文	布哇
興士團約法	諺漢文	上海
ウエルチ博士聲討文	仝	仝
血淚	仝	仝
國民委員會公報	仝	北京
韓族勞働黨發起文	仝	吉林
朝鮮人ニ對スル公開狀	英文	華府
神壇民史	諺漢文	上海

題號	種別	發行地
高麗時報	諺漢文	上海
史誌通俗	仝	仝
杜曆	仝	ホノルル
魚洋宣言	仝	北京
扶族統一發起文	仝	寧古塔
國恥誌	仝	上海
金相玉傳	仝	仝
國恥小誌	仝	仝
海外同胞	諺文	北京
醒獅	仝	南京
聲討文	仝	北京
三一紀念日ニ關スル記事	仝	吉林
勞働者雜誌	仝	華府
露日新協定ニ對スル一般同胞ニ告ク	仝	北京
韓人基督敎會報	仝	ホノルル
朝鮮民衆	諺文	天津
惡分子掃蕩宣言	仝	北京
韓國獨立黨組織促成宣言	仝	仝
思想運動	仝	輯安
水賓	仝	知多
露西亞共產黨政綱	諺漢文	仝
共產黨ノ宣言	仝	仝
勞働組合ノ話	仝	哈府
我等無產階級ノ進路	仝	仝
新シキ世トナレハ	仝	チタ
共產黨ノ簡章、紀律及政綱	仝	上海
カール、マルクス	仝	仝
レーニン	仝	仝
高麗共產黨	仝	仝
俄憲說略	漢文	仝

職工同盟	諺漢文	上海
共産主義與無政府主義及議會派ノ比較	仝	仝
直接行動	仝	仝
新軍令ト使命	仝	浦潮
我們的運動	漢文	上海
共産讀本第一第二卷	諺漢文	仝
共産主義的五月一日	仝	仝
土地問題	仝	仝
共産黨ノ手引	仝	モスコー
兵卒ノ覺悟（リープクネヒト）	邦文	浦潮
李十克内西記念	諺漢文	廣州
眠レル韓族ハ奮起セヨ	諺漢文	浦潮
世界無産階級團結セヨ海軍水兵諸君	邦文	仝
勞農露西亞ノ赤色艦隊	仝	仝
在魯革命軍隊沿革	諺漢文	仝
階級闘爭場裡ノ青年	仝	仝
朝鮮ノ日本兵士ニ告ク	邦文	仝
告遠東俄羅斯革工	漢文	仝
海坊主	邦文	仝
日本青年及婦女子勞働者ニ與フ	仝	仝

—(122)—

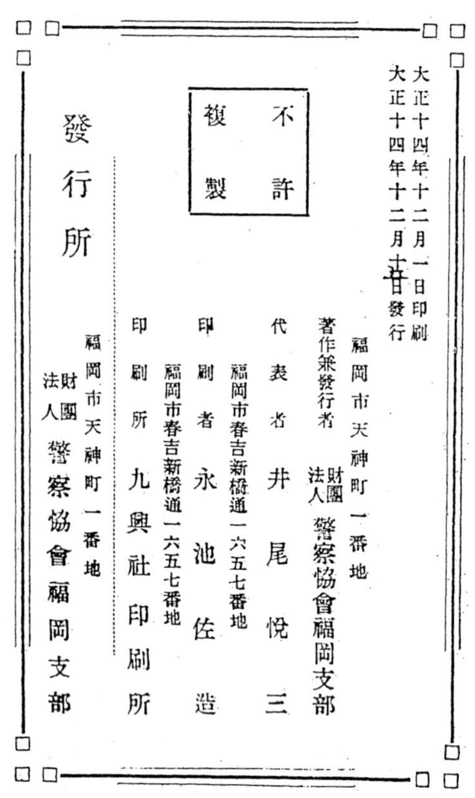

大正十四年十二月一日印刷
大正十四年十二月十五日發行

不許複製

福岡市天神町一番地
著作兼發行者 財團法人警察協會福岡支部
代表者 井尾悦三

福岡市春吉新橋通一六五七番地
印刷者 永池佐造

福岡市春吉新橋通一六五七番地
印刷所 九興社印刷所

發行所
福岡市天神町一番地
財團法人警察協會福岡支部

復刻版 編集
朝鮮治安関係資料集成
第I期（第1巻・第2巻）

2018年8月31日　第1刷発行
揃定価（本体56,000円＋税）

編　者　水野直樹
発行者　小林淳子
発行所　不二出版
東京都文京区水道2-10-10
TEL 03（5981）6704
印刷所　富士リプロ
製本所　青木製本
乱丁・落丁はお取り替えいたします。

第2巻　ISBN978-4-8350-8231-8
第I期（全2冊 分売不可 セットISBN978-4-8350-8229-5）